COMTESSE DE SÉGUR
née
ROSTOPCHINE

DU MÊME AUTEUR

LA FEMME BUISSONNIÈRE, Jean-Jacques Pauvert, 1971.
LA DERNIÈRE FEMME DE BARBE-BLEUE, Grasset, 1976.
LA MARIE-MARRAINE, Grasset, 1978.
LA GUENON QUI PLEURE, Grasset, 1980.
L'ÉCUREUIL DANS LA ROUE, Grasset, 1981.
LE BOUCHOT, Grasset, 1982.
LE TOURNIS, Grasset, 1984.
JARDINS-LABYRINTHES (avec Georges VIGNAUX), Grasset, 1985.
LE DIABLE BLANC (le roman de Calamity Jane), Flammarion, 1987.
    J'ai lu.
LA GARDE DU COCON, Flammarion, 1987.
LE CHÂTEAU D'ABSENCE, Flammarion, 1989.

PRIX-DISTINCTIONS :

GRAND PRIX DES LECTRICES DE « ELLE » 1978 pour *La Marie-
    Marraine,* adapté à l'écran sous le titre *L'Empreinte des géants*
    par Robert Enrico.
PRIX DU LIVRE INTER 1983 pour *Le Bouchot.*

LE LIVRE DE POCHE :

LA MARIE-MARRAINE
LE BOUCHOT
LE TOURNIS

J'AI LU :

LE DIABLE BLANC
LA GARDE DU COCON
LE CHÂTEAU D'ABSENCE

HORTENSE DUFOUR

COMTESSE DE SÉGUR
née
ROSTOPCHINE

FLAMMARION

© Flammarion, 1990.
ISBN 2-08-067565-6

Imprimé en France

Qui reçoit un enfant en mon nom me reçoit.

Évangiles

PREMIÈRE PARTIE

UNE ENFANCE RUSSE

Le sang chaud enivre comme le vin.

Sophie de Ségur

I

UN ANCÊTRE SINGULIER : GENGIS KHAN

> *La petite Sophie avait des yeux magnifiques, gris, pétillant d'intelligence et pleins d'expression. Toute sa vie, ses grands yeux, si tendres pour ceux qu'elle aimait, surent foudroyer les méchants et les hypocrites. Nous appelions cela son regard tartare-mandchou, et, de fait, le sang de Gengis Khan bouillonnait alors visiblement dans les veines de Sophie.*
>
> Olga de Pitray

Ni villes, ni remparts, ni écriture, ni livres.

Grondement des chevaux, chevaux jamais ferrés. Groupe nomade, entraîné dès l'enfance à l'équitation, au tir à l'arc. Les Mongols sont un peuple étranger au monde russe du XIIe siècle. Leur brutale apparition en 1223 éclata « comme un coup de tonnerre dans le ciel bleu ». Est-ce de cette sanglante invasion que s'incrustera dans l'âme russe ce proverbe : « Si le malheur frappe à ta porte, ouvre-la-lui tout grand » ?

La horde d'or. Visages cuivrés, yeux bridés, exhalant la même odeur de sueur, de suint et de poussière que leurs bêtes. Mangeurs de viande crue, persuadés d'être issus du Loup bleu, colossale divinité de la plaine sibérienne. Ils furent le malheur et la destruction sporadique d'un empire qui, de Novgorod à Moscou, prospérait tout au long de la route des marchands chargés de denrées orientales.

Unique certitude : indomptables. Ils ont le culte des nuages dans lesquels ils lisent tous les signes du destin qu'ils dessinent sur la peau de leurs yourtes géantes. Ils fichent, en leur milieu, le tronc d'un bouleau, arbre sacré, ouvrant le toit vers ces nuages accumulés en forme d'orages et de pluie féroce.

Ils occupent l'inoccupable ; ces plaines et ces montagnes du sud-est de la Russie, limitrophes de la Mandchourie et de la Sibérie. Vols de cigognes, aigles prédateurs, échassiers noirs et bleus, que Gengis Khan compare à ses ennemis exterminés. N'ont le droit de survivre que les forts. Le vieillard, l'enfant malade, la femme débile, moins active que la jument, sont abandonnés au milieu de la steppe. Ils se vivent les maîtres, les dieux vivants, affrontent à mains nues l'ours blanc, qu'ils adorent ensuite dépecer, découper et dévorer.

Nuages, nuages, levée bleue de la poussière sous les pattes des courts chevaux fauves, populations vaincues, empalées, décapitées, clouées aux portes, nuages, nuages plus rouges au fur et à mesure que le grand khan s'approche de la grande muraille de Chine...

Dans sa terre de Livna, le dur seigneur Basile Rostopchine, grand-père de la comtesse de Ségur, entretient la légende. Il répète quotidiennement, entre deux flacons d'alcool, à son aîné, Fédor, que le khan a eu quatre fils légitimes. Le troisième, Ogodei, a pris le titre de « grand khan » à la mort du vieux Gengis. Les traces alors se perdent, sauf celles des légendes. Les légendes finissent par injecter dans le sang une vérité symbolique si forte que les Ségur du faubourg Saint-Germain resteront toujours persuadés qu'Eugène de Ségur a épousé, en Sophie Rostopchine, une authentique Mongole. Ses yeux légèrement bridés, capables d'éclairs gris, fulgurants, le teint « olivâtre » dans la colère, éclatant dans la joie, l'accent où tonnent les « rr », rappellent davantage une race mandchoue qu'un type purement russe.

Le vieux Basile Rostopchine possède certains documents dont il est très fier, mentionnant au XVIe siècle l'arrivée d'un certain Boris Davidov Rostopcha (ou Rastapcha). D'après Nathalie Narychkine, sœur de Sophie, ce Rostopcha eût accepté de quitter les Tartares pour le baptême, la religion orthodoxe et l'installation sédentaire.

Légende, légende ; les fils de Gengis Khan, Djochi et Djaghacaï s'entredéchirent. Le plus fort, Odogei, a compris que l'unité mongole est impossible. Il faut continuer à réduire la Russie par invasions brutales, imprévisibles. Parmi ces Mongols, certains n'ont qu'une envie : devenir russe. Oublier ce nomadisme sanglant. S'installer. Posséder terres, patrie, religion. Créer une descendance. L'ancêtre Rastapcha en fait partie. Il quittera d'un seul coup la Crimée pour prendre son risque de mort et de vie : devenir russe. Théodore, ou Fédor Rostopchine, gardera précieusement dans les archives familiales une lettre de Paul Ier (dont il était le grand favori) stabilisant la trace de ce Boris Davidov Rostopcha (ou Rastapcha) :

> *Par la grâce de Dieu, nous, Paul Ier, empereur et autocrate de toutes les Russies (…). Il est à notre connaissance que notre cher et fidèle sujet intime actuel Fédor Vassilievtch Rostopchine descend d'une ancienne, noble et illustre famille, provenant de Boris Davidov Rostopcha, venu de Crimée en Russie pendant le règne du grand-duc Vassili Joanovitch et que lui ainsi que ses descendants ont servi nos prédécesseurs tant dans la carrière militaire que dans la carrière civile (…) occupant des rangs élevés avec fidélité, zèle et sans reproches.*

Cette lettre est datée du 12 mars 1800, à Saint-Pétersbourg. Ce même document développe les prestigieux honneurs dont le tsar fou avait couvert son favori, le comte Fédor Vassilievtch Rostopchine, père de Sophie.

Le seigneur de Livna

A partir du vieux Basile Vassilievtch Rostopchine, installé à Livna au début du XVIIIe siècle, les Rostopchine sont devenus des Russes. Les Tartares sont désormais refoulés. Depuis Pierre le Grand, l'influence occidentale s'est fait puissamment sentir. Même si la Russie n'a connu ni renaissance, ni réforme, ses contacts avec l'Europe, en particulier la Suède, la Hollande et l'Angleterre, existaient. Après l'exécution de Charles Ier d'Angleterre, une correspondance diplomatique avait eu lieu sous le tsar Alexis, elle fut publiée par Konovalov dans les *Oxford Slavanic Papers*, illustrant les projets d'une relation anglo-russe.

Le commerce, comme toujours, avait été le puissant véhicule d'ouverture. Pierre le Grand entretint à son tour des relations de curiosité intellectuelle avec l'Europe, en particulier son architecture. Au moment où naissait le seigneur de Livna, l'influence allemande était grande, les Russes avaient adopté les mœurs occidentales, construit des églises baroques, commencé à introduire dans leur alimentation des asperges et des salades, appris à fumer et à priser — en dépit de l'interdiction religieuse du tabac — et obtenu de faire pousser une curieuse fleur, la rose. Les plus audacieux coupèrent cheveux et barbes et s'enthousiasmèrent pour le premier service postal créé en 1664, copié sur le modèle occidental.

Le seigneur de Livna était resté un irréductible féodal, rétrograde, barbare, dont le nom sonnait ainsi : Basile Fédorovitch Rostopchine. Il détestait la ville, la société, l'incroyable audace de Pierre le Grand qui estimait désormais que les femmes devaient faire partie des soirées mondaines, être mêlées aux hommes et non plus reléguées et voilées selon la coutume orientale et asiatique que Basile trouvait excellente.

Sous le règne de Catherine, Basile prit sa retraite de l'armée — les grands seigneurs y avaient droit — et se retira des mondanités qu'adorait cette souveraine. Il y avait aussi son état-major d'amants, Potemkine, Nikita Panine. Ses généraux à tête d'ogre, Roumiantsev et Souvarov qui ne rêvaient qu'élargissement des frontières.

Basile Rostopchine reprit du service et se battit contre la Turquie, les Tatars de Crimée, ses ancêtres. Il pénétra, sous les ordres de Roumiantsev en Bessarabie, dans les Balkans. Autant de guerres, autant de succès, mais Basile finit par choisir sa retraite avec le grade de sous-lieutenant. Quelques raisons motivaient ce choix. Son amour effréné pour sa terre de Livna, dans le gouvernement de l'Orel. L'envie despotique d'y régner ainsi que sur ses trois mille serfs. Sa haine pour les influences anglaise et française qui faisaient fureur depuis l'engouement de la souveraine pour les philosophes des Lumières qu'il trouve vaniteux et mous. Enfin, il a choisi de prendre épouse. Il régnera ainsi sur une descendance qui héritera un jour des terres et du nom de Rostopchine.

La jeune fille fut choisie dans la famille d'un barine, un seigneur, voisin. Les Krukov, ou Krukow, ou Krakov. L'orthographe est peu sûre, le prénom perdu. Elle laissera à ses fils le souvenir miraculeux d'une frêle jeune femme, extrêmement douce, tendre, croyante, cultivée, ce qui était rare au fond de l'Orel. Basile Rostopchine avait trente ans quand il l'épousa. Elle en avait à peine dix-huit. Il l'aima à sa manière, jusqu'à parfois lui obéir. Sa violence reprendra, décuplée, après le décès de sa petite épouse.

La barinia

On hésite sur le lieu de naissance de Fédor, le père de Sophie. Moscou ou Livna ? Fédor naquit le 22 mars 1765. Basile rejoignait Moscou où il possédait une immense maison. La route de Livna à Moscou est affreuse. La douce barinia, fragile, secouée de malaises dans le traîneau fermé qui avance si lentement sur ces chemins défoncés. Il faut arriver avant les neiges. Elle aime Moscou, que Basile considère comme unique capitale de la sainte Russie. Une ville de bois et de coupoles d'or, une ville presque orientale avec ses marchés, ses marchands vêtus de kaftans, coiffés de turbans, offrant à la vente des objets orientaux, du miel, des épices. La naissance approche. Le 22 mars au matin, sur un lit de planches et de toile, Fédor Vassilievitch Rostopchine est né, ondoyé le jour même, de religion orthodoxe. La famille aurait repris la route de Livna aussitôt après la fonte des neiges, les longs mois dans la demeure de Basile, la grosse citadelle de Kouzmodemiansk.

On ne sait rien de la barinia, excepté cette tendresse dont Fédor parlera. La terre de Livna est immense, la citadelle composée de salles glaciales. S'il y a l'espace, la barinia ne vit pas dans le luxe. L'atmosphère, au château de Kouzmodemiansk a quelque chose de militaire. Les serfs sont innombrables, la mère de Fédor tremble de pitié pour eux car le terrible Basile Rostopchine ne laisse pas à ses intendants le soin de les knouter, parfois à mort. Il sévit sans relâche, sa petite épouse entend tout, serre contre elle son bébé.

Elle a bien vu, lors du déjeuner — il mange seul, ce dur féodal qui la dépasse de plus d'une tête —, composé de soupe aux choux, de lait caillé et de *kvass,* sorte de bière, qu'il a bu plus que de coutume. Elle a appris à repérer cette expression qui défigure le grand visage sauvage pourvu d'une paire de terribles petits yeux de cosaque, gris, fendus aux tempes, au-dessus des pommettes kalmoukes, envahies par la barbe qui descend jusqu'à sa ceinture, toujours garnie d'un coutelas et d'une paire de pistolets. Elle a bien vu l'extase presque lubrique qui précède chaque exécution. Le pauvre hère amené dans la grande salle a beau supplier : « *Batiouchka* ! », il lui cloue le bec d'un grand coup de poing et va chercher les verges conservées dans un coffre plein de sel.

A Livna, il y a une sorte d'écurie puant la sueur et l'urine où le serf se tord de souffrance, attaché à un tronc, déféquant de douleur sous les coups du maître. Ces scènes terribles ont pour témoin la barinia. Si elle meurt, la barbarie de l'époux n'épargnerait pas le

15

fils. On a vu, dans l'Orel, des pères tuer leurs enfants à coups de fouet. La mémoire familiale sera marquée à jamais par tant d'horreur. Ainsi la comtesse de Ségur reproduit-elle dans ses romans russes la férocité du knout. Quand le général Dourakine s'approche de Torchonnet tout tremblant et s'enferme voluptueusement avec lui : « Il se jeta sur lui, lui arracha en moins d'une minute ses vêtements, ferma la porte à double tour et commença à lui administrer le knout (...), il se tordait et rugissait sous l'étreinte et les coups de l'homme, chaque coup marquant dans sa chair une trace livide[1]. »

La nuit de ses noces, la nuit de la conception de Fédor, n'a-t-elle pas été ainsi livrée à l'étreinte et à la violence dans une chambre fermée à double tour ? N'a-t-elle pas, les yeux fixes d'horreur, vu si près d'elle l'expression sanguinaire mêlée d'extase de cet homme qui criait des mots obscènes, mais aussi le grand mot Amour ? « C'est mon mari qui savait fouetter », dira Mme Papofski, dans *Le Général Dourakine*, « le fouetté sortait de ses mains telle une écrevisse. »

Un mystère entoure la naissance du second fils. Il serait né un an après Fédor. Nathalie Narychkine mentionne « six ans d'écart » car la barinia aurait eu le temps d'enseigner la lecture et l'écriture à l'aîné. La jeune mère décéda aussitôt après ses couches. Basile Fédorovitch Rostopchine pleura, cria, se frappa le front, blasphéma, secoua le cadavre de sa jeune femme. Un sauvage chagrin l'agita jusqu'au délire. Les veilleuses éclairant les icônes n'eurent aucun effet d'apaisement sur cette âme mongole. Il donna un grand coup de poing à Fédor qui sanglotait près de sa mère adorée. Il faillit renverser dangereusement le berceau où criait un poupon tout rouge.

Son deuil dura un jour. Il reprit sa vie de débauche en achetant aussitôt quelques vierges dans ses villages. Les paysans fournissaient volontiers leurs filles. Passer une nuit chez le seigneur était une promotion, d'autant plus si le seigneur jetait à la fille un collier d'argent. Elle trouvait alors aussitôt à se marier. Livna devint un sérail. Basile but plus que jamais, viola, forniqua, tortura. Il reprit ses chasses et ses grands galops dans ses forêts. Il doubla l'*obrok,* sorte de gabelle, et les corvées. Il traita ses fils à coups de pied, à coups de poing et à coups de fouet. Les favorites du jour faisaient de même. Cris, injures, manque de soin, nourriture à peine

---

1. *L'Auberge de l'Ange Gardien.*

16

suffisante, chambre sans feu à moins quarante degrés, telle fut la petite enfance du père de Sophie. Basile imagina de ramener des maîtresses de la ville. Elles régnaient en despotes sur le sérail. L'absence du maître déchaînait le vol, la violence et la haine sur les deux petits Rostopchine.

Un précepteur français : M. Lacour

Les grands seigneurs russes faisaient venir d'Europe les précepteurs pour leurs fils. Ce fut la chance de Fédor et de son frère. Le seigneur de Livna engagea de Moscou un Français de haute réputation, M. Lacour. Les deux petits héritiers échappèrent à une éducation barbare grâce à lui. Fédor parlera toute sa vie avec émotion de « cette âme d'élite ». Arrivé après un mois de voyage en traîneau fermé, le précepteur affronta aussitôt son maître, à demi ivre dans la grande salle de Livna :

« Sachez, monsieur le Français, qu'en Russie nous ne sommes que cinq grandes familles de comtes russes d'origine tartare : les Apraxine, les Rodvinov, les Ouvarov, les Boranov et nous, les Rostopchine. Sachez aussi que la culture française est une mollesse imbécile. Mes fils sont des gredins. Ils iront à l'armée. »

Lacour ne s'en laissa pas impressionner. Aussitôt présenté aux garçons, il décela en eux une vive intelligence. Il lutta pied à pied pour obtenir d'enseigner à ses élèves le latin, la géographie et les mathématiques. Il fut étonné de la prodigieuse facilité des enfants pour le dessin, les langues étrangères. C'étaient des enfants extrêmement affectueux. Lacour leur servira de mère. Il ne leur ménagera jamais sa tendresse ni sa consolation.

Mort du frère de Fédor

Dès que Fédor eut dix ans, Basile Rostopchine négocia et obtint l'affectation de son aîné au régiment des gardes de Preobrajenski. Fédor précise dans ses mémoires avoir enduré encore sept années de misère avant de rejoindre Saint-Pétersbourg, en 1787, comme lieutenant de garnison. Cette éducation en fit un homme de haute taille, endurci, solide, résistant au froid, au chaud, à la faim, à la soif, aux coups. De son père, il adopta le mépris de la mondanité. Il exécrera, comme lui, Saint-Pétersbourg, trop moderne et polluée.

17

Fédor préférera Livna où hurlent les loups, tourbillonnent la neige et le vent. Il aimera Livna, d'une passion compliquée.

Fédor fit vite carrière au régiment des gardes. Nommé enseigne en 1782, sous-lieutenant en 1785, lieutenant en 1787, il devient capitaine en 1789. La Grande Catherine, outre ses guerres contre les Turcs et les Polonais, souhaitait régler son conflit avec la Suède. Le frère de Fédor était un très jeune homme quand il devint officier aux gardes en 1788. Il fut nommé, pendant la guerre contre la Suède, commandant d'une chaloupe canonnière dans la flottille du prince de Nassau. Mal engagé dans la mer Baltique, trop proche des côtes suédoises, entouré de trois navires ennemis, sommé de se rendre, le cadet de Basile Rostopchine se mit à hurler à la sommation de reddition : « Plutôt mourir ! ».

Il mit aussitôt le feu aux poudres, fit sauter son navire et son équipage. Le vieux Basile en pleura d'admiration. Fédor Vassilievitch Rostopchine devint le seul héritier du titre et des terres de Livna.

Fédor et la guerre

Cette guerre contre la Suède faisait partie des ambitions de Catherine et de son amant Potemkine, tous deux obsédés par « le projet grec ». La souveraine rêvait de battre les Ottomans, de s'emparer de leurs territoires en Europe, de rétablir un grand empire chrétien dont Constantinople, enfin assujettie, serait le centre. Dès 1790, Fédor Rostopchine fut présenté à Souvarov qui l'engagea dans sa campagne contre la forteresse imprenable d'Ismaïl. Koutouzov entra le premier dans la citadelle vaincue. Le jeune guerrier Rostopchine fut officiellement reconnu pour sa vaillance par ces deux redoutables hommes de guerre. Fédor a vingt-trois ans. Il se distingue pendant le siège et la prise d'Otchakov. Souvarov, qui l'a longtemps observé, lui pose un jour, de but en blanc, cette question insolite :

« Monsieur, combien y a-t-il de poissons dans la Neva ? »

Fédor adore la bizarrerie. Il répond par un chiffre extravagant. Souvarov est enchanté. Son rire secoue sa bedaine :

« C'est bien, monsieur. »

Il lui secoua violemment la main en signe d'amitié. Ils firent campagne ensemble. Ils marchèrent sur Constantinople. Par le traité de Iaşi, signé le 9 janvier 1792, la Russie grâce à des hommes de cette poigne, contrôle la forteresse d'Otchakov ainsi que le littoral de la mer Noire.

Fédor sabre, chevauche, avance, empoigne, tue, se bat jusqu'à l'héroïsme. Il aime la guerre, les armes, le dépassement de soi. Ses exploits montent jusqu'à l'oreille de Catherine qui n'hésitera pas à doter sa future femme.

Fédor

Fédor aimait étudier et écrire. Lacour est reparti en France, non sans avoir conseillé à son élève de fréquenter l'université de Berlin et de Göttingen. Fédor attire l'amitié par sa vitalité, son esprit curieux, son sens du rire, sa droiture. Il entra en correspondance avec le comte Roumiantsev. « Mon ardeur pour le service, lui écrivait-il, et l'impatience d'être mis à l'épreuve sont trop fortes pour que je me contente de rester dans un corps de réserve. »

Après ses campagnes, il fut obligé de rejoindre la haute société de Saint-Pétersbourg. Fréquenter, tels les héros de *Guerre et Paix,* des dîners de trois cents couverts, sans parler des bals et des visites incessantes d'un palais à l'autre. Son esprit mordant, sa verve, sa franchise totale, lui attirèrent aussitôt amis et ennemis. Il méprisait ouvertement les vingt et un amants de la souveraine. Les courtisans, plats et vils. La présence de Voltaire à la cour, qui avait trouvé « délicieux » que la Grande Catherine chargeât Potemkine lui-même de lui fournir des hommes qu'elle consomme quotidiennement.

Fédor se rendait compte à chaque instant du « costume » superficiel de ce monde de courtisans, en fait inculte et grossier. « Je suis forcé de donner raison à un Anglais qui disait en parlant des Russes qu'on n'avait qu'à fendre la veste pour sentir le poil. »

Le matin, Fédor se levait tôt. Après avoir bu un thé très fort, il se mettait aussitôt à lire la presse. Les *Moskovskié Védomosti,* c'est-à-dire « Les Nouvelles de Moscou », premier périodique créé en 1756, encouragé par Catherine, ainsi que sept autres que Fédor lit consciencieusement. La vie culturelle bat son plein à l'université de Moscou grâce à Chouvalov et Lomonossov. La souveraine a favorisé le droit, les mathématiques et la philosophie. Fédor se passionnait pour toutes ces matières, en particulier pour la théologie. Il continua à détester la bande de nouveaux philosophes, Rousseau, Locke, les encyclopédistes dont Catherine s'était entichée. Fédor les a tous lus, haïs les uns après les autres. Le fils de

19

Basile Rostopchine est aussi un féodal réactionnaire. Il détestera, sa vie entière, la Révolution française.

Fédor s'enthousiasme pour la langue écrite. Né pour la guerre, il écrira bien avant sa célèbre fille. Le problème linguistique est résolu. Le Russe moderne est en train de s'imposer. Le slavon demeure surtout une écriture religieuse. Fédor trouve commode une unité verbale écrite. Vers le milieu de la matinée, il lit les vers d'Antioche Kantemir. Il envie le talent de Soumarokov. Il déteste Derjavine, barde de la souveraine, qu'il trouve plat et flatteur. Fédor a-t-il redouté que la tsarine ne l'attirât dans son lit ? Autant son père, à Livna, copule sans relâche, autant Fédor est chaste et probe.

Un emploi à la cour

Héritier de l'immense fortune de Basile, très en vue à la cour, Fédor Rostopchine commence à intéresser les pères ayant des filles à marier. Il est beau à la manière mâle. Grand, bien bâti, agité, imberbe, le regard étincelant de mille sentiments qu'il ne cache guère. Excellent cavalier, courageux, bon danseur — surtout brillant causeur — somptueux dans ses brandebourgs vert foncé, dorés, la jambe haute et bien sanglée de bottes vernies noires, Fédor est sûr de plaire. Il repousse les mondaines en s'excusant bien haut : « Seuls les bossus des deux sexes exercent sur moi un attrait irrésistible. »

Il est attiré par la vertu. Il chérit toujours, au secret de lui-même, la douce barinia, sa mère, petite icône à jamais scellée dans sa mémoire. La femme qu'il aimera et épousera sera à l'opposé de tout ce qu'il côtoie à la cour. Il tient à s'occuper seul de son mariage. Froisse-t-il le prince de Nassau en refusant sa fille ? Homme à risque, indépendant, Fédor n'en a cure. Homme de devoir, il accepte avec empressement la proposition de sa souveraine. Servir le fils de Catherine, grand-duc héritier, un des pires paranoïaques de l'histoire russe : le futur tsar Paul Ier.

Le grand-duc est hideux à voir. Malingre, le menton prognate, une épaule plus haute que l'autre, secoué d'asthme, d'épilepsie, une bouche de souris, tic nerveux jetant sans cesse son œil droit vers la tempe, eczéma sur le cuir chevelu, taches de radis le long des bras, bavant presque sans relâche. Dédaigné et honni par sa mère, il glapit sans cesse et rappelle à cette dernière qu'elle a assassiné son père, le tsar Pierre. L'impératrice hausse les épaules et réfléchit à la manière de se débarrasser de cet avorton. Qui en est le père ? Elle a oublié. Elle délègue Rostopchine comme gentilhomme auprès de ce débile dangereux qu'il serait maladroit de faire disparaître trop vite.

Fédor s'attache à ce misérable qu'il défend aussitôt. A peine à son service, il surprend les ricanements des favoris et des valets qui n'exécutent pas les ordres du grand-duc. Rostopchine entre dans une colère explosive. Il traite les favoris de « singes dépravés ». Affronte les plus hauts dignitaires. Menace un prince Galitzine d'un coup de pied aux reins. Exige qu'on respecte le fils de Catherine. Il prend très au sérieux son rôle de protecteur. Le monstre en bégaie d'émotion, pleure et appelle Rostopchine « son seul ami ».

Le grand-duc ne peut vivre sans lui. Les éclats généreux du comte Rostopchine entraîneront son premier exil. Il est forcé d'aller en Prusse malgré les hurlements du grand-duc qui se roule sur le parquet, pris d'épilepsie : « Laissez-le moi ! C'est mon seul ami ! Je vous enverrai tous en Sibérie ! »

Il faut s'incliner. Catherine a écarté Fédor Rostopchine pour une année.

Premier exil ou écrits de Prusse

L'exil est ressenti par Fédor comme une punition. D'abord l'inaction militaire et sociale. Installé dans une sorte de caserne à Tsillintsig, il occupe ses loisirs forcés à décrire ce qu'il voit. Il parle avec une veine satirique, du « cours forcé de la patience ».

Il contemple cette bourgade sans grâce dont « les plus beaux édifices sont, comme dans toutes les petites villes d'Allemagne, l'hôtel de ville, le dôme et la maison de poste [1] ». La langue allemande le mutile des roucoulements slavons. « Malheureux voyageur russe, pleure et oublie les clochers russes ! »

Le Mongol, en lui, se voit mutilé des galops à perdre haleine à travers les terres de l'Orel. « Oublie que le cheval peut aller au trot et au galop ! » Fou de chevaux — il en possédera plus de trois cents —, il trouve les chevaux prussiens gras, idiots, affreux à voir. Il s'est rendu à la poste pour se distraire et là, en plus des vilaines bêtes, il rencontre « des officiers retraités, bavards et vantards. Ils ont dans leurs écuries jusqu'à seize chevaux, grands, gros et aux

---

1. *Vie du comte Rostopchine,* A. de Ségur.

jambes épaisses. Pendant que les chevaux mangent, les postillons bâfrent aussi ».

Patience, quand il faut attendre des heures que l'on veuille bien changer un cheval de votre attelage. Fédor sent descendre la colère, voile rouge dans son cerveau quand le maître de poste « lui lâche à travers un nuage de fumée le mot *gleich* — tout à l'heure —, et ce *gleich,* qui sert de réponse à tout, dure une heure et demie ».

Si on lève le poing, le fouet, après le maître de poste, « on est traîné devant les tribunaux et condamné à de fortes amendes ». Fédor se contente de jurer ; mais alors le maudit Prussien « court chercher une vieille épée toute rouillée ». L'affaire pourrait tourner mal, et le Russe est obligé, à nouveau, de patienter tout en lançant « ordinairement ma malédiction ». Quant au postillon prussien, il est tellement ridicule que Fédor préfère en rire. « Il porte une longue redingote et un cor de chasse. » Il vous fait attendre « jusqu'à quatre, six, huit heures et plus... ».

Rostopchine enrage de ne pouvoir knouter ces imbéciles. Le servage, ici, n'existe pas, Fédor s'embourbe dans l'ennui. « Les anciens, pour représenter l'Ennui, dessinaient le Temps avec des ailes coupées : ils auraient mieux fait de lui endosser l'uniforme d'un postillon prussien. »

Il déménage de sa caserne pour un modeste et affreux palais. Il observe de sa fenêtre, toujours pour se distraire, des manœuvres militaires. Il compare les superbes hussards de Saint-Pétersbourg avec « les soldats prussiens (qui) ont des jambes grêles, de grands ventres ; groupés, ils produisent de l'effet, pris séparément, ils sont disgracieux et paraissent vieux (...). Les shakos des grenadiers sont beaux à voir, mais incommodes, fatiguent la tête, font perdre l'équilibre, attirent les rayons du soleil et gardent la pluie. »

Fédor se penche, tend l'oreille, car le régiment s'ébranle et Rostopchine de compter, jubiler et se gausser : « Ils font soixante-quinze pas à la minute (...). Ce mouvement agite giberne et sabre suspendus à de larges courroies de cuir » au bout desquelles est accroché « un fusil long et lourd ». Le patriote en lui s'exalte : « les Français qui ont été à Rosbach disent que les Prussiens sont invincibles... Les Russes qui ont été à Francfort, à Naltiz, à Jagensdorf, à Kolberg, en doutent... » Cette armée ressemble « à une montre dont la mécanique est parfaite mais l'extérieur est laid ».

Fédor claque la fenêtre avec irritation. « Dès que je me sors de ce guêpier, pense-t-il, je me marie. Certainement pas en Prusse ! la femme prussienne est aussi laide que ces outres. Quand on met au monde de telles barriques mécaniques, brâmant *gleich* toutes les minutes, on ne peut soi-même n'être qu'une barrique aux cuisses de cochon. »

De plus, toute cette armée est pauvre : « L'officier subalterne souffre pendant trente ans du froid et de la faim, reçoit six thalers par mois. Il n'a même pas les moyens de s'acheter un habit civil. »

On ne peut guère se marier, en Prusse, que si on est capitaine. Soit « six ans de fiançailles », puis « six autres années pour l'avancement, donc le mariage ». *Gleich!* hurle dans ses cauchemars la promise, *gleich!,* le mariage a pour unique fonction d'enfanter une nouvelle armée « à soixante-quinze pas la minute ». Une fois marié, le capitaine est obligé de tenir table, donc il engraisse. « Tous les capitaines prussiens ont du ventre », les femmes les trouvent « hommes respectables ». Quant à l'officier supérieur, rengorgé à vie, avec le titre de « major prussien » il doit absolument posséder une cruche en porcelaine pour boire la bière, une tabatière en métal quelconque, une robe de chambre d'indienne et un instrument pour tuer les mouches.

Les généraux, « vieux, infirmes, cassés par l'âge, ornés de cheveux blancs et de blessures », radotent sur Frédéric le Grand, qui est mort.

Fédor essaye de se distraire en fréquentant la noblesse qui le reçoit à cause de son rang. Les nobles ont en ville des vieilles maisons sans le moindre confort. Ils donnent une seule fête par an dans leurs résidences de campagne, « laides et bâties sur le sable ». Lors d'une de ces fêtes, Fédor rencontre le fulminant Blücher qui commente ainsi la Révolution française : « Si un jour j'entre à Paris, j'en ferai sauter tous les ponts. »

Le Prussien est-il une bête ? Fédor se pose la question à cause de l'unique « musée » de la ville, sous les combles du palais délabré où il gîte. Le seul objet qu'on y garde comme une châsse est une boucle de soulier en fer poli que Frédéric le Grand avala à l'âge de cinq ans !

Fédor compare ces bourgades avec la rutilance architecturale de Saint-Pétersbourg. Édifiée en 1702 sur un marais, cette ville est une vitrine avec sa cité des musées, son palais d'Hiver, l'institut Smolny, le grand palais Tsarkoïe Sélo, toute cette splendeur due aux architectes Basile Bajénov et Mathieu Kozakov.

Quant à l'Académie prussienne, Fédor en hurle de rire. « Le bâtiment dans lequel (l'Académie) tient ses séances est occupé par les écuries du régiment des gendarmes. » Sur le fronton est inscrit :

« *Apollini et Musis* » ; A côté de *Musis* un farceur (lui ?) a ajouté : « *et Mulis* ». Traduction : « A Apollon, aux Muses et aux Anes. » L'Académie a commenté ainsi cette impertinente inscription. « Si l'âne est un animal stupide, toujours est-il qu'il est un animal utile. »

Un paradoxe, tout de même. Catherine n'a jamais réussi à attirer dans ses puissantes académies le grand philosophe prussien, Emmanuel Kant. Fédor a beau détester les académies en général, celle de Königsberg, où Kant donne ses cours, a une réputation exceptionnelle grâce aux ouvrages de ce maître, *Critique de la raison pratique*, *La Religion dans les limites de la simple raison* et *Les Impératifs catégoriques*.

Il est temps, pour Fédor, de rentrer en grâce. La souveraine y songe. Elle a besoin de lui pour calmer le minable et agité avorton qu'elle a enfanté. Elle est préoccupée par la Terreur qui sévit en France. Alexandre, son petit-fils préféré, est trop jeune pour régner. Son dernier amant, Zoubov, l'agace. Elle fait revenir Fédor, décidé à prendre épouse. Il a vécu ses nuits prussiennes dans un excès de solitude.

Les cinq sœurs ou Fédor amoureux

La première visite de Fédor est pour sa souveraine. Les salons qu'il traverse le remettent face aux courtisans. Cette noblesse est en plein âge d'or, grâce à la Banque du prêt d'État fondée en 1786 sous l'instigation de la Grande Catherine. Celle-ci, tout en applaudissant aux idées des philosophes français, n'en favorise pas moins la propriété foncière, apanage des nobles.

Fédor est frappé par le costume des femmes copié sur celui des Françaises. Il comprend peu cet engouement pour la longue chemise, qui annonce le Directoire, décrite par la princesse d'Orange, Frédérique de Prusse, épouse de Guillaume, comme « une espèce de chemise mais qui monte moins haut que celle que l'on portait, et on n'est pas lacée sous celle-ci. Précisément sous le sein, on porte un mouchoir en forme de ceinture attaché derrière avec un nœud entre les épaules. De là, cet habillement va tout d'une venue jusqu'au bas, comme un sac, sans marquer la taille (...). Il est horrible pour les personnes laides, mal faites ou vieilles, et excessivement indécent pour les jeunes [1]. »

---

1. *Histoire du costume*, François Boucher.

Laides, indécentes. C'est l'avis de Fédor Rostopchine qui croise les princesses Ouvarov, Tolstoï, Galitzine et Svetchine. Il hausse les épaules et entre dans le salon des dames d'honneur de la tsarine où il a été mandé. Avant de voir Catherine, il doit passer par le barrage d'Anna Protassov, la grosse dame d'honneur de la souveraine, flanquée de ses cinq nièces.

La première qu'il aperçoit et l'attendrit est Barbe Protassov, dite la Bossue. Ses sœurs entourent leur énorme tante, mais jamais Fédor ne les avait vues de si près. Fasciné par Barbe la Bossue, il retient avec peine un éclat de rire devant la vaste comtesse Anna Stepanovna Protassov. Elle joue auprès de Catherine le même rôle que lui auprès du grand-duc. Son poste est enviable et envié. Mais qu'elle est ridicule ! Elle a l'air d'un tonneau sous ses cages et ses jupons grand siècle ; son front bourgeonne, sa coiffure poudrée monte d'une aune, elle porte sur son épaule gauche un épais ruban surchargé de portraits sertis de diamants représentant sa souveraine.

Anna Stepanovna Protassov a le titre officiel de « Dame aux portraits ». Elle est la tutrice des cinq filles depuis le décès de leur mère, sa propre sœur, mariée au comte Protassov, gouverneur civil de la province de Kalonga, décédé également. Son gros nez épaté frémit en surveillant les cinq orphelines, Alexandrine, Anna, Barbe, Véra, Catherine.

Alexandrine, l'aînée, est la plus grande. Un peu sèche, de lourds cheveux châtains roulés en un gâteau de nattes. Elle épousera le prince Alexis Galitzine. Véra est la plus belle. Fédor ne peut s'empêcher d'admirer ce joli corps mouvant sous l'indécente chemise à la française. D'ailleurs, Véra, coquette, sourit en plongeant ses yeux dans le regard cosaque du militaire dont les exploits sont devenus célèbres. Véra mourra jeune. Barbe la Bossue aussitôt l'entoure et parle sans arrêt en le traitant de « brillant cavalier ». Anna, la petite dernière, n'a que treize ans. Elle brode à grands points maladroits et rougit sans cesse. Elle épousera un prince Tolstoï, vieux et grincheux. Catherine est de dos. Elle n'a pas daigné se retourner ou s'exclamer. Elle donne à manger à un perroquet bleu dans une cage doublée de velours rouge. Mais tante Tonneau, songe Fédor, s'agite telle une grosse guêpe et insiste pour présenter le jeune homme. Catherine Protassov, vêtue d'une toilette si simple et si unie qu'elle crève les yeux, se tourne vers Fédor. Il l'aima immédiatement.

COMTESSE DE SÉGUR

Catherine Protassov ou comment préférer un perroquet à un homme

Catherine Protassov est une jeune fille de dix-huit ans, moins grande que ses sœurs — exceptée Barbe la Bossue —, la taille parfaitement prise dans la soie ponceau de sa robe. Le décolleté, décent, révèle la solennelle beauté des épaules, des bras, dont l'un, gracieusement levé vers la cage, donne un oiseau minuscule et vivant au perroquet glapissant. Des boucles abondantes, châtain foncé, ramenées au sommet du visage plutôt rond, tombent sur les épaules. L'air hautain interdit tout sourire à une bouche qui attire ce fantasque, totalement dominé par l'impérieuse jeune fille. Est-ce son dédain pour l'humanité qui trousse la lèvre supérieure en un ourlet de chair mauve, voluptueuse malgré elle ? Fédor est attiré par la lèvre inférieure qui ne daigne sourire que lorsqu'elle s'adresse à son perroquet. Il donnerait tout pour que cette bouche s'ouvre pour lui.

Il admire et a envie de toucher la fraîcheur du teint, le nez un peu large mais bien en équilibre avec un front immense caché sous l'abondance animale et luisante de la chevelure. Divine, il trouve divine cette désagréable jeune fille qui éclate soudain de rire car l'oiseau-mouche bat des ailes affolées avant d'être égorgé par le bec en pic du perroquet.

Fédor entre aussitôt en passion et envie l'oiseau-mouche d'être entre les doigts, les mains, de cette fille-là. Ah ! avoir six enfants avec elle ! « Encore faudrait-il pour cela que mademoiselle se laisse approcher de plus près que cet oiseau imbécile... »

Elle est méchante, cette austère fille. Est-ce cette méchanceté, semblable à celle du seigneur de Livna, qui provoque ce coup de passion ? Catherine Protassov a-t-elle, sans le savoir, réveillé en Fédor l'ancien petit garçon dominé, battu, quoique fasciné par le vieux Basile ? A-t-elle exhumé l'ancien orphelin soumis malgré sa carcasse de militaire de vingt-neuf ans à une indifférente jeune fille de dix-huit ans qui ne jure que par un perroquet assassin ?

« Si je l'épouse, elle aura tous les droits (...). Je serai un excellent mari ! je (la) soignerai, je (l')empâterai, je (l')accablerai de présents, de bijoux, je (lui) donnerai des robes à queues, pour aller à la cour, des diamants, des plumes, des fleurs[1]. »

Vite, vite ! Dieu, qu'il déteste attendre, Fédor ! Elle ne com-

---

1. *L'Auberge de l'Ange Gardien.*

26

prend donc pas, cette orgueilleuse, qu'il l'aime ! Il a envie de lui crier : « Vous me convenez, je vous conviens, nous allons trouver le pope qui lit des prières en slavon, chante quelque chose, dit quelque chose, vous fait boire dans ma coupe et moi dans la vôtre, qui vous promène trois fois en rond autour d'une espèce de pupitre, et tout est fini. Je suis votre mari, vous êtes ma femme, j'ai le droit de vous battre, de vous faire crever de faim, de froid, de misère (…). Vos droits seront de pleurer, de crier, de m'injurier, de battre des gens, de déchirer vos effets, de mettre le feu à la maison même dans les cas désespérés[1]. »

Anna Protassov tend une oreille experte. Ses nièces sont pauvres. Son obsession est de les marier. Elle a tout deviné, la tante, et se promet d'en parler à sa souveraine. Quant à Catherine Protassov, elle n'a qu'à obéir et remercier Dieu de lui avoir fourni un mari.

Fédor revint plusieurs fois et envoya jusqu'à trois lettres par jour que tante Tonneau ouvrait et lisait. Catherine Protassov alla jusqu'à objecter, au nom de la philosophie des Lumières qu'elle comptait choisir elle-même son mari. Que ce Rostopchine se le dise ! Elle adore Rousseau, Locke et leur Raison qui refoule le christianisme. « Dommage, dit-elle, que cette religion si belle ne soit pas vraie. »

Anna Protassov lit à haute voix la dixième lettre de Fédor, qui lui est adressée cette fois. « Pour être heureux, il faudrait que j'eusse Mlle Protassov, cette divine créature et votre amitié[2]. »

Catherine finit par accepter non par amour, mais parce que le mariage est un devoir et qu'on ne cesse de lui répéter qu'elle est pauvre et qu'il est riche. Cette réponse transporte tellement Fédor, qu'il galope aussitôt à Livna quérir le consentement de son père.

Catherine II est intervenue. Elle veut contenter Rostopchine dont elle utilise l'influence apaisante sur son fils. Ce mariage devient un devoir. Elle ne déteste pas flétrir l'orgueil de l'indomptable Catherine Protassov. Catherine II confie à Fédor une lettre de sa main stipulant qu'elle dote sa demoiselle d'honneur Catherine Protassov de douze mille francs.

Fédor est très mal reçu par son père qui grogne qu'on n'a pas idée d'épouser une fille sans dot. Il menace de le chasser s'il passe outre ses ordres. Il ne veut pas de ce mariage. Il éclate aussitôt en injures. Les douze mille francs offerts par la souveraine décuplent

1. *L'Auberge de l'Ange Gardien.*
2. *Vie du comte Rostopchine*, A. de Ségur.

la colère de Basile qui se voit obligé de céder. Le vieil indomptable traite la future épousée de « catin française (...) qui ne parle pas même le russe ». Fédor voit alors rouge. Il brûle de maudire son père et de partir avec un adieu sans retour.

Le bouillonnant Fédor se domine et force le vieux féodal à relire le parchemin ordonnant le mariage de Fédor Vassilievitch Rostopchine avec Catherine Protassov. Le vieil ours menace de repartir en campagne, mais dut signer, y compris la clause qui l'oblige à assister au mariage qui eut lieu l'année même en 1794, à Saint-Pétersbourg.

Obstiné, la barbe à la taille, malodorant, buvant comme un trou, Basile Fedorovitch Rostopchine assista en effet au mariage et redemanda aussitôt du service. Vaincu, dégoûté, prêt à tuer ou à mourir, il repartit en guerre, laissant son aîné occuper en maître ce Livna qu'il adorait à la manière du loup.

Lune de miel à Livna

Fédor fait transporter à Livna son lit de noces, qui rejoindra ensuite Voronovo. Si, jadis, la petite barinia avait été terrorisée par l'immensité de Livna, Catherine aima cette terre isolée, battue par le vent et la grêle, hantée de loups, d'ours, d'aigles capables d'enlever les moutons. Elle aima cette citadelle sans luxe, austère comme sa propre âme, aride telle la quête d'un Dieu qu'inconsciemment elle hèle — un Dieu formidable, plus vaste que toute la steppe et l'univers réunis. La dureté naturelle de Catherine Rostopchine s'accorde avec ces murailles de couvent où sa contemplation intérieure a le champ libre. La férocité de l'Orel conquiert son sens de la solitude, elle oublie enfin les caquetages de cour et rejoint l'idéal d'un absolu.

Catherine Vassilievna Rostopchine devint aussitôt la maîtresse incontestée de Livna. Elle chassa le sérail et les folles servantes du vieux Basile. La nouvelle barinia dompta la troupe de serfs, en particulier pour entretenir les kilomètres de parquets. Sa folie, son luxe : les parquets rutilants. Quatre cents petits serfs ciraient du matin à la nuit.

Catherine redoutait et appelait la nuit tel le supplice expiatoire du mariage. Bien qu'elle eût fait enlever matelas et draps du lit de noces, l'ardent Fédor ne se découragea pas — militaire lui-même, haïssant les lits moelleux, il y trouva son compte et, un an après l'arrivée à Livna, Catherine accoucha d'un fils, Serge.

UN ANCÊTRE : GENGIS KHAN

La barinia Rostopchine fait trembler tout le monde mais Fédor continue son rêve éveillé. Il aime ce mélange de vie amoureuse et familiale, les enfants qui vont naître les uns après les autres. Il est heureux d'être enfin le maître de cette terre. Six ans après son départ de Livna, il écrit à son meilleur ami une lettre qui semble dire que la lune de miel à Livna fut le meilleur temps de toute sa vie :

> *Je suis rempli ici de mille souvenirs, c'est ici que j'ai vécu jusqu'à l'âge de seize ans, neuf mois chaque année, c'est ici que j'ai passé la première année de mon mariage, en tête-à-tête avec ma femme et que j'ai découvert toutes les vertus dont elle est douée...*

Vertus ? Les fouets restent dans le sel, les intendants frappent sans mesure, la comtesse Catherine Rostopochine contemple avec extase son immense volière remplie de perroquets multicolores. Catherine allaite Serge, un enfant de santé fragile, car elle a lu Rousseau. Fédor d'admirer : « C'est enfin ici (à Livna) qu'est né Serge et que j'ai connu pour la première fois le bonheur d'être père... Ma femme est restée la même, Serge vit et devient charmant. »

Catherine méprise les icônes de sa chambre. Elle rêve d'un oratoire dépouillé où elle passerait ses jours et ses nuits. Mortification et chasteté. Ah ! vivre sur ces deux sommets, adorant un Dieu de suaire et de clous !

La comtesse Rostopchine n'ose pas encore formuler la réalité de ce rêve. Abjurer la foi orthodoxe. Devenir catholique. Fédor est loin de se douter de ce qui chemine derrière ce front altier, heureusement dissimulé par la magnifique chevelure qu'il adore attraper à pleines mains et qu'elle s'empressera de tailler aussitôt veuve...

L'année 1796 s'achève par le décès de la Grande Catherine. Le 19 novembre, on la retrouve dans sa garde-robe, écumante, les joues énormes et violettes, en proie à une apoplexie fatale. Le favori Zoubov jappe de terreur. Que va-t-il devenir ? Et les favoris ? Alexandre et Constantin se concertent. Comment éliminer le successeur de droit, le grand-duc Paul ? Fédor Vassilievitch Rostopchine est déjà à Saint-Pétersbourg quand arrive l'événement. Le grand-duc se languit de lui.

COMTESSE DE SÉGUR

Le comte Rostopchine devient ministre du tsar Paul Ier

Le médecin Rogerson n'a rien pu faire pour la souveraine qui râle avec la violence d'un cerf sous une meute. Le rusé comte Alexis Orlov-Tchermenski a porté lui-même la nouvelle au grand-duc Paul qui dîne, ce 19 novembre, dans son refuge, le moulin de Gatchina, à cinq verstes du palais.

Fédor rend aussitôt visite à sa tante par alliance, Anna Stepa-novna : « Je trouvais, chez elle, Mlle Politica et une de mes belles-sœurs fondant en larmes... » écrit-il. Tout va très vite. La lune de miel à Livna est finie. Catherine n'a de regrets que pour ses perroquets. Elle accueille froidement la certitude d'une nouvelle grossesse. Fédor n'a pas le temps de rejoindre Gatchina où il est censé se rendre. Riant et pleurant à la fois, le grand-duc héritier Paul entre en trombe dans la chambre mortuaire. Il se jette dans les bras de Fédor. « Il m'embrassa à plusieurs reprises. » C'est la première fois que le débile est heureux. Zoubov, le favori de la veille, est épouvanté ; il crie à un officier ivre : « Vite ! des chevaux ou je te fais atteler toi-même à la voiture de l'empereur ! »

Fédor va à l'urgence ; il rejoint son futur maître. « Il avait les yeux élevés vers la lune (...). Je saisis impérieusement sa main et je lui dis : " Monseigneur, quel moment pour vous ! " », écrit-il.

Dans la chambre, on entend se vider de façon malodorante le corps gonflé de la Grande Catherine, aux yeux fixes et à la bouche encore bien endentée. Le grand-duc parle à très haute voix car il espère que la monstresse entend encore :

« Je te connais parfaitement (Rostopchine), je te demande de me dire avec sincérité quelles sont les fonctions que tu désires avoir.

— Secrétaire de la commission des requêtes, répond aussitôt Rostopchine. »

Va-t-il ainsi échapper à une reprise trop rapide de la vie militaire qui pourrait le séparer de sa famille ? Le grand-duc, dans son enthousiasme, tranche :

« Je te fais général-aide de camp, non pour te promener dans le palais avec une canne, mais pour que tu administres le collège de la guerre. »

Il lui donne alors son cachet personnel et lui ordonne de « cacheter la chambre de l'impératrice ».

Fédor s'exécute, repousse le groupe de favoris qui tendent vers lui leurs mains implorantes. « Tous, écrit-il encore, aimant le changement, croyaient y trouver des avantages ; fermant les yeux et se bouchant les oreilles, ils couraient prendre des billets à la loterie de l'aveugle fortune. »

Fédor acheta aussitôt un palais somptueux près de l'église Sainte-Sophie. Sa femme accoucha d'une petite fille, Nathalie, future comtesse Narychkine. Elle n'a que du dédain pour les très hautes fonctions occupées par son époux. Elle exprime son dégoût pour Saint-Pétersbourg et confie la petite à sa niania.

Elle se plonge dans des ouvrages théologiques. Saint Augustin lui prouve que les enfants sont des voleurs de poires. Que la poire peut être l'instrument du diable.

En France. Une grande famille : les Ségur

1796, Paris. Rue Saint-Honoré, un petit général corse, Bonaparte, a le génie de faire apporter deux canons pour mitrailler une insurrection royaliste. Barras et le peuple se réjouissent. Dieu est absent des églises. Les femmes consultent des mages alors très à la mode, portent des rubans rouges serrés au cou, « à la guillotine ». Les prêtres ont disparu ou abjuré. Une grande famille légitimiste du faubourg Saint-Germain est consternée de la fusillade de ce Bonaparte : les Ségur.

Février 1798. Félicité d'Aguesseau, petite-fille du chancelier d'Aguesseau, épouse son cousin, Octave de Ségur. Son père, Louis-Philippe de Ségur, ancien compagnon de La Fayette, avait été ambassadeur en Russie près de la Grande Catherine. En 1804, Bonaparte le nommera grand maître de cérémonie. Il deviendra pair de France en 1814. L'aïeul de la famille, le brillant maréchal, Philippe-Henri de Ségur, vit encore. Il jouit d'un immense respect dans le Faubourg pour avoir été ministre de la Guerre sous Louis XVI. Il n'aime guère son petit-fils Octave, dont la faiblesse frôle la psychose. Octave de Ségur est malade de jalousie. Or, sa jeune épouse, Marie-Félicité-Henriette, est volage. Le vieux maréchal a davantage d'estime pour le cadet d'Octave, Philippe, futur aide de camp de Napoléon Ier. Marié deux fois — après le décès de Marie de Luçay, il épousera Célestine de Vintimille du Luc —, Philippe de Ségur deviendra historien, puis académicien. Il console son père et son aïeul de la folie croissante d'Octave. Les péripéties de la France ne détournent en rien l'obsession d'Octave pour Félicité. Il s'aperçoit à peine du coup d'État de brumaire qui scandalise le Faubourg. Sieyès, deuxième consul provisoire, a l'habilité de présenter un projet que la France applaudit à tout rompre. Bonaparte sera pourvu, dès cette année 1798, d'une liste civile de six millions et logé à Versailles avec le titre de Grand électeur. Les Ségur sont indignés. Ils ne se doutent pas encore que le Grand électeur va devenir en 1805 leur empereur, puis leur naufrageur.

« Si vous me trompez encore, hurle pour la centième fois Octave de Ségur en secouant en tous sens la belle Félicité, je vous tuerai puis je me jetterai dans la Seine. »

Il s'est à peine aperçu qu'elle vient d'accoucher depuis peu d'un garçon, Eugène de Ségur, futur époux de la comtesse Rostopchine.

D'autres obsessions : des histoires de boutons mal cousus

Paul Ier annula toutes les décisions de sa mère. Il fallut à Fédor un courage héroïque pour contrer ce maître absurde, au risque même, pour lui et les siens d'être envoyés en Sibérie. Rostopchine réussit à lui démontrer la folie de faire revenir d'exil les dangereux ennemis de la Russie, en particulier le patriote polonais Kosciuzko. Le tsar fou protesta aussitôt : « Sachez, mon ami, que la seule personne importante est celle à qui je parle dans l'instant, et qui me parle. »

Il abolit la loi de succession au trône et instaura le droit à la primogéniture mâle. Il voulut mater la noblesse en rétablissant pour elle les châtiments corporels. Sa paranoïa augmenta. Grâce à l'influence de Fédor, il travaillait cependant au projet positif de relier par des canaux la Baltique à la mer Noire. Un jour, il se mit en tête de dire lui-même la messe : « Puisque je suis le chef de l'église orthodoxe, j'ai le droit de faire ce qu'ils font. »

La petite Nathalie allait sur ses sept mois quand le tyran se mit en tête de modifier les uniformes de son armée. Il était obsédé par le bon alignement des boutons. Dès quatre heures du matin, il passait en revue son armée qui tremblait.

Ce matin d'octobre 1798, Fédor est à ses côtés, quand Paul Ier entre dans une rage folle à cause des boutons mal alignés sur l'uniforme de ses soldats : « Par file à droite ! en avant, marche, pour la Sibérie ! »

Le régiment en entier s'ébranle vers la Sibérie. Il y a trois jours de marche vers ce camp. Fédor passa ces trois jours et trois nuits à raisonner le paranoïaque pour obtenir le contrordre de l'absurde décision. Il réussit. Par contre, le tsar fera vêtir ce même régiment d'un ridicule costume prussien. Souvarov, à cause des perruques poudrées imposées, composera ces deux vers :

Ces queues ne sont pas des baïonnettes
et cette poudre ne prend pas feu.

Souvarov sera exilé. Cette fois-ci Rostopchine ne peut rien devant cette nouvelle lubie.

Catherine Rostopchine a entrepris la lecture des Évangiles. Elle est enceinte pour la troisième fois. Elle ne sait pas, la glaciale jeune femme, qu'elle porte dans ses flancs la future comtesse de Ségur. Les difficultés de Fédor à gérer la folie de son souverain s'accentuent. Paul Ier trouve le drap des uniformes de mauvaise qualité responsable des boutons mal alignés. Il ordonne à Rostopchine d'écrire au comte Vorontsov afin de passer désormais commande de tissus militaires aux Anglais ! Rostopchine, une fois de plus, raisonne :

« Sire, cet acte va ruiner nos fabriques !

Le tsar n'est qu'un hurlement :

— Obéis ! »

Rostopchine obéit, mais ajoute à côté de la signature royale : « N'en faites rien, il est fou. »

« Il me semble, monsieur, tonne l'autocrate, que vous avez ajouté du vôtre à mon ordre !

— C'est vrai, répond Rostopchine, impassible.

Un début d'écume monte à la bouche du souverain. Ses yeux s'injectent de sang ; puis le miracle a lieu ; il jette le papier dans la cheminée géante. Il se calme d'un seul coup, étreint avec passion son favori, l'embrasse cent fois.

— Je vous remercie. Vous avez raison. Fasse le ciel que tous mes serviteurs vous ressemblent ! »

Cependant, l'affaire avec la tsarine, l'innocente Marie, faillit être dramatique. Paul Ier est persuadé qu'elle va l'assassiner. Il la houspille publiquement.

« Madame, vous vous préparez peut-être à jouer le rôle de Catherine, mais sachez que vous ne trouverez pas en moi un Pierre III.

Il tremble de tous ses membres, bave et convoque aussitôt Rostopchine :

— Écrivez un édit pour reléguer cette criminelle au couvent de Solovetsk et déclarez illégitime la naissance de mes deux derniers fils, les grands-ducs Nicolas et Michel. »

Fédor le regarde calmement, passe dans le cabinet à côté et rédige la lettre suivante :

> *Sire, vos ordres s'exécutent et je suis occupé à composer l'écrit fatal ; j'aurai le malheur de vous le présenter demain matin. Plaise à Dieu que vous n'ayez pas le malheur de le signer et de fournir à l'histoire une page qui couvrira de honte tout votre règne... Je suis trop hardi, je m'expose à me perdre mais je me consolerai de ma disgrâce en me trouvant digne de vos bienfaits et de mon honneur* [1].

Le souverain a lu. Fédor attend sans trembler la réponse écrite qu'on lui apporte aussitôt. « Vous êtes un homme terrible, mais vous avez raison. Qu'il n'en soit plus question. Chantons, oublions jusqu'à la trace... Adieu, signor Rostopchine. »

Le tsar s'est précipité dans les bras de son Premier ministre et promet : « Je serai le parrain de ton prochain enfant. »

---

1. *Vie du comte Rostopchine*, A. de Ségur.

II

NAISSANCE
DE SOPHIE FEODOROVNA ROSTOPCHINE

SOPHIE
Tu sauras que Sophie veut dire « sagesse ».
VALENTINE
Dans quelle langue, donc ?
SOPHIE
En grec, mademoiselle l'ignorante.
VALENTINE
Je ne suis pas obligée de savoir le grec, mademoiselle la savante...

Les Bons Enfants

Le 1er août 1799 selon le calendrier byzantin (le 19 juillet suivant le nôtre), naît à Saint-Pétersbourg une grosse petite fille, quatrième enfant du comte Rostopchine. Cette même année, vient au monde le poète Pouchkine.

Fou de joie, Fédor décide du prénom de la petite. Fraîche, ronde, rose tel un fruit, vigoureuse dans ses cris, avide dans sa succion. Elle s'appellera Sophie. Le 1er août correspond à la fête de Sainte-Sophie de Constantinople. Ce prénom est très à la mode dans les milieux huppés de la ville depuis l'influence avortée du « projet grec » de la défunte impératrice. Elle avait prénommé Constantin son petit-fils et l'avait doté d'une nourrice grecque. Catherine avait même fait frapper la monnaie à l'effigie de sainte

Sophie. Paul Ier rumine l'idée d'une refonte de cette monnaie avec son profil à lui.

Sophie remplit d'enthousiasme le comte Rostopchine qui fait porter aussitôt la nouvelle au tsar. Seule, Catherine reste indifférente. Elle n'assistera pas au baptême, car la petite est ondoyée le jour même. Nathalie, bien plus tard, dans ses souvenirs, rendra compte du fossé immense qui sépare son père de sa femme. « Lui, est mondain, elle, ermite, lui, patriote, elle, méprisant la religion et la langue de sa patrie, lui, grand seigneur, elle, parcimonieuse, lui, peu dévot, elle fanatique [1]. »

Rien n'est trop beau pour le baptême. Fédor a voulu que la cérémonie fût solennelle. La niania est vêtue d'un sarafane brodé d'or et d'argent, la tête recouverte d'un bonnet de dentelle, lui-même fixé sur un diadème de pierres précieuses.

Sophie, emmenée à l'église orthodoxe, toute de pourpre et d'or, d'icônes étincelantes, est plongée dans l'eau sacrée devant son parrain impérial. Il est habillé en culottes de satin blanc, veste verte à brandebourgs, boutons un à un recousus et bien alignés, cloutés d'émeraudes, bottes vernies noires, grand cordon serti de diamants. Sophie est plongée trois fois dans l'eau tandis que Paul Ier et la marraine, Anna Stepanovna, croulant sous ses portraits, chevrotent en cœur qu'ils « abjurent Satan et ses créatures ». Le petit corps est immergé dans le bassin de marbre, de cristal et d'or, au nom du Père, du Fils, du Saint-Esprit. La nouvelle-née, d'une singulière vigueur, hurle, tandis que la niania lui enfile la robe blanche imposée à la nouvelle chrétienne. Elle ouvre une petite bouche vorace quand l'évêque, couvert d'or de la mitre aux escarpins surbrodés, lui introduit dans la gorge une goutte de vin. Ses cris redoublent. L'empereur glisse à son cou un crucifix d'or, d'émeraudes et de rubis.

De retour à son palais, Fédor retrouve Catherine dans la même indifférence et un complet dédain quand le père ému d'orgueil et d'amour accroche lui-même dans la chambre où dorment Sophie et sa niania une icône d'Andreï Roublev. Le crucifix, enlevé du cou de Sophie, est suspendu au-dessus du berceau noyé de dentelles.

Astrologie de Sophie Rostopchine

1er août, signe du Lion.

La comtesse de Ségur, devenue française par son mariage en

---

1. *Le Comte Rostopchine et son temps,* Nathalie Narychkine.

1819, fêtera désormais sa naissance le 19 juillet, signe du Cancer.

« C'était le 19 juillet, lit-on dans *Les Malheurs de Sophie,* jour de la naissance de Sophie... » Il y a dans sa nature une interférence totale entre ces deux signes auxquels elle appartient. Du Lion, elle a l'éclat, la puissance aristocratique et rayonnante. A pleine voix, elle vit, elle pleure, elle rend gorge à tous ses sentiments, elle est née sous les forces de l'explosion vitale poussée jusqu'au firmament d'un destin. Elle est Solaire. Elle est Feu. Elle est Air. Elle aime les jeux du jour, ceux des enfants qui courent à perdre haleine, les colères ignées, la vie spirituelle. Quand on la plonge dans l'eau froide du baptême, sait-on qu'il s'agit là d'un être puissant, d'un type herculéen, où s'entrecroisent, tout en réalisme, les forces concrètes de la présence physique y compris dans l'aspect furieusement naturel de son écriture ?

Le Cancer structure en elle d'autres forces. Les souterraines. Mère de huit enfants, Sophie Rostopchine est née sous le signe des eaux mères, de la Fécondité. Capable de former chaque fois un couple avec ses filles, créatrice du magma féminin total qui est la source même de toute son œuvre. Triomphe matriarcal et féminin dans le château de Fleurville et dans d'autres domaines. L'homme reste cette semence claire qui engrosse, ruine et disparaît. 19 juillet où le type Cancer « principe matriciel et nourricier qui va de l'utérus à la terre maternelle : profondeur, abîme, puits, grotte, caverne, poche, vase, abri, maison, ville... qui aboutit au grand refuge de l'humanité qu'était La Grande Mère [1] ».

« Grand-mère Ségur » comme l'appelleront tous les siens quand elle sera au faîte de sa gloire affective et littéraire. Du Lion, elle conserve le dernier rugissement de sa foi, l'ultime aspiration vers l'Air. « De l'air » sont ses derniers mots et aussi « Tant qu'il voudra » en parlant de l'amour divin.

Voronovo. Second exil du comte Rostopchine. Assassinat de Paul Ier

Depuis la naissance de Sophie, Fédor aimerait retourner vivre à la campagne avec sa famille. Son souverain l'épuise. Ses enfants l'enchantent. Il a eu vent d'une magnifique propriété à vendre, Voronovo, à cinquante verstes de Moscou, dans le district de Podolsk. Le comte Alexis Voronovo achève de se ruiner d'avoir

---

1. *Dictionnaire des symboles,* Jean Chevalier et Alain Gheerbrant.

transformé Voronovo en une résidence royale. Fédor, invité par Voronovo, avait déjà admiré les vingt-huit mille hectares de forêts, de lacs et de prairies. Sans parler du parc, créé par un élève de Le Nôtre et du groupe de chevaux, sculptés, à la Montecaballo, devant les immenses écuries... Il y a aussi cette façade aux trente fenêtres, flanquée de deux pavillons et, tout autour, les villages entiers de serfs (1 700 âmes selon Rostopchine) appartenant à Voronovo et à ses maîtres. Voronovo, n'est-ce pas l'exacte copie de Gromiline, terre du général Dourakine ?

« Oui, pas mal, pas mal ; vingt mille hectares de bois, dix mille de terre à labour, vingt mille de prairies. Oui, c'est une jolie terre ; quatre mille paysans, deux cents chevaux, trois cents vaches, vingt mille moutons et une foule d'autres bêtes, oui, c'est bien. »

Fédor aurait pu acheter cette terre dès 1798. Mais Basile Vassilievitch Rostopchine était revenu de ses guerres, à Livna. Il tannait alors son fils de lui acquérir, avant de mourir, une décoration attribuée par le tsar, qui valait une véritable fortune. Grand prince, généreux, souhaitant effacer par ce geste les anciennes scènes de violence, Fédor fit l'acquisition de l'exorbitant hochet car il savait la mort proche de ce vieillard de plus en plus irascible. Voronovo serait pour plus tard.

Sophie a un an quand Fédor est au comble des honneurs. La lettre de Paul Ier donne une idée de l'importance vertigineuse qu'occupait le père de Sophie Rostopchine en Russie :

En 1796, le 2 novembre, nous l'avons gracieusement fait chevalier de l'ordre de Sainte-Anne de la troisième classe ; le 7 novembre, nous l'avons fait brigadier et chevalier du même ordre de la deuxième classe, le 8, général major de notre aide de camp général et, le 9, nous lui avons conféré la première classe dudit ordre ; en 1797, le 15 avril, l'ordre de Saint-Alexandre Nevski ; en 1798, le 3 mars, fait lieutenant général et, la même année, le 17 octobre, lui avons ordonné de remplir les fonctions de ministre de notre cabinet des Affaires étrangères ; le 24 du même mois, l'avons gracieusement fait conseiller intime et actuel et lui avons ordonné d'être troisième président de notre collège des affaires étrangères ; le 21 décembre, l'avons fait commandeur de notre ordre impérial de Saint-Jean-de-Jérusalem, et le 31 du même mois, comme signe particulier de notre bienveillance impériale, lui avons gracieusement octroyé les insignes en diamants de notre ordre de Saint-Alexandre-Nevski.

Considérant avec bienveillance ses hautes et nobles qualités et voulant récompenser son zèle et son ardeur à notre service, ses talents et les peines qu'il s'est données dans les nombreuses affaires que nous lui avons confiées, et en outre rendant justice à son dévouement sans bornes pour notre personne, avons voulu et le 22 février lui avons octroyé, à notre cher et fidèle sujet conseiller actuel Rostopchine, ainsi qu'à ses enfants et à ceux qu'il aura encore et à tous ses descendants, la dignité de comte de notre empire de toutes les Russies ; cette même année, le 30 mars, l'avons fait grand chancelier de notre ordre de Saint-Jean-de-Jérusalem et chevalier grand-croix du même ordre ; le 21 mai, directeur général des Postes ; le 28 juin, l'avons gracieusement nommé chevalier de l'ordre de Saint-André ; le 25 septembre, lui avons ordonné d'être premier président de notre collège des Affaires étrangères et, l'année 1800, le 15 mars, l'avons nommé membre de notre Conseil.

Saint-Pétersbourg, 12 mars 1800
Signé : Paul Ier

Vit-on grand seigneur obtenir de telles gratifications ? Même le cruel général Araktcheiev, seul fidèle bien vu en dehors du comte Rostopchine, n'avait d'autre pouvoir que l'armée.

Pourtant, Rostopchine se brouilla avec son souverain. Le tsar se fâcha au moment où Fédor tentait de lui ouvrir les yeux sur le complot mené par le comte Pahlen. Il se brouilla pour une sottise moins grave. Paul Ier ayant ordonné à toute la cour de se poudrer, Rostopchine, exaspéré, avait refusé. A force de vivre auprès de ce fou, agacé du matin au soir par ses lubies, affaibli d'insomnies, nerveux, Fédor est pris d'une explosion de colère en croisant tous ces singes poudrés dans les couloirs.

Le comte Pahlen en profita pour achever de noyer dans l'esprit de l'empereur la réputation de Rostopchine. Pahlen injecta le soupçon. Le tsar s'imagina que Fédor était devenu son ennemi depuis son refus de se poudrer.

Rostopchine, cette fois, est à bout. Il comprend qu'il ne peut plus lutter contre un insensé. D'ailleurs, c'est officiel, il est exilé. Il achète de toute urgence la terre de Voronovo et part avec sa famille. Il a deviné qu'il ne pourra secourir son malheureux souverain qui n'avait que lui comme ami véritable. Ce Voronovo qui devait être une fête devient une terre d'exil.

Il a fallu six jours aux traîneaux chargés de coffres innombrables pour atteindre Voronovo. Puis encore six jours, pour qu'un messager de Paul Ier apporte le brûlant appel au secours. « Reviens, mon ami, reviens... »

Fédor sait que même en comptant encore six jours, même en crevant vingt chevaux, il n'arrivera pas à temps. Le 23 mars 1801,

Paul Ier est assassiné sauvagement par la bande du comte Palhen. Officiellement, à Saint-Pétersbourg, on parla « d'apoplexie ».

Rostopchine refait la route vers Saint-Pétersbourg. Il éclate en pleurs, de rage, de peine, d'impuissance. Son ami est allongé sur son lit, les mains gantées car on lui a coupé les doigts. Une grande cravate couvre son visage dont le nez aussi a été taillé. Le tsar s'était caché derrière un rideau tandis que les assassins — Palhen et son petit groupe, avec la complicité d'Alexandre, propre fils de l'empereur — avaient envahi la chambre. Un des sbires aperçut les pieds du misérable qui tremblait, et ce fut la boucherie.

Rostopchine voyagea encore six jours vers Voronovo. La politique, pour lui, c'est fini. Sa seule raison de vivre devient sa femme et ses enfants. La pluie, la grêle, ne dissimulent pas ses larmes. L'image rayonnante d'une petite fille ronde et rieuse à souhait, soudain, stimule son cœur, abolit sa défaillance. Plus vite ! Plus vite ! crie-t-il au postillon. La vision d'un haras qu'il a commencé à remplir de magnifiques alezans cautérise son cœur rempli d'effroi.

Plus vite ! *Gleich,* comme disaient les Prussiens.

Fédor Rostopchine, ex-favori, touche enfin à sa terre quand Alexandre Ier, âgé de vingt-cinq ans, les mains encore tachées de sang, monte sur le trône de Russie.

« Sophaletta ! » crie Rostopchine en approchant du parc.

Elle adore son père, cette petite fille mal vêtue et mal coiffée par sa mère. Elle attend le retour de son héros. Elle court, elle bondit, car l'intendant a vu arriver le traîneau. Elle s'arrête, effrayée par les traces de larmes sur les joues de son père revenu de ce voyage dont elle ne sait rien excepté que le tsar, son parrain, est mort. Affreuse tristesse sur le visage de Fédor qui lui fait presque peur.

« Sophaletta ! »

Il crie, se précipite vers la petite robe de percale blanche. Sophaletta ! Elle rit ; elle ressemble à une petite flamme qui court. Il l'étreint passionnément et lui dit tout bas des mots d'amour, les seuls qui lui sont donnés d'entendre, le soir, dans la bouche de sa niania, quand hurlent les loups autour de Voronovo.

Le maréchal de Ségur

En France, l'année 1801 a aussi ses turbulences. Défaites à Canope, mais aussi, place des Victoires, la fondation de la Banque de France. Les Français commencent le dur apprentissage de l'argent et de la guerre. Le vieux maréchal conte au petit Eugène et à son frère l'origine des Ségur. Il déteste la montée de ce Bonaparte. Les enfants comprennent-ils le monologue de ce vieux guerrier amputé d'un bras, tout grevé de prestigieuses blessures ?

« Ségur. Un nom qui remonte aux croisades. Un nom qui vient du latin *locum securum* qui signifie " château fort ", c'est-à-dire, la guerre... Ségur, un sang de noble race dont s'honorent le Périgord et l'Aquitaine. J'ai perdu mon bras à Lowfeld, en 1747, et Sa Majesté Louis XV avait dit à mon père, le général de Ségur : " Des hommes tels que votre fils mériteraient d'être invulnérables. " »

Les petits ont un peu peur de lui. Perclus de goutte, sa voix s'enfle, caverneuse. Il continue le récit de ses origines et de ses prouesses. La famille finit par connaître par cœur les guerres des Ségur grâce à la voix de l'antique guerrier qui répète inlassablement.

« Je suis né du mariage de mon père, le général Philippe de Ségur, avec Angélique Froissy, fille naturelle du Régent et de Christine-Antoinette-Charlotte Desmares, artiste à la Comédie-Française[1]. »

Cette goutte de sang royal l'émeut tellement, qu'il soulève sa chemise en bure et montre une grande cicatrice qui terrifie Eugène :

« C'est une balle qu'on m'a extraite à Raucoux, en 1746. Une chirurgie à vif, sous le ciel, et cette grande balafre sous l'œil, c'est à Clostercamp, alors que j'étais lieutenant-général sous les ordres du maréchal de Castries.

» Couvrez-vous de gloire ! balbutie-t-il encore avant de rappeler aux enfants qui courent autour de son fauteuil, que dès l'an mille, un Ségur s'est distingué en guerroyant contre " Grung, surnommé le Noir "... Il y eut aussi François de Ségur, gentilhomme ordinaire de la chambre d'Henri IV, surnommé amicalement par le roi " le Borgne ", gouverneur de Sainte-Foy en Agenais... Son fils, Hélie Isaac, a épousé Claude-Madeleine de Saluces, petite-fille de Montaigne. »

Puis le maréchal leur raconte ce que les enfants préfèrent : comment, sous Robespierre, il fut jeté au cachot, privé de tous ses biens et ne dut sa liberté qu'à la chute de l'affreux jacobin. L'aïeul ne cache pas son opinion sur sa descendance. Il estime l'aîné, le

---

1. Les renseignements concernant la généalogie des Ségur ont été puisés en partie dans *Monseigneur de Ségur, sa vie, son action*, Marthe de Hédouville, ainsi que dans la *Biographie universelle Michaud*, et le *Dictionnaire encyclopédique usuel* de Charles Saint-Laurent.

comte Louis-Philippe de Ségur. Il est irrité par la fragilité de son petit-fils, Octave, en entier sous le joug de sa coquette épouse.

La mort, en cette année 1801, le soulage. Elle est la bienvenue. Il a près de soixante-dix-huit ans. On le retrouva, assis dans son fauteuil, raide, bien droit, son bras absent n'empêchant nullement la crispation guerrière de la main qui lui reste sur le pommeau d'une épée désormais absente.

Le maréchal a fait caca

La comtesse de Ségur honorera dans son œuvre le vieux maréchal. On le retrouve dans son roman *Les Vacances*. Chaque soir, dans le salon de Mme de Fleurville (Mme de Ségur ?), il y a une grande réunion d'enfants et de parents. M. de Rugès (anagramme de « Ségur ») raconte à l'assistance un fait et geste du vieux maréchal aux prises avec des revenants. « Historique » précisera une note de l'auteur. M. de Rugès commence son récit :

« Le maréchal, à peine remis d'une blessure affreuse reçue à la bataille de Laufeld, où il avait eu un bras emporté par un boulet de canon, quittait encore une fois la France pour retourner en Allemagne reprendre le commandement de sa division. »

Le voilà obligé, par un orage affreux, à passer la nuit dans une auberge isolée où l'hôtesse précise avec effroi qu'il ne lui reste qu'une seule chambre, mais hantée.

« Je ne crains pas les esprits, répond le maréchal, et quant aux hommes, j'ai mon épée, deux pistolets... » La chambre se trouve au bout d'un corridor, au-dessus d'un souterrain. L'hôtesse prétend « avoir entendu les esprits chuchoter et siffler à ses oreilles »...

« Sotte femme », dit le maréchal en riant.

Il soupe, renvoie son domestique, et s'endort. A minuit tapant : « Le mur s'entrouvrit, un homme de haute taille vêtu d'une armure (...) entra dans la chambre, fixa les yeux sur le maréchal. » Puis il se rit du vieux guerrier qui tire en vain sur lui, et commence à lui enfoncer un poignard dans la poitrine. Le maréchal ne sent rien, le revenant admire son courage : « Ton courage me plaît, maréchal de Ségur. » Pour le récompenser, il l'envoie au fond du souterrain quérir un grand trésor qu'il doit trouver sous une dalle. Seulement gare au maréchal s'il se trompe de dalle ! « Prie pour l'âme de ton aïeul François de Ségur. Garde-toi de toucher aux autres dalles. » Il y aurait alors un bruit épouvantable et le maréchal serait aspiré par les âmes des damnés. Le revenant disparaît.

Le maréchal s'aventure par l'escalier en colimaçon, trouve la dalle, mais comment diable laisser un signe quelconque pour retrouver celle des Ségur ? C'est alors qu'« il ressentit de cruelles douleurs d'entrailles (...) et se prit à rire... C'est mon Bon Ange qui m'envoie le moyen de déposer un souvenir sur cette dalle précieuse ».

Le maréchal posa donc culottes et FIT CACA sur la précieuse dalle, puis remonta paisiblement finir sa nuit. Les coups de poing de son valet dans la porte le réveille : « Il se sentit mal à l'aise dans son lit (...). Fantôme, trésor, tout était un rêve, excepté le souvenir qu'il avait cru laisser sur la dalle et que ses draps avaient reçus. »

Pour ne pas mourir de honte devant l'hôtesse, il jette au feu les draps et leur souillure. Il fait croire à l'aubergiste épouvantée que « les esprits ont emporté (les draps) et qu'ils n'en ont pas seulement laissé un morceau [1] ».

Bon prince, il laissera le prix de dix paires de draps et rira des années entières de cette histoire qui ne fut pas perdue pour la romancière Sophie de Ségur.

---

1. *Les Vacances*.

III

LE MALHEUR DE SOPHIE

Elle est remplie d'intelligence et aime à inventer des historiettes auxquelles personne ne comprend rien.

Comte Rostopchine

Le malheur de Fédor

Fédor trouve sa femme très dure avec Sophie. Pourquoi l'enlaidit-elle à souhait ? Pourquoi, alors que Nathalie a gardé ses boucles, Catherine a-t-elle coupé les cheveux de la petite à la Titus ? Sophaletta !

« Elle n'était pas jolie, elle avait une bonne figure bien fraîche, bien gaie, avec de très beaux yeux gris, un nez en l'air et un peu gros, une bouche grande et toujours prête à rire, des cheveux blonds, pas frisés et coupés courts comme ceux d'un garçon[1]. »

Le comte reconnaît son propre visage dans les traits de sa petite chérie. Il s'aperçoit en l'étreignant que ses petits bras sont gelés. Pourquoi Catherine l'habille-t-elle si légèrement en hiver ? Avril cingle encore sa grêle, ses derniers gels — il a fait moins 60°C à Saint-Pétersbourg, cet hiver-là...

« Elle était toujours très mal habillée : une simple robe en percale blanche, décolletée et à manches courtes, hiver comme été,

---

1. *Les Malheurs de Sophie.*

des bas un peu gros et des souliers de peau noir. Jamais de chapeau ni de gants[1]. »

Fédor entend d'ici la réponse de Catherine à qui il a déjà cent fois posé ces mêmes questions. « Il est bon de l'habituer au soleil, à la pluie, au vent, au froid[2]. »

Le comte hausse les épaules. Que faire contre la volonté si absolue de sa femme ? Son bon cœur en souffre ; un doute l'assaille. Serait-elle méchante, cette Catherine Protassov qui continue à donner des oiseaux-mouches vivants à ses perroquets ? Pendant les absences de son époux, et en dépit de sa formelle interdiction, elle fait donner le knout à ses serviteurs. Elle a même osé vendre une famille de serfs, séparant la mère des enfants. Devant son indignation, elle avait alors objecté :

« Aimeriez-vous, mon ami, par hasard, le livre de cet abject Radichtchev ? »

Elle appelle son mari « mon ami », chaque fois qu'elle le contrarie ou l'insulte. Radichtchev avait fait scandale avec son ouvrage *Voyage de Saint-Pétersbourg à Moscou,* publié en 1790, où ce noble, haut fonctionnaire, plaidait dans ses pages la cause des serfs. Devant les mots cinglants de Catherine, le comte Rostopchine enrage et baisse la tête. Tandis que Sophie s'est jetée dans les bras de son père, la comtesse Rostopchine n'a pas daigné les rejoindre.

« Tiens, lui dit-il tout bas, je t'ai apporté un cadeau de Saint-Pétersbourg. » Il lui donna un joli petit couteau en écaille ; Sophie est enchantée de son couteau, elle s'en (servira) pour couper son pain, ses pommes, des biscuits, des fleurs[3]...

Couper, oui, surtout ce qui se mange car elle a toujours faim. Sa mère l'affame, dans ce palais de luxe où l'on tue trois cents moutons par jour pour nourrir Voronovo. « Trop manger est mauvais pour la santé », argumente Catherine au père agacé, « aussi défendait-elle à Sophie de manger entre les repas ; mais Sophie qui avait faim, mangeait tout ce qu'elle pouvait attraper ».

Et la soif, donc ? Si l'hiver est rude, l'été brûle. Elle a soif, soif, Sophie. Elle n'a pas le droit de boire : « Rien, absolument, jusqu'au dîner et à dîner un verre seulement[4]. »

Son père ignore la solution qu'elle a trouvée. A quatre pattes

---

1. *Les Malheurs de Sophie.*
2. *Ibid.*
3. *Ibid.*
4. *Les Petites Filles modèles.*

dans le chenil, elle boit à même la gamelle des chiens. Quand elle est surprise par sa mère, elle a appris à encaisser sans desserrer les dents le grand coup de verge qui s'abat sur ses reins : « On m'a tant fouettée que je suis habituée[1]. » Fédor devine et s'indigne ; pourquoi s'acharne-t-elle sur Sophie, rarement sur Nathalie, jamais sur Serge ? Catherine a réponse à tout. Sophie est insupportable. Il faut la dresser et pour cela : « Le fouet est le seul moyen d'élever les enfants, le fouet est le meilleur des maîtres. Pour moi, je n'en connais pas d'autre[2]. »

L'ancien favori enrage. Il n'a eu peur de rien dans sa vie. Ni du terrible seigneur de Livna, ni du tsar fou, ni de sabrer des Ottomans. Catherine Protassov Rostopchine le fait trembler ! Il s'en veut ; il mériterait le supplice de l'âne. Que faire d'un mari qui a peur de sa femme ? Les oreilles mongoles de Fédor s'échauffent :

« Quand la femme gronde, le mari ploie le dos et la femme tape dessus... Alors, le village se rassemble, on place le mari de gré ou de force sur le dos de l'âne, le visage du côté de la queue et on le promène dans tous les hameaux[3]. »

Il ne sera pas aisé à Rostopchine de reprendre en main l'éducation de ses enfants, surtout celle de ses filles, de Sophie en particulier. Catherine s'en est emparée. Elle est devenue une proie pour sa mère, obsédée d'éducation. Fédor sait bien qu'au chevet de son lit, il y a un livre que sa femme relit sans cesse, *Le Miroir de la jeunesse,* guide des bonnes manières, écrit en allemand. Catherine méprise le russe (le vieux Basile ne l'avait-il pas traitée de poupée française ou pis ?), ne parle à ses enfants qu'en allemand et en français, si bien, qu'à l'âge de quatre ans, Sophie parlera mieux le français, l'anglais, l'italien et l'allemand que le russe.

Fédor traverse de nombreux salons pour rejoindre son bureau. Il est frappé par la foule de négrillons qui cirent à longueur de jour les parquets. Il y a aussi les laveurs de carreaux. Une centaine. Fédor s'attarde dans le grand salon. Une soixantaine de mètres de long, onze de haut. Sur les murs, des tableaux de Dimitri Levitski. Un portrait de Braun représente Catherine Rostopchine, « assise devant une cage dans laquelle est perché un perroquet. De son bras gauche, Catherine tient contre elle une levrette[4] ». Cette image accentue chaque fois son tourment. Sa femme manifeste plus d'amour à la levrette qu'à Sophaletta ou à lui-même. Elle tend un

---

1. *Les Petites Filles modèles.*
2. *Ibid.*
3. *Diloy le Chemineau.*
4. *La Comtesse de Ségur et les siens,* M. de Hédouville.

gâteau à la chienne d'un air de douceur, presque de volupté, qu'il n'a jamais pu obtenir d'elle. Le bras de Catherine est nu. Fédor sait bien qu'un sourd désir entraîne sa passion devant ce morceau de chair, la promesse de deux jambes de neige sous la chaste robe qui recouvre un pied menu, habitué à arpenter en silence des kilomètres de parquets ou de forêt. Catherine Rostopchine adore les grandes promenades solitaires avec ses chiens.

« Elle est mon âme et elle me brise le cœur », songe Rostopchine au bord du malaise.

Des icônes peintes par le père de Levitski ornent un deuxième salon d'or, de velours, de boiseries, qui jouxte un salon plus petit où se prennent les repas en famille. Une grande statue de Fédor Choubine — un ours en os dressé sur pattes — est posée sur un socle de marbre. Fédor rêve un moment. Ce Choubine, sculpteur de génie, est pourtant le simple fils d'un paysan de l'extrême nord de la Russie. Certains meubles anglais et allemands font de la salle à manger un enclos occidental où, presque chaque soir, Catherine fait des scènes à Sophie. Les punitions pleuvent au moment du rassemblement à table, où les sottises de Sophie sont révélées publiquement par sa mère qui l'envoie dîner dans sa chambre « de pain et de soupe et d'un verre d'eau ». Elle qui adore les plats sucrés, les croquettes, les pêches et les raisins de serre ! la crème, les glaces et les entremets ! Fédor soupire ; il réussit rarement à lever la sanction.

Le pain des chevaux

De la fenêtre, Fédor aperçoit ses écuries. Catherine est flanquée de deux grands paniers remplis de pain noir et de sel qu'elle distribuera aux deux cents chevaux de Fédor. Il n'aime guère la distribution du pain et du sel sans lui. En cachette, il autorise Sophaletta à mordre dans le pain noir ; comme il la laisse glisser sa tortue dans sa chambre... Il aime tant gâter ses enfants ! Tout leur donner ! Y compris ce petit poney, cadeau d'anniversaire de Sophie, cette année-là.

« C'était un tout petit cheval noir, pas plus grand qu'un petit âne ; on lui permettait de donner elle-même du pain à son poney. Souvent, elle mordait dedans avant de le lui présenter[1]. »

Sophie est derrière sa mère « avec un panier plein de morceaux

---

1. *Les Malheurs de Sophie.*

de pain bis ». Depuis le matin, elle n'a pensé qu'à ce pain mal cuit. Elle en a même rêvé. Dans chaque stalle, un cheval, un morceau de pain présenté la main bien ouverte, à la dure mâchoire des pur-sang. Il est deux heures de l'après-midi. Sophie meurt de faim. Elle attend de donner le dernier morceau. Une idée lui vient dans l'écurie des poneys. Si elle prenait le morceau dans ses doigts, de manière à n'en laisser qu'un petit bout ? « Elle présenta le pain à son petit cheval, qui saisit le morceau et en même temps le bout du doigt de Sophie, qu'il mordit violemment[1]. »

De dos, sa mère lui apparaît aussi terrifiante que la sculpture de l'ours dressé de Fédor Choubine... Sophie réprime sa douleur, cache sa main dans son tablier mais, le soir, à table, impossible de dissimuler le sang sur la nappe. Catherine devine tout et la tance rudement : « Puisque tu es si sotte, tu ne donneras plus de pain à ton cheval. » La présence de Fédor, son agitation, sauvent de justesse le dîner de Sophie.

Le lendemain, Sophie, à l'écurie, avale à toute vitesse le dernier morceau. Accusé, le palefrenier tremble et jure à la comtesse Rostopchine qu'il a bien mis deux cents morceaux de pain. Tout en parlant, Catherine fixe des yeux Sophie qui, « la bouche pleine, se dépêche d'avaler la dernière bouchée du morceau qu'elle avait pris[2] ». Cette fois-ci, Fédor ne pourra rien contre la punition. La comtesse éclate de la colère contenue de la veille :

« Petite gourmande, vous volez le pain de mes pauvres chevaux. Allez dans votre chambre, mademoiselle, et je ne vous enverrai pour votre dîner que du pain et de la soupe au pain puisque vous l'aimez tant[3]. »

Sa niania a pitié d'elle depuis sa naissance. Au risque de recevoir le knout, « elle tira d'une armoire un gros morceau de fromage et un pot de confiture ». Pour l'endormir, elle lui promet de lui raconter la suite d'Esbrouffe, de Lamalice, de la souris qui est une fée, ou encore l'histoire d'Ourson tombé dans le puits.

Le barine de Voronovo

Fédor, seul dans son bureau, se jure fermement de redevenir à part entière le barine de Voronovo. Tout le monde y sera bien traité y compris ses serfs. Certes, il ne songe pas encore à les

---

1. *Les Malheurs de Sophie.*
2. *Ibid.*
3. *Ibid.*

affranchir, mais il supprimera définitivement tout sévice à leur encontre. Il affirmera auprès d'eux, en dépit de la dure Catherine, son rôle de « Batiouchka ». De père.

« Il croyait qu'entre le despotisme et l'anarchie, il n'y a pas de milieu, et il était encouragé dans cette idée par le spectacle de la France se jetant éperdue aux pieds et dans les bras d'un soldat victorieux[1]. » Le servage est la grande affaire de la noblesse et les divise souvent. Rostopchine n'ignore en rien son origine. En 1580, Ivan le Terrible avait interdit aux paysans de quitter leur maître et, dès 1649, cet ordre devint définitif. Les « 1 700 âmes » de Rostopchine sont rivées — et il y tient — tels les bouleaux sur la terre de leur maître. L'ukaze de 1682 autorisait la vente des paysans et de leur famille par le maître qui a le droit de vie et de mort sur eux. Contrôler l'immensité de tels domaines passe par la dictature absolue. Voronovo et les Rostopchine vivent en total accord avec cette féodalité. Fédor complète largement ces principes par sa générosité, l'accueil d'une foule de parents pauvres et d'hôtes distingués qui séjournent « à vie » s'ils le désirent, à Voronovo.

Rostopchine se donna à cœur joie de vivre selon son caractère. Ses hôtes deviennent ses spectateurs. « N'ayant jamais pu, écrit-il, me rendre maître de ma physionomie, je lâchais bride à ma langue et je contractai la mauvaise habitude de penser tout haut. Cela me procura quelques jouissances et beaucoup d'ennemis. »

A Voronovo, plus que jamais, Fédor pense tout haut. Dînent à sa table l'écuyer Rachwitz, qu'il a fait venir de Berlin pour ses haras ; le vétérinaire Reiner qui, en plus des soins aux chevaux, est brillant causeur, joue divinement du violon et dissèque toutes sortes de bêtes mortes dans son laboratoire près des écuries.

« Prenez garde, avait écrit le comte Golovine à Rostopchine en lui envoyant Reiner, la lancette et le bistouri de Reiner ne respecteront pas même la petite fille du maréchal. »

Sophie adore regarder Reiner découper et ouvrir des ventres de renards et d'oiseaux féroces. Elle a bien envie de découper les petits poissons dans le bocal de sa mère, avec son couteau en écaille... Les ouvrir, regarder l'intérieur tout rouge, encore vivant, peut-être les saler avant de les couper ?

Le vétérinaire Reiner a une admiratrice à Voronovo. Fédor a hébergé la comtesse N..., vieille fille de trente-quatre ans, au bord

---

1. *Vie du comte Rostopchine*, A. de Ségur.

de la misère, vaguement cousine de Catherine. La parasite tombe un moment passionnément amoureuse du disséqueur Reiner.

Fédor a fait venir pour Serge des précepteurs, en particulier un Français de quarante et un ans que Golovine lui a recommandé. Il arriva un beau matin, peu de temps après Reiner, au terme de trois mois en malle-poste. Fédor aussitôt en informa Golovine :

> *Ce Français dont je t'ai parlé est très savant, a été élevé par son oncle qui était premier professeur du Dauphin et, lui-même, enseignait au prince la géographie et la géométrie.*

Le précepteur, veuf, est venu avec sa fille, « une charmante enfant de neuf ans », selon Fédor qui loge et nourrit tout le monde. La comtesse N... en oublie Reiner et se prend d'amour fou pour ce Français. Un an plus tard, en 1805, Rostopchine, mi-furieux, mi-riant, écrit à Golovine :

> *Nous avons une singulière révolution dans notre maison. Ce même d'A... à la sourdine et sans que personne ne l'ait remarqué est devenu amoureux, ou, pour mieux dire, s'est décidé à épouser la comtesse N... Cette vieille et pauvre créature a perdu l'esprit, si on peut dire cela d'elle. Ce Français est amoureux de cette folle.*

Fédor, pour éviter l'embarras de chercher un autre précepteur les marie et les garde chez lui.

> *Je me suis décidé à unir ce couple infortuné et à les garder chez moi.*

Reconnaissant, le précepteur veut se faire russe, mais après trois mois, il disparaît avec femme et enfant. Fédor reprend sa plume.

> *Il s'est enfui à la française... Il est parti à Pétersbourg avec sa N... sans même dire adieu.*

Fédor, père de famille

Fédor s'apaise progressivement à vivre en famille et s'enthousiasme pour ses petits. « Les enfants grandissent et *charmantissent.* »

Qu'ont donné chez l'aîné les leçons du précepteur volatisé ?

« Serge, écrit fièrement Fédor, fait des progrès étonnants en géographie et en histoire. » Catherine, instruite, n'y est pas étrangère : « Serge connaît (l'histoire) grâce à sa mère, comme se le doit un Russe... » La transmission patriotique se ferait donc par la voix maternelle ? Éducation presque complète, puisque, écrit toujours son père « Serge a des dispositions pour le dessin, est très fort en arithmétique, parle aussi couramment le russe que le français, l'anglais, l'allemand et aime passionnément la lecture. » La présence de Fédor semble avoir calmé les duretés de Catherine. Fédor suit attentivement les progrès de ses filles. Nathalie et Sophie doivent surtout améliorer leur écriture, signe de distinction chez les filles. Elles profitent des leçons de langues étrangères données à Serge, mais la lecture, un peu de calcul, la musique, les aptitudes ménagères, composent l'essentiel de leur formation. La mère veille au bon déroulement des leçons, et Fédor s'enthousiasme de nouveau. La poupée et son trousseau ont pour but l'apprentissage du lessivage annuel, du repassage, de la couture. La poupée et ses accessoires servent de modèles pour ces futures mères et maîtresses de maison. Sophie, dès quatre ans, « doit apprendre à ourler un mouchoir et à ranger toutes ses affaires ».

En 1804, tandis qu'en France, Octave de Ségur obtient le poste de sous-préfet, à Soissons, et que Félicité, de plus en plus volage, devient dame du palais de Joséphine, ne s'occupant pas du tout de ses fils, les petites Rostopchine ravissent leur père. Un équilibre familial semble être revenu. « Natacha, écrit Fédor, a un joli style et, à l'exemple de sa mère, aime toujours à être occupée. » Quant à Sophaletta, son père ébloui la surnomme « Sophie Bouffon », et, ajoute : « Elle est remplie d'intelligence et aime à inventer des historiettes auxquelles personne ne comprend rien. » Le rapport avec sa mère est toujours difficile et lui vaut encore plus d'un dîner seule dans sa chambre. Mais Fédor est enchanté de l'imagination et de l'originalité de sa préférée. « Ayant fait une fois une faute en copiant un livre, elle imagina de corriger le livre lui-même. » L'encre a fait tache, Catherine découvre « le crime » et l'humilie sur sa vilaine écriture. Sophie ose répliquer avec la vivacité d'un pinson : « Mais qu'avez-vous besoin de lire ce que j'écris ? Vous avez tant de livres[1] ! »

A cinq ans, elle a réponse à tout. La petite d'Alouville, fille de boyards voisins, se vante un jour d'écrire aussi bien que Catherine

1. *Vie du comte Rostopchine*, A. de Ségur.

Rostopchine. On ne sait plus de qui Sophie a l'insolence de se gausser : « C'est joli ! Vous êtes une petite fille et vous voulez écrire comme maman qui est une dame savante ! »

Quant au caractère de ses filles, Fédor trouve des points communs avec le sien et l'écrit à Golovine : « Il faut te dire que mes filles ont cela de commun avec moi qu'elles sont emportées. » Surtout Sophie : « Natacha sait se retenir mais la cadette se laisse aller à des mouvements d'impatience, malgré les sermons qu'on lui prodigue. Serge est entêté comme moi, quand on veut lui faire faire quelque chose de force. Sophie passe du rire aux plus violents désespoirs pour des broutilles. D'avoir laissé passer des mailles en tricotant, elle parle de se tuer : " A présent, je ne peux plus vivre, je dois mourir et je mourrai[1]. " »

Malgré les remontrances de Natacha « lui ayant fait remarquer que ce qu'elle disait était (…) un grand péché », Sophie s'obstine et argumente : « Dieu me pardonnera. Je suis une malheureuse. »

« Tous les trois, conclut Fédor, sont sensibles au raisonnement et doués d'un cœur excellent ». Leur physique et leur santé divergent. Seule, Sophie est solide. Son père s'en émerveille. « Elle a la santé d'une campagnarde robuste, remplit les fonctions de bouffon. » L'éducation à la dure de Catherine aurait-elle eu du bon ? Natacha est souvent malade, traverse des crises d'attendrissement. Fédor s'en inquiète. « Chaque fois qu'on lui donnait une médecine (…) elle s'efforçait de nous baiser les mains en disant : " Je vais mieux, allez vous reposer. " »

Serge est le plus fragile des trois ; le père a décelé son angoisse. « On l'empêche de trop se livrer à la lecture, vu qu'il est faible de constitution et cela lui donne même un peu de timidité. »

Quant à leur beauté, Fédor est d'accord pour reconnaître le charme tout expressif de Sophie, mais laisse la beauté à Nathalie. « Natacha a un très joli visage qui pétille d'esprit. » Serge, « pour la figure, à l'exception de la couleur de ses yeux, c'est le portrait de sa mère ». En a-t-il l'implacable contour aux lèvres massives, les sourcils bien fournis, les pommettes hautes, le front vertigineux et le crâne rond ?

---

1. *Vie du comte Rostopchine*, A. de Ségur.

COMTESSE DE SÉGUR

Un hôte important : le docteur Kraft

La santé de ses enfants, de Catherine, de ses paysans, de ses parasites, la sienne propre, amènent Fédor à engager nuit et jour dans cet immense Voronovo, éloigné de tout, un médecin compétent. Il fait venir d'Allemagne le Dr Kraft et sa famille. Traité davantage en ami qu'en employé, le médecin allemand occupe, avec les siens, un magnifique appartement. Kraft s'inquiète surtout de la santé de Rostopchine. Il souffre, en effet, du foie, de l'estomac, de rhumatismes et d'insomnies. De fortes crises d'hémorroïdes le gênent. Kraft a bien essayé de leur faire adopter à tous — surtout à Fédor — des lits à l'européenne, mais Rostopchine garde ses habitudes militaires. Il couche la plupart du temps sur un dur canapé, dans son bureau. Catherine lui refuse si souvent sa porte. Il est ainsi plus à l'aise pour penser, écrire, s'agiter devant la nuit toujours trop longue. Les pastilles d'opium diluées dans du vin d'Ukraine, conseillées par son médecin, ne viennent pas à bout de l'insomnie. Nuits blanches, traversées d'images. Le corps du tsar défiguré, l'humiliation d'être écarté de la cour, l'envie de faire à nouveau la guerre. Il comprend alors le vieux Basile. La guerre est un prurit, une somptueuse malédiction qui l'empêcherait de penser que sa femme est devenue sa souffrance, ce vide d'amour dont il s'angoisse une fois les enfants endormis. Catherine a l'art du refus. Paradis à peine entrevu, aussitôt dissous. **Fédor n'en dort plus.** Il a tout loisir d'entendre les loups et les ours.

Kraft n'arrive pas à convaincre le comte Rostopchine qu'il ne soulagera ni ses hémorroïdes, ni ses rhumatismes en refusant tout feu dans sa chambre. Le Mongol n'a jamais supporté les chambres chauffées. Le bon Kraft périra et les Rostopchine résisteront. Vers la fin de l'hiver, le médecin est pris de fièvre. « Nous sommes tous dans la plus grande inquiétude, écrit Fédor le 28 février 1804, à cause de la maladie de Kraft. Il est couché avec une pleurésie. » Kraft ordonne ses propres soins. « On l'a saigné deux fois. » (Reiner et sa lancette ?) Il se fait transpirer abondamment, mais mourra le 5 mars à la grande désolation de Fédor qui s'épanche auprès de Golovine. « Voici cinq jours que j'ai perdu mon respectable Kraft ! » Il gardera à Voronovo la veuve et les enfants de Kraft. Une forte angoisse s'empara alors de Fédor Vassilievitch Rostopchine.

LE MALHEUR DE SOPHIE

Le comte Rostopchine : une âme inquiète

Ses malaises physiques ont décuplé depuis le décès de Kraft. A son inquiétude s'ajoute celle de voir Catherine vaincue par une dangereuse bronchite. Il fait venir d'urgence un autre médecin de Saint-Pétersbourg. Son angoisse est telle qu'il songe à vendre Voronovo et à acheter un autre palais à Moscou. Il se décide à prendre la route pour négocier cet achat. Remise, Catherine est plus dure que jamais avec Sophie. Affaibli, Fédor devient le spectateur muet des punitions répétées. Bien sûr, elle a fait tout un tas de bêtises qui ont exaspéré sa mère. Couper les petits poissons avec son couteau, laisser son salon de joujoux dans un désordre épouvantable, abandonner à un vautour son bel oiseau apprivoisé. Elle a aussi, par étourderie, noyé sa tortue, piqué son âne avec de grosses épingles volées, fichées dans ses souliers en guise d'éperons. Catherine l'isole, la fouette.

Fédor part pour Moscou, lugubre. La séparation d'avec les siens se transforme en rêve de mort. Dans le traîneau fermé, il roule à travers l'immensité enneigée. Il est hanté par le joug de Catherine, inquiet pour Sophie et ses enfants. Aussitôt arrivé, il écrit à son ami : « J'ai tellement pris l'habitude d'être entouré de ma femme et de mes enfants que c'est avec désespoir que je les quitte. » Catherine lui est apparue pendant ces trois jours de voyage, sous forme de cauchemar. « J'ai eu trois fois de suite, écrit-il encore, un rêve dans lequel je recevais une lettre de mon père qui m'écrivait de Voronovo que ma femme avait été tuée dans une de ses promenades. »

Entrelacs des morts et des vivants. Connivence onirique du seigneur de Livna, messager de mort. Disparition de la femme adorée et haïe. Les promenades de Catherine ! Il les redoute, depuis qu'elle avait failli laisser Sophaletta se faire dévorer par les loups de la forêt. Elle lui avait solennellement annoncé le jour de ses quatre ans :

« Sophie, je t'ai promis que lorsque tu aurais quatre ans, tu viendrais avec moi faire mes grandes promenades du soir. Je vais partir pour aller à la ferme de Svitine en passant par la forêt ; tu vas venir avec moi ; seulement fais attention à ne pas te mettre en arrière, tu sais que je marche vite, et si tu t'arrêtais, tu pourrais rester bien loin derrière avant que je pusse m'en apercevoir [1]. »

---

1. *Les Malheurs de Sophie.*

Fédor a mal à l'estomac. Pourvu que la petite puisse suivre cette altière marcheuse que rien n'arrête, ni la neige, ni la pluie, ni les bêtes sauvages... Le chemin pour aller à Svitine est plein de loups. Catherine semble tellement isolée dans son mépris féroce, y compris pour la petite qui grelotte, en robe de percale blanche et bottines lacées. Elle semble avoir oublié Sophie. Elle avance, droite et noire, sous ses laines, entourée de trois gros chiens dont l'écuelle d'eau et de pain a si souvent calmé la faim constante de Sophie. Le cœur de Fédor gonfle de peine — oui, il lui rapportera une belle poupée de Nuremberg. Qu'a donc sa mère à la jeter ainsi sur toutes les traverses ?

L'angoisse de Fédor augmente en songeant à cette mémorable promenade des quatre ans de Sophaletta. Catherine serait-elle aussi féroce que le dur seigneur de Livna, qui eût volontiers jeté aux loups ses deux fils quand l'alcool le submergeait ?

Sophie, en effet, avait couru un grave danger. Elle avait aperçu des fraises sauvages. « Elle s'accroupit pour les cueillir plus à son aise et plus vite. » Elle a toujours si faim ! Les chiens ont l'air inquiets : « Tout à coup deux des chiens poussèrent un hurlement plaintif et coururent à toutes jambes vers Sophie. Au même moment, un loup énorme, aux yeux étincelants, à la gueule ouverte, sortit sa tête hors du bois avec précaution (...), il fit un bond prodigieux et s'élança sur Sophie[1]. »

Catherine acheva froidement le récit au père atterré. La vaillance des chiens sauva Sophie, victime après tout de sa désobéissance. Certes, pour calmer les tremblements de la petite, elle lui avait trempé le visage dans l'eau d'un ruisseau, mais elle ne lui adressa plus la parole pendant le chemin du retour. Par contre, elle félicita ses chiens.

Fédor, ce jour-là, eut envie de flanquer un coup de fouet mortel à cette femme qui désormais hante ses songes sous la forme d'un spectre improbable : sa disparition. Malgré sa rage, il la désire, il l'aime, il la veut, il veut briser ce carcan, arracher d'autres soupirs à cette bouche close sur le dédain. Il a plié tant de fois sous le regard presque noir qui jamais ne cille. Ses insomnies sont parfois ponctuées d'un insensé cri de passion pour Catherine : « Mon âme est à toi tant que je respirerai. »

---

1. *Les Malheurs de Sophie.*

Se perdre dans une forêt ou le vertige des petites filles

La comtesse de Ségur mettra souvent en scène Sophie et les petites filles modèles perdues dans la forêt. La forêt, cette menace de revenants et de morts, de bêtes féroces où « Sophie et Marguerite passeront une nuit à trembler au sommet d'un arbre, tandis que souffle un sanglier qui les menace[1] ». Forêt, encore, lorsque Sophie, toujours marginale, s'échappe pendant une partie de cache-cache pour se hisser au sommet d'un chêne et glisser jusqu'à un début d'étouffement dans le tronc creux. « Pauvre Sophie, cette forêt nous est fatale. Cet arbre a failli devenir ton tombeau[2]. » Forêt toujours, quand Diloy le Chemineau terrasse, au risque de sa vie, un ours échappé d'une ménagerie. Forêts fantastiques des *Nouveaux Contes de fées,* qu'elles soient de chênes, de lilas, de ronces, pour mieux étouffer les enfants. Blandine, Ourson, Violette... Forêt totalement russe, où une horde de loups poursuit le traîneau de la famille Bogoslafe, épouvantée « par les hurlements des loups traînards[3] », qui veulent dévorer chevaux et gens. Forêts-remords où court, court, court Cadichon, l'âne supérieur, l'âne vindicatif, fou d'abandon, de haine et de la brûlure du repentir. Forêt qui aboutit tout droit devant la tombe de la petite Pauline[4], et Cadichon de braire, hurler de chagrin, galoper encore à travers ces bois sans fin, normands ou russes, on ne sait plus... Où, la forêt, cette terreur, trouverait-elle son issue ? Est-elle l'alibi des mères excédées qui souhaitent y voir englouties leurs filles ? Forêt qui dissimule les écorchures de Geneviève Dormère, autre enfant martyre, entraînée de force par son affreux cousin Georges dans la futaie meurtrière[5]. Forêt, une fois de plus, qui menace l'imprudent Jean qui rit comptant ses sous pour les partager avec son misérable double, Jean qui grogne...

La forêt qui entoure Voronovo a créé l'immense espace de l'enfance de Sophie Rostopchine. Elle est composée de bouleaux. Bouleau, arbre sacré des populations sibériennes. Bouleau, pilier cosmique, planté au centre de la yourte de Gengis Khan. Bouleau, qui crève le plafond de la tente, ouvre un espace nommé par les Mongols « la porte du ciel ». Est-ce par le sommet du bouleau, en

1. *Les Petites Filles modèles.*
2. *Les Vacances.*
3. *Les Bons Enfants.*
4. *Les Mémoires d'un âne.*
5. *Après la pluie, le beau temps.*

Russie, par-delà le faîte des forêts que l'âme des enfants s'échappe dans le cosmos ? Bouleau, expression sacrée du « Printemps », de la jeune fille, ensemble épais et serré qui fabrique l'illusion d'escapade et le coffre funéraire des petites filles imprudentes qui ont osé échapper aux mères.

Fédor Rostopchine et l'amitié

Fédor revint de Moscou les bras chargés de cadeaux pour les siens, en particulier d'une poupée pour Sophie. « Les joues étaient roses avec de petites fossettes, les yeux bleus et brillants ; le cou, la poitrine, les bras en cire, charmants et potelés. La toilette était très simple : une robe en percale festonnée, une ceinture bleue, des bas de coton et des brodequins en peau vernis [1]. » Sophie l'embrassa plus de vingt fois et sauta de joie. Catherine déteste les cadeaux en dehors des anniversaires où elle avait offert à Sophie, outre l'autorisation de la suivre à pied, dans la forêt, « un petit thé en argent, un faux livre intitulé *Les Arts,* contenant des peintures et des petits volumes à colorier [2] ». Elle feint de ne pas voir la poupée, et Fédor dissipe son début de nervosité, en écoutant Sophie lui jouer parfaitement au piano *L'Orage* de Steibelt. Heureusement, l'amitié se taille une grande part dans la vie de Rostopchine. A Moscou, n'a-t-il pas hésité, au risque d'être envoyé en Sibérie, à faire accrocher dans le vestibule de sa maison à peine acquise un portrait géant de Paul Ier ? Une foule d'invités — les siens, ceux de Catherine — envahissent, à sa grande joie, Voronovo. D'abord, il y a son très cher prince Tsitsianov avec qui il peut s'épancher de longues heures. Il rencontre à table la vieille Anna Stepanovna Protassov qui adore passer de longs séjours chez sa nièce. Dieu qu'elle est ennuyeuse avec son caquetage. Elle ressemble de plus en plus à un lustre géant. Fédor lui sait gré pour cela des fous rires qu'elle provoque chez lui, rien qu'en la regardant. Catherine mange à peine et disparaît dans sa chambre. Fédor soupire. Ah ! la belle vie pour un homme, coincé entre une bigote, une vieille fille et tout un tas de cireurs de parquets ! Heureusement, il y a les enfants, les amis et les chevaux. Et un jour, l'Ennemi.

Pour son retour, Rostopchine a voulu une belle fête. Cet excès d'invités va l'y aider. Il y a Véra, la petite sœur si jolie de sa femme,

---

1. *Les Malheurs de Sophie.*
2. *Ibid.*

mariée au général Vassiltchikov, excellent cavalier. D'autres jeunes femmes distraient flatteusement le regard de Rostopchine. L'amie de Véra, une mademoiselle Tchitchérine, brillante cavalière, rivalise avec la comtesse Rostopchine, elle-même fort habile à mener un cheval. Il y a aussi une cousine des cinq sœurs Protassov, dressée dans sa robe moulante tel un serpent sur sa queue, Mlle Gouriev. Il y a les amis Novosettsev, un nouveau précepteur, Touci, philosophe et peintre, auteur du portrait de Sophaletta. A dîner, Fédor fait asseoir à sa gauche sa préférée, Barbe la Bossue. Pour tout ce monde et une foule de voisins, Fédor organise un carrousel avec son haras. Le carrousel se déroule avec ses figures et ses parades dans un cirque fleuri, où les brillantes amazones s'en donnent de quadrilles et sauts par-delà les barrières elles-mêmes enguirlandées. Le tout est illuminé par des lampions. Fédor admire, ce jour-là, Catherine, pour l'élégance de sa taille en costume d'amazone, sa maîtrise sur un alezan aussi noir que sa tenue de soie et de velours. Sophie n'oubliera jamais cette fête, cette trêve. Elle s'en donne, Sophaletta ! Elle a le droit de rejoindre le carrousel, de galoper sur son poney. Le repas, servi dehors, est arrosé de champagne de France. Cette France devenue l'écharde de la Russie. Les insolents triomphes de Bonaparte sous le soleil d'Austerlitz assombrissent le patriote Rostopchine. Il essaye de chasser ce noir nuage, cette menace, ce pressentiment en regardant Sophie sauter hardiment les barrières. Le mois de mai tendre et rose. Le repas est servi sur les tables surchargées de pâtés, gibelottes, cailles farcies, légumes frais, croquenbouches, crèmes renversées, retournées, prises, macarons, et tous les fruits en pyramides multicolores... Au dessert on est obligé de se replier à la hâte vers le vestibule ouvert de Voronovo. Un orage d'été, un orage violent, violet, a éclaté. Les écuyers rentrent les chevaux à la hâte. Tout le monde oublie Sophie, qui, seule, sous une gouttière débordante, essaye par ce moyen de faire friser ses courts cheveux raides. Elle a toujours envié les délicieuses boucles de Véra et se souvient que « ses cheveux frisent mieux quand ils sont mouillés (...) » Et voilà Sophie « qui met sa tête sous la gouttière, et qui reçoit, à sa grande joie, toute l'eau sur la tête, sur le cou, sur les bras, sur le dos[1] ».

Elle veut courir dans sa chambre, se changer, se sécher. Elle entend le rire des invités. Tout le monde est au salon. Par-delà la voix des uns, des autres, violoncelle favori, le rire de son père, elle

---

1. *Ibid.*

court, mais hélas, se trouve nez à nez avec le mentor et « Sophie, toute mouillée, les cheveux hérissés, l'air effaré, resta immobile et tremblante[1] ». Pour la première fois de sa vie, sa mère la trouve si ridicule qu'elle éclate de rire. Le champagne ? Le rire à la place du châtiment ? Catherine se glace tout d'un coup et humilie Sophie. Elle l'oblige à entrer au salon, devant tout le monde, et à « dîner avec sa belle coiffure en l'air et avec sa robe pleine de sable et d'eau[2] ». Sophie brusquement rabougrie, pauvre petit hanneton trempé, se sent laide, point de mire de la moquerie générale, même de son père. « Voilà ce que c'est que d'être coquette. On croit se rendre jolie et on devient affreuse. » Elle est presque soulagée quand, une fois de plus — adieu, plats sucrés ! — la voix maternelle, redevenue maussade, clame la sempiternelle sanction. « Allez-vous en dans votre chambre, mademoiselle. Vous ne faites que des sottises. Sortez, que je ne vous voie plus de la soirée. »

Fédor est repris par son souci. La guerre possible, probable, souhaitable, la fréquente absence de ses trois amis véritables, avec qui il correspond près de quatre heures par jour. Le comte Golovine, Simon Vorontsov et son *alter ego,* qui a dû repartir, le prince Tsitsianov. Fédor avait confié à Tsitsianov son dégoût pour la Révolution française, au point de se leurrer un moment au sujet de Bonaparte. Serait-il la seule solution contre la république honnie ?

Fédor avait rencontré le prince Tsitsianov en Caucasie où il était général en chef de l'armée du Caucase, gouverneur de la Georgie. Fédor et Tsitsianov ont guerroyé ensemble. Le courrier, inlassable et fidèle, a pris ensuite le relais. Fédor signe chaque fin de lettre adressée au prince, « Adieu, mon Bayard, né trop tard ! » La vraie fête de Fédor avait été la venue de Tsitsianov pour le carrousel. « Ma femme se dépêche de terminer l'arrangement des chambres du bel étage qu'elle te destine... »

Tsitsianov hésitait à se déplacer, menacé par un complot possible, et Fédor d'écrire : « Tu comprends quel devait être l'état où je me suis trouvé durant quatre années consécutives pendant lesquelles j'ai eu continuellement à lutter contre l'envie, la jalousie et où j'avais encore à vaincre la haine de tout le monde contre le défunt monarque[3]. » Le prince avait été en butte à la peste en Georgie. « Dans quelle triste position tu te trouves, répond

---

1. *Les Malheurs de Sophie.*
2. *Ibid.*
3. Correspondance de Rostopchine avec le prince Tsitsianov, 1804.

Rostopchine, entouré de moribonds et de morts, n'ayant pour toute société qu'un botaniste ! » Mais la peste prend fin, Tsitsianov triomphe à Ganja, en février 1804, Fédor s'enthousiasme : « Gloire à Dieu, gloire à toi ! non parce que sous artillerie tu as pris le Gibraltar asiatique ; mais parce que, aux lauriers d'Otchakov et d'Ismaïl, tu as ajouté ceux de Ganja (...), ma femme te félicite et est tout heureuse ; moi, j'ai fait chanter un *Te Deum*. » Tsitsianov peut alors rejoindre Voronovo, qui sera aussi sa dernière fête.

Les adieux à une poupée

Avant de quitter Voronovo, le prince Tsitsianov embrassa une dernière fois son cher Fédor Rostopchine et le pria de faire graver une pierre dans son parc qui, le cas échéant, serait son tombeau. Prémonition ? Fédor ne savait pas encore qu'en 1806 il ferait sceller pieusement cette dalle. Tsitsianov, alors qu'il allait négocier avec l'ennemi, tomba dans un guet-apens et fut assassiné. Voici ce que le Prince avait fait graver en russe :

*J'ai voulu être honnête
et marcher d'après la loi divine.
Ce n'est que la mort seule
qui m'a donné le vrai bonheur.*

Sophie, d'une seule traite, a traduit l'inscription du russe au français. Elle ne comprend pas très bien pourquoi on a fini par voiler de noir le portrait de l'ami, pourquoi il y a tant de larmes, puisque la mort seule semble « donner le vrai bonheur ». De plus, elle adore les enterrements. Elle a enterré, non loin de la pierre consacrée à Tsitsianov, sa poupée en cire devenue affreuse. Après qu'elle lui eut donné un bain de pieds chaud, les pieds étaient restés dans la bassine. Elle lui avait, bien sûr, frisé les cheveux : plus de cheveux ; « Sophie pleura mais la poupée resta chauve[1]. » Ses yeux étaient tombés à l'issue d'un bain de soleil. Sophie aime tant sa poupée ! Elle lui a cassé bras et jambes en lui apprenant des tours de force. La poupée repose, elle aussi, sous une pierre, probablement très heureuse. Elle est morte, après tout, d'avoir eu une très bonne mère : Sophie s'était entièrement consacrée à son éducation. Tout cela a fini par un petit tas de cire et de percale salie sous laquelle on devinait encore la bouche en bouton de rose, ouverte en un minuscule o figé et épouvanté.

---

1. *Les Malheurs de Sophie.*

Poupée épouvantée, aussi, cette serve châtiée par son mari et que Fédor a retrouvée, vivant encore, dans un village, à dix verstes de Voronovo. Le mari a puni ainsi sa femme qui couchait avec un maître officier de garde en retraite : « Ce pauvre homme, écrit Fédor à Tsitsianov, perdit patience, se cacha dans le jardin près du pavillon, et quand son seigneur vint avec sa belle, il le tua et le mutila ; ensuite, malgré la supplication de sa femme, il lui coupa les deux seins, lui releva et lia sa jupe au-dessus de sa tête, et l'assit au pied d'un arbre. »

Catherine trouve juste ce châtiment de l'adultère. Sophie a tremblé et s'est demandé pourquoi le « bonheur » (la mort) devait passer par un quart d'heure aussi épouvantable. Tsitsianov aussi sera mutilé, égorgé, traîné dans un bain de sang. La poupée, jadis si jolie, provoquait la répulsion de Sophie qui ne l'aimait plus du tout.

La famille est absorbée par les préparatifs du départ à Moscou. On ne s'occupe plus de Sophie. Elle peut chiper à la cuisine des gimblettes toutes chaudes et sucrées, petits gâteaux en forme d'anneaux, qu'elle préfère à tous. Elle peut boire tout son saoul à l'abreuvoir des chevaux. Si elle a un mari, lui coupera-t-il les seins ? Les maris sont-ils le relais de la mère ? Elle avait trouvé à son père un air presque méchant quand, l'après-midi du carrousel, il avait volé de force un baiser à Catherine.

Austerlitz

L'anxiété a repris Fédor. Il ne tient plus en place. Anxiété depuis la victoire d'Austerlitz suivie de la perte de son ami. Fédor a envie de redevenir militaire à part entière — un Tsitsianov, un Bayard —, il est très agité par le déroulement des événements français depuis la fête du carrousel. Il y a eu le sacre de l'Empereur, l'assassinat du duc d'Enghien, petit-fils du Grand Condé, accusé de complot antibonapartiste, fusillé de nuit dans les fossés de Vincennes. « La mort du duc d'Enghien, avait écrit Fédor à Tsitsianov, peu avant son assassinat, est un de ces coups de foudre qui abasourdissent (...) ; on ne peut régner longtemps par la terreur. » Les royalistes Pichegru et Cadoudal ont été guillotinés. Napoléon Ier se proclame roi d'Italie, a commencé sa troisième coalition. Elle comprend l'Angleterre, l'Autriche, la Suède, les Bourbons de Naples et cette fois-ci, la Russie. La veille d'Austerlitz — la France semble aller de gloire en gloire — Philippe de Ségur décrit ainsi le bivouac illuminé pendant la nuit du 4 au 5 décembre 1805 en l'honneur de l'Empereur : « Ainsi fut improvisée, aux yeux de l'ennemi étonné, la plus touchante des fêtes dont jamais l'admiration et le dévouement d'une armée entière aient salué son général. »

L'Empereur amena habilement les 90 000 Austro-Russes à l'attaquer sur le plateau de Pratzen, au-dessus d'un village, Austerlitz. Koutouzov et la garde impériale russe comptent 37 000 morts et 30 000 prisonniers, sans parler de la fuite du tsar. Fédor Vassilievitch Rostopchine s'enferma dans son bureau et pleura. Sa haine pour les Français commençait. Sa haine pour le parricide Alexandre Ier s'accentue. Il est temps d'aller à Moscou. Redevenir patriote et actif. C'est son devoir.

« Le devoir avant tout », s'exclament tous les militaires de l'œuvre de la comtesse de Ségur.

Obsessions

En France, les Ségur, malgré la liesse de la victoire, sont en deuil. Le fils aîné du vieux maréchal est mort. Joseph-Alexandre de Ségur, écrivain assez piètre, dont le maréchal blâmait les romans, les livrets d'opéras et la légèreté. Le vieux militaire préférait, et de loin, les hauts faits guerriers dont le second fils, Louis-Philippe, revenu d'Austerlitz, en était la preuve. Tandis qu'on glisse le corps de Joseph-Alexandre de Ségur dans le caveau familial, Octave, blême, est repris par ses obsessions. Il jette un regard de haine à Félicité. Elle le trompe, il en est sûr, avec le héros d'Austerlitz — et même avec n'importe quelle soldatesque. Son regard glisse sur ses trois fils ; il déteste Eugène, trop beau pour ses sept ans. Ne dirait-on pas, en miniature, le portrait du régent ? Le régent aussi couchait avec des catins aussi belles que Félicité, comtesse Octave de Ségur.

Octave dédaigne le deuxième fils, a pitié de son petit dernier, Raymond, aussi nerveux et sombre que l'est son père. Octave se reconnaît dans cet enfant. Il le croit capable de mourir d'amour tandis qu'Eugène, réplique de Félicité, trompera sa femme, la fera crever. En plus, il est avare et ne prête rien. Octave ferme les yeux. Mourir, quel repos ! Le souvenir du radotage du vieux maréchal ne le secourt en rien.

« Ségur faisait la voix caverneuse, cohérente, sans se tromper jamais dans les dates ; Ségur : nous sommes une famille noble et ancienne, originaire en partie de la Guyenne. Nous avons fourni des hommes illustres. Soyez des hommes illustres. Nous comprenons plusieurs branches. Les Ségur Bouzely et les Ségur Poncha… Soyez des guerriers. Ou alors, mieux vaut la mort que la lâcheté. »

Octave de Ségur s'aperçoit qu'il a envie de sangloter et d'étrangler sa femme.

Installation à Moscou. Alexandre Ier

Catherine est enceinte lorsque toute la famille arrive à Moscou. « La ville aux quarante fois quarante église. » L'hôtel particulier des Rostopchine est situé dans un faubourg de la ville, jadis fort prisé par le tsar Alexis qui y possédait un rendez-vous de chasse, Sokolniki. Le mot signifie « faucon ». La famille a fait le trajet de Voronovo à Sokolniki dans une grosse voiture montée sur patins. C'est le début de l'hiver. Les postillons galopent en avant pour s'enquérir de l'état des routes, des relais, des auberges. Les fourgons qui suivent la voiture des maîtres sont surchargés de malles. Fédor, selon l'usage, a fait envoyer, un mois auparavant, une foule de domestiques pour astiquer les appartements. « Pendant quatre jours, ils ne firent que frotter, essuyer, ranger[1]. » Catherine éprouve, sans desserrer les dents, le mortel ennui d'une telle route. Le froid entre par les vitres, les secousses de la voiture, le chemin affreux, accentuent ses nausées. Les rivières sont gelées, les bouleaux ont l'air de revenants. Les enfants, seuls, s'amusent, rient, se lancent des coussins à la tête. Sophaletta raconte ses historiettes. Pour couper l'ennui du mortel voyage, Fédor « chassa les pensées qui l'ennuyaient, avec deux tranches de jambon, une aile de volaille et une demi-bouteille de bordeaux[2] », car « le forreister (postillon) avait pris soin de garnir les nombreuses poches de la voiture et du siège de provisions et de vins de toutes sortes[3] ».

Catherine, en face de Serge, Nathalie et Sophie, « se tenait près de lui (Fédor) dans une immobilité complète[4] ». Fédor enrage à cause des victoires françaises. Après Iéna et Davout, Blücher a été obligé de capituler à Lübeck. Les Rostopchine ont pris la route, au début du blocus continental. Ce 19 novembre 1806, Napoléon est entré à Varsovie. L'envahisseur n'est plus loin et a osé faire un hautain pèlerinage sur la tombe du grand Frédéric. « Il resta, écrit

---

1. *Pauvre Blaise.*
2. *Le Général Dourakine.*
3. *Ibid.*
4. *Ibid.*

Philippe de Ségur, son aide de camp, dix minutes perdu dans ses méditations devant le cénotaphe. »

« Ah ! pense Fédor, en dévorant son aile de poulet, qu'il ne s'approche pas de Moscou. Je lui réserve une surprise à la tartare. »

C'est la première fois que les enfants voient Moscou. Nez au carreau, ils s'émerveillent. Le palais de Sokolniki les enchante par son luxe. Sophie fait la grimace devant le portrait géant de Paul Ier. Elle trouve décidément à son parrain défunt un air farouche, simiesque et riant à la fois, qui l'assimile davantage à une bête de zoo qu'à un empereur. Mais que la maison est belle !

Fédor jouit de leur surprise et leur fait tout visiter. L'ecalier orné de lauriers gigantesques, les plantes exotiques du vestibule, l'étage avec les salles de réception, le billard, un appartement tout entier réservé à sa femme. Au deuxième étage, son refuge. Un salon, un bureau, une bibliothèque, un modeste lit de camp en planches dans une petite pièce sans feu. Enfin, un dernier escalier mène à une foule de chambres pour les enfants et, tout là-haut, les domestiques. Sophie et Nathacha sont enchantées de leurs chambres. « Rien n'avait été oublié ; des meubles simples, mais commodes, une grande table de travail, un piano, une jolie tenture de perse à fleurs, des rideaux pareils [1]. »

A Moscou, comme à Voronovo, Fédor tient tous les jours table ouverte. Il est enfin reçu par le tsar. Alexandre Ier est une personnalité complexe. Un mélange de sensibilité excessive, de charme, de hauteur et de brutalité. Une capacité étonnante à se fondre, à se dissoudre. L'assassinat de son père mortifie secrètement cette nature, anxieuse, méfiante. Rappeler Rostopchine, revoir de près le seul ami du père mort dans le sang, ne lui ont pas été chose facile. Il en a été capable, peut-être grâce aux subtilités de son éducation. Sa puissante aïeule lui avait choisi un précepteur suisse, libéral et philosophe : Frédéric César de Laharpe. Mais ce Laharpe, « livre ambulant aux idées libérales et d'une grande loquacité [2] », n'a aucune conscience des réalités russes. Il aurait certainement conseillé au souverain de nommer Fédor Vassilievitch Rostopchine gouverneur de Moscou.

Hiver 1807. Fédor Rostopchine écrivain

Fédor s'est établi à Moscou pour reprendre sa vie sociale. Les mœurs de Moscou le dégoûtent rapidement. « La folie s'est

1. *Le Général Dourakine.*
2. *Alexandre Ier*, Henri Troyat.

emparée de toutes les têtes. Des femmes mûres dansent tous les jours de la semaine en faisant vis-à-vis à leurs filles, et les vieillards ne font que se griser. Tout le monde crie et personne n'écoute. »

Il pense à peu près la même chose des invités qui vont et viennent à Sokolniki. A-t-il l'impression, qu'en dehors de Voronovo, il n'a plus ni asile ni intimité ? Catherine le fuit ; sa grossesse est une excuse pour l'éloigner à nouveau de sa chambre. Fédor reprend furieusement ses écritures. La politique est dans toutes les bouches : « Tout le monde se tait, écrit-il, excepté les ministres qui se chamaillent entre eux et boivent pour s'étourdir. »

Catherine retourne à Voronovo fin avril, pour la naissance. En juin, elle accouche de Lise, la délicieuse beauté de la famille. L'accouchement a été très dur ; Fédor a tremblé pour Catherine. Voronovo et son soleil dru sur les haras, Voronovo et ses icônes voilées car on a craint pour la vie de Catherine. Sophie a sept ans. Elle a eu beau couper ses sourcils, découper une guêpe vivante avec son couteau, rouler sous sa petite voiture dont elle avait lancé l'âne au galop, manger des cassis et des groseilles à s'en rendre malade, nul n'y prend garde. La naissance de Lise et l'attention accrue de Catherine, à peine remise, pour ses volières, ont détourné l'orage sur sa tête coiffée à la Titus.

Chuchotements d'un jésuite : l'abbé Surrugues

Ce nouvel hiver stabilise mieux les relations de Fédor à Moscou. Le tsar ne se prononce pas encore, mais des bruits favorables à Rostopchine courent tout Moscou. Catherine fréquente assidûment l'église catholique, tout près de Sokolniki. Il y a tant d'invités, chaque soir, que Fédor n'a pas particulièrement remarqué un hôte fidèle que Catherine traite avec égard. Une sorte de moine râpé et mité, le curé de l'église française, un jésuite, l'abbé Surrugues. Parmi les hôtes de sa femme, se trouvent de nombreux théologiens. Catherine lit et relit avec une ineffable gourmandise un petit livre que lui a glissé l'abbé Surrugues : *L'Imitation de Jésus-Christ*. Tandis que sa femme se convertit de plus en plus, Fédor se met à écrire. Cette forme d'action à huis clos est pour lui un grand acte slavophile et patriote. Il veut publier plusieurs satires contre cette mode imbécile de parler français, s'habiller français, penser français, au point d'oublier sa langue natale, le russe. Il se réjouit férocement devant la décomposition de l'Europe sous la trique de l'antéchrist. Fédor compte sur l'Angleterre, tout en la détestant, pour qu'elle achève de détruire cette Europe outrecuidante, menée par un Corse terroriste et insensé. L'Angleterre aiguise le mordant de sa plume. Que jamais la Russie ne prenne modèle sur les Constitutions anglaises! Tel est l'idéal antique que professe le pamphlétaire Fédor Vassilievitch Rostopchine.

Sophie, qui écoute aux portes, suit ses parents comme un petit poney, de salon en salon. Elle entend Fédor fulminer à haute voix ses pamphlets dans son bureau fermé. Il écrit à grands coups de plume qui crèvent le papier, trempe sa plume dans cette grosse bouteille d'encre noire que Sophie rêve de dérober « pour teindre en noir son gros mouton blanc[1] ». Elle entend tout sans bien comprendre : « Les prétentions de l'Angleterre sont folles, elle aura la guerre, scande Fédor à haute voix. (Les Français) seront obligés de regarder comment les Anglais pilleront sur mer. Bonaparte n'a rien à gagner avec eux... » Rostopchine, dans un bourdonnement furibond, enchaîne : « L'Angleterre (...) ne fait que commettre des brigandages et (...) défend de crier au voleur... » Sophaletta entend encore un grand cri rageur contre un certain « Pitt » puis, l'éclatement de la phrase finale : « Je ne connais rien de plus révoltant que la politique anglaise. Il serait excellent d'envoyer 50 000 hommes à travers la Perse dans l'Inde et y détruire de fond en comble les possessions anglaises. »

Sophie colle son oreille à la porte — la curiosité est un vilain défaut. Elle imagine une historiette. Une princesse serait poursuivie à jamais par une méchante fée sous la forme d'une vilaine petite souris grise, car la princesse, Rosette, aurait été responsable de l'incendie du palais de son père à cause de sa curiosité[2]. Sophie a aussi tendu l'oreille, au salon. Elle a entendu chuchoter, par sa mère et ses tantes, que Véra, la plus jolie, la toute belle, est très malade. Sa mère, d'ailleurs, ne cesse de répéter, penchée vers ce vilain homme en soutane qui lui glisse des mots d'un air gourmand, des secrets (lesquels?), dans une oreille enfin penchée, enfin attentive. L'orgueilleuse Catherine Rostopchine a l'air soumis et humble quand murmure ce vilain jésuite. L'autre jour, dans le va-et-vient vertigineux sur le parquet rutilant — Catherine veille sur ses planchers avec la même rigueur que sur sa famille — l'abbé Surrugues a glissé au cou de sa mère une petite chaîne avec une boîte en or, dans laquelle Sophie a pu apercevoir un petit pain blanc qui lui donna aussitôt l'eau à la bouche.

1. *Les Bons Enfants.*
2. *Nouveaux Contes de fées.*

Sophie a entendu deux mots auxquels elle ne comprend rien : « Custode » pour la boîte et « Hostie » pour le petit pain blanc tout rond que Catherine a farouchement emporté dans sa chambre.

Sophie a envie de sauter de joie. Maman est aussi gourmande que moi ! Probablement mange-t-elle en cachette ce bon pain blanc, pas plus large qu'un bonbon, donné par ce vilain homme tout noir que papa n'aime guère. « Il faut que j'approche un fauteuil pour ouvrir le petit coffret trop haut pour moi. » « Si je grignote juste un petit morceau, maman croira que c'est un rat[1]. »

Elle aperçoit, par la porte entrebâillée, sa mère à genoux, les yeux en extase, mi-clos, le petit pain blanc en train de fondre sur sa langue. « Hmmmm... Ce doit être un fruit confit extraordinaire », pense Sophie. Lentement, la comtesse tourne ses yeux presque hagards, ailleurs — l'au-delà —, vers une petite robe en percale blanche qui fuit comme une flèche.

Sophie grimpe à l'étage au-dessus. Le cœur battant. A-t-elle encore commis une mauvaise action ? Elle entend son père rire et se frotter les mains. Elle colle à nouveau l'oreille à son bureau. Il a trouvé un titre pour son pamphlet : *Oh ! les Français !* Publié, il se répandra dans tous les salons jusqu'à Saint-Pétersbourg, jusqu'au tsar. Alexandre ne lui pardonnera jamais de l'avoir traité de « mauvais fils » aux lendemains d'Austerlitz. Mais le courage de Rostopchine le frappe. Cette fois-ci, il l'utilisera au lieu de l'exiler.

Oh ! les Français ! est une satire contre la manie des Russes de parler et de singer le français. Il faut rester russe si on veut contribuer à la vraie grandeur et à la force de la Russie. *Oh ! les Français !* se divise en deux chapitres : « Dernières volontés d'un père mourant » et « Anastasia Matveevna » ou les vertus d'une veuve qui a les traits de Catherine. « Ses enfants, écrit pompeusement Fédor, furent sa seule occupation. » *Oh ! les Français !* s'achève sur le rêve de mort dont Fédor est décidément hanté dès qu'il s'agit de sa femme : « On ensevelit, écrit-il, le même jour ce mari et cette femme si dignes l'un de l'autre et la même tombe recouvrit leurs corps. »

Chaque soir, au salon, Fédor lit ses pamphlets à haute voix à un nombreux auditoire. L'air d'extase de Catherine le réjouit. Il prend cela enfin pour de l'admiration alors qu'en fait elle a prié tout l'après-midi. Elle a communié et passé trois heures à apprendre l'hébreu afin de mieux comprendre la Bible.

« *Les Nouvelles ou le mort vivant !* », tonne avec enthousiasme le

_____

1. *Les Malheurs de Sophie.*

LE MALHEUR DE SOPHIE

comte Rostopchine. Seule Sophie écoute et admire. Elle est fascinée de voir à quel point des mots écrits peuvent réjouir, faire rire ou frémir. Ou même bâiller. *Les Nouvelles ou le mort vivant* est une comédie. Elle met en scène les fausses nouvelles colportées dans les salons après les batailles d'Eylau et de Friedland.

Le pamphlet imprimé à Moscou par Rostopchine et qui eut le plus de retentissement s'intitule : *Pensée à haute voix sur le perron rouge, de Sila Andreevitch Bagatize.* Ce court petit livre se répand dans toutes les provinces de l'empire. « Le perron rouge » est ce célèbre escalier qui conduit à l'ancien palais des tsars au Kremlin. Cet escalier a souvent été le théâtre d'assassinats, de scènes sanglantes, d'égorgements. Prémonition de l'ultime guerre ? « Resterons-nous encore longtemps à imiter les singes ? » écrit le patriote. Les singes sont les Français. Les Anglais sont des ânes. « Qu'y a-t-il de mieux que d'être russe ? » conclut le pamphlétaire. La torche première de l'incendie de Moscou a été l'écriture. Rostopchine n'admet pas la paix de Tilsit, l'entrevue d'Erfurt où Alexandre Ier et Napoléon Ier se sont embrassés. Quoi ! Oser transformer la France en alliée de la sainte Russie ? Rostopchine applaudira lorsque Alexandre finira par traiter de « Grec de bas empire » son célèbre et fugitif ami de Tilsit. Rostopchine est au bord d'une explosion. Il a envie d'éclater et va bientôt avoir l'occasion de le faire.

Une colère russe

Catherine veut annoncer à son époux qu'elle est devenue catholique. Depuis des semaines, Sophie a contemplé le reflet de sa mère et de l'abbé Surrugues dans le miroir des parquets. Chaste couple d'ombres engagé dans le pari de l'Éternité. Le brillant abbé Nicolle a moins réussi sa mission catholique à Moscou que ce terne Surrugues ! Sophie ne sait pas trop qui est ce Dieu destructeur de poupées, dispensateur de poires, de fessées à la volée, de grandes embrassades et de dîners en chambre, au pain et à l'eau. Est-il semblable à l'éclat de l'icône de sa naissance, sainte Sophie, Sophie-Sagesse, clouée au-dessus de son lit sans draps ni matelas ? Ou bien armé d'un fouet tel celui que brandit sa mère en le nommant « discipline » ? Dieu ou la discipline ?

Sophie a suivi sa mère pas à pas, se cachant derrière chaque rideau, sous les meubles, quand Catherine se retourne brusquement. Catherine, ce blême après-midi d'hiver, marche tout droit vers le bureau de Fédor Vassilievitch Rostopchine. Il scande à haute voix, riant de ses propres bons mots, « le perron rouge ».

Catherine n'a rien à craindre ; même si elle avance tout droit, tels ces martyrs de la foi. Son époux et maître ne lui coupera pas les seins et ne liera pas son jupon sur la tête, ne l'enverra pas dans un couvent pour être quotidiennement châtiée au fouet.

Fédor ne s'est douté de rien lorsqu'il croisait, dans ses salons, le sinistre jésuite. Catherine a ouvert d'un seul coup la porte du bureau. Elle annonce d'une voix calme et forte :

« Mon ami, j'ai un secret à vous apprendre. Je vais vous faire une grande peine, mais je n'ai pas été libre de vous l'éviter, car j'obéissais à la volonté de Dieu. Je suis catholique. »

« Il demeura, écrit Anatole de Ségur, immobile, silencieux, comme frappé de stupeur, et elle se retira sans qu'il eût ouvert la bouche. » Quoi ! ces allées et venues avec cet horrible curé n'étaient que de la confession, de la conversion ! Quoi ! ces triples agenouillements dans son oratoire, d'apparence orthodoxe avec ses vierges d'or et son Christ pantocrator, n'étaient que de la fourberie catholique ! Quoi ! quand lui, bonne poire, lui avait offert ce custode en or, en fait, elle en sortait une hostie pour la déguster en cachette, avec la gourmandise effrénée d'une vieille catin !

Elle a bien fait de se retirer précipitamment ! Sophie entend un grand bruit, suivi de cris furieux, de froissements divers, de bris de meubles. Le comte Fédor Vassilievitch Rostopchine est en train, consciencieusement, de briser son bureau.

« (Fédor) resté seul (...) pleurait, non pas de repentir, mais de rage (...) ; la porte contre laquelle (il) s'élança avec violence, était trop solide pour pouvoir être défoncée. (Il) chercha quelque chose à briser, à déchirer (...). (Il) saisit la plume, la jeta par terre, l'écrasa sous ses pieds ; (il) déchira le papier en mille morceaux, se précipita sur le livre, en arracha toutes les pages, (qu'il) chiffonna et mit en pièces ; (il) voulut aussi briser la chaise mais (il) n'en eut pas la force et retomba par terre haletant(e) et en sueur. Quand (il) n'eut plus rien à casser et à déchirer, (il) fut bien obligé(e), de rester tranquille [1]. » Une fois calmée sa première violence, Fédor resta huit jours sans adresser la parole à sa femme.

Droite, imperturbable, la comtesse Rostopchine communie désormais quotidiennement, sans plus se cacher, à l'église française. Pour l'abbé Surrugues, c'est un triomphe. C'est l'époque où Catherine ordonne à ses filles de faire le lessivage et le repassage du

---

1. *Les Petites Filles modèles*.

linge de la poupée. Nathalie est soigneuse, aime les travaux ménagers. Lise vagit encore dans son berceau, et Sophie, tout entière imprégnée par la fureur paternelle, est prise d'une crise de rage pendant la séance du repassage. L'attitude si divergente de ses parents, l'éloignement prodigieux de sa mère, les cris de colère poussés depuis une semaine par Fédor, la déstabilisent, l'offensent, l'angoissent. Elle repasse mal, sa bonne lui retire les fers, elle veut les reprendre et « elle va frapper sa bonne qui enlève les fers que Sophie met elle-même au feu [1] ».

Fer rouge, rouge feu, elle a envie de tout marquer, Sophie. Sa chair, celle de sa bonne, celle de sa poupée, sa mère dont l'unique trace d'amour est le feu d'un coup de fouet ou d'une parole blessante. Sa mère n'est point meilleure depuis qu'elle est catholique. Dieu, c'est l'enfer des enfants. « Je veux mes fers ! hurle Sophie, je veux mes fers. » « Vous ne les aurez pas, les voilà enfermés »… Fers, cadenas, boulets, tenailles. Je veux mes fers. Je veux qu'on m'aime.

« Alors, dans sa colère (Sophie) la griffa si fortement que le bras de sa bonne fut écorché et saigna [2]. » Sophie a beau être ensuite désolée de voir le sang, éclater en sanglots, avoir un besoin éperdu qu'on l'embrasse et qu'on la console, Catherine mise au courant lui lance : « Priez mademoiselle que Dieu ne vous fasse pas mourir cette nuit avant de vous être reconnue et repentie [3]. » Sophie est atterrée. Mourir. Est-ce possible ? Comment échapper à ce Dieu vengeur ? Pendant la nuit, pour se mortifier, Sophie s'est griffé le bras jusqu'au sang. Au tour de la bonne d'être désolée. Catherine jubile ; Sophie sera un jour une bonne catholique.

Cependant, Fédor s'ennuie de bouder. C'est lui qui fera la paix. Il entre tout à coup chez sa femme, à genoux dans son oratoire, lui prend la main, l'embrasse :

« Tu m'as déchiré le cœur ; mais puisque ta conscience t'ordonnait de te faire catholique, tu as eu raison de lui obéir. C'est la volonté de Dieu. N'en parlons plus [4]. »

Il lui offrit même un autre oratoire. « Elle poussa une exclamation joyeuse en apercevant un petit meuble formant chapelle, contenant un magnifique crucifix, une charmante statue de la Sainte Vierge, un bénitier, des flambeaux. Tout le meuble était en

---

1. *Les Malheurs de Sophie.*
2. *Ibid.*
3. *Les Petites Filles modèles.*
4. *Vie du comte Rostopchine,* A. de Ségur.

sculptures, représentant les scènes de la vie de Notre Seigneur Jésus-Christ [1]. »

Avant-guerre ou la punition

1809, 1810. Plusieurs ombres consternent le comte Rostopchine. La politique désastreuse du tsar et de l'Europe, la naissance d'un petit Paul, au printemps 1809, qui mourra trois mois plus tard. Catherine reste sereine quand on inhume le petit corps dans le caveau, à Solkoniki. Il a été baptisé catholique. 1810 sera encore plus funeste. Le vieux Basile est mort. Fédor est obligé de laisser les siens à Voronovo pour remettre de l'ordre dans sa terre de Livna. Cette absence de trois mois est fatale. Un autre bébé est né, Marie. Décédée le jour même. Le vilain rêve de mort l'avait déjà repris. Fédor sous le vent et les tornades, vers Livna ! Aurait-il le temps d'être de retour pour la naissance ? Il retrouve sa femme, cette fois-ci effondrée. La petite est morte sans le baptême. Les prières sans relâche, dans l'oratoire, sont destinées à sauver l'âme errante de Marie.

« Peut-être sont-ils punis à cause de cette abjuration de la foi orthodoxe ? » songe Fédor, amer, désolé : « Tu as commis une action infâme ! » crie-t-il tout haut, au milieu de ses insomnies. La mort des deux enfants est une punition divine. L'orthodoxie est le culte national de Dieu, du tsar, de la Russie. On ne renie pas impunément sa religion.

Un peu d'allégresse, cependant, se glisse dans le cœur de Rostopchine. Alexandre s'est décidé à le nommer grand chambellan et Serge, malgré son jeune âge, treize ans, page de chambre. Serge Rostopchine fait donc désormais partie des gardes « avec le rang d'officier ». Le tsar s'intéresse plus franchement au sort des Rostopchine. Quelque temps avant le décès de Marie, Alexandre Ier avait ébloui Sophie et Nathalie lors de sa visite à Moscou. Quelle distraction de voir du balcon de Sokolniki le souverain ! Comme il mérite cette louange de sphinx du Nord ! Sorte de soleil, avec son habit chamarré d'or, ses grandes bottes vernies noires, les plumes blanches à son chapeau, son cheval blanc empanaché d'or, son sourire fait pour les femmes. Navré du décès de Marie, Fédor se met à beaucoup gâter Lise, « idéalement belle », écrira d'elle le comte Vorontsov. Catherine essaie très vite de briser sa vanité, car

---

1. *La Fortune de Gaspard.*

Lise aime contempler dans tous les miroirs ses longues boucles noires, son petit cou blanc et potelé, ses bras charmants. Catherine intervient avec sévérité :

« C'est joli, mademoiselle, vous voulez donc réjouir le diable ?

Lise est tout sourire :

— Oh oui ! maman, ce pauvre diable, tout le monde en dit du mal, alors moi, je veux lui faire plaisir ! »

Le diable ? N'est-ce pas un dévoreur d'enfants ? Paul et Marie...

Sophie s'était approchée, chaque fois, des deux petits cercueils ouverts. Poupées ou bébés couchés dans des boîtes minuscules, d'ébène et d'or. Petits corps habillés d'une robe blanche, endormis dans du satin blanc. Fille ou garçon, les bébés morts portent des robes et cette petite bouche décolorée, sous un œil fixe, vitreux, horrifié : copie exacte de la poupée de cire enterrée près de la stalle du prince Tsitsianov. Les enfants meurent donc aussi mais au nom de quel crime ? Vais-je mourir pour avoir voulu friser mes cheveux sous une gouttière ? Maman dit que oui. On me mettra alors dans une petite boîte ? Ce sera très amusant. Dieu que cette boîte est jolie ! Que l'on doit être bien dans tout ce satin ! Et mort, est-on bien ? La preuve, l'ami de papa a dit que la mort c'est le bonheur. Maman aussi. J'ai envie de manger du pain chaud et de la crème.

La chaux vive ou le dernier séjour à Voronovo

Le comte Rostopchine a beau détester les Anglais, grâce à l'un d'eux, le savant Jenner, Lise fut sauvée de la petite vérole. Jenner venait tout juste d'inventer la « vaccine » quand Lise, toute petite, un été, à Voronovo, fut tout à coup couverte de pustules. Sophie avait bien vu la secrète satisfaction de Catherine devant ce joli visage bouffi et déformé. La chair (la beauté) est source de tout mal. Sauver Lise, soit, mais quelle grâce de Dieu si elle perdait à jamais sa beauté ! L'épidémie s'est répandue vers Voronovo. Le Dr Schnaubert, alors attaché au service des Rostopchine, conseilla la vaccine pour tout le monde. La vaccine est du sang infecté prélevé sur les vaches ou les gens atteints de petite vérole. Les serfs s'épouvantent. Catherine Rostopchine donne l'exemple. Qu'on la pique en premier ! Puis Lise, très atteinte. Catherine ordonne à Schnaubert de prélever un peu de sang d'un enfant serf infecté. Insensible, elle tend son bras. Le médecin opère. Puis, sur Lise. La mère et la fille atteignent plus de quarante de fièvre. Les serfs sont de plus en plus effrayés. Catherine lance des ordres secs.

Qu'on les vaccine! Tous! Le comte Rostopchine et leurs enfants n'ont-ils pas donné également l'exemple? Le Dr Schnaubert, assisté de l'intendant, est chargé des injections. Les serfs, convaincus que le vaccin va les faire mourir, l'ôtent en cachette avec de la chaux vive. Lise eut « fièvre, mal de tête, mal de cœur, vomissements... au bout de trois jours, elle fut couverte de boutons. (Sa niania) lui a mis aux pieds des cataplasmes saupoudrés de camphre, qui l'ont beaucoup soulagée ; elle buvait de l'eau de gomme fraîche [1] ». Catherine suivit le même traitement. Leurs malaises disparurent. Les plaques se transformèrent en boutons. Sophie eut de la fièvre à cause de la vaccine, mais sa robustesse avait triomphé. Natacha et Serge restèrent plus longtemps malades. Le comte grelotte mais écrit toujours dans sa chambre non chauffée. Sophie a bien vu les serfs voler furtivement la chaux dans le grand bac installé dans la basse-cour de Voronovo où « les maçons bâtissaient une maison pour les poules, les paons et les pintades [2] ». Les serfs grattent furieusement leur bras où la barinia a ordonné l'incision puis l'injection de la vaccine. Sophie est fascinée par ce « bassin à chaux tout plein, blanc et uni comme de la crème (...). Comme cette chaux est blanche et jolie! (...) Ce doit être doux et agréable sous les pieds. Je vais traverser tout le bassin en glissant dessus comme sur de la glace [3] ». Elle comprend maintenant pourquoi les serfs crient quand la chaux touche leur plaie! Enfoncée à mi-jambes, la robe retroussée, Sophie est tirée de là par un moujik au bras déjà brûlé par la bizarre compresse. Sophie hurle à son tour. Elle commence à sentir les picotements de la chaux qui lui brûle les jambes. Sa niania accourt, malgré sa fièvre, enveloppe les pieds de Sophie dans son tablier — je vais perdre mes pieds comme ma poupée! Mes pieds vont fondre! La niania tremble toujours pour sa petite, sa terrible, car l'ombre colossale de la mère n'est jamais loin :

« Mademoiselle, je devrais vous fouetter pour votre désobéissance. » Sophie en sera quitte pour donner sa belle pièce d'or à sa niania dont le tablier brûlé est plein de trous. La belle pièce offerte par son papa! La niania est rassurée. Madame la comtesse ne battra pas Sophie, cette fois-ci ; occupée à faire fouetter un serf surpris à enlever la vaccine. Elle ne s'aperçoit même pas que Serge, le préféré, joue aux cartes et à l'argent avec un intendant...

---

1. *Les Petites Filles modèles.*
2. *Les Malheurs de Sophie.*
3. *Ibid.*

Concert de barbares

L'été 1810, cependant, marque une trêve dans la dureté de Catherine depuis le décès sans baptême de la petite Marie. L'abbé Surrugues avait envoyé une lettre de consolation, aussitôt contre-carrée par celle du père Jourdan, autre jésuite, jaloux de l'influence de Surrugues sur la comtesse Rostopchine. Toute sa vie, Natacha haïra ce père Jourdan qu'elle nomme « mauvais jésuite ». L'abbé Jourdan interdit à Catherine de prier pour une âme perdue « sous peine d'excommunication ». La punition doit être totale. Sophie est surprise de voir, pour une fois, pleurer sa mère. Enfermée dans l'oratoire, elle relâche son guet carnassier sur ses filles. Sophie en profite pour manger comme quatre et se réjouir pleinement d'une fête singulière. L'envahissement de Voronovo par une troupe de Bachkires, barbares nomades. Ils ont terrorisé, sur leur chemin, les villageois qui sortent de leurs isbas. Ces barbares jouent de façon discordante, à cheval, d'instruments à cordes. Toute la horde entre d'un seul coup, enveloppée de poussière, dans le parc de Voro-novo. Fédor les a vus de sa fenêtre, a tout compris et quitte précipitamment son bureau. Il marche bravement à leur rencontre. Sophie, les enfants, ont suivi. Ils entendent leur père négocier avec le chef, sorte de géant pouilleux, nu-pieds, puant la charogne, armé de sabre, de couteaux et d'un grand pistolet qu'il brandit. La horde a dégainé ses sabres et rangé ses violons.

Vont-ils être égorgés ? On avait trouvé, l'an passé, un village entier massacré par eux. Tout dépend de leur humeur, de leur faim, de leur soif, de leur gaieté ou leur folie. Rostopchine sent monter en lui une vieille mémoire, la nostalgie secrète de la horde d'or. Ah ! errer ainsi sans foi ni loi, devenir fou fou fou, avoir enfin la permission de se damner ! Que leurs chevaux sont donc beaux ! Alors Fédor Vassilievitch Rostopchine invite le chef et toute la horde à boire le champagne dans son salon ! Il leur a parlé dans leur dialecte. Le Tartare a su convaincre le chef. La horde est entrée dans le grand salon, en dépit de Catherine, dégoûtée pour ses planchers cirés. Fédor a fait aussitôt servir des gâteaux, du poulet froid, des glaces, des crèmes, et ce champagne qui coule à flot ! Jamais Sophie n'a autant ri, frappé des mains, avalé en cachette du champagne. Catherine espérait le martyre qui eût convenu à l'abbé Jourdan. Elle méprise son grossier mari qui se tord de rire, frappe des mains, se pâme, danse avec eux car toute la troupe, pour remercier leur hôte, saute, chante, gratte sur les guimbardes, frappe sur les cymbales. Le chef se mouche régulièrement dans son foulard qu'il remet à son cou. De la vermine s'échappe de son chapeau. Fédor devient violet à force de rire. Il est heureux, oui, heureux, heureux et heureux ! Même si tout le monde peut crever la seconde d'après ! Quelle fête ! La horde part vers l'aube, du même trot où elle était venue. Elle a eu le temps d'égorger toute la basse-cour de Fédor Vassilievitch Rostopchine, non loin du bac à chaux. « Si seulement elle avait pu égorger ces pendards de perroquets ! » songea Fédor, presque ivre. L'année a été si sombre qu'il est éperdument reconnaissant à ces barbares d'avoir secoué en lui le rire, suprême donateur...

Disparition du chevalier de Saint-Félix

Rostopchine, une fois de plus, avait hébergé un malheureux à Voronovo. Il s'agit d'un vieux Français de grande classe, le chevalier de Saint-Félix. Réfugié à Moscou, il croupissait en prison, poursuivi par ses créanciers. Nathalie Narychkine écrira dans ses mémoires (outre la scène des Tziganes) que son père et Catherine étaient connus dans la ville pour leur particulière charité. « Délivrer deux ou trois débiteurs insolvables. » Cette année-là, en 1810, le geôlier leur avait signalé le malencontreux, quoique perruqué à l'Ancien Régime, chevalier de Saint-Félix. Fédor paya tout, et la famille embarqua le vieil aristocrate à Voronovo. Le chevalier de Saint-Félix était lentement devenu fou, à cause de ses diverses incarcérations sous la Terreur. En exil il avait échoué, une fois de plus, dans une prison. « Il ne voulait plus, écrira de lui Nathalie, se mettre au lit, de crainte d'être assassiné, et se laissait mourir de faim, de crainte d'être empoisonné. »

L'invasion des Tziganes acheva de fêler son cerveau. Vers l'aube, il disparut se cacher dans l'immense forêt. Avait-il entendu les hurlements des pintades égorgées ? Toutes les battues furent vaines. On ne retrouva jamais, à la grande désolation de Fédor, le pauvre émigré dont Sophie pensa qu'il avait été certainement emporté et dévoré par les loups. Pourvu que le pauvre homme ait été baptisé ! Mon Dieu faites qu'il soit baptisé. Amen.

Autres conversions catholiques

Le tsar a enfin envoyé une dépêche pressante à Rostopchine. Il a besoin de lui. Fédor n'hésite pas une seconde. La famille quitte aussitôt Voronovo, sans se douter que c'est la dernière fois. Les Rostopchine s'installent dans un nouveau palais, celui de la Loubianka. Sokolniki est trop loin du centre de Moscou. Fédor a besoin d'une maison plus centrale pour les exigences de la politique. Les enfants sont déçus. Ils regrettent le luxe de Voronovo et Sokolniki. Ils trouvent le palais de la Loubianka sombre et triste. L'humidité est effrayante, les statues grecques dans le jardin trop noir ont l'air de revenants. Sophie a peur des kiosques, des fausses grottes de ce jardin. Autant de pièges pour son imagination débordante. Elle a des cauchemars, les statues sont les petits morts tout blancs, laissés au fond des tombeaux. Serge s'est mis à tousser, à cracher du sang et à boire de l'alcool en cachette.

Pourtant, Fédor a fait repeindre et arranger ce nouvel hôtel. Rien n'y fait. Une tristesse sans nom s'en dégage. Tout le monde s'y trouve mal sauf... Catherine, qui y restera plusieurs jours, « dans une douce joie ». Elle y apprend que ses sœurs, les unes après les autres (sauf Anna Tolstoï) sont devenues catholiques !

Catherine, aussitôt installée à la Loubianka, a invité sa tante et ses sœurs. Tante Tonneau piaule en décrivant des robes « divines » de l'impératrice Élisabeth dont elle est également « dame aux portraits ». Anna Stepanovna est devenue sourde en plus de sa semi-cécité. Elle raconte à ses petites nièces les fastes de la cour. Elle n'entend pas le chuchotement de Catherine penchée à l'oreille d'Alexandrine, d'Anna, de Barbe la Bossue. Véra vient de mourir. Dieu ! marmonne tante Tonneau, en dévorant une glace à l'eau et à la vanille, que Catherine est avare ! Faire composer ses glaces sans lait, ni crème ! Voilà bien des manières catholiques ! Probablement parle-t-elle de Véra. Pauvre petite Véra ! Grosse tante retient ses larmes. Son oculiste les lui a interdites sous peine de perdre son reste de vue. Elle trouve Sophie très grandie pour ses onze ans, mais toujours aussi mal fagotée. Natacha est dégingandée, Lise, ravissante, pouponnée de rose et de rubans. Où est Serge ? glapit la grosse tante, à qui on ne demande rien. La glace dégouline sur sa lèvre inférieure. Pourquoi Catherine lève-t-elle soudain les bras et les yeux au ciel ? Que se passe-t-il encore ? Quel est cet air d'extase presque indécent sur le froid visage de la plus dure de ses nièces ?

Sophie a entendu ce qui a provoqué une telle satisfaction chez sa mère. Alexandrine et Barbe la Bossue ont parlé d'une seule et même voix : « Nous sommes catholiques ! »

Catherine n'est qu'un cri sourd :

« Et Véra ? Véra, est-elle damnée ?

— Non, non, jubile Barbe la Bossue qui arrive à peine à la

ceinture de Fédor, Véra s'était convertie aussitôt sa maladie et a reçu le saint viatique avant de mourir.

Anna prend un ton frondeur :

— Moi, je reste orthodoxe ! à chacun sa damnation ! »

Qu'importe ! Catherine est dans la joie. Elle se lève, va et vient. Elles arriveront bien à convaincre Anna ! Tante Tonneau s'est endormie, assommée d'avoir trop mangé. Sophie achève le reste de son assiette.

« Je devrais me faire catholique, pense tout bas Sophie. Peut-être maman me laisserait-elle alors manger et faire tout ce que je veux. Mes sourcils sont trop maigres. Véra coupait ses cheveux pour les faire épaissir. Les sourcils sont des petits cheveux. Si j'étais catholique, je pourrais les couper pour les faire épaissir sans qu'elle ne me dise rien. »

Tante Tonneau a lâché un vent.

IV

LE GÉNÉRAL ROSTOPCHINE
1812

Plutôt incendiaire ou plutôt tout en rose.
Réponse : Rostopchine.

Robert Scipion, Mots croisés,
Le Nouvel Observateur, 1985

Le gouverneur général de Moscou

Veille de 1812. Souci guerrier, souci politique, souci paternel. Fédor Vassilievitch Rostopchine est mécontent de Serge. Il a seize ans. Fédor n'aime pas son aspect de joli garçon, un peu poitrinaire. Que n'a-t-il la robustesse de Sophie, presque aussi grande que lui à treize ans. Pourquoi son aîné n'a-t-il pas la haute stature de son père, ses traits énergiques, ses yeux facilement injectés de sang, sa bouche véhémente d'où s'échappent le rire, la colère et un verbe vigoureux quand on l'agace. Nathalie écrira de son frère : « Il était charmant, pacifique, modeste et résigné. » Tout ce que Fédor déteste chez un homme et apprécie chez les femmes. Il ne lui reconnaît de commun avec lui que le goût de la plaisanterie. Les choses se sont gâtées dès Vilna où le jeune homme est entré en garnison. Serge joue, gagne, perd, se querelle, s'enivre. On sait son père richissime. Les exploiteurs sont nombreux. Les demandes de remboursements pour dettes avec menaces arrivent en pile sur le bureau de Fédor Vassilievitch Rostopchine, en même temps que l'annonce de la guerre.

Février 1812 : marche de la Grande Armée vers le Niémen. Mars : la France s'est alliée avec la Prusse et l'Autriche, dont l'empereur est le beau-père de Napoléon Ier. Alexandre Ier brise l'alliance avec Bernadotte, lance à Napoléon Ier son ultimatum. Il nomme aussitôt Fédor Rostopchine gouverneur général de Moscou à la place de Michel Speranski, ancien favori « qui avait le pouvoir de Premier ministre sans en porter le titre ». Speranski n'a aucun sens politique, dans les affaires de guerre et des hommes, ni cette énergie réputée de Rostopchine. Alexandre est irrité par le mysticisme allemand dont est imprégné Speranski, son projet de réunir entre elles les différentes sociétés secrètes afin d'introduire la démocratie en Russie. Le peuple le déteste car il le grève d'impôts. Rostopchine a contribué à la chute de Speranski. En dehors de ses pamphlets, il avait écrit à son souverain son opposition à un si piètre ministre, son vif désir de se dévouer à son pays. La lettre avait été signée audacieusement « Rostopchine et les habitants de Moscou ». Le 29 mars 1812, Speranski est mandé chez l'empereur et déchu sans appel de tous ses honneurs. Rostopchine est nommé gouverneur de Moscou au moment où 400 000 hommes franchissent le Niémen. Les Rostopchine déménagent encore une fois. Il faut désormais une autre résidence tout près de celle du tsar. Fédor achète aussitôt un palais, à Saint-Pétersbourg.

Les soirées à Saint-Pétersbourg

Depuis ses nouvelles fonctions, Fédor réside fréquemment seul à Moscou. Dès que possible, il rejoint Saint-Pétersbourg et sa famille installée à l'hôtel Dermach.

Sophie est enchantée des soirées. Les réceptions y sont plus grandioses qu'à Moscou. La vive intelligence de Sophie se régale en écoutant les hôtes distingués du salon de sa mère. Elle est ravie d'avoir quitté la sinistre maison de la Loubianka et de voisiner plus librement avec ses cousins Tolstoï et Golovine. Lise Golovine devient son amie intime. Dès leur arrivée à Saint-Pétersbourg, Sophie et ses sœurs verront de près la tsarine Élisabeth. Les fillettes avaient déjà été éblouies par Alexandre, « notre ange vêtu de pourpre », comme l'appelle le peuple. Élisabeth soulève chez les jeunes filles une autre sorte de trouble. N'a-t-elle pas, cette ravissante princesse de porcelaine et d'or aux yeux en cristaux d'aigue-marine, accouché d'une fillette mort-née dont le père est son amant, Adam Czartoryski, mâle, brun et sombre de peau ? Alexandre avait admis tout cela avec une sorte de perversité à la française.

La petite colonie française réfugiée à Saint-Pétersbourg depuis la Terreur — les Polignac, les Clermont-Tonnerre, les Choiseul-Gouffier — est fascinée par la tsarine qui leur rappelle Marie-Antoinette. « Ses traits, écrit d'elle la comtesse de Choiseul-Gouffier, étaient d'une finesse remarquable. Un profil de camée grec, de grands yeux bleus, un ovale extrêmement pur, les cheveux d'un blond adorable. »

La comtesse Golovine, dans ses mémoires, décrit dans le même sens l'impératrice. « Taille charmante, cheveux blond cendré retombant en boucles sur la nuque, teint blanc de lait, des feuilles de rose sur les joues. » Au moment du mariage d'Alexandre, Rostopchine s'était inquiété devant tant de beauté. Il avait confié à Golovine : « Pourvu que ce mariage ne fasse pas de tort au grand-duc. Il est si jeune et elle est si belle. » Après la naissance de la petite bâtarde et sa mort, Alexandre avait pris une maîtresse, aussi belle dans son genre que la tsarine. La brune Marie Narychkine, cousine du futur mari de Nathalie Rostopchine. Une fille naîtra de cet adultère. Très aimée du tsar, elle mourra à l'âge de dix-huit ans.

Saint-Pétersbourg a donc rapproché les Rostopchine de la famille royale. Anna Stepanovna, toujours « dame aux portraits », tombée malade, s'était réfugiée chez sa nièce dès son arrivée au palais Dermach. La tsarine se déplaça pour prendre des nouvelles de tante Tonneau. Catherine reçut avec une cérémonie extrême sa souveraine. Sophie et ses sœurs restèrent sans voix devant tant de beauté, de boucles, de bijoux, d'élégance. Sans parler du carrosse blanc et or garé dans la cour pavée. Sophie va-t-elle se mettre à nouveau sous une gouttière pour boucler comme Élisabeth ? Elle n'a plus à envier la célèbre chevelure d'Élisabeth. Catherine a enfin laissé pousser celle de Sophie. Elle atteint presque sa taille. Lise lui met en cachette des papillotes. Les cheveux de Sophie deviennent ces ondulations blond cendré, qu'elle tourne en boucles brillantes sur ses doigts, seule dans sa chambre. Catherine interdit le déploiement obscène des cheveux, parure sauvage et femelle. Ses filles n'ont le droit, en public, qu'à des macarons nattés serrés, un gâteau de tresses sur le crâne, les tempes découvertes, qui les enlaidissent à souhait. Il est hors de question de suivre la mode délicieuse des coquettes de Saint-Pétersbourg, qui copient leur coiffure sur celle d'Élisabeth, qui a pris modèle sur Joséphine. Cet amas de boucles prêtes à se défaire, à se répandre, sous la main de l'homme.

« Voyage autour de ma chambre »

Les plus illustres Français fréquentent le salon des Rostopchine. Mme de Staël, arrivée récemment, pour fuir les persécutions de Napoléon Ier, s'est précipitée chez ce Rostopchine dont on parle tant. Il ne l'aime guère. Il lui trouve un air bas et oie qui le repousse. Il honnit son audace presque sexuelle à vouloir à toute force approcher des hommes célèbres. Il a été brusque dans ses paroles quand elle a été toutes prunelles caressantes à son entrée. Ne s'est-elle pas écriée devant le tsar lui-même, faisant allusion au petit peuple russe : « Votre caractère est la meilleure Constitution que la Russie puisse souhaiter ! » Il déteste qu'elle ait publié des livres d'homme.

Fédor préfère, et de loin, les nouveaux amis de Catherine qu'il croise avec plaisir dans son salon, Joseph et Xavier de Maistre. Catherine préfère Joseph ; Nathalie et Sophie sont folles de Xavier. Les deux frères sont nés à Chambéry, en Savoie, d'une famille languedocienne, Joseph en 1743, Xavier en 1754. Ces deux aristocrates ont répandu à Saint-Pétersbourg leur allure XVIIIe siècle qui enchante les femmes. Joseph, philosophe et théologien, avait séduit Catherine par ses ouvrages profondément chrétiens. Ce magistrat, sénateur, avait été nommé ministre plénipotentiaire, en 1803, à Saint-Pétersbourg. Catherine lit très attentivement l'œuvre de Joseph de Maistre : *L'Essai sur le principe générateur des institutions politiques, Le Traité du pape, Les Considérations sur la France.*

Xavier, davantage imaginatif et spirituel, plaît surtout à Sophie. Réfugié en Russie grâce à son aîné, il se mariera à Saint-Pétersbourg. Joseph a un fils, Rodolphe. Catherine se dit qu'un mariage entre Rodolphe et Sophie serait certainement une bonne chose. Sophie brûle d'entendre Xavier lire ses romans à haute voix. Quand Xavier commence sa lecture, Catherine a beau gronder ses filles : « Sortez du salon, mesdemoiselles, ce n'est pas pour vous. » Xavier caressant, plaide leur cause, c'est-à-dire la sienne et lit *Voyage autour de ma chambre,* qui enchante Sophie. *Le Prisonnier du Caucase* la fait frémir. La lecture du *Lépreux de la cité d'Aoste* provoquera, par la tragédie de son contenu, les sanglots de

Nathalie, qui choqueront Catherine comme une crise d'incontinence.

« Eh bien, mademoiselle, que vous prend-il ? »

A son tour d'être exilée dans sa chambre.

Tante Tonneau qui n'a rien compris, rien entendu, fait les gros yeux à sa petite nièce. Sophie est furieuse de la dureté de ces femmes sans cœur, qui ne voient dans les sanglots de Nathalie qu'un manque d'éducation et non la manifestation d'une âme tendre. « Quand j'aurai des enfants, se jure-t-elle, j'écrirai pour eux des contes. Ils pleureront, je les consolerai, nous ne nous quitterons pas. Puis je les régalerai, je les ferai rire à nouveau, enfin, je les aimerai de toute mon âme. » Xavier est secrètement rengorgé du succès de sa tragédie. Elle raconte l'histoire d'un lépreux vivant dans la cité d'Aoste avec sa sœur à qui il cache son visage détruit. Ils vivent en marge de la société, cultivent des fleurs qu'ils n'ont pas le droit de toucher. Leur unique affection est un chien appelé Miracle. La sœur meurt la première, et la ville vint avec des soldats assassiner Miracle. La scène de la mort du chien a été trop pénible pour Natacha :

> Ma sœur l'avait appelé « Miracle », et son nom, qui contrastait avec sa laideur, ainsi que sa gaieté continuelle nous avaient souvent distraits de nos chagrins. Malgré le soin que j'en avais, il s'échappait quelquefois, et je n'avais jamais pensé que cela pût être nuisible à personne. Cependant, quelques habitants de la ville s'en alarmèrent et crurent qu'il pouvait porter parmi eux le germe de la maladie ; ils se déterminèrent à porter des plaintes au commandant, qui ordonna que mon chien fût tué sur-le-champ. Des soldats, accompagnés de quelques habitants, vinrent aussitôt chez moi pour exécuter cet ordre cruel. Ils lui passèrent une corde au cou en ma présence et l'entraînèrent. Lorsqu'il fut à la porte du jardin, je ne pus m'empêcher de le regarder encore une fois : je le vis tourner ses yeux vers moi pour me demander un secours que je ne pouvais lui donner. On voulait le noyer dans la « Doire », mais la populace, qui l'attendait dehors, l'assomma à coups de pierres.

Sophie aussi a frémi. L'amour serait donc chaque fois la mise à mort des êtres faibles, enfants, animaux ?

COMTESSE DE SÉGUR

Septembre 1812. Les adieux

Mme de Staël avait écrit au sujet de Koutouzov : « Les Russes, courtisans à Pétersbourg, redeviennent tartares à l'armée[1]. » Ce sera le cas du gouverneur de Moscou.

Le 29 août, devant l'approche de l'armée de Napoléon, Smolensk a été brûlé par ses habitants. Le 30 août, Rostopchine entreprend sa stratégie. Il s'adresse au peuple au moyen d'une multitude d'affiches destinées à décupler la haine contre « l'antéchrist ». Rostopchine est bien le responsable psychologique de l'incendie. Ses paroles, prononcées et affichées, sont un mélange de renseignements militaires et de mysticisme guerrier. Le 30 août, toute la ville peut lire ce texte du gouverneur :

> Le quartier général est entre Gjatsk et Mojaïsk ; notre avant-garde est devant Gjatsk ; la position que nos troupes occupent est très forte, et c'est là que Son Altesse le prince Koutouzov veut livrer une bataille. A présent, nous sommes égaux en nombre aux ennemis : mais nos troupes sont toutes russes, car la même foi, le même souverain, défendent l'Église du Seigneur, leurs maisons, leurs femmes, leurs enfants et les sépultures de leurs pères. Quant à l'ennemi (...) s'il perd, il se dispersera et il n'en restera plus de traces[2].

Sophie eût adoré suivre ces événements jusqu'au bout, aux côtés de son héros. Fédor a probablement envisagé l'avenir dans sa réalité : Moscou brûlera. Il veut d'abord mettre sa famille à l'abri. Il a prévu pour cela une propriété à quarante verstes de Moscou. Serge restera près de son père. C'est un homme, l'aîné, l'héritier du nom, non une femmelette à protéger. Fédor convoque tous les siens au rez-de-chaussée. La scène a été soigneusement retranscrite par Nathalie. On y apprend que Sophie ne répond pas aussitôt à l'appel pourtant très grave. Elle est occupée à se gaver de gimblettes. Tout à coup, elle comprend. Suffoquée, affolée à l'idée de quitter son père, elle saisit tous les gâteaux, les cache derrière son dos, se précipite dans le vestibule. Le comte Rostopchine, après avoir passionnément embrassé sa femme et ses filles, se jette aux genoux de Catherine impassible et crie d'une voix hallucinée :

« Mes enfants, peut-être ne nous reverrons-nous pas en ce

---

1. *Dix Années d'exil*, Mme de Staël.
2. *Vie du comte Rostopchine*, A. de Ségur.

monde. J'ai voulu, avant de vous dire adieu, vous bénir et demander pardon devant vous à votre mère des peines que j'ai pu lui causer. C'est une sainte ; j'aurais dû toujours suivre ses conseils. Souvenez-vous de ce moment, et si je meurs, obéissez-lui comme à moi-même. »

Sophie pleure et mange tout à la fois. Fédor n'arrive pas à se détacher de sa femme et de Lise, la toute belle. Il les quitte brusquement, part sans se retourner, Fédor a voulu que « les dames, les femmes, les marchands se mettent en lieu sûr ». Une fois seul, allégé, il reprend aussitôt sa campagne de violence du balcon de Sokolniki. Il dicte une autre affiche :

> *Au nom de la Sainte Vierge, je vous convie à la défense des temples du Seigneur, de Moscou, de la Russie... Gloire dans le ciel à ceux qui iront... Paix éternelle à ceux qui mourront ; punition au jugement éternel à ceux qui reculeront... Prenez du pain seulement pour trois jours ; allez avec la croix, précédés par les bannières que vous prendrez dans les églises...*

L'exode est commencé. Le gouverneur de Moscou, devant cette ruée de charrettes, cette foule hagarde, hurle ses ordres. « Il court le bruit que j'ai défendu de quitter la ville, si cela était vrai, il y aurait des postes aux barrières. » En effet, il a commencé à supprimer les barrières. L'état-major le renseigne heure par heure ; Rostopchine sait tout ce qui se passe tant au front que dans la ville. Il apprend avec joie que la Grande Armée a commencé à crever de faim. Une autre affiche est collée sur tous les murs :

> *Ils se nourrissent de seigle et de viande de cheval (...). En avant, cohorte moscovite, marchons aussi et nous serons cent mille braves !*

Il devient paternaliste. Deux Allemands venus changer de l'argent ont été violemment agressés par la foule. L'un d'eux en est mort. Le gouverneur interdit le lynchage. Il tonne du balcon : « Vous savez que je n'ignore rien de ce qui se fait à Moscou. Ce qui s'est passé hier n'est pas bien, et il y a de quoi vous gronder. Si vous croyez avoir à faire à un espion, amenez-le moi, mais n'exposez pas le nom russe à des reproches. »

Cette fureur verbale et écrite a lieu entre le 5 et le 7 septembre, au moment de la sanglante bataille de la Moskova, à Borodino. Les nouvelles arrivent aussitôt à Sokolniki, dans le bureau du gouverneur, qui ne dort plus, ne mange plus, ressemble à un fou.

14 000 blessés, 60 000 cadavres dont 50 000 Russes. Les pertes de la Grande Armée s'élèvent à 10 000 hommes. Le soir même, Rostopchine fait chanter un *Te Deum*. Il veut stimuler son peuple. « C'est le début de la victoire. » Il fait immédiatement afficher cette proclamation que la ville lira à l'aube du 8 septembre :

> *Hier, 7 septembre, il y a eu une chaude et sanglante bataille ; avec l'aide de Dieu, l'armée russe n'a pas cédé un pouce de terrain (...). La perte de l'ennemi est incalculable : (...) Aujourd'hui, Napoléon sera battu encore une fois, le maudit et ses satellites périront par la faim, le feu, et le glaive. J'envoie d'ici 4 000 nouveaux soldats, des munitions pour 250 canons et des provisions (...). Dieu nous aidera et les envahisseurs laisseront leurs os sur la terre russe.*

Moscou est au bord de sa tragédie.

La migraine de Sophie

Catherine, ses filles, ses sœurs et tante Tonneau sont parties. Lèvres serrées, indifférente à la fureur environnante, tout à l'idée d'un Dieu méprisant ses créatures turbulentes, Catherine Rostopchine est plongée dans ses prières et ses pensées. Par la vitre de la grosse berline, Sophie aperçoit le désordre de l'exode. Charrettes surchargées de n'importe quoi, y compris des meubles. Chevaux, traîneaux, sur lesquels sont groupés des grappes de femmes et de paysans hagards. Sophie se sent mal depuis le départ. Elle est en proie, pour la première fois, à une maladie qui mutilera une grande partie de sa vie : la migraine.

La crise va durer plus de vingt-quatre heures, avec son protocole intolérable. Sophie est verte depuis la scène des adieux. « Ai-je mangé trop de gimblettes ? » Elle a commencé à vomir au moment de l'embarquement. Des vomissements en forme de hoquets. De la bile. Je vomis de la tête. Je vomis ma tête.

« Qu'avez-vous donc, Sophie ? »

Vomir est relié au péché mortel de la gourmandise. Catherine se met alors à la fixer. La voiture, péniblement, a franchi les barrières sans gardes et entrepris sa montée. Les chemins sont défoncés, enfumés, où errent des sortes de revenants, soldats informes. Sans compassion, Catherine observe la souffrance de Sophie qui gémit, un poing contre l'œil droit. La douleur se tient là, au fond du crâne. J'aimerais que l'on tire le rideau, m'allonger sur la banquette, le plancher, n'importe où, dans le noir. L'élancement d'une force sous les sourcils soulève chaque fois la houle d'un vomissement.

« Je n'ai rien à vomir, maman, je vous le jure.

— Ne jurez pas, mademoiselle !

La migraine, confondue avec un malaise de sale fille fainéante.

— Vous vous écoutez pour un mal de tête ? »

Sophie, à chaque cahot, se sent proche d'une syncope. Elle n'entend rien ; la migraine s'est déplacée du côté droit jusqu'au bas de la nuque. La nausée ne cesse plus. Sophie devient un poisson qui cherche l'air, ouvre tout grand une bouche incontrôlée. Elle a froid. Des enclumes cognent dans ses oreilles.

Elle claque des dents. « Rien ne me calmerait si ce n'est un bon coup de guillotine. Je tombe, la tête fracassée de roulements de tambours. Ceux qui pullulent à la Grande Armée. Tiens, on a tiré au canon. Une explosion. Encore du feu. C'est la même chose sous mon crâne. »

Il faudra trente-six heures pour atteindre cet abri. Et autant de secousses d'entrailles. « Les hommes aux remparts, les femmes à l'église. » Qui a dit cela ? Mon père Fédor ? Non, s'offusque la dure voix maternelle, sainte Geneviève, quand Attila et sa horde allaient atteindre Paris. Son père, à coups d'affiches, a jeté les hommes aux remparts et oblige les femmes à la sûreté. Nous comptons si peu, nous les femmes. Ma mère ne sait pas qu'au fond, je grille d'être aux remparts, au lieu de ployer sous le joug de la migraine, de ses prières et des abris. Elles sont arrivées. Aucun domestique ne les accueille, excepté quelques serfs effarés. Les parquets ne sont pas cirés.

Sophie tombe enfin sur un lit. Tiens, il y a un matelas. Elle a le cœur fou, l'estomac en nœud de serpent. J'ai avalé un serpent gluant qui est monté dans ma tête. La migraine de Sophie a augmenté à cause du regard fixe et méchant de sa mère. Je suis sûre qu'elle eût été ravie que ce vilain loup me mangeât quand j'étais petite. La fenêtre de sa chambre donne du côté de Moscou ; Moscou qu'elle a vue intacte, sans le savoir, pour la dernière fois. Soudain, elle éclate en sanglots. Son corps misérable et grelottant rejette son premier sang. C'est probablement une punition parce que je ne suis pas catholique. Mais non, Nathalie m'a dit qu'elle aussi devait lier chaque mois un gros jupon entre ses cuisses. Décidément, « une fille, ce n'est bon qu'à jeter[1] ».

---

1. *Après la pluie, le beau temps.*

COMTESSE DE SÉGUR

8 septembre 1812 : Verechtchaguine ou le Torchonnet du gouverneur de Moscou

Fédor Rostopchine a commencé à faire évacuer la ville. Il fait ouvrir les prisons et diriger les huit cents forçats vers le camp sibérien de Nijni-Novogorod. Quel est son plan ! il ne reste plus à Moscou qu'une racaille glauque, prête à tous les pillages. Parmi les prisonniers, deux détenus retiennent tout particulièrement l'attention de la police qui les signale au gouverneur de Moscou. Un Français et un jeune Russe de vingt-quatre ans, fils d'un drapier, marchand lui-même : Verechtchaguine.

D'après Joseph de Maistre, ce jeune homme avait fait ses études à Paris. Revenu à Moscou, franchement bonapartiste, il fut jeté en prison à cause d'un texte composé à la gloire de Napoléon Ier.

> *Ce jeune marchand,* écrira plus tard de lui Rostopchine dans sa brochure, « L'Incendie de Moscou », *qu'on prétend être une victime de son étourderie, avait composé et non traduit une proclamation de Napoléon (...). Il fut le seul traître de toute la ville de Moscou. Son esprit avait été perverti par un précepteur allemand, membre d'une société secrète. Le père de ce jeune homme était si indigné de sa conduite qu'il voulait le tuer de sa propre main.*

Cette interprétation est bien différente de celle de Léon Tolstoï dans *Guerre et Paix.* Pour l'écrivain, ce lynchage est un assassinat dont Rostopchine a toute la responsabilité. Le récit de Serge, puis du maître de police, Broher, témoins oculaires de l'événement, concordent avec celui de l'abbé Surrugues : la mort du jeune drapier aurait été liée au déchaînement de la foule, et non à cette barbarie dont on a accusé Rostopchine.

Au moment de ce meurtre, Rostopchine est fou de surmenage. Il n'a pas dormi depuis dix-neuf nuits. Il est exacerbé, inquiet pour les siens. Affiche après affiche, paroles après paroles, mélange de patriotisme et de mysticisme, il est au bord d'un éclatement sans frein. Tout éveille en lui le fond sanguinaire du guerrier. A chaque seconde, on l'exaspère de demandes. « Que faut-il faire ? » demandent les uns et les autres en entrant dans son bureau. « Que faut-il faire de la maison des fous ? » s'inquiète l'officier de police. Rostopchine, pour la centième fois, éclate :

« Mes ordres ? Que tout le monde parte. C'est simple. Qu'on lâche les fous dans la ville. Puisque chez nous, des fous comman-

88

dent l'armée, c'est donc que Dieu ordonne la libération des fous[1]. »

Voilà des nuits qu'on l'épuise de questions idiotes et sans répit. Après les prisonniers, les fous, après les fous, les malades. Que faut-il faire des papiers ? Que faut-il faire du grand vicaire ? du sénat ? de l'université ? Quand on lui demande : « Que faut-il faire des Verechtchaguine ? » Rostopchine sent un voile rouge l'éblouir, un vertige s'emparer de sa raison. Il est quatre heures du matin. L'heure des exécutions. Rostopchine, les yeux injectés, le teint blême, le vêtement flottant, réveille à coups de poing ce Serge si lâche, au fond, ce Serge dont il enrage de payer les dettes. Il donne ensuite l'ordre d'amener dans la cour de la Loubianka Verechtchaguine et ce Français, son complice. Il fait encore nuit. La foule gronde derrière les grilles fermées. Des chiens qui veulent du sang. Verechtchaguine, maigre, d'un blond roux, presque chauve, tremblant, vêtements en loques, ressemble à une sorte de Christ malingre. On le traîne au pied du perron (le perron rouge ?). Le malheureux entend très bien la sentence du gouverneur de Moscou, Fédor Vassilievitch Rostopchine :

« Sabrez-le[2]. »

Il pousse un cri de bête traquée, un cri qui excite aussitôt la sexualité sanguinaire de la populace. Est-ce le chien Miracle que l'on va égorger ? Rostopchine se tourne alors vers le Français terrifié dont il ne distingue pas les traits dans cette aube de mort : « Allez vers votre maître et racontez-lui que vous avez vu punir le seul traître qu'il y ait eu en Russie. »

Un soldat de la police donne un coup de sabre sur la nuque du petit marchand qui tombe sans connaissance. Rostopchine se sentit « tout à coup faible, ridicule, sans base solide sous ses pieds[3] ». N'est-ce pas cette même rage qui mènera le héros de la comtesse de Ségur, le général Dourakine, vers Torchonnet pour le knouter à mort ?

Verechtchaguine, après ce dernier coup, a deviné. La horde grimaçante va l'achever si on ouvre les grilles. Les fous dans la ville ; ce sont des fous. N'ouvrez-pas ! Pitié ! Une ville folle... La foule gronde, grimpe, on dirait des singes. Des bêtes. « La foule a besoin d'une victime, songe Rostopchine. J'ai besoin de cette

---

1. *Guerre et Paix*, Léon Tolstoï.
2. *Ibid.*
3. *Ibid.*

populace puisque cette populace c'est aussi mon peuple. Je vais leur donner en pâture ce misérable déjà à moitié décapité. »

« Ouvrez les grilles ! »

Toute sa vie, Rostopchine se souviendra de la tenue du petit marchand qui a poussé le feulement d'un chien que l'on noie. Une veste en drap bleu, un pantalon sale, râpé, sous l'infamante pelisse des forçats.

« Après tout c'est un forçat ! » s'encourage le gouverneur.

Tolstoï nous rapporte le cri terrible du petit drapier : cri qui traversera désormais les cauchemars de Rostopchine :

« Dieu seul est au-dessus de nous[1] ! »

Rostopchine, tel Pilate, désigne Verechtchaguine à la populace :

« Je vous l'abandonne ! »

Le petit drapier se redresse, court en tous sens. Le jour est venu, violet et rouge. Des mains, des moignons, des paumes, des poignes, l'étranglent à moitié, l'assomment encore. Des pieds nus, pleins de vermine, le piétinent. Des ongles noirs et crochus le déchirent. Il vit encore ; on le met en pièces, on le traîne, on le lacère. « Un coup de hache pour finir[2] ! » Hurlement des bouches édentées. Ce n'est pas la peine. Le petit marchand est mort. Rostopchine n'a pas bougé ; Serge est au bord d'une syncope. De la vodka. Il donnerait son âme, à laquelle il n'a jamais cru, pour une lampée glaciale d'abord, puis brûlante à la gorge et à la tête.

Les Dragons trouvent inconvenant ce cadavre dans la cour du comte Rostopchine, gouverneur général de Moscou. On tire donc par les pieds, encore une fois, ce mort. Il se disloque. La tête fracassée achève de s'ouvrir sur les pavés de la Loubianka. Quant à Rostopchine, les mots de Tolstoï en rendent l'effrayante image : « Son visage était blanc et il ne pouvait dominer le tremblement affreux de sa mâchoire inférieure. »

« Sokolniki ! Sokolniki ! »

Rostopchine, oubliant Serge, est saisi d'une telle angoisse qu'il s'engouffre dans sa voiture. Fouette, cocher, fouette ! Plus vite ! *Gleich !* — et file au galop vers Sokolniki.

Partir. Partir. Où ?

« Dieu seul est au-dessus de nous. »

---

1. *Guerre et Paix*, Léon Tolstoï.
2. *Ibid.*

Astrologie du comte Rostopchine

Calendrier grégorien ou français, Fédor Rostopchine, né au mois de mars, appartient tout entier au signe du Bélier. Il est dominé par Mars, dieu de la Guerre. « Cette force ignée s'assimile au jaillissement de la vitalité première, à l'élan primitif de la vie ; avec ce qu'un tel processus initial a d'impulsion pure et brute, de décharge irruptive, fulgurante, indomptable, de transport démesuré, de souffle embrasé. » Le verbe ? « agressif et hypermâle », les sonorités en sont « rouge et or », et correspondent à « une nature haletante, précipitée, tumultueuse, bouillonnante, convulsive »... Généreux, sublime, sanguinaire par pulsions contradictoires, Fédor Rostopchine est entièrement dominé par le type bélier « colérique ». Il en possède la vitalité hors du commun, l'incandescence. Une intensité à vivre tel un cheval au galop, haletant, « les sensations violentes, l'activisme de l'existence avec ses dangers, ses prouesses, ses chocs [1] ».

Fédor Vassilievitch Rostopchine appartient tout entier au signe explosif du Feu.

---

1. *Dictionnaire des symboles,* Jean Chevalier et Alain Gheerbrant.

V

L'INCENDIE DE MOSCOU

Rostopchine ne tient plus en place. Il récupère Serge, puis se dirige à cheval vers la barrière de Riazan, non loin du pont où se trouvent Koutouzov et son armée. Un rire nerveux secoue le gouverneur. La veille de l'entrée des Français, il a encouragé la confection de matières incendiaires par le mécanicien Schmidt. Il a fait évacuer les pompes à eau et s'est écrié devant le prince Eugène de Wurtemberg : « Brûler Moscou plutôt que de l'avilir en la livrant. » Sur le chemin vers Koutouzov, Rostopchine ne peut s'empêcher de faire l'aumône à des officiers français, blessés et à pied. Le moment fatal approche ; « Trois coups de canon annoncent que la capitale est occupée et que j'ai cessé d'en être le chef. » Rostopchine se découvre solennellement et se tourne vers Serge : « Salue Moscou une dernière fois : dans une demi-heure, elle est en flammes ! »

Ces paroles, restées célèbres, ont été prononcées le 14 septembre 1812, vers onze heures du matin. Point de soumission devant cette armée qui entre, le même jour, par le côté opposé de la ville. « La voilà donc cette ville fameuse ! » s'écrie l'Empereur tandis que Rostopchine donne l'ordre de lancer un gros ballon destiné à exploser sur le Kremlin. Elle est là, cette ville de Moscou ! Napoléon rêve de s'y installer, maître de ses neuf cents cloches rutilantes, sous le soleil de septembre, mélange des ors chrétiens et orientaux. Elle est là, telle Rome et ses sept collines.

« Il était temps ! » soupire l'Empereur, inquiet depuis Borodino, Vilna et Smolensk. S'attend-il à voir les Moscovites, le comte Rostopchine en tête, lui remettre à genoux les clefs de toute cette splendeur désormais sienne ? « Moscou est déserte ! » Napoléon refuse de s'alarmer devant cette information. Sa première nuit n'a rien de glorieux. Vaguement déçu, irrité, il occupe une simple maison du faubourg de Dorogomilov. Le maréchal Mortier a été nommé gouverneur général de Moscou à la place de Rostopchine. Après avoir fait interdire par Mortier tout pillage, l'Empereur s'endort, victorieux, rengorgé, confiant. En maître. Comme toujours.

Le maître-feu. Son déroulement

Le sommeil du petit Corse ne sera pas long. Vers deux heures, le feu éclate au centre de la ville, au « palais marchand ». Napoléon se précipite sur les lieux. Le feu est combattu et l'Empereur décide tout simplement d'achever sa nuit au Kremlin. Quel frémissement d'orgueil cette nuit du 15 au 16 septembre 1812 ! Occuper le palais des tsars !

À l'aube du 16 septembre. Le feu éclate dans toute sa force, sa fougue, sa gaieté démoniaque. L'aide de camp de l'Empereur, Philippe de Ségur, témoin direct, en a laissé une minutieuse description dans son livre *Campagne de 1812*. « Vers minuit, une clarté extraordinaire réveille les officiers (établis au Kremlin). Ils regardent et voient les flammes sortir du palais. »

Le vent augmente l'impétuosité d'un ronflement monstrueux, dévorateur : « L'élite de l'armée et l'Empereur étaient perdus si une seule des flammèches qui volaient sur nos têtes s'était posée sur un seul caisson (de poudre). »

Mortier est blême, les officiers atterrés : « Nous nous regardions nous-mêmes avec une espèce de dégoût. On s'abordait les yeux baissés, consternés d'une si épouvantable catastrophe, elle souillait notre gloire... »

Le but de Rostopchine est atteint : honte sur ces Français de malheur, *Oh ! les Français !* Le gros ballon préparé par Schmidt éclate enfin sous forme « d'un globe enflammé (qui) s'était abaissé sur le palais du prince Troubetskoï et l'avait consumé », ensuite, au tour de la Bourse de s'embraser, les soldats de la police russe attisent le tout « avec des lances goudronnées ».

Explosions, obus, gémissements, ronflements, édifices entiers s'écroulant dans les flammes, les incendiaires s'appliquent avec « une figure atroce ». Errance furieuse, civils en lambeaux, femmes dépoitraillées, tous enivrés. Les soldats français luttent à coups de

sabre contre chaque incendiaire. L'armée et ses bagages bivouaquent dans la cour du Kremlin. Le Corse ne peut s'empêcher
d'admirer tant l'incendie que le comportement russe :

« Ce sont eux-mêmes ! Tant de palais ! Quelle résolution extraordinaire ! Quels hommes ! CE SONT DES SCYTHES ! »

Devant lui, la Moskova et ses deux quais. Derrière, les vitres qui
fondent et commencent à sérieusement chauffer son dos.

« Le feu est au Kremlin ! »

Il ne reste plus à Napoléon que la fuite « sur la route de
Pétersbourg, vers Petrodvorets, le palais impérial ».

Comment faire dans cet océan de flammes ? Seule, une poterne
qui donne sur la Moskova sauve Napoléon et sa garde. Cet étroit
passage n'était certes pas la glorieuse voie qu'il avait imaginée,
entrant dans Moscou, un certain 14 septembre 1812. Morne, enfin
échoué à Petrowsky, le fils de Laetitia devient sententieux,
prémonitoire comme sa mère.

« Ceci nous présage de grands malheurs. »

Sophie ou la nuit illuminée

L'incendie devait durer jusqu'au 19 septembre. L'église catholique demeura miraculeusement intacte. L'abbé Surrugues y avait
passé ces cinq jours d'enfer à prier seul, environné d'un brasier
géant qu'il apercevait à travers les vitraux fondus. Le jésuite devait
mourir, quelque temps après, consacrant ses derniers jours aux
blessés entassés dans une sorte de hangar, criant pendant les
opérations sans anesthésie et hurlant de leurs brûlures.

Et Sophie dans son abri ?

« Ma mère, écrira Mgr Gaston de Ségur, qui venait d'avoir treize
ans, avait été envoyée, avec ma grand-mère (...), à trente-six
heures de la capitale, d'où elle voyait, m'a-t-elle dit, tous les soirs,
pendant plus de huit jours, non les flammes mêmes du grand
incendie, mais tout l'horizon en feu, semblable à une aurore
boréale. »

Une aurore boréale ? Sophie a été réveillée, non seulement par
l'extraordinaire lueur, mais par un rêve, un rêve catholique. Sa
mère saura-t-elle le lui expliquer ?

*Sophie eut une nuit un peu agitée ; elle rêva qu'elle était près d'un
jardin dont elle était séparée par une barrière ; ce jardin était rempli de
fleurs et de fruits qui semblaient délicieux. Elle cherchait à y entrer ;
son bon ange la tirait en arrière et lui disait d'une voix triste : « N'entre*

pas, Sophie ; ne goûte pas à ces fruits qui te semblent si bons et qui sont amers et empoisonnés ; ne sens pas ces fleurs qui paraissent si belles et qui répandent une odeur infecte et empoisonnée. Ce jardin est le jardin du mal. Laisse-moi te mener dans le jardin du bien. » « Mais, dit Sophie, le chemin pour y aller est raboteux, plein de pierres, tandis que l'autre est couvert d'un sable fin, doux aux pieds. » « Oui, dit l'ange, mais le chemin raboteux te mènera dans un jardin de délices. L'autre chemin te mènera dans un lieu de souffrance, de tristesse ; tout y est mauvais ; les êtres qui l'habitent sont méchants et cruels ; au lieu de te consoler, ils riront de tes souffrances, ils les augmenteront en te tourmentant eux-mêmes. » Sophie hésita ; elle regardait le beau jardin rempli de fleurs, de fruits (...) et, s'arrachant des mains de son bon ange, elle entra dans le jardin. L'ange lui cria : « Reviens, reviens, je t'attendrai à la barrière ; je t'y attendrai jusqu'à ta mort et si jamais tu reviens à moi, je te mènerai au jardin de délices par le chemin raboteux, qui s'adoucira et s'embellira au fur et à mesure que tu avanceras. » Sophie n'écouta pas la voix de son bon ange : de jolis enfants lui faisaient signe d'avancer, elle courut à eux, ils l'entourèrent en riant, et se mirent les uns à la pincer, les autres à la tirailler, à lui jeter du sable dans les yeux (...). Elle cueillit une fleur (...), la sentit, la jeta loin d'elle : l'odeur en était affreuse (...). Elle prit un fruit (...) : le goût en était amer et détestable (...). Elle courut à la barrière (...), se jeta dans les bras de l'ange, qui l'entraîna dans le chemin raboteux. Plus elle avançait, plus le chemin devenait doux. Elle allait entrer dans le jardin du bien, lorsqu'elle s'éveilla, agitée et baignée de sueur[1]. »

Sophie pousse un grand cri ; le carreau a l'air de brûler. La lueur semble éclairer la nuit même. Elle comprend tout. Son père a fait brûler Moscou, et elle est devenue catholique. L'ange l'a visitée. La nuit même du feu. « Voyons, Sophie, dit avec une joie profonde Catherine Rostopchine, à qui la petite a tout raconté, écoute ton bon ange, et saute hardiment dans les pierres du chemin qu'il t'indique[2]. » « Maman, j'ai envie d'être catholique », dit la longue fillette tournée vers l'aurore boréale.

Fédor brûle Voronovo

Sur 9 000 maisons moscovites, 700 seulement resteront intactes, dont Sokolniki et la Loubianka. Fédor l'ignore, ayant quitté Moscou le 14 septembre pour rejoindre la jonction de Koutouzov à

---

1. *Les Malheurs de Sophie.*
2. *Ibid.*

Podolsk — à six heures de Moscou. Fédor Vassilievitch Rostop-chine veut donner l'exemple d'un holocauste personnel. Il s'entoure d'une troupe, aux côtés de sir Robert Wilson, attaché à l'armée russe en qualité de commissaire anglais.

L'armée de Koutouzov comporte 50 000 hommes démoralisés. Murat surveille leur manœuvre. Le 17 septembre, Koutouzov imagine le mouvement tournant qui reporte subitement son armée, du côté de Toula et de Kalouga. Murat et sa troupe perdent de vue l'armée russe qui, désormais, va les harceler jusqu'à la mort. L'armée russe se dirige vers l'ouest, c'est-à-dire vers Voronovo.

Le 19 septembre, au moment où Moscou est une torche vive, Rostopchine annonce le sens de son holocauste à son compagnon, sir Robert Wilson : « Ce que je n'ai pu accomplir à Moscou — brûler mes deux maisons —, je prétends le faire ici, en incendiant de mes mains cette demeure que je voudrais en ce moment vingt fois plus belle et plus riche. »

Le 2 octobre, il entre dans le parc. Il ouvre les écuries, relâche ses bêtes vers une liberté inquiétante, chevaux tremblant sur leurs membres fragiles, chevaux pie, gris, noirs, blancs, fauves. Le petit poney de Sophie, plus tendre qu'un chien, pose son doux museau bien armé de dents dans la main du maître qui l'abandonne aussi vers la forêt gorgée de bêtes féroces et d'hommes affamés. Les soldats les poussent à coups de fouet. Ils ne veulent pas partir. Ils ont peur. Dans un long hennissement, ils disparaissent enfin vers leur mort probable, et Fédor essuie une larme.

Il ouvre alors les volières de Catherine. Les perroquets glapis-sent, en allemand, en français, des mots sans suite. Ils marchent, tête à l'envers contre les barreaux, pattes crochues, becs béants. Où aller ? Où aller ?

Seules les colombes s'envolent d'un trait vers le ciel de Voronovo. Fédor entre dans sa demeure, accompagné de sir Wilson et de soldats auxquels on a distribué des torches enflam-mées. Fédor lance la première torche sur le parquet du salon.

Dans les appartements de Catherine, il tremble devant son lit de noces. « Ceci est mon lit de noces, dit-il à sir Wilson, je n'ai pas le courage d'y mettre le feu, épargnez-moi ce chagrin ! »

Lit, merveille massive et dure, lit qui a voyagé de Saint-Pétersbourg à Livna, puis de Livna à Voronovo. Lit, où, dès la première nuit, Fédor avait déchiffré dans l'ombre des chairs de Catherine une sorte de terreur révulsée, la même que sur le visage du petit drapier.

« Brûle ce lit ! » hurle-t-il tout à coup.

Sir Wilson hésite, se décide, car dans un grand cri sauvage, Fédor a jeté toutes les torches dans les rideaux. Voronovo n'est plus qu'un immense brasier. Devant les écuries, devenu ce bûcher géant, Fédor Vassilievitch Rostopchine se frotte les mains et s'exclame en français : « Me voilà content ! »

Le sacrifice a eu lieu. Son honneur est sauf. Il a brûlé Voronovo.

Il s'approche de l'église restée intacte, au milieu du parc, et y trace ces mots :

> *J'ai été huit ans à embellir cette maison de campagne, et j'y ai vécu heureux au sein de ma famille. Les habitants de ce domaine, au nombre de 1 700 âmes, le quittent à votre approche, et je mets, de ma propre impulsion, le feu à ma maison, afin qu'elle ne soit pas souillée par votre présence. Français, je vous ai abandonné mes deux maisons de Moscou avec un ameublement valant un demi-million de roubles. Ici, vous ne trouverez que cendres* [1].

Fédor libère ses serfs, plus affolés que les bêtes. Certains refusent de s'éloigner. Fédor se recueille un moment sur la stèle de son ami Tsitsianov, puis part brusquement. Irrité par Koutouzov auquel il reproche « une influence criminelle », il quitte son armée établie au camp de Tarontino et rejoint celle du général Barclay de Tolly.

La destruction de la Grande Armée est commencée. Après le feu, le froid. L'hiver précoce achèvera de détruire le rêve mégalomane de Napoléon Ier. « Le froid, écrira Rostopchine, va les glacer et la neige, les ensevelir. »

La comtesse de Ségur et le feu

Les incendies traversent l'œuvre de Sophie. Son verbe est composé, par moments, d'insultes, de cris, de brandons allumés. Le feu éclate régulièrement dans son univers. Pauvre Blaise aime, le soir, à longer les fours à plâtre allumés :

> *Ces fours étaient en feu tous les soirs ; il en sortait des gerbes d'étincelles ; les hommes occupés à enfourner du bois dans ces brasiers lui semblaient être des diables au milieu des flammes de l'enfer.*

---

1. *Vie du comte Rostopchine*, A. de Ségur.

98

Non seulement Blaise n'a pas peur, mais :

> *Il regardait avec bonheur ces feux allumés, ces longues traînées d'étincelles, ces hommes armés de fourches attisant le feu.*

Les châteaux brûlent, chez la comtesse de Ségur. Celui de Pauline dans *Les Mémoires d'un âne*. Cadichon s'épouvante du feu :

> *Je fus réveillé par les cris « Au feu ! (...) » La lueur de l'incendie éclairait ma pauvre écurie, (...) ; les flammes augmentaient de violence ; je sentis une chaleur incommode qui commençait à me suffoquer (...) ; un bâtiment en entier, en face de mon écurie, s'était écroulé (...). La fumée, la poussière de l'éboulement et la chaleur nous suffoquaient... Je m'élançais à travers les poutres enflammées qui couvraient la terre... Tout brûlait autour de nous... Tout n'est que pierres, murs écroulés, poutres encore fumantes...*

Les ruines de Moscou en 1812 ? Cadichon ne sauvera pas Pauline. Phtisique, elle mourra des suites de l'incendie, les poumons brûlés. Son agonie traverse une fumée épaisse et suffocante.

Un incendie bien plus terrible encore éclatera au château des Sibran, dans *François le Bossu*. Non seulement le château n'est qu'une torche vive, mais Maurice et Adolphe de Sibran, responsables de l'incendie — ils ont fumé des cigarettes en cachette —, obligés de sauter par une lucarne, pour échapper aux flammes, sont grièvement blessés. Maurice, qui s'était tant moqué de la bosse de François, devient, à cause de cet incendie, tordu, difforme, mais se convertit. Il mourra. A-t-il gagné son ciel grâce au feu ?

« En cas de nécessité vous pourrez mettre le feu », dit le général Dourakine pour convaincre Mme Blido de l'épouser.

Dans *Un bon petit diable*, Charles Mac Lance menace sans cesse son horrible tutrice, Mme Mac Miche de mettre le feu :

> *Si vous me frappez encore, je craque cette allumette, je mets le feu aux rideaux, à vos jupes, à tout !*

Charles colle sur ses fesses un parafouet sulfureux. Deux têtes de diables rouges entourées d'une épaisse fumée.

Anfry, le père de Blaise, signale qu'après la campagne de Moscou, où son grand-père était soldat :

COMTESSE DE SÉGUR

Toutes les souris étaient devenues blanches de peur et couraient dans les ruines...

Le palais de la princesse Rosette est en flammes après qu'elle eut désobéi, un incendie détruit la ferme d'Ourson qui échappe au feu grâce à un puits [1]... Les enfants sont-ils, chez la comtesse de Ségur, ces souris épouvantées qui errent à travers la menace de tous les feux ? Une part d'elle-même a-t-elle brûlé définitivement en 1812 ? Ou bien, Sophie a-t-elle contemplé le feu, comme Blaise, de l'autre côté du jardin du mal ?

---

1. *Nouveaux Contes de fées.*

VI

LA DISGRACE

Ma vie a été un mauvais mélodrame à grand spectacle, dans lequel j'ai joué les héros, les tyrans, les amoureux, les pères nobles, mais jamais les valets.

Comte Rostopchine

Retour à Moscou : novembre 1812

Le 23 octobre, le maréchal Mortier a quitté Moscou. Napoléon ordonne de faire sauter le Kremlin et la maison de Rostopchine. Par on ne sait quel miracle, la Loubianka échappa à la formidable explosion qui ébranla le palais des tsars sans le détruire.

Le voyage de Sophie vers Moscou est lugubre. Retrouvera-t-elle Fédor ? Sophie et ses sœurs sont atterrées en entrant dans Moscou. Maisons en ruine, population en loques, visages noircis, décombres fumants, cadavres calcinés parmi l'argenterie en vrac, tableaux de maîtres que les mendiants lacèrent ou que les soldats déguenillés emportent. Grande Armée ou armée russe ? Le peuple est déchaîné. Sophie le voit saccager les statues, fouler au pied les bronzes antiques à demi fondus. Les icônes sont blasphémées. Une ruée sur tout cet or répandu dans la cendre. Certains avalent les pierres précieuses en livrant un poing vengeur et noir vers le ciel, lui aussi tout noir. « Où sont les enfants », crie Sophie quand la berline longe l'hospice des Enfants trouvés ; sont-ils brûlés tels des petits cochons sur la braise ? Une centaine de nouveau-nés ont péri. Sophie pleure ; sous ces ruines, il y a des petits tas d'os qui furent des bébés. Où êtes-vous, petits bébés non baptisés catholiques ? L'abbé Surrugues a-t-il eu le temps de vous bénir ?

Catherine pince la bouche, murmurant des prières, indifférente aux humains. Son espoir n'est pas de retrouver son époux mais de reprendre ses longs chuchotements avec le très savant archimandrite Philarète, et Surrugues, s'ils n'ont pas grillé tels des oisons. Elle a poussé un cri de joie en apercevant l'église catholique encore debout. Bientôt la messe, sa liqueur, sa drogue ! — Notre-Dame-des-Français est intacte, drue. Une cloche folle y bat, tocsin au-dessus de ce matelas de cendres encore chaudes...

Rostopchine et le général Ivakine ont ordonné le déblaiement de la ville et la chasse aux pillards. Le recensement des cadavres atteint le nombre de 12 000 quand Fédor accueille enfin sa famille sur les marches de la Loubianka.

Sophie recule. Elle ne reconnaît pas son père en cet homme sale, hirsute, le vêtement flottant, déchiré, le regard noyé de larmes au-dessus d'une bouche qui tremble. Il serre dans ses bras sa femme à l'étouffer. Il l'emporte, l'entraîne, la brutalise de passion. Il voudrait tout effacer, recommencer, oublier la cour pavée où erre le fantôme ensanglanté du petit drapier. Il regarde à peine Sophie et ses sœurs. Il hoquette, il sanglote, il empoigne Catherine, cette femme qui à jamais « lui déchire le cœur ». Son incendie intime...

Moins d'une année plus tard, le 14 octobre 1813, naîtra de ce choc, de ce retour, de toutes ces cendres et de cette passion, un garçon : André.

Dépressions

Rien ne va plus pour Fédor Vassilievitch Rostopchine.

Pourtant, Alexandre Ier lui a accroché sur l'épaule, pour le récompenser de sa vaillance, son portrait entouré de diamants, avec des mots gracieux, faisant allusion à leur vieille antipathie : « Tu seras désormais obligé de me porter sur ton épaule. »

La disgrâce du gouverneur de Moscou est commencée. Ses contemporains ne lui pardonnent pas l'incendie. La noblesse lui reproche la perte de leurs biens en ville et le suspectent d'avoir pu conserver Sokolniki et la Loubianka. Le sacrifice de Voronovo ne les impressionnent guèrent. On murmure contre le gouverneur le lynchage d'un jeune homme de vingt-quatre ans, dont le père, paraît-il, aurait porté plainte près de l'empereur.

La rumeur monte, enfle, déforme tout. Moscou a besoin d'un bouc émissaire. Ce sera Fédor Vassilievitch Rostopchine. Les Russes sont obsédés de retrouver leurs biens. Ils en oublient leur triomphe, la débâcle de la Grande Armée. Une grande partie a péri lors du passage de la Bérézina complètement gelée. Les survivants atteignent la Prusse, mourants, gelés, affamés. Les prédictions de Fédor sont avérées. Le 15 août 1813, même si le petit roi de Rome, fils de Napoléon et de Marie-Louise, a été baptisé, l'Autriche n'en déclare pas moins la guerre à la France.

La chute de Napoléon est commencée. Le 29 mars 1814, Marie-Louise lâche Paris pour l'Autriche. Le 31 mars, les Alliés entrent dans Paris. Rostopchine, malgré sa peine, fait sabrer le champagne. La déchéance de Napoléon est proclamée. Il abdique en faveur de son fils qu'il ne reverra jamais, pas plus que Marie-Louise, proclamée régente. Rostopchine fait peindre alors devant la Loubianka, sur un grand panneau, un géant étendu par terre, entouré de morts et de blessés. Fédor a composé le calembour en français, parmi des diablotins qui volettent de branche en branche sur l'arbre factice :

Na = Sur

Pole = Champ soit « il agit sur-le-champ ».

On = Y

ou : « L'affreux tyran qui dans sa rage couvrit l'Europe de tombeaux. »

Le profil au grand nez des Bourbons se dessine. Le duc d'Angoulême arrive à Bordeaux. Le comte d'Artois y est nommé lieutenant-général du royaume. Napoléon signe à Fontainebleau la convention qui le chasse vers l'île d'Elbe.

Toutes ces nouvelles devraient réjouir Rostopchine, dont tous les maux sont revenus. Le foie, les rhumatismes, les hémorroïdes et surtout ses insomnies continues. Il est devenu instable, ricanant, nerveux, presque violent. Il supporte mal sa famille, se réjouit à peine de la naissance d'André. Il oublie complètement ses filles, sauf Lise qui lui arrache des larmes dues à sa dépression. Il s'agite sans cesse, passe ses nuits à circuler dans ses appartements, s'exaspère contre Sophie dont il a appris la conversion. Sophie a quinze ans. Elle reconnaît mal son héros, se tient coite, malheureuse. Elle s'est mise à craindre ce père jadis si tendre. Il explose pour un oui ou pour un non. La campagne de calomnies contre lui est au plus fort. Sa bouche ne s'ouvre plus que pour maudire et blasphémer. Il est à deux doigts de frapper Sophie quand sa mère lui ordonne de lui rappeler sa conversion. Elle balbutie que l'abjuration doit suivre. Fédor explose, écume :

« Catholique ! Je t'interdis d'abjurer. Tous les malheurs vont donc me fondre dessus ? D'abord, nous, les Russes, qui sommes-nous ? Des chrétiens, pas des catholiques. C'est bon pour ces chiens de Français. Sommes-nous seulement chrétiens ? Pas si sûr. Sais-tu, méchante fille, traîtresse, que nous, les Russes, avons failli être musulmans ? Pierre le Grand a hésité entre le Coran et l'orthodoxie. Il a choisi le Christ parce que le Coran interdit l'alcool... Nous sommes chrétiens grâce à la vodka. Dieu est une bouteille de vodka. Va le dire à ta mère et cesse de me regarder avec tes grands yeux bêtes. »

Sophie s'enfuit en pleurant. Est-ce par amour pour lui qu'elle résiste à l'abjuration ? Ses arguments laissent Catherine de glace. « Maman laissez-moi être catholique sans abjurer, papa est tellement fâché... »

On l'entend tonner dans la Loubianka roussie, pillée de ses tableaux, presque vidée de ses meubles. Le triste jardin aussi a perdu ses statues, brisées, fendues, mutilées. Rostopchine ne peut plus supporter, de la fenêtre, du balcon, ces marches funestes où, sous son ordre, a éclaté le crâne du petit drapier de vingt-quatre ans.

Non, non, rien ne le distrait ! Pas même les nouveaux parasites réfugiés chez lui. Qu'ils entrent ! Qu'ils s'installent ! Il y a des chambres sans porte, des lits mités, crevés, que lui importe ! La Loubianka a l'air d'une demi-ruine et on lui reproche qu'il ait encore un toit ! Rien ne l'apaise. Pas même les ouvriers qui reconstruisent Voronovo et lui font savoir qu'un millier de souris blanches ont couru sous les décombres. Il est seulement touché par un imprévisible et somptueux cadeau. Pour le consoler d'avoir perdu son haras, le shah de Perse a fait parvenir à Voronovo une dizaine d'étalons de toute beauté [1].

Fédor trouve grotesque la cousine pauvre de Catherine, incrustée à la Loubianka. Elle se nomme Nathalie Rostopchine, homonyme de sa fille. Elle a le visage détruit par la petite vérole. Elle est vieille et grincheuse. Nathalie ne peut la souffrir. Lise la fuit. Sophie, d'un naturel aimable, se dévoue.

Fédor soupire. Où est le temps des Tziganes dansant dans le salon

---

1. *Ma chère maman, souvenirs intimes et familiaux*, Olga de Pitray.

de Voronovo? Où sont ces délicieux parasites? Tout a pris une allure lugubre. Sophie, son bouffon, depuis qu'elle est catholique est sinistre. Amertume dans cette maison d'après l'incendie. Amertume, attisée par les lettres anonymes qui pleuvent et injurient Rostopchine. Haine des uns et des autres. L'Évangile parle-t-il d'amour ou simplement de se « supporter les uns les autres » ? Sophie sombre lentement dans la dépression. Un enrouement entrave sa gorge. Elle a maintenant de la difficulté à parler. Elle n'a pas encore abjuré ; son père ne la regarde plus, sa mère la dédaigne. Elles sont loin de la nuit transfigurée ! Au moindre reproche, Sophie rougit, pâlit, se replie dans une timidité maladive. Sa mère l'accuse de sournoiserie. Sa nature gaie, vigoureuse, généreuse, souffre plus que jamais d'être aussi incomprise et mal aimée. Elle supporte désormais très mal de coucher à la dure, de geler en hiver dans sa chambre, de coudre elle-même ses robes, de tricoter, de repasser... Sa vraie souffrance reste le manque d'amour. Sophie, dans cette sinistre Loubianka, se replie, s'enroue, retombe dans ses migraines, perd l'appétit. Elle aimerait tant raconter à nouveau ses historiettes à son père qui maigrit à vue d'œil. Le regard de Catherine est toujours aussi dur, les interdits quotidiens pleuvent. Sophie n'ose plus chanter, rire, ni même voler des gimblettes à la cuisine. Elle en a perdu le goût. Sa mère ne lui avait-elle pas fait porter, au temps où elle volait des poires, un écriteau dans le dos, tout un long jour, avec « Voleuse » écrit à l'encre noire après l'avoir fouettée ? Les bonnes ricanaient « voleuse » ! Sophie a beau se dire que saint Augustin est peut-être au ciel pour avoir volé des poires, elle pleure. Elle a envie de mourir. Se tuer avec son petit couteau en écaille qu'elle a toujours conservé. Cent fois par jour, Sophie fond en larmes.

Mort d'Octave de Ségur

En France, la tristesse règne aussi chez les Ségur. Le jeune Eugène atteint seize ans. Sa beauté virile est éclatante. Page de Napoléon depuis l'âge de treize ans, le voici officier de cavalerie. Les mondaines le regardent, ont réussi à l'entraîner dans leur lit. Son père, Octave, a sombré dans une paranoïa paroxystique.

Début 1814, sa jalousie est à son comble. Il fait une fugue. Il disparaît une année entière. Eugène ne dit rien, très proche de sa mère, de plus en plus volage. Octave lui envoie ce billet de

Boulogne. « Je pars, chère Félicité, je vais affronter un élément moins agité que ce cœur qui ne battra que pour vous[1]. »

Philippe, frère aîné d'Octave, part aussitôt pour Boulogne. Le fou s'est caché, déguisé en marin, au fond d'un bouge du port. Philippe de Ségur ne réussit pas à le convaincre. Octave est persuadé que Félicité couche avec Étienne de Choiseul. Octave reprend son errance, camouflé en simple soldat, à la suite des lambeaux de la Grande Armée. Il se retrouve en Allemagne. Il revient brusquement à Paris, où Félicité, prudente, devant son égarement, lui refait du charme. Octave est persuadé qu'elle est la maîtresse de M. de Chateaubriand. Les scènes recommencent.

« Prenez garde, Félicité, c'est ma vie que vous jouez. » Félicité refuse de le suivre. Il a loué et arrangé pour elle un appartement. Il a complètement oublié ses fils. Il ne voit que l'objet de son obsession. Sa dernière lettre est un chantage : « Si vous n'êtes pas chez moi avant six heures, vous vous en repentirez toute votre vie[2]. »

A neuf heures du matin, le comte Octave de Ségur se précipitait dans la Seine. La comtesse de Boigne précisera qu' « on le retrouva les mains fortement jointes ; il nageait parfaitement, mais décidé à périr, la volonté l'avait emporté sur l'instinct ».

Eugène persuade sa mère, atterrée par le scandale et non par le chagrin, de rester le centre de la famille, de profiter enfin des avantages du veuvage.

Le premier bal de Sophie

Sophie, depuis tant d'années, a été si durement traitée par sa mère, qu'elle sent se tarir ses belles qualités naturelles. Elle balbutie et rougit dès qu'on lui parle. L'été 1814 n'arrange rien. Les travaux de Voronovo ne sont encore terminés. La famille est hébergée pour la belle saison chez le prince Barialinski. Sophie passe ses nuits à pleurer. Fédor ne les a pas rejointes. Humilié, au comble de sa disgrâce. Après le *Te Deum* de la victoire, Alexandre l' « accueillit froidement et lui montra par son attitude qu'il en avait assez de ses services ». Le gouverneur général de Moscou a donné sa démission. Fédor part avec Serge à Saint-Pétersbourg. Il achète une grande maison. Elle nécessite tant de travaux que sa famille, au

1. *La Comtesse de Ségur et les siens,* M. de Hédouville.
2. *Mémoires,* comtesse de Boigne.

106

retour de cet été pourri, est obligée de bivouaquer chez leurs cousins Golovine.

Chez les Golovine, Sophie retrouve ses cousins Galitzine. Lise Galitzine deviendra sa confidente et son amie intime. Une ambiance de jeunesse règne là-bas. On rit, on danse. Catherine fustige cette joie, pourtant innocente. Que de vices destinés à perdre une âme ! Elle reprend en main ses filles, les assomme, dans la journée, de lectures pieuses. L'idée du péché est dans tout. Y compris dans le goût des poires. (Oh ! quelles ennuyeuses poires ! j'en ai assez de toutes ces poires ! a envie de sangloter Sophie.) « L'innocence même est un support parfait du diable », clame Catherine. Le péché, dans un verre d'eau...

Sophie s'endort, se réveille à l'aube, couverte de sueurs froides. Elle a mangé une glace avec Lise ; c'est un péché. Elle a un besoin fou de courir et de sauter la barrière du parc, péché mortel, sans doute. Elle crève d'envie de porter autre chose que ces vilaines robes en toile. Péché, damnation. Elle ne voit plus clair dans le sens de sa conversion. Elle a perdu le sens de son rêve. Dieu serait-il ce bourreau qui l'épie nuit et jour ? Et le diable ? Être catholique, serait-ce une façon quotidienne d'y songer ? Le terrible père Jourdan contribue à ce trouble qui a commencé à miner Sophie. Qui est le Christ ? Le père Jourdan et Catherine imposent l'image sanglante des épines, des clous, de la croix et du suaire. Un supplice comme celui de saint Barnabé, écorché vif. Cela plaît à Dieu, tous ces supplices. Sophie, au fond d'elle-même, regrette le pope si voluptueux de l'église de son baptême. Couvert d'or, buvant le vin très noir à même une coupe d'argent et de rubis, les lèvres lentement ouvertes sous la barbe luisante, les yeux clos de délices, le corps puissant et souple, ne se nommait-il pas Christophoro ? Le pope, nanti d'une belle épouse aux hanches larges, couverte d'enfants... Fédor et le pope s'entendaient si bien, se ressemblaient tellement !

On danse, le soir, chez les Golovine. Sophie a beau valser, tourner, au bras du cousin Galitzine, les images se superposent. Sa mère a écrit au père Jourdan que Sophie a valsé « avec extase » près d'une heure. Aussitôt, le jésuite répond à Sophie atterrée :

Figurez-vous que chaque fois que vous dansez, vous vous trouvez dans les bras d'un diable qui vous amène en tourbillonnant vers un horrible précipice dont vous ne pourrez plus jamais sortir [1].

---

1. *La Comtesse de Ségur et les siens*, M. de Hédouville.

Le diable ? Un précipice ? Où est mon ange gardien ? Sophie, très troublée, ose à peine se rendre au bal du gouverneur. Catherine n'a pu éviter l'invitation pour ses filles. Sept heures précises, exige le protocole. Catherine est désespérée d'envoyer ses filles à la perdition. Nathalie en pleure de joie et de haine mêlées. Lise est ravissante malgré sa grande jeunesse. Sophie est vêtue de soie blanche et rose. Elle est pâle, les yeux rougis de toutes ces larmes versées, blonde à ravir sous une attache de fleurs. Elle se console aussitôt devant le buffet chargé de sa friandise préférée : des oranges glacées. Elle introduit un gros quartier dans sa bouche, ferme les yeux ; ravie, elle oublie son ange gardien et trouve au jardin du mal un délice ineffable.

Pour la première fois de sa vie, un jeune homme, autre que les sempiternels cousins, s'approche de Sophie. Il la trouve charmante avec sa taille mince, serrée de près dans une ceinture de satin rose nouée dans le dos. Rose, comme ses joues, rose comme la honte. Les dents de Sophie sont collées par le sucre glacé de l'orange.

Le jeune officier claque des bottes, s'incline, l'invite :

« Comtesse, voulez-vous me faire l'honneur de m'accorder cette valse ?

Sophie, ivre de honte, gémit :

— Hon... hon[1]... »

Sophie est désolée, envahie non plus par le rose charmant de la gêne, mais par un rouge franc, pivoine, jusque sur les épaules. « Hon... Hon... Hélas ! je braie comme un âne ! » Le jeune homme la prend pour une folle et s'en va. Le père Jourdan ricane. Le diable se cache partout, surtout dans la bouche des filles impudentes.

Après ce bal, un autre jeune homme a remarqué Sophie — il ne l'avait pas revue depuis les soirées de Saint-Pétersbourg — et la demandera en vain en mariage. Rodolphe de Maistre, le fils de Joseph.

Histoire de kiosque

Les travaux de la maison à Tsarskoïe Selo s'achèvent. Catherine et ses enfants voisinent chez Anna, leur tante. Ni Fédor, ni Sophie n'aiment son époux, le vieux Barthélemy Tolstoï. Grincheux,

---

1. *Ma chère maman, souvenirs intimes et familiaux*, Olga de Pitray.

sadique, il lève facilement la main sur ses domestiques, et sa femme. Il agonit ses hôtes d'ironie lourde. La vieille fille, Nathalie Rostopchine, sert de duègne à Sophie et à ses sœurs quand Catherine est à ses oraisons. Le chaperon aime la promenade ; le parc des Tolstoï est immense. Natacha déteste cette vieille cousine et reste bouclée dans sa chambre ; Lise s'esquive. Sophie, par gentillesse, sort avec Mlle Rostopchine. Sophie adore marcher, vivre au grand air, s'agiter. La promenade ramène un peu de paix dans son âme à nouveau torturée. Sophie, flanquée de la vieille fille, avance vers un kiosque car le temps se couvre. L'orage, soudain, presse le pas de Sophie et de son chaperon sous le toit, très allemand, du petit kiosque. Un jeune Danois, hôte des Tolstoï, s'y trouve déjà. Il regarde, charmé, cette jeune fille de seize ans, ses longues boucles cendrées, roulées en copeaux brillants sur le petit col blanc, en linon doux, brodé par Sophie d'après un modèle de Dechazelle et Bony. La robe, en jaconas, tombe bien droit jusqu'aux chevilles cachées. Les manches sont ballonnées vers l'épaule, sanglées au-dessus du coude. Il fait chaud, malgré l'orage.

Sophie enlève d'un seul coup son chapeau de peluche, orné d'un simple ruban en satin marron. La chaussure, en peau noire, est la même que celle qu'elle portait enfant. Des bas un peu gros, insupportables par grande chaleur, sont exigés par Catherine. Le jeune Danois est fasciné par les yeux presque verts, tachés de gris et de mauve sous les éclairs. De très beaux yeux étincelants, sur une peau éblouissante de fraîcheur, par-delà la grande bouche, bien dessinée, le nez annamite, mais sans disgrâce, les narines qui palpitent. Le bonheur, somme toute sauvage, d'un jeune visage femelle livré à l'orage et au vent... Sophie, de son côté, admire aussi le jeune homme. Non, non ! Jamais plus je ne ferai « Hon... Hon » quand un homme me parlera. Dieu ! qu'il est joli ! que j'aimerai toucher sa joue ! Une belle pêche en velours ! Une poire ? Non ! plus de poire ! cela me porte la guigne !

Elle se tourne vers lui en riant, montre le ciel du doigt et babille. Elle parle, Sophaletta. De tout. De rien. Le jeune homme, flèche dorée plantée devant elle, regarde la forme de cette bouche qui maintenant rit volontiers en désignant une envolée de colombes. Il admire le dessin des lèvres, plus qu'il n'écoute les mots roucoulés par une voix de bronze, chargée de « r » qui vibrent et l'enchantent. Sophie s'exprime en allemand. Elle aussi a oublié les mots qu'elle débite. Elle aimerait dormir en rond, tel un chat, dans les bras du Danois, presque argent sous la pluie.

Une vieille dame d'honneur, surprise elle aussi par la pluie, entre dans le kiosque. Elle fixe Sophie d'un œil de faucon. Celui qui jadis avait dévoré le beau poulet noir de Sophie ? Le soir même, elle raconte à tout le monde, à Catherine en premier, l' « épouvantable scandale du kiosque ». Sophie se serait comportée jusqu'à la débauche.

Sophie punie ou le voyage autour de sa chambre

Catherine convoque sa fille au milieu du grand salon. Elle a rassemblé les invités, les parents, les domestiques. Sophie doit comparaître. Tombent sur sa tête encore mouillée — décidément, elle a récidivé l'affaire de la gouttière ! et avec un homme cette fois ! — des injures si affolantes que Sophie se met à hurler, les mains sur les oreilles. Les témoins s'agitent. Est-elle une criminelle ? Le vieil oncle Tolstoï fouette son fauteuil d'une cravache, qui ne le quitte jamais, avec une délectation vicieuse. Le petit Danois a disparu, chassé par le scélérat vieillard.

Fédor n'est pas là pour défendre sa fille. Morfondu, de son côté, à Toplitz, malade à crever. Les Allemandes portent un bonnet « à la Rostopchine » en l'honneur de l'incendiaire de Moscou qui n'a plus le cœur à rire. Qui peut défendre Sophie ? Le père absent, le petit Danois évanoui. Sophie est livrée à Catherine qui aboie ce soir-là pis qu'un chien. Sa mère, pour la première fois, perd son contrôle, éclate, en proie à une crise nerveuse qui lui sort les yeux de la tête, marque d'écume le coin de sa bouche, agite son corps de spasmes.

« Qu'ai-je fait ? Qu'ai-je fait, maman », supplie la petite, se tordant les mains. Elle entend nettement les mots « damnation », « prison », « mieux vaudrait que vous fussiez morte ». Elle se met à trembler. En Russie, certaines filles sont ensevelies dans des couvents jusqu'à la fin de leur vie. Elle sait, après chaque scène, qu'elle ne verra plus son sang pendant des mois. Cette fois, elle a l'impression, au contraire, qu'elle va s'ouvrir, se fendre en deux, tel cet officier français trouvé coupé au sabre par des paysans moscovites. Tout son sang va se répandre dans le salon du vieux Tolstoï qui rit aux éclats, en cascades hystériques.

Catherine fait plier bagages, dès le lendemain. Le scandale du kiosque ayant eu lieu chez les Tolstoï, elle se brouille avec eux. Elle entraîne les siens dans la maison de Tsarskoïe Selo qui sent encore le plâtre et la peinture. Elle boucle Sophie à clef dans sa chambre.

Sophie se vit coupable sans rien y comprendre. Des cauchemars

110

la poursuivent. Elle a perdu son Bon Ange ; les enfants du jardin du mal l'entraînent, lui arrachent les cheveux. Elle chevauche un âne, non, c'est le Danois, une sensation d'extase entre les cuisses. Elle se réveille en sursaut. Elle a pleuré, l'oreiller est mouillé. Elle ne mange plus, perd encore la voix. Nathalie, navrée, ose affronter Catherine : « Maman, ne voyez-vous pas que Sophie ne mange plus, ne dort plus ? Elle tombera malade. » Elle lit dans les yeux de sa mère la lueur pâle, informe, d'un projet homicide. Elle recule, effarée, décide de nourrir Sophie en cachette. Sophie brisée, les cheveux ternes, allongée en travers de son lit. Sophie enfermée. Sophie punie. Injustement. Elle dit à Nathalie qu'une fausse accusation est un crime. Elle peut en mourir.

« Et si elle mourait vraiment ? » s'épouvante Nathalie devant le visage dévasté de Sophie. Elle supplie encore sa mère. Catherine Rostopchine ne dit rien, laisse passer quelques jours et, un après-midi, introduit dans la chambre de Sophie le père Jourdan. Sophie pousse un hurlement. Elle croit voir l'ange exterminateur. Sophie, sa mère et le jésuite restent enfermés pendant des heures. Nathalie, Lise et Lise Galitzine — en séjour chez ses cousins — collent l'oreille à la porte. Quelques sanglots étouffés. Des chuchotements. Un éclat. Une chute. Un cri. Puis rien. Les jeunes filles se plaquent derrière l'épais rideau. Catherine sort brusquement de la prison de Sophie. Transfigurée. Elle crie en russe, très fort : « Elle a abjuré ! Dieu soit loué ! »

Nul ne saura si elle a cédé à la torture morale. Si cet enfermement a été un plan diabolique de sa mère. Sophie a abjuré. Au tour de Nathalie et de Lise d'éclater en sanglots. Sophie est damnée.

Devant cette abjuration « forcée », Nathalie et Lise luttent à leur manière. « Toutes deux, le soir, récitaient une prière d'un fanatisme effrayant ; suppliaient Dieu de les foudroyer au moment où l'idée de changer de religion se présenterait à leur esprit[1]. »

La vieille cousine Rostopchine a fait croire à Catherine que la Vierge lui est apparue depuis l'abjuration de Sophie. Le gîte et le couvert lui sont à nouveau assurés. Catherine lui battait froid depuis l'affaire du kiosque. La parasite avait tremblé.

Une autre épreuve attend Sophie. Avouer, dès le retour de son père, le scandale du kiosque et son abjuration.

---

1. *La Comtesse de Ségur et les siens,* M. de Hédouville.

COMTESSE DE SÉGUR

Fédor aux eaux

Toplitz n'apporte aucune amélioration à l'état de Fédor. Les gazettes allemandes ont beau l'encenser, ses humiliations restent cuisantes et pèsent sur sa santé. Fédor a quarante-neuf ans. Il se vit vieux, las, détruit. Malveillance et injustice le ravagent autant que Sophie. Un voyage avec les siens dans un pays doux — l'Italie ? — serait peut-être une guérison. Ils passeraient par Paris. Regarder de près les Français (*Oh ! les Français !*), s'amuser aux cosaques qui bivouaquent sur les Champs-Élysées.

Fédor, repris par sa bougeotte, est maintenant aux eaux de Pyrmont. Il écrit quotidiennement à Catherine. Un courrier enflammé, où perce déjà une autre soumission à sa femme. L'éloge des catholiques !

> *J'ai éprouvé un sentiment bien doux en entrant en Bohême et en me trouvant au milieu d'un peuple religieux qui suit les préceptes d'une religion qui a fait des prosélytes par conviction.*

Il signe toutes ses lettres « Adieu mon amie, ma femme et mon bon sens ». Se doute-t-il des souffrances de Sophie ? Sa dépression l'affaiblit. Il devient de plus en plus sentimental et se prend de nostalgie pour André, le petit dernier.

> *Je t'embrasse avec les enfants. J'ai acheté pour le petit bouffon une boîte de boules de verre de différentes couleurs, cela l'amusera. Comme je suis impatient de revoir André !*

Son bulletin de santé n'est guère meilleur. « La médecine est au berceau et fait mourir deux fois plus de personnes qu'elle n'en guérit. » Après les billes, il achète un collier pour Griffette, le petit chien d'André : « André s'occupera à le remettre et à l'ôter. » Il gâte Serge en lui faisant parvenir une décoration, l'Ordre napolitain, aussitôt flétrie du terme de « ridicule » par Catherine. Fédor est froissé.

> *Je réponds au mot de « ridicule » dont tu as affublé l'Ordre napolitain pour Serge. Je l'ai demandé, sachant qu'on ne le refuserait pas, car j'avais des droits à la reconnaissance du roi Ferdinand... Je n'ai pas voulu que mon fils signifiât moins que le fils de tant de parvenus* [1].

---

1. Correspondance du comte Rostopchine, de Toplitz et d'ailleurs, année 1815.

A Berlin, il s'est mis à lire la Bible et les Évangiles. Les eaux le rendent malade :

Les eaux d'ici ne me conviennent pas. Elle m'irritent trop [1].

Le rêve de mort au sujet de Catherine l'a repris. Sauvage. Sanglant. Il rentre brusquement à Saint-Pétersbourg. Sa fougue et son élan familial sont vite douchés. Catherine oblige Sophie à lui avouer l'affaire du kiosque. Ennuyé, Fédor écoute avec ironie, blesse Sophie par des remarques cinglantes. Il écoute à peine l'aveu de l'abjuration. Sophie sent son larynx se bloquer. Rostopchine est accaparé par les sottises de l'aîné. En plus des dettes de jeu, Serge, âgé de dix-neuf ans, s'est entiché de Mlle Barbe Lanskoï, de quarante-six ans son aînée. Fédor hurle, s'agite, gonfle, devient violet, frôle l'apoplexie. Serge s'obstine. Il épousera Mlle Barbe. Fédor finit par céder, à condition que Serge ne touche plus à une seule carte. Entre-temps, Mlle Barbe Lanskoï a filé avec un officier de la garnison. Serge boit et joue plus que jamais, parle de tuer Mlle Barbe et son officier. Fédor veut assommer Serge. Il explose dans son bureau, pleure de rage et de peine ; Catherine est plus impassible que jamais. Les lettres anonymes pleuvent à nouveau, Sophie ne parle plus, ne mange plus. Il la rudoie.

« A quoi sert, mademoiselle le Bouffon, d'avoir abjuré si c'est pour tirer une tête d'une aune ? »

Seule, Lise l'émeut de tendresse avec son air caressant et ses boucles ravissantes. Mais elle a craché un peu de sang. Décidément, l'Europe adoucirait tous ces problèmes. Fédor repart.

Vers la France

Au printemps 1816, Rostopchine rejoint Baden. Il y rencontre l'écrivain allemand Varnhagen. On colporte l'arrivée de l'incendiaire de Moscou. On dit que ses nuits sont traversées de cauchemars liés aux remords. Il verrait « des fantômes sortant de terre, autour de lui, les restes ensanglantés du jeune marchand de Moscou assassiné sous ses ordres ». L'ancien gouverneur est pris de crises. Exaspéré, il nie tout, y compris l'incendie. Il s'affaiblit, ne dort plus, de Riga, écrit à Catherine :

---

1. *Ibid.*

Les hommes ne m'occupent guère, les affaires encore moins et je suis trop habitué à mon chez-moi. Je ne te vois plus, ni les enfants... Que font Lise et André? Adieu ma femme, adieu, mes enfants. J'ai devant moi la collection de vos portraits. Plaignez-moi d'être seul.

Fédor rejoint les eaux de Memel. Il y fait quelques rencontres pittoresques. A Friedberg, ce maître de poste. « Pendant l'été, il porte une robe de chambre de Perse, tue les mouches. Il a un chien aveugle, un chat paralysé, un sansonnet, qui, de vieillesse, a cessé de parler. » Il observe les femmes, leur comportement dans ces villes d'eaux. « Une personne qui penche la tête ou lève les yeux au ciel est une romanesque. Une femme, avec un livre à la main et un doigt taché d'encre, est une savante... Une femme qui crie et parle avec chaleur est décidément une patriote. »

Il tombe sur tante Tonneau, partie courir l'Europe et les cures d'eaux.

Il y a quatre jours, la tante est venue d'Egra au moment où je déjeunais... Je l'ai fait manger, et ce n'est pas l'appétit qui lui manque jamais. Elle est toujours occupée à faire croire qu'elle voit, tandis qu'elle est complètement aveugle. Elle se fâche même de la mort de Véra parce que cela l'émeut et que son oculiste lui a défendu de s'émouvoir...Elle a couru les boutiques, où, après avoir tenu dans ses mains une boîte à ouvrage, elle en donna un coup sur la tête d'une dame sans la remarquer. Enfin, elle est partie. Quant à l'endroit où elle passera l'hiver, personne ne le sait.

Il est temps d'aller en France. Fédor séjourne brièvement à Stuttgart. Il y rencontre le statuaire Dannecker, occupé à achever un immense christ qui bouleverse le sensible Russe. Mi-octobre, il est à Francfort. Il franchit alors la frontière, très ému d'entrer en France.

VII

PARIS! PARIS[1]!

Le comte Rostopchine arriva à Paris fin novembre 1816. Un Paris d'avant Haussmann au lacis inextricable de ruelles moyen-âgeuses, avec, pourtant, les maisons numérotées, idée policière de Napoléon Ier. Les Champs-Élysées sont véritablement flanqués de terrains incultes, entravés de bouges suspects, envahis de filles et des feux de camp des cosaques... Un Paris, sur les murs duquel traînent encore quelques affiches signées « Alexandre » qui font vibrer le cœur du patriote Rostopchine :

DÉCLARATION

Les Armées des Puissances alliées ont occupé la capitale de la France. Les Souverains alliés accueillent le vœu de la Nation française.

Ils déclarent :

Que si les conditions de la paix devaient renfermer de plus fortes garanties, lorsqu'il s'agissait d'enchaîner l'ambition de Bonaparte, elles doivent être plus favorables, lorsque par un retour vers un Gouvernement sage, la France elle-même offrira l'assurance du repos ;

Les Souverains proclament en conséquence ;

Qu'ils ne traiteront plus avec Napoléon Bonaparte, ni avec aucun membre de sa famille ;

Qu'ils respectent l'intégrité de l'ancienne France, telle qu'elle a existé sous ses rois légitimes ; ils peuvent même faire plus, parce qu'ils professent toujours le principe que, pour le bonheur de l'Europe, il faut que la France soit grande et forte ;

---

1. *Les Deux Nigauds.*

Qu'ils reconnaîtront et garantiront la Constitution que la Nation française se donnera. Ils invitent par conséquent le Sénat à désigner un Gouvernement provisoire, qui puisse pourvoir aux besoins de l'administration, et préparer la Constitution qui conviendra au Peuple français ;

Les intentions que je viens d'exprimer me sont communes avec toutes les Puissances alliées.

signé ALEXANDRE
par sa Majesté impériale
Le secrétaire d'État, comte DE NESSELRODE.

Paris, 31 mars 1814, trois heures de l'après-midi

A Paris, de l'Imprimerie Royale, avril 1814

Un Paris qui acclama, le 8 juillet 1815, le retour de Louis XVIII, et applaudit au départ de Napoléon. Embarqué le 7 août suivant, à bord du *Northumberland,* puis, débarqué, le 16 octobre, à Sainte-Hélène, il y mourra. Où en est la France quand Fédor passe la frontière, à la fin de l'été 1816 ? Une indemnité de 700 millions de francs pèse sur le pays toujours occupé. Fédor a roulé vers Paris, sous une pluie diluvienne qui a, depuis près de vingt jours, inondé les campagnes, détruit les récoltes, entraîné la disette. La guerre civile est partout. La Terreur blanche sévit. Aux royalistes de faire payer aux républicains le souvenir de la Terreur rouge ! Le 2 août, le maréchal Brune est assassiné en Avignon, accusé à tort d'avoir été le meurtrier de la princesse de Lamballe. Les Blancs le défenestrent, traînent son corps dans les rues, le jettent dans le Rhône. Le général de La Bédoyère et le maréchal Ney sont fusillés. Drouot, Exelmans, Cambronne, le comte de la Villette, Lamarque, Marbot, Lefebvre-Desnouettes, se sauvent de justesse.

Le bandit Trestaillon continue, au nom du roi, à tuer, aidé d'un compère sanglant, Quatretaillon. Ils égorgent le général Lagarde, à Nîmes, alors qu'il tentait de protéger le culte protestant.

Le sang coule maintenant au nom de la cocarde blanche. Rostopchine n'a guère d'illusions sur la durée des Bourbons, leur Chambre introuvable, le gras Louis XVIII et son favori, Decazes : « Napoléon, écrit-il, en revenant de l'île d'Elbe, pondit les Jacobins, et Louis XVIII les couva... Les illusions deviennent chez les Français des réalités. C'est ainsi qu'ils sont persuadés qu'ils sont invincibles, qu'ils sont sages et que le bois de Boulogne est une forêt [1]. »

---

1. Écrits inédits du comte Rostopchine.

Les émigrés sont rentrés, obsédés par leurs biens et privilèges perdus. Rostopchine est fasciné par la légèreté des Français.

« Le Français est créé pour danser beaucoup, rire souvent, se moquer toujours et ne penser jamais. La France est placée entre la folie qui s'impatiente et la bêtise qui s'effraye. »

Les émigrés et leurs constantes réclamations l'agacent : « Les Français font les affaires, comme les chats font l'amour ; au milieu des cris, des hurlements et des égratignures. »

Il observe la ville, sa puanteur, ses 700 000 habitants, dont beaucoup de mendiants. A peine 8 000 privilégiés savent où passer la nuit. La prostitution élit ses quartiers, en particulier l'Observatoire. Le Palais-Royal, les Champs-Élysées.

Le faubourg Saint-Germain s'arrache Rostopchine qui se rend compte que « le rapprochement entre l'ancienne noblesse et la nouvelle est moralement impossible ».

Il y a en France plusieurs courants. Les ultraroyalistes, dont certains Ségur, M. de Chateaubriand en tête. Parmi les libéraux, on compte Eugène de Ségur. La noblesse est en conflit. Le parti libéral, lui-même, est divisé en deux. Les constitutionnels, « gens fougueux, opposés à tout du second parti », que Fédor méprise. Ce sont des avocats, des intellectuels. « On peut se faire une idée de l'énorme quantité de ces barbouilleurs, par les 420 000 ouvrages (...) déposés à la Bibliothèque nationale. » Fédor voit bien que « les Bourbons ne sont pas aimés », accusés de tous les revers de cette France embourbée. Le comte Fédor Vassilievitch Rostopchine ne s'attendait pas à devenir la coqueluche du Tout-Paris.

Succès du gouverneur de Moscou ou l'inconscience à la française

Les Français écorchent son nom. « Rostopsin ». « Rosse-Ton-Chien ». « Prince-de-Chine ». Fédor retrouve sa gaieté. « J'ai fait de bon cœur ma paix avec les Français. »

« Dès mon arrivée, on a été curieux de me voir et j'ai inspiré l'intérêt qu'aurait causé un monstre marin, un éléphant », écrira Fédor, non sans bonheur.

Paris et ses beautés le touchent. « J'ai reconnu en cette ville la maîtresse de l'Europe. » Mode exquise des femmes, bonne chère, spectacles, Fédor goûte à tout. « Paris influera toujours sur les autres pays. » L'esprit, même s'il s'en agace, se glisse sous chaque langue. Fédor, devenu l'homme à la mode, sent l'envahir le tonique grisant d'être adulé, après tant de mois de disgrâce. La cautérisation lui viendrait donc de l'ennemi ? On s'arrache le « prince de Chine », c'est à qui l'aura à souper. Mme Svetchine, la première, se précipite. « Elle m'a nommé, écrit Fédor à sa famille, une douzaine de personnes qui l'ont suppliée de m'amener chez elle. » Mais Fédor n'aime guère cette bigote russe qui a l'air d'un singe. Il s'y ennuie aussitôt à cause des « galimatias » de Chateaubriand et de Humboldt. Talleyrand, seul, l'amuse. Le succès de Rostopchine est tel qu' « il m'arrive, écrit-il à sa femme, vingt lettres chaque matin, de la part d'historiens, de poètes, de chansonniers, d'artistes, de filles ».

Il va au théâtre où il a sa loge attitrée. Cela se sait. Et les Variétés affichent « complet » tous les soirs. On se bouscule pour apercevoir le « gouverneur ». On chante ses louanges, on le trouve « bonhomme, simple, original, bedonnant ».

Il se met chaque soir en grande toilette ce qui met « en évidence toute l'ampleur de sa personne. Grande tenue de lieutenant-général, uniforme brodé d'or, culotte blanche, bottes vernies, le grand cordon de Sainte-Anne et de Saint-Alexandre, des plaques de diamants, l'épée avec une poignée de diamants et une foule de décorations de pays étrangers à la Russie [1] ».

Mme de Staël, toujours avide d'hommes éminents, l'attire chez lui. Fédor se crispe tandis qu'elle lit, à très haute voix, Le Courrier qui vient de publier la biographie du « gouverneur ». Il descendrait de Gengis Khan ! Le salon en entier pousse des piauleries de volailles. Fédor coupe sèchement son hôtesse : « Ni souper ni couplets, s'il vous plaît. » Cette reine des salons s'en irrite, son caractère belliqueux, habitué à plus d'une lutte, est excité. Dès qu'elle revoit Rostopchine chez le duc d'Escars, elle le provoque, s'emporte, lui lance qu' « il est né avant l'ère de la civilisation ». Fédor réplique d'une voix tonnante : « Vous n'êtes qu'une pie conspiratrice. »

Tout Paris en fait des gorges chaudes. Fédor ne sait pas que Mme de Staël mourra un an après son arrivée dans la capitale.

Il se rend aussi à des bals, « pour voir de près la société française ». Mais, repris d'insomnies, il renonce à tant de soirées, se contente de deux salons : celui du duc d'Escars et celui de la vieille princesse de Vaudemont. Chez le duc de Richelieu, il a

---

1. L'Auberge de l'Ange Gardien.

118

rencontré le savant Gall, qui lui demande de lui donner après sa mort son crâne, afin qu'il puisse en faire l'autopsie :

« Vous avez une tête extraordinairement bien organisée, commente Gall en tâtant le crâne de Rostopchine ravi. Je n'en ai point vu de pareille, excepté un crâne que j'ai dans ma collection [1]. »

Fedor apprécie les vieilles femmes spirituelles. Mme de Vaudemont a sa préférence « Les vieilles femmes, écrit-il à Catherine, sont réellement aimables et ont une bonhomie qui plaît et met à l'aise. » On raffole de lui à tel point que la famille royale, au complet, désire le voir. Il est invité aux Tuileries.

> Sa Majesté reçoit, assise dans un fauteuil, et m'a accueilli de la façon la plus distinguée (...). Après, j'ai été chez les princes et chez Madame (la fille de Louis XVI, duchesse d'Angoulême) (...). Monsieur a une belle tournure, il a maigri et ses cheveux sont blancs. Le duc d'Angoulême est petit et mince, le duc de Berry, petit et gros. Quant à Madame, elle m'a rappelé et ses malheurs et les horreurs de cette maudite Révolution (...). Elle parle bien, mais un peu vite... Votre nom (me dit-elle) est inséparable de celui de Moscou, et rappelle un héroïsme et un patriotisme qui seront votre gloire éternelle.

Après les Tuileries, les Orléans s'empressent. Bizarrement, ce féodal préfère le duc d'Orléans aux vieux Bourbons.

> Le duc d'Orléans (...) avait témoigné le désir de me voir (...). Je ne peux assez louer l'esprit, la connaissance et la mesure de ce prince (...). Il a une figure agréable, est un peu gros, mais a de belles manières, s'énonce avec facilité, ne disant que des choses réfléchies et pleines de sens (...).

Fédor, par contre, refuse avec mépris l'invitation du régicide Fouché. Il est tout occupé à l'installation de sa famille à qui il a écrit de venir le rejoindre. La nostalgie de sa femme devient si violente qu'il lui envoie un bulletin régulier de ses charités pour mieux la convaincre. Hôpitaux, orphelinats, misères diverses, il s'en enquiert auprès du curé de Saint-Germain. Il donne des sommes folles, en particulier à l'Hôtel-Dieu. Catherine Rostopchine lui aura coûté, avec ses charités, plus de millions qu'une cocotte. Il se languit d'elle. Ballets et opéras finissent par l'assommer. Les farces de Potier et Brunet, l'acteur Talma, *Les Aventures de Gulliver, La Chatte merveilleuse,* tous les philtres qui avaient agi et amélioré le

---

1. *Vie du comte Rostopchine,* A. de Ségur.

moral de Fédor ont perdu de leur pouvoir. L'ennui et la mélanco-lie, à nouveau, s'emparent de lui. Quand Sophie lui écrit une très belle lettre pour son anniversaire (il a eu cinquante ans), il répond aussitôt :

> *Sais-tu, ma chère enfant, que tes réflexions sur les jours de naissance sont très justes, et qu'au lieu de se réjouir, on ferait mieux d'aller en deuil chez les vieux nouveau-nés, pleurer avec eux le jour d'où datent tant de nouvelles sottises ? Tu te trompes en m'attribuant beaucoup de bien produit par mon existence. Je n'ai rien fait ; j'ai été l'instrument (...). Adieu, il faut attendre au moins trois mois avant que je vous embrasse et que je vous serre dans mes bras qui sont restés vides pendant quatorze mois !*

Toute la famille, sauf Serge, va prendre la route pour Paris. Sophie, le jour de ses dix-huit ans, aussi, a sangloté, avec, dans sa main, une petite pièce russe. Elle l'emportera, la gardera toute sa vie, jusqu'au jour de sa mort. Une petite pièce, car, quand on part si loin et pour si longtemps, revient-on un jour ? Anniversaire en deuil, donc, ce blême matin d'été, où, levée dès l'aube, Sophie grelotte d'une légère fièvre tandis que la large berline s'éloigne vers la frontière allemande. Défilent sous les yeux hallucinés de Sophie les bouleaux, les grands lacs, au-dessous de la forme en ours accroupis des nuages... Vole, vole, mon Bon Ange, dans la poussière levée par les roues. Je suis perdue.

Sophie Feodorovna Rostopchine ne reverra jamais la Russie.

VIII

CARNETS D'EUGÈNE

Roule ! Roule...

Exil, ou le sol qui tremble sous les pieds, les os qui fondent, à cause de cette faille que rien, jamais, ne refermera...

Sophie regarde furtivement la petite pièce russe. Je mourrai en murmurant les mots que ma niania me chantait le soir à l'oreille, avant de m'endormir. Je regarderai la petite pièce, une dernière fois, j'y verrai la splendeur du vitrail de Sainte-Sophie. Personne ne le saura. Pas même mon Bon Ange qui aurait de la peine à ces pensées orthodoxes. Je mourrai russe malgré moi. Exil, qui va camoufler cinquante ans Sophie Rostopchine en normande. Exil, où, peu à peu, la survie fera son travail, distillera un oubli obtus. Termitière de la mémoire, le pays d'origine englouti jusqu'au souvenir de sa trace sur une carte. On fait l'impasse en déchiffrant l'atlas pour éduquer les petites filles modèles... Puis, tout à coup, à cause d'un crépuscule trop mauve, le goût d'un thé très fort, des petits gâteaux en forme de gimblettes, on frôle la catastrophe. Tout s'écroule. Ressuscitent les steppes, les bouleaux, les flammes qui ronflèrent à Moscou, le galop sauvage, plein de musique de la horde tzigane au milieu du salon de Voronovo. Le rire de Fédor Rostopchine ; papa, je n'ai oublié ni votre visage ni votre rire. Où est la voix de mon pays ? J'ai tant de migraines quand j'y songe. Exil, supportable, en somme, car l'adaptation est le seul cadeau des anges gardiens. Quand tout se tait, tout se brise, tout s'enfuit, mémoire, souffle, amour — il reste le seul geste pour construire le pauvre et grossier pansement de tous les exilés du monde : le goût, dans la bouche, des premières nourritures de sa terre natale.

Souvent, la comtesse de Ségur, née Rostopchine, descendra dans sa cuisine se confectionner un bortsch avec des choux normands. Un bortsch, qu'elle mangera seule, derrière les volets où ruisselle la pluie. Un bortsch posé sur ses genoux, avalé à la cuillère en bois, tels les moujiks de Voronovo, désormais disparu de la carte du monde.

Sophie s'en va

Quel ennuyeux voyage ! Sophie lutte contre la migraine. Lise tousse sans cesse, Nathalie est renfrognée, André pleurniche, la vieille cousine du voyage ronfle et pue. La Russie s'estompe, derrière, devant, de côté. Catherine désigne soudain ses filles d'un doigt pointu. Ah ! mon Dieu ! on dirait le doigt de la fée Rageuse ! « Souvenez-vous, mesdemoiselles, que Paris est la ville de la perdition ! »

Sophie essaye de se distraire en relisant la lettre de Lise Galitzine, qui a pris en tâche de secouer sa tristesse. Lise a fini par devenir catholique et abjurer. Sophie déplie la lettre. Dieu ! que cette Lise est assommante avec son prêche !

> Dites-moi de grâce, n'êtes-vous pas une folle de vous affliger d'un départ qui devrait vous donner tant de joie qu'en sautant de plaisir votre crâne devrait se cogner contre le troisième ciel[1].

Cette Lise a le talent de me dire des mots qui blessent au lieu de consoler. J'aurais tant aimé lui parler du Danois du kiosque !

> Vous me dites (...) qu'il faudrait revenir en Russie un jour et que vous y apporteriez un regret de ne pouvoir pratiquer librement... Que si c'est pour voir des pays, des curiosités, des beaux sites, vous vous en souciez fort peu[2].

Sophie, depuis le départ de son père, avait relâché sa pratique. Lise Galitzine, naturellement, remarque la paille plutôt que la poutre. Sophie relit la lettre pour couper son ennui.

> Votre relâchement dans vos pratiques de piété est un chagrin bien réel pour moi (...). Prenez pitié de votre pauvre âme qui est dans un état de souffrance très alarmant (...).

---

1. Lettre du 6 novembre 1816, Saint-Pétersbourg. Inédits.
2. Lettre du 10 novembre 1816.

Paris va-t-il aggraver le mal? Que va-t-il s'y passer?

La jonction de Fédor avec les siens a eu lieu à Ems. Fédor a profité de ce court séjour pour retrouver son ami, le comte Golovine, alors ministre de Russie à Carlsruhe. Golovine critique l'extrême liberté de langage que l'ancien gouverneur de Moscou semble avoir acquis depuis Paris. L'écrivain Varnhagen trouve également à Rostopchine une vivacité fâcheuse : « Quand l'esprit fait défaut chez les autres, critique Varnhagen après ses soirées avec Fédor et Golovine, on échappe par les ressources que l'on trouve dans sa propre malice. »

Jamais Fédor ne s'est autant moqué de tout et de tous. Sauf des siens qu'il attend avec une palpitation justifiant de façon heureuse, cette fois-ci, ses insomnies.

Les retrouvailles sont une explosion de joie pour Sophie. Elle pleure et rit tout à la fois. Catherine est agacée d'être embrassée de si près en public. Elle repousse son mari à la manière d'un tape-mouches. Sophie est folle de bonheur. Sa tristesse, envolée. Fédor est redevenu le père si tendre et si généreux. Elle visite aussitôt avec lui les curiosités d'Ems et de Francfort. Comme il en faut peu à sa nature affectueuse pour retrouver la joie! La prude Lise Galitzine s'affole devant les courriers, brusquement pleins d'enthousiasme, de Sophie. Imprudente, elle lui raconte sa longue excursion, flanquée d'un jeune homme, le comte Michel.

> *Ma chère Sophie, j'ai reçu avant-hier vos deux lettres de Francfort et d'Ems (…). Je tremblote pour vous à cause du c. Michel. Il me semble que vous êtes bien prompte à prendre feu et flamme (…)* [1]?

Sophie est-elle amoureuse? Nathalie est enchantée par le théâtre, ce qui épouvante leur prêcheuse cousine :

> *Au nom du ciel, ma chère Sophie, s'il est absolument nécessaire pour obéir à votre papa que vous y alliez (au théâtre), faites en sorte que vous en reveniez sans dommage : c'est pour moi le plaisir du monde le plus dangereux et qui enflamme le plus l'imagination* [2]…

Que dirait-elle, la pauvre Lise, des estampes érotiques du XVIIIᵉ siècle, qui ornent certains cabinets des grands établissements où Fédor emmène souper ses filles? On ne dira rien à Catherine qui méprise toutes ces sorties. Fédor et ses filles sont un pensionnat en

---

1. Correspondance de Lise Galitzine à Sophie Rostopchine, 3 octobre 1817.
2. *Ibid.*

folie, libéré de tout joug. Sophie jette au panier les lettres de Lise. Que rien ne bride la joie retrouvée ! « Au nom du ciel, n'y allez jamais (au théâtre) sans prier le Bon Dieu[1]... »

Bals et spectacles, tapis du Diable où roulent les filles damnées.

Hôtel Ney, avenue Gabriel

Les voilà tous à Paris.

Après avoir gîté quelques jours rue Chantereine, Fédor Vassilievitch Rostopchine installe sa famille. Il leur a préparé une grande surprise. Le richissime Russe a acheté l'hôtel du maréchal Ney, avenue Gabriel. Somptueux hôtel Ney ! Lise Galitzine en tomberait foudroyée ! Le vestibule et le jardin sont ornés de statues grecques NUES. Des Adonis, des Apollon, aux sexes parfaitement avantageux. Des Vénus, des Minerve, des nymphes aux seins en poires — volées — et aux fesses si voluptueuses que Catherine pousse un cri sauvage, ordonne de voiler immédiatement les statues de draps blancs. Vestibule et jardin ont pris une allure funéraire. Les statues semblent être des revenants.

« Première promenade dans Paris[2] »

Fédor hausse désormais les épaules devant les lubies de sa femme. N'a-t-elle pas toujours été pour lui cette statue de marbre voilée ? En voiture, il fait visiter tout Paris à ses filles. On s'arrête aussi et on marche. « (Ils) s'arrêtaient avec admiration devant chaque boutique et ne pouvaient se lasser d'admirer les étalages[3]. »

Les Parisiens ont, dans la rue, des manières qui laissent à désirer : « Les gens n'y sont pas honnêtes ; ils vous rient au nez, vous éclaboussent et vous bousculent en criant, puis ils vous font tomber dans la crotte[4]. »

N'empêche ! Que de choses splendides et de joie retrouvée sans Catherine occupée à ses prières. Sophie s'épanouit, tout à la chaleur de son père dont « les bras restés si longtemps vides » se referment à chaque seconde sur elle et ses sœurs ! Fédor multiplie les farces dans la rue pour faire rire Sophie. Il descend de voiture,

---

1. Correspondance de Lise Galitzine à Sophie Rostopchine.
2. *Les Deux Nigauds.*
3. *Ibid.*
4. *Ibid.*

124

dit à ses filles : « Vous allez voir comment on crée un attroupe-ment. » Il se campe au milieu des Champs-Élysées, pointe un doigt vers le ciel et crie très fort : « Il y a quelque chose qui vole là-haut ! Regardez ! »

Un badaud s'arrête, s'exclame, regarde, montre à son tour un point qu'il croit voir. C'est l'attroupement. Les sergents de ville, la Garde, tout le monde s'en mêle, tout le monde pointe le doigt vers le ciel : « Il y a quelque chose qui vole, là-haut, Regardez ! » Fédor « en crève de rire » devant ses filles enchantées[1].

Fédor embarque ensuite ses filles au Jardin des Plantes. Les singes et les autruches les amusent, le jardin botanique les enchante. Il est quatre heures, on file goûter à la pâtisserie Rollet. Sophie se gave d'éclairs, de choux, de navarins, de babas. Oh ! les babas dont le rhum coule et fond dans la bouche sans pour cela coller honteusement les mâchoires ! Hon ! Hon ! que c'est bon ! Sophie n'a pas même ouvert la dernière lettre de Lise Galitzine, qui, de dépitée, est devenue furieuse devant tant de débauches :

> *Jeunes personnes bouffies d'orgueil, depuis que vous êtes établies dans votre hôtel à Paris, j'ai l'honneur de vous annoncer que je ne suis ni plus ni moins que furieuse contre vous. Vos paresseuses excellences ne m'ont pas encore donné signe de vie. Rien de plus vrai quand on dit que Paris fait tourner la tête aux jeunes filles ; depuis que vous y êtes, vous êtes devenues des girouettes.*

Oui ! oui ! des girouettes ! des tourneboules !

Tous les soirs Fédor amène ses filles aux Variétés. Sophie applaudit à tout rompre. On soupe ensuite chez la vieille princesse de Vaudemont où Sophie se gave de macarons et boit du punch... Le lendemain, autre bonheur, autre générosité de Fédor, doublée d'une infinie délicatesse. Sophie, Nathalie et Lise trouvent dans leur chambre les objets luxueux qui, devant les vitrines, leur avaient arraché des exclamations d'émerveillement. Fédor a tout acheté en cachette... Catherine en reste coite. Fédor s'imposerait-il à elle, pour la première fois de sa vie ?

Sophie s'endort en riant, se réveille en riant. Jamais elle n'a été aussi heureuse. Cependant, cette courte et merveilleuse période digne des *Nouveaux Contes de fées* va prendre fin. Sa rencontre avec Eugène de Ségur est proche, en cette année 1818, pendant laquelle naît à Paris Charles Gounod. Sophie eût bien vécu ainsi, sa vie entière, avec son père, dans la pâtisserie Rollet...

---

1. *Ma chère maman, souvenirs intimes et familiaux*, Olga de Pitray.

COMTESSE DE SÉGUR

Eugène

Sophie a un grand succès dans le monde. Elle danse à ravir, est aimable, ravissante à voir dans de délicieuses toilettes offertes par son père, qui brille partout tel un gros lustre en cristal allumé. La vieille cousine Nathalie Rostopchine a bien un peu grogné quand Fédor a exigé que ses filles allassent aux bals. Quant à Catherine, elle laisse faire. Hélas ! la seule façon de marier les filles — de s'en débarrasser — est le bal où les mères se mettent d'accord par-dessus les jeunes couples qui dansent. Le bal a une trop grave fonction sociale pour que Catherine y fasse obstacle. Heureusement, après les noces, la maternité bouclera à nouveau les filles. Dans ce but, Catherine a laissé Fédor vêtir ses filles de robes élégantes. Elles sont cent fois plus jolies à Paris qu'à Moscou. La beauté fait partie du plus bas négoce du mariage. Catherine veut marier Sophie en France, pour qu'elle reste catholique. Catherine méprise Nathalie et Lise, toujours orthodoxes. Si le bal permet de conserver le seul vrai Dieu, va pour le bal ! Catherine tolère cette robe en mousseline rose dont Sophie se pare chaque soir. La taille est sous les seins, la cheville apparente, gainée dans la soie couleur chair, le pied logé enfin dans une chaussure digne de lui, mules en satin blanc, bien différentes des vilains brodequins de l'enfance. Cinq volants de soie sont cousus au bas de la jupe presque indécente. Elle souligne le mouvement du corps pendant la danse, révèle un petit bout de mollet bien fait quand Sophie tourne, tourne, sans pudeur, dès qu'elle se livre à une joie physique. La sotte ! n'a-t-elle donc pas compris que le diable profite de ces moments-là pour susurrer ses conseils ? Heureusement, la manche est longue, quoique brodée d'un inutile « rajout » de la même soie que les volants. « Rajout » aussi sur la ceinture nouée sous la poitrine, à large pan dans le dos. Catherine, par contre, a interdit le décolleté. C'en est déjà que trop ! Un bouillonné est glissé sur le cou, par-dessus un petit fichu qui dissimule mal la gorge qui palpite, vite émue, aussi rose que tous ces voiles... Le coiffeur vient chaque jour à l'hôtel Ney coiffer ces demoiselles, avec son carton de fleurs et de parures qu'il assortit aux robes étalées sur le lit. Les boucles blondes de Sophie sont ramenées sur la tête et frisées au fer en une somptueuse chevelure qui ne doit plus rien à l'eau des gouttières de Voronovo. Les sourcils de Sophie sont épais, bien dessinés. Plus besoin de les couper ! Catherine se réfugie dans son oratoire pendant les séances de coiffure qu'elle abomine. Elle s'habillera de

126

noir et de ponceau, telle une gouvernante en deuil de grande famille. Ses cheveux, relevés en simples bandeaux, ne comporteront ni coiffure ni mouvements extraordinaires. La vieille cousine n'est pas invitée et en profitera pour se gaver de glaces à l'eau et pincer André qui pleurniche.

Fédor avait boudé un long moment le salon de Mme Svetchine. La maligne vieille dame est venue voir Catherine à l'hôtel Ney. La comtesse Octave de Ségur a des fils à marier, en particulier un beau catholique, Eugène, tout juste d'un an plus âgé que Sophie. Quel beau parti pour Sophie ! s'enivre Mme Svetchine. Elle a maintenant dix-neuf ans, ce mois de décembre 1818. Il faut à toute force qu'elle épouse Eugène... Catherine opine gravement. Un catholique ! Catherine n'aurait plus à se soucier du sort de Sophie. Celui de la France est déjà tellement amélioré ! Depuis le 30 novembre, le territoire français est enfin libéré des envahisseurs. Louis XVIII a eu le courage de faire répondre à Blücher, qui voulait faire sauter le pont d'Iéna : « Eh bien ! portez-moi dessus avec mon fauteuil. » Decazes est ministre de l'Intérieur, Chateaubriand, ministre des Affaires étrangères... L'infatigable Mme Svetchine a, de son côté, également entrepris la comtesse Octave. Elle a vanté la fortune de Fédor Vassilievitch Rostopchine. Sophie sera un jour très riche...

Seules les mères sont d'accord pour ce fameux bal où Eugène et Sophie doivent se rencontrer. Sophie, ce soir-là, est plus rose que jamais. Elle a bu du punch, mangé et dansé tout son saoul. Son rire traverse tout le salon. La comtesse Octave hait aussitôt sa spontanéité, sa gourmandise, ses cavalcades quand elle danse un galop. Félicité ne regrette-t-elle pas un temps où elle tourbillonnait au bras des hommes ?

Depuis un long moment, silencieux près de la porte, Eugène a remarqué Sophie. Elle lui plaît. De plus, elle est riche. Cette richesse joue un grand rôle dans son inclination pour Sophie Rostopchine. Eugène de Ségur sera longtemps sensible aux femmes et à l'argent. Sophie Rostopchine, ce soir-là, rayonnante auprès de son père éclatant, rassemble les deux désirs. Il décide de l'épouser.

Mme Svetchine en roucoule d'excitation quand le colonel Dmitri Narychkine, neveu du comte Vorontsov, s'est approché à son tour de Nathalie Rostopchine, belle dans une toilette identique à celle de Sophie, mais d'un bleu ciel... Lise, encore jeunette, est obligée de rester auprès de sa mère, qui a tout remarqué. Mme Svetchine est un peu ivre, comique avec son toupet. La comtesse Octave, déjà un peu mémère dans son obligatoire toilette de deuil. Qu'elle a l'air méchant quand elle regarde Sophie ! remarque Lise. La comtesse

Octave ouvre un œil fixe, expert, vigilant, car Eugène a entraîné Sophie vers un petit salon désert. Catherine se raidit. Le colonel Dmitri Narychkine est orthodoxe. Il ne quitte plus Nathalie et lui tend une coupe de champagne.

Fédor boit du punch, entouré d'une foule de Russes et autres émigrés perruqués qui lui demandent pour la centième fois de leur raconter l'incendie de Moscou. « Quelles sottes gens, ces mondains ! » pense-t-il tout haut. Ils étaient tous à l'abri pendant qu'on se faisait roussir et que mes pauvres soldats crevaient de faim et de vermine ! Mauvais patriotes ! Je parie qu'ils étaient dans la stupide Angleterre au lieu de mourir, comme il se doit, à Smolensk ! L'incendie ! L'incendie ! je finirai par réfuter ce maudit incendie ! Que ce punch est bon ! J'ai bien fait de demander à Chauvet de mêler du champagne à la vodka ! Ma femme a l'air sinistre ! et la Svetchine, donc ! et la Ségur ! Qu'ont-elles à chuchoter telles trois perruches affolées ? Seules, mes filles ont l'air de tourterelles. Où roucoulent-elles, les dévergondées ? Sophie est partie dans le petit salon avec Eugène ? « Il est trop beau. Elle sera malheureuse. »

Fédor ferme très fort les yeux. Le souvenir des Tziganes à Voronovo et de ses chevaux est si vif qu'il a envie de sangloter. La France lui serre aux épaules comme un habit trop étroit. Ses filles lui manquent déjà. Le tête-à-tête avec Catherine sera son dernier exil.

Dans le petit salon : conversation utile

Que se disent Eugène et Sophie, assis sur le même canapé ? Pourquoi Eugène a-t-il repoussé la porte entrebâillée ? Il contemple cette jeune fille au teint éclatant et qui ne baisse pas les yeux. Il aime cette taille élancée dont il devine la peau de nacre sous la fine batiste. Il aime cette bouche irrégulière qui s'ouvre et rit volontiers sur des dents carnassières et intactes. Le critère de beauté d'Eugène ? les dents. Tant de femmes — il le sait ! — les ont perdues avant trente ans ! Sophie a, ce soir-là, des dents étincelantes, dans une bouche rouge et mouillée. Eugène a envie de dénouer les cheveux de Sophie. Il aime les étincelles d'acier et d'émeraude des larges prunelles quand elle s'enflamme en lui racontant les souris devenues blanches sous la cendre de Moscou, en osant avouer la terrible sévérité de sa mère, l'affreux père Jourdan, les glaces à la vanille qu'elle mange en cachette, avec ses sœurs, à l'hôtel Ney. Elles les dissimulent sous leur chaise quand leur mère entre brusquement. La vieille cousine Rostopchine toquait de l'aiguille contre la soucoupe de la glace dissimulée d'urgence sous le canevas ! « L'aiguille, s'anime Sophie, plongeait dans la glace, remontait, replongeait[1]. » Y a-t-il un Dieu pour les gourmands ? Ma mère est très myope ; elle n'a rien vu. Elle n'a fait que traverser notre chambre pour rejoindre son oratoire, à propos, je suis catholique, et vous ?

Il ne sait pas s'il l'écoute. Il la regarde, fasciné, peut-être au bord d'aimer. Lui aussi se met à parler. Il livre ce qu'il n'a encore jamais raconté ni à sa mère ni à aucune de ses maîtresses. Il livre, à cette enfant si proche de son âge, un souvenir d'enfance. Eugène raconte ses farces avec ses compagnons d'études, ses frères, Raymond et Adolphe et leur cousin Léonce de Villeneuve. Tous les trois logeaient à ce moment au château de Fresnes, chez le sévère grand-père d'Aguesseau. Le précepteur, l'abbé Ribaut, est chargé de leur éducation. Une nuit, Eugène et ses frères ont glissé dans le fond du lit de l'abbé un petit hibou vivant.

« Mademoiselle Rostopchine, si vous aviez entendu le cri de l'abbé, jambe plongée sous la couverture, bec du hibou planté dans la chair[2]. De plus, Léonce en avait caché trois autres ! L'abbé s'est retrouvé avec quatre hibous au fond du lit ! »

Elle rit, Sophie Feodorovna Rostopchine. Il aperçoit la veine de son cou palpiter. Elle a dénoué son petit foulard pour rire à son aise. Il s'échauffe, Eugène, il a envie de baiser ce morceau de peau, entre la gorge et le cou. Il continue son récit, tout près de Sophie.

« L'abbé Ribaut nous obligeait à servir la messe dans la chapelle de mon grand-père d'Aguesseau. Un jour, c'est au tour de Raymond. Il est bizarre, Raymond, impossible. Ce matin-là, il était décidé à se taire. "*Et cum spiritu tuo*", chuchote l'abbé... Rien. L'abbé s'impatiente : "*Et cum spiritu tuo !* Raymonnet !" "*Et cum spiritu tuo*, fichu flatteur !" hurle soudain Raymond en sautant par la fenêtre... Impossible de rattraper Raymond qui court à toute vitesse tout en haut d'une mansarde et s'y enferme à clef. "Ouvrez-moi, Raymonnet ! crie l'abbé, ou j'enfonce la porte !" "Si vous le faites, répond mon frère, je me jette par la fenêtre !" et voici les clauses du chantage que Raymond épèle, dangereusement debout sur le rebord de la mansarde, à la grande épouvante de l'abbé :

"1. L'abbé Ribaut brûlerait le fouet de chasse avec lequel il

---

1. *Ma chère maman, souvenirs intimes et familiaux*, Olga de Pitray.
2. *Ibid.*

nous punissait... Nous avons été souvent fouettés, mademoiselle Sophie. Et vous ?

2. Nous ne serions plus jamais punis par la privation de dessert que l'abbé mangeait en cachette, surtout les fraises... J'adore les plats sucrés. Et vous Sophie ? "

Sophie pleure de rire, sa tête roule sur l'épaule d'Eugène, qui, troublé, achève la dernière clause exigée par Raymond.

" 3. Le marquis d'Aguesseau devrait ignorer ce qui s'était passé. Mon grand-père nous a souvent cinglés de sa canne et de ses mots... Il dit que c'est ainsi que l'on doit élever les enfants. Aimez-vous les enfants, Sophie ? " »

Brusquement, Eugène clôt son récit d'un baiser tenace sur la grande bouche qui n'a pas cessé son rire impudent et finit par se taire. Sophie est effarée, domptée, entraînée vers un univers de délices et de terreur, qui pourrait bien ressembler à l'idée que les filles se font du mariage. Nathalie, dans un autre petit salon, serrée de près par le colonel Dmitri Narychkine, vit le même émoi que celui de Sophie.

Deux mariages. Corbeilles. Contrats

C'est officiel. Sophie Rostopchine est fiancée à Eugène de Ségur, Nathalie au colonel Narychkine. On a décidé du jour des noces. Sophie, la première, se mariera le 14 juillet 1819, Nathalie, le 22 juillet. Sophie se mariera à l'église de l'Assomption, dans la chapelle privée du cardinal de Luzerne.

Sophie est amoureuse du bel Eugène, reçu quotidiennement à l'hôtel Ney. Le grand coiffeur Michalon continue à coiffer Sophie et Nathalie, à chaque visite des fiancés. Pour les fiançailles de Sophie et de Nathalie, Fédor a payé largement le grand Édouard dont raffole la petite duchesse de Berry. Le jour des fiançailles correspond à celui du contrat, pièce maîtresse des grands mariages au XIXᵉ siècle.

Il va falloir près de deux heures, ce jour-là, pour coiffer Sophie qui « dans le désir d'être belle se tenait immobile [1] ». Édouard, pour construire l'harmonieux édifice des boucles, va d'abord isoler la frange « coup de vent ». Il aime l'épaisse chevelure de la fiancée, qui, défaite, lavée l'avant-veille avec trois jaunes d'œufs et du rhum, se déploie jusqu'aux reins. Édouard a jeté un bref coup d'œil

---

1. *Les Malheurs de Sophie.*

sur la robe d'organdi blanc ceinturée de rose pâle. Il va d'abord rouler les cheveux au-dessus des oreilles, en coques, séparer la chevelure d'une « raie de chair ». Il accumulera macarons, boucles et bouclettes. Point besoin de chichis, comme la comtesse Octave ! La chevelure de Mlle Rostopchine est singulièrement fournie. D'où viennent ces cheveux qui n'ont rien d'européen quoique blonds ? Chez quelle princesse étrangère a-t-il vu déjà cette fougue asiatique et orientale ? Fédor a offert à Sophie une parure pour orner sa coiffure. Une chaînette d'orfèvrerie et trois barrettes en diamants. Sophie les a sorties de la corbeille. Elle désire les mettre ce soir. La mode exige pour les cheveux deux couleurs absolues : le noir de jais ou le blond doré. Édouard est soulagé. Mlle Rostopchine a échappé à l'enfer des rousses. Édouard mettra l'après-midi à échafauder la stratégique construction emmêlée de la parure choisie par Sophie. Il eût préféré les camélias en soie, dont un diamant représente une goutte rosée. Sophie, pendant la longue opération, est vêtue d'une redingote d'indienne, ceinturée souplement, en attendant le supplice du corset... Bientôt, ils seront deux à le délacer, ce corset incrusté de dentelles indiscrètes. Une angoisse traverse la jeune fille. Qu'est-ce que le mariage ? Les mains d'Eugène autour de sa taille de guêpe... Et après ? un voile obscurcit Sophie. Elle préfère reprendre la comptine du corset. L'enfance s'arrête dès ce soir, dès le contrat, où le corset devient aussi la propriété de l'homme :

> *Si mon fin corset, si souple et si juste,*
> *d'un bras trop robuste*
> *se sentait serré*
> *J'aurais, je l'avoue, une peur mortelle*
> *qu'un bout de dentelle en fût déchiré.*

L'angoisse s'accentue chez Sophie. Elle a bien deviné l'impatience de la comtesse Octave au sujet de l'inventaire notarial, avenue Gabriel. Sa future belle-mère n'a pas seulement admiré les boucles de Sophie, sa taille sanglée dans le corset au point de plaquer la jupe d'organdi contre des cuisses sur lesquelles on devine la jarretière en soie brodée... Un bouquet de fleurs complète la toilette de Sophie. Vers 1820 : « Le bouquet est à la Française ce que l'éventail est à l'Espagnole. » Eugène a fait livrer le bouquet. Il vient tout droit de chez Mlle Prévost, rue de Richelieu. Ce sont des roses de Rosny, les préférées de la duchesse de Berry.

Eugène, de son côté, s'est fait habiller pour cette occasion, chez Buisson, le tailleur de Balzac, moins cher qu'Humann et Bluss.

Eugène a grande allure, taille marquée, col très haut, gilet scarabée à reflets or, culotte collante, chapeau en arrière, botté chez Sikorski. Ses cheveux frisent naturellement. Il n'a pas besoin d'un toupet de chez Tibierge, ni même d'un dentier articulé de chez Billard. Eugène a un sourire éblouissant et n'a jamais, comme ce jour-là, autant ressemblé au régent. « Trop beau, murmure Rostopchine d'un bout à l'autre, c'est tout ce que je lui reproche. Trop beau. Sophaletta sera malheureuse. »

Les derniers préparatifs enfièvrent l'avenue Gabriel. L'exposition du trousseau, la mise en place d'honneur de la corbeille. L'hôtel Ney devient un véritable magasin de mode, car il y a aussi la corbeille de Nathalie. Tout est étalé au grand salon. Les deux corbeilles sont, grâce à la munificence de Fédor, deux meubles en boiserie incrustée de nacre, desquels débordent dentelles, châles, cachemires pliés dans des boîtes de santal. Il y a des fourrures de martre, de blanches hermines, et même des plumes d'autruche que jamais Sophie ne portera, car elle eût aimé « un trousseau simple, commode, conforme à ses goûts et la vie qu'elle désire mener [1] ». Une fois de plus, Rostopchine a somptueusement gâté ses filles. Les bijoux sont particulièrement beaux, avec ce quelque chose d'oriental (d'orthodoxe ?) qui exaspère Catherine.

Vêtue de noir, elle méprise ce grand salon ouvert au faubourg Saint-Germain. Ces femmes, dont Mme Svetchine en tête, touchent et déploient les belles étoffes, font rutiler dans leurs mains crochues d'arthrose les lapis-lazulis. Le grand salon a quelque chose d'obscène. Sur le dos des fauteuils blanc et or, les jupes et jupons des futures mariées sont étalés. Les robes sont pendues jusque sur les murs, ainsi que les peignoirs, dont certains semblent une nuée, une aurore. Les tiroirs ouverts des deux épaisses commodes laissent voir les impudiques chemises, les « pantalons », les cache-corsets, les nœuds rococos des jarretelles.

« Mon ami, vous êtes vraiment impossible ! se fâche soudain Catherine en claquant la porte. »

A cause d'une chemise de nuit plus tendre qu'un nuage, Sophie entre dans le trouble d'une chèvre que l'on va vendre à un loup habillé de velours. Un tiroir contient des bas de soie, des guipures. Où sont mes bas de fil ? J'ai envie, j'ai envie à en pleurer de marcher des heures, en grosses bottes et tenue simple, dans la forêt de Voronovo. Tout ce luxe étouffe vaguement Sophie. Feutres, chapeaux, aumônières, bourses, mouchoirs, capelines rangées sur

---

1. *François le Bossu.*

leurs champignons. La comtesse Octave, avide, a tout vu, même le flacon de sel, en cristal chiffré d'or, glissé dans la lingerie en cas d'évanouissement.

Un début de migraine assaille Sophie qui n'écoute rien de la conversation des deux notaires. Ils vont jusqu'à la querelle, car la dot de Sophie est composée surtout de terres et de serfs. Le notaire des Ségur objecte aigrement que cette dot n'est pas commode. Fédor s'échauffe, désigne l'hôtel Ney, les corbeilles. « Coquin ! » a-t-il envie de crier au sec petit personnage, qui note avec une rapidité d'insecte l'adresse du banquier de Rostopchine. La lecture à haute voix du contrat assomme Sophie. Elle logera, une fois mariée, au n° 6 de la rue de Varenne. Eugène est bien moins riche que Sophie, mais son nom à lui seul est une position. Sophie est vaguement effrayée de l'attention particulière d'Eugène et de la comtesse Octave pendant l'énumération de ses biens présents et à venir. Pas une fois, il ne l'a embrassée ! Serait-ce de sa part uniquement un mariage de raison ? Heureusement, un souper fin au champagne est servi.

Noces

Sophie n'a pas encore vingt ans, ce matin des noces, où on l'habille entièrement de blanc, à l'hôtel Ney. Nathalie est très émue. La semaine prochaine, à son tour d'incliner la tête sous le voile en dentelle. La cousine Rostopchine renifle, Catherine a l'air d'un sphinx triomphant dans la soie gorge-de-pigeon fermée sous le cou. Fédor a la larme à l'œil en enfilant sa grande tenue de lieutenant-général. Lise, toute vêtue de rose, éclate en sanglots. « Je t'interdis de pleurer », s'agite Sophie.

Elle serre les dents, les côtes étreintes par cette peur vague qui se précise depuis hier. Elle n'a guère dormi. Elle est blême sous sa couronne de fleurs d'oranger, à peine heureuse du dernier cadeau de son père. Des boucles d'oreilles d'or et de perles. Il a glissé, parallèlement, à Eugène, hier soir, une montre en or et diamant à la mécanique sophistiquée. Sophie est trop émue pour avaler son chocolat et ses brioches. Quand, au moment du départ, arrive le présent d'Eugène, une corbeille de roses et de lis, elle s'aperçoit qu'elle claque des dents. De quoi a-t-elle peur, exactement ? De quoi ont peur les filles, toutes les filles du monde entier, le jour de leurs noces ?

A Voronovo, elle avait surpris l'étalon grimpé sur la pouliche affolée, contorsionnée, brusquement, tel un serpent. Elle avait vu, souvent, le long matou hurleur mordre sauvagement la nuque de la chatte qui poussait alors un grand cri. Eugène va-t-il mordre ma nuque et... Elle repousse de vilaines images qui sont venues progressivement l'assaillir. Un coq multicolore sautant sur le dos d'une poule blanche ou encore ce chien tout noir, dont elle buvait l'eau de la gamelle, croupant la chienne, trois fois l'an. Elle hurlait à un moment précis comme une assassinée avec une langue pendante et une prunelle en extase. Comment se fait-il qu'après tous ces sauts agressifs des mâles, les femelles s'arrondissaient chaque fois, puis se tordaient dans les étables, un bébé poilu et sanglant entre les pattes ? Même les mouches n'échappent pas à cet étrange ballet à deux ! Sophie se souvient, un soir d'été où elle était bouclée dans sa chambre sans souper, de s'être distraite à regarder longuement deux mouches collées l'une sur l'autre et qui voletaient jusqu'au plafond. Eugène et moi, deux mouches volant l'une sur l'autre dans une chambre chaude, fermée au verrou par ma mère ? Mais non. Nous ne sommes pas des bêtes, nous. Nous allons au ciel. Pas les bêtes. Un doute l'envahit. Le mariage, serait-ce l'obligation de devenir une bête ? Depuis le contrat, quand la bouche d'Eugène cherche sa peau, elle est prise par la peur et la honte d'une image, envoyée directement du jardin du mal. Une image mi-homme, mi-bête, où l'endroit par où on fait pipi n'est plus seulement réservé à cela.

Vers midi, elle est mariée. « Jolie et charmante avec sa robe de taffetas blanc, son voile de dentelle, sa couronne de roses blanches et de fleurs d'oranger ; des boucles d'oreilles, une broche et des épingles à cheveux en or et perles complétaient la beauté de sa toilette et de sa personne [1]. » Un grand rayon de soleil suscite un arc-en-ciel violet et orange sur ses gants blancs. Sophie Feodorovna Rostopchine s'appelle désormais Sophie, comtesse de Ségur. La semaine suivante, Nathalie deviendra Nathalie Narychkine à la chapelle de l'ambassade de Russie, à Paris, et les deux jeunes filles se souviendront que leur père avait un air de deuil.

Eugène a emmené Sophie rue de Varenne. Le lendemain, un abîme sépare Sophie de toute sa vie d'avant. Le mariage a la violence chirurgicale d'une souillure.

---

1. *L'Auberge de l'Ange Gardien.*

DEUXIÈME PARTIE

LES ENFANTS DE SOPHIE

LES GARÇONS D'ABORD

GASTON, RENAUD, ANATOLE, EDGAR

I

GASTON

Le 15 avril 1820, neuf mois après sa nuit de noces, Sophie accouchera de son premier fils, Gaston.

Sophie passe souvent seule ses soirées au 6, rue de Varenne[1]. Heureusement, Fédor vient la voir quotidiennement. Elle lui fait de la peine. Où est son rire ? Ce début de grossesse la rend malade. L'étroitesse de l'appartement — un entresol et un étage — la fait soupirer. Elle avait tant l'habitude des vastes demeures. Où sont les bouleaux et les escaliers qu'elle dévalait au rythme d'un poney mal ferré ? Elle est surtout rongée d'un mal secret que son père devine. Les fréquentes absences d'Eugène. Sophie s'effondre surtout le soir, quand s'allument les lanternes. Elles bleuissent toute la rue, sans l'éclairer. Elles transforment les passants en ombres fantastiques. Le chef des allumeurs parisiens, Mouton, a fait éclairer Paris de 6 273 lanternes, 12 816 becs dont 11 654 à l'huile et 1 162 au gaz. Le gaz distille une telle puanteur que les nausées de Sophie sont à leur comble si elle a le malheur d'ouvrir la fenêtre, dans son impatience d'attendre Eugène. Le passage Véro-Dodat, la rue Pétrelle, où se trouve la première usine à gaz, sont devenus impraticables. La Société des réverbères à l'huile en profite pour faire obstacle à la nouveauté suffocante du gaz qui donne à la rue de Varenne cet aspect de lune et de cauchemar. Sophie soupire. Quelle prison, le mariage ! Un autre lien la paralyse. Elle est très amoureuse du bel Eugène, tellement indifférent... Elle redoute l'accouchement. Catherine lui a confirmé qu'une femme sur trois mourait en couches. Cela est normal, souhaitable. Le rachat de

---

1. Actuellement n° 48, rue de Varenne.

notre infamie d'origine. Sophie, une fois de plus, ne peut guère compter sur le réconfort maternel. Sa mère fait si rarement le trajet de l'hôtel Ney à la rue de Varenne ! La comtesse Octave y vient pour blesser Sophie d'allusions méprisantes sur la sauvagerie des Russes. Seul, Fédor s'exclame, l'embrasse, lui dit son bonheur de la voir grosse. Pour lui, elle est la plus belle. Il est venu avec un paquet de gâteaux. Sophie sonne pour le thé. Il a le don de la faire sourire, puis rire. De lui, est venu, début janvier, un puissant secours.

De belles étrennes : les Nouettes

Fédor avait longuement réfléchi au sort de Sophie. Comment rendre le sourire à Sophaletta qui, enceinte de trois mois, passe ses jours, prostrée, à regarder cette rue lessivée par la pluie ? Il a une idée, depuis le récit de Sophie, lors de son retour de voyage de noces.

Fin juillet, Eugène et Sophie étaient partis en Normandie, chez un parent des Ségur, le duc de La Force, au château de Tubœuf. Cette terre se trouve à quelques lieux du château des Nouettes qui est à vendre par le maréchal Lefebvre-Desnouettes, disparu aux États-Unis depuis la mémorable péripétie des Cent Jours où Ney et d'autres avaient trouvé la mort. Le jeune couple visita le château en brique rose du XIIIᵉ siècle. Sophie n'osa en rêver. Eugène et elle n'ont pas les moyens d'acheter les Nouettes.

« Le maréchal Desnouettes vend tout cela cent mille francs », avait précisé le notaire. « Nouettes » vient du vieux mot français « noue », qui signifie la noix. Le maréchal avait dû fuir en grande hâte la police de Fouché qui avait envahi le vestibule, qui grimpait aux étages, fouillait le parc et ses bois. Une belle terre, en vérité. Il y a aussi une ferme...

« Que de chambres ! Que de chambres ! Quel joli escalier ! Il faudrait réparer le toit, repeindre les murs, huiler les portes, restaurer les parquets », songe la jeune femme en proie à ses premiers malaises. « Il y a environ deux années de travaux pour rendre cette demeure habitable. Mais elle en vaut la peine », dit le notaire qui lit les pensées de Sophie. « Que je serais heureuse, ici, avec mes enfants ! Si seulement Eugène aimait la campagne ! »

De retour, Sophie raconta les Nouettes à Rostopchine, très attentif. « Les Nouettes ont quelque chose de Voronovo. Il y a même des bouleaux dans le parc ! Oh ! papa, si vous aviez vu le joli

140

toit incliné au-dessus des gouttières roses ! Des gouttières, papa, comme celles sous lesquelles je voulais tant friser ! La jolie terre ! »

Le matin du Ier janvier, sans rien dire à personne, Fédor fait atteler. Il trouve Sophie morose, devant son thé. Eugène est parti en visite chez sa mère. Sophie, enfant punie, la taille alourdie, une petite flèche nacrée sous l'œil, trace en escargot des larmes. Fédor pose alors ses mains, par jeu, sur les yeux de sa Sophie Bouffon. Il lui parle en russe. Sophaletta, trésor chéri, c'est moi ! Ses yeux pétillent de malice. Sa voix s'enfle. Sa présence, son agitation, sa bedaine, remplissent tout le salon. Il brandit une grosse enveloppe : « Tes étrennes, Sophaletta ! »

Cent mille francs ! oui, oui, cent mille francs, qu'il a retirés la veille, chez son banquier, place des Victoires ! Sophie passe des larmes au rire. Ô papa, papa ! Quoi, cette petite pile de billets minces et bleuâtres contiennent tant de bonheur ?

« Achète les Nouettes, Sophaletta. Disons que c'est un acompte sur ta dot. Ce coquin de notaire ne nous traitera plus de Tziganes. Dans deux petites années tu y seras. J'ai ajouté à cette somme l'argent des travaux. »

Sophie explose de joie, de reconnaissance. Elle parle et pleure tout à la fois. Ô papa, les Nouettes ! ces chemins ravissants, cette vallée si douce, ces bois si charmants, et cette maison dont je ferai garnir le perron de caisses d'orangers ! La salle à manger est si claire, si vaste ! Par les fenêtres, on devine, au loin, les bois de Saint-Evroult, le dru et vert chemin qui descend à la barrière, puis la grande route d'Aube à L'Aigle où, chaque mardi, il y a le marché. On y vend de si jolis ânes et toutes sortes de choses excellentes ! Vous connaissez mes goûts, papa chéri.

J'aime l'espace, le confortable, mais pas l'excès de bien qui tombe dans le luxe des grands châteaux de millionnaire[1].

Quel bonheur d'y vivre, pour cette pauvre Sophie et ses enfants ! Et la ferme, donc ! basse, longue, bien lotie de gras potagers et d'un verger odorant, croulant sous les pommiers et les cerisiers ! Il y a même des abricotiers en espalier, des poiriers lotis de succulentes poires « d'une grosseur et d'une saveur extraordinaire[2] ». Des poires (les miennes ?) enfin dégustées sans vol ni péché ! Que de bons amis je pourrai enfin recevoir, aux Nouettes ! Ô, merci, cher

---

1. Lettre à Olga de Pitray, 1857.
2. *Les Petites Filles modèles.*

papa, que vous êtes bon ! Reconstituer notre univers de tendresse et d'hospitalité, n'est-ce pas, papa ? A Paris, qui inviterons-nous, pauvres exilés, à part ce mesquin faubourg Saint-Germain aux vieilles fées qui chuchotent leur fiel, leur dentier dans un thé pâle et des gâteaux moisis, « secs comme des pendus [1] » ? Les d'Armaillé, les Ségur, les Broglie, les Greffulhe, les Choiseul, tous ont leur terre à la campagne. Les d'Armaillé nous ont invités une fois au château de La Rivière, à Thomery. J'ai cru me sentir mal de bonheur en respirant à nouveau les feuilles d'automne, d'or et de pourpre. Mon Bon Ange, c'est vous, Fédor Vassilievitch Rostopchine. Quelle promesse contenue dans une enveloppe, craquante aux coins, scellée de cire rouge, que j'ai ouverte avec mes dents. J'adore le goût de la cire et des bonbons qui collent les mâchoires, hon ! hon ! une enveloppe où vous avez tracé de votre grande écriture en sabre dégainé, mon prénom, en russe : софнa.

Alors, éperdue de reconnaissance, ses joues se colorèrent ; des larmes de joie coulèrent sur sa figure ; l'émotion lui coupa la parole ; elle ne put que se jeter à genoux et saisir la main de Fédor, qu'elle tint appuyée sur ses lèvres en éclatant en sanglots. « Calme-toi, mon enfant, dit Fédor avec bonté en la relevant, ce n'est pas à moi que tu dois adresser de tels remerciements, mais au bon Dieu, qui m'a permis (...) de soulager (ta) misère [2]. » Fédor est aussi enchanté que sa fille. Il « avait senti le bonheur qu'on éprouve à faire le bien [3] ». Qui la gâte, à part lui ? Fédor n'aime guère, au fond, ces Ségur, dont il a deviné la froideur injurieuse à l'encontre de Sophie. Cet Eugène et sa mère, qui, à l'inverse de lui, ont aimé Napoléon. Ils sont pingres, éloignés, à plus d'un titre, de la chaleur généreuse de son âme russe. Si cent mille francs rendent la vie à Sophie qui voit l'avenir clos et noir, tels ces murs qui l'entourent, Fédor peut mourir en paix. Il compte sur la robustesse naturelle de Sophie dans l'élément campagnard retrouvé. Sophie a donc pu acheter les Nouettes. « L'événement le plus important de sa vie », soulignera François Bluche [4]. Eugène n'a rien dit. Il a accepté à condition que les Nouettes fussent une terre d'été et non une résidence à l'année. Il ne tient pas à renoncer à ses mondanités de toutes sortes, même les plus louches, ni au voisinage constant de sa mère.

---

1. *Les Deux Nigauds.*
2. *Les Petites Filles modèles.*
3. *Ibid.*
4. *Le Petit Monde de la comtesse de Ségur,* François Bluche, 1988.

Accouchement ou le lit de Sophie

Sophie a fait préparer son lit pour accoucher. Ce lit est celui de ses noces. Il n'est guère large. Sophie s'était empressée de retirer l'excès de matelas pour dormir à la russe. Ce lit a peut-être été responsable de l'éloignement conjugal. Il est au fond d'une chambre alourdie de rideaux sombres, à peine élargie par un boudoir. Le lit est appliqué contre la paroi. Il ne comporte qu'une seule face ornée. Sophie, femme de bon sens, pratique, réaliste, réfléchit à son accouchement. Dès le sixième mois de grossesse, elle modifie la place du lit « de manière à pouvoir l'aborder des deux côtés. En couches et dans tous les cas, c'est cent fois plus commode que d'avoir un lit adossé contre le mur par le côté (...), de plus (Sophie) fait mettre à (son) lit un bon sommier élastique bien doux, bien élevé, et un seul matelas dessus. On est bien mieux couché que sur un diable de lit de plumes et une demi-douzaine de matelas qui vous échauffent et vous laissent dans un trou[1] ».

Eugène cache sa mauvaise humeur. Il adore les cocottes étalées, béantes, sur un tas de matelas voluptueux. Sophie complétera plus tard sa literie d'un étrange oreiller, ami du confort, ennemi de l'amour. Un oreiller en caoutchouc, gonflable, qui la suivra toute sa vie, y compris dans ses voyages. « Je ne t'écris que quelques lignes, chère Minette, à cause d'un torticolis qui me gêne et qui tient à une fausse position de ma tête sur mon oreiller que j'ai trop gonflé cette nuit[2] », écrit-elle.

Cet oreiller a dégoûté Eugène. Sa femme serait-elle une Mongole ? Cet oreiller et ce lit ont-il été les basses circonstances atténuantes du refroidissement d'Eugène ?

La veille de l'accouchement, les douleurs ont commencé. Sophie fait recouvrir son lit de journaux et d'un gros drap. La sage-femme a été mandée dès que la poche des eaux a crevé, au début de la nuit. Les deux bonnes font chauffer l'eau, épongent, s'affolent. Sophie gronde et grogne, conjure sa peur en réglant l'affolement de ces deux sottes filles. Eugène est au salon, empêtré, angoissé, impuissant. La sage-femme pratique la méthode apprise sous le Consulat. Masser l'intérieur du vagin avec de l'huile vierge tandis que de l'autre, elle appuie très fort sur le ventre et les flancs de la jeune femme qui déchire à pleines dents ses draps pour ne pas hurler à

1. Lettre à Olga, 21 novembre 1856.
2. Lettre à Olga, 1859.

tout rompre. Vers une heure du matin, les douleurs sont à leur comble. Sophie sanglote. Chaque enfermement en chambre aura été une punition. Elle ne connaît de l'amour que les offenses. Le sauvage tumulte de l'enfantement soulève son ventre telles des vagues déchaînées. L'aide soignante est une religieuse de l'Hôtel-Dieu. Elle récite le chapelet, ce qui transforme la chambre de naissance en chambre d'agonie. La sage-femme, née à Pantin, réputée jusqu'au faubourg Saint-Germain pour sa compétence, ajoute à sa méthode l'encouragement affectueux :

« Allons, ma mie... Criez tout votre saoul. Ne vous gênez pas. Tenez mon bras... » Il est deux heures du matin, le gaz a brouillé toute la rue d'un nuage bleu, quand, dans un long cri forcé, un petit garçon tombe en boule chaude et saignante entre les bras vigoureux de la sage-femme. Sophie a cru mourir. Elle ne comprend pas qu'une autre douleur la déchire. On ne lui a rien dit, elle ne sait rien. Elle croit qu'elle accouche encore. « Mais non, fait la bonne voix de la sage-femme qui frotte le petit corps d'huile et de sels, c'est la délivrance, ma mie. Ce sera toujours ainsi. Ne vous plaignez pas. Vous avez eu des couches superbes. » Sophie n'ose imaginer ce que peuvent être de vilaines couches.

Un peu de liesse revient dans le cœur de Sophie dont on a changé les draps et la chemise déchirée par ses ongles. Eugène est là. Il s'est penché sur elle. Il est tendre, caresse sa main. « Merci Sophie, vous m'avez donné un joli garçon. » Il a jeté un coup d'œil sur l'enfant. Un mâle, tant mieux. Le futur héritier de la pairie. Sophie ferme les yeux. Elle ne pourra jamais aimer un autre homme qu'Eugène. Ce regard et cette main posée sur la sienne l'ont bouleversée. A un moment donné, elle a tant souffert qu'elle ne criait plus. Le larynx bloqué, Eugène, effrayé, était entré dans la chambre. L'aide soignante s'affolait, la sage-femme continuait ses « Là... là... ma mie, poussez encore. » Les femmes souffrent-elles vraiment au moment où elles n'ont plus même un cri ? La clameur était revenue. Eugène s'était éloigné.

La sage-femme a posé la petite forme emmaillotée sur le sein de Sophie. Reptation du petit être vers sa source de lait. Sophie s'émerveille. Elle saisit cet enfant, l'embrasse, le mordille. Je t'aime ! Comme j'aime mon enfant ! Eugène se refroidit, vaguement choqué et jaloux, soudain, des excès de baisers et des exclamations de Sophie. Vive mon fils, de baisers je le mange. On ne crie jamais de la sorte, dans le Faubourg, quand les dames accouchent.

Il est huit heures du matin. Eugène a fait prévenir sa mère et l'entourage nécessaire à la déclaration de naissance. Vers neuf heures, est dûment consigné sur le registre de la mairie « un enfant du sexe mâle... En présence de monsieur Chrétien-René-Auguste, marquis de Lamoignon, 54 ans, demeurant 35, rue Neuve-des-Mathurins, oncle paternel, chevalier de l'ordre royal et militaire de Saint-Louis et de monsieur François-Edmond Nompar, comte de Gourmont-Laforce, demeurant 105, rue de Grenelle, cousin paternel[1] ».

Les Ségur s'emparent aussitôt de Gaston. Les Rostopchine n'ont pas été conviés à cet acte. La comtesse Octave se penche sur Gaston, souligne sa future fonction d'héritier de la pairie. Sophie a l'impression qu'on lui vole insidieusement son bébé de quelques heures. Elle pleure au secret d'elle-même son petit Rostopchine. « Peut-être, si j'ai un jour des filles, je les élèverai à ma guise. Nous comptons si peu, nous les filles ! Si j'ai des filles, je voudrais qu'elles me ressemblassent ; j'aime beaucoup ma figure et ma taille. Et les garçons devront (tous) ressembler à (Eugène)... Il est très bien (Eugène). J'aime beaucoup sa figure ; il a l'air distingué. Et puis, il a une belle taille et une belle tournure. S'il pouvait m'aimer un peu ! Beaucoup serait encore mieux. Et s'il continue à ne pas m'aimer, je serai très malheureuse. Et je le dirai à (mon) père ; il me consolera, lui, car il m'aime[2]. »

« Eh bien, Sophie ! cingle la comtesse Octave, choquée par les larmes de sa belle-fille. Vous vous répandez comme une petite bourgeoise ? Est-ce ainsi que l'on se comporte dans votre Russie de bois et d'ours ? »

Fédor s'est précipité, avec les siens, en fin de matinée. Lise, Nathalie et André accourent voir leur petit neveu. Ils distraient Sophie. Catherine s'enquiert aussitôt du baptême. Eugène et la comtesse Octave sont irrités de l'enthousiasme du spontané grand-père qui a commencé sa première lettre à Gaston.

> Je suis bien impatient de voir les progrès de Gaston et d'enlever son amour à Sophie par des cadeaux, par des bassesses, enfin en le traitant comme une personne régnante. J'embrasse Sophie, votre pairie, et les pieds de Gaston, premier paladin de la chrétienté.

Au baptême, Fédor est rempli « d'une allégresse extraordinaire ». Il reçoit ce petit catholique, malgré la plaie profonde, bien

1. Extrait du registre de cet acte, conservé aux archives de la Seine, pour l'année 1820.
2. *La Fortune de Gaspard.*

145

cachée, que Gaston ne fût pas orthodoxe. Catherine vit une grande joie. Sa fille fera souche de catholiques. Qu'importe son désespoir conjugal ! Rien de plus vulgaire qu'une épouse amoureuse ! La comtesse Octave, sur ce point, a bien raison. L'essentiel est la religion. Au nom du Père, du Fils, du Saint-Esprit. Sophie n'a aucune distance avec ce bébé et l'embrasse du matin au soir. « Modérez-vous, ma fille, disent les deux mères, toujours d'accord pour réprimer la petite comtesse de Ségur. Vous n'êtes pas une modiste ! » « Je vous assure, maman, je fais ce que je peux... J'aime tant les enfants ! alors, le mien, imaginez ma joie ! »

Vivement les Nouettes pour les aimer bien à mon aise, loin de cet affreux monde qui critique l'amour tel un scandale.

Gaston a cinq mois, quand, le vendredi 29 septembre, à deux heures du matin, tout comme Sophie, la duchesse de Berry met au monde au pavillon de Marsan « l'enfant du miracle ». L'accouchement a eu lieu en présence de Louis XVIII et de la famille royale. La duchesse d'Angoulême présenta elle-même le futur comte de Chambord au roi qui le bénit. Cette naissance ne fait pas que des heureux. Le comte d'Artois reste froid devant son petit-fils. A Neuilly, le duc d'Orléans, fils de Philippe Égalité, sait que cet enfant le relègue très loin dans l'ordre de la succession. Cette année 1820 est donc une fête grâce à l'enfant du feu duc de Berry. Louvel, son assassin qui l'a poignardé à l'Opéra, est guillotiné en place de Grève. Louis XVIII fait distribuer du vin et des comestibles aux Champs-Élysées. Fédor eût bien agi de même pour Gaston. L'ivresse s'empare du peuple : « Vive le roi ! ».

II

RENAUD

Le 19 avril 1821, au foyer de l'avocat Paul Templier, naît un garçon, Émile, futur éditeur de la comtesse de Ségur. Ce printemps-là, Sophie est grosse à nouveau. Le 15 décembre, au moment où le ministre Richelieu donne sa démission, abandonné du comte d'Artois, Sophie accouche, toujours au 6, rue de Varenne, de Renaud.

Sophie se consacre à ses bébés. Elle a installé — au grand scandale de la comtesse Octave et de Catherine Rostopchine — la chambre des enfants près de la sienne. Une veilleuse est allumée sur la table de nuit. Un bougeoir est toujours près de Sophie, au cas où ses bébés s'éveilleraient. Elle a fait ajouter d'épais rideaux autour de son lit, pour conserver la chaleur. La cheminée en marbre, ornée d'aiguières en porcelaine, cadeau de Philippe de Ségur, tire mal. Sur un guéridon, Sophie boit son thé presque noir, accompagné de radis quand la saison le permet. En face d'elle, Eugène est vaguement dégoûté :

« Pourquoi des radis, ma chère ? »

La bouche pleine, prête à rire et réjouie — Eugène est là —, Sophie répond, furieusement naturelle :

« Parce que c'est très bon, mon ami. Veux-tu en goûter ? Et pourquoi me dis-tu " vous " ? »

Eugène se crispe, de plus en plus mécontent. N'a-t-elle pas, un matin, exprimé un désir de femme enceinte qui avait fait frémir le subtil Eugène ? Mordre dans un poisson fumé, très salé, malodorant et juteux comme ceux que Fédor adorait manger à Livna ? Elle voulait aussi une frottée d'ail sur un pain noir, mal cuit et chaud tel celui qu'on donnait aux chevaux de son père.

147

Eugène avait frémi. Ne va-t-il pas sentir l'ail quand il fera sa cour à la belle Mme de Boigne ?

Pourquoi Sophie ne laisse-t-elle pas à la nourrice et aux bonnes le soin de Gaston ? Il est choqué de cette tendresse qu'il juge populacière. Elle glisse Gaston contre elle, sur son lit. Elle gazouille, allongée sur l'édredon. Elle trempe pour Gaston un sucre dans la carafe remplie d'eau de fleurs d'oranger. Gaston aime la chambre de sa mère, le petit chiffonnier, la psyché à grand miroir basculant. Sophie a toujours aimé la propreté corporelle. Aussitôt installée rue de Varenne, elle avait soupiré devant le cabinet de toilettes, camouflé en placard à robes. Sophie se mit à souffrir aussitôt du manque des grandes ablutions d'eau. En Russie, elle avait toujours adoré se laver des pieds à la tête, à l'eau froide, chaque jour. Ses sœurs et elle se groupaient dans la grande pièce réservée à cet usage. Un large espace pavé, des bassines en bois aussi larges que des cuveaux. La niania versait les brocs lentement sur Sophie debout, tête enveloppée d'une bande de toile, nue. Elle avait même un petit coursier en bois, venu d'Allemagne, loti d'une cuvette en émail que Catherine appelait « le piège de Satan » et fit jeter au feu...

Rue de Varenne, il y a un lavabo sur pied, une cuvette, un pot à eau, mais très mal équilibrés. Sophie préfère laver les enfants (et elle-même) dans la cuisine. Pourtant, Fédor lui avait offert une toilette en porcelaine du Japon, chiffrée d'or, une série de peignes et de brosses en nacre rehaussés d'or, toujours à son chiffre. Rien de commun avec une vraie toilette à fond. Quand Sophie fait brosser ses cheveux avec cette parure luxueuse, elle a déjà vigoureusement frotté sa figure, ses mains, son corps. L'eau parcimonieuse est déposée dans des seaux en bois et en fer, au fond de la cuisine malodorante. La toilette en porcelaine du Japon est réservée à l'achèvement de son hygiène. Sophie s'y lave les narines à l'eau parfumée. Elle passe un linge fin imbibé de fleurs d'oranger sur son visage, ne se met jamais ni rouge ni poudre. La toilette de Gaston demande les plus grands soins. Absorbée, elle se tient à peine au courant des événements extérieurs. Où en est la royauté, au moment de la naissance de Renaud ?

« Mon frère, s'exclame le comte d'Artois, a conspiré contre Louis XVI, il a conspiré contre moi, il conspirera contre lui-même. » Louis XVIII, de plus en plus, ne pense qu'à son confort de vieillard trop gras. Les bonapartistes, réduits et surveillés par la police, ont appris avec douleur la mort de Napoléon, survenue le 5 mai 1821 à Sainte-Hélène. Devenu obèse, l'ancien empereur souffrait d'une tumeur au pylore. L'humidité déplorable de l'île ne fit qu'aggraver ses douleurs stomacales. Napoléon est enterré, presque misérablement, dans la vallée des géraniums. Talleyrand, devant le peu d'émotion que suscite l'annonce de ce décès dans la vie politique, persifle : « Ce n'est pas un événement, c'est une nouvelle. » Gaston se tient debout et fait ses premiers pas. Fédor accourt le voir autant qu'il le peut. Les travaux aux Nouettes sont interminables. Fédor réconforte Sophie, par son rire, ses anecdote, ses cadeaux ; il les couvre de baisers cannibales elle et Gaston. Il y a aussi les visites de Lise, si jolie et si douce, qui a pris le tendre relais auprès d'André. Nathalie est repartie avec son mari pour la Russie. André s'en console mal et se met à raffoler de Gaston. La comtesse Nathalie Narychkine vient de mettre au monde son premier-né : Michel. Sophie sent l'appartement se serrer autour de son corps. « Mon ventre est sans arrêt gros, je déteste la montgolfière que je deviens, je prends une place énorme dans ce mesquin entresol. Les Nouettes me semblent un rêve flou, ce château existe-t-il seulement ? Comment m'y déplacer avec ce gros ventre et sans le bon plaisir d'Eugène ? » Sophie se sent à nouveau en détresse. Une fois de plus, Catherine délaisse sa fille proche de ses couches. La comtesse Octave s'intéresse peu à cette nouvelle naissance. L'espoir des Ségur a été polarisé par l'aîné. La suite des couches de Sophie n'est pour eux qu'une répétition banale, vaguement indécente et maladroite. L'oncle Philippe de Ségur, seul, reste aimable et prévenant pour cette jeune femme dont il a parfaitement deviné l'isolement moral. La naissance de Renaud sera encore plus pénible que celle de Gaston malgré les chuchotements imbéciles de Mme Svetchine. « Au second, le passage est fait. » « Quel passage ? » a envie d'éclater Sophie tandis que la nuit du 14 au 15 décembre 1821 l'enfant, encore une fois, la déchire. La terreur de naître recouperait-elle l'univers des loups-garous et des fantômes sous la lune ? Mon Bon Ange de jour, que n'es-tu là, la nuit, tandis que les démons piquent mes flancs, me font tordre et hurler telle une damnée ? A cause de la comtesse Octave qui avait trouvé indécent la trop populaire et brave sage-femme de Pantin, Sophie a accouché seule, avec la garde soignante. Sophie l'a fortement choquée, en refusant de rester sur le dos pendant le travail. Sophie se lève, marche, gémit franchement, aimerait s'asseoir sur une chaise percée, en saisir les bras en bois, comme elle l'a vu faire en Russie. L'accouchement serait-il plus humain chez les moujiks que dans ce triste quartier habité par des nobles ? Pourtant, une grande dame se tord aussi de douleur, accroupie dans ses sanies et ses eaux comme une serve, sous la yourte. Où est Eugène ? Ce n'est pas ma faute si je suis grosse chaque fois qu'il rejoint mon lit. Sophie enrage, jure tout bas en russe. La garde blâme sa promenade insensée et choquante, l'enfant la déchire plus violemment encore que Gaston, resté près de sa bonne. Pourquoi Eugène veut-il me séparer de mon fils ? Il exige qu'il dorme avec sa bonne, dans l'entresol ! Pendant ce nouvel accouchement, Sophie est hantée par une angoisse. « Pourvu que Gaston n'entende pas mes cris. Dieu ! que ces appartements parisiens sont étroits, obscurs et petits ! Et la rue, donc ! On va m'entendre en face, c'est sûr, quelle sale rue ! » « D'un côté à l'autre (...) on peut se donner des poignées de main sans se déranger ; le soleil ne vous y gêne jamais ; dans l'été il y fait frais comme dans une cave : il fait tellement sombre dans les appartements, que les yeux s'y conservent jusqu'à cent ans [1]. » A Voronovo, ma mère accouchait tout à son aise, avec ma niania, ses servantes, son chirurgien. Elle pouvait pousser sa clameur sans honte, jusqu'aux nues, tandis que les vieilles priaient devant les icônes. Ensuite, l'accouchée buvait le vin chaud sucré de miel, parfumé d'épices. Mon père avait un tel air d'adoration quand il entrait dans la chambre, après la naissance. A Paris, tout se réduit. Les enfants entassés, les bonnes par-dessus, la mère au dernier relais, le père absent. Paris n'est pas une ville pour les enfants. Il leur faut le bon air, le silence, le lait frais, le soleil, la promenade sous la lueur tremblée du vent et des orages qui les font rire et gonflent les jupons des petites filles... Ô mon Bon Ange, que j'ai mal ! j'aurais dû rester orthodoxe. Tout est à cause de ce vilain kiosque, de ce grand Danois bête et de cet horrible père Jourdan.

Jamais, jamais je n'aurais la force d'accoucher une troisième fois. Je préfère mourir. D'ailleurs, je meurs, je meurs. Mais, comme toujours, le miracle a lieu. Le sourire erre sur les lèvres exsangues de Sophie qui n'a pas crié en expulsant la délivrance. La fin de sa peine a été ce triomphe des deux cris mêlés ; celui de l'enfant et le sien. Elle habille elle-même le bébé.

> *Une brassière de flanelle, une autre de futaine ou en percaline doublée, un fichu de mousseline autour du cou. Enveloppez-le d'une couche, d'un lange de molleton de laine, d'un autre molleton de coton.*

---

1. *Jean qui grogne et Jean qui rit.*

Ne serrez pas l'enfant.
Laissez-lui les jambes libres[1].

La comtesse Octave critiqua « les jambes libres ». « Serait-ce une méthode mongole ? » commente aigrement la belle-mère de Sophie devant le bébé qui gigote. « Sophie a toujours voulu se faire remarquer ! » souligne Catherine, venue se pencher de très haut sur le berceau du nouvel enfant. Il y eut aussi, de la part des visiteuses, une surenchère d'exclamations réprobatives parce que Sophie a évité les épingles. « Évitez les épingles ; mettez des cordons aux langes comme aux brassières[2]. » Une femme de son rang — Sophie a l'air d'oublier qu'elle est devenue, grâce à son fils, comtesse de Ségur ! — ne torche pas elle-même ses nourrissons, ne doit pas se lever la nuit pour eux, ni renoncer à ses visites dans le Faubourg sous prétexte de promener ses bébés aux Tuileries avec ce vieil original qu'est le comte Rostopchine ! Sophie songe à consigner un jour ses idées pour élever un enfant. La promenade exige un bonnet. « Mettez sur la tête (du bébé) un béguin en toile ou batiste, un bonnet de percale ou jaconas par-dessus. L'été, ne laissez qu'un seul bonnet sans béguin. »

Le premier deuil de Sophie

Hélas, Renaud ne connaîtra jamais l'été. Renaud n'entrera jamais aux Nouettes dont les travaux s'achèvent. Début février 1822, Renaud s'est mis à tousser. Malgré le béguin, la comtesse Octave reproche à Sophie de ne pas couvrir assez la tête du bébé. « Trop couvrir la tête est mauvais[3] », pense Sophie, retombée dans son silence. Comment échapper au joug de sa belle-mère, qui, déjà, une fois, a pincé violemment Gaston devant elle ? Eugène n'a rien dit devant le cri de renarde de Sophie qui panse Gaston en larmes. Depuis le 10 février, Renaud tousse de plus en plus et grelotte de fièvre. Il fait très froid, cet hiver 1822. Sophie enveloppe de flanelles douces les jambes brûlantes du petit. « Il est très important de couvrir les membres inférieurs, surtout les pieds et les jambes[4]. » Renaud a des quintes. Sophie est debout toutes les nuits, tandis que la police découvre le complot des quatre

---

1. *La Santé des enfants,* Grand Album de la comtesse de Ségur, Hachette.
2. *Ibid.*
3. *Ibid.*
4. *Ibid.*

sergents de La Rochelle. Affiliés à la charbonnerie de modèle italien, Bories, Raoulx, Pommier et Goubin sont arrêtés à La Rochelle. Pendant ce temps, Sophie est très inquiète. La fièvre ne baisse pas, le médecin craint le croup. « Chez l'enfant, toute la vie se porte vers la tête [1] », songe Sophie, qui veille Renaud en proie à une toux inextinguible, insupportable à entendre, une toux « qui ressemble au chant d'un jeune coq ou à l'aboiement d'un chien enroué [2]. » Une toux de mort. Gaston, réveillé par la bougie allumée, voit dans la psyché sa mère qui tient Renaud bien droit, car il a commencé d'étouffer. La nuit est très avancée. Eugène n'est pas rentré. « Le croup ne se déclare jamais que la nuit [3]. » Et la mort ? Les quatre sergents, amenés à Paris en voiture fermée, se doutent-ils que la guillotine les attend ? Sophie, seule, effarée, désolée, détruite, sent affluer les images. Paul et Marie, les petits nouveau-nés disparus, tout blancs, blancs comme Renaud. Sa poupée aussi, et Moscou en cendres, oui, j'adorais Moscou, et mon petit poney, oui, j'aimais mon petit poney. Quand on pleure, tous ses chagrins secrets, les plus intimes, les plus anciens remontent d'un seul coup, lie au fond d'un étang que l'on croyait si clair. Sophie marche de long en large dans cette chambre étroite comme un tombeau. Elle berce non plus un bébé, mais un petit cadavre. Renaud est mort, après avoir hoqueté pendant des heures. Renaud, dont le lit était près de la fenêtre. Sophie jure que jamais plus elle ne placera un berceau près d'une fenêtre. « Le croup provient d'un courant d'air qui vient frapper la figure et le cou de l'enfant pendant son sommeil [4]. »

17 février 1822, à l'aube. Sophie vit le premier grand deuil de sa vie. « Réjouissez-vous, dira Catherine, Renaud avait été baptisé. » Prier n'aide Sophie en rien. Quelle solitude ! cette nuit affreuse, où le domestique avait dû courir chercher Eugène de Ségur dans elle ne sait quel salon, quel endroit ! « Il est trop tard ! » a-t-elle envie de hurler, quand il rentre enfin, beau, toujours trop beau. Il est à peine défait par la course, le froid, la nuit. La nuit semble lui aller comme un vêtement naturel. La nuit et les fugues. Les pleurs de Gaston accentuent la douleur de Sophie. Gaston a des palpitations, mon Dieu ! mon Dieu ! pourvu que quelques gouttes de digitale puissent le calmer ! Je ne supporterai pas de le perdre ! « Il est

---

1. *La Santé des enfants,* Grand Album de la comtesse de Ségur.
2. *Ibid.*
3. *Ibid.*
4. *Ibid.*

catholique, réjouissez-vous », fait la voix maternelle, tocsin en fer coupant. Sophie a l'impression de frôler la folie. Eugène et les Ségur restent froids pendant l'inhumation du bébé vêtu de blanc, dans le glacial et majestueux tombeau de Méry. Qu'est-ce qu'un enfant ? Rien. Alors, un nouveau-né ! Sophie sait désormais que la perte d'un enfant est le gouffre qui jamais ne se referme, la plaie vivace qu'un rien, un souffle, un bruit, un souvenir, éveillent jusqu'à l'insupportable. La mort des enfants serait-elle l'intention inhumaine de Dieu ? Mon Bon Ange, l'as-tu au moins emmené dans ton jardin des délices, mon bébé si joli. Y a-t-il un jardin merveilleux, fleuri pour Paul, Marie, Renaud et toutes les colombes innocentes de ce monde ? Les prends-tu, mon Bon Ange, ces enfants, fleurs à peine en promesse, pour mieux parer tes branches et tes cimes ? Pourquoi, mon Bon Ange, me désespères-tu ? Fédor a le cœur navré. Il pleure autant que Sophie. Lise la couvre de baisers ; André est resté jouer avec Gaston, en compagnie de M. Naudet, professeur de dessin de Sophie. Catherine est dans son oratoire. Eugène est agacé par le déploiement trop chaleureux du chagrin de Sophie et de Rostopchine. Eugène a du mal à tolérer que l'on puisse pleurer comme un veau, se moucher bruyamment quand on a été ministre d'un empereur, brûlé une ville, manié des hommes et des armes. Tout cela pour un presque nouveau-né ! Fédor réclame, en fin de soirée, une grande lampée de cognac, maudit encore et se met aussi à rire...

Eugène va tenter sincèrement de consoler Sophie prostrée : « Sophie, nous passerons l'été aux Nouettes. Promettez-moi de secouer ce déplorable chagrin, d'aller en visite au Faubourg, de sortir davantage. » Elle promet. Elle se soumet à tout. Elle n'est plus rien. Fédor aussi se sent devenir plus rien. Il a commencé à écrire sa « Vérité sur l'incendie de Moscou ». Enfermé dans son bureau de l'hôtel Ney. Il a décidé de tout nier.

Premier été aux Nouettes

Les Nouettes ! Les Nouettes !

Gaston, très âgé, se souviendra encore de son entrée triomphale, cet été 1822, sur les épaules de M. Naudet, « démocrate 1789 ». Plus qu'un professeur de dessin, il deviendra l'ami de la famille. Il a un peu distrait Sophie de sa peine par ses leçons, qui développe chez elle un joli talent. Plusieurs aquarelles et marines signées « Sophie » seront accrochées sur les murs de ses chères Nouettes.

Souriante, déjà apaisée, Sophie se réjouit d'entrer dans sa demeure. Le château sent encore le plâtre, la peinture. Sophie a veillé à glisser son oreiller en caoutchouc dans sa chambre qui donne sur les bouleaux du parc. Tout lui a semblé délicieux, cet été-là. La viande achetée chez le boucher Hurel, à Aube, le beurre pris à la ferme des Haies, les légumes du potager... Délice de la pluie douce, à l'aube, délice de la première promenade, seule dans le parc où frissonnent les fleurs des haies... Gaston est sans cesse auprès d'elle. Regarde, cher petit, ce rouge-gorge presque apprivoisé, vois son joli ventre rouge. « Je te le donne, c'est pour toi. (...) Mettons-le dans un panier en attendant d'avoir une cage... Il faut mettre de la mousse et un peu de laine par-dessus : il aura ainsi un petit nid bien chaud... [1] »

Regarde cette rose, quel joli effet à côté des caisses d'orangers ! et ce charmant chèvrefeuille. M. Naudet admire les progrès de Sophie. Nous devrions, madame la comtesse, « nous promener souvent pour prendre des vues, pour faire des études d'arbres, de premiers plans, de lointains ; le pays (est) joli, fort accidenté. (...) Nous pourrions achever (vos) dessins soit à la sépia, soit à l'aquarelle [2]. » Sophie ne demande pas mieux. Elle adore la promenade. Allons à L'Aigle ! Vite, faisons atteler la voiture ! « (Sophie) était gaie et en train : elle souriait (...) et répétait souvent : " Quel beau pays ! quelle charmante vallée ! (...), qu'on est heureux de vivre ici (...) ! Quel joli chemin nous parcourons ! Ces jeunes bois sont frais et charmants [3] ! " » Sophie aime tout de suite ce marché, sur la place « où l'on vend des légumes, du beurre, des œufs, du fromage, des fruits et autres choses excellentes [4] ». Et les petits ânes, donc ! Elle hisse Gaston sur l'un d'eux. Eugène a un air doux et apaisé qu'il n'a jamais à Paris ! Achetons un âne, mon ami ! Puis, tous les quatre vont visiter l'église Saint-Martin. Sophie admire cette tour carrée, dentelée aux riches contreforts sculptés. M. Naudet ouvre son calepin, crayonne parmi ces douze figures ciselées dans la pierre la plus belle, qui représente la Foi tenant à la main un calice. L'intérieur de l'église offre les nervures diagonales d'une lourde voûte. Dans le curieux pavillon de la nef Sophie se penche vers les traces de peintures sur plomb, ainsi que l'ajustement du couronnement composé de deux figures d'anges... O, mon

---

1. *Les Petites Filles modèles.*
2. *Quel amour d'enfant !*
3. *La Fortune de Gaspard.*
4. *Les Mémoires d'un âne.*

Bon Ange, merci, merci d'avoir adouci ma peine et le cœur d'Eugène... Sophie, agenouillée, derrière les vitraux multicolores, ensoleillés, baroques, cautérise sa peine, retrouve la joie de vivre.

L'église d'Aube, si près des Nouettes, la touche davantage. Sophie aime à y prier seule, le matin, très tôt. Elle descend le chemin du parc à pied, marche dans la rosée, respire, respire, la tête levée vers un ciel déjà rose. Elle entre dans la petite église pour la première messe. Petite église de village, autre porte du Bon Dieu, Sophie s'y ressource, reprend pied dans sa réalité catholique. Été radieux, éclatant, où elle prie, plus secrètement encore, parce que cette nuit-là, Eugène l'a rejointe, dans le grand lit sans matelas. Il a jeté à la volée l'oreiller en caoutchouc et serré Sophie si fort... Ils ont vécu là leurs vraies noces. Bouche contre bouche, souffle cristallin ou sauvagement grave, le plaisir avait le sens, tout à coup, des carillons de fête, dans ces églises et toutes les autres...

A la fin du mois de juillet 1822, Sophie est à nouveau enceinte.

III

ANATOLE

Vérité sur l'incendie de Moscou

Rue de Varenne, les soucis s'emparèrent à nouveau de Sophie. Catherine ne supporte plus Paris qu'elle avait cru être une citadelle de la foi catholique. Elle est déçue par la légèreté et le peu de religion qui s'y pratiquent. Elle parle vivement de retour. Serge est emprisonné pour dettes. Fédor aimerait voir Michel, le bébé de Nathalie. Éloigné depuis six ans de son pays, il en éprouve la nostalgie au point de l'écrire à Sophie, qui compare ses Nouettes au cher Voronovo.

> *Tu fais bien d'aimer ton pays : c'est là seulement qu'on retrouve les souvenirs si purs et si vifs de son enfance (...). On a beau courir le monde (...), une voix se fait entendre et nous crie : « Allez finir là où vous avez commencé[1]. »*

Quand Fédor a-t-il entendu cet appel vers sa patrie ? Que s'est-il passé pour qu'il hâte soudain son départ, et qu'il emballe les tableaux du XVIIIᵉ siècle, achetés pour remplacer ceux dévorés par l'incendie ? Un matin, il entre chez Sophie, en fin de grossesse. Il la trouve sur sa chaise longue. Seule. Elle a étalé sur ses genoux les petits béguins de Renaud.

« J'ai quelque chose à te lire, Sophaletta ! »

Gaston rapproche sa petite chaise aux pieds de sa mère. Grand-

---

1. *Vie du comte Rostopchine,* A. de Ségur.

157

papa va-t-il lire un conte ? Fédor est resté debout, comme au temps où il tonnait des extraits du *Perron rouge*.

« Écoute, Sophaletta. »

> *Ma vérité sur l'incendie de Moscou.*
>
> *Dix ans se sont écoulés depuis l'incendie de Moscou (...) et je suis toujours désigné à l'histoire et à la postérité, comme l'auteur d'un événement qui, d'après l'opinion reçue, avait été la principale cause de la destruction de l'armée de Napoléon, de sa chute, du salut de la Russie et de la délivrance de l'Europe. Certes, il y avait de quoi s'enorgueillir de si beaux titres, mais n'ayant jamais usurpé les droits de personne et ennuyé d'entendre débiter la même fable, je vais faire parler la vérité, qui seule doit dicter l'histoire [1].*

Il lit, il lit, Fédor, devant Sophie, toujours assise et atterrée. Il ment ! Il n'a pas le droit de détruire son héros ! Soudain, il a devant lui une Sophie en sanglots, les épaules agitées. Gaston a peur. Elle hoquette, à chaque seconde. « Ô papa ! Ô papa ! Quel sens aura désormais pour moi toute cette cendre ? »

Il a soigneusement plié ses feuillets, secoué la tête. « Pauvre Sophie ! » Elle doit à son tour le comprendre. Comment retrouver sa patrie avec ce qualificatif d'incendiaire qui éveillera aussitôt les haines encore si fraîches ?

« Je suis vieux, Sophaletta. Je suis las. Je veux être enterré là-bas. Revoir mes chevaux. Le ciel de Livna. Voronovo. Ton pays, désormais, c'est la France. Si nous ne nous quittons pas maintenant, je n'aurai plus la force de partir. Un pauvre homme aigri mourra à Paris. Tu ne veux pas de cela, mon petit bouffon chéri ? tu m'aimes, toi... »

Sophie a pleuré tout le jour et une partie de la soirée. Le lendemain, 23 avril 1823, vers dix heures, naît un gros garçon : Anatole.

Les Rostopchine partiront le 15 mai. Eugène, Sophie, Gaston, Anatole, la tête bien couverte, sont allés avenue Gabriel, pour les adieux. Tous ont le cœur serré. Catherine pose un baiser sec sur le front de sa fille : « Adieu donc, Sophie ! Dieu vous garde ! » Vêtue de noir, elle semble avoir adopté pour la vie ce costume de deuil. Lise et André sanglotent franchement. Quatre grosses berlines sont prêtes, remplies d'une foule d'objets d'art dont une magnifique orfèvrerie. Fédor, ce matin-là, est plus rouge que jamais. Il respire

---

1. *Vérité sur l'incendie de Moscou*, Ponthieu, 1823.

avec peine. Il n'a pas dormi de la nuit. Il entraîne Sophie dans le jardin dont les statues dénudées éclatent, obscènes sous le soleil de mai. Il approfondit son secret. Lui aussi est capable de chuchoter.

« Dénier ma responsabilité dans l'incendie de Moscou, Sophaletta, est ma seule chance de repousser le cauchemar de mes années d'insomnies. Verechtchaguine, le petit drapier ensanglanté. Je reste à jamais souillé par ce sang. La vérité sur l'incendie de Moscou est celle de mon crime. Dieu me punira. Je mourrai misérable et triste. Peut-être la postérité ne retiendra-t-elle de moi qu'un bourreau capable d'ordonner un lynchage ? Sophie, n'oublie jamais la puissance du remords. Les cris qui déchirent le crâne… ne m'oublie jamais. »

Il l'embrasse passionnément. Dans le vestibule, il a repris un peu de calme. Il saisit Gaston dans ses bras, puis enlève Anatole de ceux de sa nourrice. Il serre la main d'Eugène, lui glisse un portefeuille bourré de billets pour gâter le dernier-né qu'il bénit en pleurant. Très vite, les voitures s'ébranlent. Sophie reste longtemps à agiter son mouchoir, le cœur navré. Papa ! Ô, papa ! Elle aperçoit, une dernière fois, au coin de l'avenue Gabriel, son père, dangereusement penché à la portière. Il envoie des baisers, crie en russe : « Au revoir ! Près de Dieu, mes enfants ! »

Sophie ne reverra jamais Fédor Vassilievitch Rostopchine. « Dieu seul est au-dessus de nous », fait l'écho de la voix du petit drapier.

Première histoire d'eau

« Allons, Sophie, contenez-vous », murmure froidement Eugène. Sophie ferme très fort les yeux, reprend Anatole à la nourrice, le pose contre son sein, à même la peau.

« Sophie, reprenez-vous ! Est-ce qu'une grande dame donne ainsi le sein hors de chez elle ? »

Sophie sent la dangereuse migraine rôder. Des couches d'à peine trois semaines, le choc de ce départ. Une grande envie d'eaux courantes et de jacinthes sauvages la submerge. Pour l'accouchement d'Anatole, Sophie n'a perdu les eaux qu'au moment de l'expulsion. L'eau avait envahi toute la couche jusqu'à ses beaux cheveux. Prendre un bain. De l'eau sur ma tête, ma peau. Mon baptême orthodoxe qui enchanta mon père a été l'immersion totale de mon corps. Le lendemain de ses couches, Sophie, au grand scandale de la sage-femme, se lava en entier. La comtesse Octave critiqua cet amour de l'hygiène et de l'eau. Elle lui avait pourtant fait lire son élégant *Manuel de civilité,* en particulier le chapitre sur les bains. » « Prenez des bains, si les médecins vous l'ordonnent, mais toujours avec précaution et jamais plus d'une fois par mois. Il y a je ne sais quoi de mou et d'oisif à rester ainsi dans une baignoire qui convient mal au caractère d'une fille. » La comtesse Octave, au courant de la débauche de bains, depuis le premier séjour aux Nouettes, s'était exclamée avec aigreur : « Auriez-vous le goût d'une ribaude qui se lave aux rivières ! »

Oui ! oui ! plonger dans une rivière ! Paris est mesquin sur l'essentiel, l'eau. L'eau est une denrée difficile à hisser aux étages, fussent-ils un entresol... Il y a bien, dans ce Paris 1823, des établissements de bains, mais il eût été impensable qu'une femme, de surcroît, comtesse de Ségur, s'y rendît. Les célibataires, et les excentriques s'y retrouvent. Sophie connaît maintenant les pauvres armes pour se défendre du chagrin. Les plats sucrés, la campagne et une hygiène rigoureuse. Ce 15 mai 1823, où son Bon Ange lui enlève à jamais son père, Sophie va prendre un bain. La veille, Sophie a loué une baignoire en cuivre qu'on lui monte à une heure précise. Les Auvergnats grimpent l'eau chaude dans de petits tonnelets qui les transforment en bossus. « Ô, papa, vous qui avez une telle tendresse pour les bossus ! » Sous Louis-Philippe, le bain Ouarnier connaîtra une grande vogue. Situé quai Voltaire, où l'eau de Seine sera filtrée, il recevra les filles de Louis-Philippe accompagnées du maître-nageur...

« Que vous êtes excentrique, Sophie ! » s'agace Eugène devant cette baignoire montée à dos d'homme. Pour Eugène, le bain a un autre sens. Bain-boudoir, lieu de séduction des coquettes qui l'accueillent si volontiers... La coquette, devant son amant vêtu, entre dans l'eau habillée d'une chemise de mousseline. Elle papote, persifle, tandis que l'amant (Eugène ?) contemple les courbes femelles que révèle l'eau où danse la lueur bleuâtre d'un sel de luxe sur la peau très rose...

Sophie montre à Gaston, fasciné, l'étrange cylindre métallique, plein de braises, au sommet duquel fume une cocasse cheminée afin de maintenir l'eau très chaude. Que j'ai envie de plonger Gaston et Anatole avec moi, dans la baignoire ! Sophie eût adoré suivre la duchesse de Berry dans ses bains de mer, à Dieppe ! D'après les *Souvenirs* de Daniel Stern.

Le jour de l'ouverture de la saison, au premier bain, l'étiquette voulait que l'on tirât le canon au moment où la princesse entrait dans la mer et que le médecin inspecteur y accompagnât l'Altesse Royale. Le docteur Mourgué gardait pour cette grande occasion son plus bel habit de ville, avec un pantalon neuf ; il offrait à la princesse sa main droite gantée de blanc, comme pour le bal...

La duchesse porte un pantalon de zouave et un sarrau en laine noire à manches longues. Elle a d'épais chaussons de corde, une coiffe de toile cirée, un corset en baleines de jonc pour préserver sa taille de guêpe. Tous ces messieurs sont aux balcons, sur le front de mer, avec des longues-vues, pour assister au célèbre bain.

Sophie, plus modestement, s'enferme dans son cabinet de toilette, devenu un bref moment cette salle d'eau où fume la buée qui dessine d'étranges fleurs sur le carreau. Sophie enfile une chemise blanche, en percaline, plonge dans l'univers de la tiédeur, du silence, du murmure en conque marine aux oreilles. Son chagrin se transforme en une amnésie de plus en plus blanche, telles les volutes du cylindre qui ronfle... Sophie, enfouie dans l'eau jusqu'au cou, imagine le convoi des Rostopchine, vers l'est. Où coucheront-ils ce soir ? Fédor lui a dit qu'ils traverseraient la France et l'Allemagne au plus vite, presque sans arrêt. Une semaine seulement à Saint-Pétersbourg chez les Galitzine. Deux ou trois jours à Moscou, à Sokolniki où, lui a écrit Galitzine, une partie de la ville a été refaite. Les quartiers les plus détruits sont la Povarskaïa, la propriété du prince Grouzinski, les maisons de Karietni Riad, celles de Zamoskvariétchié, Gostiny Dvor. Les chantiers de bois près du pont Dorogomilov ne sont que cendres... Fédor tient surtout à aller le plus vite possible à Voronovo. La santé de Lise l'inquiète ; comme elle tousse ! Le général Rostopchine fait hâter sa route, fouette cocher ! *Gleich !* Lise a la fièvre depuis le dernier baiser à Sophie. « Pourvu qu'ils arrivent avant l'hiver ! » frémit Sophie. « Le général était impatient d'arriver avant les grands froids dans sa terre [1]. » Sophie, encore humide d'eau, se laisse tomber dans le grand fauteuil de sa chambre et éclate en sanglots. La psyché à bascule lui renvoie l'image d'une femme de vingt-quatre ans, au grand beau corps, toujours svelte malgré trois grossesses, les seins gonflés, qui laisse monter leur source sous la percaline. Les cheveux déployés ont frisé grâce à l'humidité, j'avais raison, l'eau les frise mieux que le fer... Ô, papa, donnez-moi vite des nouvelles de la gouttière de Voronovo ! Est-elle semblable à

1. *Le Général Dourakine.*

celle de mon enfance, celle qui a péri sous le feu, car c'est vous, vous, papa, qui avez allumé le feu ?

Promenade de Sophie dans Paris

Sophie sort avec Gaston, en calèche fermée, accompagnée d'un domestique. Le cocher est devant. Sophie est vêtue d'une robe en jaconas bleu et gris clair à manches ballons. Un petit chapeau sur ses bandeaux frisés, un foulard de mousseline autour du cou. Gaston est charmant avec sa robe de fille et son paletot en drap noir. Il fixe un éternel regard d'amour sur sa mère. Ô, les enfants, les enfants, brèche lumineuse dans les orages et les rumeurs !

Sans Fédor, la promenade dans Paris est devenue un risque, une fatigue. Sophie s'y applique comme un devoir, un mal nécessaire. Elle a promis à Eugène de sortir davantage. Rue de Varenne, l'odeur est pestilentielle à certaines heures. La nuit, le gaz, le jour, les excréments. Quelques années plus tard, le prince de Joinville continuera à vider son pot de chambre dans les gouttières du Palais-Royal. Sophie surprend, dans sa rue, une vieille dame portant une urne innommable et la vidant tranquillement à même le sol. Paris, avant Haussman, est un relent qui pèse sur le moral de Sophie. Sa bonne vide aussi les eaux sales dans la rue, sous ses fenêtres qu'elle gardent closes et qui l'étouffent. Sophie sait qu'une partie de ses sanglots, avant les Nouettes, étaient dus à l'effroi de respirer ces pestilences tous les jours de sa vie ! A Voronovo, les serfs jetaient les déchets de toutes espèces, au fond d'un champ, dans une fosse destinée à cet usage. Rien ne se perd, le contenu de cette fosse servait ensuite à l'engrais des terres. Les choux devenaient franchement pommés grâce au secret affreux de cette fosse. « C'est de l'or, ça... C'est du fumier que nous vient l'or ! Le cochon qui se vautre sur le fumier se roule sur le sein de sa nourrice [1]. » Je tâcherai d'y penser pour mes arbres et mes légumes, aux Nouettes, mais dans les rues de Paris, quelle infection ! La peste, le choléra, assurément. Il faut à toutes forces que nous allions vivre aux Nouettes. Mon bébé d'un mois à peine ne doit pas mourir. Renaud serait encore vivant, si nous avions quitté cette ville criminelle pour les enfants.

Sophie fait arrêter la calèche au Jardin des Plantes pour lequel elle a une prédilection. Son zoo amuse Gaston. Ces singes, ces

---

1. *Un bon petit diable.*

ours, ces autruches, qui avaient tant fait rire Fédor, Lise, Nathalie et elle-même! Ces animaux ont bien l'air un peu vieux. On les avait transportés ici, de la ménagerie de Versailles, au moment de la Révolution, à la grande indignation des philosophes! Quoi, nourrir à grands frais ces bêtes, amusements royaux, tandis que le peuple crevait de faim! Sophie aime à voir courir Gaston dans les belles allées du jardin botanique. De là, on peut gagner à pied les bords de la Bièvre, où coulent les eaux claires. Il y a même des saules. Sophie montre à Gaston les lavandières penchées sur ce flot multicolore craché par les ateliers des Gobelins. L'eau inonde des potagers insoupçonnables, derrière un amas de masures. Ces ruisselets arc-en-ciel enchantent Gaston, distraient Sophie. Ne dirait-on pas les bord de la Risle, près des Nouettes? Sophie s'amuse à la chanson des lavandières.

La promenade de Sophie se perd dans l'entrelacs dangereux des taudis. Personne n'a songé à l'alignement. Sophie craint ces rues qui abondent de coins, de recoins, d'obscures impasses. Paris est toujours serré derrière son enceinte — celle de 1786 —, « le mur murant ». Tout au long des boulevards extérieurs où elle ne se rend jamais, les pavillons marquent « les barrières », celles des crimes crapuleux. Il reste, pour les enfants, le jardin du Luxembourg, ses vieux arbres, ses bancs et ses marchands de gaufres. Sophie aime moins les Tuileries; les enfants s'y battent trop. Il y a aussi les grands boulevards, où le domestique l'aide à porter Gaston fatigué et elle-même à franchir certains ruisseaux d'eaux suspectes. Il y a le terre-plein de la Bastille, avec sa carcasse d'éléphant en pierre, grand rêve d'Orient de Napoléon, dans lequel courent désormais les gamins et les rats. Sans parler, toujours, des ordures en tas aussi élevés que ces lambeaux d'un rêve détruit, pourri. Le boulevard Beaumarchais offre des curiosités avec ses brocanteurs. Celui du Temple enchante Gaston par la féérie qui y règne. Théâtres, cirques, musées de cire, drames romantiques... Les flâneurs s'attardent aux fenêtres des cafés (les terrasses n'existent pas). On s'assoit sur des chaises en paille louées par des commères. Sophie serre Gaston contre elle. Ces quartiers animés n'ont pas de trottoirs. Entre maisons et chaussée, il y a une ligne continue de hautes bornes. Le boulevard monte, descend, se convulse dans l'ancien quartier des bastions. Sophie compare avec la rue de Varenne, le Faubourg, les rues bien fréquentées, celle de la Paix où habite Mme Salvage, l'amie sans faste de Mme Récamier.

Sophie enrage de piétiner dans la foule. Elle a tant besoin de mouvements! Jamais Eugène ne lui laissera prendre des leçons d'escrime comme Marie de Flavigny, en robe longue, drapée dans une redingote ornée de brandebourgs masculins. Sophie eût aimé aussi aller au gymnase. Elle en a évoqué l'idée. Aussitôt, la comtesse Octave lui apporta la théorie du docteur Debay : « Les femmes livrées aux exercices (...) cessent pour ainsi dire d'être femmes. Elles perdent leurs menstrues et deviennent hommasses. »

A quoi bon développer la cage thoracique quand la mode l'enferme dans un corset ? « Vous devez plaire à votre mari, ma fille, souvenez-vous-en. » Cette comtesse Octave a un aigu insupportable. Sophie devra donc se contenter de la chaste promenade. Heureusement, aux Nouettes, il y aura les ânes, grimper dessus, galoper, et puis la pêche aux écrevisses ! Trousser ses jupons et entrer dans le ruisseau ! « Ce serait du joli, est-ce que les filles peuvent faire comme les garçons [1] ? » Quand la gymnastique féminine sera à la mode, sous le Second Empire, Sophie sera trop âgée. Elle ne pourra donc pas fréquenter le gymnase Amoros, au 6, rue Jean-Goujon, où Eugénie de Montijo entretiendra sa plastique. Élisabeth d'Autriche, Sissi, se suspendra à des anneaux et à des trapèzes. Les femmes sont-elles des guenons qui rêvent de grimper, grimper puis s'envoler sans retour ?

Gaston trouve la Madeleine horrible. Un fatras de plâtre et de pierre. Sophie ne s'y arrête pas. Ni au Louvre qui, certes, est un musée, mais surtout un vaste débarras. La rue de Rivoli, avec ses arcades, est assez claire. Sophie évite la place du Palais-Royal, enserrée dans un lourd corps de garde. Du côté de la rue Richelieu, on arrive dans un marais. Quant aux Champs-Élysées, elle a le cœur serré. Cette promenade lui rappelle ses plus beaux jours avec Fédor. Ce lieu est toujours aussi mal fréquenté, au-delà de l'allée des Veuves, où s'est installé un jeune poète famélique : Victor Hugo. Le carré Marigny est un magma glauque de saltimbanques qui offusquent Eugène. Il ne veut pas que son aîné, héritier de la pairie, s'amuse au spectacle des lutteurs gréco-romains et applaudisse Mazard l'Invincible, Meissonnier l'Infatigable, le Grand Paulet et Papillon. Pourtant, Sophie est tentée. On y boit du lait frais trait à même les vaches qui paissent le long des champs... Au Cours-la-Reine, un quartier neuf vient de se construire, créé par la Société immobilière des Champs-Élysées. Son plus bel ornement ? les sculptures de la maison de François Ier, transportées de Moret au Cours-la-Reine. Sophie avait déjà admiré, avec Fédor, la maison

1. *Les Bons Enfants.*

de Mlle Mars, installée grâce à la générosité du colonel de Brack, au coin de la rue Bayard. Sophie pousse la promenade jusqu'à la colline de Chaillot où, par-delà la carrière, au lieu dit « l'Etoile », des ouvriers travaillent sans relâche, depuis 1809, à la carcasse énorme de l'Arc de triomphe.

Gaston s'exclame devant l'édifice en carton et toile, fleuri de drapeaux blancs qui complètent cet arc de triomphe. Ils marquent, cette année 1823, le triomphe du duc d'Angoulême, vainqueur du Trocadéro. Le triomphe des Bourbons.

Dans ces rues encombrées, Sophie croise des hommes élégants qui, tel Eugène, se déplacent à cheval. M. de Chateaubriand, Philippe de Ségur font ainsi leurs visites à l'Académie. Eugène porte souvent cette tenue de cavalier, à la limite du dandy, le pantalon sans pied, l'habit de couleur, le gilet de ton vif, les gants blancs... Le cheval est attaché à un lourd anneau prévu à cet effet, scellé dans les bornes. Si le cheval reste trop longtemps, la garde intervient.

Sophie hâte son retour. Elle veut éviter la nuit, coucher tôt Gaston. Câliner Anatole, clore sa porte, ses rideaux, retrouver le silence. Elle est fourbue. La robe et les chaussures pleines de poussière. Le lait giclant sous son corsage malgré les bandes de toile serrées par la sage-femme. Aux Nouettes, les lilas sont de neige et de pourpre. Le petit rouge-gorge de Gaston, Mimi, a été retrouvé dévoré par un vautour... Mai est resté froid sur Paris.

Le calorifère n'existe pas encore. On se chauffe au bois, scié dans la cour de la maison (oh ! le bruit !), piles bien alignées sur le dos des crocheteurs. La bonne a allumé une flambée dans la cheminée du salon. Sophie raconte de belles histoires à Gaston ravi de sa journée et qu'elle a régalé d'un bœuf miroton. Anatole dort déjà, petits poings clos sur le drap blanc, après l'avoir longuement tétée. Qu'il est goulu cet Anatole ! Les enfants dorment. Où est Eugène ? Sophie boit son thé très noir, assise tout près de l'écran du feu, peint à la main, doux motifs de papillons roses et d'oiseaux bleus. Sophie a allumé elle-même la lampe Carcel. Les quinquets sont insuffisants pour tout éclairer. Elle s'est habituée au gaz, manipule sans crainte cette lampe en porcelaine, décorée de fleurs vives et de figures en ivoirine. Elle allume sa lampe avec un bâtonnet trempé dans le fameux briquet phosphorique. Où vont dormir ses Rostop-chine partis si loin ? Devant la flamme de la lampe et celle du feu, elle ne peut s'empêcher de revoir la lueur boréale de l'incendie de Moscou. C'est vous, papa, qui en êtes le responsable. Puis il y avait eu l'incendie de mon rêve catholique. Mon Bon Ange tentait de m'entraîner, cette nuit-là et toutes les autres loin du sentier du mal, vers un jardin tout neuf, très clair, qui pourrait fort ressembler à celui des Nouettes. Les Nouettes, grâce à vous, papa, ô papa.

Visite au faubourg Saint-Germain. Sophie mondaine

Le faubourg Saint-Germain comporte la rue de Varenne, la rue de Grenelle, la rue de l'Université, la rue de Lille, la rue du Luxembourg, le boulevard Saint-Germain et toutes leurs annexes. Là se trouve le milieu d'Eugène. Rue de la Madeleine, rue Saint-Honoré logent les grands banquiers. Le quartier du Marais, comme la rue de Rivoli, excepté quelques hôtels de farouches royalistes, abrite surtout des commerçants.

Sophie déteste ces visites au Faubourg. Un univers compassé, cruel à l'occasion, bride tous ses élans, contrarie sa spontanéité, critique ses allures. Le buffet et les thés y sont chiches ; on est très loin de l'opulence de Voronovo. On y boit de l'orgeat servi en carafe, des sirops de groseilles, rarement du punch. Quelques biscuits secs, des brioches desséchées qu'un timide officier a émiettées dans son thé devant Sophie, jusqu'à transformer sa tasse en une monstrueuse éponge[1]. Sophie adore les glaces qui offusquent les hygiénistes de l'époque et leur font prédire les pires catastrophes.

> *En hiver, pendant le carnaval, on a la funeste habitude de ne jamais donner de soirées sans offrir de glaces. Cette coutume fait de nombreuses victimes, principalement parmi les femmes. Il en résulte des pneumonies ou des pleurésies souvent mortelles et des phtisies qui le sont toujours[2].*

Sophie comptait bien sur les glaces et le buffet pour atténuer son mortel ennui. Chez les Greffulhe, on sert de larges coupes de vin chaud, des macarons, du thé pâle, des tartines de jambon, des pâtisseries anglaises et, vers dix heures, le punch. Celui de papa, mêlé de vodka, me chauffait les oreilles ! Ô papa, ô papa, vous aimez tant ce qui brûle ! Le punch est servi dans une énorme coupe en cristal travaillé, dans lequel nagent les rondelles de citron. Sophie y ajoute beaucoup de sucre et une branche de cannelle.

---

1. *Ma chère maman, souvenirs intimes et familiaux,* Olga de Pitray.
2. *Manuel d'hygiène,* 1830.

Alors, elle ferme les yeux. Elle entend ronfler dans ses oreilles le galop des Tziganes dans le salon de Voronovo.

Sa visite la plus supportable est chez Philippe de Ségur, rue Duphot. Son oncle lui témoigne une réelle amitié. Elle aime ce vaillant, le questionne volontiers sur Moscou en flammes. Oui, oui, mon oncle, parlez-moi de la surprise de l'Empereur devant le Kremlin en feu. Oui, oui, mon oncle, c'est papa qui a fait lancer ce dirigeable enflammé. Tout est l'œuvre de papa, n'est-ce pas, mon oncle ? Philippe de Ségur l'écoute avec indulgence, la reçoit volontiers avec ses enfants. Les siens, Paul, Amélie, entourent Gaston, l'entraînent dans le salon des joujous. Oh ! les belles poupées en bois ! et les marionnettes ! et le petit thé en porcelaine chiffré d'or !

Des hôtels plus sinistres attendent Sophie après sa halte chez Philippe de Ségur. L'hôtel Galard, celui de la comtesse Alexandre de Girardin (Félicité-Henriette-Joséphine de Vintimille du Luc, sœur de Mme Philippe de Ségur), son époux, Alexandre-Louis-Robert de Girardin, premier veneur du comte d'Artois. Alexandre de Girardin aura un fils naturel, Émile de Girardin, journaliste d'une rare virulence... Sophie est frappée, chaque fois, par la physionomie de Mme Alexandre de Girardin. Quoique élégante et mince, son visage, jaune et maigre, est loti d'une paire d'yeux si gris et si ternes qu'on les croirait morts. Je ne veux pas devenir jaune et maigre comme Mme de Girardin. D'ailleurs, les d'Armaillé qui ne m'aiment guère prétendent que j'ai le teint jaune. Ah ! Ah ! ce n'est pas vrai ! Je sais que je suis rose et fraîche. Aux Nouettes, j'ai l'air d'une pomme. Seules, les poires sont jaunes. Assez, avec ces poires ! Chez Mme de Girardin, Sophie ne peut pas emmener d'enfants. Elle les déteste. Décidément, toutes ces femmes du faubourg Saint-Germain ont l'air de vieilles chouettes. Je me demande ce qu'Eugène leur trouve. Mme de Girardin a les mêmes théories sur l'éducation des enfants que ma méchante belle-mère. Les enfants n'ont droit qu'à de ridicules promenades, accompagnés de valets indifférents et d'une bonne. Jamais leurs mères. Tandis qu'elles papotent méchamment, leurs enfants longent les maisons lugubres de la rue d'Angoulême, se mouillent les jambes dans toute cette crotte et ces fossés pleins d'eau. Sophie s'empresse d'expédier ses cartes et ses dernières visites chez Mme de Jamilhac, puis chez la vicomtesse de Noailles. Oh ! elle a l'air d'une naine qui a avalé un édredon ! Mme de Grillon, Mme de Laborde, Mme Graham, sont tristes à crever. Eugène va être content ! Je suis même allée chez ces vieilles fées de Mme de Guiche, Mme Victor de L'Aigle

— quelle avare ! juste une pile de tartines beurrées sur une assiette qui sentait le rance ! elle aussi, d'ailleurs, sent le rance. M. de Flahaut a encore belle allure ; M. Anisson m'amuse avec sa perruque gris souris. Le marquis de L'Aigle est absent. Tant mieux. Cela m'économisera un ennui certain. Je suis sûre qu'il se promène à cheval au bois de Boulogne. Il se prénomme Espérance. Attention au fou rire. Sa taille est serrée dans un corset, très cambré, cet Espérance. Il ne prononce pas les « i » comme sous le Directoire. Sa perruque, teinte et reteinte, ébouriffée, coiffe curieusement son visage en peau de chagrin. Espérance de L'Aigle a tous les jours une fleur fraîche à la boutonnière. Quand je pense qu'il est question qu'une allée du Bois, près des lacs, se nomme « Espérance » en souvenir de ce vieil éphèbe du faubourg Saint-Germain... Sophie aime assez aller chez ce bon M. de Canouville, à cause de ses boîtes de chocolats délicieux, qui viennent de la rue du Mail. Bien entendu, elle abomine son entresol à qui elle reproche une fâcheuse ressemblance avec le sien. Ce boulevard de la Madeleine où il loge est horrible. Pourtant, que de miroirs encadrés d'or véritable chez M. de Canouville ! Il a des attentions charmantes. Il lui arrive de faire venir pour Gaston le petit théâtre de monsieur Comte ; les automates, au début, ont fait très peur à Gaston. Sophie apprécie les goûters de Mme de Mérinville, voisine de M. de Canouville. Ses petits garçons, Urbain et Adrien, sont gentils. On y rencontre le très original vicomte Morel de Vindé qui a publié d'innombrables petits quatrains dans *La Revue de Paris* (il continuera ses publications dans le premier numéro de *La Revue des Deux Mondes,* en 1829). M. de Vindé amuse Sophie jusqu'à la crise de rire. Il porte trois perruques les unes sur les autres, quatre, quand il fait froid. Il s'habille d'une sorte de robe d'Arménien en soie brune et ouatée. « Vous avez mis votre gazon ? » aime à le taquiner Sophie. M. de Vindé enchante Sophie aussi par un esprit fin et généreux. Mme de Vindé reçoit volontiers les enfants dans le jardin de son hôtel. Ce jardin est agréable et fait songer à la campagne. Une grille le sépare du boulevard. Il y a de l'herbe, des fleurs, des bosquets, un ravin et un petit pont en bois ! M. de Vindé est un grand collectionneur de tabatières en porcelaine.

Se succèdent, dans le parcours mondain de Sophie, d'autres hôtels, d'autres jardins bien cachés. Tous ont en commun cette teinte obscure, vaguement verdâtre de ce qui est sombre, à l'abri du soleil, des regards. Aux Nouettes, tout est ouvert. Les passants n'hésitent pas à frapper à la porte vitrée du salon inondé de lumière. A Voronovo, une foule de gens allaient, venaient, sortaient.

La comtesse de Ségur, irritée de ces visites absurdes, fit déposer ses dernières cartes par son petit valet sans descendre de sa calèche. Hélas ! le petit valet n'avait pas compris. Il avait distribué en entier un authentique jeu de cartes ! Tous, tous, ont eu qui, un valet de trèfle, qui une dame de pique ! Sophie s'en tord de rire. Cet incident inspirera un jour la plume malicieuse du Sapeur Camember. Bah ! songe Sophie. J'ai ri aux larmes. Cela seul compte. Ce que pense le Faubourg, je m'en bats l'œil. Aux Nouettes, je ne les vois pas, je ne les entends pas. J'y vivrai un jour à ma guise. Sans façon et simplement.

L'autre été : Sophie se dessine

Après quatorze heures de patache, Sophie retrouve ses chères Nouettes sous un ciel rose et doux. Une savoureuse pluie d'été tombe, serrée, sur les futaies, les pommiers pleins de promesses, les bouleaux du parc, le toit bordé de lucarnes. « Il pleut droit, en diagonale, en zigzag, en nuages, en tourbillons, en trombes[1]. » Sophie a bondi sur la route : « Laissez-moi, mon ami, monter à pied ! » Cette route continue vers Cherbourg, se dirige vers Beaufai, après la boucherie Hurel. On entend couler la Risle. L'eau ! Sophie franchit seule la barrière, riant sous cette ondée qui l'enivre. Eugène est irrité. Que vont dire les domestiques ? La comtesse de Ségur, enlevant son chapeau, offrant au ciel un visage riant, sous cette eau qui la ressuscite.

> Mais (elle avait) beau se dépêcher, l'orage marchait plus vite qu'elle, les gouttes commencèrent à tomber plus serrées, le vent soufflait avec violence : (elle avait) relevé (son) jupon sur sa tête, (elle riait) tout en courant, elle s'amusait beaucoup de (son) jupon gonflé par le vent, des larges gouttes qui (le) mouillaient, et (elle) espérait bien recevoir tout l'orage avant d'arriver à la maison. Mais (elle entrait) dans le vestibule au moment où la grêle et la pluie commençaient à (lui) fouetter le visage et à (le) tremper[2].

Eugène hausse les épaules devant cette jeune femme trempée, qui grimpe l'escalier en fer forgé pour rejoindre sa chambre. Elle a

1. Correspondance de Louis Veuillot en villégiature aux Nouettes, juillet 1856.
2. *Les Petites Filles modèles.*

l'air d'une paysanne qui revient du lavoir ! Elle ne saura donc jamais retenir ses élans ? Eugène l'entend chanter une mélodie russe. La voilà qui siffle, maintenant ! M. Naudet sourit et crayonne la grande fenêtre de la salle à manger. La verdure du perron. Gaston gazouille sur ses talons. « Il va pourtant falloir que cela change, songe Eugène. Mes fils iront en pension dès l'âge de six ans. »

Sophie a dévalé l'escalier, ouvert les portes d'une folle façon, à la manière des enfants. Elle brûle de se jeter à nouveau dehors, d'entraîner les siens en promenade. Les orages d'été passent si vite ! Mettez bonnets et béguins ! Que surtout Anatole ne prenne pas froid aux oreilles et n'attrape pas le croup. Elle babille, elle va d'une pièce à l'autre, elle ouvre elle-même les volets. Rose, ma fille, il faudra faire la poussière des carreaux, des cheminées, mettre des fleurs dans ma chambre. Du réséda... les derniers lilas, j'aime tant les fleurs ! De la fenêtre, elle regarde longuement sa « table » de jardin. Quel scribe a donc eu l'idée de faire installer ce gros dolmen penché, en granit rosé, métissé de gris ? Cette pierre vient-elle des ruines de Saint-Evroult que l'on dit hantées ? Les deux pieds cubiques, de même composition, permettent la douce inclinaison d'un tel morceau. J'aimerais y écrire ma correspondance, bien à l'aise. Cette table est faite pour écrire...

Est-ce le maréchal Desnouettes qui a eu cette commode et originale idée ? Gracié après l'achat des Nouettes, le pauvre Lefebvre-Desnouettes à péri dans un naufrage, en revenant d'Amérique. Une plaque, à l'intérieur de la petite église Saint-Jean, à L'Aigle, rappelle à Sophie l'histoire de ces Desnouettes.

> *Ici repose le corps de messire Jean Lefebvre, prêtre, curé de cette paroisse pendant vingt-quatre ans, recommandable par l'exercice des devoirs d'un bon pasteur, par l'amour et le soulagement des pauvres ; par un zèle infatigable pour l'instruction de la jeunesse, par sa résignation, et sa patience dans les traverses de cette vie qu'il a quittée le 19 avril 1774 à l'âge de soixante-neuf ans. Ces temples, ces autels dont il fut l'ornement sont les garants sacrés de sa gloire immortelle. M. le curé d'Écorcéi et M. Lefebvre Desnouettes, ses neveux, ont élevé à sa mémoire ce pieux monument de la respectueuse et tendre amitié dont ils n'ont cessé de payer celle qu'il a toujours eue pour eux. Requiescat in pace [1].*

---

1. Hélène Jaulme, « L'immortelle comtesse de Ségur à L'Aigle », 1980, *in Orne-Animation.*

Sophie inspecte ses meubles, ses vastes et bonnes armoires où s'empileront les draps frais. La lessive a lieu deux fois l'an. Au printemps et à l'été. Le linge sale est empilé bien soigneusement, dans une mansarde réservée à cet usage. Le jour de lessive correspond au lendemain de l'arrivée de Sophie. Elle veille elle-même au bon déroulement de l'événement.

Les deux bonnes, la femme de lessive, se lèvent à quatre heures. Elles descendent les piles jusqu'au lavoir de la Risle, « défont vivement le paquet, (ôtent) leur blouse, relèvent les manches de (leur) chemise, placent un drap sous leurs genoux et (se mettent) à laver, à frotter avec... activité[1] ». Sophie de Ségur les rejoint en fin de matinée. C'est joli, ces draps éblouissants qui sèchent dans le pré. Heureusement j'ai suffisamment d'armoires pour tout ranger. Si j'étais riche, j'achèterais d'autres meubles plus pratiques, ne serait-ce que pour ranger l'argenterie de ma corbeille. Tout ce que j'ai, je le dois à mon père. Papa! Ô, papa! Il a songé à tout, puisque, avant de partir, il avait fait livrer un billard et achever la bibliothèque. « On trouve (aux Nouettes) une bibliothèque de 7 000 volumes, organisée avec une échelle roulante et un fauteuil à dormir...[2] » Sophie sent ses yeux se mouiller; elle n'a plus de nouvelles depuis trop de jours. Lise avait l'air tellement malade. Elle secoue sa tristesse. Elle organise les repas. Elle descend à la cuisine. « Rien ne vaut l'œil du maître[3]. » Elle compose le menu suivant : « œuf frais, tartine(s) de beurre, cuisse(s) de poulet, pommes de terre sautées[4] » et une tasse de café au lait en dessert. Gaston dîne avec ses parents. Sophie y tient beaucoup. Anatole est couché. Il est six heures et demie. La lessive a occupé la journée en entier. Demain, le repassage, le pliage et le rangement. Sophie échafaude des projets de promenades, de chasse aux papillons, de parties de cache-cache, de réceptions d'amis. Elle étourdit Eugène qui fume son cigare en lisant *Le Constitutionnel*. Sophie monte coucher elle-même Gaston qui, après une très courte prière, tombe endormi. Elle n'a pas eu le temps d'achever l'histoire de « la fée Bonsens et de la fée Prodigue[5] ». Sophie laisse la veilleuse allumée, entre dans sa chambre. Elle a quitté avec bonheur sa toilette trop sophistiquée de Paris. Une robe de satin floche,

1. *La Sœur de Gribouille*.
2. Correspondance de Louis Veuillot à son frère Eugène Veuillot, 14 juillet 1856.
3. Lettre à Olga, 1858.
4. *Les Petites Filles modèles*.
5. *Les Bons Enfants*.

ceinturée longuement, mode lancée par la comtesse Emilia Sommariva di Seillière[1]. La coquette y avait fait coudre, à la grande admiration d'Eugène, des diamants, alors qu'il y a tant de pauvres... Cette Emilia ne regardait-elle pas d'un air caressant Eugène, quand nous l'avons croisée chez les Girardin ? Sophie se moque de cette Emilia, de toutes les Emilia, avec leur genre « ossianique ». Elles feignent le tendre abandon et la grâce expressive. Elles lèvent les yeux au ciel, surtout quand passe Eugène. Elles simulent l'évanouissement. Emilia et son engeance ont un flacon de sels suspendu à une bague de grand prix. Leurs boucles tombent sur les épaules. Elles en recouvrent leurs seins en gros flocons qu'elles appellent, les fourbes « repentirs »... « La mode, cet hiver, a dit Emilia, découvrira l'épaule. » Un petit fichu de grand prix protégera ces folles des vents coulis. Elles finissent par mourir de la poitrine. Le tissu de leurs robes est ridicule par grands froids. Du satin, du velours, de la soie. Sophie, seule, portera de la percale de laine. Pour le reste, elle veut bien suivre le dessin de la mode. La manche gigot, la jupe raide qui découvre un peu la cheville. Emilia a des bas couleur chair, moi, j'ai remis mes bas de gros coton. Maman avait raison. Elle est méchante, maman, mais elle avait raison. Les bas un peu gros empêchent le croup, le rhume, la cystite... Emilia et les autres font coudre trois guirlandes de marguerites gaufrées en bas de leurs jupes et sur l'organdi impétueux de leur col, largement ouvert. Y passent tous les vents possibles et les baisers d'Eugène. La taille d'Emilia est étranglée. Elle a des coliques. C'est bien fait. Ma taille, fine naturellement, est nouée avec bon sens. Sophie s'endort d'un seul coup, en travers de son lit sans matelas. Le lendemain, l'oreiller en caoutchouc a zébré sa joue. Eugène fera la grimace.

De grand matin, Sophie se lave aussitôt à l'eau froide. Elle passe un chiffon doux sur son visage enduit d'un peu d'huile d'amande douce. Sa peau n'a rien à envier à Emilia. C'est méchant de la part d'Eugène de me parler de la peau d'Emilia. Il n'aime ni la campagne ni les Nouettes. Il a déjà parlé au dîner d'abréger ses vacances et d'aller aux eaux. Là où se rendent Emilia et sa joyeuse bande. « Elles dansent toute la nuit, se couchent à quatre heures, se lèvent à midi, mènent la vie d'une folle[2]. » Eugène finira par attraper une vilaine maladie qui rendra aveugles nos enfants et

1. *La Mode à travers les âges,* M. Contini.
2. *François le Bossu.*

nous-mêmes. Pauline de Beauharnais, cette frénétique, buvait des tisanes de nénuphar. Eugène est devenu si froid depuis le départ de son père ! Ma peau est toujours aussi fraîche et mes cheveux brillants. Non, non, je ne vais pas y planter, comme cette Emilia, un rosier artificiel mêlé de peignes en diamant sur mon crâne. Emilia porte toute la journée cet imbécile échafaudage et se plaint d'atroces névralgies.

Sophie tente de n'y plus songer. L'été s'annonce radieux. Elle met un simple chapeau de paille qui la protège du vent et du soleil. Elle se souvient d'avoir croisé en calèche, devant le pavillon de Marsan, la duchesse de Berry qui exhibait une capote hallucinante. Cinq étages d'organdi sur lesquels étaient cousus des feuilles de sauge, une poignée de groseilles, des cerises tout près des oreilles, un bouillonné de nœuds, qui faisaient penser à un dessert de première communion.

La petite comtesse de Ségur enfile en riant ses grosses bottes en cuir et sort seule, dans le parc, après avoir bu son thé, dévoré six gimblettes (elle en a enseigné la recette à sa cuisinière), avalé un ravier de radis roses. Le parc est très beau, dans cette aube silencieuse où la pluie s'est tue, promettant un grand soleil. Les bonnes plient le linge au bout de ce parc « charmant ; beaucoup plus joli, mieux dessiné et peut-être plus grand que celui de Bussière [1] ». Sophie se met à les aider. « Ce linge doit être plié et détiré [2]. » Sophie les aidera ensuite au repassage, « avec une adresse et une activité qui prouvaient qu'elle n'était pas à son coup d'essai [3] ». Sophie de grand matin, avec ses bottes, aidant au linge, choquera plus d'une fois les hobereaux du coin. Ceux de Tubœuf, de La Herpinière, de Beaufai, de Livet. Qu'importe ! ses paysans l'adorent, elle parle à tout le monde. Elle se réjouit car, au 15 août, elle va danser et manger tout son saoul. C'est la fête des forgerons, la Saint-Eutrope.

La Saint-Eutrope

Quelle bonne fête, cette Saint-Eutrope ! Sophie a mis son parc à la disposition du village. Elle s'amuse plus que les autres. Elle est

---

1. Correspondance de Louis Veuillot, juillet 1856.
2. *La Fortune de Gaspard.*
3. *Ibid.*

vêtue d'une simple robe de toile blanc et bleu. Elle va user trois paires de brodequins, à force de suivre le galop des violonneux à travers chemins. Elle va chanter très fort avec eux le refrain des forgerons. Tout le village entonne en chœur :

REFRAIN

Il est pourtant temps, pourtant temps, ma mère,
Il est pourtant temps de me marier, mariez-moi donc.

PREMIER COUPLET

Ma fille, nous n'avons pas d'argent.
Ma mère, nous avons not' jument.
Vendez-la donc, mariez-moi donc.

REFRAIN

Il est pourtant temps, pourtant temps ma mère... [1]

Eugène est irrité. Sophie a perdu une de ses chaussures, sa jupe se retrousse dans la folle farandole. Sophie a pris la main calleuse d'un fils Moutonnet et de la vieille mère Marcotte [2], puis celle du menuisier Lecornet. Elle entonne aussi fort qu'eux, en roulant terriblement les « r », le second couplet.

Ma fille, nous n'avons pas d' maison
Ma mère, j'ars la soue au
Arrangez-la donc, mariez-moi donc.

Sophie, rouge de joie, haletante, entraîne Gaston vers le buffet rustique où cuisent depuis des heures la soupe aux choux et au pain, « une soupe mitonnée pleine " d'œils "[3] ». Tiens, où est passé Eugène ? Je trouve qu'il est souvent derrière la nouvelle bonne, Rose, qui ne voulait plus travailler chez M. le maire. Je n'aime pas l'air insolent de cette Rose quand Eugène la regarde. Sophie s'attaque à pleines dents au bouilli, puis au gigot cuit à point. Elle partage avec Gaston, dans la même assiette, la fricassée de poulet. Elle attend le régal final, dont elle se sert jusqu'à trois fois, ce qui dégoûte Eugène, qui a mystérieusement disparu avec Rose, du côté de la grange aux foins. La crème et le pain bis, tiens, pourquoi ai-je les larmes aux yeux ? Non, je n'ai pas rêvé, la porte de la grange

---

1. *Ma chère maman, souvenirs intimes et familiaux,* Olga de Pitray.
2. *Diloy le Chemineau.*
3. *Ma chère maman, souvenirs intimes et familiaux,* Olga de Pitray.

était bien tout à l'heure ouverte ? Qui l'a fermée ? L'été excite les matous et les chiens. Eugène et Rose, la fille, sont bien entrés dans cette grange ? Sophie a bu trop de cidre. Oh ! les Tziganes dans le salon de Voronovo ! le champagne, le cidre, qui font « pcchii » dans les oreilles ! « Ma chère, la jalousie vous rend folle ! » va encore me cingler Eugène. Depuis le jour de la lessive, Rose n'ose pas me regarder, plus rouge que les pivoines de la mère Leuffroy. Sophie avale presque tout le pain chaud et le tiers de la jatte de crème. Elle entame très fort, pour qu'on n'entende pas, du fond de la grange, le long cri gémi de Rose, la fille, le troisième couplet :

> *Ma fille, nous n'avons pas d' mari.*
> *Ma mère, j'avons l' fils à Jean-Louis*
> *Prenez-le donc, mariez-moi donc.*

Je ne veux plus de mari ! Je ne veux plus de mari ! Le lait aveugle mes seins. Anatole a faim. Encore un verre de cidre ; papa, ô papa ! Vous auriez pris le grand fouet à chiens, lié les jupons de Rose sur sa tête et cinglé Eugène. Je ne veux plus qu'il me touche. Il m'engrosse chaque fois. Je le déteste. Tout le village mugit maintenant le refrain. Sophie part avec les violonneux, quarante-deux galops de suite. Le bas de sa robe est en loques, « essoufflée, fatiguée, elle se jeta sur l'herbe en riant et y resta quelques instants pour reprendre haleine [1] ». Le nez contre l'herbe, Sophie rit aux larmes, pleure de rire, pleure tout court, j'ai bu au moins un litre de cidre nouveau, violent, délicieux. « Quand on est ivre, on est comme un imbécile, un animal [2]. » Il va falloir renvoyer Rose. Si Eugène continue, je n'aurai plus une seule bonne. Je ferai mieux de renvoyer Eugène, seulement, cela ne se fait pas. Les Ségur me prendraient aussitôt mes fils et même ma dot. Mon Bon Ange, hélas ! les granges impures ne sont pas ton affaire. Le chemin du bien est râpeux. J'ai mal aux genoux. Papa, ô papa ! Où est passée mon enfance ? Il n'y a que le ciel très bleu de la Saint-Eutrope et la porte honteuse d'une grange qui bat dans le soleil.

Un courrier russe : « Mes Mémoires ou moi au naturel »

Une saison lugubre est commencée, cette fois, sans issue, pour Fédor Vassilievitch Rostopchine, c'est ce que la sensible Sophie

1. *Les Vacances.*
2. *Les Bons Enfants.*

pressent. Des lettres partent des Nouettes, écrites sur la grosse table en pierre. Aucune n'a encore de réponse. La disgrâce de l'ancien gouverneur est confirmée. L'été à Voronovo a été un échec. Le château, reconstruit, a perdu définitivement son ancienne splendeur, malgré son parc toujours aussi vaste. Plusieurs chevaux sont morts. Fédor n'a plus le goût d'en acheter d'autres. Son hiver à la Loubianka réveille son vieux remords. Bouclé dans son bureau, il écrit sans relâche des courriers, quelques pensées jetées à grands traits. La nouvelle de son retour a fait le tour de tous les salons. Les polémiques sont de plus en plus féroces depuis qu'il a publié sa *Vérité sur l'incendie de Moscou*. L'historien Batyntch-Kamenski proteste vigoureusement. Ce texte est faux et perturbe « toute la vérité sur les événements de 1812 ». Le général Araktcheiev en parle à l'empereur. Alexandre Ier se fâche violemment. Il ne laisse à l'ancien gouverneur général de Moscou que le pauvre petit titre de grand chambellan, à peine honorifique. Rostopchine ne sera plus invité à la cour. Il refuse alors de toucher un traitement, de recevoir un logement d'État. Il renonce à toutes ses dignités militaires et demande son congé définitif. Le comte Rostopchine a perdu l'espoir. Il songe à la mort. Le général Araktcheiev s'empresse d'officialiser la défaite de l'ancien gouverneur qui répond aussitôt :

J'ai reçu la lettre dans laquelle vous m'annoncez l'acceptation de ma démission. Il ne me reste plus à présent que le seul soin de paraître devant le tribunal suprême avec une conscience pure, ce que je souhaite à tout chrétien et à vous.

Personne ne vient plus le voir dans cet immense salon, où, en pleine gloire, les invités, les flatteurs, les parasites, se bousculaient. Fédor traverse l'immensité déserte de la Loubianka. Les chambres de sa vie, ces chambres qu'il ouvrait aux amis, les vrais, les faux, aux passants, aux pauvres, et même, une fois, à un forçat polonais évadé de Sibérie ; que Dieu te garde, prince Romane ! Il y a ce perron ensanglanté à jamais par le corps du petit drapier. Allons, il est temps, avant de mourir, il est temps de faire une dernière farce.

Il écrit quotidiennement à Sophie et à quelques rares amis. Il a une visiteuse, sa dernière admiratrice. Elle a un gros nez, est vaguement bossue, mais quelle tendresse il éprouve pour les bossus ! La comtesse Bobrinski, femme d'esprit et d'humour, a l'audace de le voir chaque jour, ce Rostopchine, au risque de se fermer les autres salons.

Ce jour-là — il a reçu sa démission officielle —, il est plus rouge et agité que jamais. Il n'a pas dormi. Elle lui suggère alors, tandis que chauffe l'énorme samovar en argent sculpté : « Vous devriez écrire vos mémoires. Cela vous occuperait, détournerait la mélancolie de votre âme et serait du plus haut intérêt pour l'humanité. » Fédor aussitôt allume le grand fanal de son bel œil cosaque. « Mes mémoires ? Soit. Vous les aurez dès demain. »

Il se frotte les mains, se met à rire. Une farce ! Oui, une bonne farce ! Tout n'est-il pas une farce ? L'incendie de Moscou, une épouvantable farce ? Faire sabrer un pauvre type de vingt-quatre ans, n'est-ce pas également une sale farce ? Le gros Louis XVIII mort le 16 septembre 1824, pour avoir trop mangé, envahi par la gangrène, doté de cuisses de porc, n'est-ce pas une farce ? La mort est la grande farce de Dieu. La naissance, celle du Diable, à moins que ce ne soit le contraire. Rien de plus interchangeable que les farces. Et Catherine jeûnant maintenant jusqu'à un mois de suite au point de ressembler à un vieux squelette, n'est-ce pas comique ? Michel, le bébé si beau de Nathalie, décédé, Serge en prison, presque chauve, Lise crachant du sang, André rêvant de fugues, tout cela n'est-ce pas une farce énorme dont on ne se relève jamais ?

Fédor Vassilievitch Rostopchine avala une grande lampée de vodka et se mit à écrire ces feuillets avec une joie furieuse. Il les envoya aussitôt aux Nouettes, à sa Sophaletta, la plus jolie et charmante farce de sa vie, sa petite tendresse, son gentil bouffon qui lui a fait la farce de devenir catholique et française. Il ne la reverra jamais ni dans ce monde ni dans l'autre puisqu'il est resté orthodoxe.

Dieu seul est au-dessus de toutes nos farces.

COMTESSE DE SÉGUR

MES MÉMOIRES OU MOI AU NATUREL

(Écrit en dix minutes)

CHAPITRE PREMIER

Ma naissance

En 1765, le 12 (23) mars, je sortis des ténèbres pour apparaître au grand jour. On me mesura, on me pesa, on me baptisa. Je naquis sans savoir pourquoi, et mes parents remercièrent le ciel sans savoir de quoi.

CHAPITRE II

Mon éducation

On m'apprit toutes sortes de choses et toutes espèces de langues. A force d'être imprudent et charlatan, je passai quelquefois pour savant. Ma tête est devenue une bibliothèque dépareillée, dont j'ai gardé la clef.

CHAPITRE III

Mes souffrances

Je fus tourmenté par les maîtres, par les tailleurs qui me faisaient les habits étroits, par les femmes, par l'ambition, par l'amour-propre, par les regrets inutiles, par les souverains et les souvenirs.

CHAPITRE IV

Privations

J'ai été privé de trois grandes jouissances de l'espèce humaine : le vol, la gourmandise et l'orgueil.

CHAPITRE V

Époques mémorables

A trente ans, j'ai renoncé à la danse ; à quarante, à plaire au beau sexe ; à cinquante, à l'opinion publique ; à soixante, à penser, et je suis devenu un vrai sage ou un égoïste, ce qui est synonyme.

CHAPITRE VI

Portrait au moral

Je fus entêté comme une mule, capricieux comme une coquette, gai comme un enfant, paresseux comme une marmotte, actif comme Bonaparte, et le tout à volonté.

CHAPITRE VII

Résolution importante

N'ayant pu jamais me rendre maître de ma physionomie, je lâchai la bride à ma langue et je contractai la mauvaise habitude de penser tout haut. Cela me procura quelques jouissances et beaucoup d'ennemis.

CHAPITRE VIII

Ce que je fus et ce que j'aurais pu être

J'ai été très sensible à l'amitié, à la confiance, et si j'étais né pendant l'âge d'or, j'aurais été peut-être un bon homme tout à fait.

CHAPITRE IX

Principes respectables

Je n'ai jamais été impliqué dans aucun mariage, ni aucun commérage ; je n'ai jamais recommandé ni cuisinier ni médecin ; par conséquent je n'ai attenté à la vie de personne.

CHAPITRE X

Mes goûts

J'ai aimé les petites sociétés, une promenade dans les bois. J'avais une vénération involontaire pour le soleil, et son coucher m'attristait souvent. En couleurs, c'était le bleu ; en manger, le bœuf au naturel ; en boisson, l'eau fraîche ; en spectacle, la comédie et la farce ; en hommes et femmes, la physionomie ouverte et expressive. Les bossus des deux sexes avaient pour moi un charme que je n'ai jamais pu définir.

CHAPITRE XI

Mes aversions

J'avais de l'éloignement pour les sots et pour les faquins, pour les femmes intrigantes qui jouent la vertu ; un dégoût pour l'affectation de la piété, pour les hommes teints et les femmes fardées ; de l'aversion pour les rats, les liqueurs, la métaphysique et la rhubarbe ; de l'effroi pour la justice et les bêtes enragées.

CHAPITRE XII

Analyse de ma vie

J'attends la mort sans crainte, comme sans impatience. Ma vie a été un mauvais mélodrame à grand spectacle, dans lequel j'ai joué les héros, les tyrans, les amoureux, les pères nobles, mais jamais les valets.

CHAPITRE XIII

Récompenses du ciel

Mon grand bonheur est d'être indépendant des trois individus qui régissent l'Europe. Comme je suis assez riche, le dos tourné aux affaires et assez indifférent à la musique, je n'ai par conséquent rien à démêler avec Rothschild, Metternich et Rossini.

CHAPITRE XIV

Mon épitaphe

Ici on a posé
Pour se reposer,
Avec une âme blasée,
Un cœur épuisé
Et un corps usé,
Un vieux diable trépassé ;
Mesdames et messieurs, passez !

ÉPÎTRE DÉDICATOIRE AU PUBLIC

« Chien de public ! organe discordant des passions, toi qui élèves au ciel et qui plonges dans la boue, qui prônes et calomnies sans savoir pourquoi ; image du tocsin, écho de toi-même ; tyran absurde, échappé des petites maisons ; extrait des venins les plus subtils et des parfums les plus suaves ; représentant du Diable auprès de l'espèce humaine ; furie masquée en charité chrétienne ; public ! que j'ai craint dans ma jeunesse, respecté dans l'âge mûr, et méprisé dans ma vieillesse, c'est à toi que je dédie ces Mémoires, gentil public ! Enfin, je suis hors de ton atteinte, car je suis mort, et par conséquent sourd, aveugle et muet. Puisses-tu jouir de ces avantages pour ton repos et pour celui du genre humain ! »

Sophie lit, dans le grand vent de l'automne normand. Ses mains tremblent, papa, ô papa ! Eugène est aux eaux de Bagnères. Elle restera aux Nouettes jusqu'au début de l'hiver. Seule avec les enfants. Un sourd pressentiment étreint Sophie. « Je suis mort », a-t-il écrit. Papa, ô, papa, ne mourez jamais ; je vous en prie. Ah ! si vous étiez avec moi en cette fin d'automne ! Nous aurions ensemble gaulé la châtaigne, grillé ces tas de marrons, vendanger la petite vigne au bout de ma terre. Raisins blancs, raisins noirs, coulant si sucrés dans la bouche. Le jardin déborde de gros dahlias de pourpre et d'or. La maison sent l'encaustique, le bon feu craquant, la pomme cuite sous la cendre, les dernières roses. J'ai reçu la visite de Mme Svetchine. Elle a des ennuis avec sa belle-fille Nadine, mais j'ignore lesquels. La comtesse Octave a aussi des soucis à cause de Raymond. Elle l'a traité de sournois mais pourquoi ? On ne me dit rien. Eugène avait fait venir sa mère après la Saint-Eutrope. Elle a encore une fois tourmenté Gaston. Elle le reprenait à table, à chaque bouchée : « Tu manges trop (Gaston !), n'avale donc pas si gloutonnement ! Tu prends de trop gros morceaux[1] ! » Sophie avait pris sa défense. « C'est parce (qu'il) a très faim, Madame — elle ne veut pas que je l'appelle " ma mère " — (il) ne mange pas beaucoup, (il) coupe ses bouchées aussi petites que possible[2]. » Elle lui a encore pincé l'oreille jusqu'au sang. Eugène est resté de glace. J'ai consolé et soigné mon pauvre petit Gaston en larmes. Pendant ce temps, la comtesse Octave questionnait Eugène au sujet de sa dot. L'achat des Nouettes ne leur suffit pas ! Sophie a senti revenir la paix aussitôt après leur départ. Mais avait-elle souhaité tant de paix ? Une paix des sens à défaut de celle du cœur. Bientôt, Paris va lui rendre Eugène, le morne enfer de la jalousie. Sophie va encore éclater. Rien n'y fera. Gaston a toutes ses dents. Anatole en perce deux. Il souffre beaucoup. Sophie se lève la nuit pour lui masser les gencives avec de l'arnica. Papa, j'ai rêvé de

1. *François le Bossu.*
2. *Ibid.*

vous, cette nuit d'orage sur la cime des bouleaux. Vous étiez seul et si triste. J'ai cru voir, non un livre dans vos mains, mais une épitaphe.

Mort de Lise : 28 mars 1824

Sophie a raison d'éprouver de sombres pressentiments. Les deuils vont accabler les Rostopchine. Nathalie a déjà perdu son fils, le petit Michel. Le 1ᵉʳ février 1824, Fédor l'avait aussitôt écrit à Sophie.

> *Le petit Michel, ayant une petite toux au départ de son père, a succombé le cinquième jour de sa maladie, étouffé par les humeurs qui se sont jetées sur sa poitrine. Il était charmant, fort, grand, avec les yeux de sa mère, beaucoup d'intelligence et de douceur...*

Cette lettre souligne que l'homme propose et Dieu dispose. Nathalie est grosse de trois mois. Malgré sa fatigue et sa peine, elle doit rejoindre en Allemagne son mari, le colonel Narychkine. Fédor reverra-t-il Nathalie ? Quant à Lise ! Ô pauvre petite Lise ! Malgré les soins du Dr Schnaubert, puis du Dr Albury, Lise va de mal en pis. Elle a pris froid, lors d'une promenade en bateau, cet automne aux alentours de Saint-Pétersbourg. Elle n'avait pas osé dire qu'elle avait les pieds dans l'eau depuis plusieurs heures. Elle n'ose plus rien dire, d'ailleurs, depuis son retour en Russie. Fédor l'a déjà entendue violemment sangloter dans sa chambre. Ses sœurs lui manquent. Surtout Sophie. La tendresse de Sophie, sa gaieté. Leurs si jolies promenades dans Paris. Les enfants de Sophie. La vie si paisible à l'hôtel Ney. Pourquoi n'a-t-elle pu se marier là-bas, vivre auprès de Sophie, dans cette France qui l'avait enchantée ? Elle est si jolie Lise, la plus belle des enfants Rostopchine. Le comte Vorontsov écrit à Fédor :

> *Tout le monde (à Pétersbourg) a été en admiration de la chère Lise. Son visage, sa taille admirablement proportionnée, ses manières gracieuses, son élégance non apprise ni étudiée, mais qu'elle a reçue de la nature... Nous n'avons rien ici de comparable à elle[1]...*

La lettre ose aussi évoquer « Mes amours » en parlant de Lise. Lise a un autre soupirant. Le prince Languinov. Mais Vorontsov

---

1. Lettre du comte Vorontsov à Rostopchine, 7 novembre 1823.

s'était bel et bien mis à l'aimer. Pour secouer Lise de son abattement, Fédor lui promet un voyage en France, aux beaux jours. Avec André. Oui, ils iront chez Sophie en passant par l'Italie pour essayer de guérir cette toux. Fédor aussi crève d'ennui, dans cette odieuse et ingrate Russie ! Au diable va ! En route ! *Gleich !* Fouette, cocher ! Partons ! Hélas ! Lise, à Noël, est obligée de s'aliter. Le bulletin de santé, daté du 1er janvier 1824, parvient à Sophie. Il est très alarmant.

« Son estomac ne se remet pas, elle a souvent des coliques qui l'affaiblissent et provoquent de l'irritation, la font tousser davantage[1]. » La lettre souligne la tristesse terrifiante de l'entourage de Lise. Le deuil de Nathalie désormais absente, les dévotions incessantes de Catherine dont les visites à la jeune fille ne sont qu'un « composé de vieillesse, de bêtise et de curiosité ».

Le 15 février, le Dr Albury se fait un devoir d'annoncer à Fédor Vassilievitch Rostopchine et à son épouse la fin imminente de Lise. Fédor supporte très mal le coup. Catherine reste impassible, excepté le cri rauque : « Mon Dieu, elle est toujours orthodoxe ! » Fédor entre en osmose avec cette agonie. Catherine mène aussitôt la guerre. Convertir la mourante. Fédor se met à hurler comme un loup. Fou. Il est prêt à mettre encore le feu, à tout, tout, tout. Qu'ils périssent une bonne fois, ces Rostopchine, tous ensemble puisque Dieu les a maudits ! Catherine s'acharne, noire et fantomatique. « Je l'arracherai à l'Église schismatique ! » Elle surgit devant la pauvre enfant qui suffoque. Elle lui pose d'un seul coup la question en coup de hache :

« Tu vas mourir. Veux-tu te convertir ? »

Fédor pousse des cris sauvages. Je vais l'étrangler cette sale femme, de mes propres mains ! Elle s'est bouclée avec sa petite chérie, ainsi jadis elle s'était bouclée avec Sophie et le vilain jésuite Jourdan. « Lise ! » hurle le père devenu fou dans les immenses salles vides. « Lise ! »

« Oui, a murmuré la jeune fille sous l'œil fixe, en oiseau, de la mère ; je veux bien devenir catholique. » Comme Sophie.

Catherine sort en courant, se heurte à Fédor, à demi convulsé au pied de la porte. « Vous êtes un schismatique, mon ami. Seuls les vrais chrétiens ont du courage. Lise est devenue catholique, sachez-le ; pensez-y car vous aussi vous allez mourir[2]. »

Elle pointe sur lui un doigt en forme de poignard. Elle le brave,

1. *Vie du comte Rostopchine*, A. de Ségur.
2. *Ibid.*

l'épouvante, le fait reculer. Son exaltation est terrible à voir. Lise est catholique. Elle fait mander le curé de Notre-Dame-des-Français. Fédor se jette en pleurant aux pieds de Lise. Il embrasse ses mains. Lise a la folle générosité de le supplier de partager sa dot entre ses sœurs. « Donnez-en beaucoup à la pauvre Sophie, papa. Elle n'est pas heureuse. Je le sens. » Catherine est là avec le curé catholique. Fédor assiste à une scène qui l'anéantit. Tandis que la petite est entrée dans le râle de l'agonie, la mère lui enfonce de force une hostie dans la gorge... « Lise rend l'âme dans un flot de sang mêlé d'hostie [1]... »

« Dieu soit loué ! crie Catherine, transfigurée.

Inconsolable, détruit, Rostopchine rugit sa souffrance, cette hostie rejetée par le sang. « Vous entendez madame, hurle-t-il à Catherine, jamais je ne me ferai catholique ! » Il fait allumer toutes les icônes. Certaines sont voilées. Catherine le méprise. Elle a gagné. Le corps de Lise est couché dans le capiton blanc, déposé au cimetière de Tianitzki. Le cercueil reste ouvert jusqu'à la dernière minute. « Lise ! » hurle Fédor en la couvrant de baisers et de fleurs. « Lise ! » Il a l'air d'un cheval brisé, rongeant son mors, soufflant, boitant, chancelant. Il est ivre de douleur. Catherine dédaigne les dépouilles. Elle n'est pas présente à l'inhumation.

Pendant plusieurs jours, le comte Rostopchine semble avoir perdu la raison. Il ne quitte plus son bureau. Il a du mal à déchiffrer la lettre de Vorontsov, qui lui parvient le 23 avril.

> *Cette chère Lise que j'appelais mes amours, qui avait toutes les perfections morales, spirituelles ; douce, modeste, au point qu'il n'y avait qu'elle seule qui ne s'apercevait pas de l'admiration qu'elle inspirait partout où elle se trouvait ! Pleurons ensemble [2]...*

Fédor s'est mis à boire. Son rêve de mort traverse son demi-coma. Est-ce Catherine ou Lise que l'on égorge en son absence ? Qui ose les traîner sur les marches de la Loubianka ?

C'est le petit drapier.

---

1. *Le comte Rostopchine et son temps*, Nathalie Narychkine.
2. *Vie du comte Rostopchine*, A. de Ségur.

IV

EDGAR

« Pleurons ensemble… » Sophie a pleuré tout l'été avec des moments d'oubli obtus. Atermoiement des pluies normandes et du doux soleil. Mon Bon Ange a emporté Lise. Mon Bon Ange est un voleur. Papa, ô Papa. Je n'ai pas dansé à la Saint-Eutrope ; j'ai prié pour Lise ; et pour vous, papa. Eugène a pressé leur retour à Paris. Sophie a suivi, obéi, si douce. Quel mauvais symptôme, cette douceur ! Sophie ne parle plus ; muette, le larynx enroué. Elle en oublie de regonfler son oreiller en caoutchouc. Eugène reste plus souvent à la maison. Il lui arrive même de finir la nuit près d'elle, sur le dur lit mongol. Sophie écrit à son tour des lettres à Moscou. Que dire pour soulager la peine de son père ? Elle est encore enceinte. Ce bébé naîtra vers l'été. Elle accouchera aux Nouettes. Elle partira en Normandie vers le mois d'avril. On lui a recommandé une excellente sage-femme, encore très jeune, Mme Bermont, de L'Aigle. Une nouvelle bonne, très dévouée, fort attachée à Gaston, est entrée à son service, Adèle. Tout est prêt pour la naissance. La chambre de Sophie, son lit, l'eau à profusion. Eugène est près d'elle au début du travail. « C'est un gros bébé ! » dit Mme Bermont, en tâtant le ventre en furie. Sophie peut crier tout son saoul, la vie est un rhinocéros qui fonce, une joyeuseté sanglante qui débloque d'un seul coup le larynx enroué par les deuils. Je suis heureuse d'accoucher aux Nouettes. Il me semble que j'ai moins mal de la mort de Lise. Si c'est une fille, je l'appellerai Lise. Le 19 juillet 1825, jour des vingt-six ans de Sophie, un gros garçon vient au monde. Edgar.

COMTESSE DE SÉGUR

Une girafe à Paris

Les lavandières des Gobelins ont ajouté une chanson à leur répertoire. La chanson de la girafe :

C'est le grave bison au regard sérieux
La girafe qui broute en regardant les cieux...

Paris va vivre l'année 1825 sous le signe de la girafe. Une véritable coqueluche ! Le pacha d'Égypte, Méhémet Ali, a offert à Charles X — le comte d'Artois avait succédé à son frère le roi Louis XVIII — une girafe. Le pacha souhaitait faire sa cour au nouveau roi de France. Quel cadeau offrir ? Le consul de France au Caire suggéra une girafe. Le pacha ordonna aussitôt de quérir la plus belle. La malheureuse fut ligotée dans une cage, sur le pont du navire. Elle connut ensuite l'enfer des cahots d'une charrette de Toulon à Paris. Cinq vaches suivaient le cortège pour la nourrir de lait. Elle arriva en triomphe au Jardin des Plantes. Tout Paris (Oh ! les Français !) se toqua d'elle. Elle modifia jusqu'à la mode, jusqu'au comportement.

Les étoffes furent tachetées, marbrées. Emilia et ses coquettes eurent des coiffures qui montèrent aussitôt d'une aune, « à la girafe ». Les longs cous furent à la mode, cerclés d'anneaux. Des foulards mouchetés s'agitèrent dans toutes les mains, se nouèrent à tous les cous. La conversation prit un tour girafien. On hissait bien droit son cou avant d'ouvrir une bouche menue. Le Jardin des Plantes, si cher à Gaston et à Anatole, devint la grande promenade parisienne. La girafe eut plus de 8 000 admirateurs. Son portrait se vendit longtemps et cher.

Le roman de Raymond de Ségur

La comtesse Octave est bien plus occupée par Raymond que par les deuils ou les naissances de sa bru. Ou la girafe. Raymond aurait-il une fâcheuse ressemblance avec son dément de père ? Chaque dimanche, la comtesse Octave reçoit les enfants de sa famille. Non par tendresse, mais pour marquer sa place de chef de famille. Pas question pour Sophie d'organiser les réunions familiales chez elle ! La comtesse Octave est très irritée qu'Adolphe, son deuxième fils, époux de la stérile Mlle de Lamoignon, n'ait pas d'enfants. Si elle préfère Eugène à ses autres fils, elle déteste Sophie. Elle rabat son espoir sur Raymond, héritier de la pairie de son grand-père maternel, M. d'Aguesseau. Raymond, destiné à la magistrature, s'est épris follement de la fille naturelle du général Svetchine, Nadine, en visite chez la comtesse Octave. En 1825, Raymond a vingt et un ans. Mlle Nadine Svetchine, dix ans de plus. Un teint jaune, des yeux presque fous, des pommettes aussi saillantes que celles de Sophie Rostopchine. Décidément, quelle plaie, ces Russes ! La comtesse Octave s'en veut d'avoir reçu chez elle cette pauvre fille. Oui, une pauvre fille. Dans tous les sens du terme. Mme Svetchine lui avait toujours caché qu'elle était une bâtarde. Mais cette sotte de Nadine pour avoir mal répondu à une servante s'était fait traiter de bâtarde. Nadine est donc restée fille à plus de trente ans. « Elle n'était pas jolie, écrira d'elle Mme d'Armaillé, mais elle avait une belle taille et l'expression angélique de sa physionomie ne manquait pas de charme. » Nul ne pense qu'elle soit dangereuse. On l'oublie dans un coin du salon, telle une cousine pauvre. M. d'Aguesseau a l'intention de marier Raymond à une riche héritière. Sophie a de la tendresse pour Raymond. Elle a remarqué ses grands yeux pleins d'ardeur dès qu'apparaît Nadine. Il chante même des duos avec elle. La comtesse Octave et ses pieuses rombières jouent au whist tout en épiant de leurs yeux embusqués le ridicule roman de Nadine et Raymond. Raymond et Nadine ? Les rombières s'agitent. Raymond — allons, allons Raymonnet ! essaye de le convaincre l'abbé Ribaut —, Raymond, donc, annonce d'une voix éclatante qu'il va épouser Mlle Nadine Svetchine.

La comtesse Octave se trouve mal et l'envoie aussitôt chez son grand-père d'Aguesseau. L'altercation avec le vieux d'Aguesseau est effrayante, l'incompréhension absolue. M. d'Aguesseau lui ordonne de voyager. M. d'Aguesseau, séparé de sa femme, née de Lamoignon, voit avec désespoir son nom s'éteindre. Raymond part brièvement en Angleterre, s'arrête un moment aux Nouettes. Il avoue à Sophie son serment d'épouser Mlle Svetchine, devenue sa maîtresse. Mme Svetchine vient à son tour aux Nouettes. Elle sanglote un long moment à cause de cette histoire malgré les écrevisses et les petits poulets dont Sophie la gave. Raymond revient d'Angleterre, apparemment guéri de sa passion mais non de son serment. L'affaire prend une allure rocambolesque. Nadine et Raymond, d'après Charles Baille, font une fugue à Rome, sur le toit d'une diligence. A Rome, ils s'en furent aussitôt trouver l'ambassadeur, M. de Chateaubriand, qui les maria secrètement. Il était temps : Nadine est enceinte. Mme Svetchine donne tout ce qu'elle peut pour composer une dot à la malheureuse. Sophie est navrée d'une histoire qui va marquer une rupture avec les Svetchine et les Ségur. Les commentaires vont bon train, jusqu'en Russie. Fédor a toujours été irrité par la marieuse Svetchine. Lui reproche-t-il secrètement sa séparation avec Sophie ? Il est devenu si fragile depuis la mort de Lise ! Il jugea sans indulgence cette affaire où l'âge des amoureux lui sembla l'obstacle principal. « Lorsque Raymond aura trente ans, madame sera à peu près une vieille femme, la violence de la passion fera d'abord place au dégoût, et ensuite au calcul des sacrifices[1]. » Les nouveaux mariés s'installèrent dans un coin du château de Fresnes que les d'Aguesseau cherchaient en vain à vendre. Là, naquit une chétive petite Laure. Excepté Sophie, personne n'invitera Nadine et sa fille.

Mort de Fédor : 18 janvier 1826

Fédor jette un coup d'œil distrait sur le courrier. Vorontsov lui avait écrit en avril, inquiet de la santé physique et morale du comte que plus rien ne semblait soulager.

> *Comme je voudrais savoir que vous quittez enfin un pays, qui, outre que son climat est tout à fait contraire à la maladie chronique et à la constitution de votre corps, vous rappelle la perte de cette adorable fille chérie que ce climat a tué[2] !*

Voyager ? Pour quoi faire ? Voyager vers un tombeau, quand on est déjà presque mort... Un début de goutte, l'hydropisie, a commencé son ravage. « Une hydropisie, c'est-à-dire une enflure énorme du ventre, qui se remplit d'eau et qui vous étouffe[3]. » Les étouffements le tiennent éveillé des nuits entières. Jamais Catherine ne le rejoint ni ne le console. « Vous n'êtes qu'un schismatique, mon ami. » Elle non plus ne dort pas, bouclée de jour et de nuit dans son oratoire. Elle prie pour que le monde entier devienne catholique. L'Ukraine, la Sibérie, la Mongolie, l'Oural, la Lituanie, la Moravie, la Croatie, la Cracovie, l'Angleterre, la Chine, l'Afrique, les planètes, les étoiles, la Lune, TOUT DOIT DEVENIR CATHOLIQUE OU TOUT DOIT PÉRIR. Brûler Moscou fut une chose excellente, au moins plusieurs schismatiques ont grillé en attendant les flammes éternelles.

---

1. Correspondance de Rostopchine, Bibliothèque nationale.
2. *Vie du comte Rostopchine*, A. de Ségur.
3. *Les Bons Enfants*.

En janvier 1825, le succès du livre de Philippe de Ségur sur sa campagne en 1812 avait alors donné un peu de regain à Rostopchine. Il avait écrit à Sophie une de ses dernières lettres :

J'ai déjà vu par les papiers publics le succès de l'ouvrage du comte Philippe. C'est une justice qui lui est due. Il a tous les moyens à sa disposition, le tact, l'esprit, l'observation... Quant à l'incendie de Moscou, j'ai cru en dire ce qui concernait ma personne.

Il souffre tellement de son hydropisie, qu'il accueille presque avec indifférence la naissance d'Edgar. En fin d'année 1825, il écrit péniblement ses ultimes courriers :

Où sont-ils mes enfants ? Nathalie est aussi loin que Sophie, Lise n'est plus sur la Terre. Adieu mes enfants, pensez à moi et plaignez-moi. Le dernier quart de ma vie est bien triste ; la réflexion et la résignation n'y apportent pas de remède. Adieu...

Quand sa jambe gauche se met brusquement à se gonfler d'œdèmes, il veut régler la succession. D'abord la dot de Sophie. Terres, serfs, troupeaux de bêtes... Est-ce pensable de véhiculer des troupeaux de moutons et cinq ou six mille serfs en Normandie ! Quant aux terres, à moins de tout vendre et convertir en roubles, puis en francs or, le pauvre père ne voit plus très bien comment réaliser la dot promise. Ces vilains Ségur vont certainement mal le prendre ! Ces chiens de Français ne supportent pas qu'on touche à l'argent, alors que nous, Slaves, sommes capables, pour l'honneur, de tout anéantir. Oh ! les Français ! ils s'anéantissent eux-mêmes pour conserver quelques pierres ou quelques meubles ! Au fond, quels sales petits bourgeois doublés de ruraux ! Il les soupçonne, un jour, de perdre toutes les guerres à cause de leur lâcheté. Comment sauver Sophie ? Déléguer son banquier ? Rostopchine n'a qu'une médiocre confiance en ce Livio qui lui a déjà joué quelques tours. Depuis qu'il le sait malade, il s'imagine que Rostopchine s'en bat l'œil. Heureusement il a donné les Nouettes et une belle corbeille à sa pauvre Sophaletta que ce mesquin d'Eugène engrosse tous les ans. Si ça continue, il lui fera autant d'enfants que la cousine Galitzine qui en a déjà dix-sept à trente-quatre ans. Elle s'était mariée à quatorze ans, la malheureuse, avec ce sec et prolifique Galitzine. Sophaletta aura du mal à toucher sa dot. Il est désormais trop malade pour aller à Paris régler cette vilaine affaire pour elle. Et la chère petite Lise qui a offert sa part à Sophie et Nathalie. Rostopchine est tellement soucieux qu'il accueille avec indifférence la nouvelle de la mort du tsar, Alexandre Ier. Devenu mystique depuis sa maladie, à nouveau amoureux de la tsarine Élisabeth qu'il avait toute sa vie humiliée, le tsar agonise puis meurt près de sa femme, dans une pauvre maison, vermoulue, à Taganrog. Étrange mort, étrange exil de ce tsar devenu presque fou, foudroyé d'apoplexie. Il faudra deux mois pour ramener son corps à Moscou, sur un char à bœufs. Deux mois à travers des hectares infinis de bouleaux. La confusion des nouvelles, la thèse contradictoire de la mort ou la fuite du tsar, l'immensité des espaces, le goût des légendes, entourent la fin d'Alexandre d'une aura insolite. On prétendra même le rencontrer, plusieurs années après, sous forme d'un moine... Fédor est exténué quand revient enfin la dépouille impériale. Il ne peut même pas se traîner à la cathédrale pour prêter serment au nouvel empereur, Nicolas Ier. Fédor Vassilievitch Rostopchine prêtera serment devant un officier, dans son propre salon.

Toute la cour est donc à la cathédrale de Kazan, en train d'assister au *Te Deum* pour Alexandre. Comme on chuchote sur l'authenticité de la dépouille montée sur un catafalque, Nicolas fait alors aussitôt interrompre le *Te Deum*. Il prend un crucifix, l'entoure de crêpe noir et vient le donner à baiser à l'impératrice Marie, mère d'Alexandre. Qu'elle comprenne ! Qu'ils comprennent tous ! Le tsar est bien mort ! Il n'y a pas de revenant et le nouveau chef de toutes les Russies, c'est lui, Nicolas.

Fédor griffonne péniblement cette note dans le salon où il a prêté serment, « Alexandre est mort à Taganrog, ville qui a servi dans le siècle passé de lieu d'exil aux malfaiteurs. Il est indubitable que son corps a dû être embaumé par Willy, son chirurgien, le même qui fut au nombre des assassins de Paul et qui lui coupa la carotide après qu'il eut été étranglé. »

Fédor est alité quand lui parvient la nouvelle de l'insurrection sanglante de Constantin après l'avènement de Nicolas Ier. Insurrection où les nobles ont leur part dans l'affreuse répression qui suivra. « Ordinairement, dicte Rostopchine à bout de force, ce sont les cordonniers qui font la révolution pour devenir grands seigneurs, mais chez nous, ce sont les grands seigneurs qui veulent devenir cordonniers. »

L'hiver 1826 est particulièrement rigoureux. La neige est si épaisse que le silence est total. Fédor s'apaise. La mort n'est pas si terrible. Le silence est peut-être un bonheur. Début janvier, il demande un prêtre. Christophoro, l'orthodoxe. Un seul et même baptême. Catherine est près de lui. Elle prie. Dieu seul est au-dessus de nous. Le baptême, l'eau, le sel, la blancheur du lin... A travers l'église primitive et l'église catholique, Fédor Rostopchine et sa femme Catherine se rejoignent en un brûlant espace pur qui n'a eu de nom que l'Absolu.

Christophoro l'orthodoxe a confessé Fédor Vassilievitch Rostopchine. Ses crimes et ses remords. Hors de la chambre, Catherine continue son oraison et quand elle revient près de Fédor, elle le trouve calme, presque joyeux. Le 18 janvier 1826, Fédor revoit une dernière fois sous ses paupières les flammes de Moscou, les kilomètres de neige et de silence sous le ciel de Livna, le chant et la danse des Tziganes avec le rire de Sophaletta. Il meurt âgé de soixante ans six mois et sept jours. Catherine ne l'accompagnera pas, ce schismatique, vers sa dernière demeure, près de Lise, dans ce même caveau à Tianitzki. Il a voulu des funérailles sans gloire ni pompe. Il a été exaucé. Quelques amis fidèles et ses serviteurs l'ont pleuré. André sanglote, Serge ne dit rien, perdu par les dettes et l'alcool. Sur sa tombe a été gravé ce simple adieu :

> « Au milieu de mes enfants
> je me repose des hommes. »

Seule dans le palais glacial — elle ne fait même plus allumer les cheminées en hiver — Catherine est désormais la maîtresse de Voronovo, de la Loubianka, de la fortune de Fédor Vassilievitch Rostopchine.

> *Je tiens sa fortune, j'en vendrai ce que je voudrai. L'hiver prochain, je vendrai du bois pour un million... Je reste souveraine maîtresse de (Gromiline) et de toutes les terres... Je tirerai le plus d'argent possible de ces misérables paysans, paresseux et ivrognes, et de ces coquins d'intendants, voleurs et menteurs... Je ferai fouetter tous les paysans pour leur faire augmenter leur obrok... Je vendrai tous les dvorovoï, les hommes, les femmes, les enfants[1]...*

Maîtresse de toutes ces terres ? Pas si sûr ! Comme plus tard, le général Dourakine avec Mme Papofski, Rostopchine a déshérité sa femme. Il ne lui a jamais pardonné l'agonie de Lise. Il a prévu ses cruautés futures envers ses serfs, a voulu protéger la part de ses enfants. Elle accuse aussitôt l'influence de ce Boulgakov « créature » de Fédor, sorte de courtisan fielleux, empressé à attiser le venin entre elle et son mari, ce Boulgakov qui raconte désormais

---

1. *Le Général Dourakine.*

partout qu'elle a laissé mourir seul Fédor. Elle va derechef le chasser de chez elle, mais le mal est fait. Le testament de 1826 annule bel et bien celui de 1812. Elle vivra en usufruitière ; la totalité de la fortune ira aux enfants. Catherine Rostopchine retombe dans sa sérénité glaciale. Cette humiliation est une flagellation nécessaire. D'ailleurs, elle a des visions. Lise, dans la gloire du paradis, lui donne des nouvelles de Fédor qui hante le purgatoire... Tant mieux si elle est déshéritée ! Que ses filles et ses fils se débrouillent avec cette fortune mal commode ! La seule exigence terrestre qui la tourmente toujours est ses parquets cirés et son nouveau perroquet capable d'égorger une vipère.

Les mains de Sophie tremblent plus que le saule sous le vent, en lisant la lettre de sa mère réduite à une ligne :

« Votre père est mort. »

La dot de Sophie ou le royalisme exaspéré

1826. La Restauration bat son plein. « La Restauration, écrit Ernest Renan, fonde le vrai développement de la France au xixe siècle et reste chère à tous ceux qui pensent d'une manière élevée. » Certes, Sophie fait partie de ceux qui pensent d'une manière élevée. Les Ségur, eux, songent à la dote de Sophie. La dot, usage de leur caste. Ce printemps 1826 ne manque pas d'événements royalistes. Le 3 mai, les Ségur et une foule d'aristocrates sont invités à une grande cérémonie en présence de Charles X et de sa famille. La place Louis XVI — l''actuelle place de la Concorde —, est bénite. Le roi pose la première pierre d'un monument érigé à l'endroit où avaient été décapités Louis XVI et Marie-Antoinette. M. de Chateaubriand frémit de nostalgie. Louis XVIII, aussitôt au pouvoir, avait fait élever par Fontane une chapelle expiatoire à l'emplacement des restes de Louis XVI et de son épouse. Ils avaient été ensevelis, puis exhumés le 18 mai 1814, à l'ancien cimetière de la Madeleine. M. Desclozeaux, ardent royaliste, avait pieusement acheté cet enclos. L'exhumation avait eu lieu de nuit. M. de Chateaubriand, entre autres témoins, écrivit dans ses *Mémoires d'outre-tombe* : « Au milieu des ossements, je reconnus la tête de la reine par le sourire que cette tête m'avait adressé à Versailles. »

La comtesse Octave et Eugène reviennent à la charge pour la dot de Sophie. Son père est mort. Le contrat du mariage doit être respecté. Sophie, fille du richissime Rostopchine, propriétaire des

192

Nouettes, ne connaît pas encore les ennuis d'argent, l'humiliation d'en réclamer. Généreuse, passionnée, délicate, jamais elle n'eut osé faire remarquer le peu de fortune d'Eugène et sa semi-oisivité. Eugène est fort loin du besogneux Gaspard Féréor qui travaillera seize heures par jour dans ses usines [1] ! Sophie n'ose pas croire que le refroidissement progressif de ce volage s'accentue à cause de ces 380 000 roubles, notés dans le contrat et qui vont lui échapper. Eugène comptait bien sur cette somme pour assurer son confortable avenir. Sophie n'a donc pas été épousée par amour ? 380 000 roubles ! La somme est spécifiée par le banquier Livio. Il s'occupe, à Moscou, de la succession de son défunt client Rostopchine. Sophie réclame timidement 50 000 roubles, mal au fait de l'argent, malgré son solide bon sens. Catherine Rostopchine, enchantée, écrit à sa fille que Livio a fait faillite. Tout est englouti. Restent les incommodes terres, les serfs et les troupeaux. La comtesse Octave et Eugène deviennent amers, cinglants. Le Faubourg en fait des gorges chaudes. Eugène multiplie les démarches, y compris ce courrier au tsar, daté du 8 juillet 1826 :

> *Le comte Eugène de Ségur à Sa Majesté l'Empereur autocrate de toutes les Russies :*
> *Sire, je suis forcé de recourir à la suprême justice de Votre Majesté Impériale pour faire reconnaître les droits de la comtesse de Ségur, née Rostopchine, ma femme...*

Les droits ? Quels droits ? George Sand et les premières féministes lutteront farouchement contre ce droit à la dot. Eugène ne lui laisse plus la moindre initiative. Sophie est humiliée. Il la traite d'insouciante. Une fille de maladroit, d' « incendiaire ». Rostopchine ? un Tzigane ! fait la voix fielleuse de la comtesse Octave. La pauvre Sophie se met à trembler. La gorge bloquée. Plus muette que l'âne Cadichon alors qu'elle a une envie de braire et de tout casser. « Sophie Rostopchine, ma femme », a écrit ce pingre d'Eugène. Quelle femme ? engrossée chaque fois qu'il daigne s'occuper d'elle, seule la plupart du temps. Abandonnée cet été aux Nouettes car Eugène est furieux à cause de cette maudite dot. Il préfère aller à Méry, dans sa famille, avec sa mère. Le seul gentilhomme en cette affaire sera le grand-père, Louis-Philippe de Ségur, de même classe que son père, le défunt maréchal. Il écrit

---

1. *La Fortune de Gaspard.*

gracieusement à Sophie : « Eh bien Sophie, nous avons perdu la dot, mais nous gardons le trésor. »

Le trésor, Sophie Rostopchine, c'est vous.

Son âme confiante, vaillante, tenace, s'anime à nouveau. Ce n'est pas ma faute si ce vilain banquier a tout dilapidé ! Eugène revient brusquement de Méry. Il chagrine encore Sophie. Elle doit engager une procédure. L'avocat choisi par la comtesse Octave l'assomma davantage. Le capital disparu peut être restitué sur la fortune de son frère André : « Dieu que c'est ennuyeux ! » songe la pauvre Sophie. Quant à Boulgakov chassé par Catherine, il se réfugia chez les Narychkine et commenta à sa manière la fin de l'histoire. « Plus tard, Lydie Rostopchine, fille d'André, gardera rancune à sa tante (Sophie)... » Les tuteurs firent la sourde oreille, l'affaire prend une allure de bureaucratie russe, tout à fait kafkaïenne : Sophie aurait perdu tous ses droits pour n'avoir pas payé les 20 000 francs d'enregistrement de cet acte rectificateur !

Il sera souvent question dans l'œuvre de la comtesse de Ségur de notaires, actes et ENREGISTREMENT de l'acte... Cette malheureuse affaire de dot embourba Sophie aux yeux mêmes de sa famille russe. Lorsque André atteignit seize ans, Sophie, avec répugnance, traita directement avec lui. Eugène insinua dans ce vilain courrier les lourdes charges de sa famille nombreuse. Lydie versera du venin. « Je trouve que dans la prétention ridicule de Mme de Ségur, il n'y a ni foi ni justice [1]. » Même Nathalie prendra fait et cause pour « le pauvre Eugène ». Sophie sent à quel point elle a perdu son grand défenseur et allié. Son père. Elle se tourne alors vers Gaston, l'autre grand amour de sa vie. Elle ignore encore qu'un drame l'attend. Gaston va entrer en pension cette année-là, sous l'ordre d'Eugène de Ségur.

Il a six ans.

---

1. *Les Rostopchine*, M. de Hédouville.

V

GASTON S'EN VA

« Georges, mon pauvre Georges ! est-il vrai que ton père veuille te mettre au collège ! Malheureux enfant ! mais c'est impossible ! Non, pauvre victime, je ne permettrai pas une pareille cruauté. Viens avec moi te jeter aux pieds de ton père et implorer sa pitié[1]. *»*

« La pension était située dans une des rues qui avoisinent le jardin du Luxembourg. Pension mal tenue, mal composée (où) les élèves étaient rudement traités, mal nourris, mal couchés et sans aucune des distractions et des douceurs qu'on a souvent dans les bons collèges[2]. *»*

« Ces deux frères ont une espèce de pension particulière où les enfants sont, dit-on, si terriblement traités[3]. *»*

Filles ou garçons, quels pensionnats ?

La pension ! En 1826, Gaston est encore un bambin. Vêtu en fille, selon l'usage. Chapeau de paille, pantalons et robe en percale. On distingue difficilement garçons et filles portant cheveux longs et boucles dans le cou. Le costume de l'enfant garde un caractère à l'anglaise. Les tissus sont clairs. L'hiver adopte le velours, la laine, le mérinos. Du jour au lendemain, la pension va changer tout cela.

---

1. *Après la pluie, le beau temps.*
2. *Les Deux Nigauds.*
3. *Un bon petit diable.*

Gaston portera l'uniforme bleu foncé à boutons dorés. Quel choix s'offrait à cette époque pour un futur héritier de la pairie ? Pour les filles de l'aristocratie, le Sacré-Cœur, alloué par Louis XVIII. Cette pension est située hôtel de Biron — l'actuel musée Rodin, au 77, rue de Varenne. Le Sacré-Cœur a des locaux somptueux mais peu fonctionnels, ordonnés par Gabriel. Cet institut a été fondé par Marie-Sophie Barat, fille d'un tonnelier de l'Yonne. Pension très chère, à 10 000 francs l'année, sans parler des cours de langues et d'art. Les pensionnaires y jouissent d'un prestige particulier. Ce pensionnat est dirigé par Mgr Freyssinous, supérieur ecclésiastique, pair de France, grand maître de l'Université. La famille royale le nommera académicien, puis ministre de l'Instruction publique.

Les pensionnats pour garçons abondent davantage. Eugène a choisi Fontenay-aux-Roses, près de Paris. « Une pension assez médiocre », écrira Anatole de Ségur dans son livre sur Gaston, *Monseigneur de Ségur, souvenirs et récits d'un frère*. Avant la loi de 1850 et les décrets de mars 1880, le choix était presque nul. Il est hors de question qu'un garçon, contrairement aux filles, soit élevé à la maison. Les filles n'ont pas besoin de savoir le grec et le latin : elles ne vont pas au collège. Le Sacré-Cœur ou les Oiseaux suffisent amplement quand les parents souhaitent se débarrasser d'elles ! L'excellent Mgr Dupanloup s'en explique clairement. « Il est permis (à une femme) de lire en cachette et défendu de se mêler à une conversation sérieuse, c'est ce qu'on appelle se faire pardonner son savoir. » Eugène partage aussi l'opinion du bon M. Taine. « Donner à une femme du raisonnement, des idées, de l'esprit, c'est mettre un couteau dans la main d'un enfant. » Que dirait Sophie des idées de son ancien ami Joseph de Maistre ? « Une coquette est plus aisée à marier qu'une savante, car pour épouser une savante, il faut être sans orgueil, ce qui est rare, au lieu que pour épouser une coquette, il ne faut qu'être fou, ce qui est très commun. » Stendhal hésite encore moins. « Il n'est aucun de nous qui ne préférât pour passer la vie avec elle une servante à une femme savante. »

Eugène a déjà manifesté son humeur à ce sujet. Sophie est instruite, spirituelle, douée pour les langues, la peinture, la musique. A tout prendre, il préfère les coquettes à sa femme. Il a tranché : « Si elle a des filles, elle les élèvera. Gaston, Anatole, Edgar iront en pension. »

196

La pension de Fontenay-aux-Roses

Fontenay est au bon air. La santé du corps et de l'âme doit commencer à être trempé dès six ans. Fontenay a une grande qualité pédagogique. On y apprend le latin grâce à une nouvelle méthode, présentée par M. Ordinaire depuis 1821. Le savant Frédéric Cuvier en a fait un rapport favorable. M. Ordinaire a été nommé inspecteur des Méthodes. Un titre assimilé à une « sorte de magistrature qui soumet à son jugement les livres élémentaires de nos langues classiques [1] ».

Foin de M. Ordinaire et extraordinaire ! Qu'importe cette sotte méthode qui impose à des enfants si jeunes un ensemble fondé sur « les idées de fait » et « les idées déductives » ! Il y a de quoi rendre très malheureux Gaston et ces petits encore si proches de la mère qu'ils n'ont jamais quittée !

Le jour du départ de Gaston pour Fontenay est le 1er octobre 1826. Eugène attend le petit écolier et son maigre bagage devant la porte. Sophie éclate en sanglots, pire que s'il rejoignait une fille… « Pressons donc ! » dit Eugène impatienté. Gaston pleure à chaudes larmes. La comtesse Octave est ravie. Il est temps de séparer Gaston de cette mère trop tendre. Quelle indécence ces baisers qu'ils se donnent toute la journée ! Elle l'appelle en public et en privé son « amouret » ! « Allons, fait la dure voix conjugale, Pressons ! Contenez-vous, ma chère ! » La dernière nuit, Sophie s'est levée pour contempler Gaston endormi. « (Elle) baisa son joli front blanc et pur, lui donna sa bénédiction (…) et sortit en se retournant plus d'une fois pour regarder cette charmante petite figure dormant si paisiblement et si gracieusement [2]. »

Fouette cocher ! La voiture est partie. Sophie est seule malgré Edgar (Gros Zézé) et Anatole. Sophie se vit veuve de son fils, de son père, de son pays. Elle a du mal à respirer. Les sanglots entravent sa voix. Défilent dans sa tête, étroitement mêlées, les tombes de Lise, Fédor, Renaud, semblables aux murs de Fontenay. Son imagination fixe lamentablement le sort de son amouret derrière les hauts murs de Fontenay. « Dans un collège ! Mon Dieu, mon Dieu ! (sera-t-il) malheureux ! tout seul, sans amis, avec des maîtres sévères [3] ! »

---

1. *Monseigneur de Ségur, sa vie, son action,* M. de Hédouville.
2. *Les Vacances.*
3. *Les Bons Enfants.*

COMTESSE DE SÉGUR

Sophie et Eugène ont déménagé au 91, rue de Grenelle. La puanteur de la rue monte toujours au nez de Sophie. Elle a envie de manger un bortsch et des gimblettes.

Vie de pension

L'enseignement élémentaire, à Fontenay[1], est divisé en trois sections. La première va durer huit mois (pauvre Gaston !), elle est consacrée aux « règles syntaxiques ». A coup sûr, Gaston risque une typhoïde ! La deuxième section risque de l'épuiser. Il s'agit de « l'explication des textes dont l'élève connaît d'avance les radicaux ». Gaston va progressivement sombrer dans un labeur encore plus assommant. Reproduire des textes latins sur l'énonciation orale du texte français rétabli par le maître.

Sophie s'agite, peste, tonne, ne dort plus. La troisième section risque de perturber Gaston à jamais, puisqu'il s'agira « spécialement de compositions latines ». D'après M. Morin, cette méthode « a l'avantage de n'occuper l'enfant que cinq heures par jour ! » Vers treize ou quatorze ans, le supplice est à son comble. Chaque élève devra alors emporter chez lui « des livrets qui offrent la représentation exacte des grands tableaux » conçus par cet affreux M. Ordinaire. Sophie partage l'avis de Victor Hugo qui a fulminé ainsi contre les enseignants de l'époque.

> *Marchands de grec ! Marchands de latin ! Cuistres ! Dogues ! Philistins ! Magisters ! Je vous hais, pédagogues, car dans votre aplomb grave, infaillibles, hébétés, vous niez l'idéal, la grâce et la beauté ! Car vos textes, vos lois, vos règles sont des fossiles ! Car avec l'air profond, vous êtes imbéciles ! Car vous enseignez tout et vous ignorez tout !*

Le calcul et la géographie sont enseignés par « la méthode Pestalozzi ». Heureusement, occasion d'une petite sortie, puisque l'institut de géographie est situé dans une sorte d'enclos, près de la pension.

La première année de Gaston est occupée par le calcul et l'orthographe. Perdu, au milieu de cent cinquante élèves, Gaston les considère comme des brutes. Les maîtres, des bourreaux. Gaston va souffrir de cette première année et des autres. Dortoir mal chauffé, encombré, nourriture pleine de « nerfs ». La comtesse

---

1. *Monseigneur de Ségur, sa vie, son action*, M. de Hédouville.

198

de Ségur ne se privera jamais pour outrer la description des pensions. Ni hygiène ni religion, les habits ridicules, pantalons longs, chapeaux hauts de forme. Les maîtres de pension sont des gardes-chiourmes. « Trois punitions pour les trois méfaits, total neuf punitions terribles, surtout la dernière, neuf jours de cachot, neuf jours d'abstinence, neuf jours de fouet[1]... »

Première sortie

Sophie est rongée d'inquiétude pour son écolier. Aucun dérivatif à sa peine. Les ennuis d'argent ne font qu'accentuer l'avarice naturelle d'Eugène. « Il faut bien payer Fontenay, ma chère, sans votre dot ! » Elle ne peut gâter Gaston comme elle le voudrait. Pour être près de lui, le voir chaque dimanche, elle fait le sacrifice de ne pas aller aux Nouettes, s'il n'est pas « en colle ». Finies les grandes promenades à travers chemins et bois, tôt le matin, après le thé, le pain frais, le beurre et les radis ! Hélas ! Paris est la seule solution pour recevoir le petit bien-aimé dont la sortie est si courte, une demi-journée seulement. Gaston va devenir son soleil hebdomadaire. Gaston aux cheveux presque ras (où sont tes boucles blondes comme les miennes ?). « Ils ont dit qu'il fallait tout couper à cause de petites puces blanches qui s'y logeaient. » Gaston a maigri. Il est triste, étiré tel un verre filé. Il se jette dans les bras de sa mère. Ce jour de sortie est une fête douloureuse. Dès trois heures de l'après-midi, il faut songer au retour à Fontenay. Six heures, sous peine de pensums. Gaston, assis aux pieds de sa mère, sur un tabouret, compte les heures fixement, et s'écrie chaque fois que la pendule sonne : « Plus que tant d'heures, tant de minutes à passer avec vous ! » Sophie, dans son cœur, crie la même chose. Elle secoue sa peine, montre le paquet de gimblettes qu'il emportera. Elle parle des vacances de Pâques aux Nouettes. Et tout l'été, mon chéri. Oui, oui, cher enfant, je te ferai préparer des écrevisses, des cerises, et nous irons pique-niquer à dos d'ânes, tous ensemble. Nous irons voir la nouvelle mécanique que j'ai le projet de faire établir au moulin. Les Nouettes, cher petit, pense aux Nouettes, pour te donner du courage et m'en donner ! Nous nous y retrouverons tous, pour « les vacances », cher enfant, n'est-ce pas ? Les vacances, n'est-ce pas un lieu d'été, chaud et doux, où notre

---

1. *Un bon petit diable.*

Bon Ange plante déjà fleurs et fruits et construit des cabanes pour nous amuser ?

Il y a les lettres, bien sûr. Plaisir des prisonniers. Gaston en écrit déjà de fort jolies. Sophie est persuadée qu'elle aurait pu elle-même apprendre à lire à Gaston — comme elle le fera à ses filles — avec la méthode de Pierre Ramus, écrite en 1562. Cette « grammère » peut aller de pair chez un très jeune enfant avec « Rôti Cochon, ou méthode très facile pour apprendre les enfants à lire en latin et en français ». Aux Nouettes, Sophie a dans sa bibliothèque ce livre, imprimé à Dijon en 1700 par Claude Michard. Il vaut bien la méthode de M. Ordinaire ! Pierre Ramus avait écrit ce manuel sous l'ordre de François Ier. Les enfants devaient à toute force écrire très vite le français, devenu la langue administrative du royaume, en 1539. Cela n'empêche pas Sophie d'avoir tous les lundis le cœur serré, même si les progrès de Gaston, en effet, sont très rapides et s'il maîtrisera parfaitement le latin et le français.

Gaston dessine

Gaston s'est mis au dessin. Ainsi, il s'évade, le soir, sous la mince couverture. Il se distrait des sept heures de cours suivis des devoirs. Il oublie le grand coup de règle sur les doigts gourds, la soupe trop claire où surnagent quelques légumes. Le dessin l'aide à survivre sans sa mère. Gaston découvre au fil des mois, puis des années, le délice de croquer vite et bien. Il avait beaucoup observé M. Naudet, ses calepins, son coup de crayon vif et sûr. Il a vu sa mère peindre la façade des Nouettes. La pension accentue la ressemblance entre Gaston et Sophie. Gaston a la même bouche, bizarre et gracieuse. De beaux cheveux blonds, les pommettes hautes, un corps mince. Leur caractère les rapprochent encore. Imagination, vivacité des répliques, goût des plaisanteries, énergie hors du commun, en dépit d'une extrême sensibilité. Gaston se mit à dessiner sur ses cahiers, au coin des lettres envoyées à sa mère. Il excelle dans la caricature. Sophie rit à se pâmer quand, un jour, elle reçoit le croquis très ressemblant d'un professeur de latin se noyant dans un bocal. L'affaire porta loin. Gaston avait croqué le surnommé Pisse-Vinaigre, en pleine récréation. Le dessin fit le tour de Fontenay. C'était au moment des vacances. Gaston, malgré ses larmes, fut retenu à passer Pâques à Fontenay. Il trouva une ruse.

200

Ce maître avait une faiblesse qui eût enchanté Rostopchine. Il aimait à cultiver une ressemblance, croyait-il, avec Napoléon Ier. Il écouta donc les excuses de Gaston, main pompeusement glissée dans son gilet. Gaston s'exclama d'un seul coup. « Ah, Monsieur, comme vous ressemblez à Napoléon ! Vous avez la même attitude, le même regard, le même front, je dirais presque les traits ! »

Gaston gagna ainsi sa sortie.

Punitions : fouet ou parafouet ?

Comment punit-on les pensionnaires, garçons et filles, à cette époque ? Fouet, martinet, règle, cravache, humiliations diverses, sont de mise. La comtesse de Ségur a décrit plusieurs corrections corporelles dans ses romans. Surtout, en pension. Sophie détestait lever la main sur un enfant. Ses descriptions sont à titre d'exemple négatif. On obtient plus d'un enfant par la douceur que par les coups. Les corrections sont néanmoins très répandues dans les écoles. La comtesse de Ségur ne nous épargnera aucun détail :

> Le maître d'école saisit Lucas par l'oreille, lui donne une tape, et le pousse sur le quatrième banc (...), il lui donne une tape sur la tête avec une longue gaule placée près de lui. (...) On lui met de force un bonnet d'âne, on l'attache avec des courroies parce qu'il se débat (...). V'lan ! et v'lan ! Lucas reçut en une minute plus de coups qu'il ne pouvait en compter ; il eut les cheveux et les oreilles tirés et il arriva sur son banc par l'effet d'un coup de pied qui le lança comme une balle[1].

Fontenay-aux-Roses fait partie des bonnes institutions. Sophie, inquiète, relit le prospectus de Fontenay. « La maison n'a pas recours aux punitions corporelles. » Sophie se tient au courant de toutes ces institutions. Au Sacré-Cœur de Poitiers, un maître s'est rendu célèbre pour faire régulièrement saigner les doigts des enfants. A Paris, la sœur Fulgence conserve des verges dans du vinaigre, saisissant ainsi régulièrement Judith Gauthier, la fille du poète, la fouettant jusqu'au sang, jupes retroussées, quand elle rate ses gammes au piano. Les sévices sont-ils plus grands dans les pensionnats de filles ? A Fontenay, on pratique surtout l'humiliation afin de frapper les âmes sensibles et les réduire. Le bonnet d'âne, les écriteaux épinglés dans le dos pendant de longs jours

---

1. *La Fortune de Gaspard.*

201

avec « Impoli », « Raisonneur »... Sophie se souvient de l'écriteau « Voleuse » épinglé par sa mère. La maison en entier avait défilé devant ce carcan. A la fin de la journée, Sophie était tombée en convulsions. Pourvu que Gaston n'ait pas à supporter une telle humiliation ! Les religieuses d'une petite ville ont obligé une fillette de douze ans à porter le jour de la Fête-Dieu, l'écriteau « Voleuse de montre », avec l'accord de son père. On a retrouvé la fillette noyée de désespoir dans une pièce d'eau. Sophie va et vient dans son salon. La comtesse Octave alimente volontiers son angoisse par des récits de ce genre. Aux Oiseaux, les menteuses ont droit au « nœud de fourberie ». Le ruban est gris, attaché sur l'épaule de la sournoise, aussi brûlant qu'une fleur de lys dans la chair. A Fontenay, dissipation, bavardage, vous amènent à manger seul au milieu du réfectoire. La quarantaine est requise en cas de récidive. Personne ne vous parle. La honte fait son ravage. Certains mauvais établissements peuvent entraîner la mort de l'enfant. La comtesse de Ségur nous décrit un règlement de compte entre élèves dans *Les Deux Nigauds* ; cela se nomme « une poussée ». Innocent Gargilier « pressé » contre un mur par toute la classe. On le retrouve à demi mort. A Fontenay, les pensums pleuvent. « Silence, hurle le maître d'étude, le premier qui parle a trois cents vers à recopier. Si j'entends encore (un soupir) je vous donne 500 vers au lieu de 200[1]... » Outre la retenue, qui prive Gaston de récréation, quand il a dessiné une caricature au coin de ses cahiers, il y a la consigne. Privation autant pour Sophie que pour Gaston, collé alors jusqu'aux vacances. Sophie est hantée par le crescendo diabolique des punitions. Gaston, naturellement gai, farceur, risque de goûter la chambre de discipline, le cabinet noir, voire le cachot, sans air, sans lumière, avec une croûte de pain sec. Il y a la suppression des colis, du parloir. Sophie n'est pas sûre que Gaston ait droit à son dernier colis de gimblettes accompagné d'un livre palpitant, *Le Dernier des Mohicans* de Fenimore Cooper, traduit de l'anglais par M. Defaucoupret. L'imagination de Sophie s'emballe. Elle a peur pour Gaston. Elle tremblera pour tous ses écoliers. Elle fera, aux Nouettes, des « vacances », un éden pour compenser les privations de l'année. A Écouen, clabaude la comtesse Octave, Mme Campan a imaginé de dégrader solennellement une élève dissipée. Elle lui a enlevé sa ceinture au pied de la croix de la Légion d'honneur, dans la cour, devant les quatre cents

---

1. *Les Deux Nigauds.*

maîtresses et élèves. La petite s'évanouit et « resta trente heures dans la plus alarmante léthargie[1] ». Sophie s'écrie : « Si j'ai des filles, jamais je ne les mettrai dans un pensionnat, chez cette vilaine Campan. » Les jours de piscine, Sophie craint pour son amouret. Les plus grands, parfois, histoire de s'amuser, immergent la tête des plus petits jusqu'à la suffocation, la noyade. On appelle cela « une passade[2] ». Les pires pensions ; on y abandonne des enfants indésirables ; on va jusqu'à l'assassinat. *Un bon petit diable* a des points communs avec l'univers douloureux de Dickens. A Fontenay, rien de tel. La plupart du temps est surtout consacré à l'étude selon M. Ordinaire. Il y a aussi les gratifications.

Gratifications

A la fin de 1826, Eugène écrit : « Nous sommes contents de Gaston. » Il rapporte de bons résultats de Fontenay et figure souvent au tableau d'honneur. Son nom est présenté, chaque trimestre, sur la liste des élèves qui se sont fait remarquer par leurs progrès. La liste est exposée au parloir. Sophie ne manquera jamais de se rendre à cette petite fête ! Une tradition bucolique, honorifique, permet aux meilleurs élèves de planter un arbre noué de rubans multicolores — tradition lancée par Mme Campan, friande de grandes mises en scène, punitives ou compensatoires. Tous ces arbres composent « l'allée des premières » ou des premiers, dans le cas de Gaston et de ses compagnons.

Les examens de composition ont lieu trois fois par an. Sophie n'en dort pas. Le dernier examen permet le passage dans la classe supérieure. Il est public. Le jury est composé des professeurs de la maison, de l'aumônier et des notabilités parfois un académicien tel Philippe de Ségur — puis, il y a le discours du directeur. La distribution des prix, apothéose mondaine, est un jour de gala. Ce palmarès comporte cinq grands prix de premier ordre :

> *Quand le temps des vacances arriva, M. Dormère revint à Plaisance avec Georges, les mains vides de prix, tandis que le père de Jacques l'emmenait chargé de lauriers... Il avait eu des prix dans toutes les compositions et il avait reçu les compliments et les éloges que*

---

1. *Saintes ou pouliches, l'éducation des jeunes filles au XIXe siècle*, Isabelle Bricard.
2. *Les Deux Nigauds.*

méritaient son excellente conduite, son travail, sa persévérance et son exacte obéissance[1].

Naturellement, nous sommes à Paris, rue de Vaugirard, ou à Fontenay. Dans la bonne société. En Normandie, la distribution des prix est tout autre. Les familles n'ayant eu aucun prix, pas même un accessit, voueront à l'instituteur une haine sans merci. Sophie sait bien qu'à Aube ou à L'Aigle, les familles paysannes ont donné à l'instituteur du cidre, des pommes, un bon morceau de viande afin d'obtenir pour leur rejeton une récompense. Une couronne de laurier, attachée au plafond, descend délicieusement sur la tête de chaque couronné et remonte ainsi, tirée par un élève pendant toute la distribution qui occupera et polarisera le village et ses commères. A Fontenay, l'académicien clôt la journée par un discours pompeux. Sophie se met à rêver tout bas d'avoir des filles. Eugène va lui boucler tous ses garçons, c'est évident. Des filles ! Sophie saura les élever, occuper à plein temps le débordement de son cœur toujours trop plein.

---

1. *Après la pluie, le beau temps.*

ÇÀ ET LÀ DES FILLES...

NATHALIE, SABINE, HENRIETTE, OLGA

Une fille sera peut-être la joie et l'orgueil de ta vie.
Lettre à Olga, 1863

VI

NATHALIE

Sophie a retrouvé son écolier avec une joie folle. Après les vacances — enchantement de Sophie et des enfants —, il a fallu se séparer. Gaston rejoint Fontenay. Sophie est ravie de se savoir enceinte. Elle va résister à l'hiver parisien et au sinistre Faubourg, afin de sortir son pensionnaire. Cependant, elle tient à accoucher aux Nouettes. Elle tient à sa paix et à son excellente sage-femme. Elle rejoindra les Nouettes début mars 1827. Un voyage pénible que la comtesse Octave a critiqué. Imprudente Sophie ! Voyager pendant une vingtaine d'heures quand on est si près du terme. Cela est presque une indécence. Qu'importe ! Tout, sauf les visites de la belle-mère exécrable ! Sophie, le ventre secoué en tous sens dans la vilaine patache a encore attendu près de deux heures pour retrouver ses chères Nouettes. Mars est glacial. On fera la lessive début juin. La pluie tombe, roide et froide, quoique tout soit déjà vert. Edgar a vomi, Anatole a passé presque tout le voyage contre sa mère malgré l'intervention de la bonne Adèle. « Laissez-le-moi, madame la comtesse, dans l'état où se trouve Madame. » Son état ? l'enfant, justement. L'enfant, partout et en tout. La justification de sa vie est passée par ce fleuve si peu tranquille. De plus en plus, elle remplit la bibliothèque des Nouettes de livres pour eux. Demain, elle ira visiter tout son domaine. Pour l'instant, il est tard, presque nuit. Sophie est épuisée. Les gardiens Lecornet, avertis par courrier, ont allumé la cheminée de sa chambre. Tout est essuyé, dépoussiéré, les pendules en marche. Vite, se reposer dans la bonne chambre bien chaude ! Sophie s'occupe d'abord de coucher Anatole et Gros Zézé, très en forme depuis ses vomissements. « Donnez-lui une tasse de tilleul avec un peu d'arnica ! » dit-elle à

Adèle, tandis qu'elle-même boit son thé du soir, sa drogue tendre et chaude, versée doucement du samovar paternel. La solitude ne lui pèse plus. Elle aime cette grossesse. Elle l'a voulue. Aussitôt Gaston bouclé à Fontenay, elle avait osé aller de sa propre initiative au lit d'Eugène. Surpris, il l'avait laissée venir et avait voulu enlever une à une les épingles de ses cheveux. Elle ne tremblait pas. Remiserait-elle Eugène à un rôle de bourdon ? Elle ferme les yeux. Elle n'avait pu retenir le honteux gémissement de son abandon.

Il va falloir faire préparer ce lit de malheur. Ce lit de bonheur. Sophie n'a rien oublié de ses accouchements. Ce sont toujours ces « neuf mois pénibles, une couche plus ou moins douloureuse, une suite de couche très ennuyeuse ; une année ou dix-huit mois des premiers soins très astreignants, ensuite l'éducation des grands, suivie de celle des petits, qui deviendront grands à leur tour ; vue de loin cette perspective est effrayante, vue de près, au jour le jour, elle offre mille consolations, mille compensations, même humainement parlant[1] ». Tandis que ses pieds se chauffent à la flamme, Sophie relit une lettre de Lise, pauvre Lise chérie, écrite peu de temps avant son décès. Sophie n'avait pas eu le courage d'ouvrir le courrier arrivé après sa mort. Ce soir de mars, seule, apaisée — les enfants dorment —, elle déchiffre les mots de sa sœur tant aimée :

> Ne m'accusez pas de paresse, chère Sophie, je ne vous ai pas écrit depuis si longtemps, mais j'ai été si longtemps malade et j'ai eu plusieurs fois des sangsues, de sorte que je suis encore très faible et il ne faut rien moins que l'amitié que je vous porte pour vaincre la paresse que j'ai ; à présent, grâce à Dieu, je ne tousse presque plus, et je suis en pleine convalescence[2].

Sophie sent se contracter son ventre porteur d'une vie nouvelle. Une fille, une petite Lise vouée à la mort dans sa fleur ? Ô, non ! mon Bon Ange...

> Je suis d'une tristesse à mourir et comment faire autrement quand on a le malheur d'être dans un pays aussi barbare et aussi ennuyeux[3]...

Les Nouettes, pauvre Lise, sont souvent sans Eugène. Jamais Fédor n'y viendra, ni Renaud, ni toi, chérie qui — me disiez-vous...

---

1. Lettre de Sophie à Olga de Pitray, 25 novembre 1863.
2. Correspondance de Lise Rostopchine. Inédit 1824.
3. *Ibid.*

Il y a outre ces deux petits, puisque Gaston est en pension, le vent sur le toit, la pluie roide au carreau. N'est-ce pas aussi une étrange punition ?

Je ne sais pas ce qu'a notre pauvre sœur, mais elle est presque toujours triste, quand elle cause avec moi (...), malheureusement, elle est mélancolique, malheureusement, cela fait beaucoup de peine à son mari qui l'aime vraiment de façon touchante, il me disait l'autre jour qu'il avait juré de rendre Nathalie aussi heureuse qu'il le pouvait[1]...

Eugène n'avait-il pas juré de me rendre aussi heureuse que possible ? Pourvu que j'aie une fille ! Par superstition, Sophie, cette nuit-là, écarte de sa pensée le prénom de la petite morte dont elle range les lettres. Elle scande tout bas un prénom russe, charnel, qui ressemble à une grande lampée de vodka au gosier de l'homme amoureux. Nathalie... Je choisirai un prénom russe !

Avec cris, peine et halètements, assistée de la sage-femme, Mme Bernard, et du Dr Tessier, Sophie pousse au monde, le matin du 1er mai, une petite fille ravissante, l'exacte réplique de Lise : Nathalie. Le maire d'Aube sera son parrain. La comtesse de Ségur a mis au monde une authentique beauté. Eugène de Ségur est très ému en se penchant sur ce berceau qui a déjà reçu ses garçons. Sophie rit à nouveau. Elle a envie d'un grand bol de radis roses, de croquettes au riz et de raisins.

1er mai ! Du muguet plein la prairie, des jonquilles et des narcisses du parc, le long de la route qui monte vers la ferme des Haies. Les jacinthes sauvages sur les bords de la Risle. Mme Leuffroy, la jardinière, a offert une corbeille de muguet, de camomille et de roses blanches puisque madame la comtesse fête sa première petite-fille.

Le parfum du chèvrefeuille et de la glycine monte jusqu'à la chambre de Sophie. Eugène est soucieux des troubles de cette France printanière. L'opposition libérale a gagné du terrain. Lors de la revue de la Garde nationale, les cris de « A bas les Jésuites ! », « A bas Villèle ! » avaient fusé devant Charles X, telles des cosses de châtaignes éclatant sur un feu trop vif. Nathalie tète sa mère quand le roi dissout maladroitement la Garde. La bourgeoisie de Paris est révulsée, humiliée d'avoir si longtemps été évincée de la cour. Tout prépare sourdement la révolution et l'avènement d'un roi bourgeois.

---

1. *Ibid.*

VII

SABINE ET HENRIETTE

Sophie élève trois enfants en bas âge. L'hiver 1828 entraîne
Eugène dans ses mondanités et ses mensonges d'usage. Sophie,
accaparée par les enfants et les sorties de Gaston, n'a plus le temps
de pleurer. Elle s'émerveille de la beauté de Nathalie. Son désir
d'enfanter une autre fille s'insinue à nouveau. Elle compte sur l'été
qui, régulièrement, transforme Eugène en matou. Elle a su créer
aux Nouettes un climat charmant, non seulement pour les enfants,
mais aussi pour les adultes. Eugène est flatté de recevoir ses
relations dans cette jolie terre. Vers l'été, il est lassé des mondaines
et des coquettes. Il renoue avec l'univers familial non sans bonheur.
Épanouie depuis la naissance de Nathalie, Sophie est plus fraîche
que jamais. Son rire, aux Nouettes, prend tout son éclat. Son
imagination se déploie. Ses idées entraînent tout le monde dans une
foule de distractions champêtres qui ravissent petits et grands.
Eugène craint moins ses gaffes au Faubourg. Elle semble remise de
ses maux. L'affaire de la dot est oubliée. Eugène trouve Sophie
plus câline. En juin, elle le recherche volontiers avec des gestes
qu'il a aimés chez d'autres femmes. Les vacances ! cette brève
période de fruits, de nuits tardives, de fleurs, d'amis et d'enfants,
répand l'éphémère gaieté d'un feu de bengale. Eugène la rejoint
souvent dans une chambre qu'elle ne lui ferme pas. Anatole a
bientôt six ans, on va me l'enlever. Une fille... Je veux une autre
fille... Sophie se trouve enceinte en juillet 1828.

Eugène se glace aussitôt à cette nouvelle. Elle a exprimé
également le désir de passer l'automne aux Nouettes. Et même
l'hiver. Eugène a tué sa fête. Où est passé le fugitif amant du bel
été ? Il parle haut et sec. « Vous aimez la campagne et les enfants

211

plus que tout, plus que moi ? Restez-y ! » Il tranche, ordonne. On dirait sa mère. « Un ordre ! fulmine-t-elle tout à coup. Sachez, monsieur, que je n'ai d'ordres à recevoir de personne sauf de mon souverain... qui est très loin[1]. » La dispute va bon train. Gros Zézé écoute à la porte. Anatole en profite pour attraper le chat, le coincer entre ses genoux et lui faire faire la scie. Eugène a l'air tout à fait fâché. Sophie riposte de plus en plus violemment :

« Vous (Sophie), vous qui paraissez avoir tant d'esprit, vous vous plaisez à la campagne !

— Beaucoup, monsieur ; j'ai sans doute l'esprit trop borné pour en sentir les ennuis ; mais je répète que je me trouve toujours plus agréablement à la campagne qu'à Paris[2]. »

Eugène sort sa montre. L'entretien est clos et n'a qu'assez duré. Sophie supporte très mal de voir la montre de son père, tic, tac, dans les mains de cet époux si dur. Un jour, quand il mourra, je la donnerai à Gaston.

Sophie resta donc seule aux Nouettes avec les enfants. La naissance est prévue pour mars. Sophie ne reverra Gaston qu'à la Toussaint. Elle s'habitue si mal aux séparations ! Elle lui écrit chaque jour. Quelques froids bulletins à Eugène. Sophie devient singulièrement grosse. Hélas ! probablement un autre Gros Zézé ! Sophie se gave de plats sucrés. Son ventre est plus large qu'une tour. Elle franchit l'automne avec la paix d'une condamnée. La beauté des feuilles rougies, les visites des châtelains de la Herpinière et de Tubœuf la consolent. Elle se met à réfléchir à la médecine naturelle pour soigner ses enfants. Fièvre, indigestions, otites, toux. Les soins aux enfants l'absorbent et la passionnent. Elle n'a plus envie de quitter les Nouettes. Qu'elle y reste jusqu'à la fin de sa vie ! Ses fils, l'un après l'autre, la quitteront malgré elle. Les vacances reviendront, saison régulière de joie, de retrouvailles. A Noël, elle a choisi un immense sapin qu'elle a fiché au milieu du salon. Les enfants l'ont aidée à le décorer. Le rire est revenu. Ils ont ficelé les paquets. Nathalie marche à quatre pattes au milieu des guirlandes et des boules multicolores. Gaston et Eugène arrivent la veille de Noël. Sophie rougit lentement d'être aussi grosse. Elle a peur car Eugène est plus beau que jamais. La nostalgie amoureuse brise sa paix. Plus d'enfants, je ne veux plus d'enfants. Une autre grossesse m'achèverait. Elle a fait garnir la table d'une dinde grillée aux marrons, de gâteaux, de raisins de

1. *L'Auberge de l'Ange Gardien.*
2. *Les Bons Enfants.*

serre. Ils sont allés à la messe de minuit, à Aube, sans les plus petits. Anatole s'est endormi sur le banc. Gaston regardait, extasié, le vitrail derrière les flambeaux. Son amouret ! Elle a offert des polichinelles à ses fils et une poupée floche à Nathalie. Gaston est reparti les poches pleines de noix, de confiseries, une belle pièce de vingt francs. Il a lu à Anatole *Le Dernier des Mohicans*. Une phrase le fait frémir autant que les contes de sa mère : « Son couteau et son tomahawk dégoulinaient encore du sang de la malheureuse sentinelle française. »

Eugène a rejoint Sophie, fin février. Leur dispute s'est apaisée. L'enfant va naître.

Anatole se souviendra toujours de ce matin du 12 mars 1829. L'accouchement est très long. Les enfants, vaguement terrifiés, attendent en bas, au salon. On est en plein carnaval. Gaston a congé. Il est là, le cœur battant. Il sait que sa mère est en train de mettre au monde un enfant. Chaque fois, elle étouffe des cris (pourquoi ?), enfermée dans sa chambre. Parfois, lui parvient une odeur d'eau de Cologne, puis une autre plus fade (du sang ?). Un cri prolongé, par moments, bestial. Son père plus affectueux qu'il ne l'est jamais. Il y a aussi le docteur. Une religieuse. Une femme dite « sage ». Et surtout le grand berceau nappé de frais. Gaston finit par honnir ce grand berceau. Il correspond à la souffrance maternelle. Ce ventre dans lequel nage un gros poisson invisible. D'où vient ce poisson ? Lui aussi a été un poisson dans ce ventre. Cet hiver, séparé plus que jamais de sa mère, il a essayé de la croquer grosse du poisson. Il a soudain rougi et s'est arrêté. Il lui semblait manquer de respect à sa Sophie qu'il place sur un point vertigineux dans ses songes. Aussi haut que la Vierge Marie. En plus gai.

Mars aux forsythias déjà éclos, aux violettes bleues, au vent qui pince les oreilles.

Pendant que Sophie a commencé sa plainte si longue, Paris aussi est entré dans une autre espèce de vocifération. Le peuple veut expulser les Bourbons. Guizot a créé une société intitulé « Aide-toi, le ciel t'aidera », qui voit grossir le nombre des républicains. La bataille de Navarin, le 20 octobre dernier, avait encore échauffé les esprits ; dès janvier, Villèle avait dû démissionner au profit de Martignac. D'inquiétantes lois libérales apparaissent. Sophie est grosse de cinq mois quand Martignac saute au profit de Polignac.

« Une fille !

— Sabine ! balbutie Sophie, qui ne comprend pas pourquoi elle se tord toujours de douleur. »

Eugène est descendu aussitôt voir les enfants :

« Vous avez une sœur ! elle s'appelle Sabine ! »

Eugène remonte dans la chambre. Sophie a poussé un cri à tout rompre. Un second bébé a glissé dans les mains du Dr Teissier qui comprend enfin la fureur de ce ventre.

« Des jumelles, monsieur le comte ! »

Deux filles ! Sabine et Henriette ! Les filles sont les vacances de la femme. Le pouvoir de toutes leurs fables !

« Vous avez une seconde sœur », annonce le comte, pour une fois incertain, titubant...

Sophie jubile. Elle a bien eu Eugène ! Le berceau blanc est largement rempli. La terre de Sophie, serait-ce désormais, ni la Russie, ni la France, mais cette pauvre nacelle remplie à plein bord d'une portée ravissante de femelles ? Sabine et Henriette ! Elles se ressemblent tellement, qu'il faut aussitôt lier un ruban de couleur différente à leur poignet. Elles sont baptisées le jour même à Aube, comme l'a été Nathalie.

Anatole vit sa dernière fête. Il entre à Fontenay dès le 16 août. Le souvenir du baptême des petites le marque profondément. Il est parrain d'Henriette (ou Sabine ?). Toute leur vie, leurs frères les taquineront sur leur ressemblance. Il y a eu les dragées et les centimes jetés à la volée, à la sortie de l'église.

« Pourquoi faire tous ces centimes ? il y en a presque autant que de dragées.

— C'est pour jeter à la porte de l'église ; tous les enfants du village sont rassemblés, et on jette en l'air des poignées de dragées et de centimes ; ils les attrapent et les ramassent[1]. » Anatole, Gaston, Edgar, la petite Nathalie, commencent à jeter les dragées et les centimes. Le baptême des jumelles ressemble à un véritable pugilat.

« Là commença une véritable bataille, une vraie scène de chiens affamés. Les enfants se disputaient les dragées et les centimes : tous se précipitaient vers le même point, ils s'arrachaient les cheveux, ils se battaient, ils se roulaient par terre, ils se disputaient chaque dragée et chaque centime[2]. »

Prémonition de la révolution de Juillet ou détestable nature de l'enfant que la comtesse de Ségur a su si bien cerner ? Se battre jusqu'à la mort pour quelques centimes ? Violence partout et en tout. Violence, à Moscou, où Serge joue, boit, fornique et se bat.

---

1. *Les Mémoires d'un âne.*
2. *Ibid.*

Violence, pour André Rostopchine qui, depuis la mort du père, suit le même chemin. Violence de Catherine qui a fait envoyer en Sibérie un convoi de serfs lesquels avaient refusé d'abjurer la religion orthodoxe. Violence, à Fontenay, où Gaston reçoit d'un cousin de treize ans, à la volée, un gros bâton qui lui entaille de belle manière la joue gauche. Cicatrice qui marque la naissance des jumelles... « Ledit bâton dudit cousin vint me casser la joue gauche, me déchirer le visage, et de l'autre bout enlever la moitié de l'oreille d'un cancre qui partageait avec moi les honneurs du piquet[1]... »

Sophie frémit. Elle n'est pas là pour panser l'oreille de son amouret avec du blanc d'œuf et de la poudre de camphre. Elle n'est pas là pour les premières angoisses d'Anatole, ni pour rosser à coups de pied dans le bas des reins ces affreux gamins qui assomment les siens. Elle est là pour ses filles.

Eugène a encore disparu dans ses conseils d'administration et à la cour, où, à juste titre, les royalistes s'inquiètent pour les Bourbons.

Les grandes vacances des Bourbons

Été 1830. Pour une fois, Eugène a poussé sa famille à rejoindre au plus vite la campagne. La révolution a éclaté à Paris sous le nom des « Trois Glorieuses ». Les 27, 28 et 29 juillet. Le roi a envoyé contre les émeutiers la troupe de Marmont. Le 29 juillet, les insurgés s'emparent du Louvre. Marmont se replie vers la barrière de l'Étoile. Il se démet de son commandement. Le roi et sa famille sont réfugiés à Saint-Cloud. Charles X confie sa troupe au duc de Mortemort. Tout se précipite. M. Thiers, venimeux de petite taille, fait appel au duc d'Orléans. Le duc d'Orléans quitte Neuilly pour Paris. Humiliation suprême pour les Bourbons : Philippe d'Orléans paraît à l'Hôtel de Ville avec La Fayette. Le duc est alors nommé « lieutenant-général du royaume ». Charles X se replie à Rambouillet. Le 2 août, il abdique officiellement, en faveur du duc de Bordeaux. La mort dans l'âme, Charles X nomme Louis-Philippe d'Orléans « tuteur » d'un si jeune et futur souverain. Il refuse, cependant, de laisser à Paris son petit-fils chez les Orléans. Le duc d'Orléans, pressé par sa sœur et grande conseillère, Mme Adélaïde, accepte de saisir son destin. Le 9 août, il est nommé roi des

---

1. Correspondance de Mgr de Ségur, 1880.

Français sous le nom de Louis-Philippe. Il avait accepté d'être le tuteur du duc de Bordeaux ! Les Bourbons ont refusé. « Votre conscience est en paix, mon frère », s'exalte Mme Adélaïde.

Les jumelles font leurs premiers pas, flanquées de la bonne, de leurs frères et sœur jusqu'à la barrière des Nouettes. Au-delà, la grande route vers Cherbourg. Anatole entend alors un grand bruit de voitures, de chevaux, de voix confuses. Hissés sur la barrière, les six enfants Ségur voient, ahuris, déambuler un long cortège funèbre... « C'est le roi ! » crie Anatole aux enfants. Charles X, en effet, ne regarde ni à droite ni à gauche. Il frôle, sur la route de l'exil, cette haie d'enfants. Anatole a la gorge serrée : « Ce n'est pas une fuite, mais un départ de roi[1]. »

Anatole de Ségur se jure tout bas de rester à jamais fidèle aux Bourbons. Un des officiers s'est approché de la barrière, fasciné par les jumelles. Jamais, dit-il, il n'a contemplé une ressemblance aussi stupéfiante. Les enfants n'oublieront pas ce 3 août 1830, ces nuages de chaleur près de crever en une pluie torrentielle. L'officier royal n'oubliera jamais ce mirage de deux fillettes, grâce doublée de rose et de bleu, aux pantalons en dentelle blanche. Les songes s'entremêlent. Le roi ne courbe pas le front, accablé d'une envie de mort et d'oubli. La comtesse de Ségur injectera l'anecdote de la barrière des Nouettes dans la bouche insolente de Giselle de Gerville. Quand on l'interroge sur un roi de France prénommé Charles, elle ricane : « Ah ! oui ! le Charles qui a passé devant la barrière de grand-père quand il s'en est allé en Angleterre[2] ! »

Eugène, pair de France

La monarchie s'en est allée, mourante aux barrières des Nouettes. Les Ségur sont consternés. Cet événement marque l'effondrement de leur idéal. Un deuil suivi de près par ce cortège lugubre. Louis-Philippe de Ségur, fils aîné du vieux maréchal, vint à décéder. Sophie pleura le grand-père d'Eugène. Il était parmi ses rares alliés familiaux. L'élégant gentilhomme avait pris sa défense lors de la lamentable affaire de sa dot. Eugène devint donc, de par le droit de succession, chef de la famille. Ce que serait un jour Gaston, son aîné. Pair de France. Eugène a droit au titre de marquis. Il refusa : « Pour ne pas paraître blâmer son grand-père

---

1. *Monseigneur de Ségur, souvenirs et récits d'un frère*, A. de Ségur.
2. *Quel amour d'enfant !*

qui avait cru devoir accepter de Napoléon un titre de comte d'Empire[1]. » Eugène écrivit aussitôt au baron Pasquier :

> *Monsieur le baron, la perte douloureuse que je viens de faire de M. le comte de Ségur, mon grand-père, en m'appelant à siéger à la Chambre de Paris, j'ai l'honneur de vous prier de bien vouloir prendre les ordres du roi à cet égard. L'importance des circonstances actuelles justifiera, je pense, à vos yeux, l'empressement que je mets à solliciter une aussi prompte admission.*
>
> *Recevez, Monsieur le baron, l'assurance de la respectueuse considération avec laquelle j'ai l'honneur d'être ;*
>
> *Votre très humble et obéissant serviteur ;*
>
> *Paris, ce 31 août 1830*
> *Le comte de Ségur[2]*

Eugène a rédigé cette lettre, chez sa mère, au 55, rue de Lille. Lettre aussitôt annotée de la main du baron Pasquier. « Le roi a donné son consentement et je l'ai annoncé à M. de Ségur. »

A partir de cette date, Eugène n'est plus ce demi-oisif dans l'attente de la pairie. Son titre l'introduit aussitôt à la Chambre, c'est-à-dire dans le monde de la politique. Sophie, accablée d'enfants, n'a même plus le temps de souffrir de ses absences, désormais légitimées. Les enfants de Sophie ! Elle leur joue sur son Erhard *La Pensée* de Weber : « Je préfère une soirée avec mes enfants à la fête la plus brillante... Les enfants rendent la vie utile, agréable, en un mot, ils apportent le bonheur[3]... »

Enthousiasme de Sophie pour la Pologne

1831. La Russie opprime sauvagement la Pologne. Sophie se met franchement à détester ses compatriotes. Les Polonais résistent avec une fierté guerrière. La comtesse de Ségur leur rendra hommage dans la bouche du Polonais Boginski, un de ses héros.

> *Moi (Boginski), moi raconter comment un jour j'étais beaucoup fatigué... J'avais resté à cheval quinze jours, j'avais pas ôté bottes ; les Russes toujours près ; chevaux pas ôté brides et selles, pieds à moi gratter beaucoup ; cheval buvait eau fraîche ; mais ôter bottes et voir*

---

1. *Ma mère. Souvenir de sa vie et sa sainte mort,* Mgr de Ségur.
2. Correspondance/Papiers Ségur, B.N. Côte NAF 22828.
3. *François le Bossu.*

pieds en sang ; des bêtes mille et dix mille courir partout sur pieds et jambes et manger moi ; moi laver, laver ; bêtes mourir et noyer ; moi content... Voilà Russes arrivent. Nous, sauter à cheval, moi, nu-pieds, galoper, tuer Russes, fendre têtes, percer poitrine. Russes peur et sauver ; moi rire, moi, tout à fait content ; camarades aussi : après pas content, moi, plus de bottes ; tombées là-bas. Mais moi pas bête ; descendre par terre, tirer bottes à Russe mort, laver beaucoup, puis mettre ; et c'est très bien ; bottes bonnes ; pas trous comme miennes ; bonnes, très bonnes, et moi toujours content et galoper à camarades pour Ostrolenka. (...) Bataille terrible ; longtemps, 1831 : moi quinze ans, tué vingt-cinq Russes, puis échappé bien loin et venir en bonne France et moi avoir trente sous par jour [1].

Sophie est tout à fait contente, contente, elle, ancienne sujette du tsar, au point d'exprimer ainsi son dégoût d'un despote qui a réduit les Polonais à une effroyable misère. La France, terre d'accueil, leur offre « trente sous par jour » !

Je ne laisserai pas dans le besoin des créatures humaines chassées de leur pays par un abominable Néron [2].

Cet « abominable Néron » est le tsar Nicolas Ier. Que s'est-il donc passé pour que Sophie se mette à abominer les Romanov et les Russes en général ? La lâcheté de Louis-Philippe ? Alexandre Ier s'était montré assez libéral envers la Pologne. Les traités de 1815 avaient en partie rattaché la Pologne à la Russie. Mme Svetchine estime que « cette ingrate Pologne absorbe maintenant toutes nos pensées ». Sophie fait chorus avec les Français qui s'attendrissent sur son malheur. Nicolas Ier, militaire autocrate et sans pitié, a ordonné de russifier la Pologne jusqu'à lui arracher sa religion catholique et toute pensée propre. La Pologne avait appelé la France à son aide. Le 20 septembre 1831, elle y répond favorablement. Le martyre de la Pologne inspire un tableau à Horace Vernet : *Le Prométhée polonais*. Le tableau représente l'aigle russe broyant le corps d'un jeune homme ensanglanté — la Pologne. Le 8 septembre 1831, le général Paskievitch a reconquis Varsovie avec une brutalité sanguinaire inouïe. Une partie de la France s'indigne, dont Sophie quand Louis-Philippe et son ministre Casimir Perier refusent de s'engager dans la guerre. « Nous ne concédons à aucun peuple le droit de nous forcer à combattre pour sa cause, et le sang

1. *Les Deux Nigauds.*
2. *Ibid.*

des Français n'appartient qu'à la France. » Cette formule de Casimir Perier déplut prodigieusement aux idéalistes qui devaient s'en souvenir en 1848. Les troupes du tsar détruisent Varsovie. La colère à Paris est grande. Sophie éclate devant le mot fameux du ministre de la Guerre, Sébastiani, au courant de tant de massacres : « L'ordre règne à Varsovie. »

L'ordre ? Sophie est désolée, indignée et s'enferme pour pleurer. Dieu punira ce méchant Casimir Perier !

Le choléra de 1832

Début mars 1832, le *Cholera Morbus* est annoncé dans le journal, *Les Débats* : « Le *Cholera Morbus* est dans nos murs. Aujourd'hui neuf personnes ont été portées à l'Hôtel-Dieu, dont quatre sont déjà mortes. » La feuille a la détestable idée d'ajouter : « Tous les hommes atteints de ce mal appartiennent à la classe du peuple. »

Un dessin d'Honoré Daumier, publié dans la *Némésis* médicale de F. Fabre, donne une idée de ce ravage dans Paris. Corbillard furtif, cadavre dans la rue, chien errant, femme épouvantée derrière une porte cochère, brancard-cercueil au milieu de la voie. Venu d'Extrême-Orient, le fléau avait déjà ravagé l'Europe centrale. Arrivé en Angleterre, le virus traverse la Manche et atteint Paris en plein carnaval 1832. Les masques se figent derrière les rires de clowns. La mort est presque foudroyante. Sophie et les enfants se réfugient aux Nouettes. Sophie tremble pour Gaston et Anatole dans leur pensionnat et pour les enfants bloqués à Paris. Eugène est resté impitoyable. Il veut former ses fils au courage. Lui-même ne reste-t-il pas à Paris, aux ordres de la Chambre et du roi ? Casimir Perier prend des mesures sévères. Nettoyage des ordures, assèchement des cloaques, fermeture des ruelles en cul-de-sac. En vain. Les rumeurs font frémir Sophie. On dit que les fontaines de Paris sont désormais empoisonnées. On n'a plus assez de cercueils pour les morts. Une lithographie de Perrot nous montre sœur Victoire Darras consolant les mourants à l'Hôtel-Dieu. Les dévouements sont frénétiques, y compris celui de Casimir Perier, atteint à son tour. Il mourra le 16 mai, conscient de son surmenage. « Je suis bien malade, mais le pays est encore plus malade que moi. » Dieu l'a-t-il ainsi puni de sa méchanceté pour la Pologne ? Sophie est prise d'une migraine à se jeter aux murs, une migraine d'angoisse, une fêlure du larynx. Elle est hantée par Gaston et Anatole. Si le choléra atteint la pension, elle mourra de chagrin. Méchant

Eugène ! « Ce sont des hommes, que diable ! » lui écrit-il. On met à l'abri les femmes et les enfants. Pas les hommes de sept ans. Son père n'a-t-il pas agi ainsi à la veille de l'incendie ? Le tic-tac de sa montre se confond avec l'affreux balancier de la migraine.

L'été, comme souvent, vint apaiser l'angoisse de Sophie. L'épidémie a cessé. Le nouveau roi est secrètement ravi d'avoir perdu Casimir Perier dont la forte personnalité l'irritait. « Casimir Perier est mort. Est-ce un bien ? Est-ce un mal ? l'avenir nous le dira[1]. » L'avenir ? Il souhaite gouverner seul, au grand dépit de Soult qui doit se contenter du portefeuille de la Guerre. Sophie se réjouit d'être aux Nouettes, non seulement à cause des microbes de Paris, mais encore de l'agitation qui recommence. Lors des funérailles du général Lamarque, vieux bonapartiste, la foule a grondé. Elle agite derrière le corbillard des drapeaux rouges au cri de « Vive la république ! », soutenue par la Garde nationale. Les coups de feu partent. Huit cents morts. Sophie déteste le nouveau gouvernement choisi par ce roi bourgeois. Guizot à l'Instruction publique, petit Thiers, à l'Intérieur.

On est décidément bien loin des Bourbons !

Équipée de la duchesse de Berry ou les malheurs de Marie-Caroline

Un épisode tragicomique vient distraire la France. La petite duchesse de Berry veut à toute force rétablir sur le trône son fils, le duc de Bordeaux. Exilée avec la famille royale, le vieux Charles X essaie de la modérer : « Mon enfant, vous lisez trop Walter Scott. » La duchesse n'en fait qu'à sa tête. D'abord, elle s'ennuie trop avec ces sinistres Bourbons. Elle se trouve des alliés. La Vendée. Le Midi royaliste. Elle plaque brusquement l'Angleterre. Elle passe de l'Écosse à la Hollande. Une halte en Italie où elle vit une brève et grande passion amoureuse. Elle fait ensuite afficher sa proclamation : « Henri V vous appelle, sa mère, régente de France, se voue déjà à votre bonheur. »

En Vendée, costumée en jeune garçon, flanquée de sa petite bande, elle se collette à la police du roi. A Nantes, elle est traquée. Elle se cache dans une cheminée, au fond d'une maison. Un agent double, Dentz, révèle au petit Thiers la cachette de l'excentrique duchesse. Le 7 novembre 1832, les gendarmes la découvrent, tapie

---

1. *Mémoires*, Louis-Philippe.

derrière la trappe de la cheminée. Fort ennuyé, Louis-Philippe fit conduire la nièce de Marie-Amélie dans la forteresse de Blaye. Elle y sera gardée par une vieille ganache, Bugeaud et sa casquette en poils de chameau[1]. La minuscule duchesse et le vieux grognard s'insultent du matin au soir. Le vaudeville fut total, car la légère duchesse est enceinte de son bel Italien ! Elle avoue tout. Elle s'était bel et bien mariée en Italie avec le comte Lucchesi-Palli. Bugeaud est obligé d'assister à l'accouchement. La veuve du duc de Berry est décidément destinée à accoucher toujours en public... Une fillette naît donc à Blaye. Pendant l'accouchement, Marie-Caroline vomit des injures de soudard contre le vieux Bugeaud et la soldatesque ricanante. Le roi finit par la faire libérer. Elle rejoindra Palerme et le comte Lucchesi-Palli. Les républicains se moquent. Les légitimistes blâment la légère duchesse que Madame Royale cessa d'appeler « ma sœur ». Charles X est effondré. Quoi ! Leur futur roi, fils de cette coureuse de chemins, engrossée par un Italien faussement aristocrate !

Sophie rit à se pâmer de l'équipée de l'excentrique « régente » dont elle ne peut s'empêcher d'admirer la bravoure, avec tant d'hommes aux trousses, pour le pire et le meilleur. Si Marie-Caroline avait été un homme, jamais on n'eût osé se moquer d'elle. Ses aventures galantes et son équipée eussent davantage servi sa gloire que son déshonneur.

Mariage d'André Rostopchine

L'été 1832, André Rostopchine va se marier. André a été horriblement gâté par sa mère qui aima uniquement ses garçons. Dès l'âge de treize ans, André a griffé violemment son précepteur. Il a craché au visage du tuteur que Fédor lui avait choisi au moment de mourir. André est violent, méchant, grossier, mal élevé, joueur, aussi débauché que Serge. A seize ans, André a commencé à dilapider la fortune paternelle. Catherine méprise tout cela, vit jour et nuit dans son oratoire et devant ses cages à perroquets qu'elle nourrit désormais de grenouilles vivantes. André a perdu des cheveux par poignées. A-t-il attrapé une vilaine maladie ? André est entré au corps de pages de Nicolas Ier. Il s'éprend de la mère

---

1. Authentique.

d'un de ses camarades, une Polonaise de quarante ans (il en a alors dix-sept).

Catherine Rostopchine applaudit. André épouse une CATHOLIQUE. Une catholique n'a pas d'âge, pas de corps, ni passé ni présent. Une catholique a pour elle l'éternité. Les camarades d'André ricanent. André ignore que sa fiancée est une débauchée. Tout le corps des pages lui est passé dessus. Or, tout est prêt pour le mariage. Mis au courant, André est pris d'une fureur sans limite. Il casse en entier la chambre nuptiale, jette par la fenêtre la corbeille débordant de diamants et de perles. Les diamants sont perdus, les perles égarées, les tapisseries arrachées, les serfs battus, la vodka avalée au litre. André lance chaque bouteille vidée contre une grande glace vénitienne qui se brise. André hurle alors : « J'épouserai la première venue ! »

Il eut de la chance. La première venue est Eudoxie Souchkov, jeune fille de vingt et un ans, belle et poétesse. Eudoxie est née à Moscou en 1812. Elle est la fille du noble Pierre Vassilievitch Souchkov et de Daria Ivanovna, descendante de la grande famille des boyards Pachkov, de Moscou[1]. Orpheline de sa mère, la petite Eudoxie passa son enfance élevée par une amie de la famille, Olga Alexevna, instruite et tendre. Eudoxie apprendra plusieurs langues, traduira les poètes dont Lamartine et Byron. Elle rencontrera André, auquel peu de femmes résistent malgré sa hideur, à un bal à Moscou. En 1832, André s'est épris d'elle. Elle lui adresse en juillet, ces vers :

> Je bénis cette vie, autrefois blasphémée,
> Je bénis l'avenir, en défiant le malheur !
> Que me faut-il de plus ? Ne suis-je pas aimée ?
> Ne suis-je pas bien riche, en possédant son cœur ?

Ils se fiancent. Une authentique passion lie ces deux êtres si différents. Les trente-trois lettres d'Eudoxie fiancée en font foi. Elles sont signées « Ta Dodo ». L'une d'elle va jusqu'à la vénération. « Merci, ô mille fois, toi mon génie tutélaire qui viens sans cesse m'inonder d'un bonheur plus grand que l'espérance, plus parfait que celui du ciel ! » Le mariage a lieu. Eudoxie écrit à André, le matin même des noces :

> J'ai une grâce à te demander : c'est de mettre ce soir ces boutons que j'ai choisis pour toi en désirant qu'ils te plaisent. Adieu ! A ce soir, à

---

1. *Les Rostopchine,* M. de Hédouville.

l'église. Là, je pourrai te dire aussi sincèrement que je sens que tu seras toute la vie l'objet de toutes les affections de ta Dodo.

Trois enfants naîtront de ce couple qui s'aimera vraiment : Lydie, Olga et Victor.
Les enfants seraient-ils le printemps de Dieu ?

Sophie invente des eaux

Depuis le choléra, Sophie s'est encore davantage préoccupée d'hygiène. Une autre épidémie succède au choléra : la gale. Depuis 1819, la gale avait entraîné une violente polémique autour du savant d'Alibert, dermatologue à l'hôpital Saint-Louis. On avait taxé sa découverte de « romantisme cutané ». « Les lésions de la peau se rattacheraient à des causes premières[1]. » Grâce à ses travaux, un élève de d'Alibert a identifié l'agent parasitaire de la gale. Le ciron. La séance a lieu en 1829, à l'Hôtel-Dieu. Le ciron ? le débat est chaud. Une recrudescence de gale en 1834 donne enfin raison à d'Alibert contre Dupuytren et même Raspail. Cazenave avait été très sceptique au sujet du ciron. Il avait alors conclu le colloque de l'Hôtel-Dieu ainsi : « La cause de la gale est encore inconnue ; on l'a attribuée à un insecte qui n'existait pas (le ciron). » L'opinion publique reprend cette condamnation de Cazenave à l'encontre de d'Alibert.

Sophie croit en la vertu souveraine de l'eau pour soigner toutes sortes de maladies, y compris cette méchante gale (ce ciron ?) qui risque de détruire le cuir chevelu de ses amourets. Sophie est donc tout entière absorbée par la composition d'eaux curatives. Tenir la gale (le ciron) à distance, et d'autres maux, passera par les eaux, les eaux nourricières de Sophie.

MANIÈRE DE FAIRE L'EAU PANÉE

Mettez de l'eau au feu dans un pot de terre ; quand l'eau commencera à bouillir, jetez dedans quelques croûtes de pain ; laissez bouillir dix minutes et passez ensuite dans un linge blanc en pressant un peu.

En cataplasme, elle calme les engelures. Sophie s'exalte, sa munificence naturelle enchaîne.

---

1. *L'Hôpital Saint-Louis,* Pierre Nicolas Sainte-Fare-Garnot.

COMTESSE DE SÉGUR

L'EAU PANÉE PLUS NOURRISSANTE

Prenez quatre onces environ de mie de pain, mettez-les dans une mousseline claire que vous nouerez sans serrer du tout : mettez dans un pot de terre, contenant quatre à cinq verres d'eau, faites bouillir pendant un bon quart d'heure, retirez du feu, pressez le sac de mousseline avec une cuillère ; retirez-le, sucrez l'eau panée avec du sucre et mêlez chaque fois que vous en donnez à l'enfant.

Usage interne, usage externe, on n'en finit jamais avec l'eau, chez Sophie.

EAU DE RIZ

Prenez une poignée de riz ; versez dessus de l'eau bouillante, mettez au feu, aussitôt que l'eau commencera à bouillir, jetez-la en laissant le riz au fond. Versez d'autre eau. Faites bouillir pendant un bon quart d'heure. Passez ensuite dans un linge blanc, en pressant un peu.

Eau de riz, souveraine en cas de diarrhées et autres maux de ventre.

EAU D'ORGE

Même procédé que pour l'eau de riz, mais il faut y mettre du gruau...

L'eau ségurienne guérit tout, même la rage !

EAU CONTRE LA RAGE

Vite Rosalie ! un seau d'eau fraîche ! Donne-moi ta main, Marguerite ! Trempe-la dans l'eau. Trempe encore, encore ; remue-la bien. Donne-moi une forte poignée de sel, Camille, bien... Mets-le dans un peu d'eau... Trempe ta main dans l'eau salée, chère Marguerite (...). L'eau est le remède infaillible pour les morsures des bêtes enragées ; l'eau salée est bien meilleure encore [1].

Quand la teigne se développe en Normandie, Sophie est à nouveau inquiète. Il faudra attendre l'année 1852, pour obtenir un traitement complet à l'hôpital Saint-Louis, grâce aux recherches de Gruby, Robin et Lebert. Non plus l'eau et son alchimie savoureuse, mais « des lotions de sublimé de sulfate et d'acétate de cuivre... La teigne est un végétal qui réside jusqu'au-delà de l'étui qui reçoit la racine du cheveu lui-même [2]. »

---

1. *Les Petites Filles modèles.*
2. *L'Hôpital Saint-Louis, op. cit.*

La comtesse de Ségur, née Rostopchine, avait peur de l'eau et la vénérait tel le seul dieu qui eût été capable d'éteindre l'incendie de Moscou. Sophie chemine-t-elle, sans encore le savoir vers « ce principe du monde nouveau, du *Veni Creator*, où l'Esprit se définit par l'eau et par le feu : *Fons, Ignis*[1] ».

La communion de Gaston

Aucune foi particulière ne semble animer Sophie et Gaston. Ce Dieu où ils finiront par se jeter jusqu'à la fin de leur vie est assoupi au fond de leurs diverses préoccupations. Gaston et sa mère traversent sur le plan spirituel, leur zone de limbes. Le milieu d'Eugène est plutôt libéral. La religion, une convention, non une conviction. Grands bourgeois et aristocrates, qui composent la clientèle de Fontenay, exigent une présence religieuse dans le pensionnat de leurs fils. M. Ordinaire et Cie le savent bien. Depuis Louis-Philippe, l'Université est devenue catholique. Elle relève d'un des principes proposés par M. Morin, directeur de Fontenay. Il l'exprime dans sa lettre du 30 avril 1829, au ministre de l'Instruction publique, Guizot : « le développement du principe moral par la religion[2] ». M. Ordinaire proclame à son tour les grands bienfaits de la religion : « Intimement convaincus que ce n'est qu'à l'ombre de la vertu que croissent les vrais talents[3]. » La religion est bien définie comme « une fille du ciel ». Ces médiocres opinions semblent suffisantes à Eugène de Ségur. M. Ordinaire a introduit un aumônier, également professeur de philosophie, au moment de la communion de Gaston. M. Ordinaire se rengorge. « (Il) tient d'une main le flambeau de l'Évangile et de l'autre celui de l'intelligence[4]. » Anatole est bien sceptique sur la formation religieuse à Fontenay. « L'institution n'avait pas d'aumônier, la nourriture spirituelle des collégiens se bornait à une messe basse célébrée le dimanche par le curé du village, dans une petite chapelle au bout du jardin[5]. »

L'abbé Giuliani est un pauvre prêtre obscur qui fait le maximum, sans grande gloire, pour ses collégiens si mal préparés. Le 16 juin

---

1. *Portrait de Marthe Robin,* Jean Guitton.
2. *Monseigneur de Ségur, sa vie, son action,* M. de Hédouville.
3. *Ibid.*
4. *Ibid.*
5. *Monseigneur de Ségur, souvenirs et récits d'un frère,* A. de Ségur.

1833, il communie Gaston, presque indifférent, aux côtés de sa famille presque indifférente, exceptée la joie de se retrouver. Parallèlement, la loi Guizot, votée le 28 juin 1833 sur l'enseignement, imposera enfin l'entretien d'une école par commune. Tous les petits Français doivent être alphabétisés. Gaston, à défaut de la foi, est hanté par le sort des pauvres. L'été d'avant, quand Sophie lui avait donné une pièce de dix francs, Gaston l'avait aussitôt offerte à un mendiant. Il n'avait jamais oublié l'impression suave, inaltérable, de la charité. Au point d'accueillir distraitement la naissance de Laure, petite sœur de Célestine, filles du second mariage de Philippe de Ségur.

La charité a violemment impressionné Gaston. Pas la foi. Il recevra la confirmation des mains de Mgr de Quélen, en l'église de Châtillon, le 23 juin 1833, avec un profond détachement. Le lundi suivant, il n'entendra plus même parler religion. « Quand je pense, confiera-t-il un jour à son secrétaire, l'abbé Diringer, que l'année qui a suivi ma première communion, personne ne nous a dit de faire nos pâques ! (...) Il n'y avait de religion que sur les prospectus ! »

Le Christ, pour Gaston, n'est qu'un goût de farine et de sel.

Sophie a organisé, rue de Grenelle, un déjeuner monstre pour la communication de son amouret.

> *Huit litres de potage ;*
> *Un filet de bœuf de dix livres ;*
> *Seize côtelettes sur purée de pois ;*
> *Un pâté de volaille pour vingt ;*
> *Une casserole de haricots verts ;*
> *Une tarte aux cerises, immense ;*
> *Fromages, fruits, compotes ;*
> *Café, thé, chocolat*[1]*...*

Sophie achète-t-elle son thé et son chocolat à la Maison Prévost, au 39, boulevard Bonne-Nouvelle ?

---

1. *Diloy le Chemineau.*

VIII

OLGA

Depuis la communion de Gaston, Sophie est tenaillée par des malaises anciens. Le larynx bloqué, la migraine. La hantise, désormais, de se retrouver enceinte. Chaque étreinte avec Eugène la fait trembler. Elle guette alors le sang du mois. Elle est déchirée entre son désir aigu d'amour et l'obsession de ne plus se trouver grosse. Elle remarque à peine les événements de l'année 1834. L'émergence d'un grand religieux, Félicité de Lamennais. Le scandale de ses sermons qui visent à la rupture du trône et de l'autel. Nouer celle de Dieu et du peuple. Lamennais, chantre du libéralisme religieux, réclame dans le journal *L'Avenir* la séparation de l'Église et de l'État. Condamné, le 25 juin 1834, par l'encyclique « *Singulari* », il se sépare de Rome. Une montée religieuse se dessine devant l'anticléricalisme du peuple. Les ultramontains n'aiment guère ce roi — bourgeois, matérialiste, plus attaché à son orfèvrerie Christofle qu'à Dieu. Lamennais entraîne dans son sillage deux autres « lions » en leur genre : M. de Montalembert et l'abbé Lacordaire. Voici près de sept ans que Sophie est séparée de Gaston, quatre d'Anatole, un d'Edgar. Elle ne s'y habitue pas, ne s'y habituera jamais. Ses filles n'ont pas aboli la déchirure, ni dissous sa passion frustrée pour Eugène. Elle ne lit pas le livre de Lamennais *Paroles d'un croyant*. Elle ne s'émeut pas du scandale des faux dauphins qui hantent la vie de la duchesse d'Angoulême. Un certain Wilhem Naundorv se fait passer pour Louis XVII. Mme Royale refuse de le recevoir. Il veut intenter un procès au comte de Chambord.

Cette année-là, Sophie a davantage menée la vie de son rang. Elle est à Paris, se rend au Faubourg. Eugène se rapproche d'elle.

Elle a minci. Seulement trois fillettes habitent la rue de Grenelle. Eugène rôde autour de Sophie... Qu'elle est loin de sa fougue quand elle voulut concevoir des filles ! Eugène, une nuit d'hiver, tout noir, entre sans frapper chez sa femme.

« Sophie, dit-il de cette voix basse à faire frémir. Sophie... »

Elle se cache les yeux. Pleure-t-elle ? Il s'approche, secoue le rideau des mains. Oui, elle pleure. Elle pleure parce qu'elle l'aime. Il l'embrasse. Elle s'abandonne. Elle est perdue.

Début février 1835, Sophie attend un enfant. La nouvelle a sur elle un effet effrayant. Elle marche de long en large dans cette chambre où elle s'est soumise. Elle crie, se tord les mains. Elle a trente-cinq ans. « Je ne peux pas... je ne veux plus », hoquette-t-elle. Sa grossesse est très mauvaise.

Dès le mois de mars, Eugène, sans la consulter, a inscrit Gaston au lycée d'État (le lycée Bourbon). Gaston quitte Fontenay pour la pension Muron-Bellaguet, 49, rue de la Pépinière. Gaston informe sa mère sur sa nouvelle geôle. Il y a de vastes bâtiments, « toutes les commodités désirables », deux cours, deux jardins et cent cinquante pensionnaires[1]. Veut-il donner le change ? Sophie se doute qu'il est mal nourri, mal chauffé. Les sorties sont plus rares qu'à Fontenay. Eugène a cru bien faire. L'enseignement de philosophie est médiocre à Fontenay. Le futur pair de France a quinze ans. Pour se présenter au baccalauréat, il faut suivre la filière d'un lycée d'État. Le comte de Ségur a donc été juste et attentif. Non à la tendresse, mais au parcours intellectuel de ses fils. Morne, ternie, Sophie a commencé une dépression. Elle n'est que grondements intérieurs, chaos. Aux prises avec sa condition, ses déracinements, sa puissante vitalité. Elle a le sentiment de n'avoir été que le ventre nécessaire à prolonger le nom de Ségur. Rien d'autre. Ce maladroit d'Eugène ne l'aime pas ! Ou alors, ils auraient eu ensemble de douces caresses sans pour cela faire d'elle cette vache qui met bas ! Jamais plus il ne me touchera ! Je l'assommerai avec mon oreiller en caoutchouc. La situation de Gaston n'arrange rien. Sophie frémit, lourde de cinq mois, en recevant les premières lettres de la pension Muron-Bellaguet.

Je m'ennuie furieusement dans la cage. Pour plus d'amusements, Mr M... s'est fourré dans la tête que je ne travaille pas, que je n'ai jamais travaillé, que je ne travaillerai jamais, me dit sans cesse, sans rime ni raison, qu'il est très mécontent de moi, que ça n'ira pas

---

1. *Monseigneur de Ségur, sa vie, son action*, M. de Hédouville.

longtemps comme ça, etc. Je travaille cependant et je travaille malgré lui. Ses continuelles remontrances ne pourraient avoir pour effet que de m'empêcher de travailler ; car vous le savez, ce n'est pas de cette façon-là qu'on peut jamais rien obtenir de moi. Un ou deux mots de douceur feraient plus que toute sa sévérité[1].

C'est bien l'avis de Sophie qui jamais n'a insulté ou fouetté ses enfants. Elle a élevé si doucement ses garçons ! Ses filles aussi. Elle en obtient une parfaite obéissance.

Quand (Gaston) avait eu des colères dans sa petite enfance, (sa mère) le mettait dans un coin et le laissait crier, après lui avoir donné deux ou trois petites tapes. Quand (Gaston) avait été impoli avec un domestique ou maussade avec un camarade, (sa mère) l'obligeait à demander pardon. Quand (Gaston) avait été gourmand, il était privé toute la journée de sucreries, de gâteaux et de fruits. Quand (Gaston) avait désobéi, il était renvoyé dans sa chambre où (sa mère) ne l'embrassait avant qu'il n'eût demandé pardon. De cette manière (Gaston) était devenu un charmant petit garçon[2]...

Le début d'une nouvelle amitié console un peu Sophie. Eugène Sue. Eugène de Ségur a rencontré dans le monde Olympe Pélissier, volage maîtresse du grand feuilletoniste. Le comte de Ségur invite, rue de Grenelle, l'auteur des *Mystères de Paris*. Sophie le trouve séduisant avec son allure de dandy, ses gants beurre frais qu'il met pour écrire. Elle s'empresse de l'inviter aux Nouettes. Il s'y rendra à Pâques, captivé par l'aimable et originale comtesse. Sue est charmé par les jumelles qu'il trouve ravissantes. Il a bien envie de les décrire dans son prochain roman. De retour à Paris, Sophie retombe dans sa dépression. Paris l'assombrit avec son noir mystère de boue, de microbes et de misères morales. Son angoisse devient d'un seul coup démesurée. Papa, ô papa ! Elle réalise souvent la perte irrémédiable de Fédor. Elle va très mal quand la reine Marie-Amélie — elle aussi mère de huit enfants — l'invite à Neuilly. C'est une bonne visite. Sophie aimera tout de suite cette reine, cette mère, que Talleyrand, si méchant, ne pouvait s'empêcher de définir comme « la seule grande dame authentique ». Marie-Amélie n'avait pas hésité à épouser Philippe d'Orléans, par amour, en plein exil. Sophie envie la tendresse profonde qui unit ce roi et cette reine. Ils sont passionnément attachés à leurs enfants. Chaque soir,

---

1. Correspondance Ségur, B.N., côte NAF 22835.
2. *Les Vacances.*

le roi, la reine et Mme Adélaïde dînent entourés de leurs enfants. L'enfant est en train de devenir une mode, une coqueluche. Louis-Philippe, sans le vouloir, a-t-il travaillé à l'introduction de l'enfant dans la littérature tel un héros à part entière ? La table de Louis-Philippe est bien celle des Nouettes, Mme Adélaïde, la « tante » idéale. Elle manifeste à la comtesse de Ségur, si malade, une tendre pitié et une réelle amitié. Sophie se retient de sangloter, quand Louis-Philippe lui dit en souriant. « J'ai bien connu votre père. » Papa, ô papa ! La blessure, soudain, est ouverte, fraîche, insoupçonnable de force.

En juin, Sophie part aux Nouettes. Elle est malade à gémir. La migraine, tigre derrière le front, révulse ses entrailles si lourdes de vie. Elle se met à confondre la naissance avec sa mort probable. Je suis vieille. Je suis usée. Je suis triste. Bonne à jeter. Jamais je n'aurai la force d'élever cet enfant. Je mourrai bien avant, certainement. Olympe Pélissier a des déshabillés en forme de nuages. Gaston est très malheureux dans cette sale rue, harcelé par un méchant maître. Où sont mes enfants ? Je ne veux pas que Renaud soit mort. Ni papa. Ni Lise. Ni mon petit poney. Sophie, rejoint sa Normandie sous les roses. Sentent-elles très bon ou un peu mauvais ? Elle ne sait plus. Sophie trouve à chaque mets, à chaque fleur, à chaque souffle, une odeur révulsive. Décidément, cette année, les roses puent. Sophie se terre dans sa chambre. Heureusement, la comtesse Albert de Macklot, sa voisine, est devenue son amie. Elle s'évertue à égayer Sophie, propose d'être la marraine de l'enfant à venir. Mme Bermont, une fois de plus, est mandée. Elle examine Sophie en jupon, allongée sur son lit sans matelas. Elle mesure au mètre de couturière son ventre, touche les seins, pratique un touché vaginal. Elle se montre soucieuse, l'enfant est trop haut. Elle essaye de la rassurer pleinement. A son âge, cela est normal. Je suis très compétente, n'est-ce pas, madame la comtesse ? Ma mère, également sage-femme, avait suivi les cours départementaux d'accouchement fondés en Indre-et-Loire par le préfet Pommereul. Oh ! il y a longtemps ! C'était en 1802. J'applique, madame la comtesse le sait, la loi du 19 ventôse, an XI, qui exigeait si justement que nous suivions pendant neuf mois la grossesse ! Ce n'est pas raisonnable, madame la comtesse de n'être pas restée ici depuis le début ! Vos dernières règles datent de janvier ? Mme Bermont compte sur ses doigts. Votre enfant naîtra début octobre ! J'ai suivi les cours théoriques du Dr Herpin. J'ai présenté mon diplôme à Orléans, devant un jury présidé par le Dr Maret. Soyez rassurée, madame la comtesse, ce sera un peu dur, mais tout ira bien. Au pire, nous pratiquerons une injection d'eau bouillie. Évidemment, une césarienne serait l'idéal, mais personne ne sait bien les faire. Les patientes meurent d'excès de douleurs. Le chloroforme tue chaque fois le bébé enfermé dans l'utérus que nous sommes alors obligés d'enlever.

« Enlevez tout ! » murmure Sophie, exsangue.

Les douleurs ont commencé le 29 septembre. Mme Bermont est très inquiète. Le Dr Mazier a pratiqué l'injection d'eau bouillie. La dilatation ne se fait pas. Les contractions sont d'une fureur rare. Sophie a « une couche épouvantable... La pauvre malheureuse poussait des hurlements, etc., malgré ses atroces souffrances, elle criait : " Sacrifiez-moi, sauvez mon enfant ; si vous le tuez, je meurs[1] ! " »

Mme Bermont n'écoute pas les cris, hélas, trop habituée à l'insensé supplice des naissances. Elle prépare l'huile de noix pour aider le passage. Sophie se sent mourir. Jamais elle n'a eu une couche aussi dure. Une vieille femme qui met bas ! Comment a fait sainte Élisabeth ? Mais je ne suis pas une sainte ! Allez chercher le gouverneur de Moscou ! Lise est morte ! Ma mère n'est pas un plat sucré ! Je suis toute seule ! Eugène n'est pas là ! D'habitude, il assiste à mes couches, au moins dans la pièce à côté, il est un tout petit peu lâche ! Mon père ne quittait pas ma mère pendant les naissances ! Papa, ô papa ! Je vais mourir, c'était fatal ! « Huit enfants ! si ça a du bon sens (...) cette marmaille[2] ! » Jamais Sophie ne s'est autant révoltée contre un accouchement et son destin. Quand l'enfant jaillit, à demi étranglé par son cordon, mêlé aux eaux enfin explosées, Sophie sombre dans une semi-folie, la nuit d'une mémoire soudain abolie.

Presque au même moment, boulevard Bonne-Nouvelle, à Paris, naît une autre petite fille : Adèle Eugénie Sidonie Landoy, dite Sido, mère de Colette. Nous sommes le 1er octobre. Une pluie fine se fait entendre sur le toit. En fait, Eugène est là. Et tous les enfants. Les cris de Sophie vomissaient son angoisse. Le Dr Mazier craint une hémorragie. La délivrance a été longue à venir. Il a dû appuyer de ses poings sur le ventre de Sophie évanouie. Mme Bermont ranime doucement le bébé. « C'est une fille, madame la comtesse ! » Sophie est portée dans un fauteuil, contre la fenêtre, le temps d'éponger le champ de bataille de la naissance. Il y a autant de sang qu'à Smolensk, quand les Français voulaient nous étriper.

---

1. Lettre à Olga de Pitray, 1865.
2. *Le Général Dourakine.*

Eugène m'a étripée. Tout est de sa faute. Sophie confond les bouleaux du parc avec ceux de Voronovo. Mon enfance, ô papa, chaque accouchement, c'est moi toute vive entre vos mains qui tremblent d'amour. Sophaletta ! Sophaletta !

« Olga ! »

Elle veut encore un prénom russe. Les enfants, un à un, défilent auprès du berceau traditionnel où respire une boule minuscule et rouge. Baptisée dans la journée, Olga a pour parrain Gaston, à la place d'André Rostopchine. Cette fois-ci, Sophie a interdit les centimes et les dragées. « Je trouve cela ignoble : les enfants deviennent semblables à des chiens qui se disputent un os. (...) Je ferai donner des dragées et je ferai porter aux pauvres l'argent qu'on dépense en centimes perdus en grande partie[1]. »

Sophie chancelle dans un autre délire. Elle se met à aimer passionnément, autant que Gaston, cette enfant qui a failli la tuer, Olga. « Gaston ! Olga ! mes amourets ! Olga, je t'aimerai toute ma vie autant que j'ai aimé Gaston. Au secret de moi-même, je puis bien dire que mes maternités se situent entre deux radieuses parenthèses. Gaston et Olga. Olga fermera la parenthèse de mes naissances. Que va-t-il se passer, maintenant ? Mon Dieu ! Mon Dieu ! Je ne peux plus parler ! Olga ! »

Gaston, assis près du berceau, est en train de dessiner la petite. Sophie ne sait pas qu'il croque aussi le visage de sa mère dont le larynx est totalement bloqué.

Sophie deviendra une mère à filles grâce à Olga. Olga, la préférée, non seulement de Sophie, mais aussi de ses frères. Gaston la fait sauter dans ses bras, si fort, si haut, que sa tête heurte le plafond. Gaston masse le crâne du bébé effrayé et n'osera avouer la chose qu'en 1857 ! Anatole se saisit d'Olga « comme d'un gros bouquet ». Olga glisse de ses langes « comme une épée de son fourreau, la tête en bas ». « Anatole, écrira Gaston pour un des anniversaire d'Olga, ne tenant plus que le fourreau, eut à peine le temps d'étendre les jambes et de réunir les pieds pour empêcher ta pauvre tête d'aller cogner à terre. Tu criais comme un merle pendant que nous pleurions tous de rire... »

Célestine et André, les enfants du garde, étaient là, partageant tous les jeux des petits Ségur. La joie de ce bébé qui, dans un premier temps, a tué sa mère.

---

1. *Les Mémoires d'un âne.*

Stérilité ou les mares au diable

Après la naissance d'Olga, l'eau va devenir une hantise pour Sophie. Elle n'aura plus d'enfants. La stérilité devient cette mare où périt une femme qui fut très féconde. Quoi ? Plus jamais d'enfants ? Paradoxe de Sophie et des femmes. Cauchemar, cette dernière naissance, mais aussi, la fin d'un monde. Sophie n'accouchera plus. Elle est décidée à renoncer aux rapports sexuels. D'abord, elle souffre trop des reins. Cela ne prive guère Eugène, habitué à s'exprimer ailleurs. 1835 marque la fin de l'amour charnel de Sophie. Tout au moins, son espacement. Quelle contraception était alors adoptée ? En fait, il n'y en avait pas. L'Église l'interdit. La contraception est un signe de mauvaises mœurs. Il est fort douteux qu'Eugène se fût contenté de caresses voluptueuses réservées à ses maîtresses et du *coïtus interruptus*. On ne connaît pas de bâtards à Eugène de Ségur. Il devait certainement prendre ce genre de précaution dans ses adultères. Le fameux préservatif de M. Dupuytren date de cette époque. Mais il n'est pas réservé à l'épouse destinée à procréer. La chair, dans le mariage, reste un devoir. Sophie a la lancinante nostalgie du modèle paternel qui adorait sa femme, l'exprimait par des baisers, des colères, des enfants, des pleurs, des rires, des cadeaux, des lettres. Hélas, l'amour à la française serait donc une chiennerie, une terrifiante indifférence rattachée uniquement à l'obsession de transmettre un patrimoine ? Nous sommes loin du XVIIIᵉ siècle où la volupté, chez les aristocrates, hommes et femmes, était en elle-même une élégance, une inspiration d'œuvres diverses.

La comtesse de Ségur a beaucoup réfléchi sur les naissances quand elle écrivit ses romans. Elle imposera à ses héros favoris des mariages d'amour. Le couple idéal n'a que deux ou trois enfants. M. de Rosbourg, revenu de sa lointaine errance, aura une petite fille l'année après son retour. M. de Rosbourg est très amoureux de sa femme. Ils ne se privent pas l'un de l'autre, s'embrassent, s'aiment, s'adorent[1]. M. de Néri, mari idéal, n'a que deux enfants[2]. Au pire, on va jusqu'à quatre. Au-delà, commence la malédiction. Mme Papofski, mégère du *Général Dourakine,* a huit enfants. L'enfant unique est aussi une malédiction. Giselle est le drame de ses parents[3], Alcide meurt en mauvais génie, Jean qui

---

1. *Les Vacances.*
2. *Quel amour d'enfant !*
3. *Ibid.*

grogne finit au bagne, François est bossu, Christine abandonnée, Blaise sombrement menacé, Geneviève Dormère humiliée par son bourreau, Georges Dormère, également enfant unique. Charles Mac Lance est martyrisé. Sophie Fichini en danger de mort... Deux enfants restent le chiffre idéal. Les bons ou les mauvais enfants sont des couples : Jacques et Paul, Georges et Isabelle, Camille et Madeleine, Simplicie et Innocent, Georges et Geneviève, Caroline et Gribouille, Gertrude et Juliette, Maurice et Adolphe.

La comtesse de Ségur et l'eau. Le dieu Thaloc

Sophie émerge de son coma. Les « eaux » de l'homme sont terminées pour elle. L'eau, souveraine et curative, devient aussi la privation du sperme, de l'amour, de l'enfant, principe salvateur de Sophie Rostopchine. Cette eau, dangereuse, va prendre forme dans l'angoisse. Mares, étangs, rivières si répandues en Normandie. La noyade. L'incendie hante les romans séguriens, mais pire que le feu, l'eau tue sans recours. L'eau devient alors la fée des crapauds. Sophie, très éprise de contes, a lu dans sa bibliothèque qu'au Mexique le respect de l'eau redoutée recoupe une coutume terrifiante. L'eau s'y nomme « Thaloc ». Elle est prisonnière du volcan Tolucan. Lac glacial et profond, où, chaque année, la coutume y noie deux enfants, magnifiquement vêtus et sacrifiés à Thaloc, le dieu des Eaux. On noyait aussi dans des canaux des petites filles modèles, afin que les rizières soient convenablement irriguées. Sophie enfouit au fond d'elle cette terreur du dieu Thaloc. Cet ogre qui rôde autour des mares normandes, des étangs des Nouettes... Il guette l'enfant pour le happer au nom de son culte, puisque l'enfant demeure la grande perturbation de toutes les eaux. La Bible terrifie Sophie. Les grandes eaux sont la colère de Dieu contre les hommes, ses enfants :

> « Les flots de la mer contre eux feront rage,
> les fleuves les submergeront sans merci... »

Eau ravageuse qui engloutit en premier l'enfant. La comtesse de Ségur décrit dans *Pauvre Blaise,* la noyade d'un enfant :
« Hélène et Blaise arrivèrent au moment où la pauvre femme retirait d'une mare pleine d'eau son petit garçon de deux ans (...). Il n'avait pas pu en sortir et il avait été noyé[1]. » Le roman *Les*

---

1. *Pauvre Blaise.*

Petites Filles modèles regorge de noyades : « Sophie tomba dans l'eau ; elle poussa un cri désespéré et disparut. » Le boucher Hurel meurt noyé, pris dans l'étang où rien ne le sauve. Quant à la scène de Sophie glissée dans la mare, elle est reliée à une aventure d'Olga. Vers l'âge de six ans, Olga glissera dans la mare. Aux cris de Célestine « Olga est noyée ! », Sophie, si malade fut-elle, court, court vers la mare. Traumatisée, affolée, elle est persuadée que sa dernière née est morte. Olga s'était souvenue des conseils de sa mère pour se sortir de cette mare qui l'avait engloutie. Cette scène sera reprise plus tard dans *Les Petites Filles modèles*. Marguerite glisse à son tour dans la mare pour sauver Sophie.

> *(Marguerite) se souvient d'avoir entendu dire à Mme de Fleurville, que lorsque l'on arrivait au fond de l'eau, il fallait, pour remonter à la surface, frapper le sol du pied (...). Aussitôt qu'elle sentit le fond, elle donna un coup de pied, remonta immédiatement...*

Le fond : eaux glauques, jaunes, vase, bêtes molles, plantes couchées, plus traîtresses que des serpents. Le témoignage d'Olga, si jeune encore, rend l'horreur de cette situation :

> *Accroupie dans cette vase, je me disais, tout étourdie de cette chute, que je faisais un rêve affreux (...). J'avais les yeux grands ouverts et je voyais vaguement de la clarté au-dessus de ma tête (...). J'ouvris deux fois la bouche pour respirer ; chaque fois, j'avalais une gorgée de cette eau dégoûtante*[1]*.*

Sophie reprendra, presque mot à mot, le témoignage d'Olga quand Marguerite sort de la mare fatale :

> *J'avais entendu dire à ma mère, que les gens tombés à l'eau, devaient, pour remonter à la surface, donner un grand coup de pied au fond*[2]*.*

L'eau est un supplice appliqué au méchant par les foules. Le haïssable Esbrouffe, attaché par la foule (encore plus haïssable) à une échelle, est plongé plusieurs fois dans la mare :

> *À l'eau ! À l'eau ! hurla la foule, en se dirigeant vers une mare qui servait ordinairement d'abreuvoir. Ils approchèrent de la mare,*

---

1. *Ma chère maman, souvenirs intimes et familiaux*, Olga de Pitray.
2. *Ibid.*

penchèrent l'échelle, le laissèrent tomber dans l'eau. Floque!
Esbrouffe fit un plongeon, puis un second, puis un troisième[1]...

Ourson tombe au fond d'un puits, Violette est hantée par un rêve
de noyade. La fée Rageuse l'entraîne au fond d'une mare glauque :

Elle saisit le pied de Violette de ses pattes froides et gluantes et
chercha à l'entraîner au fond de l'eau. Violette poussa des cris
perçants, elle luttait en se raccrochant aux plantes, aux herbes qui
couvraient le rivage (...). La fée l'emportait (...). Violette, la pauvre
Violette disparaissait sous l'eau. Hélas! sa chevelure, seule, paraissait
encore (...). Ourson sentit qu'il enfonçait avec elle, la fée Rageuse
continuait à l'attirer au fond du ruisseau[2]...

Fontenay et les pensions protègent-elles les enfants de la
noyade? Pas sûr! Innocent Gargilier est traqué aux bains, jusqu'à
la tentative d'assassinat.

Innocent savait un peu nager, de sorte qu'il se dirigea vers la partie la
plus profonde du bassin; plusieurs élèves de sa classe s'y trouvaient.
« Une passade à Gargilier! » dit l'un d'eux (...). Innocent s'enfonçait,
se débattait, revenait sur l'eau, cherchait à reprendre sa respiration,
replongeait à nouveau; à la quatrième passade, il était haletant, il
étouffait, il faisait des efforts inouïs pour pousser un cri (...). Il ne
revint plus sur l'eau; il flottait au fond, ayant perdu connaissance[3]...

Cadichon jette son ennemi Auguste dans un ruisseau infect.

Je fis un bond vers le bord et une ruade qui lança Auguste au beau
milieu de la boue. Je restai tranquillement à le voir patauger dans cette
boue noire et infecte qui l'aveuglait[4].

La mort serait donc cette boue noire qui aveugle et étouffe avant
l'anéantissement? Quelle faute ont donc commise les enfants?
Sophie a-t-elle vécu ses deuils et cette dernière naissance, pire
qu'un cauchemar suffocatoire, chute au fond des eaux aveugles?
On est loin de la composition des eaux qui sauvent. Voici la
composition des eaux qui tuent : « Un fossé dans lequel venait
aboutir le conduit qui recevait les eaux grasses et sales de la
cuisine[5]. »

---

1. *Les Bons Enfants.*
2. *Nouveaux Contes de fées.*
3. *Les Deux Nigauds.*
4. *Les Mémoires d'un âne.*
5. *Ibid.*

La délivrance, reliée au bébé, est aussi ce conduit qui reçoit les déchets. L'enfant englouti tel un déchet... un moyen de se débarrasser des enfants ? Comment est-il, le visage des enfants noyés, de tous les noyés du monde ? « Ses yeux étaient fermés, ses dents serrées, la pâleur de la mort recouvrait son visage [1]. »

Les animaux aussi ne sont pas épargnés. Sophie noie des hérissons et sa tortue. Le méchant Jules, pour contrarier Blaise, jette ses petits poulets dans la mare (unique cas de sauvetage : les poulets ressuscitent placés toute une nuit dans une barrique de cendre chaude). Des enfants méchants jettent dans la rivière, sous les roues du moulin, l'ami de Cadichon, le pauvre chien Médor. (Le chien Miracle ?)

> Ils lui attachèrent au cou une ficelle qui le serrait à l'étrangler (...). Le pauvre Médor se débattait vainement (...). André, le plus méchant de la bande, lui attacha les deux vessies autour du cou, mon malheureux ami, poussé par le courant encore plus que par la poche que tenaient ses bourreaux était à moitié noyé [2].

Félicie, l'orgueilleuse, disparaît au fond de l'étang après avoir copieusement insulté Diloy le Chemineau. « Félicie poussa un grand cri et disparut. »

L'eau se referme chaque fois sur l'enfant. L'utérus se referme après l'avoir expulsé vers sa certitude de vie et de mort. Frédéric, haï par son père pour l'avoir volé, finirait bien par se jeter dans la mare. Cette même mare, où, croyant bien faire, le père Bonnard avait rincé les habits de l'Anglais M. Georgey, ruinant ainsi ses papiers de projets industriels [3]. Mare de mort, même si on y lave le linge, y compris, chaque mois, celui qui prouve aux bonnes, si oui ou non, madame la comtesse est encore grosse.

L'âge accentuera chez la comtesse de Ségur cette terreur de l'eau. Sophie est effrayée par la mer. Les parents de Sophie dans *Les Malheurs de Sophie* sont morts dans un naufrage. La mer est une force redoutable. De Kermadio, Sophie écrit sans relâche à Olga et son fils, Jacques : « Le petit Gaston, en pêchant des crabes, hier, est tombé dans la vase jusqu'aux genoux [4]. »

Aucun enfant n'est à l'abri :

---

1. *Nouveaux Contes de fées.*
2. *Les Mémoires d'un âne.*
3. *Le Mauvais Génie.*
4. Lettre de Kermadio, 25 juillet 1871.

> *Cher enfant, Françoise (de Pitray) jouait près du bassin, elle a glissé et elle est tombée dedans : heureusement, elle n'avait de l'eau que jusqu'aux genoux* [1].

Thaloc rôde, dévore d'autres enfants :

> *Il y a eu, ces jours-ci, deux accidents deux jours de suite ; deux pauvres petits garçons de dix et quatorze ans qui se sont noyés en se baignant sans savoir nager (...). Un des petits garçons a enfoncé petit à petit dans la vase (...), on l'a retrouvé à marée basse, mort depuis trois ou quatre heures* [2].

Sophie grand-mère s'épouvante quand Émile de Pitray, le mari d'Olga, parle d'acheter un bateau.

> *Je suis un peu effrayée à l'idée de papa d'acheter un bateau. Tes frères et sœurs se noieront tous, c'est certain, surtout si c'est un bateau à quille* [3].

La mer engloutit aussi les hommes. Personne ne saurait lui résister.

> *Nous avons eu avant-hier un bien triste accident. Un garde-barrière de chemin de fer a été se baigner dans la mer avec quatre de ses camarades : la mer est dangereuse ici à cause des nombreux trous et de la vase épaisse qui fait le fond du terrain. Le pauvre homme ne savait pas nager, il est tombé dans un de ces trous (...). Ce n'est que lorsque la mer a baissé que l'on a pu le trouver dans ce trou (...). Il a fallu se dépêcher de l'enterrer parce qu'il était tout décomposé, étant tout noir depuis le matin* [4].

L'agonie de la comtesse de Ségur ressemblera à une noyade. « De l'air ! » suffoqua-t-elle pendant des heures.

Additif : les enfants littéraires de Sophie

Sophie, Camille, Madeleine, Marguerite, Paul, Gaston, Lucie, Jeannette, Simplicie, Innocent, Marthe, Sophie, Léonce, Gudule,

---

1. Lettre de Kermadio, 25 juin 1871.
2. Lettre à Jacques de Pitray, Kermadio, 24 juillet 1872.
3. *Id.*, 9 juin 1870.
4. *Ibid.*

Hector, Achille, Clémence, Mathilde, Berthe, Jean qui grogne, Jean qui rit, Raoul, Marie, Maurice, Adolphe, Cécile, Hélène, Christine, François, Sophie, Blandine, Brunette. Beau-Minon, Ourson, Violette, Henri, Rosette, Rosalie, Sonuska, Yégor, Mitineka, Pavloska, Nikalaï, Alexandre, Michel, Natasha, Sophie, Gribouille, Caroline, Émilie, Georges, Geneviève, Jacques, Pierre, Henriette, Pauline, Blaise, Jules, Clodoald, Cunégonde, Félicie, Moutonet le jeune, Laurent, Anne, Orangine, Roussette, Jeanne, Charles, Juliette, Gertrude, Auguste, Relmo l'idiot, Yolande, Alcide, Frédéric, Julien, Giselle, Isabelle, Thérèse, Léon, Jean, Torchonnet, Gaspard, Lucas, Mina, Sophie. Cadichon.

Et le petit Jésus.

TROISIÈME PARTIE

L'ÉPOQUE DE SOPHIE

I

LES MENUS DE L'ANGE GARDIEN

> *Turbot sauce crevette! saumon sauce impériale! filets de chevreuil sauce madère!*
> *Le général goûta, approuva et en redemanda deux fois.*
>
> L'Auberge de l'Ange Gardien

Les enfants de Sophie sont maintenant tous nés.

Comment Sophie — et les mères du XIX⁰ siècle — affrontent-elles leur quotidien ? « Je pense à votre bien-être du matin au soir [1] », dit Mme d'Orvillet à ses enfants. Ce leitmotiv des bonnes mères séguriennes est celui de Sophie. Malgré cette dépression qui dévorera douze années de sa vie, Sophie n'a eu de cesse de penser aux enfants. Déjà, elle avait fort bien conçu leur layette et mis au point certaines eaux curatives. La nourriture, les livres, les jouets, les promenades, la santé, l'éducation des petites filles, l'entretien et la gestion des Nouettes, rien n'a été négligé. Cette urgence a-t-elle empêché Sophie de périr pendant cette lugubre période où elle deviendra, en grande partie, une malade en chambre ?

---

1. *Diloy le Chemineau.*

COMTESSE DE SÉGUR

« *De la nourriture*[1] »

Le bien-être passe en premier lieu par la bouche. La nourriture tient une grande place dans la vie des enfants de Sophie et dans son œuvre. La table est confondue avec l'hygiène. Un moyen de lutter contre les épidémies de l'époque.

Les quatre premiers mois, Sophie met l'enfant au sein. Si la mère est malade, il y a le bureau des nourrices. Olga sera en partie nourrie de cette manière. Bouillies et soupes sont données à partir de cinq mois. « Il faut donner d'abord une demi-tasse à thé, au plus, de bouillie et de soupe. » On augmente peu à peu ces doses. Cette diététique est déjà moderne. Vers un an, l'enfant peut consommer jusqu'à trois rations de soupe et de lait par jour, accompagnées de « croûtes de pain » pour favoriser la percée des dents. Sophie a le génie du corps de l'enfant. La percée des dents se situe entre cinq et douze mois. Jaillissement féroce dans les gencives, d'où le besoin de croquer quelque chose de dur. Sophie veille à cette croûte de pain mordillée. Lentement, apparaîtra vers dix mois la dure provende des dents de lait.

Sophie connaît le danger de l'excès de nourriture. « Il est aussi dangereux d'alimenter trop fortement un enfant que de le mal nourrir. » Sophie supprime très vite le repas de la nuit. « Ne donnez jamais à manger la nuit ; au plus à boire (...). Un excès d'alimentation peut provoquer " un rachitisme " de l'estomac et " un état de malaise perpétuel ". » La viande fait son apparition vers deux ans, « quand ils peuvent mâcher ». Du mouton, du bœuf, de la volaille, pas de veau. « Gardez-vous du veau, cette viande ne vaut rien. » Ne pas oublier d'ajouter aux repas, désormais au nombre de quatre par jour, « des soupes grasses, des panades, des œufs frais, des pommes de terre, des légumes sains comme lentilles, haricots verts, chicorée, épinards, carottes ». La Normandie et la ferme des Nouettes ont été pour beaucoup dans l'hygiène des enfants de Sophie. Curieusement, elle se méfie des laitages. « En petite quantité », conseille-t-elle. A-t-elle remarqué les coliques que peut provoquer l'excès de lait ? Elle trouve « excellent » sa contrepartie, « le riz créole ».

A partir de quatre ou cinq ans, on peut préparer les menus définitifs. Le matin, la soupe sert de petit déjeuner, ou bien « du café de glands avec du lait ». Dans tous les cas, « une bonne tartine

---

1. *La Santé des enfants.*

de pain et de beurre ». Vers onze heures, le déjeuner : « une soupe et une côtelette de mouton (...), suivies de pommes de terre sous la cendre avec un peu de beurre ». Deux plats suffisent, affirme Sophie, à condition que le pain soit donné « à volonté ».

Le pain est omniprésent dans sa bouche, ses lettres, ses conseils diététiques, son œuvre. Le pain démarque à jamais le pauvre du riche, l'athée du croyant, le blasphémateur de l'adorateur. Le pain, symbole de la nourriture essentielle, aboutit au « pain de vie », le Christ eucharistique. « Bienheureux, a écrit saint Clément d'Alexandrie, ceux qui nourrissent les affamés de justice par la distribution du pain. » Le pain demeure, selon saint Martin, « l'affliction et la privation, la purification et la mémoire des origines ». Les livres de Sophie sont nourris de pain, tant au physique qu'au mental. Gratification autant que punition, panacée de l'affamé, humiliation du prisonnier. Nostalgie de Sophie punie en chambre, qui aimait le pain des chevaux.

Le goûter a lieu, non à quatre heures, mais à deux heures, en revenant de la promenade : « une tasse de lait (...) avec du pain et des confitures (...) ou des fruits de saison ». Le dîner est à six heures : « Une soupe, un plat de viande, un plat de légumes, un dessert. »

Quel hygiéniste pourrait contester un tel équilibre ? Sans parler des sages interdits. Jamais de bonbons, des pâtisseries « à l'occasion ». Se méfier des choux et des haricots, « lourds et venteux ». Défense « des petites mangeailles entre les repas ». On désaltère les enfants avec de l'eau. Quelquefois avec de la limonade et de l'orangeade. L'eau redevient salvatrice et bonne. Eaux claires, eaux printanières, courantes et amoureuses, l'eau abreuve l'enfant ségurien qui se penche directement au ruisseau des bois quand la peur ou la soif l'assaillent. Y trouve-t-il l'énergie inconsciente de la grande source fécondante maternelle ? L'enfant privé d'eau est aussi en danger de mort que privé de pain. Le berceau du soleil, d'après Bachelard, reste à jamais ce « grand lotus sorti des eaux primordiales... » Par amour pour ses enfants, Sophie a longuement réfléchi à l'équilibre de la soif et de la faim. L'eau, le pain. Elle veut briser cette privation essentielle qui était son lot, enfant, et créait « le malaise perpétuel ».

De l'excès ou les fruits défendus

La gourmandise est le seul péché capital de la comtesse de Ségur. Elle a une tendresse pour tous ses gourmands. Malgré un féroce exemple. Gourmandinet, le traître petit page de la princesse Blondine, meurt, assommé par la caisse de bonbons, gain de son crime : égarer Blondine dans la dangereuse forêt des lilas[1]. Camille, l'élue des enfants modèles, est gourmande. « La bonne, la charmante Camille avait un défaut : elle était un peu gourmande ; elle aimait les bonnes choses[2]. » Eugène s'est souvent exclamé à table quand Sophie commençait son dîner aux plats sucrés : « Voici Sophie qui commence son repas ! » La privation de dessert est pour Sophie une importante punition. « Le dessert arrive ; on apporte une superbe corbeille de raisins ; les yeux de Camille se remplissent de larmes[3]. » Chaque soir, Sophie élabore le menu du lendemain avec la cuisinière. Elle descend elle-même aux cuisines. Les menus sont très attentifs à l'hygiène. En voici un qui correspond à peu près au quotidien des Nouettes. « Un œuf frais, que voici, avec une tartine de beurre, une côtelette, une cuisse de poulet, des pommes de terre sautées[4]... » Les desserts quotidiens sont presque aussi importants que le doublet des viandes. Outre les croquettes au riz, il y a, par enfant, « deux gâteaux, une orange, une mandarine, une pomme d'api et des fruits confits[5] ». Sophie de Ségur commençait et finissait souvent ainsi ses repas ! Envie de femme enceinte ou lancinant désir de rattraper tant de soirées de son enfance, punie dans sa chambre, avec du pain et à l'eau ? La régularité est la grande règle de santé. Sophie exige de stricts horaires de table. Le petit déjeuner a lieu à huit heures — thé, lait, café, chocolat, pain beurré et des radis pour elle — le déjeuner est à onze heures et demie. « Nous vous attendons à déjeuner avec vos enfants ; soyez exacts à onze heures et demie. » Quant au dîner, « six heures en hiver, six heures trente en été... Pas une minute de plus. J'ai une faim d'enragée... J'aime qu'on soit exact[6] ».

Sophie conserve au ventre et au cœur une faim d'enragée. Malgré les plats sucrés. Seul, l'âge la rendra frugale. Cette faim-là a recoupé chez Sophie toutes les autres faims. Dans son œuvre, le petit déjeuner s'assouvit à grands élans. « Le pain de six livres, le litre de café, la cruche de lait, la motte de beurre, le sucrier plein, furent engloutis par les Polonais affamés[7]. » Riches ou pauvres, la

---

1. *Nouveaux Contes de Fées.*
2. *Les Petites Filles modèles.*
3. *Ibid.*
4. *Ibid.*
5. *Les Bons Enfants.*
6. *Les Deux Nigauds.*
7. *Ibid.*

table, chez la comtesse de Ségur, réveille une féroce fringale. L'absence d'appétit est signe de maladie, voire d'agonie. Les Polonais engloutissent le sucrier en entier. Ces immigrés, ces déracinés, dévorent le sucre tout seul, tout cru, tout blanc, étouffant, obsédant. Sophie sur la lente route de l'exil, face à la dure Catherine, avait-elle rêvé que son Bon Ange était un sucrier débordant ? Sa mère, le bac à sel où reposent les fouets et les verges ? Quand on a perdu son pays, le sucre compense-t-il tous les manques, la patrie disparue, les parents décédés, les amis fondus dans le brouillard ? Sophie de Ségur a constamment besoin d'avaler des sucriers débordants. Ou de violentes sauces mongoles mêlées au bortsch. Ces immigrés sont des affamés. Même le richissime général Dourakine qui « goûte, goûte et regoûte encore »... Les étrangers de son œuvre se jettent sur la nourriture et le vin à en crever et n'en crèvent pas. Ils ne crèvent que d'absence et de manque d'amour. M. Georgey, l'excellent Anglais, poursuivi par le mauvais génie, avale une dinde à chaque repas, suivie d'un lapin sauté avec force vins. Paolo, le pauvre médecin italien de François le Bossu, chassé de son pays par la horde du sanguinaire autrichien, le général Radetzki (1848), dévore à la bonne table normande de Mme de Cémiane. Il s'étrangle à moitié avec un gros morceau de viande pas même mâché. Avaler, avaler, pour détruire cette déchirure, les parents, les amis assassinés, fusillés, brûlés, par les révolutions et les guerres. Les étrangers, chez la comtesse de Ségur, avalent même le vin. « Le général en était à son dizième verre de vin ; on avait déjà servi du madère, du bordeaux-lafitte, du bourgogne, du vin du Rhin... Ne troublons pas notre temps à parler, ne troublons pas notre digestion à discuter, mangeons et buvons [1]. » Abolir l'angoisse du sol natal dérobé avec ces ruses de faussaires. Abolir la mort de Fédor Rostopchine qui couvrait leur table de munificences et de champagne dans des couverts de cristal, d'argent et d'or... Avaler, avaler les potages, les gibiers, les rôts et même le pain au kilo, celui des chevaux, des oiseaux, des rats, qu'importe ! Manger, non pour vivre, mais reconstituer à travers les heures de table le rêve gargantuesque des retrouvailles avec l'illimité. Sophie veut-elle, à travers ses menus copieux, remonter la filière jusqu'au festin du redoutable ancêtre Gengis Khan ? « Faisans rôtis ! Coqs de bruyère ! Gelinottes ! (...) Il ne resta plus que quelques os que les mauvaises dents n'avaient pu croquer [2]. »

---

1. *L'Auberge de l'Ange Gardien.*
2. *Ibid.*

La progression dans le plaisir de la bouche (il s'agit du menu de la noce d'Elfy et du zouave Moutier) ressemble au plaisir dans l'amour. Plus! Encore! Le général (Rostopchine?) devient le dispensateur homérique du bonheur physique. « Jambons de marcassins! homards en salade! » L'assemblée ne cache pas ses cris, ses frémissements, ses râles de joie. Sa volupté par la bouche... l'infini du plaisir envahit ce texte sur le ventre, le ventre de Sophie. On pleure même de reconnaissance quand arrive « les ailes de perdreaux aux truffes ». La table marque-t-elle, dans l'œuvre de Sophie, l'oubli obtus de la privation sexuelle? Après sept heures de cet amour fou (le banquet de Dourakine), on en vient aux légumes, ceux qui abondaient aux Nouettes et dont Sophie ne privait jamais ses enfants. « Les asperges, les petits pois, les haricots verts, les artichauts farcis. » Puis, on entre dans le royaume préféré de Sophie : LE DESSERT. Dessert de la communion de Gaston et, six fois de suite, celle de ses autres enfants. Dessert de Noël, Pâques et Trinité. Dessert des anniversaires, dessert de toutes les fêtes que Sophie multiplie pour ses amourets. « Les crèmes fouettées, non fouettées, glacées, prises, retournées. Puis les pâtisseries, babas, monts-blancs, saint-honorés, talmouses, croquembouches[1]. » Bien sûr, toujours ses gimblettes, qu'elle ne cache plus derrière son dos et croque avec bonheur.

On retombe dans le sucre telle une cuve divine. Le sucre, afin de le tremper dans le vin pour supporter de manger encore. Le sucre pour délier les langues, ouvrir davantage l'estomac... Ce menu phénoménal, certes, est l'apanage d'un roman d'un fantasme généreux, mais il est aussi le souvenir des fêtes à Voronovo la nuit des Tziganes, les soirées à Saint-Pétersbourg. La bourse de Sophie, son réel bon sens, permettent rarement une telle abondance. Dans sa vieillesse, le menu de Sophie restera invariable de frugalité. « Olga, Fais-moi préparer un plat de viande, un légume et un dessert (...) du thé, comme toujours[2]. » Sophie revient à la munificence pour les vacances. Les Nouettes débordent d'enfants, de parents et d'amis. Louis Veuillot parlera de l'accueil de « maman Ségur » avec enthousiasme.

> *Le pays est vert et les Ségur sont ravissants. La maman (Sophie) surtout est quelque chose d'incomparable. De toutes les hôtelleries que j'ai faites jusqu'à présent, celle-ci est la meilleure[3].*

---

1. *L'Auberge de l'Ange Gardien.*
2. Lettre à Olga, 14 octobre 1856.
3. Correspondance de Louis Veuillot, 13 juillet 1856.

L'hôtellerie ? Sophie serait-elle Mme Blidot, la bonne hôtesse de l'Ange Gardien ? Il y a toujours pour Louis — et les enfants — « un bon déjeuner mais gardez de la place pour les tartelettes[1] ». Quant au fromage blanc, préparé aux Nouettes, venu directement de la ferme des Haies, il est une panacée : « Ce ne sera que crème, mais crème au sel et à l'échalotte[2]. »

Les radis reviennent, leitmotiv rose et frais des matins aux Nouettes. « Il y a de la musique, de la conversation, des rires, des farces, du cidre, des radis[3]. »

Les petits déjeuners sont de véritables repas. « J'ai gobé ce matin un pot de crème effrayant, la crème de Saint-Raph, avec un pain bis de Bernay. J'ai bu un pot de cidre. Il est bourru, honnête et ne manque pas d'un certain attrait. »

On retrouve, obsédant, le pot de crème et le pain bis qui ont rendu Sophie de Réan malade à crever, mais pas au point d'en dégoûter Sophie de Ségur. Souvent, elle partagera avec ses enfants « ce pain chaud et cette crème qu'elle aime par-dessus tout[4] ». Symbole maternel allant jusqu'à l'indigestion ? Sophie rendit sur le plancher ce pain et cette crème que son estomac ne pouvait plus contenir[5]. Nausée de Sophie enfant ou Sophie enceinte ? Sophie ne laisse jamais partir ses invités sans leur préparer elle-même un panier pour la route. Louis Veuillot s'en émerveille.

> *Vous faites des paniers à provision comme vous faites les livres. Vous entassez dans un peu d'osier des choses sans nombre et sans prix, toutes savoureuses, toutes solides, toutes bienfaisantes et dont profitent ceux-mêmes à qui elles ne semblent pas destinées. Je ne vois décidément qu'une différence entre vos paniers et vos livres, c'est que dans vos livres, il n'y a rien de trop[6]...*

Gageons que le panier de Veuillot n'a rien à envier à celui préparé avec amour par Prudence, pour ses deux nigauds et les trois heures de diligence : « Un gros morceau de veau froid, un gros morceau de jambon, des œufs durs, des pommes de terre, des galettes et force poires et pommes. Le vin et le cidre n'avaient pas été oubliés[7]. »

---

1. *Ibid.*
2. Correspondance de Louis Veuillot à Olga de Pitray, juillet 1859.
3. *Ibid.*, octobre 1868.
4. *Ibid.*, mai 1863.
5. *Les Malheurs de Sophie.*
6. Correspondance de Louis Veuillot, 28 septembre 1866.
7. *Les Deux Nigauds.*

COMTESSE DE SÉGUR

L'estomac des humbles

Nous sommes tous frères chez Sophie, mais pas égaux. Bourses inégales, estomacs inégalement remplis. Sophie accumule deux viandes dans un repas ; de la rouge, de la blanche. La sobriété forcée des pauvres rejoindrait certaines conceptions hygiénistes du xxᵉ siècle. On a prohibé la viande, ces dernières années du xxᵉ siècle, tel un poison. Le pain noir, dit « complet », le fromage et les radis dont se nourrit Blaise, sans parler de sa tartine de lait caillé, peuvent passer pour un menu écologique. Mais il y a pire, dans ce Second Empire où se déroule l'œuvre de Sophie. Il y a la misère totale. Ces misérables qui hanteront l'œuvre de Sue, de Hugo, puis de Zola. Les misérables, chez Sophie de Ségur, nous apparaissent dans ce qu'il y a de plus scandaleux sur terre : la famine. La famine, aux portes du château où l'on chipote la viande de veau. La famine, au ventre vide des enfants. Les petites filles modèles rencontrent dans la forêt une enfant à haillons.

> LA PETITE FILLE
>
> *(Ma mère) est si faible, et elle n'a rien mangé depuis hier !*

> SOPHIE
>
> *Rien mangé ! Mais alors... toi aussi, ma pauvre petite, tu n'as rien mangé !*

> LA PETITE FILLE
>
> *Oh ! moi, Mademoiselle, je ne suis pas malade ; je puis bien supporter la faim ; d'ailleurs, en allant au moulin, j'ai ramassé et mangé quelques glands* [1]...

Des glands, comme les porcs dont les riches se régaleront. La comtesse de Ségur ne nous épargne pas. Au-delà de la barrière si rose de Fleurville, il y a des enfants mangeurs de glands. Voici la faim, non loin de Fleurville, (les Nouettes) où les menus sont si bons, décrite par une petite fille modèle.

> *Je connais une bonne femme, moi, par-delà la forêt, ... qui n'a pas toujours un morceau de pain à se mettre sous la dent (...). Elle s'appelle la mère Toutain. C'est une pauvre petite vieille pas plus grande qu'un enfant de huit ans, avec de grandes mains longues comme des mains d'homme. Elle a quatre-vingt-deux ans ; (...) elle a*

---

1. *Les Petites Filles modèles.*

une petite chaise qui semble faite pour un enfant, elle couche dans un four, sur de la fougère[1]...

La faim se nomme la mère Toutain. Elle a la taille d'un enfant. Un enfant a toujours faim. La faim, telle une bête, se cache dans la forêt, erre sur les routes, ainsi cette petite fille rencontrée toujours par nos fillettes bien nourries.

THÉRÈSE
Qu'est-ce qui te donne à manger?

LA PETITE
Quelquefois personne, quelquefois tout le monde.

THÉRÈSE
As-tu dîné aujourd'hui?

LA PETITE
Je n'ai pas mangé depuis hier[2].

Les romans de Sophie sont traversés d'enfants au ventre vide. Jacques et Paul sont endormis au bord d'une route. Ils agonisent de faim. Morale et modèle : Sophie de Ségur veut donner l'exemple. Pas question de laisser un enfant mourir de faim à sa porte. La charité devient dans ses livres (et sa vie) un combat quotidien. Le XXᵉ siècle s'est beaucoup moqué de Mme de Ségur et de ses charités...

Progression sociale du menu des humbles. Après le misérable, Sophie nous introduit à la table du demi-pauvre, l'ouvrier, le paysan. Celui qui possède encore un toit.

GRIBOUILLE
Qu'avons-nous à manger?

CAROLINE
Une soupe aux choux et au lard et une salade[3].

Du pain. Pas toujours à volonté. L'eau du puits pour se désaltérer.

LE COMTE
Qu'as-tu mangé à ton déjeuner?

BLAISE
Du pain et du fromage, Monsieur, comme d'habitude[4].

---

1. *Les Petites Filles modèles.*
2. *Les Mémoires d'un âne.*
3. *La Sœur de Gribouille.*
4. *Pauvre Blaise.*

COMTESSE DE SÉGUR

Quand Blaise assiste au déjeuner de l'éléphant, il est effaré d'apprendre qu'une seule boulette pour le nourrir représente « douze œufs, une bouteille de lait, une livre de beurre, et deux livres de pain ».

BLAISE
Cet éléphant doit coûter cher à nourrir, il mange en un seul repas ce qui nous suffirait pour huit jours, à papa, maman et moi.

La brutalité des mauvais riches s'exprime par la voix méprisante de Jules de Trénilly :

JULES
Tu vois bien qu'il n'y avait pas de viande, il vous faut de la viande pour vivre, je suppose [1]...

La viande apparaît, dans l'exclamation de Blaise, comme un médicament, une denrée précieuse entre toutes :

BLAISE
De la viande, monsieur Jules ! nous n'en mangeons que le dimanche, et il nous en faut pas beaucoup : avec un morceau gros comme le poing, nous en avons de reste pour le lendemain [2].

Voilà qui ravirait un certain snobisme végétarien... Au temps de Sophie, l'absence de viande est tout simplement la pauvreté. Que mangent donc les pauvres pendant la semaine ?

BLAISE
Du fromage, un œuf dur, des légumes, avec du pain, bien entendu. Quant au pain, j'en ai tant que j'en veux [3].

Blaise est à l'abri de la vraie misère, celle qui n'a que des glands à la place du pain. Blaise, Gribouille, quelques autres, marquent par cette frontière du pain illimité, celle de la famine. Le brigadier est socialement un peu au-dessus de Gribouille et de Blaise. Dans son garde-manger, on trouve « un demi-poulet et un petit pot de confiture de groseilles [4] ».

Les fermiers ont une table fruste mais bien garnie. Chez les Bonnard, dans *Le Mauvais Génie,* il y a la soupe, mais aussi « un gros carré de porc salé, de la viande... » Le père Thomas dans *La Fortune de Gaspard* mange régulièrement « la soupe, le pain, les

1. *Pauvre Blaise.*
2. *Ibid.*
3. *Ibid.*
4. *La Sœur de Gribouille.*

252

œufs, le poulet, la galette, la crème ». On baratte et on mange aussi du beurre. La comtesse de Ségur aime la bonne table des fermiers. Le menu de la Saint-Eutrope en est le témoignage éclatant. Voici le buffet de la mère de Jean, rempli par le généreux fermier Kersac : « Hélène reçut un bon gigot tout cuit, trois livres de beurre, un kilo de sucre, un kilo de café tout brûlé et moulu, un gros fromage (...). Une soupe aux choux et au lard et un fricot à l'ail [1]. »

L'apparition du café et du sucre marque déjà l'aisance. En Normandie, en Bretagne, certains fermiers sont même très riches. On progresse socialement par la nourriture. L'auberge de l'Ange Gardien nous offre une table déjà bourgeoise : « (Mme Blidot) plaça devant les enfants une bonne assiette de soupe, un morceau de pain, posa sur la table du fromage, du beurre frais, des radis, de la salade (...). Ils burent du cidre, puis vint un haricot de mouton aux pommes de terre (...), le café et une vieille eau-de-vie [2]. »

La mère Lecomte et Lucie, installées au village grâce à la générosité de Mme de Rosbourg, ne mangeront plus de glands. Lucie, encore trop faible, est servie par les petites filles modèles qui achèvent ainsi leur bonne œuvre : « Camille lui servit de la soupe, Madeleine, un morceau de bœuf, Sophie de l'omelette, et Marguerite lui servit à boire. »

Juliette et Charles se préparent à déjeuner « une omelette au lard et une salade à la crème [3] ».

Grimpons encore dans la société. Sophie nous introduit à l'étage bourgeois moyen de Mme Bonbeck, au 15, rue Godot, à Paris, dans le quinzième arrondissement. La table est ainsi servie : « Croquemitaine (la bonne) apporta une omelette... Un grand plat de bœuf aux oignons. Il y eut encore de la salade, mais pas de dessert [4]. »

Quant à la boisson, chez le petit bourgeois, elle est aussi limitée que sa bourse. « Peu de vin et beaucoup d'eau, dit en riant Mme Bonbeck, c'est mon régime et celui de ma bourse qui est maigre et souvent vide... »

Le cidre n'est abondant qu'en Normandie et en Bretagne.

La classe ouvrière est la plus misérable, presque maudite. Derigny, le père de Jacques et de Paul leur donne « son dernier morceau de pain » avant d'être emmené par les gendarmes. L'intention de la morale ségurienne est la bienfaisance. L'attache

---

1. *Jean qui grogne et Jean qui rit.*
2. *L'Auberge de l'Ange Gardien.*
3. *Un bon petit diable.*
4. *Les Deux Nigauds.*

est chrétienne et terrienne. Le vagabond reste suspect, à la limite du banditisme. Diloy est un chemineau, c'est-à-dire un ouvrier errant. Il boit. En crise d'éthylisme, il rosse Félicie, la fille du château. La table, singulièrement, disparaît. Le pain ne devient qu'un symbole. « Nous n'avons plus de pain. » L'ouvrier va au café. L'ouvrier de M. Féréor ? Celui que les Versaillais fusilleront ? *L'Assommoir* n'est pas loin. Le verre d'absinthe a remplacé le pain.

Le bourgeois ridicule et parvenu, classe honnie de la comtesse de Ségur, mange comme un cochon. Le dessert abonde. Chez Mme Delmis, femme du maire (de L'Aigle ?), Rose, la bonne, se venge ainsi de son renvoi : « *Elle versa du sucre dans les plats salés, du sel et du poivre dans les crèmes et les pâtisseries*[1]. »

Chez le parvenu, le mauvais goût commence par la table. Les sottes oisives, Mme Delmis, Mme Grebu, Mme Piron, se gavent en déblatérant leurs infamies. La spectaculaire Yolande Tourneboule nous laisse sans voix. Elle dîne « chaque soir de plus de dix plats[2] ». Indignée, Camille lui fait remarquer que les pauvres n'ont rien à manger. Mlle Tourneboule conclut : « Les pauvres sont des mauvais sujets. Jetez-leur une croûte de pain. » Il est vrai que Mlle Yolande, Yolande Tourneboule, donc, finira « actrice et à l'hôpital ». Les Castelsot font servir au château qu'ils ont volé à un authentique duc dont ils étaient les valets des goûters somptueux afin de ravaler Mme d'Orvillet[3].

Sophie entraîne tous ses bons enfants en de copieux piqueniques, à dos d'âne. On s'installe dans une jolie carrière, non loin du château. « On entama d'abord un énorme pâté de lièvre, ensuite une daube en gelée, puis des pommes de terre au sel, du jambon, des écrevisses (...), du fromage, la tarte aux prunes, des fruits et un peu de vin pour faire passer le déjeuner[4]. » Le grand jeu des enfants est de composer eux-mêmes un repas sur l'herbe. Gaston, Anatole, Edgar, Nathalie, Sabine, Henriette, Olga, ont demandé à Sophie la permission de déjeuner dehors. Chacun s'attribuera la confection d'un plat. Cette partie de plaisir, tant prisée aux Nouettes, est transposée dans *Les Mémoires d'un âne*. On apprend alors que les enfants « avaient bâti un four dans le jardin, ils le chauffaient avec du bois sec qu'ils ramassaient eux-mêmes ».

1. *La Sœur de Gribouille*.
2. *Les Vacances*.
3. *Diloy le Chemineau*.
4. *Les Petites Filles modèles*.

LES MENUS DE L'ANGE GARDIEN

CAMILLE

Je ferai une omelette.

MADELEINE

Moi, une crème au café.

ÉLISABETH

Moi, des côtelettes.

PIERRE

Et moi, une vinaigrette au veau froid.

HENRI

Moi, une salade de pommes de terre.

JACQUES

Moi, des fraises à la crème.

LOUIS

Moi, des tartines de pain et de beurre.

HENRIETTE

Moi, du sucre râpé.

JEANNE

Moi, des cerises.

Seul, l'aristocrate saurait bien vivre et daigner nourrir les pauvres ? Les domestiques, chez la comtesse de Ségur, n'ont qu'une obsession : voler la table des maîtres. Gigots, gâteaux, liqueurs de toutes sortes. Festoyer pendant l'absence des patrons, dans leurs couverts d'argent. Vider leur cave en attendant de leur tordre le cou [1].

Sophie a parachevé son œuvre de bouche par son propre renoncement. Plus elle régalait les siens, plus elle se privait. A la fin de sa vie, elle renoncera même à sa tasse de thé du soir, habitude de cinquante années. L'hostie finissait par lui suffire, les longues heures d'écriture, et le spectacle des enfants, régalés, gavés, rassasiés par elle, la bonne ogresse. Sophie, née Rostopchine, comtesse de Ségur, a œuvré avec une allégresse d'affamée.

---

1. *Comédies et Proverbes* : « Le dîner de Mlle Justine ».

II

UNE BIBLIOTHÈQUE BIEN FOURNIE

> *On ne peut pas vivre sans lire.*
>
> Lettre à Olga

Après le pain, les livres.

Au fur et à mesure que Sophie couvrait sa table d'abondance, elle avait le souci de composer sa bibliothèque. Elle l'avait lotie de confortables sièges à bascule. Sophie y écrivit, en hiver, une partie de ses ouvrages. La bibliothèque est indispensable à l'éducation des petites filles laissées à la mère. Les filles de Sophie seront instruites à domicile. La bibliothèque reste l'outil noble de l'éducation. Musique et chant ne sont pas oubliés. Au salon, il y a un piano. Les enfants d'Eudoxie et d'André Rostopchine, Olga, Lydie et Victor, sont élevés tout à fait à l'occidentale. Le catalogue de leur bibliothèque est une copie exacte de celle des Nouettes. Les livres de cette liste (retrouvée par Marthe de Hédouville), sont arrivés peu à peu chez Sophie, au fil de leur publication.

CATALOGUE DES LIVRES APPARTENANT
A OLGA, LYDIE ET VICTOR ROSTOPCHINE[1]

1. *Le Magasin des enfants,* par Mme Leprince de Beaumont, publié par Mme Eugénie Fox, 1 vol. avec gravures

---

1. *Les Rostopchine*, M. de Hédouville.

2. *Contes de Perrault*, publiés par Jacob, 1 vol., avec gravures

3. *Le Caractère de l'enfance*, 2 vol., avec gravures

4. *Les Enfants*, comtes par Mme Guinot (ou Guizot), 1 vol.

5. *Nouveaux Contes*, par Mme Guinot (ou Guizot), 1 vol., avec gravures

6. *Récréations morales*, par Mme Guinot (ou Guizot), 1 vol.

7. *Histoire sainte*, par Lamé-Fleury, 1 vol.

8. *Contes à mes petites amies*, par Bouilly, 2 vol., avec gravures

9. *Mémoires de Polichinelle*, par Eugénie Fox, 1 vol., avec gravures

10. *Souvenirs d'enfance*, 1 vol.

11. *Berquin, l'ami des enfants*, 4 vol., avec gravures

12. *Vie des enfants célèbres*, par Fréville, 2 vol., avec gravures

13. *L'Ange à la maison*, par Saintes, 1 vol.

14. *Contes populaires*, par Bouilly, 1 vol.

15. *Les Égarements de l'enfance*, 1 vol.

16. *Le Livre de l'enfance*, 1 vol.

17. *Mémoires d'une poupée*, par Mlle d'Aulnoy, 1 vol.

18. *Le Petit Pâtissier*, par Eugénie Fox, 1 vol.

19. *Ludwig von Beethoven*, par Eugénie Fox, 1 vol.

20. *L'Abécédaire joujou*, 1 vol.

21. *Le Robinson suisse*, par Weyss, 1 vol.

22. *Contes d'une mère à sa fille*, par Mlle Beaulieu, 1 vol.

23. *Les Petits Béarnais*, par Mme Delafaye-Bréhier, 2 vol.

24. *Les Amis de pension*, trad. de l'anglais, 1 vol.

25. *Le Perrault du jeune âge*, 1 vol.

26. *Jolis Contes vrais*, par Mlle Claire Brune, 1 vol.

27. *La Petite Maman*, par Eugénie Fox, 1 vol.

28. *La Paysanne de Domrémy*, par Eugénie Fox, 1 vol.

29. *Les Enfants chez tous les peuples*, par Alexandre de Saillet, 1 vol. avec gravures

30. *Les Jeunes Naturalistes*, par Mlle Trémodeure, 2 vol.

31. *A mes enfants*, par Pierre Blanchard, 12 vol.

32. *Les Aventures de Roger*, par Delafaye-Bréhier, 1 vol.

33. *La Mère Gigogne*, par A. Adam, 1 vol.

34. *Les Petits Moralistes*, 1 vol.

35. *Le Général des chiens*, par Eugénie Fox, 1 vol.

36. *Le Petit Pasteur*, par Eugénie Fox, 1 vol.

37. *Les Fables de Florian*, édition nouvelle, 1 vol.

38. *Le Journal des enfants*, 15 vol.

39. *La Panthère de la jeunesse*, 2 vol.

40. *Les Encouragements de la jeunesse*, par Bouilly, 1 vol.

41. *La Morale merveilleuse*, illustrée, 1 vol.
42. *Le Robinson Crusoé*, illustré, 1 vol.

Gaston s'était régalé du *Dernier des Mohicans*. Sous le Second Empire, les petites filles modèles dévoreront les *Contes* de Grimm et *Le Robinson suisse*. *Les Mémoires d'une poupée* sont très prisées par les filles de Sophie.

ÉLISABETH
(...) J'ai bien lu, moi, Les Mémoires d'une poupée. (...) Cette poupée a écrit qu'elle entendait tout qu'elle voyait tout.

HENRI
Comment la poupée a-t-elle pu écrire ?

ÉLISABETH
Elle écrivait la nuit, avec une toute petite plume de colibri, et elle cachait ses mémoires sous son lit.

MADELEINE
Ne crois donc pas de pareilles bêtises, ma pauvre Élisabeth, c'est une dame qui a écrit ces mémoires d'une poupée[1].

Mme Mac Miche oblige Charles à lui dire *Nicolas Nickleby*[2], traduit de l'anglais grâce à l'activité de M. Hachette et Cie.

CHARLES
Elle me fait lire à présent Nicolas Nickleby, *c'est amusant, je ne dis pas...*

Quand Gertrude vient en vacances chez l'orgueilleuse Félicie, Laurent propose que l'on mette des livres dans sa chambre.

LAURENT
Si tu mettais chez Gertrude des livres ? par exemple, les huit volumes de La Semaine des enfants[3] ?

Il s'agit d'une collection complète, signée Hachette, luxueuse, reliée sur tranche dorée. L'égoïste Félicie refuse. « C'est trop beau, elle les abîmerait. » La petite Anne offre alors spontanément un curieux livre : *Jean Bourreau ou les défauts horribles*. Est-ce un conte que Sophie a été tentée d'écrire ? il n'existe nulle trace de ce titre. Par la voix de Félicie, Sophie de Ségur se moque d'elle-

1. *Les Mémoires d'un âne.*
2. *Un bon petit diable.*
3. *Diloy le Chemineau.*

même : « Ce sera joliment bête ! Gertrude qui a quatorze ans et qui fait la grande dame ! »

Sophie enrichit continuellement sa bibliothèque.

A partir de 1850, apparaissent d'autres titres. Les six volumes de *La Divine Comédie* de Dante, traduits par Louis Ratisbonne en 1852. On peut ajouter *Les Aventures de Robert-Robert* de Louis Desnoyers dont la première édition datait de 1840. Du même auteur, *Les Mésaventures de Jean-Paul Choppart,* (1834). Sophie a probablement commandé et fait livrer en petite vitesse les 18 tomes en 20 volumes du *Nouveau Magasin des enfants,* publiés en 1843 par le jeune éditeur Pierre-Jules Hetzel. Sophie a d'abord mis entre les mains des jumelles : *Le Livre des petits enfants,* toujours chez Hetzel. Il recueillait des textes de Fénelon, Florian, La Fontaine, Balzac, illustrés par Meissonnier et Grandville... Le rayon des filles de Sophie comporte le roman de Hetzel publié sous son pseudonyme P. J. Stahl : *Les Nouvelles et Seules Véritables Aventures de Tom Pouce* (1844), illustré par Bertall.

Sophie a lu attentivement l'article de Louis Desnoyer, paru en 1837. Elle est tout à fait d'accord avec cette critique.

> *Les parents, qui ne jugent guère que sur le titre, la beauté de la basane, et le nombre des illustrations, ne se doutent guère qu'ils achètent fort cher du barbarisme, du solécisme, de la bêtise, et qui, pis est, parfois, de l'immoralité*[1].

Depuis la naissance d'Olga, la bibliothèque enfantine commence à être prise au sérieux. L'article de Desnoyer précise bien l'indigence de la littérature enfantine de l'époque et l'attente d'une solide littérature enfantine (celle de Sophie ?).

> *Si l'on excepte, en effet, une demi-douzaine d'ouvrages, parmi lesquels Robinson et aussi quelques livres d'enseignements ou de piété, plutôt que de littérature, on peut dire que toutes les œuvres écrites jusqu'à notre époque pour l'enfance sont niaises (y compris feu Bertin), ou barbares, ou inutiles, ou dangereuses, et parmi ces dernières, il faut ranger les contes de fées, qui contiennent, la plupart, des intrigues d'une galanterie excessivement peu juvénile (...). Tout cela est donc à remplacer. On ne saurait trop encourager à la besogne les écrivains de ce temps-ci...*

---

1. *Histoire de la littérature enfantine en France,* François Caradec.

Patience. De Ségur à Jules Verne, en passant par Dumas, l'ébauche est en cours. Les enfants, aux Nouettes, lisent aussi certains Balzac, qui écrivit « entièrement sous le flambeau de la monarchie et de la religion ».

Louis Desnoyer ne savait pas qu'en 1837, au moment où il écrivait cet article capital, gisait sur une chaise longue l'écrivain que tous les enfants attendaient : la comtesse de Ségur, née Rostopchine.

La Fée aux miettes, par Charles Nodier, en 1832, est un conte délicieux qui fait le régal de Nathalie et de ses sœurs. Nathalie aime Nodier, en particulier son *Histoire du roi de Bohême et de ses sept châteaux* (1830). Péripéties savoureuses dans lesquelles est insérée la fameuse « histoire du chien de Brisquet ». Le grand modèle de Nodier reste Perrault où Nodier puise sa veine. *Trésor des fèves et fleur des pois,* publié en 1837, séduit les filles de Sophie. Elles en liront volontiers des extraits à Sophie malade flanquée de sa petite Olga. « Il y avait une fois un pauvre homme et une pauvre femme qui étaient bien vieux et qui n'avaient jamais eu d'enfants : c'était un grand chagrin pour eux, parce qu'ils prévoyaient que dans quelques années, ils ne pourraient plus cultiver leurs fèves et les aller vendre au marché... »

Stéphanie de Genlis, préceptrice quelque peu familière de Louis-Philippe, jouit d'un grand succès. Sainte-Beuve, cependant, lapide ces publications pour enfants. « Ces ouvrages, remarquables, par un intérêt facile, de fines observations et des portraits de société (...) sont tous plus ou moins gâtés par du romanesque, de la sensiblerie facile, de l'appareil théâtral. »

N'empêche ! Les filles de Louis-Philippe ont lu, tout autant que les enfants de Sophie, l'œuvre de Mme de Genlis. *Les Veillées de la chaumière* (1813) et *Les Nouveaux Contes moraux et nouvelles historiques* (1802), sans parler d'un *Théâtre à l'usage des jeunes personnes* (1779).

Et Walter Scott ? Sophie s'en méfie pour ses écoliers. « Walter Scott n'a jamais fait de mauvais livres, mais il est trop intéressant pour ne pas faire tort aux études[1]. » Les enfants de Sophie lisaient, comme ceux d'André Rostopchine, Jean-Nicolas Bouilly, *Contes à ma fille* (1809), *Petits Contes d'une mère à ses enfants* et surtout, *Contes offerts aux enfants de France,* (1824). Sophie était certainement abonnée à la revue où Bouilly collaborait : *Les Annales de la jeunesse.*

---

1. Lettre à Jacques de Pitray, 21 juillet 1872.

Quand donc les enfants de Sophie recevaient-ils la plupart de ces livres qui finissaient par garnir somptueusement les rayons de la bibliothèque des Nouettes ? En général, aux étrennes. Chez les Ségur (les privilégiés), le temps consacré à lire devient un temps utile, un temps fécond. Le père Thomas fustige le livre qui détourne de la houe et du champ [1]… Tandis que les petites filles modèles passent leur soirée à lire « attentivement : Camille, *Le Robinson suisse,* Madeleine, les *Contes* de Grimm [2], les livres révoltent profondément le père Thomas et ses ouvriers agricoles. « J'aime mieux devenir rouge comme un radis en travaillant la terre que pâle comme un navet en piochant dans les livres [3]. » En monde rural, le livre est un luxe, une perte de temps. Gaspard Thomas est battu à s'évanouir par son paysan de père pour avoir lu en cachette. Qui perd sa vie… et la retrouve. Gaspard, grâce au livre, atteindra la fortune. En attendant son triomphe, le livre a été l'instrument de mort qui a offensé sa classe. Son père a envie de le tuer à coups de fourche pour avoir osé braver le mystère des mots, au détriment de ses champs de trèfle et de luzerne.

Les lectures de Sophie

Sophie a des livres à son chevet. Les enfants ne peuvent pas tout lire. Veuillot grimpera à l'échelle pour descendre du dernier rayonnage des Nouettes *Lélia* de George Sand. « Oh, la bête ! Oh, la sale [4] ! » s'exclamera le dévot après la lecture de *Lélia*. La comtesse de Ségur conseillera à son petit-fils, Jacques de Pitray, des lectures qui sont aussi les siennes. « Tu liras un peu de littérature, comme Racine, Corneille, Lamartine, Victor Hugo (théâtre et ballades). »

Sophie prise peu la poésie. Elle se force à lire *Les Méditations* de Lamartine, écrites en 1818, après la mort de Julie Charles, maîtresse du poète. Elle parcourt, sans plaisir réel, les poésies d'Hugo. Elle conseille pourtant à ses petits enfants *Les Orientales,* publiées en 1829. Le théâtre l'amuse davantage. Surtout Molière. *Hernani* est lu par tous les habitants des Nouettes. Sophie apprécie le vieux Goethe, certains Balzac, dont *Le Cabinet des antiques.*

---

1. *La Fortune de Gaspard.*
2. *Les Petites Filles modèles.*
3. *La Fortune de Gaspard.*
4. Correspondance de Louis Veuillot, été 1859.

D'autres livres s'accumulent au chevet des insomnies de Sophie. *Les Contes d'Espagne et d'Italie* de Musset, *Han d'Island* d'Hugo, tout Walter Scott, dont *Le Pirate, Les Aventures de Nigel,* et *Quentin Durward* qu'elle interdit à ses enfants en période scolaire. En 1821, elle avait reçu *Les Soirées de Saint-Pétersbourg* de son ancien et auguste ami, Joseph de Maistre. Il mourra l'année même de cette parution. Sophie reste circonspecte vis-à-vis de Mme de Staël, et ses *Dix Années d'exil*. Résonne encore à ses oreilles l'exclamation de Fédor : « Vous n'êtes qu'une pie conspiratrice ! » Sophie n'a pas manqué d'acheter de Paul-Louis Courier, *Les Pamphlets,* parus en 1824. Dans les rayons élevés, on trouve *Le Rouge et le Noir* d'Henri Beyle, consul à Trieste lors de la parution de ce roman. Plus tard le *Madame Bovary* de Flaubert soulèvera la haine des bourgeois et des dévots. Sophie n'en dira rien. Elle préfère Lamartine à Flaubert et Sue (surtout *Mathilde* où Sue s'est inspiré des jumelles Sabine et Henriette) à Stendhal. A partir de sa conversion qui correspond à ses débuts d'écrivain (1857), Sophie va privilégier les lectures édifiantes. « Je te recommande, écrit-elle à Jacques, une petite lecture pieuse de quelques minutes par jour. » Il y aura, bien sûr, les livres de Gaston devenu prêtre. Ses *Réponses aux objections du christianisme*. La comtesse de Ségur conseille à ses petits-fils les livres de Gaston. « Demande à maman de te lire dans le premier volume des *Instructions familières* de ton oncle Gaston... Un examen de catéchisme, ce sont des petits garçons qui disent des bêtises et un garçon qui répond très bien[1]... » Sophie expliquera à Olga la composition des *Instructions familières*.

« Deux volumes de 600 pages, plus une petite brochure de 36 pages pour réfuter Renan populairement, plus une seconde brochure pour la confession des enfants de huit à treize ans : l'examen de conscience, quelques prières et la conduite à tenir à cet âge-là[2]... »

En 1835, les livres pieux qui priment aux Nouettes sont les Évangiles, la Bible, *L'Imitation de Jésus-Christ,* sorte de guide chrétien quotidien, traduit par Lamennais. *L'Imitation de Jésus-Christ* apparaît sans cesse dans les romans de Sophie. Qui en fut l'auteur ? Est-ce une traduction de quatre petits traités écrits en latin par un moine né vers 1380, Thomas de Kempis, originaire de Kempen, près de Düsseldorf ? S'accumulent, bien à la portée des petites mains, des vies de saints, le catéchisme, *Une journée d'un*

---

1. Lettre à Jacques de Pitray, 1er février 1864.
2. Lettre à Olga, 1863.

chrétien, Les Confessions de saint Augustin. Sophie, avant d'entamer son œuvre, avait écrit un *Livre de messe des petits enfants,* publié chez C. Douniol, en 1857. Sophie, écrivain et grand-mère, finira par critiquer hautement ceux « qui préfèrent lire des romans aux livres pieux ». Le comte de Trénilly offre à Blaise, pour sa communion, une bibliothèque « pieuse et utile ». Le livre entre dans le foyer du humble, s'il est avant tout religieux. Les livres de Gaspard Thomas ont quelque chose de sulfureux (mathématiques, physique, calcul, chimie, mécanique). Le rachat de Gaspard passera par sa femme Mina, d'une ignorance redoutable, réfugiée en permanence dans la lecture des Évangiles qu'elle glisse dans les mains du richissime qui se repent alors « de tant d'égoïsme ».

Et la poésie ?

Sophie n'aimera jamais la poésie. Amie fidèle, elle apprécie pourtant la féconde (et souvent médiocre) versification de Louis Veuillot. Elle aime *Çà et là, Parfum de Rome, Les Odeurs de Paris.* Le recueil de vers de Louis, *Mélanges,* la laisse insensible :

> *J'ai reçu hier la poésie (de Louis Veuillot) (…). Les vers sont beaux, les pensées belles, mais elles ont le tort d'être rendues en vers. C'est sans doute un sens qui me manque. Je n'aime pas les vers, ceux d'Hugo, de Lamartine m'ont trouvée insensible. Je n'aime que les vers de Molière, d'Émile Augier et d'Anatole (de Ségur !), parce que rien en eux ne rappelle la versification et ses règles[1].*

Comparer les vers d'Anatole de Ségur au grand Molière donne la part touchante de l'aveuglement maternel… Voici quelques vers consternants d'Anatole de Ségur, publiés l'année 1848.

> *C'est ainsi que toujours une moitié du monde*
> *Déplore amèrement ce que l'autre applaudit*
> *En chagrins, en bonheurs, l'humanité féconde,*
> *C'est Jean qui pleure et Jean qui rit !*

Sans parler des paroles d'Anatole pour la musique de Gounod : « Le ciel a visité la terre. » Émile Augier, en son genre, est aussi une perle, face à Molière. Il y a donc aux Nouettes, le théâtre de Molière et La Fontaine. La bonne de Félicie tance vertement

---

1. Lettre à Olga, 14 septembre 1859.

l'orgueilleuse fillette : « Souvenez vous de la fable, *Le Lion et le Rat*[1]. »

Les journaux

Journaux, périodiques, s'accumulent aux Nouettes au fur et à mesure de leur parution. *Le Drapeau blanc, Le Constitutionnel.* En 1848, *Le Magasin pittoresque* dont Sophie, victime de la publicité, raffole. Elle y commande ses « gadgets » et dévore ses feuilletons. A partir de 1852, Sophie lit d'un bout à l'autre chaque numéro du journal ultramontain de Veuillot, *L'Univers.*

« Veuillot entreprend la tâche ardue de prouver que Voltaire était bête. Garde-moi *L'Univers,* que je veux lire, garde-moi " les Mormons ". »

« Les Mormons » était un feuilleton palpitant du *Constitutionnel.* Gros Zézé, enfant, en dévora presque une feuille entière. « Lorsque ma mère chercha *Le Constitutionnel,* à la requête de sa belle-mère qui le demandait à tous les échos des Nouettes, elle aperçut le bébé (Edgar) assis dans un coin et... tutionnel en train d'être avalé[2]. »

Nota Bene

Quel traitement donner à un enfant qui a avalé *Le Constitution-nel* ou un morceau de livre au lieu de le lire ?

« Faites boire de l'eau de riz (...). Si le dévoiement persiste, prenez un blanc d'œuf cru et aussi frais que possible ; mettez-y une grande cuillerée de sirop de gomme ou de sucre râpé : battez-le jusqu'à ce qu'il soit en mousse ; alors ajoutez un verre d'eau fraîche en continuant de battre et en versant l'eau tout doucement.

Faites-en prendre à l'enfant une cuillerée toutes les heures, en ayant soin de battre chaque fois.

(...) Mettez sur le ventre une feuille de coton cardé que vous ferez tenir en la bâtissant sur un ruban noir autour du corps.

Frictionnez légèrement le ventre avec de l'huile tiédie.

---

1. *Diloy le Chemineau.*
2. *Ma chère maman, souvenirs intimes et familiaux,* Olga de Pitray.

COMTESSE DE SÉGUR

Tenez les pieds bien au chaud.

(...) S'il y a disposition aux coliques et dérangements d'entrailles, continuez l'eau de gruau pendant dix ou quinze jours[1]. »

Ensuite, il n'y a plus qu'à retourner au cabinet de lecture...

---

1. *La Santé des enfants,* Grand Album de la comtesse de Ségur.

III

L'ÉDUCATION DES PETITES FILLES

> *Ce n'est pas une grande et inutile instruction de langues diverses, de hautes études, qui fait le mérite d'une femme dans l'habitude de la vie et dans son ménage, mais les mille petits travaux féminins cent fois plus utiles que le latin, le grec et les je-ne-sais-quoi, qui ne servent à rien qu'à exalter l'amour-propre et à faire perdre le temps.*

Lettre à Olga

Le couvent ou la maison ?

Rue de Grenelle, près du domicile parisien des Ségur, existait un « cours pour enfants des deux sexes ». Crée et ouvert en 1786 par l'abbé Gaultier. Sa vogue ne fut qu'éphémère. L'idée de mixité levait trop de tabous. Le cours d'éducation maternelle ouvert en 1820 par Daniel Lévi-Alvarés résista. Il connut même une vogue extraordinaire après 1870. Mais jamais Sophie n'y a mis ses filles. Oppression de son entourage ? L'envie éperdue d'élever elle-même ses filles tandis qu'on lui avait enlevé ses garçons ? Sophie élèvera ses filles à la maison. Jusqu'à l'âge de six ans, tant dans les vêtements que dans l'alphabétisation, il n'y a aucune différence de sexe. L'écart devient ensuite vertigineux quand les garçons entrent au collège. Sophie a appris à lire à tous ses enfants avec la *Méthode*

Boniface et celle de Ramuz. Les filles ont classe à la maison. Sophie, aidée d'une institutrice, en a la charge. Vers onze ans, au moment de la première communion, les filles de la bonne société rejoignent le couvent des Oiseaux, 86, rue de Sèvres, ou le Sacré-Cœur, rue de Varenne. Sophie évitera de se séparer de ses filles. Couvent signifiait, la plupart du temps, abandon des filles. Certaines y entraient à l'âge de cinq ans et en ressortaient à dix-huit, sans jamais avoir revu leur mère !

La mauvaise mère se débarrasse ainsi de sa fille. « Mettez Christine au couvent ! » glapit Mme des Ormes pour ne plus jamais entendre parler de sa fille unique qui l'encombre dans ses mondanités [1]. Une mère tendre, attentive comme Sophie (ou Mme de Fleurville) n'a pu souffrir un tel procédé. La séparation avec ses fils l'avaient déjà suffisamment meurtrie. Pendant les longs hivers aux Nouettes, ou rue de Grenelle, Sophie éduquera elle-même ses filles. Il y a des cas où la petite fille entre au couvent quand elle est sur la mauvaise pente de la rébellion et de l'insolence. Giselle de Gerville ira aux Oiseaux [2], institution très prisée sous la Restauration et le Second Empire. Les Oiseaux avaient joui d'abord de la protection toute particulière de Louis XVIII. Après les événements de 1830, les Oiseaux connaissent une éclipse. Ce couvent perd ses élèves, récupérés ensuite sous la monarchie de Juillet. En tout, cent soixante élèves. Son prestige reprendra toute sa verve sous le Second Empire. Le faubourg Saint-Germain s'engoue pour la congrégation de Notre-Dame, installée à l'hôtel de Neuville, au 73, faubourg du Roule (actuellement, 29, avenue Hoche). Qui fréquente l'hôtel de Neuville ? Les filles des familles Rohan-Chabot, Gontant-Biron, de Saint-Geniès, d'Agoult... La légère baisse des Oiseaux s'explique peut-être par le recrutement des religieuses qui composent le corps enseignant de l'institution. Sur soixante-dix religieuses, cinquante sont d'origine trop modeste pour le prétentieux faubourg Saint-Germain. La comtesse de Ségur a un faible pour les Oiseaux. D'où vient ce nom, pépieur, à goût d'opérette, « les Oiseaux » ? L'endroit fut une prison sous la Terreur, mais le parc conserva presque toujours ses immenses volières, sans parler d'une envolée d'oiseaux peints par Pigalle sur le mur du vestibule. Pigalle habita cet hôtel, avant la Révolution. Voici une description des Oiseaux par Louis Veuillot, qui le visita en 1839 :

---

1. *François le Bossu.*
2. *Quel amour d'enfant !*

L'ÉDUCATION DES PETITES FILLES

Nous pensions visiter un jardin et nous parcourons un village. Voici maintenant la ferme avec ses fenêtres rustiques, ses poules qui gloussent, son étable où ruminent gravement quatre belles vaches, dont le lait destiné aux malades est à l'abri de la science multiplicatrice des laiteries de Paris (...). Allons à ce petit bâtiment situé au milieu des plates-bandes. C'est la chapelle des enfants de Marie[1].

Qu'enseigne-t-on aux Oiseaux ? Que vont apprendre Giselle de Gerville, ou d'autres petites filles de la bonne société ? Cours de maintien, danse, religion, travaux d'aiguille, d'écriture, musique, chant. Un peu d'histoire naturelle, de géométrie, de physique, de calcul. Il y a surtout « la classe blanche », destinée à édifier en profondeur nos oies de bonne famille. C'est un cours spécial contre tous les dangers de la frivolité. Le monde et ses périls. Unique philosophie pour vraies jeunes filles, qu'il s'agit de marier avec dot et contrat à un inconnu plus riche qu'elles. Nous sommes loin du latin et de la méthode de M. Ordinaire ou des livres ingurgités par Gaspard ! La classe blanche consacre de longues dissertations sur « la futilité des existences sans but qui s'épuisent entre le roman, le spectacle, la toilette et les frivoles caquetages de salon[2] ».

La supérieure des Oiseaux, Mme de Navarre, ne voit pas plus loin que ses volières. Un prélat, éperdu d'admiration, l'avait comparée, au milieu de ses jeunes filles, à « Calypso et ses nymphes ». Au couvent, l'ignorance des filles est savamment entretenue. Unique but : le mariage. Les filles ainsi bouclées sont-elles en danger de mort, telle l'héroïne d'*Une vie* de Maupassant ? Comment Sophie a-t-elle élevé ses filles ? Avec rigueur, attention, franchise, en tout cas, amour. « Mme de Fleurville et son amie Mme de Rosbourg étaient très bonnes, très tendres pour leurs (filles) mais sans les gâter ; constamment occupées du bonheur et du plaisir de leurs filles, elles n'oubliaient pas leur perfectionnement[3]. » Ce perfectionnement ? L'instruction et la morale. L'instruction des filles, en 1835, et même bien après, est loin d'être obligatoire. La fillette peut rester reléguée dans un coin du château, parfaitement ignorante. Christine des Ormes, dans *François le Bossu,* à huit ans, ne sait même pas lire. Sophie Fichini, proie de sa méchante belle-mère, Mme Fichini, pleure du matin au soir, « s'ennuyant, n'apprenant rien, ne sachant rien ». Voici l'orthographe de Sophie, invitant les petites filles modèles à dîner chez elle.

---

1. *L'Église des Oiseaux*, Louis Veuillot, Paris, 1839.
2. *Le Monastère des Oiseaux,* Victor Delaporte.
3. *Les Petites Filles modèles.*

COMTESSE DE SÉGUR

> *Mais chairs amie, veuné dinné chés moi demin ; mamman demand*
> *ça à votr mamman ; nou dinron a sainq eure pour joué avan é allé*
> *promené aprais. je pari que j'ai fé des fôtes ; ne vous moké pas de moi,*
> *je vous pri !*
>
> *Sofie, votr ami* [1]

Nombre de petites filles, à cette époque, furent des Christine et
des Sophie, abandonnées, illettrées, puis jetées toutes vives à un
mari plus ou moins redoutable. Petites filles martyres de l'indifférence maternelle et sociale. Sophie a écrit *François le Bossu* et *Les
Petites Filles modèles* pour montrer l'horreur criminelle d'une
mauvaise mère vis-à-vis de sa fille. D'ailleurs, *François le Bossu*
devait d'abord s'intituler « La Mauvaise Mère ». Sans instruction,
une fille reste une esclave, une bête, une vaincue tôt mise à mort,
tout juste bonne à avaler des glands, fut-elle issue de la bonne
société. La comtesse de Ségur s'attaque fermement à l'instruction
de ses filles et des filles en général. Toute son œuvre en témoigne.
Les fillettes passent la matinée et une partie de l'après-midi à
étudier. Fleurville (les Nouettes) prend alors l'allure des Oiseaux.
Une vaste salle d'étude où l'on fait silence. La comtesse de Ségur,
elle-même fort instruite, parlant plusieurs langues, écrivain, musi-
cienne, curieuse de tout, impose aussi les affreux paradoxes de son
temps. Elle écrit à Olga au sujet de l'éducation de Jeanne, sa fille,
âgée de six ou sept ans :

> *Recommande à Fraulein (la gouvernante) de lui donner quelques*
> *petites leçons de quelque chose, c'est-à-dire qu'elle la fasse écrire, lire,*
> *allemand et français mais sans excès : et quand elle aura sa gouver-*
> *nante, ne la laisse pas accabler de travail, afin que son corps puisse se*
> *développer en même temps que son intelligence. Les gouvernantes ont*
> *parfois la manie du travail exagéré : ce qui n'est jamais le fait d'une*
> *femme et ce qui lui fait négliger les choses essentielles comme le travail*
> *à l'aiguille, l'ordre dans les tiroirs, et effets, etc.*

On croirait entendre Henriette des *Femmes savantes* fustiger
l'envie si légitime des femmes de s'instruire.

> *Ce n'est pas,* continue Sophie dans la même lettre, *une grande et*
> *inutile instruction des langues diverses, de hautes études, qui fait le*
> *mérite d'une femme dans l'habitude de la vie et dans son ménage, mais*
> *les mille petits travaux féminins cent fois plus utiles que le latin, le grec*
> *et les je-ne-sais-quoi, qui ne servent à rien qu'à exalter l'amour-propre*
> *et à faire perdre le temps.*

---

1. *Les Petites Filles modèles.*

On croit rêver. Dans la bouche de Paolo, chargé de l'éducation de Christine des Ormes, la comtesse de Ségur nous donne une version radicalement opposée. Christine fera les mêmes études que François. En plus de la géométrie, de l'italien, de l'histoire, de la géographie, de la musique, Paolo rêve de lui enseigner « le grec et même l'hébreu[1] »! Utopie, ironie, brusque et sincère exaltation? Hélas, Christine sera instruite à ce rythme seulement jusqu'à seize ans. Tandis que François continue grec, latin et autres matières viriles (le droit, comme tous les fils de Sophie), la pauvrette est bouclée deux ans au couvent d'Argentan. Elle ne fera plus que « prier et pleurer et écrire chaque jour une lettre à François et son père[2] ». N'empêche. La comtesse de Ségur rue par moment dans les brancards. Geneviève Dormère passera ses journées à étudier sous la tendre férule de la très savante Mlle Primerose — bon peintre, de surcroît. Geneviève, le personnage féminin le plus instruit de ses romans. Il est vrai qu'*Après la pluie, le beau temps* est son dernier roman. Nous sommes alors en 1872. Sophie a certainement changé d'avis au sujet de l'instruction des filles. Geneviève Dormère parachève son éducation en fréquentant le couvent de l'Assomption. Elle a treize ans, en sort à dix-huit, prête au mariage, mais aussi capable de « lever un plan » avec ses fusains, composer plus d'un devoir d'arithmétique, ranger avec intelligence une importante bibliothèque... L'été, elle va aux bains de mer. Geneviève Dormère est déjà l'ébauche des jeunes filles du début du xxᵉ siècle. A la fin du roman, elle a dépassé le niveau du brevet élémentaire. La comtesse de Ségur laisse ses héroïnes après la guerre de 1870. Elle ignore que la prochaine guerre sera celle de 1914. Les femmes, les Geneviève, les Christine et autres petites filles modèles dirigeront seules les usines délaissées par les hommes.

Une journée de classe aux Nouettes

Sophie partage avec Fénelon la nécessité d'instruire les filles au sein de sa famille. Opinion de Mme Campan, pourtant directrice de la maison impériale de la Légion d'honneur. Sophie, mère de quatre filles, assumera entièrement leur éducation. Sans l'aide d'Eugène. Mmes de Fleurville et de Rosbourg éduqueront seules

---

1. *François le Bossu.*
2. *Ibid.*

leurs petites filles modèles. Le père est absent ou mort… Dans l'œuvre de la comtesse de Ségur, peu de pères sont attentifs à l'instruction de leurs filles. Christine des Ormes, seule, a la chance de prendre ses leçons d'histoire avec son père adoptif, dans son bureau personnel [1]. Sophie se démarque du bon Dupanloup, pour qui une fille « est plus âme que l'homme ». L'instruction risque d'abîmer sa précieuse âme si utile à la liberté de l'homme.

La petite fille qui étudie devient homme.

Les leçons de Sophie ont lieu dans un salon destiné à cet usage, ou dans la bibliothèque. La petite fille est assise devant une lourde table ronde couverte d'une nappe à franges boules. L'institutrice ou la mère s'assoit en face des petites, seules ou groupées par âge. Sophie indique le déroulement du travail, explique la leçon. L'institutrice prend le relais, dicte, fait copier un problème. Restée seule avec ses devoirs, la fillette rejoint son pupitre avec une plume, un encrier rempli. Il y a ses livres et ses cahiers… Mappemonde, ustensiles pour le dessin et la peinture, lorgnette à observer les étoiles complètent les fournitures de la salle d'étude. Parfois, il y a le piano. Au début des gammes, la mère n'aime pas que l'on touche au Pleyel du salon. Il sera réservé à la fillette devenue cette jeune personne à marier. Elle saura alors jouer et chanter une romance devant un public où se trouve son futur fiancé.

Sophie est une parfaite pédagogue. Patiente, elle a bien observé le caractère de ses filles. Olga est capable de bouder longtemps et de se déchaîner dans les jeux extérieurs. Olga adore l'écriture, la musique et les leçons de chant. Les jumelles s'appliquent, consciencieuses. Elles avancent péniblement dans les méandres de l'alphabet et des chiffres. Sabine apprend très facilement son catéchisme, l'histoire sainte, excelle aux travaux d'aiguille. Nathalie lit beaucoup, présente de grandes dispositions pour les langues, l'anglais en particulier. Toutes joueront du piano. M. Naudet guidera leurs mains pour le dessin. Nathalie peint très joliment. Le maître de chant fait travailler Olga. Le calcul est obligatoire, ainsi que l'histoire et la géographie. Un peu de botanique grâce aux plantes et aux insectes des Nouettes. Toutes ont appris à soigner leur linge — coudre, raccommoder, repasser — et soigner un bébé. Sophie estime qu'avant l'âge de six ans, l'enfant s'ennuie et n'apprend rien. Voici le menu d'une matinée d'étude pour une petite fille de sept

---

1. *François le Bossu.*

ans. Ce chapitre des *Bons Enfants* s'intitule d'ailleurs « La leçon ». La comtesse de Ségur a souvent vécu cette scène avec ses filles. La turbulante Olga ou la têtue Nathalie ? Les jumelles sont si douces ! Valentine est entrée dans le salon d'étude. Elle y trouve sa cousine, Sophie, boudant, bras croisés devant ses cahiers ouverts. Son institutrice lui a donné trop de devoirs. Valentine va l'aider. Sabine volait-t-elle ainsi au secours d'Henriette en panne ? Quels sont donc ces devoirs qui accablent l'enfant, immobile, lèvre en avant, tête penchée, résolue à ne rien faire ?

« Dix grandes lignes à apprendre par cœur, et puis il faut que je les écrive d'une écriture soignée. Et encore des chiffres auxquels je ne comprends rien [1]. »

La comtesse de Ségur a longuement réfléchi à ces dix lignes. Probablement sont-elles de sa composition. Son but — but de son œuvre — instruire les enfants tout en les amusant. Pour Sophie, la pédagogie compte autant que la science à enseigner. Les livres d'étude doivent toujours être « amusants et faciles à comprendre [2] ». « Amuser » revient dans une lettre de Sophie à Jacques au sujet de son précepteur, avant l'entrée au collège :

« Je suis bien contente que tu *t'amuses* avec M. Anneau, cela prouve qu'il est très bon et que tu travailles bien, parce que, quand un enfant travaille mal et se conduit mal, il est gêné avec son précepteur et il ne *s'amuse* pas avec lui [3]. »

Voici le petit texte *amusant* déniché par la comtesse de Ségur pour enseigner l'orthographe à la petite fille qui renâcle :

> *Si j'étais roi, disait Gros-Jean à Pierre,*
> *Si j'étais roi, voici ce que je ferais, moi :*
> *J'aurais un cheval avec deux panaches*
> *Pour mieux garder mes moutons et mes vaches,*
> *Si j'étais roi, si j'étais roi.*
>
> *Si j'étais roi, lui répondit Gros-Pierre,*
> *Si j'étais roi, voici ce que je ferais, moi :*
> *J'adoucirais le sort de mon vieux père,*
> *Je donnerais du pain blanc à ma mère,*
> *Si j'étais roi, si j'étais roi.*

C'est *amusant*, donc *facile à retenir*. Sophie a mis au point sa méthode de travail. Elle dictera la poésie (amusante) à la petite fille

---

1. *Les Bons Enfants.*
2. Lettre à Jacques de Pitray.
3. *Ibid.*

qui recopie, répète. Elle apprend ainsi par cœur le texte et son orthographe, sans se fatiguer.

SOPHIE

Et à quoi cela m'avancera-t-il de le savoir, puisque je dois encore l'écrire après ?

VALENTINE

Cela t'avancera beaucoup, car à mesure que tu sauras une phrase, tu l'écriras, ce qui fait que tu ne l'oublieras plus[1].

Pendant ce temps, Gaston assimile les auteurs latins et grecs, ingurgite son droit. Point de Gros-Jean ni de Gros-Pierre à Fontenay, puis au lycée Bourbon ! Mais le B.A.-BA de la logique, des tableaux entiers de mots avec leur racine en latin. L'ennuyeux grec, un bon coup de règle sur les doigts gourds, au passage. Rien, vraiment rien, d'amusant. Les petits garçons soupirent d'envie du problème-jeu que Sophie a inventé pour enseigner le calcul à ses filles :

PROBLÈME

Sophie a trouvé 2 noix dans un coin, 4 dans son panier, 3 dans sa poche et 5 dans le tiroir de sa table. Son petit frère lui en prend 2, une souris en emporte une, le petit chat en fait rouler 2 dans le feu. Combien lui en reste-t-il[2] *?*

Nous avons là une saynète de noix, de petit frère et de souris. Une berquinade dont la réponse de Sophie est digne d'Alice : « Combien as-tu trouvé de noix ? » demande Valentine. Sophie ne boude plus mais, d'une ignorance crasse, triomphe : « 2... 4... 3... 5... cela fait deux mille quatre cent trente-cinq ! »

La comtesse de Ségur n'hésite pas à introduire le ridicule pour mieux corriger la petite fille. Sophie arrive alors à la vérité arithmétique qui n'est qu' « une différence de chiffres posés » :

$$\begin{array}{r} 2 \\ + 4 \\ + 3 \\ + 5 \\ \hline 14 \end{array}$$

---

1. *Les Bons Enfants.*
2. *Ibid.*

« 14 noix ! » triomphe Sophie. Elle commente « c'est-à-dire que je voudrais avoir et que je n'ai pas ». « Tu vois bien que c'est une leçon pour t'apprendre à compter », fait en écho la voix de la comtesse de Ségur.

Voici le rythme scolaire, toujours à la maison, de la même petite fille, âgée de dix ans. Geneviève Dormère a été prise en main par Mlle Primerose qui remplace la mère et l'institutrice absentes. « Une fille, c'est bon à mettre de côté, n'est-ce pas ? » s'indigne Mlle Primerose devant l'abandon de Geneviève « qui a appris un peu à lire et à compter avec sa bonne ». Exclamation d'amertume vigoureuse. La comtesse de Ségur ajoute cet additif dans la bouche de Mlle Primerose : « Une vieille fille est souvent utile, pourtant[1]. » Mlle Primerose entreprend une véritable campagne éducative. Elle a son plan. Elle l'expose à l'indifférent tuteur qui, heureusement, lui laissera pleins pouvoirs. Elle propose d'enseigner à Geneviève « l'histoire, étude nécessaire pour une petite fille... Le calcul... Il ne faut pas plaisanter avec l'éducation. C'est une chose très sérieuse que l'enseignement[2] ». Bientôt, « toutes les matinées et les après-midi sont prises par les leçons qu'elle donnait à Geneviève ». En plus de l'histoire, du calcul, il y a le dessin, la musique, la géométrie, la géographie, une ou deux langues étrangères, la narration, une parfaite écriture.

Les sujets de narration se doivent toujours d'élever l'âme. En voici quelques-uns de ce temps-là. « Le supplice de Jeanne d'Arc », « Description d'une procession », « Le baptême d'une cloche », « Les coquelicots dans un champ de blé » ou encore « Dialogue entre le Nil et le Gange ». Rousseauiste, la comtesse de Ségur fait également composer des herbiers à ses filles. Délectation coupable, le nom des plantes est écrit en latin. « Geneviève, dit un jour Mlle Primerose au méchant Georges, en sait autant que toi, excepté le latin. » Murmure furieux de la comtesse de Ségur ? Abolir cette injustice, cette dépréciation éducative qui recoupe toutes les autres...

Le latin reste le fossé entre garçons et filles. Limite, frontière à laquelle Sophie n'ose pas encore déroger. Tant que les filles n'iront jamais au collège, leur éducation est une clandestinité, de la couture en chambre. Pour son époque, Sophie de Ségur a fait de son mieux. Sophie, à travers ses livres, se révolte. Elle est prête à

---

1. *Après la pluie, le beau temps.*
2. *Ibid.*

remplacer le latin par le chinois. Elle fait dire à M. Dormère exaspéré : « Enseignez-lui le chinois, si vous voulez ! »

Réaction de la Tartare mandchoue qu'est la comtesse de Ségur ? Brusque nostalgie d'enseigner à ses filles des sciences que jamais n'aborderont ses garçons ? Ranger les tiroirs peut-il aller de pair avec l'enseignement du chinois ?

« Le chinois ? Comment voulez-vous que je lui apprenne le chinois ? Quelles idées vous avez de l'éducation ? A quoi lui servirait le chinois ? C'est absurde, le chinois [1]. »

Sophie Rostopchine, si proche géographiquement, génétiquement des Mandchous, trouve-t-elle le chinois si absurde que cela ? La seule absurdité est de laisser les filles dans l'ignorance. Caroline Thibaut, la sœur de Gribouille, sait lire, calculer et écrire correctement alors que le père Thomas, bien plus riche, reste illettré.

Les filles ne poursuivent pas leurs études au-delà de leurs dix-huit ans. L'âge du baccalauréat mais surtout d'un mariage bien organisé.

Cursives et plumes

Sophie veillait sévèrement à l'élégance de son écriture, régulière, lisible, à l'orthographe, rarement défaillante. Une lettre illisible est une preuve d'ignorance, de grossièreté. Les filles seront amenées à devenir des épouses et des mères. Elles tiendront tout le courrier de la maison. On les jugera à l'élégance de l'écriture. En 1885, une institutrice de l'écrivain Colette l'avait tancée sur sa vilaine écriture. « Mal écrire est grossier pour moi. » Elle lui avait conseillé des « plumes Flament n° 4 », attirail léger à la main. Bien écrire est tout un art. Sophie et ses filles écrivent à l'encre et à la plume. Cursives, pleins, déliés, ponctuation parfaitement respectée. Guizot, qui veillait à l'éducation de ses filles, critique chez sa fille Henriette le manque de ponctuation.

> Ma chère Henriette,
> Vous écrivez comme le torrent qui coule, comme la flèche vole. Cela ne doit pas être (...). Toute ponctuation, virgule, ou autre signe quelconque, marque une période de repos pour l'esprit.

La comtesse de Ségur félicitera davantage ses petits-enfants sur l'élégance de leur écriture que sur le contenu même de leur lettre. L'écriture n'épargne ni garçons ni filles :

---

1. *Après la pluie, le beau temps.*

Ton écriture, cher Jacques, a fait des progrès merveilleux (...).
J'espère qu'on t'a apporté ton papier à lettres, tes enveloppes, tes
plumes, porte-plumes...

En 1865, Sophie demande vivement à Olga, au sujet de sa fille
Jeanne : « Commence-t-elle la littérature et la calligraphie ? »
« Calligraphie » est souligné. Sophie Fichini, punie, enfermée au
cabinet de pénitence, retrouve « une plume, de l'encre, du
papier [1] ».

Que penser de l'attirail barbare conseillé par M. Lubin, professeur d'écriture d'Aurore Dupin ? Il suggérait à la future George
Sand de soutenir ainsi le corps des jeunes filles afin qu'elles écrivent
bien :

« 1. Pour la tête, une sorte de couronne en baleines

2. Pour le corps et les épaules, une ceinture qui se rattachait
par-derrière la couronne, au moyen d'une sangle

3. Pour le coude, une barre de bois qui se vissait à la table

4. Pour l'index de la main droite, un anneau de laiton soudé à
un plus petit anneau dans lequel on passait la plume

5. Pour la position de la main et du petit doigt, une sorte de
socle en buis avec des entailles et des roulettes [2]. »

Cette panoplie suspecte, martyrisante, sadique, n'est pas sans
rappeler « la ceinture de maintien » imposée par Mme d'Embrun, à
deux petites filles qui lui sont confiées. « Je veux parler de cette
ceinture à plaque dans le dos et une fourche de fer sous le
menton [3]. » Dans ce récit, la comtesse de Ségur critique violemment ce moyen. Jamais elle n'employa la moindre barbarie en
éduquant ses filles.

Sophie se doute-t-elle qu' « écrire n'amène qu'à écrire [4] » ?

Institutrices : des gentilles et des méchantes

La fille du richissime Rostopchine a passé son enfance entourée
de précepteurs et, fort probablement, d'institutrices. En France, cet
usage reste l'apanage des familles très riches. Plutôt des banquiers
que des aristocrates. Chez les Fould, les Rothschild, les Pereire,
institutrices et précepteurs abondent. Assistés, comme jadis à
Voronovo, de sous-maîtres et maîtresses dans des domaines qui ne

---

1. *Les Petites Filles modèles.*
2. *Saintes ou pouliches, l'éducation des jeunes filles au XIXe siècle.* I. Bricard.
3. *Comédies et Proverbes.*
4. *Le Fanal bleu*, Colette.

sont plus les leurs. L'équitation, la danse, le maintien, la broderie, la musique... Excepté M. Naudet, professeur de dessin, Sophie enseignera tout elle-même. Elle se contentera, à Paris, d'une institutrice « au cachet ». Ainsi Mlle Tomme, institutrice de la diabolique Giselle. Si la fillette est méchante, la vie de l'institutrice est un enfer. La petite s'amuse « à ruiner la réputation de la pauvre fille et la faire ainsi chasser de partout [1] », en répétant de travers les leçons enseignées. Giselle trouve si amusant de voir Mlle Tomme « très mortifiée », qu'elle communique sa méthode de sape « à toutes ses amies des Tuileries », c'est-à-dire aux petites filles du boulevard Saint-Germain. Les horribles petites filles répéteront ainsi la leçon au salon, devant la famille réunie, de façon à réduire sur la paille l'institutrice.

Mlle TOMME, *très mortifiée*
Je ne sais pas ce qui prend à Mlle Giselle ; elle savait par cœur (son histoire) sur le bout des doigts jusqu'à Charles X.

GISELLE
Ah ! oui ! Je sais très bien : le Charles qui a passé devant la barrière de grand-père quand il est allé en Angleterre [2].

L'affaire tourne mal. Mlle Tomme démissionne. Elle demande son compte : « 60 francs — en 1860 — pour dix leçons ». L'énergique Mlle Rondet prend le relais. Ce sera pire. Giselle s'amuse à glisser dans son pupitre, bien en évidence, un « portrait de Mlle Rondet ». Elle l'a recopié et distribué à ses charmantes amies des Tuileries.

Les sœurs Brontë, institutrices, ont-elles connu de telles humiliations ? Le portrait de Mlle Rondet, sous la plume de Sophie, n'est-il pas le symbole social de l'institutrice ravalée, par l'enfant lui-même, en dessous d'un domestique ?

Portrait de Mlle Rondet

Mlle Rondet est une bête.
Mlle Rondet est un hérisson.
Mlle Rondet est une vipère.
Mlle Rondet est un crapaud.
Mlle Rondet est un bouledogue.
Mlle Rondet est un diable. Elle est laide comme un diable, méchante comme un diable ; je la déteste comme un diable ; elle m'ennuie, elle m'embête, elle m'assomme [3].

---

1. *Quel amour d'enfant !*
2. *Ibid.*
3. *Ibid.*

D'où viennent ces mémorables Tomme et Rondet, bref les institutrices proches du Petit Chose, pion martyr de Daudet ? Les sœurs Brontë, institutrices à Bruxelles, obligées de gagner leur vie, sont filles de pasteur. On appelle les institutrices « mademoiselle ». Elles sont issues de la petite bourgeoisie. Quelquefois d'une famille noble dans le besoin. Ces pauvres filles sont les laissées pour compte d'une famille qui ne peut ni les doter ni les marier. A l'époque de Sophie, l'absence de dot sacrifie la vie privée d'une fille qui jamais ne pourra s'établir. L'institutrice est donc vouée au célibat. Elles resteront leur vie durant « *mademoiselle* Rondet » et « *mademoiselle* Tomme ».

Les parents d'une institutrice se sont parfois saignés pour lui offrir une éducation afin de lui éviter d'être lingère ou couturière en chambre. L'obligation du célibat est son carmel, sa croix secrète. L'institutrice est une religieuse à bon compte, dont le salut ne peut dépendre que de la générosité de la famille qui l'engage. Les plus indépendantes choisissent la solitude et tous ses tracas. Elles travaillent « au cachet ». Elles refusent de vivre au domicile assujettissant des maîtres. Elles se rendent alors, comme Mlle Rondet et Mlle Tomme, au domicile de leurs élèves. Les désavantages deviennent des risques de misère. Une maladie ampute leur salaire déjà très bas. En 1850, 5 sous valent 1 franc. L'institutrice au cachet gagne entre 50 et 300 francs par mois (moins de 4 500 francs 1990). L'été, elle perd ses élèves partis en villégiature, aux Nouettes ou ailleurs. Sur cette modeste somme, il lui faut soustraire les frais de transport, la nourriture, le blanchissage, la décente toilette obligatoire. Robe grise, à col blanc, jupe filetée de noir, paletot et petit chapeau bruns. Il lui faut songer aussi à épargner pour la vieillesse. Il arrive aux maîtres d'outrepasser les leçons. On lui impose la lecture à l'aïeule, le courrier d'invitation. On lui fait même broder collerettes et pantoufles et, telle une bonne de luxe, servir le thé. L'institutrice mal traitée devient une sorte d'esclave. Le bouc émissaire de toutes les rebuffades. On lui interdit d'aimer ses élèves, familiarité choquante punie de renvoi. Le roman d'Eugène Sue, *Miss Mary ou l'institutrice,* paru en 1851, décrit la condition d'une institutrice en proie à l'humiliation et à l'injustice. Elle doit aussi se défendre contre les avances du maître (Eugène ?). La nourrice, les servantes, la haïssent. Sous la plume de Sue, les bonnes disent de Miss Mary : « Nous n'aimions pas, nous autres, ces amphibies institutrices qui ne sont ni chair, ni passion, ni maître, ni domestique. »

Les institutrices sont recrutées par le bouche-à-oreille. On se méfie du bureau de placement. Mme de Montclair, pour effacer les calomnies de Giselle envers Mlle Tomme et Mlle Rondet, se chargera elle-même « de leur avoir d'autres leçons ».

La comtesse de Ségur s'est à peu près passée d'institutrices pour ses filles. Elle les a élevées à la manière des châtelaines de Fleurville. Dans la clôture de la demeure et de la salle d'étude. Préparant elle-même leurs devoirs et leurs leçons qu'elle corrige ensuite. Elle utilisait différents manuels pédagogiques dont « *Le Manuel des salles d'asile,* un gros livre rouge et or, où il y a les commencements de tout catéchisme, histoire, grammaire, géographie, calcul, etc. [1] ».

Mlle Deluzy, institutrice hors pair ou le scandale Choiseul-Praslin

Sophie n'aime guère les institutrices. Puissante régente de ses filles, Sophie s'en est emparée en entier. D'autant plus que ses garçons et son mari lui ont échappé. Rien ne vaut, pour la comtesse de Ségur, l'intervention sans relâche de la mère. Plus qu'un devoir, cette présence active maternelle est l'éthique même de l'œuvre ségurienne. Le plus souvent, l'institutrice est une victime. Cependant, il y a les intrigantes. Celles dont l'abbé Balme-Frizol redoutait la beauté. L'institutrice intrigante s'approprie l'esprit et les sens du maître. Complices, ils relèguent alors l'épouse plus bas qu'une servante. Parfois, ils l'assassinent. La duchesse de Choiseul-Praslin, née Fanny Sébastiani, est devenue éléphantesque à cause des dix grossesses dont l'a accablée son sec et prolifique époux, le duc de Choiseul-Praslin, inventeur de la praline. Le 18 août 1847, la duchesse est retrouvée lardée de coups de poignard, découpée, déchirée, défigurée par son époux. Il a été poussé à ce forfait par la belle et sensuelle institutrice de sa progéniture : Mlle Deluzy. Elle était entrée chez le duc, en 1841, à l'âge de vingt-huit ans. Physiquement, Hugo nous la décrit « pas très grande, les cheveux d'un blond cendré. Elle avait de belles dents, une carnation admirable, le nez légèrement retroussé, la poitrine et le buste impeccables [2] ». Hugo, perspicace, devant le trouble de Victor Cousin, chargé de la commission d'enquête lui avait demandé : « Vous en êtes amoureux ? » L'emprise de Mademoiselle sur le duc

---

1. Lettre à Jacques de Pitray, 1865.
2. *Choses vues, 1847-1848,* Victor Hugo.

est démesurée. Le misérable oblige que l'on serve Mlle Deluzy avant sa femme. L'été 1846, le duc voyage en Italie avec ses enfants et Mademoiselle. Celle-ci se fait passer pour la duchesse de Choiseul-Praslin. Le crime n'est plus loin ; l'intrigante veut devenir duchesse. Le duc a, comme on dit vulgairement, Mademoiselle dans la peau. Mademoiselle « à la poitrine et au buste impeccables ». Arrêté, le duc a le bon sens d'avaler du poison. Le peuple est déçu : il voulait se régaler d'une double guillotinade. Un duc et sa Mademoiselle, lubrique par-dessus le marché... La seule chance des institutrices pour devenir duchesse est d'allumer les sens du maître et de se débarrasser de l'épouse. Les Deluzy ont été plus rares que les « Petit Chose ».

Sophie et les institutrices

Sophie les favorise rarement. Certes, Mme de Montclair a réhabilité les pauvres Rondet et Tomme. La comtesse de Ségur a songé à leur fâcheuse dépendance. « (Mademoiselle) craint qu'on ne l'accuse de donner de mauvaises leçons (...). Cela lui fait du tort ; elle n'aurait plus autant d'élèves et elle n'aurait plus de quoi vivre. »

L'institutrice ayant perdu toutes ses élèves, à savoir, les bonnes petites filles du faubourg Saint-Germain, sera-t-elle à son tour réduite à manger des glands ? Finir à l'hôpital comme Yolande Tourneboule ? La misère menace l'univers ségurien, là où ne frappe ni fortune ni miséricorde.

Les institutrices apparaissent dans la vie et l'œuvre de Sophie, quand elle est grand-mère. Sous le Second Empire, la mode est d'avoir une institutrice étrangère. Une Anglaise, ou une *Fraulein* allemande. La comtesse de Ségur déteste les Anglais, en particulier les institutrices anglaises.

SOPHIE
Ma maîtresse ne m'explique rien d'avance (...). C'est une Anglaise ; elle s'appelle Miss Albion.

VALENTINE
Moi j'ai une Française excellente, Mlle Frichon.

SOPHIE
Je voudrais bien que maman me la donnât ; je n'aime pas les Anglais, et jamais je n'apprendrai l'anglais ; j'aimerais mieux savoir l'allemand comme toi.

COMTESSE DE SÉGUR

VALENTINE
C'est que j'ai une bonne allemande, voilà pourquoi je le sais si bien[1].

L'institutrice est à mi-chemin entre la domestique et une sorte de vice-mère. Parfois, elle jouit de pouvoirs délirants, étendus jusqu'à l'odieux sur la petite fille.

« Mais je vous assure qu'il faut de la sévérité (...) », explique Mme d'Embrun pour louer sa ceinture de maintien, cilice pour petites filles en chambre d'étude. « Chez M. Northson, M. Castward, chez Mrs. Southway, trois grandes familles avec lesquelles j'ai beaucoup vécu du vivant de mon mari, quand il était ministre aux États-Unis, les institutrices avaient la permission d'user de toutes les privations nécessaires... Cette ceinture, je l'ai toujours vu employer pour le travail, pour empêcher les défauts de la taille[2]. »

L'institutrice a le droit et même le devoir d'élever les filles comme DES CHIENS. Il faut les museler, « puisque le collier de force rend les chiens d'arrêt dociles et excellents[3] ». Hors de question pour l'institutrice de manifester la moindre affection aux petites filles, tenues de la craindre et de la respecter. L'institutrice « se doit de craindre Dieu et son souverain ; respecter ses parents, ses supérieurs, les gens d'âge », elle n'a le droit d'avoir des sentiments que « pour ses égaux, son chien, son chat[4] ».

La comtesse de Ségur, naturellement, honnit ce genre d'institutrice. A la mère de la chasser et de reprendre bien vite les rênes. Main de fer dans un gant de velours... Sophie, grand-mère, connaît beaucoup de mésaventures avec les gouvernantes de ses petites-filles. Elle s'empresse de tenir Olga au courant. « Le piano est là, muet et inoccupé, car je n'appelle pas musique les essais des petites et l'affreux tapage de Mlle R. (Mlle Rondet ?) qui joue sec, monotone, à contresens, dur comme une cruche, enfin (qu'elle est en tout). »

Sophie avait engagé, en 1859, cette Mlle R., aux Nouettes, pour s'occuper de Camille et Madeleine. Son œuvre commençait à dévorer sa disponibilité. Ce qui n'empêche pas Sophie de veiller à tout et à tous. Elle renvoie donc Mlle R. « La sotte gouvernante devait déguerpir le 30 et me laisser une chambre libre. »

La lettre nous laisse entendre que l'institutrice en question dort

---

1. *Les Bons Enfants.*
2. *Comédies et Proverbes.*
3. *Ibid.*
4. *Ibid.*

sous le toit, dans les mansardes, près des bonnes. Elle supplie qu'on la garde encore un mois. Le renvoi a eu lieu le 20 septembre 1859. La pauvre fille redoute de ne pas trouver de travail avant l'hiver. Sophie lui accorde encore sa mansarde, de quoi manger. Ainsi eût fait Rostopchine. Mais Sophie va-t-elle recommander Mlle R. au château de la Herpinière pour lui assurer son avenir ? C'est peu probable. Les haines de Sophie sont aussi violentes que ses générosités. Mlle R. disparaît. En attendant une nouvelle recrue, la comtesse de Ségur interrompt son roman en cours. Elle s'improvise institutrice des petites, rôle qu'elle a joué pendant toute l'enfance de ses propres filles. « Je commence demain mes fonctions de gouvernante, ce qui va prendre tout mon temps. »

La comtesse de Ségur déniche alors une autre gouvernante, « Anne, une excellente personne et très soigneuse pour l'enfant, mais c'est une Anglaise. »

Une Anglaise, hélas ! Sophie, qui écrit à toute vitesse pour achever son livre en retard, est soulagée que Camille et Madeleine entrent au Sacré-Cœur. L'année d'après, les choses se gâtent encore. La nouvelle institutrice, l'Anglaise, semble ne pas avoir fait long feu, supporte mal de promener les petites. Sa susceptibilité est froissée. Elle n'est pas une bonne. A elles de promener les petites filles modèles.

« Louise (...) a fait tant d'objections pour mener Camille et Madeleine aux Tuileries, que je n'ai pas voulu insister et donner un ordre absolu ; mais je vois d'après cela que sa bonne volonté a des limites et que je puis sans lui faire tort la classer au rang de domestique ordinaire [1]. »

Plus tard, Henriette, mère à son tour, aura aussi des déboires avec l'institutrice de ses filles ; Henriette a visiblement engagé une personne du type revêche, Mme d'Embrum, de noble origine, aigrie par la misère. « (L'Allemande d'Henriette) soigne très mal le petit et déteste la petite Henriette ; c'est de plus une vieille princesse, déclassée, paresseuse [2]. »

Henriette finit par engager à Kermadio une perle, de plus, jolie. C'est la seule trace positive que l'on trouve dans la correspondance de Sophie au sujet des gouvernantes :

« La gouvernante est un idéal de l'espèce ; le moral aussi charmant que le physique. » Les incidents recommencent, aux

---

1. Lettre à Olga.
2. *Ibid.*

Nouettes. Sophie a engagé une Allemande pour s'occuper de Françoise, la fillette d'Olga :

« J'ai mis mon veto sur ses leçons de piano. Mlle Signora Fraulein veut lui apprendre le piano. A trois ans ! Il y a de quoi la dégoûter du piano et de toute musique pour la vie[1]. »

La comtesse de Ségur a un ton furieusement moqueur et méprisant, quand ses subalternes l'irritent, la mentalité du boyard Rostopchine surgit à ces moments précis. Une mauvaise institutrice est responsable d'un blocage pédagogique grave. La mère doit veiller sans relâche :

« Que peut faire de ses petits doigts faibles et de son intelligence minuscule, une pauvre enfant de trois ans ? Paul, pour avoir commencé à lire à quatre ans, ne lira pas couramment avant sept ans, et jamais il n'aimera la lecture... »

La comtesse de Ségur en revient, tel un leitmotiv de poids, aux travaux féminins : « Je suis bien aise, écrit-elle à Olga au sujet de sa fille Jeanne, que Jeanne lise, qu'elle travaille ; ne l'oblige pas à faire de la tapisserie qu'elle déteste et ne lui apprends rien, qu'elle couse, puisqu'elle aime à coudre, cela lui sera toujours utile. »

Sophie s'enthousiasme quand Jeanne fait bien la révérence : « Jeanne fait des petites révérences très gentilles en entrant et en sortant. »

La révérence ! Écoutons les glapissements vulgaires de Mme Fichini, houspillant la pauvre Sophie :

MADAME FICHINI

Faites la révérence, Mademoiselle, plus bas, donc ! A quoi sert le maître de danse que j'ai payé tout l'hiver dix francs la leçon et qui vous a appris à saluer, à marcher et à avoir de la grâce[2] ?

Une révérence ratée ? une dot de perdue, un mariage non conclu. Au XIXe siècle, réunir les terres, l'argent et le titre est plus important que de savoir le grec et le latin. Une révérence peut tout compromettre. Ou convaincre une richissime douairière... Sophie a tenté, dans ses livres, d'offrir à ses filles des issues. Mais la clôture, énorme, se referme sur la petite fille qui a osé rêver apprendre le chinois.

---

1. Lettre à Olga, 1867.
2. *Les Petites Filles modèles.*

IV

PUNIR, DIT-ELLE

> *13. N'épargne pas la correction à l'enfant;*
> *Si tu le frappes de verge, il ne mourra point.*
> *14. En le frappant de la verge,*
> *Tu délivreras son âme du séjour des morts.*

Proverbes, 23.

La petite fille fouettée

La comtesse de Ségur traîne avec elle un cortège d'images déplaisantes. Les coups de fouet tombent à la volée sur ses petites filles. « Un Sade pour enfants », a écrit d'elle Trémolin[1].

Qui fouette les petites filles ?

Les mères.

Le fouet brille, reptile entre les mains de la marâtre. La comtesse de Ségur tente d'en montrer l'horreur et la néfaste utilité dans l'éducation. Plus Sophie Fichini est battue, martyrisée, plus elle ment, dissimule, se rebelle, entre en haine. « Je ne fouette jamais ! » répète à tous les échos Mme de Fleurville, modèle et miroir de la comtesse de Ségur. Née au pays du knout, les oreilles enfantines de Sophie Rostopchine avaient entendu les hurlements des serfs. Y compris les siens, lorsque Catherine prenait dans le

---

1. « L'Imprimé », dans *L'Ane,* n° 11, 1983.

coffre rempli de sel ses verges pour battre et réduire la vitalité de la petite Sophie aux cheveux rasés. Le fouet abattu sans mesure sur les petites filles séguriennes « met bien en évidence le type de l'enfant victime, exploité par l'adulte pour combler ses instincts de domination [1] ». Sophie est la petite fille la plus fouettée de l'œuvre de la comtesse de Ségur. La marâtre la bat autant qu'un âne roué par le mauvais maître. Sophie devient une sorte d'animal encagé, destiné à périr sous les coups. Elle est la prémonition de Cadichon. Les coups correspondent à chacune de ses ruades, son grand goût vers la liberté, à toutes ses galopades. La comtesse de Ségur a-t-elle secrètement rêvé de ne *jamais être une petite fille modèle ? Est-ce un hasard si son héroïne préférée, Sophie, a été au bord d'une sorte de délinquance ?* Sophie Rostopchine, née garçon, eût été emmenée page aux côtés de son père pour brûler Moscou. Galoper à ses côtés jusqu'au siège de Constantinople. Entrer dans les bouges, les salles de jeu. Avaler la vodka et se frotter aux filles comme ses frères. Sa mère n'eût jamais osé l'enfermer dans sa chambre jusqu'à l'abjuration de sa foi. La survie de Sophie de Ségur, mère de quatre filles, est passé par la standardisation de la petite fille modèle. Celle que l'on doit réduire au silence, au laminoir oppressant de l'interdit. Charles Mac Lance, même martyrisé, s'en donne à cœur joie de brutaliser sa marâtre, de se faire diable, à son corps défendant (une sorte de Sophie ?). A la moindre faute, si légère soit-elle, la petite fille entre dans « le jardin du mal ». Le Bon Ange, certes, comme Mme de Fleurville-Ségur, ne fouette jamais. Mais il s'empare fermement de la petite Sophie, l'entraîne sur le chemin du bien qui écorche à vif la plante des pieds. Pour s'accomplir, la petite fille doit souffrir. Code aristocratique du XIXe siècle. Propre châtiment de Sophie Rostopchine par Sophie, comtesse de Ségur. S'est-elle ainsi donné la discipline en fustigeant sa Sophie littéraire à laquelle elle doit presque tous les traits, y compris la coupe à la Titus, la modeste robe en percale blanche dans laquelle elle grelotte, toujours affamée ? Sophie de Ségur n'a jamais oublié qu'elle fut une authentique marginale, de plus, passionnée. Elle ira jusqu'à se faire « âne » dans son célèbre livre, pour ruer, blasphémer, maudire en paix, se battre tel un soudard, puisque les bêtes ne vont pas au paradis. Sophie échappe ainsi à cet affreux Ange qui la détourne de son grand penchant vers la turbulence. Sophie est l'antithèse de la petite fille modèle.

Les mères qui fouettent leurs filles sont des femmes que l'homme

---

1. *L'Éducation des petites filles chez la comtesse de Ségur*, Marie-Christine Vinson.

a au préalable battues. M. de Réan, père de Sophie, a cravaché violemment Mme Fichini, sa seconde épouse, qui avait levé la main sur sa belle-fille. Il y aurait donc eu enchaînement des forces, de la violence. Le faible frappe à son tour le plus faible, la petite fille, sa débile copie.

> *Il sauta de dessus sa chaise, saisit une cravache qui était sur la table, courut chez ma belle-mère, la saisit par le bras, la jeta à terre, et lui donna tant de coups de cravache qu'elle hurlait plutôt qu'elle ne criait*[1].

Le fouet devient alors une vengeance camouflée en principe éducatif. Après la mort du maître, la femme battue applique la loi du talion.

> *Depuis ce malheureux jour,* continua Sophie après quelques minutes d'interruption et de larmes, *vous pouvez vous figurer combien je fus malheureuse. Ma belle-mère tint la promesse qu'elle avait faite à papa et me battit avec une telle cruauté que tous les jours j'avais de nouvelles écorchures, de nouvelles meurtrissures*[2].

Mme de Fleurville, Mme de Rosbourg, les petites filles modèles, témoins horrifiées d'une flagellation de Sophie, blâment ouvertement la mauvaise mère. Elles sont choquées non seulement par la cruauté du moyen, mais par le désordre vulgaire qu'une telle violence peut susciter chez une femme. La fillette martyrisée « saute et court » à cause de la souffrance. Elle est à moitié nue, « le corps rayé et rougi ». L'éducation aristocratique a pour principe absolu le contrôle des passions, la dissimulation de la nudité. L'égarement passager du supplice provoque le désordre de la chair. L'irruption choquante du corps convulsé, y compris celui de la marâtre. « Mme Fichini sortit du cabinet toute rouge de colère (...). Après quoi, essoufflée, furieuse, elle revint s'asseoir sur le canapé[3]. »

A travers la barbarie de Mme Fichini, la comtesse de Ségur blâme la parvenue. Son nom est étranger, italien sans doute. elle n'appartient à aucune grande famille. Sophie de Ségur l'exclut définitivement du faubourg Saint-Germain. « Mme Fichini est étrangère à l'éducation aristocratique[4]. » A elle, la vulgarité du châtiment corporel, son déchaînement sans contrôle. Mme Fichini symbolise, dans la clôture du château ségurien, l'ignominie. La

---

1. *Les Vacances.*
2. *Ibid.*
3. *Les Petites Filles modèles.*
4. *L'Éducation des petites filles chez la comtesse de Ségur, op. cit.*

287

comtesse de Ségur exécutera Mme Fichini dans *Les Vacances*. Elle mourra, reléguée au plus bas niveau du château qui reviendra, comme de droit, à Mlle Sophie de Réan, enfin majeure.

Chez les aristrocrates, on fouette quelquefois la petite fille. Après un vol, Mme de Réan a donné le fouet à Sophie — réminiscence de Catherine Rostopchine, fouettant Sophie à Voronovo ? La scène reste discrète, froide, de bon ton. M. de Réan, d'ailleurs, n'interviendra pas.

« Sans rien dire (Mme de Réan) prit Sophie et la fouetta comme elle ne l'avait jamais fouettée. Sophie eut beau crier, demander grâce, elle reçut le fouet de la bonne manière et il faut avouer qu'elle le méritait [1]. »

Dans ses romans, la comtesse de Ségur laisse le fouet surtout aux mains de femmes vulgaires. Le fouet a sa place dans le milieu populaire. La meunière fouette sa fille Jeannette avec la même violence que Mme Fichini. Non pour la corriger d'avoir volé la poupée de Marguerite (la poupée de la châtelaine, double crime), mais pour avoir été découverte :

« Un cri perçant les fit toutes (il s'agit des petites filles modèles et de leurs mères) s'arrêter, il fut suivi d'autres cris plus perçants, plus aigus encore — c'était Jeannette qui recevait le fouet de la mère Léonard. Elle la fouetta longtemps car, à une grande distance, les enfants, qui s'étaient remises en marche, entendaient encore les hurlements, les supplications de la petite voleuse [2]. »

Réduite pire qu'un animal la petite fille fouettée hurle telle une bête égorgée. Elle laisse aux petites filles modèles, témoins, « l'impression d'une grande tristesse, d'une vraie terreur ». Elles mirent dans les cris de Jeannette la prémonition des leurs, si elles avaient eu des mauvaises mères. Les romans de Sophie ont quelque chose de slave. L'autocratie des mères est évidente. La petite fille, ainsi livrée, risque sa vie.

Assujettissement ou le regard maternel

Le fouet est le moyen réprouvé. La comtesse de Ségur pratique d'autres méthodes pour « accomplir » ses petites filles. Pas d'éducation ni de progression sans certaines peines. La petite fille est un constant objet dans le champ visuel de la mère modèle. Elle la

---

1. *Les Malheurs de Sophie.*
2. *Les Petites Filles modèles.*

surveille sans relâche. La petite fille n'a le droit qu'à des parcours bien précis. Sa chambre, la salle à manger, le salon d'étude, le salon, la promenade (toujours sous surveillance) dans le parc. Son petit jardin. Elle ne peut franchir les barrières sans sa bonne ou sa mère. La mère est d'ailleurs retenue à peu près dans le même enclos. Aucune évasion n'est possible. Devenir une petite fille modèle passera par l'obéissance totale à « la mère ». Le couvent, ses règles, le guet constant de la « mère » supérieure ? La petite fille est surveillée même sans le savoir. Les mères modèles se dissimulent dans des serres, écoutent les conversations des petites filles « par la fenêtre ouverte », collent leurs oreilles aux portes. Elles espionnent sans relâche leurs filles.

« A ce moment, Mme de Rosbourg sortit de la serre (...). " J'ai tout entendu, mes enfants, dit-elle ; j'arrivai dans la serre au moment où vous accouriez près de Camille[1]. " »

Le regard de la mère peut devenir une véritable terreur : « La présence de ces dames arrêta le bras levé de Sophie ; elle resta terrifiée, craignant la punition et rougissant de sa colère[2]. »

Le regard a un pouvoir éducatif aussi pesant qu'une férule. Fédor Rostopchine, loin de sa famille, écrivait à ses enfants : « Obéissez à votre mère comme à moi. » Sinon gare, gare à mon retour. Fédor revient les bras chargés de cadeaux, qu'il confisquera peut-être si la petite fille a dérogé. Sophie a vécu, malade d'angoisse, le retour de son père à qui elle devait avouer l'histoire du kiosque. Crescendo de la punition. Après le regard qui assujettit lentement la petite, il y a l'aveu, l'autocritique. « Chère Camille, je vois que je resterai toujours méchante ; jamais je ne serai bonne comme vous. Vois comme je m'emporte facilement, comme j'ai été brutale envers la pauvre Marguerite[3]. »

L'autocritique doit amener l'ivresse du remords. La culpabilité de la petite fille. Le Bon Ange souffle ce beau discours à Sophie : « J'ai parlé trop rudement, comme je fais toujours. Pardonne-moi, Henriette, de t'avoir blessée par mon injuste sévérité ; (...). Tu es bonne et douce, et moi, méchante et colère. Vois-tu c'est encore du remords pour moi[4]. »

1. *Les Petites Filles modèles.*
2. *Les Malheurs de Sophie.*
3. *Les Petites Filles modèles.*
4. *Les Bons Enfants.*

COMTESSE DE SÉGUR

Voix de la mère. Une constante admonestation [1]

« Camille a été très coupable de se laisser aller à une pareille colère. »

« Que dis-tu Camille ? Toi, si bonne, tu as donné un soufflet à Sophie, qui vient en visite chez toi ? »

« Ta conduite, Sophie, a été mauvaise au commencement, belle et noble à la fin... »

« Marguerite, rougis de ta dureté, sois touchée de son repentir. »

« Ma petite Sophie, ne te décourage pas ; on ne se corrige pas si vite de ses défauts. »

« Les grands airs. Prends garde aux grands airs... »

« Il me semble que lorsque je suis entrée, c'était vous qui disiez des sottises. »

« J'ai profité de l'occasion pour te guérir de ta précipitation à vouloir comprendre les pensées inachevées. »

« Tu prends la mauvaise habitude de te moquer, de lancer des paroles piquantes, qui blessent et irritent. »

« Tu as perdu ma confiance, à l'avenir, je ne croirai plus à tes paroles. »

« Giselle, tu n'es plus en ce moment ni douce, ni obéissante, ni polie. »

« Ne demande pas une chose absurde... Ces petites filles sont ridicules, je ne veux pas que tu sois ridicule. »

« Voilà ce que c'est que d'être impatiente et égoïste. Tu as voulu en avoir plus que les autres et non seulement tu n'as rien pris, mais tu t'es fait pincer. »

« Ce serait joli ! Est-ce que les filles peuvent faire comme les garçons ! Quelle idée tu as ! Tes jupons seraient trempés ! »

« Simplicie est trop mal élevée, trop vaniteuse, trop égoïste et trop volontaire, pour que j'en fasse la compagne de mes filles... »

« Christine, tu manges trop ! N'avale donc pas si gloutonnement ! Tu prends de trop gros morceaux. »

« Pourquoi restez-vous à la porte comme une coupable ? »

« Vous êtes menteuse et raisonneuse. »

« Mettez-la sur le siège : elle va chiffonner ma jolie robe ou elle la salira avec ses pieds. »

« Tu ne dois pas le détester. Je serais bien triste de te voir détester quelqu'un. »

---

1. Extraits de plusieurs romans de la comtesse de Ségur où la mère s'adresse à une petite fille.

« Vous vous êtes corrigée de vos défauts. Vous serez aussi gentille, simple, bonne et aimable que vous l'étiez peu jadis. »

La voix de la mère, gouttière sans fin, distille la bonne tenue. Jusqu'à anéantir la petite fille. Au sens où Jeanne de Chantal conseillait à ses postulantes, à la Visitation, le total renoncement à la personnalité : « Ruinez-vous. Anéantissez-vous. »

La petite fille, détruite, peut enfin entrer dans le jardin du bien. Le Bon Ange aussi a pris le relais implacable de la mère jusqu'au fond des rêves de la petite fille. « Je t'attendrai, petite fille, jusqu'à ta mort... Ne cueille pas ces fruits qui te paraissent si beaux. Ces fleurs qui embaument. Jette-toi hardiment sur les cailloux râpeux du bien [1]. »

Silence, oubli de soi, autopunition, anéantissement. Le seul droit des petites filles est de ne plus exister du tout. Devenir les transparences du ciel, les volutes des anges, jusqu'à un accouchement horrible. « Une couche difficile ? Que de fautes elle rachète ! » Elles trouvent ainsi le rachat du bref débordement d'une chair indécente qui a commencé par le pillage des groseilles et du cassis aux haies du château de Fleurville.

Les mères modèles sont des mains de fer dans des gants de velours. Elles savent réduire la petite fille bien plus dangereusement que la violence de Mme Fichini. Nulle fillette ne peut échapper à Mme de Fleurville. A dix-huit ans, les fillettes devenues « charmantes » auront étouffé toutes leurs turbulences. Tout va bien alors à Fleurville, ou aux Nouettes. La fillette « accomplie » saura à son tour mener, de même sorte, ses filles. Voici le destin d'une petite fille modèle : « Camille et Madeleine restèrent bonnes et charmantes comme nous les avons vues dans *Les Petites Filles modèles*. Elles se marièrent très bien et furent très heureuses [2]. »

Heureuses ! Jusqu'à ce que mort s'ensuive, et saut assuré dans l'au-delà avec le Bon Ange.

Le cabinet de pénitence

La petite fille se rebelle encore jusqu'à la violence, malgré « la perfection » d'une telle éducation. La mère modèle adopte un brusque et inquiétant changement dans les punitions. La douce

---

1. *Les Malheurs de Sophie.*
2. *Les Vacances.*

Mme de Fleurville est capable d'avoir installé une prison à domicile, le cabinet de pénitence, en dehors de la chambre à coucher de la fillette.

« Montez dans votre chambre, mademoiselle, vous y dînerez seule ; je ne veux pas vous revoir de la soirée », telle fut la punition de Sophie Rostopchine pendant des années. La comtesse de Ségur, malade, enfermée dans sa chambre, n'en punit pas moins Olga, mise au coin. La petite a le dos tourné. Elle sent le regard maternel. Elle entend la voix qui sermonne :

« Voyons, Olga, demande-moi pardon, ma minette. C'est laid de bouder ; c'est ennuyeux aussi ! tu sais bien que tu t'assommes là [1]. »

La comtesse de Ségur ne cède jamais. Pas plus que ses mères modèles. Olga peut bouder des heures, elle restera des heures, le nez au mur. Seul, le repentir, suivi du pardon accordé par la mère, la délivrera, le tout suivi de la crise de larmes, « salutaire ». Le ravalement, l'anéantissement. Passer sa soirée en chambre est une peine légère si la petite demande pardon, reconnaît ses fautes, témoigne « d'un vrai repentir », se jette même à genoux.

« Sophie se jeta à ses genoux, saisit les mains (de Mme de Fleurville), qu'elle couvrit de baisers et de larmes et, à travers ses sanglots, fit entendre ces mots, les seuls qu'elle put articuler : " Pardon ! Pardon ! " [2]. »

Sophie s'est livrée à une grande colère, plus violente que d'habitude. Mme de Fleurville l'a enfermée au « cabinet de pénitence ».

« Mme de Fleurville s'approcha d'elle en silence — on remarque, encore une fois, la discrétion aristocratique —, la saisit par le bras, l'emmena dans une chambre que Sophie ne connaissait pas encore et qui s'appelait le cabinet de pénitence, elle la plaça sur une chaise devant une table, et, lui montrant du papier, une plume, de l'encre, elle lui dit : " Vous allez achever votre journée dans ce cabinet, mademoiselle. Vous allez copier dix fois toute la prière Notre Père qui êtes aux cieux (...). Je vous enverrai votre dîner ici (...). Au lieu de revenir avec vos amies, vous passerez vos journées ici, sauf deux heures de promenade que vous ferez avec Élisa qui aura ordre de ne pas vous parler (...). Je vous enverrai vos repas ici (...). Vous ne serez délivrée de votre prison que lorsque le repentir, le vrai repentir sera entré dans votre cœur " [3]. »

---

1. *Ma chère maman, souvenirs intimes et familiaux*, Olga de Pitray.
2. *Les Petites Filles modèles*.
3. *Ibid.*

Une prison, une vraie. Personne ne peut entendre les cris de la petite fille enfermée. Elle ne peut d'ailleurs s'échapper.

« Elle examina le cabinet pour voir si on ne pouvait s'en échapper : la fenêtre en était si haute que, même en mettant la chaise sur la table, on ne pouvait pas y atteindre, la porte contre laquelle elle s'élança avec violence était trop solide pour être enfoncée... les murs étaient nus, peints en gris[1]. »

Il sera difficile de réduire Sophie. La fille de Fédor Vassilievitch Rostopchine, oui, c'est bien elle, brise tout, déchire tout, résiste. Mme de Fleurville, l'oppression suave, lui parle de mort et de damnation :

« Priez le bon Dieu qu'il ne vous fasse pas mourir cette nuit avant de vous être reconnue et repentie[2]. »

Désolation de la petite, déjà orpheline de ses vrais parents, torturée depuis des années par Mme Fichini. Elle n'a que sept ans. Mourir ? Est-ce possible ? Le cabinet de pénitence est plus grave qu'une punition. Il doit modifier la petite fille, une fois pour toutes. En faire une enfant modèle, arracher de façon chirurgicale sa véhémence naturelle. La porte du cabinet se referme, la nuit envahit la cellule.

Jusqu'où serait allée la claustration que nulle protection de l'enfance ne pouvait soupçonner ou interdire ? Si Sophie avait résisté, continué sa révolte, la douce Mme de Fleurville eût été peut-être capable de la cloîtrer jusqu'à sa majorité ? L'oublier là, jusqu'à sa mort ? La petite fille abandonnée au cabinet de pénitence serait devenue cette recluse, cette tête flottante à qui on donne chaque jour, « dix fois à copier le Notre Père qui êtes aux cieux, une assiette de soupe, un morceau de pain et pas de dessert, les prisonnières n'en mangent pas[3] ». Sophie a-t-elle couru le risque d'être enfermée, comme le pauvre cancrelat de *La Métamorphose* de Kafka ? Le cabinet de pénitence est kafkaïen. Sophie, devenue petite fille modèle, a subi une irrémédiable *modification*. Le surlendemain, Mme de Fleurville la ramène au salon, et triomphe : « Voilà Sophie que je vous ramène. Non pas la Sophie d'avant-hier, colère, menteuse, gourmande, méchante, mais une Sophie douce, sage, raisonnable[4]. »

Changée. Titubant des deux jours de prison. Un sourire errant

---

1. *Les Petites Filles modèles.*
2. *Ibid.*
3. *Ibid.*
4. *Ibid.*

sur son visage. Ablation mentale. Atrophie des instincts. Petite fille anéantie, qui pleure en secret la dépouille véhémente laissée au cabinet de pénitence. Le pauvre double troqué contre celui-là, l'hypocrite, le dissimulé. La petite fille obligée de ruser pour sa survie.

A la fin du parcours éducatif, toutes les petites filles sont devenues interchangeables. Camille, Madeleine, Marguerite, les unes, les autres, qui est qui ?

La comtesse de Ségur a été obligée de claquemurer sa préférée, sa voyoute, Sophie. Jusqu'où eût-elle été capable d'aller ? Mettre le feu à Fleurville comme, jadis, un certain Rostopchine à Moscou ?

Le cabinet de pénitence est l'outil de mort psychique des petites filles. Déchaînées, elles voudraient rire, se goinfrer, haïr tranquillement, « je déteste les pauvres et leurs mains sales [1] », s'emparer de tout, de tous, ruer, hennir, honnir, maudire. Entrer, enfin, dans le somptueux jardin du mal où de beaux enfants mal élevés, pervers, les feront blasphémer et jouir. La suprême volupté est ce grand incendie, capable de dévorer les murs du cabinet de pénitence. Réduire en un tas d'os les mères et les fouets, le Notre Père qui êtes aux cieux, et par-dessus le marché soi-même. La petite fille enfin sans jupon et sans repentir. Mourir sans repentir est un luxe, et Satan reste le plus luxueux des anges. Celui qui sait offrir ses fruits amers aux petites filles enfin égarées. Loin de la clôture où l'on n'enferme que les filles, et les ânes, ceux-là, avec une grosse pierre attachée à la queue, pour les empêcher de braire.

---

1. *Diloy le Chemineau.*

V

LA POUPÉE DE SOPHIE
OU D'AUTRES JOUETS

> *Fais mettre les livres chez moi ainsi que les*
> *joujoux : que les enfants prennent ce qu'ils vou-*
> *dront, qu'ils aident à tout défaire.*

Lettre à Olga, mai 1861

La poupée de Sophie

Au XVIIe siècle, en dehors de la paume, du mail et des jeux
d'argent, les enfants mâles jouent à la poupée. Chez la petite fille
ségurienne, la poupée est davantage qu'un jouet. Elle est accompagnée du simulacre de la vie quotidienne. Meubles, dînettes en
porcelaine, petits thés en argent, trousseau rangé dans la commode
réservée à cet usage. La poupée prépare la petite fille à son rôle
futur de mère. Catherine Rostopchine l'avait déjà enseigné à ses
filles. *Les Petites Filles modèles* s'ouvre dans le salon des jouets.
Camille et Madeleine sont occupées à déménager leurs poupées
d'une maison à l'autre. Elles sont absorbées à manier les objets qui
reproduisent, en miniature, le quotidien des mères.

« Madeleine peignait sa poupée, Camille lui présentait les
peignes, rangeait les robes, les souliers, changeait de place les lits
de poupées, transportait les armoires, les commodes, les chaises,
les tables[1]. »

---

1. *Les Petites Filles modèles.*

COMTESSE DE SÉGUR

La description du trousseau de la poupée de Marguerite de Rosbourg est un morceau anthologique de l'histoire d'une poupée. Cette poupée et ce trousseau ont de quoi combler le rêve de n'importe quelle petite fille de sept ans. La poupée elle-même est un ravissement pour l'œil.

« Marguerite gagna une charmante poupée en cire et un trousseau complet dans une jolie commode. »

Sous le Second Empire, quand Sophie devient écrivain, les poupées sont fabriquées par Huret et Simonne. A partir de 1862, M. Jumeau inventa un type de poupée résolument français. La tête est en biscuit de porcelaine, les yeux en émail. Un ressort permet l'articulation de la tête et des membres [1].

Les recherches de Laura Kreyder offrent le précieux rapport du jury de l'Exposition de 1849. L'énumération des pièces détachées d'une poupée. Nathalie, Sabine, Henriette, Olga ont eu des poupées en cire et en bois. Camille, Madeleine et les petites-filles de la comtesse de Ségur ont vraisemblablement possédé la poupée de M. Jumeau :

— Un buste en cire ou en pâte de porcelaine
— Un corps tantôt en carton, tantôt bourré de sciure de bois (dans ce cas il est recouvert d'une peau d'agneau)
— Une denture en paille ou en émail
— Des yeux peints en verre ou en émail
— Des mains en bois, en pâte ou en peau jaune
— Une chevelure frisée et coiffée [2].

Ouvrons les tiroirs de la commode de Marguerite. Le trousseau suit de près la mode d'une coquette Second Empire.

Dans le tiroir d'en haut de la commode (Marguerite) avait trouvé :
1 chapeau rond en paille avec une petite plume blanche et des rubans de velours noir
1 capote en taffetas bleu avec des roses pompon
1 ombrelle verte à manche d'ivoire
6 paires de gants
4 paires de brodequins
2 écharpes en soie
1 manchon et une pèlerine en hermine.
Dans le second tiroir :
6 chemises de jour
6 chemises de nuit

---

1. *L'Enfance des saints et des autres,* essai sur la comtesse de Ségur, Laura Kreyder.
2. *Les Poupées françaises,* rapport cité par Robert Capia.

6 pantalons
6 jupons festonnés et garnis de dentelle
6 paires de bas
6 mouchoirs
6 bonnets de nuit
6 cols
6 paires de manches
2 corsets
2 jupons de flanelle
6 serviettes de toilette
6 draps
6 taies d'oreiller
6 petits torchons
Un sac contenant des éponges, un démêloir, un peigne fin, une brosse à tête, une brosse à peignes.

Dans le troisième tiroir étaient toutes les robes et les manteaux et mantelets ; il y avait :
1 robe en mérinos écossais
1 robe en popeline rose
1 robe en taffetas noir
1 robe en étoffe bleue
1 robe en mousseline blanche
1 robe en nankin
1 robe en velours noir
1 robe de chambre en taffetas lilas
1 casaque en drap gris
1 casaque en velours noir
1 talma en soie noire
1 mantelet en velours gros bleu
1 mantelet en mousseline blanche brodée[1].

La poupée de Marguerite de Rosbourg et son trousseau ne peuvent appartenir qu'à la petite fille riche. Chez les pauvres la poupée se réduit singulièrement. « Cette poupée a-t-elle des sabots ? » — demande spontanément Camille à Suzanne, la petite boulangère. Suzanne affirme avoir vu chez Jeannette, la fille de la meunière, une poupée aussi belle que celle de Mlle Marguerite. Mme de Fleurville définit alors à ses filles la poupée des pauvres :

« C'est quelque poupée de vingt-cinq sous, habillée en papier qu'on aura donnée à Jeannette et que Suzanne trouve superbe parce qu'elle n'en a jamais vu de plus belle. »

La poupée des pauvres reflète leur vie quotidienne. Des sabots,

---

1. *Les Petites Filles modèles.*

297

un chiffon de papier en guise de robe. Probablement que la poupée de la sœur de Gribouille était ainsi. La poupée de Cosette, livrée aux Thénardier, était un petit sabre en bois, vêtu d'un haillon. Le premier cadeau de M. Madeleine fut une poupée identique à celle de Marguerite de Rosbourg[1]. Des titres entiers du cycle Fleurville s'articulent autour du mot « poupée ». Il y a eu, dans *Les Malheurs de Sophie*, « la poupée de cire », « l'enterrement de la poupée » ; « la poupée mouillée » entraînera, maudite poupée, le chapitre terrifiant, « Jeannette la voleuse », fouettée violemment par sa mère. En aucun cas, les poupées ne sont innocentes puisqu'elles écrivent même leurs mémoires.

Poupées fétiches, poupées passions, poupées martyres, la tragédie des petites filles continue avec la poupée. Sophie défigure à plaisir la sienne, si belle, qui devient affreuse, au point de l'enterrer et de danser sur sa tombe. « Lorsque Camille et Madeleine s'en allèrent, elles demandèrent à Paul et Sophie de casser une autre poupée pour recommencer un enterrement aussi amusant[2]. »

Haïr sa poupée, jusqu'à la mettre à mort ou l'égarer en forêt, est-ce la révolte de la petite fille ? La poupée est la vengeance de la petite fille modèle. L'alibi d'un crime obscur qui prend source dans celui de la mère.

Obsession rythmique du jeu. Les comptines

La comtesse de Ségur préfère largement aux poupées le bruit, le mouvement, les promenades, les jeux à l'extérieur. Quand sa fille Nathalie venait aux Nouettes, la pétulante grand-mère s'irritait. « On va encore être obligées de rester au salon. On va s'ennuyer. »

Camille reproduit les goûts de Sophie. « Plus vive, plus étourdie, préférant les jeux bruyants aux jeux tranquilles, elle aimait à courir, à faire et à entendre du tapage. Jamais elle ne s'amusait autant que lorsqu'il y avait une grande réunion d'enfants[3]. »

A toutes les poupées du monde, Sophie Rostopchine, comtesse de Ségur, préfère des ânes. Elle aime aussi chanter à gorge déployée. Elle adore le refrain ludique des comptines, qui ponctue ses jeux à l'extérieur. Même à l'intérieur de la maison.

---

1. *Les Misérables*, Victor Hugo.
2. *Les Malheurs de Sophie*.
3. *Les Petites Filles modèles*.

Mme de Réan répare les yeux de la malheureuse poupée, fondus au soleil. Sophie chante à tue-tête, dans sa joie :

> *Vive maman,*
> *elle est notre bon ange,*
> *de baisers je la mange,*
> *vive maman.*

La comptine exprime une excitation enfantine. Le jeu peut devenir paroxystique, méchant, destructeur d'un autre enfant. Giselle de Gerville s'est habillée d'un monceau de rubans blancs, malgré l'interdiction de sa mère. Tous les enfants l'entourent, font une ronde aussi cruelle que le *Ne pleure pas Jeannette* qui se termine en pendaison. La voix de l'enfance scande une exécution :

> *Tournons, tournons autour du mont Blanc,*
> *goûtons, goûtons si c'est un fromage.*
> *Voyons, voyons ces longs rubans blancs,*
> *non, non, fuyons, Giselle est en rage*[1].

Cadichon excite l'admiration des enfants par son intelligence exceptionnelle. Il transforme cette admiration en une ovation qui peut se crier très fort, à tue-tête, dans le parc des Nouettes. Le rythme en est convulsif :

> *Cadichon, Cadichon,*
> *à la foire tu viendras ;*
> *l'âne savant tu verras ;*
> *ce qu'il fait tu regarderas ;*
> *puis comme lui, tu feras ;*
> *tout le monde t'honorera,*
> *tout le monde t'applaudira,*
> *et nous serons fiers de toi.*
> *Cadichon, Cadichon,*
> *Je te prie, distingue-toi*[2].

La composition sur la finale très ouverte en « a » enchante l'auteur lui-même. Sophie jongle alors avec le langage. La comptine devient un jeu à part entière.

JACQUES
C'est très joli ce que nous chantons...

LOUIS
C'est que ce sont des vers, je crois bien que c'est joli !

---

1. *Quel amour d'enfant !*
2. *Les Mémoires d'un âne.*

COMTESSE DE SÉGUR

Des vers ? Je croyais que c'était difficile de faire des vers.

LOUIS
Très facile, comme tu vois,
Pas difficile, comme tu crois[1].

Le langage se transforme en jeu supérieur. Le cache-cache est la prédilection de la comtesse de Ségur. Pendant que tous se cachent, elle fait chanter à celui qui doit chercher le célèbre *Pin, Pa, Ni Caille*. L'origine vient du village de Gruyère, dans le canton de Fribourg. Musicalement, cette formulette est destinée à désigner « le chat », ou « celui qui le sera ». Après avoir chanté, donné le temps aux enfants de se cacher, il les cherchera au hasard du parc de Fleurville ou des Nouettes.

> *Pin, Pa, Ni Caille,*
> *c'est le roi des papillons*
> *se faisant la barbe,*
> *se coupa le menton,*
> *un, deux, trois, de bois,*
> *quatre, cinq, six de buis,*
> *sept, huit, neuf, de bœuf,*
> *dix, onze, douze, de bouse,*
> *va-t-en à Toulouse[2].*

Voici la musique de ce *Pin, Pa, Ni Caille*[3] :

---

1. *Les Mémoires d'un âne.*
2. *Après la pluie, le beau temps.*
3. Comptines de langue française, recueillies par Jean Baucomont, Frank Guibat, Tante Lucile, Roger Pinon.

Peut-être, au temps de la guerre contre la Prusse en 1870, les petits enfants de Sophie chantaient-ils *As-tu vu Bismark ?* Grossièreté d'une comptine qui tourne mal ? La France aussi tournait mal, obligée à subir l'ennemi et à manger du rat.

Marguerite est un prénom doublement cher à la comtesse de Ségur. Marguerite de Rosbourg, amie des petites filles modèles. Marguerite, fille d'Olga. La comptine *Marguerite de Paris,* aux allusions religieuses, a été fredonnée aux Nouettes :

> *Marguerite de Paris,*
> *prête-moi tes souliers gris*
> *pour aller au paradis,*
> *qu'i fait, qu'i fait chaud !*
> *J'entendis le petit oiseau*
> *qui fait pi I I I I !*
> *Marguerite de Paris.*

Cette comptine, née dans le Loiret, est une petite prière pour éloigner la fièvre des enfants. Marguerite... Gounod, invité aux Nouettes, y avait composé sa Marguerite de *Faust.* « C'est par ici que doit passer Marguerite. » La fille d'Olga, Marguerite, tombera très malade. La Marguerite de Faust mourra. La comptine prend alors ce rythme :

> *Lune, Lune, coquelune*
> *prête-moi tes souliers gris*
> *Pour aller en paradis...*

La comtesse de Ségur veut que tous ses enfants aillent en paradis. Paradis, éternelle comptine d'une enfance bloquée. Hors l'enfance, point de salut. Chez la comtesse de Ségur, l'adulte a égaré sa comptine, péage du jardin du bien.

Le manchon de Sophie

La comtesse de Ségur fourre tous ses cadeaux dans son manchon de zibeline devenu légendaire, « bourré à éclater de mille trésors récoltés par elle dans les bazars du quartier [1] ». Sophie n'a de cesse d'acheter des jouets, au bazar de la rue Bonaparte. Un jour Olga verra s'engouffrer dans le manchon merveilleux « tout un petit thé en porcelaine, un ballon, des plumeaux, des billes.

---

1. *Ma chère maman, souvenirs intimes et familiaux,* Olga de Pitray.

Quels sont les jouets que Sophie achète, en dehors des poupées de chez Huret ? Animaux en caoutchouc, petites ménagères, vole-heures, « espèce de flûte creuse terminée par une façon de flageolet qui faisait des bulles de savon incomparables ». Vole-heures, délicieux pied de nez au temps, que Sophie arrête au monde de l'enfance. Le vole-heures est adapté à une raquette recouverte de flanelle. Il permet à Gaston, Anatole, Edgar et aux autres de jouer ensuite avec les bulles de savon. Féérie multicolore. Sophie de Ségur devient la fée du temps, son vole-heures dissipe la réalité, rattrape cette enfance qui fuit tel un sablier. Sophie achète aussi les billes de toutes sortes. Olga est éblouie. « Il y en avait des petites, des moyennes, des grosses, d'énormes, des transparentes, des mates... » Sophie, mère Noëlle, au manchon d'or, de strass et de savon rose, donne aussi aux enfants « des images, des livres, des couleurs, des dominos, des jonchets, des cartes, des volants, des raquettes[1]... »

Où met-on ces jouets ? Dans un salon destiné à cet usage. L'espace fait partie de la féerie ségurienne. Le salon des joujoux est un royaume, un magasin, une vitrine de Noël. On a déjà ouvert les tiroirs de la commode de la poupée, entrevu son mobilier, son petit thé en argent. Dans la petite enfance, filles et garçons échangent leurs jouets. Vers les étrennes, Sophie augmente ses achats. « Des poupées pour les filles, des polichinelles pour les garçons ». Au salon des joujoux, Marguerite, la fille d'Olga, trouva « une boîte à ménage en bois ». Le salon des joujoux de Camille et de Madeleine est bondé. « Oh ! le beau petit chien ! (une peluche), comme il a de beaux cheveux ! Et le joli petit âne. Oh ! les belles petites assiettes ! Des tasses, des cuillers, des fourchettes et des couteaux aussi ! Un petit huilier, des salières ! Oh ! la jolie petite diligence[2] ! » Voici un paquet cadeau envoyé par la comtesse de Ségur à sa petite-fille Jeanne : « Un sac de perles pour Jeannet, du joli papier à lettres avec enveloppes bordées de jaune, de rouge, de bleu, de vert[3]. »

La papeterie est un cadeau de choix. Les jouets ont presque toujours une fonction sociale. Ils préparent l'enfant à tenir son rang futur. Les petites filles doivent absolument devenir de bonnes épistolières. Sophie Fichini gagnera « une papeterie » à la tombola de Mme de Rosbourg. Continuons à défaire les paquets cadeaux de

---

1. *Les Bons Enfants.*
2. *Les Petites Filles modèles.*
3. Lettre à Olga, janvier 1861.

grand-mère Ségur : « Tu dois recevoir... une petite valise de voyage pour Françon... une petite lorgnette à images pour Jeannet... deux flacons de parfum exquis... »

Le premier cadeau qu'elle offre à ses filles enceintes est un hochet. Olga est près d'accoucher de Jacques, quand elle reçoit de sa mère « un gentil petit hochet en paille des Indes (soi-disant) dont la forme est charmante [1] ». Un peu plus tard, Jacques recevra de Sophie « une menuiserie... une orange avec une montre à répétition... ». Pour mettre en route cette montre merveilleuse, le petit garçon doit « appuyer et lâcher à chaque coup qui sonne ».

Au salon des joujoux, côté garçon, on trouve des pantins en bois et « une voiture Louis XIV avec quatre enfants de troupe ». Le petit garçon reçoit dans la première enfance des jouets de fille. Grand-mère Ségur offre à Jacques âgé de deux ans : « un plumeau, un balai... trois animaux en caoutchouc : cheval, vache, mouton, et une cage avec oiseaux » et encore « trois immenses fouets (!) ».

Pourquoi ces fouets ? Jouer déjà au maître, mener son monde, chevaux, chiens de chasse compris ? Réflexe de barinia russe ? Heureusement, Jacques reçoit avec ses fouets « un cornet à pistons ». A propos d'instruments de musique, les filles n'ont droit qu'au piano. Les instruments leur sont interdits. Souffler dans une trompette serait le comble de l'obscénité.

Jacques trouve parmi ses trésors une toupie volante dont sa grand-mère précise « qu'il faut monter neuf tours pour qu'elle aille bien et la lancer d'un peu haut ». Sophie adorait donner elle-même les neuf tours. Puis, lancer très haut, dans le ciel des Nouettes, la toupie des petits garçons, au-delà des grands bouleaux du parc. Tant pis si on l'égare ! Le vole-heures nous la rendra !

Une des trouvailles les plus ravissantes de la comtesse de Ségur, grande amatrice de gadgets, est un miroir aux alouettes doublé d'un microscope. « Tu planteras en terre le long bout d'acier du miroir aux alouettes ; tu mettras le bout de cuivre sur la petite pointe ; tu poseras dessus le miroir à facettes ; tu tireras légèrement la ficelle et tu la lâcheras alternativement en maintenant le bout de ficelle dans la main le plus loin possible du miroir... » Quant au microscope : « Il doit se retirer de son étui de cuivre ; on regarde par le petit bout ; il y a dedans du millet. Si tu veux y mettre autre chose, une mouche, une puce ou plusieurs puces et tout ce que tu voudras, tu dévisseras le bas et tu y mettras ce que tu veux. »

---

1. Lettre à Olga, novembre 1856.

Si la comtesse de Ségur met volontiers à mort les poupées, elle offre, palpitante, « un cheval, un fouet, un couteau de six sous » et même « un fusil », à ses petits chérubins.

De beaux jouets : fouets, fusils, revolvers, couteaux

La fille du guerrier Rostopchine offre rapidement à ses garçons une panoplie de chasse. « Le lendemain devait avoir lieu (...) l'ouverture de la chasse. Pierre et Henri furent prêts avant tout le monde ; c'était leur début ; ils avaient leur fusil en bandoulière, leur carnassière passée sur l'épaule, leurs yeux brillaient de bonheur[1]. »

Jacques n'a que huit ans quand Sophie lui écrit, en 1854 : « Papa a bien raison de ne pas te donner un fusil, tu te tuerais et tu tuerais les autres (avant de te tuer toi-même). »

Comme elle adore griller les étapes, offrir à ses petits-fils, avant leurs quatorze ans, leur premier fusil ! « J'ai fait l'autre jour un plaisir extrême à Armand ; je lui ai fait venir de Paris un charmant fusil à deux coups, bien à sa taille, à sa couche, et excellent, paraît-il, avec un canon de Saint-Étienne et ciselé très élégamment[2]. » Or, à cette époque, Armand n'a que dix ans ! Le cadeau est confisqué par Henriette, sa mère, au grand dépit de la fougueuse aïeule. Elle s'empresse de manifester son agacement et son ironie : « L'élan (le cadeau du fusil) a été arrêté par sa mère qui a jugé dans sa grande inexpérience féminine qu'un fusil à deux coups était dangereux ; et elle lui a défendu de s'en servir avant l'âge de quinze ans. »

Inexpérience féminine ? Mais qui, qui a élevé les petites filles modèles, (Henriette comprise), sans fusil ni poignard ? La fille de Rostopchine, en fait, ADORE LES ARMES. Elle évoquera souvent ce fusil confisqué. Il lui a coûté « 180 francs, à l'arsenal, avec 50 cartouches, chemise de laine et crochet pour retirer les cartouches ».

La fille de Fédor offre, du coup, un fusil encore plus formidable à son cher petit Jacquot : « Je vais voir si je peux l'avoir avant mon départ, avec 100 cartouches de la fabrique de Lorient qui est un des meilleurs arsenaux de la marine... » Elle achète donc — foin du

---

1. *Les Mémoires d'un âne.*
2. Lettre à Jacques, Kermadio, 1872.

magma femelle ! — ce fusil « excellent et solide » auquel elle a bien l'intention d'ajouter des revolvers, un poignard, un couteau à plusieurs lames. « Je te souhaite les petits revolvers qui t'ont donné dans l'œil. Je suis contente que ton poignard te fasse plaisir. » Elle espère, tout bas, que son petit chéri les lui prêtera. Ils iront, en cachette, au fond du bois. Tant pis pour le Bon Ange s'il vient à passer au milieu du « carton » de Sophie. Bien en appui dans ses bottes russes, elle tirera.

La promenade

La promenade compte beaucoup dans l'univers de Sophie. Principe rigoureux de son hygiène, de celle de ses enfants. Paris rend toutes les promenades difficiles. Outre le Jardin des Plantes, il y a le patinage au bois de Boulogne. « Jacques s'est élancé comme une flèche, il fait des finesses de patinage, pirouettant sur un pied, puis sur l'autre, faisant des huit, des festons. Ils ont patiné sur la plaine de Longchamp qu'on avait inondée pour le patinage. » Patiner devient le déroulement rotatif, aérien, d'une promenade entre ciel et terre.

La campagne va jeter dehors Sophie et les siens. On s'y promène trois fois par jour. Le matin, aussitôt pris le petit déjeuner, Sophie fait régulièrement le tour des Nouettes, flanquée d'Olga et des enfants les plus jeunes. Après le déjeuner de onze heures, seconde promenade. En été, la promenade du soir entraîne toute la famille et les invités à travers petits chemins, champs de blé. On en revient les bras chargés de fleurs. Blé mûr, laiteux sous la dent, coquelicots, bleuets, pâquerettes, soleil qui sombre en fusion d'or sur la Risle. Les chapeaux et les tabliers des petites filles se remplissent. Les garçons, intrépides, descendent au fond des fossés quérir l'aconit sauvage pour leurs cousines et amies. La promenade du soir est un rite. Dans un bourdonnement d'abeilles apaisées, parents et enfants participent à la cueillette du dieu Famille. Les livres de Sophie regorgent de verdure, de bois, de frais chemins, d'étangs bleus...

Nathalie, Sabine, Henriette, Olga — et toutes les autres —, tresseront des couronnes avec cette douce provende, aidées des garçons. Sur le chemin, on se hâte. Voici la nuit. Ma mie, ne voyez-vous pas une étoile au-dessus de Saint-Evroult ? Chic, ma chère maman, nous allons faire une illumination ! Nous finirons la soirée en jouant à cache-cache dans les corridors. Nous effeuillerons nos fleurs pour la Fête-Dieu. Nous les offrirons à la Sainte Vierge. Je vous ai fait préparer un petit souper de gâteaux et de glaces. Nous ferons la prière, en commun avant de nous coucher. Nous prierons pour la France, le comte de Chambord, la Pologne et nos promenades. Ces révolutionnaires sont déplorables. Dieu les punira. Que j'aime les ajoncs, le vent qui rudoie la falaise, la courbe mauve du crépuscule ! Ces grands calvaires, poternes spirituelles de toutes les promenades. Depuis Dieu et mes enfants, tous les mots qu'ils ont su lever en moi, j'ai marché, marché, marché...

Le bestiaire de Cadichon

L'âne, en dehors de sa rude tâche à la ferme, où aucun coup ne lui est épargné, est indispensable aux parties de campagne réussies. Chargé de paniers, il sert la promenade. Il supporte sur son dos enfants et parents pour de lointains et savoureux pique-niques. La comtesse de Ségur en avait acheté un pour Olga. On le nomma « Rapide ». Il servira de modèle à Cadichon. « Les jours de grandes parties d'âne, raconte Olga dans ses souvenirs, les cadichons de toutes les fermes étaient mis en réquisition. » Sophie a une réelle tendresse pour les ânes. Mémoire sacrée du petit âne qui porta d'abord Marie et l'enfant, dans leur fuite ? Monture modeste entre toutes, qui mena Jésus au chœur de Jérusalem après son carême ? Sophie entraînerait bien ses ânes au paradis... Elle se plaît à aider Olga à décorer Rapide. « J'étais fort coquette pour lui. Je lui mettais des colliers innombrables de grosses perles brillantes de toutes les couleurs. » On prit même, une fois, Olga en promenade sur son âne ainsi paré, pour Mme Adélaïde, sœur de Louis-Philippe.

Sophie est ravie des parties d'ânes. Enfin, la fin des entraves, la fin du salon, la fin de la chambre close tant de mois sur elle, muette, brimée, tel Cadichon enfermé à l'étable. Mme de Ségur, à travers son Cadichon, ruera à son aise, insultera, maudira, se vengera, à coups de pied, à coups de dents et galopera à perdre haleine. La comtesse de Ségur n'a pas son pareil pour marchander la vente et l'achat d'un âne : « Tâche de me faire vendre mon âne. Émile de la ferme aux Fresnes ou Vital y arriveront peut-être ; 10 pour 100 s'ils dépassent 80 francs, 5 pour 100 si c'est au-dessous. Quand le blanc sera vendu, tâche de m'en avoir un qui trotte, qui s'attelle, qui ne rue pas[1]. »

Elle s'y connaît, Sophie, en « bourri » ! Autant que, jadis, son père en chevaux. Elle se passionne, n'a jamais oublié ses mille folies sur son âne et son poney. Galopade de Sophie enfant jusqu'à la chute. L'âne peut tuer les enfants. Le grand-père d'Aguesseau a offert à Olga une petite voiture pour son âne. Sophie s'inspirera du malheur d'Olga pour celui de Sophie de Réan. Surchargés avec Olga et les enfants du garde, carriole et âne se sont emballés dans le raidillon Ségur. La carriole a versé. L'âne a piétiné Olga. (Je sentis) « des petits fers piétiner sur moi, puis les quatre roues de la voiture passer sur mes jambes[2] ».

Plus le jeu est violent, plus Sophie sent resurgir son goût slave des catastrophes et de la soudaine tragédie. Qu'importe si tous les enfants passent à travers un pont pourri, eux et leurs ânes[3]. « Ton petit cheval est un peu méchant, l'autre jour il a jeté par terre Louis, qui monte pourtant très bien à cheval, papa le fait monter par Paul en le tenant par la bride[4]. »

Que de plaisirs dangereux, dehors ! La nature se retourne brusquement contre l'enfant pour le tuer. Les étangs et les mares où l'on pêchait gaiement se referment et noient. Olga grimpe en haut du grand sapin, au risque de se fracasser. Elle a voulu imiter l'écureuil qu'elle pourchasse. Chez la comtesse de Ségur les animaux ont souvent un sort tragique. A cause des enfants qui les poursuivent, en abusent, les martyrisent. Sophie a découpé des petits poissons. Son chat, son écureuil, son poulet noir, son bouvreuil, sa tortue, l'un après l'autre, sont morts par sa faute[5].

« Tes cousins ont laissé à Louis le soin d'un affreux geai qu'ils ont trouvé dans les bois, tout jeune encore et ne sachant pas voler. Louis le nourrit de groseilles, de framboises, de pain. Pierre, Louis, Henri, Armand, Gaston, Henriette, étaient encore en admiration devant ce geai qui répète tous leurs cris. Les enfants suffoquent de rire car le geai aboie, miaule et dit " merci "[6]. »

La comtesse de Ségur n'épargne jamais les oiseaux. Ils lui rappellent les perroquets de sa mère. Les seuls élans de cœur de Catherine Rostopchine, vis-à-vis de ces oiseaux imbéciles, l'ont

---

1. Lettre à Olga, 10 mai 1861.
2. *Ma chère maman, souvenirs intimes et familiaux*, Olga de Pitray.
3. *Les Mémoires d'un âne.*
4. Lettre à Jacques de Pitray, 1868.
5. *Les Malheurs de Sophie.*
6. Lettre à Jacques de Pitray, Les Nouettes, 25 juin 1867.

marquée à jamais. Elle règle le sort du perroquet dans *La Sœur de Gribouille*.

Les Delmis ont un perroquet pour distraire leurs enfants qui, également, reçoivent en cadeau une cage avec deux serins. Gribouille égare les serins, étrangle le perroquet. Sophie voit rouge, éprouve une fascination criminelle devant cette bête à plumes, qui ose parler sottement, se nourrir d'oiseaux-mouches. La comtesse de Ségur a la gorge sèche quand elle décrit l'assassinat de Jacquot. Il s'agit bien d'un crime, qu'ensuite Gribouille veut camoufler en accident. Mme de Ségur devient terrible : elle se délecte, serre, serre, serre le cou jusqu'à ce que la voix maudite se taise enfin. Il ne reste plus de la bête honnie qu'un bec largement ouvert, une prunelle révulsée. Enfin, l'ennemi est mort ! mort ! crevé ! Il n'ira pas au paradis ! Le bouvreuil de Mme de Réan, bêtement humanisé, siffle *Au clair de la lune, J'ai du bon tabac* et même *Le Bon Roi Dagobert*. La comtesse de Ségur l'extermine à son tour. Mimi, le petit rouge-gorge des petites filles modèles, est dévoré à son tour par un vautour. Petit tas de sang et de plumes. « Tant pis, dit la bonne Camille. Il a désobéi et n'a éprouvé aucun remords ; Dieu l'a puni. » Quant au chat, M. de Réan le tue « d'un coup de pincette ». Que de sang chaud, tout à coup, « qui enivre, comme le vin ».

« Tes cousins de Malaret sont en train de démolir leurs trois palais de lapins. On leur vole leurs lapins : ces derniers six mois, ils en ont retiré 1,50 franc de profit sur 19 jeunes et il y en a eu 19 de soi-disant morts, c'est-à-dire mangés par les voisins[1]. »

Bêtes égorgées, volées... Sophie n'a aucune illusion sur ses paysans normands. Elle sait coter un animal à son prix. Point de pitié pour les bêtes. Les hérissons, que Sophie regarde se noyer dans la mare. Une souris attrapée, puis étranglée au lacet... Chats, chiens, tous sont malmenés. Charles, le bon petit diable, torture le chat de Juliette. Il lui fait faire « la scie » jusqu'à ce qu'il hurle de douleur. Il enfouit un chat crevé dans le potage des vieux Old Nick. Il l'avait, au préalable, lancé à la volée dans la classe en le tenant par les pattes. Médor est tué à la chasse, sous les yeux de Cadichon. Les voyous du moulin l'avait déjà à moitié noyé. Triste sort des bêtes, au profit de celui des enfants qui épinglent les papillons après « leur avoir serré la poitrine pour les étouffer[2] ».

---

1. Lettre à Jacques, 20 mars 1873.
2. *Les Vacances.*

Même le vaillant chien Capitaine, le héros de Sébastopol, l'ami du zouave Moutier, le sauveur d'enfants, « eut la tête emportée par un boulet[1] ». La comtesse de Ségur prêche cependant aux enfants de bien traiter les animaux. Ils restent à jamais ces inférieurs qui n'entrent ni au salon ni au ciel. Le roquet de la tante Galitzine, en villégiature aux Nouettes, est moqué et détesté. S'il se perd, quelle joie ! Sophie a compris obscurément que l'on ne peut aimer passionnément les enfants et les bêtes. Les amateurs exclusifs d'animaux sont pour elle au bord d'une monstruosité, d'une tare, elle les méprise. Quelle place peut donner à un enfant un fou d'animaux ? La comtesse de Ségur n'a de respect que pour les ours et les loups, capables de dévorer chevaux et gens. Son petit poney et Cadichon soulèvent son amitié. Les animaux de Sophie sont-ils rassemblés symboliquement en cette bête monstrueuse, inidentifiable, qu'elle trouva un jour, en promenade avec Olga ?

« C'était une bête d'environ quarante centimètres de longueur dont la tête eût été semblable à celle d'un lapin, n'eussent été les oreilles, droites et pointues comme celles d'un roquet. La gueule entrouverte laissait voir de longues dents blanches. Le corps de cet être étrange était semblable à celui d'un pingouin et couvert de plumes grises. Le ventre avait des plumes blanches, les pattes étaient celles d'un canard[2]. »

Le garde Bouland n'a pas eu le courage de jeter au fumier cette bête qu'il appelle « le diable ». Le garde a raison. Une bête ? c'est le diable à bon compte. La comtesse de Ségur devant ce monstre étrange trouve aussitôt l'inspiration. Elle a trouvé sa description de la fée Rageuse ou reine des Crapauds :

« Quand le char fut à terre, il en sortit une grosse et lourde créature : c'était la fée Rageuse ; ses gros yeux semblaient sortir de sa tête ; son large nez épaté couvrait ses joues raidies et flétries, sa bouche allait d'une oreille à l'autre ; quand elle l'ouvrait, on voyait une langue noire et pointue qui léchait sans cesse de vilaines dents écornées et couvertes d'un enduit de bave verdâtre. Sa taille, haute de trois pieds à peine, était épaisse ; sa graisse flasque et jaune avait principalement envahi son gros ventre tendu comme un tambour ; sa peau grisâtre était gluante et froide comme celle d'une limace ; ses rares cheveux rouges tombaient de tous côtés en mèches inégales le long d'un cou plissé et goitreux ; ses mains larges et

---

1. *L'Auberge de l'Ange Gardien.*
2. *Ma chère maman, souvenirs intimes et familiaux,* Olga de Pitray.

plates semblaient être des nageoires de requin. Sa robe était en peau de limaces et son manteau en peau de crapauds[1]. »

La méchanceté, la haine, la guerre, les trahisons d'Eugène, la migraine, le diable et sa mère sont une seule et même bête dont elle a décrit la forme. Pêcher les écrevisses au ruisseau, les poissons à l'étang, occupent des après-midi entiers. Les écrevisses sont cuites au court-bouillon. Pendant que bout l'eau, le cuisinier Tranchant leur enlève les entrailles, elles vivent encore. Quant aux poissons pêchés par nos chérubins : « Chaque morceau encore vivant frétile dans la poêle[2]. »

Le sang des bêtes coule ; il ajoute au régal des bons enfants.

Le petit jardin

L'extérieur est une fête inépuisable. On cueille les raisins, on ramasse les marrons qui éclatent en gros tas formidables et pleins de braise. On effeuille des pétales, on écale des noisettes. On goûte chez M. le curé. On fait la cuisine dans le parc. Malgré l'effroi de Sophie, les bains de mer sont un plaisir que l'infatigable aïeule n'ose pas endurer.

« Tes cousins et tes cousines ont commencé leurs bains de mer ; il n'y a qu'Henriette et Élisabeth qui sachent un peu nager, les autres sautent en se tenant à la corde ; ils ont le courage de se plonger la tête dans l'eau[3]. »

Sophie préfère nettement entraîner tous ses enfants côté petit jardin. Outre les inoubliables cabanes, le petit jardin se couvre de fleurs. Féerie ? Soudaine floraison, grâce à la générosité de Mme de Rosbourg... Qui, qui donc bénit ainsi le jardin des enfants sages ?

« C'est le bon Dieu, dit Camille.

— Non, c'est plutôt la Sainte Vierge, dit Madeleine.

— Je crois que ce sont nos petits anges, reprit Marguerite[4]. »

Jardin maudit, aussi. Détruit à coups de pied, coups de serpes. Plantes une à une déracinées, roses brisées par le méchant Jules de Trénilly[5]. L'enfer et le mal se passent quelquefois au jardin des

---

1. *Nouveaux Contes de fées*, Ourson.
2. *Les Bons Enfants*.
3. Lettre à Jacques, Kermadio, été 1870.
4. *Les Petites Filles modèles*.
5. *Pauvre Blaise*.

enfants. Blaise est bon, son père est jardinier : le jardin sera sauvé. Sophie aime les jardiniers. Diloy fera du jardin « un des plus beaux de la région ». Le jardinier, humble archange, jouit d'un sort privilégié chez la comtesse de Ségur.

Jardin d'orgueil, quand Félicie ne supporte pas d'être vue par les Castelsot en train de planter un pied de marguerite[1].

Jardin fête, quand le général de Saint-Alban (Sophie ?) y passe la journée avec les enfants. Il fait creuser un petit fossé, offre un tonneau et un petit âne pour l'arrosage. Il fait venir du café et de l'anisette pour régaler tous les enfants[2]. « Venez chaque jour dans notre jardin, mon oncle ! »

Sophie s'inquiète du bon outillage de son cher Jacques. « Jacques a-t-il son pic ? et les bêches ? » La comtesse de Ségur privilégie tous les plaisirs de la campagne, la fenaison, la quête des œufs, à la Chandeleur :

« Louis et Gaston (de Malaret) sont partis avec dix enfants de chœur pour faire la quête des œufs pour l'église dans toutes les maisons de la paroisse ; ils en ont eu huit douzaines ce jour-là, et douze douzaines le lendemain, ils les vendent dans les maisons riches (pour l'église), on leur donne à boire et à manger partout et ils rentrent fatigués mais enchantés[3]. »

Courses à travers les massifs, arrachage de l'herbe, cueillettes de rires. Ne jamais rentrer, comment faire pour ne jamais rentrer ? Devenir un âne ? S'anéantir en une gerbe de blé ?

A l'intérieur. Jouer encore. Jouer toujours

Il pleut, il vente, il grêle. La comtesse de Ségur se précipite alors sur son billard : « Nous avons joué au billard, hier, comme des ânes ; Olga a fini par me battre deux fois : mais après, quel labeur ! quel nombre de manques de touches, de coups ridicules ! c'était honteux[4] ! »

Le billard, c'est encore le mouvement si cher à Sophie. Elle fait d'interminables parties avec ses filles. Elle siffle, jure, tempête, rit, se couche presque sur le tapis vert :

---

1. *Diloy le Chemineau.*
2. *Ibid.*
3. Lettre à Jacques, avril 1873.
4. Lettre à Émile de Pitray, 3 octobre 1856.

« Olga (…) joue au billard, hier, elle a joué presque aussi bien que toi ; des bandes, des doublés, des croisés, tout, excepté des raccrocs, elle m'a gagné lestement, deux parties sur trois[1]. »

S'amuserait-on davantage en l'absence des hommes ? Les parties de cartes remplacent les ouvrages de tapisserie. Les dominos sont très prisés. « Nous nous battrons aux dominos et autres armes. » Parfois, on fait venir, à Paris, un prestidigitateur. Si possible un abbé. Il enchante les enfants et Sophie avec sa « bouteille inépuisable » :

« L'abbé demande une bouteille vide et une carafe d'eau. Il a versé l'eau dans la bouteille qu'il a bien rincée devant nous tous au milieu du salon. Puis il a versé dans un petit (…) ce qu'on a demandé. Il a versé plus de cinquante petits verres. Il a enlevé le mouchoir, et le verre s'est trouvé plein de dragées roses. »

Sophie trouve une autre idée, puisqu'on ne peut sortir. Que les enfants se déguisent ! Qu'ils jouent aux charades, comédies et même proverbes ! « Sophie et Valentine entrèrent au salon ; leur apparition, l'une en garde-malade et l'autre en malade, coiffée d'un bonnet de coton, vêtue d'une veste de chasse faisant robe de chambre, provoqua un accès de rire au salon[2]. »

Les petites filles enfermées reçoivent « la maîtresse de fleurs ». Rattachée à un grand fleuriste. Elle leur enseigne l'art des bouquets et des fleurs artificielles. Il y a aussi les galas, les loteries, où Giselle volera les brodequins gagnés par M. Tocambel[3]. Les bals d'enfants, les goûters du jeudi, le patinage à Longchamp, Guignol à la maison. Tout cela ponctué de goûters énormes et une série de danses au salon. Pas zébrés, mouchetés, de zéphir. Sophie s'est mise au piano ; on danse, on rit. On est heureux. On finit la journée avec les glaces et du punch.

Enfin, l'inépuisable conteuse prend la parole, et ce sont les histoires, jusqu'au vertige. La belle voix râpeuse retient l'attention de tous. « Le soir de l'incendie de Moscou, j'ai vu comme une aurore boréale. Un jour, il y avait une fée nommée Drôlette. Blandine poussa un cri d'effroi quand la forêt des lilas se referma sur elle. Ta tante voyageait, une nuit, par un affreux chemin, sous la tempête… le sanglier fonça sur Violette et voulut la dévorer. »

« Grand-mère, soupirent Camille et Madeleine, envoyez-nous

---

1. Lettre à Émile de Pitray, 1er octobre 1856.
2. *Les Bons Enfants*.
3. *Quel amour d'enfant !*

l'histoire d'Ourson et de la fée Rageuse... vos belles histoires. Par écrit, grand-mère, par écrit ! »

Les jeux de Sophie ont un jour basculé dans un autre. L'écriture.

VI

ROSE A CASSÉ LA VAISSELLE

> *Mme Papofski tira les cheveux des plus petits,*
> *donna des soufflets et des coups d'ongles aux plus*
> *grands, les gronda tous, sans oublier* les bonnes,
> *qui eurent aussi leur part des arguments* frap-
> pants *de leur maîtresse.*
>
> Le Général Dourakine

> *Chats griffus*
> *pattes liées,*
> *elles guettent,*
> *du venin dans les yeux.*
>
> Les Bonnes, *Jean Genet*

> *21. Le serviteur qu'on traite mollement dès*
> *l'enfance.*
> *Finit par se croire un fils.*
>
> Proverbes 29, 30

A bons serviteurs, bons maîtres

Les serviteurs de Fédor Rostopchine représentaient une ville entière. Sophie a un personnel plus modeste mais déjà important. Elle est servie à la manière de Mme de Fleurville. La bonne tient un grand rôle. Elle a constamment affaire aux enfants. Elle partage avec la mère leurs soins, leur éducation première. Elle a souvent vu naître ces enfants. « Je vous ai tous vus naître », dit la tutélaire Valérie, bonne des enfants de Mme d'Orvillet[1]. Elle n'hésite pas à répondre vertement aux insolences de Félicie. « C'est très vilain de mépriser les gens parce qu'ils sont pauvres ; vous vous ferez détester de tout le monde. Je fais tout juste ce qui regarde mon service, et comme je viens de vous le dire, mon service ne m'oblige pas à vous amuser. »

Ce genre de bonne a toute la confiance de sa maîtresse chez qui elle passera sa vie. Elle fait partie de la famille. Elle est l'idéal ségurien de la servante. La comtesse de Ségur gardera à vie deux bonnes, les plus attachées à ses enfants. Mme Charles, engagée à la naissance d'Olga. Adèle, qui a vu naître Gaston. Élisa, la bonne de Camille et de Madeleine, par son dévouement, entrera en littérature. S'il y a des petites filles modèles, il y a aussi des bonnes modèles. Le discret Eugène blâmera Sophie d'avoir utilisé le prénom authentique d'Élisa dans *Les Petites Filles modèles*. La comtesse de Ségur fulminera auprès de son éditeur. Elle trouve ce veto ingrat et absurde :

> *J'ai su qu'une personne de ma famille (Eugène) se proposait de vous faire changer le prénom* d'Élisa, *la bonne des enfants en celui* d'Adèle. *Si on vient le demander, veuillez répondre que je m'y oppose positivement. Cette bonne est un personnage historique pour ma petite famille, et je tiens à lui donner la jouissance de lire son nom imprimé avec quelques-uns des événements réels de sa vie*[2].

Sophie fait partie des bons maîtres. Victor Hugo n'hésitait pas à soigner sa bonne malade. « La pauvre Mariette, qui a été si bonne pour Jeanne (sa petite-fille) pendant le siège, vient d'être malade. Je l'ai soignée[3] (...). Reconnaissante, Mariette baise son maître au front et conclut : « Dormez bien, vous êtes un bon maître, je vous remercie. »

Jusqu'où va le dévouement d'Élisa, modèle des bonnes ?

Camille est atteinte de la petite vérole. Elle est très contagieuse. Jour et nuit, Élisa la soigne. Elle attrape à son tour le mal qui pourrait être mortel. Au tour de Camille de prendre le relais auprès

---

1. *Diloy le Chemineau.*
2. Lettre à Émile Templier, 6 novembre 1857, archives Hachette.
3. *Post-scriptum de ma vie,* Victor Hugo.

d'Élisa. « C'est en me soignant qu'elle est devenue malade, répétait (Camille) en pleurant : il est juste que je la soigne à mon tour[1]. » Dans l'Évangile, le Christ lave les pieds du serviteur avec ces mots ambigus : « Je suis ton serviteur mais tu n'es pas mon maître. »

Élisa et Camille sont intimement liées par la vie et la mort. La comtesse de Ségur, cependant, les séparent au nom du rang social. Camille veut entraîner sa chère Élisa guérie dans une partie d'âne. Avec fermeté, la bonne remet les pendules à l'heure, tout au moins celles de la comtesse de Ségur. « Une bonne est une bonne, et ce n'est pas une dame qui vit de ses rentes ; j'ai mon ouvrage et je dois le faire[2]. »

Mme de Fleurville, voix de Sophie, n'en apprécie que davantage ce modèle parfait de la servitude : « Élisa fait preuve de tact, de jugement et de cœur, chères petites, en refusant de nous accompagner demain. Si elle perdait à s'amuser le peu de temps qui lui reste après avoir fait son service près de vous, vous seriez les premières à en souffrir[3]. »

Une autre bonne, parfaite de dévouement, montre l'exemple social à suivre. Prudence, servante des *Deux Nigauds,* refuse absolument de déjeuner avec Simplicie, âgée de onze ans : « Non, mam'selle, les maîtres ne mangent pas avec les serviteurs ; Coz et moi nous vous servirons et nous déjeunerons ensuite dans l'antichambre[4]. »

Il y a parfois des sympathies flatteuses de maîtres célèbres. La reine Victoria n'hésita pas à manifester sa reconnaissance à Eliza Collins, la nurse dévouée à ses enfants. En 1850, elle commanda son portrait à Wintherhalter. On voit Eliza Collins, penchée vers la petite princesse Louise qui lui jette un regard d'amour. Eliza Collins épousera, en décembre 1852, Rudolf Löblein, valet du prince Albert. La reine Victoria offrira ce tableau, à Noël, en cadeau de mariage, au jeune couple. Chez la comtesse de Ségur, les bonnes de qualité épousent les serviteurs de qualité. Valérie se marie avec le valet de la maison d'Orvillet. Prudence file en justes noces avec Coz. Tous continuent à servir à qui mieux mieux, précieux doublé, leurs excellents maîtres.

Les bonnes ainsi compensées, bien traitées, aimées de toute une famille, jusqu'à inspirer une expression artistique, sont rares.

---

1. *Les Petites Filles modèles.*
2. *Ibid.*
3. *Ibid.*
4. *Les Deux Nigauds.*

COMTESSE DE SÉGUR

Conditions

Leur condition est celle du mulet : sévices et humiliation. Être bonne au XIXe siècle ? Le plus bas rang de l'échelle sociale. Avec l'ouvrière et la prostituée (souvent des bonnes congédiées).

Caroline Thibaut entre avec son frère Gribouille au service des Delmis. Elle est obligée de morigéner Gribouille, trop familier avec Mme Delmis. « Gribouille, tu parles trop devant les maîtres. Tais-toi, Gribouille. Ne mécontente pas Madame. Occupe-toi (seulement) de ton ouvrage[1]. » Caroline, tout comme Élisa, Adèle, Valérie et les autres, même bien traitées, trime jusqu'à l'épuisement.

« Chez Mme Delmis, le travail du dimanche et des fêtes était le même que celui des jours de la semaine ; il fallait de même faire les appartements avec Gribouille ; aider à la toilette de Madame, des enfants, apprêter le repas, mettre et enlever le couvert, faire la vaisselle[2]. »

Un cœur simple de Flaubert nous raconte l'histoire de Félicité, pauvre bonne, avide d'affection. Simplette, au point de prendre le perroquet de sa maîtresse pour le Saint Esprit. Le faire empailler et l'adorer.

Que gagne, en 1856, les Félicité, Élisa, Caroline et autres bonnes ? « Pour cent francs par an, écrit Flaubert, elle faisait la cuisine et le ménage, cousait, lavait, repassait, savait brider un cheval, engraisser les volailles, battre le beurre, et restait fidèle à sa maîtresse, qui, cependant, n'était pas une personne agréable. »

En 1869, *L'Univers* publie de nombreuses souscriptions de domestiques pour le jubilé du Saint-Père. Le 11 mars, le journal de Louis Veuillot consigne « 1,50 franc, souscrit par trois domestiques qui prient tous les jours pour le pape. Le 15 mars, la liste continue, l'abbé Gautier, aumônier à l'Hôtel-Dieu de Blois, souscrit pour 5 francs, et sa misérable servante, Marie Hubert, également 5 francs. Toutes les bonnes de l'Hôtel-Dieu, à Paris, vont s'y mettre ».

Ô, argent des pauvres entre les pauvres, donné par ces héros du servage et du silence : « Célestine Leroux, 5 francs, Alexandrine Leroux, 3 francs, Agnès Malivet, 2,50 francs, Florence Vauvert, 1,50 franc, Marie Malherbe, 0,50 franc[3]... » Tu donnes trop peu,

---

1. *La Sœur de Gribouille.*
2. *Ibid.*
3. *L'Univers,* mars 1869.

Marie Malherbe, tu resteras au purgatoire après ton enfer chez les maîtres. Il restera toujours aux bonnes le recours à sainte Zita, leur patronne, qu'il faut prier ainsi :

« Mon Dieu, faites-moi la grâce de trouver la servitude douce et de l'accepter sans murmures, comme la condition que vous nous avez imposée à tous en nous envoyant dans ce monde. Si nous ne nous servons pas les uns les autres, nous ne servons pas Dieu, car la vie humaine n'est qu'un service réciproque [1]. »

D'où viennent ces bonnes et ces domestiques ? De Normandie, de Bretagne, du Pays basque. Parfois, ce sont d'anciens soldats au chômage, faute de guerre. La domesticité est si mal payée qu'en 1866 la France compte aisément 1 272 177 serviteurs. Sans parler des innombrables souillons des fermes, ravalées plus bas que les ânes. Julien, petit orphelin recueilli à la ferme des Bonnard, a onze ans. Il couche sur une paillasse, n'a qu'un pantalon et une chemise. Il travaille quinze heures par jour à garder les dindons, nettoyer la cour, le poulailler etc. [2]. Même chez les Vallès, si peu fortunés, il y a une bonne. Où les recrute-t-on ? *Le Guide de Paris,* en 1855, déconseille fermement le bureau des placements. Les inscrits sont, pour la plupart, de louches individus. Le bouche à oreille, là aussi, fonctionne. La comtesse de Ségur ne veut que des domestiques *chrétiens.* Contrairement aux bonnes de *Pot Bouille* qui se moquent de la piété d'Adèle. Les frères Goncourt ont largement expliqué la solitude des bonnes à qui on accorde à peine une âme. Germinie Lacerteux communique sa foi à un prêtre seulement au secret de la confession :

« Les maîtres (...) n'imaginent pas qu'elle ait une autre place pour souffrir que son corps ; et ils ne lui supposeront plus les malaises d'âme (...). Pour eux, cette femme qui balaye et fait la cuisine n'a pas d'idées capables de la faire triste ou songeuse, et ils ne lui parlent jamais de ses pensées [3]. »

La comtesse de Ségur ouvre une brèche plus généreuse. Caroline devient une héroïne à part entière. La sœur de Gribouille, modèle de la servante, séduisante, sera récompensée en ce monde par son mariage avec un brigadier. Elle peut atteindre un état presque de petite bourgeoise, reprendre son ancien métier qui lui était cher : la couture. Blaise de petit serviteur finira homme de confiance du

---

1. *Prière des servantes,* adressée à sainte Zita.
2. *Le Mauvais Génie.*
3. *Germinie Lacerteux,* E. de Goncourt.

comte de Trénilly. Gaston de Ségur prendra les plus hautes précautions pour engager — à vie — le fidèle Méthol. Méthol deviendra sous la plume de la comtesse de Ségur Moutier, le zouave de *L'Auberge de l'Ange Gardien*. Il sera aussi le modèle de Barcuss (nom du village basque où est né l'authentique Méthol), dans *Jean qui grogne et Jean qui rit*. Saint-Jean est aussi un valet fidèle des Ségur. Il apparaît dans *Diloy le Chemineau*.

La lettre d'engagement écrite à Méthol par Gaston de Ségur ressemble à une proposition « évangélique ». Le maître doit être confondu avec Dieu. Tout simplement.

L'Aigle, 17 août 1855

(...) Ce que je veux avant tout dans les deux hommes qui seront employés à mon service et dont vous serez l'un, c'est une vie chrétienne et paisible, plus semblable à la vie religieuse qu'à celle d'un domestique ordinaire. C'est en outre la certitude qu'ils seront heureux chez moi et que je pourrai les conserver toute ma vie (...). Cela n'empêchera pas que je leur donnerai des gages fixes que la dernière lettre de mon frère vous a nettement indiqués. Mais c'est un frère et un enfant que je veux auprès de moi. Vous ferez partie définitivement de ma maison [1].

Méthol, après réflexions, accepte toutes les conditions hautement chrétiennes de l'engagement. Ce n'est plus un serviteur, mais un postulant. Gaston dicte la réponse qu'il signera, d'ailleurs, de cette formule : « Je vous embrasse et vous aime cordialement. »

6 septembre 1855

Votre réponse, mon brave Méthol, m'a causé une grande joie et je vous considère d'avance comme mon homme, comme mon fidèle serviteur, ou plutôt comme un fils en Jésus-Christ. Il faudra voir en moi Notre Seigneur lui-même, Lui rendre tous les services que vous me rendrez... Votre service sera simple et facile bien que j'attende de vous l'exactitude et la diligence la plus complète.

L'écho du bon serviteur chrétien se retrouve dans l'attitude de Caroline Thibaut. « La seule douceur que se permettait Caroline était d'assister à la grand-messe, à l'office du soir, et d'aller passer une heure le soir chez M. le curé. »

Serviteurs chrétiens, créatures du bon Dieu. Le Bon Ange est le serviteur idéal. Celui qui obéit sans murmurer, capable d'entraîner

---

1. *La Sœur de Gribouille.*

son maître vers le jardin du bien. Ainsi fera Blaise de Jules Trénilly, son maître et bourreau. L'obéissance est le grand principe de base. Comment aimer Dieu que l'on ne voit jamais, si on n'aime pas son supérieur côtoyé quotidiennement ?

JEAN

(...) Je vous obéirai en tout, Monsieur, et je m'efforcerai de bien faire ce que vous m'aurez commandé.

BARCUSS

Bien, mon ami, très bien ! Et dites-moi, allez-vous exactement à la messe ?

JEAN

Au café, monsieur, je ne pouvais aller que le dimanche de grand matin, et puis Simon et moi, nous allions à vêpres, chacun notre tour.

BARCUSS

Et faites-vous vos prières matin et soir[1] *?*

Tel maître, tel serviteur. Horde politiquement timorée pourtant. Pendant la Commune, on compte fort peu de serviteurs. Dans *Le Journal d'une femme de chambre,* d'Octave Mirbeau, beaucoup de domestiques partagent le nationalisme de leurs maîtres. La lettre adressée à Méthol par Gaston de Ségur pendant la Commune parachève l'opinion tant du maître que du serviteur. « Nous voici jusqu'au cou dans la révolution et les plus beaux jours de 48 sont revenus, ou, pour mieux dire, beaucoup dépassés. Nous allons d'abîme en abîme, entraînés par le torrent de ces mille erreurs, crimes et folies qui s'appellent orgueilleusement : la Révolution[2]. »

Le bon serviteur embrasse volontiers son maître. Jean qui rit saute au cou de M. Abel qui le comble de cadeaux. Gaston de Ségur avait blâmé dans le roman de sa mère l'aspect « trop camarade » du serviteur et du maître. Dérigny, serviteur du général Dourakine, a littéralement son destin dans les mains de son richissime maître. Dourakine le marie, l'installe, l'entraîne en Russie. Il lui confie ses affaires, retransmises ensuite à ses enfants, Jacques et Paul. Le bon serviteur finit par être adoubé de père en fils. L'exigence du maître devant tant de générosité ? L'obéissance sans réplique et la reconnaissance sans relâche. La comtesse de

---

1. *Jean qui grogne et Jean qui rit.*
2. Correspondance de Gaston de Ségur à Méthol, 21 mars 1871.

Ségur campe un serviteur noir, Ramoramor. Il est dévoué jusqu'à se faire dévorer les jambes par des écrevisses pour plaire à Geneviève Dormère, sa petite maîtresse[1]. Le Polonais, Coz, couche dans l'antichambre, comme un chien, roulé dans son manteau, à même le sol, pour mieux protéger les deux nigauds, ses maîtres. Prudence, de son côté « se ferait hacher en morceaux pour ses maîtres ». Servir devient alors une passion. Diloy le Chemineau se jette devant l'ours, pour protéger ses futurs maîtres. Il s'en sort « les jambes pleines de sang ». Il plonge au fond de l'étang pour sauver Félicie de la noyade. Gribouille se fait tuer en se jetant entre le coup de l'assassin et le brigadier.

Rose a cassé la vaisselle

Mauvais maîtres, mauvais serviteurs. Les bonnes, groupe misérable dans un enclos où jamais l'herbe ne repousse. Concupiscence devant les dentelles de Madame, les soupers fins des châtelains. Concupiscence pour la robe de Mme Delmis que Rose enfile et qui lui va parfaitement. Le corps des bonnes oserait-il copier celui de Madame ? Eugène n'a-t-il pas hésité à coincer les bonnes dans les mansardes ou la grange des Nouettes ? La bonne parfois se délecte d'entendre la comtesse de Ségur crier jusqu'à l'enrouement sa révolte jalouse. La bonne se venge, aussi. Elle prend un sabot, le domestique, un couteau. La bonne a cassé toute la vaisselle des Delmis, échevelée, sabot à la main. Son complice, Michel, ancien domestique du comte de Trénilly, assassine Gribouille. Il finit à l'échafaud pour avoir également brisé la tête de Rose qui meurt en prison. Elle est assistée par l'autre bonne, la rédemptrice, Caroline Thibaut. Mina maltraite Christine des Ormes qui lui est confiée. Elle la calomnie auprès de sa mère. Elle la fouette avec des verges « cachées dans un tiroir ». Elle lui met du savon dans les yeux en la débarbouillant. Elle lui arrache les cheveux en la peignant brutalement. Elle lui vole son petit déjeuner de gâteau et de chocolat. Elle la nourrit de lait froid et de pain sec[2]. Que de siècles de haine ! La haine vient aussi du mauvais maître, qui ne pardonnera jamais aux serviteurs d'avoir vu ses eaux sales, le maître, qui compte chaque morceau de sucre.

L'enfant pervers n'hésite pas à faire jeter sur le pavé ses bonnes :

---

1. *Après la pluie, le beau temps.*
2. *François le Bossu.*

« Il y avait eu déjà huit bonnes renvoyées par suite des plaintes de cet ange de douceur, et comme nous le savons déjà, la bonne avait sa mère à soutenir et sa vie à gagner[1]. »

Mme de Réan renvoie « sur-le-champ » une bonne qui a désobéi. Prie sainte Zita, pauvre fille ! Dehors, il neige, où vas-tu coucher ce soir ? Mme Bovary ne prend pas plus de gants, pour renvoyer Nastasie. « Le dîner n'était pas prêt. Madame s'emporta. Nastasie répondit insolemment. " Partez ! dit Emma. C'est se moquer. Je vous chasse[2]. " » Que font-elles, ces bonnes, réduites au pavé ? La prostitution ? Ou alors, fourvoyée, telle Mina, chez un prince valaque. Mina est fouettée quotidiennement par son maître qui l'avait surprise en train de maltraiter une des petites princesses. Fouettée, « au point de passer parfois un mois à l'hôpital », jubile Mme de Ségur, tout à coup indécrottablement boyarde[3].

Le mauvais maître, précise Jules Vallès, nourrit la bonne « avec le gras, le suif, le cidre avarié, prétendu être un fortifiant pour les femmes ». Les frères Goncourt nous donnent le menu de la bonne : « Le service est dur, presque cruel en province. La servante n'est point traitée en femme ni en être humain. On la nourrit de fromage et de potée, et on exige d'elle, même malade, un labeur d'animal[4]. »

Au XIXᵉ siècle, on bat encore les serviteurs. En 1864, un bourgeois de Montpellier est poursuivi en cours d'assises à Aix, pour avoir presque tué son domestique, Maurice Roux. Acquitté, le coupable sera simplement condamné à une amende de 20 000 francs[5]. En 1848, tandis qu'Élisa se dévoue auprès des petites filles modèles, le pianiste de Louis-Philippe est poursuivi par la 8ᵉ chambre de police correctionnelle. Il a donné un coup de poing à son domestique. Marie Poret, vingt-cinq ans, près de Nevers, ose porter plainte après avoir été violée par son maître. Battue si violemment, qu'elle portait « une plaie de deux centimètres sous l'arcade sourcilière gauche[6]. »

Que dire de *Pauvre Blaise,* véritable souffre-douleur de ses maîtres, le comte et son fils, Jules de Trénilly ? Calomnié, battu, repoussé, mis en quarantaine, inondé d'eaux sales, pleurant du matin au soir. Plus besoin de la Russie pour trouver dans la

1. *Quel amour d'enfant !*
2. *Madame Bovary,* G. Flaubert.
3. *François le Bossu.*
4. *Journal,* E. et J. de Goncourt, t. IV.
5. *La Vie quotidienne en France à l'âge d'or du capitalisme, 1852-1879,* Pierre Guiral.
6. *Ibid.*

Normandie du XIXe siècle de véritables enfants serfs. Le comte de Trénilly n'hésite pas à frapper à coups de canne les enfants de sa fermière. Les nigauds l'avaient poursuivi à coups de fourche, le prenant pour un loup ! Le comte rompra le bail des parents qui risquent de se retrouver sur les routes, avec leurs enfants.

Quant à Jean qui grogne et Jean qui rit, ils n'ont que treize ans. Ils partent, seuls, de Kérantré, en Bretagne, à Paris. Chercher de l'ouvrage. Comme domestiques. A pied, presque sans argent et sans nourriture. Avec un bâton de pèlerin, au bout duquel pendent leurs misérables hardes.

La comtesse de Ségur et son personnel

« Mon nouveau cuisinier me fait l'effet d'être bon et cher ; la dépense est double de ce qu'elle était avec Gasparine. Quel ennui ! Je vais lui faire lire tous les livres de Gaston pour le rendre chrétien et honnête, sous ce rapport, ma maison est désorganisée. Pascal est baptisé et honnête ; il va à la messe, mais je crois que c'est tout. Sa femme n'est rien que bête et désagréable. Le cuisinier est pour le moins indifférent, et je crains bien plus que cela. Voilà ma maison chrétienne devenue à peu près païenne [1]. »

Où sont passés Élisa, Caroline, Mme Charles, les bons serviteurs ? La comtesse de Ségur ne se fait aucune illusion sur son personnel. Peu de religion, exigeant quant aux gages, désagréable. Qu'au moins le domestique soit laid ! La laideur est un atout, la beauté, une insolence, une menace de fugue. De la prétention.

« J'ai pris un drôle de petit domestique ; de la taille de Baptiste, mais plus grêle. Il a vingt ans. C'est le seul moyen de garder des domestiques ; petits et laids, personne n'en veut et ils vous restent bon gré mal gré : *bénis le ciel de la laideur du tien* [2]. »

Le domestique reste la bête noire de Sophie. Surtout à Paris. Elle enseigne à Olga de ne jamais mélanger les genres. La cuisinière ne doit, en aucun cas, sous prétexte d'économie, faire le travail de la femme de chambre. Même dans le monde des serviteurs, la hiérarchie joue : « Comment peux-tu te faire servir par une cuisinière ? Cela me semble impossible et un peu ridicule ; au lieu d'une économie : ce sera une dépense, car elle te gâtera tes affaires, elle repassera les velours, elle laissera manger les laines

1. Lettre à Olga, 4 mars 1865.
2. *Ibid.*, Paris, 1860.

aux vers ; elle laissera jaunir les dentelles et broderies etc., et elle ne saura tirer parti de rien[1]. »

La comtesse de Ségur, puissante observatrice du monde rural, sait mettre en scène leur langage fruste, leurs querelles. Elle a remarqué tout cela dans sa propre maison : « J'ai après-demain un nouveau domestique : mon bourrelier s'en va, bourru et bourrant ; il déteste Luche et a eu avec lui une scène grossière comme la peut faire un bourrelier[2]. »

Dans *Un bon petit diable,* le charretier Donald injurie de tous les noms Mme Mac Miche. Les Marcotte, jardiniers de Mme d'Orvillet, s'insultent à qui mieux mieux :

MARCOTTE
Si tu ne prends point (mes habits), je les porterai, moi, et chaque voyage te vaudra une bonne gifle.

MÈRE MARCOTTE, *se rapprochant de son mari*
Ah ? Tu crois ça, toi ? Est-ce que je n'avons pas bec et ongles pour me défendre contre toi, vieux serin ?

MARCOTTE, *avançant vers sa femme*
Je saurai bien te réduire, vieille criarde[3].

La comtesse de Ségur déteste son concierge parisien. Elle consigne à Olga les problèmes qui lui viennent de cet Adolphe : « La voiture que M. Adolphe, concierge, avait commandée la veille, n'était pas venue. Il était parti avec le bagage sans s'inquiéter de cette voiture qu'il n'avait pas voulu laisser commander par mon nouveau et intelligent domestique, Frédéric[4]. » Ce Frédéric lui a été donné (une chose ?) par un « Georges » (encore un objet ?) qui filera à l'anglaise : « Mon Frédéric, qui sert mieux que Baptiste et qui a un genre grand monde, m'a été donné par un Georges qui est entré chez moi pour me déclarer trois jours après qu'il se mariait à Tours. J'étais pressée par ton père qui rugissait après Édouard, encore plus portier rustre et sale qu'en entrant[5]. »

Frédéric, Georges, Édouard, Baptiste, Saint-Jean, le portier, le cocher, Luche le cuisinier, il y a donc, chez les Ségur, à Paris, en plus des bonnes, déjà huit domestiques... Sans parler du personnel

---

1. Lettre à Olga, Paris, 19 mai 1860.
2. *Ibid.,* 17 décembre 1860.
3. *Diloy le Chemineau.*
4. Lettre à Olga, Paris, 28 décembre 1860.
5. *Ibid.,* 28 décembre 1860.

qui reste à l'année aux Nouettes. Les gardes Lecornet, la mère Leuffroy, jardinière, Bouland, le charretier, le personnel de la ferme, les filles de lessive... Les domestiques attachés au service des Ségur portent « la livrée Ségur », en jaune et noir.

Où Sophie a-t-elle recruté ce personnel de grande maison ? « Tous deux (Baptiste et Frédéric) ont servi ensemble pendant cinq ans chez le prince de Bauffremont comme valets de chambre et ont les meilleurs certificats, c'est Luche qui me les a déterrés sans les connaître personnellement [1]. »

La comtesse de Ségur n'hésite pas à renvoyer brutalement le serviteur coupable de négligence. Que devient le domestique renvoyé ? Dans les livres de Sophie, il finit souvent très mal. Jusqu'à l'échafaud. Michel « mourut en vrai brigand, refusant de répondre au prêtre qui l'accompagna jusqu'au lieu du supplice [2] ».

La punition posthume de Rose, la bonne qui a cassé la vaisselle, continue : « Rose avait été enterrée sans cérémonie, dans le coin le plus reculé du cimetière, le curé seul et le brigadier avaient jeté de l'eau bénite sur sa tombe [3]. »

La comtesse de Ségur s'acharne particulièrement sur le domestique qui a osé se rebeller. Il perd jusqu'à la trace de sa tombe, de son âme. L'enfer de leurs querelles se continue probablement dans l'au-delà :

LA FILLE DE CUISINE
Mon graillon et mes casseroles ne sentent toujours pas le fumier comme des gens que je connais.

LES DOMESTIQUES
Ah ! Ah ! Ah ! la fille est en colère : prends garde au balai.

LE COCHER
Si elle prend le sien, je saurais bien trouver le mien et la fourche aussi ; et encore l'étrille [4].

Les mauvais domestiques, chez Sophie, se battent, s'insultent, s'étripent, se haïssent. Tels des voleurs, ils ne sont pas amis, mais complices. Pauvre Blaise, perle de la condition domestique, fut-il aussi, pour la comtesse de Ségur, le besoin de racheter le mépris inconscient où elle a tenu certains de ses serviteurs ?

---

1. Lettre à Olga, 28 décembre 1860.
2. *La Sœur de Gribouille.*
3. *Ibid.*
4. *Les Mémoires d'un âne.*

ROSE A CASSÉ LA VAISSELLE

« Ce fils de portier a les sentiments élevés d'un prince », s'étonne l'orgueilleux comte de Trénilly. La comtesse de Ségur a créé autour de Blaise le contrepoint des domestiques malhonnêtes. Le chapitre s'intitule « Les domestiques ». Sophie décrit ainsi leur méthode pour voler leurs maîtres :

LE CHEF

Je lui donnerai (à Blaise) à emporter chaque jour les restes du dîner. On sait bien ce que sont les restes d'une cuisine pour les amis ; de quoi nourrir toute la famille et largement.

LES DOMESTIQUES

Ha ! Ha ! Ha !, oui, ils sont drôles vos restes. L'autre jour un gigot entier à la petite Lucie, la repasseuse. Hier, un gâteau pas seulement entamé à la bouchère. Ce matin, une livre de beurre à la voisine.

LE CHEF *(avec humeur)*

(...) Tu as bien porté, l'autre jour, un panier de vin au village[1] *!*

Dans la bouche de Sidonie, éclate la haine du serviteur pour le maître :

SIDONIE

Je connais les maîtres, je sais comment ils parlent de nous autres, pauvres domestiques, qui gagnons notre vie en les servant comme des esclaves. Quand ils ont renvoyé un domestique, c'est toujours la même chanson : insolent, paresseux, sale, voleur, voleur, surtout, c'est leur grand mot[2]*.*

Jean Valjean ira au bagne de Toulon pour avoir volé un pain. Article 17 des Droits de l'homme : LA PROPRIÉTÉ EST INVIOLABLE ET SACRÉE. Au XIXe siècle, le vol peut entraîner la condamnation à mort. Rose est terrifiée, après avoir cassé la vaisselle, quand son maître la menace « de goûter de la prison pour vol ».

La comtesse de Ségur répète que le seul garde-fou contre le vol est la laideur du domestique. « Le nouveau domestique a l'air bien et travailleur ; ce n'est pas un grand seigneur comme ce Frédéric ; il est laid ; mais c'est tant mieux. Désiré est bien plus beau[3]. » Désiré ? Désiré, domestique des Pitray, était particulièrement affreux à voir.

La comtesse de Ségur se rend compte que, si laids soient-ils, ses domestiques lui ont volé 200 bouteilles de vin ! « Je trouvais

---

1. *Pauvre Blaise.*
2. *Comédies et Proverbes,* « Le dîner de Mlle Justine ».
3. Lettre à Olga, 1861.

étonnant que Théophile n'ait compté que 280 bouteilles de vin d'ordinaire quand Désiré et Godefroy en avaient trouvé 480. J'aurai cet écheveau de plus à débrouiller avec M. Théophile qui est bien content de lui-même[1]. »

Les prénoms ont encore changé. Sophie a dû « renvoyer sur-le-champ » ses autres perles. Rament-ils au bagne de Rochefort-sur-Mer ?

Deux ans plus tard, la cuisinière aussi est renvoyée : « J'ai renvoyé Catherine pour une foule de méfaits dont l'ensemble établit un désordre insupportable à la longue et une dépense considérable augmentée[2]. »

À qui se fier ? Désiré, la perle des perles, le laid d'entre les laids, pieux et si bon compteur de bouteilles, la plaque brusquement ! Sans parler de la série de mensonges et d'usages de fausses lettres :

« Une lettre de Désiré au cuisinier annonce qu'il ne viendra plus du tout (...), qu'un ami viendra chercher les effets qu'il a laissés et qu'au reste il en a emporté la plus grande partie avec lui. Voilà comment cet excellent, ce saint Désiré m'a quittée, sans aucun motif, sans que je lui ai adressé aucun reproche. Es-tu contente de ton domestique ? Prends garde de le froisser ! Il est basque ! »

Désiré a-t-il rejoint Jacques le Fataliste ou les communards pour vider une autre cave ? Pourtant, c'est un domestique, Blaise, qui anéantira l'orgueil de ses maîtres. Jules de Trénilly se mettra même à genoux, au salon, devant tous les domestiques ! Il demandera pardon à Blaise, le plus petit d'entre tous. Les domestiques, les servantes, sont l'articulation permanente de la vie des châtelains et des romans de Sophie. Bons, mauvais, saints, criminels. Ils sont, pour elle, des enfants à surveiller sans pitié. Compenser généreusement à l'occasion : les petites filles modèles offrent une fête et une belle robe à Élisa. Aimée et soignée jusqu'à sa mort. Ou les bonnes restent des bêtes malfaisantes que l'on renvoie d'un seul mot en coup de pied.

La comtesse de Ségur a régenté tout son univers. Même malade depuis la naissance d'Olga. Réduite à sa chambre, inférieure à la dernière de ses servantes. Muette. Le silence de Sophie a pour source noire le poids de toute servitude.

La sienne.

Qui est le maître du maître ? Les dures années de son silence engendreront, peut-être, la réponse.

---

1. Lettre à Olga, 10 mai 1861.
2. *Ibid.,* 10 avril 1863.

QUATRIÈME PARTIE

LE SILENCE DE SOPHIE
(1836-1847)

*Être malade, c'est être vouée aux humiliations,
aux privations, aux misères ; cependant humiliations, privations et misères sont changées en
autant de lampes ardentes pour l'âme qui veut
aimer Dieu.*

Portrait de Marthe Robin, *J. Guitton*

I

L'ARDOISE DE SOPHIE

Le dernier enfant de Sophie est né. La santé de Sophie est brisée. Eugène la fuit plus que jamais. Sophie, désespérée, voit le sablier de l'amour se vider sous ses yeux. Un cadenas de plus dans sa gorge. Eugène a trente-sept ans quand Sophie sombre dans cette détresse. La dépression nerveuse de Sophie a provoqué le blocage du larynx, son silence. Une investigation médicale eût trouvé une maladie gynécologique, suite à sa mauvaise couche. Une métrite, sans doute, doublée d'une infection urinaire. Tout cela, très mal soigné. Ses migraines sont à leur comble, du type « migraines accompagnées », compliquées de surdité, d'incapacité de supporter la lumière, de nausées, de paralysie provisoire des membres supérieurs, de douleurs vertébrales, d'accélération cardiaque. Ses maux dureront plus de dix années. Son angoisse est accrue. Comment assumer au mieux le quotidien de ses enfants ? Chaque accalmie — rare — précipite la comtesse de Ségur dans son domaine : l'éducation, les soins aux enfants. Sophie s'accroche à ses regains de vitalité. Mais la chambre se referme presque quotidiennement sur la comtesse de Ségur. Les mois passent. On tient, par moments, madame la comtesse pour perdue. Les Nouettes, où Sophie va passer presque toutes ces années, sont devenues une sorte de « trappe ». Par amour, Nathalie, Sabine, Henriette, Olga, ont appris à faire silence.

Eugène n'a aucun mal à éviter la chambre de Sophie. Eugène n'a plus d'épouse. Il est alors au maximum de sa beauté et de ses succès. Coiffé en « toupet », tel Louis-Philippe, Eugène de Ségur, pair de France, va plus que jamais dans le monde. Il arrive à la chambre, botté de cuir verni, vêtu d'une chemise à col montant, d'une redingote cintrant sa taille élégante.

331

Sophie a encore modifié son lit. En fait, elle l'a supprimé. Il est devenu ce sec canapé avec « un matelas mince comme une couverture[1] ». Elle gémit, recroquevillée sur cette couche de souffrance. Le jour, elle se traîne sur une chaise longue, où elle cale son oreiller en caoutchouc. Quand les enfants ne sont pas là, elle s'enroue à force de pleurer. Mon Bon Ange, qu'ai-je donc fait pour pâtir ainsi ? Ah oui ! Un enfant dans un corps de vieille femme. J'en ai assez de tous ces enfants ! Le Dr Mazier vient très souvent visiter la comtesse de Ségur. Les sangsues affaiblissent Sophie sans apporter d'amélioration aux maux de reins, ni à ce couteau au coin de la gorge. L'insomnie devient également son lot. Papa, ô papa, qui ne dormiez plus, nulle part, quand la douleur de vivre vous tannait...

Certaines nuits, Sophie ne quitte même plus la position assise. On la retrouve, à l'aube, assoupie dans le fauteuil, à l'angle de la fenêtre. Qu'importe, un lit ! Un lit pour aimer, un lit pour les caresses, un lit pour le sommeil, un lit pour les naissances ! Je n'ai plus que ces deux vilaines chaises. Mon Bon Ange a emporté mon lit. Jamais je n'aurais dû en ôter les matelas ! Je pleure le lit d'Eugène.

La nuit est rude à Sophie. Derrière le carreau, elle suit le dessin fantastique des nuages au-dessus des bouleaux. Olga, chère petite, je serai morte bien avant de t'avoir mariée. Olga, mon petit amour, pourquoi Dieu et ce cochon d'Eugène t'ont-ils introduite sur terre ? Heureusement, il y a les lettres de Gaston. On m'a volé mon père, mon pays, mon petit poney, ma dot, mon lit, Eugène, ma santé et mon Gaston.

J'attendais avec impatience depuis dimanche, ma chère maman, le jour où je pourrai correspondre avec vous : Ad est tantem dies, *et j'exécute ma promesse avec empressement. Soyez bien prudente. Ne traitez pas du tout cela comme une plaisanterie ; il s'agit de votre avenir et du nôtre. Vous aurez acquis dans cette longue maladie une bonne dose de patience et de résignation, car il en faut beaucoup pour rester trois ans de suite couchée sans se plaindre et sans avoir d'humeur. Lorsque j'en ai par hasard, je n'ai qu'à penser à vous qui n'en avez jamais et mon spleen est coupé comme avec un couteau. Adieu, chérissime maman, je vous embrasse et vous aime de toutes mes forces[2].*

---

1. *Ma chère maman, souvenirs intimes et familiaux*, Olga de Pitray.
2. *Monseigneur de Ségur, souvenirs et récits d'un frère*, A. de Ségur.

La lune a des griffures fantastiques. Sorte d'ours d'or, Ourson, Ourson sombrant en volutes au fond d'un puits. Je suis Ourson au fond du puits. Sophie relit en cachette d'Eugène les lettres de Gaston. Telle une gourmandise. Gaston a dix-sept ans, maintenant. Onze ans de séparation. Qui enlèvera cette vilaine enveloppe de la douleur ? La mort ? Sophie boit de l'eau de fleurs d'oranger, puis se traîne vers son cabinet de toilette. Elle relit une autre lettre, presque avec indifférence. Une lettre de Russie annonçant la naissance d'Olga, en février 1837, fille d'André et d'Eudoxie. Les reverrai-je jamais ? Un autre courrier russe, celui de sa mère, la fait frémir d'un malaise sans fin. Elle n'a pas besoin de relire la grande écriture sabrée, hachée, en coupure fraîche. Catherine prétend, dans ce courrier, que Lise lui est apparu, dans toute sa gloire catholique. « Priez pour mon père, aurait dit le fantôme, errant, gémissant, égaré au purgatoire des non-convertis. » Papa, ô papa... Sophie retourne alors au courrier de Gaston. Gaston d'où est née sa désolation et d'où remonte, d'un coup, sa consolation.

> *Quand serai-je donc là toujours auprès de vous pour vous forcer à vous bien porter ? Je serai bien heureux quand ce moment sera arrivé car je m'ennuie furieusement dans la cage* [1].

Gaston lui écrit comme un amant. Une lettre par jour ! Sophie se redresse. Elle n'a pas besoin d'allumer la lampe. Elle sait par cœur la lettre arrivée le 18 mars. Gaston, son confident, Gaston et ses mots d'amour... Gaston a deux grands amis, Paul de Malaret et Albert, qui ont passé le bac avant lui. Gaston se retrouve séparé de l'amitié. La solitude l'angoisse à son tour :

> *J'ai pleuré pendant une grosse demi-heure après leur départ : devant eux je m'étais retenu pour ne pas troubler leur joie. Je vais être tout seul maintenant, ma bonne maman, tout seul, sans amis à qui confier mes petits chagrins et mes plaisirs ; j'avais espéré que je ne quitterais mes deux bons amis que pour retourner auprès de vous, qui m'auriez tenu lieu de tout* [2].

La pâte d'amande est à demi dévorée par Edgar. Le jour est encore long à venir. La lune a la couleur du mercure. Au-dessus des yourtes, elle annonçait le malheur, le malheur à qui il faut ouvrir tout grand la porte. Sophie frissonne de malaise mental et

---

1. Lettre de Gaston à sa mère, 14 mars 1837.
2. *Ibid.,* 12 avril 1837.

physique. Elle n'ose aller réveiller Olga. Le jour lui ramène ses enfants. Une brève paix du corps. L'envie de se parer un peu, de se coiffer net, de nouer le bonnet bien blanc. Renouer avec la vie, la dure vie qui la pousse d'un seul coup, l'oblige à redresser ce corps qui se traîne. « Surtout, que les enfants ne devinent pas ces heures nocturnes où tout mon être est vrillé, roué, hanté, disloqué... » La prière ne lui est d'aucun secours ! « Ma foi est bien mince pour que je sache prier. Il y a beau temps que mon Bon Ange s'est lassé. Les enfants du jardin du mal me lancent d'affreux cailloux des nuits entières. » La comtesse de Ségur est devenue une femme en chambre qui tremble pour ses enfants. Elle veut bien mourir ; mais pas avant d'avoir établi Olga. Olga qui s'est avisée de tomber dans la mare ! Sophie a couru, hurlé, moi, la muette, l'immobile. Enfants, naufrageurs et guérisseurs des mères... « Olga est noyée ! Olga est noyée ! » criait André, le fils du garde. « Gaga ! Gaga ! »

Où Sophie a-t-elle trouvé la force de la secouer, de la gifler, de l'embrasser avec un tel emportement ? Elle était couverte de boue mais sans écorchure. D'un coup de pied, elle était remontée du fond des eaux affreuses.

Sophie a rechuté aussitôt après avoir grondé pis qu'une ourse. Incapable d'écrire pendant des jours, elle a pourtant fini par rassurer Gaston, inquiet d'un si long silence. Elle est allée jusqu'à lui faire croire qu'elle était désormais en convalescence.

> J'attends avec impatience le petit mot que vous m'avez promis, car étant en convalescence, le moindre accident peut occasionner une rechute. J'imagine que la famille des Nouettes est toujours en bon état, car je n'ai pas reçu de nouvelles de là-bas depuis bien longtemps (...). J'ai appris, dans mes malheurs, à être patient. Ma très chère maman, (...) vous répondez à toutes mes lettres avec une exactitude vraiment maternelle. Adieu ma bonne, excellente, adorée maman. Portez-vous bien toujours ; allez toujours de mieux en mieux [1].

A l'aube, quand la lune se dissout au-delà de Saint-Evroult, Sophie s'assoupit légèrement. Comme vous, papa, ô papa. Sophie entend le chuchotement de Nathalie, Sabine, Henriette. Le gazouillis d'Olga dans les bras de Mme Charles.

« Maman ! maman, chère maman, c'est nous ! »

Quelle heure est-il ? En fait, près de midi. Sophie a sombré. Non de sommeil, mais du coma de l'épuisement, l'égarement passager

---

1. Lettre de Gaston à sa mère, 30 mai 1837.

du temps, du lieu, de l'espace. Nathalie porte en triomphe le plat préféré de Sophie. « Oh! quelles sont jolies mes filles! » Doux matériaux de la percale blanche, les petits pantalons impeccables, la dentelle assortie. Sophie touche les boucles de Gaga, les tresses des jumelles, les bandeaux nattés, doux comme de la soie, de Nathalie. Nathalie, beauté aussi parfaite que Lise. Lise, fantôme nocturne de la folie de Catherine. Comme Olga lui ressemble! Olga, chair de mon âme. Nathalie n'aime guère la petite dernière. Elle l'agace, je le vois bien. Olga s'est précipitée sur sa mère, a rapproché son petit fauteuil du canapé. « Je l'idolâtrais... Assise sur mon petit fauteuil près de son canapé, je ne vivais que de sa vie [1]. »

Les petites ont deviné qu'un autre jour de misère est commencé pour leur mère. Un borborygme affectueux s'échappe de sa bouche, à la place des mots nettement formulés. Les petites lui ont préparé ce plat russe qu'elle aime plus encore que les plats sucrés. Des crudités multiples, accompagnées d'une sauce forte à base de moutarde et de poivre. Olga a aidé à touiller la sauce, debout sur le banc de la cuisine. « Nous allions cueillir nous-mêmes carottes, asperges, navets et poireaux. Nous les lavions, nous les épluchions, nous les coupions en petits morceaux [2]. »

Qui parle de ténèbres quand vos enfants vous aiment à ce point? Enfants, à la queue leu leu, sources qui me ressuscitent... Qui a dit que le purgatoire était terne ou désaffecté? Grandeur d'une attente. Il va falloir attendre; les enfants le lui enseignent. C'est par eux que la comtesse de Ségur a compris un certain sens d'une souffrance acceptée, l'attente de l'autre espace. Celui de la paix retrouvée. Le silence de Sophie correspond au purgatoire de Sophie. Le purgatoire est le plus grand des secrets. Chambre à la fois close et ouverte vers le cercle supérieur, où, hardiment, un jour, le Bon Ange, encore une fois, sera à la porte. Comme ces amourets, chargés d'un lourd plat immangeable, préparé depuis leur réveil, pour elle, le grand objet d'amour. « Si un jour je guéris, je dédierai les actions de ma vie aux âmes du purgatoire. Celles qui ont su, désormais, attendre. Comme papa; comme Gaston, mes fils, ces petites qui tremblent pour moi... » Sophie prend l'ardoise et la craie pour communiquer avec les enfants. Olga tremble devant l'ardoise de Sophie. Maman! Ma chère maman, quand retrouve-

---

1. *Ma chère maman, souvenirs intimes et familiaux,* Olga de Pitray.
2. *Ibid.*

rez-vous la voix ? Quels sont les mots qui apparaissent sur l'ardoise ? Les mots qu'Olga ne comprend pas, que les aînées lisent tour à tour ? Les mots que Sophie préfère, drus et fermes sillons de son œuvre future.

Promenade… Reconnaissance… Notre Père qui êtes aux cieux… Charmant petit ruisseau… L'orage… L'étang… Le presbytère… la Vierge Marie… Gâteaux et chocolat mousseux… Les loups… L'obéissance… LA PATIENCE… A, E, I, O, U… Consolation… Gaston… gimblettes et radis roses… Le sang chaud enivre comme le vin… Vautour… Ne franchissez pas la barrière sans votre bonne… La forêt de Saint-Evroult et ses ruines… Relisez vos mots, apprenez vos leçons… Allez au petit jardin… Une promenade, peut-être avec vous, au moulin… Demain… Une grande tartine de beurre… Effacez-vous… Soyez simples… Un bon coup de pied au bas des reins !… Quel animal ! Quel imbécile ce garde !… Respectez votre père… Il y a des chemineaux dans le chemin vers la ferme… Le brigadier… Les bons gendarmes… Le sanglier… La pauvre petite est morte de la poitrine… Prions tous pour elle… L'âne… 1, 2, 3, 4, 5… Le total ? Le bon Dieu… PATIENCE…

PATIENCE, mot sans cesse recommencé, broderie inlassable du purgatoire de Sophie.

Les enfants ne savent pas que la nuit il lui arrive d'écrire sur l'ardoise un prénom dévastateur : Eugène. Pulsation d'un pouls qui s'affole, douleur qui revient. Pour cautériser cette fuite de tout son être, rattraper son identité, raffermir ses os en train de fondre, elle grave en russe :

SOPHIE FEODOROVNA NÉE ROSTOPCHINE

Il lui arrive alors de s'endormir d'un seul coup, tel un vainqueur. Patience. La tête penchée sur ce « née Rostopchine », que déchiffrent les petites. Les enfants envahissent son cabinet de toilette. Elle leur a appris à faire des bonbons avec du sucre et un réchaud à alcool. Ils lui racontent les menus événements de leur vie. L'écureuil attrapé, puis évadé tout en haut du grand sapin. Olga l'a poursuivi. La bonne a rattrapé Olga par sa cheville. Il y a aussi, chère maman, le joli petit âne blanc de la Herpinière. L'envie d'apprivoiser une tortue. Les fillettes mangent sa pâte d'amande, boivent à la carafe de fleurs d'oranger. Comme on aime cette chambre, maman ! Comme on s'y amuse, on s'y rassure. Laissez-nous brosser vos cheveux, si beaux, si longs, si blonds. Peignes et brosses en nacre soulagent la migraine de Sophie qui sent le rire monter à ses lèvres. « Je vous dois la vie, enfants, qui m'avez pris la vie. » Elle arrive à s'exprimer sans l'ardoise, d'une voix entrecoupée, d'un geste impatient, d'un fourmillement soudain. Quel ennui ! mais quel ennui ! cette sotte maladie, quand on est ivre de mouvements, d'envie de promenades et de jeux ! « Sautez sur le canapé, les enfants ! Sautez ! »

Elle se traîne sur la chaise longue près de la fenêtre. Elle hoquette d'un rire qui lui arrache le crâne. Les petites sautent à en défoncer ce lit de misère. Mais oui, mettez-le en morceaux, ce canapé imbécile, cet absurde espace pour mourir. Qu'il redevienne d'un seul coup le terrain du jeu, du rire, des enfants. « Sautez ! Sautez plus haut ! Jetez l'oreiller en caoutchouc aussi haut qu'un ballon ! A coups de pied, les enfants ! à coups de pied ! »

La bonne apporte une lettre de Gaston.

> *Pourquoi faut-il que je sois engagé dans cette pension ? Pourquoi faut-il que vous restiez seule sans personne pour vous soigner et vous distraire ? Dieu merci ! tout cela va bientôt changer, et je vais tirer mon coup de chapeau à tous les pensionnats et collèges, et professeurs et pédants, présents, passés et futurs ! Heureuse époque où la cage d'oiseau sera ouverte ! et heureux oiseau qui pourra jouir en plein de la liberté ! Adieu, ma chère, bonne et excellentissime maman, je vous embrasse mille fois. A jeudi peut-être, ou certainement à dimanche[1].*

Émue, Sophie a repris l'ardoise. Elle écrit : « Sautez ! Riez ! Gaston revient ! Ce sont les vacances ! »

> *Tout était alors en l'air au château (des Nouettes)... (Les petites) allaient et venaient, montaient et descendaient l'escalier, couraient dans les corridors, sautaient, riaient, criaient, se poussaient. (Leur maman) souriait à cette agitation qu'elle ne partageait pas mais ne cherchait pas à calmer[2].*

Eugène a les yeux jaunes

Sophie passera l'hiver 1838 à Paris.

Sa voix disparaît, revient. L'ardoise ne la quitte guère ; Olga, jamais. La reine Marie-Amélie, Mme Adélaïde veulent connaître la petite dernière dont la naissance a coûté si cher à la comtesse de Ségur.

---

1. Lettre de Gaston à sa mère, 5 juin 1837.
2. *Les Vacances*.

Sophie retourne à Neuilly, flanquée des petites, d'Edgar et d'Anatole en congé. Tête lourde, teint jauni, elle essaye de raisonner Olga. Depuis plusieurs jours, la fillette est entrée dans un étrange désespoir. Elle trépigne, exige jusqu'au spasme : « Oh ! Je t'en prie, laissez-moi vous dire toi[1] ! » Sophie a le cœur fendu. Elle résiste, refuse. Olga dira « vous ». Tels ses frères et sœurs. « Toi, maman, sanglote la petite, vous dire toi. »

Sophie, des papillons brûlants sous les paupières, a l'impression d'une illusion d'optique dans le salon de la reine. Mme Adélaïde lui rappelle si fougueusement tante Tonneau, que les larmes lui viennent aux yeux. Mme Adélaïde s'approche de la comtesse de Ségur, avec une réelle compassion. Va-t-elle vivre longtemps, le teint blême, le regard éteint, la démarche gênée ? Sophie a bien entendu la voix aigre de la comtesse Octave, en visite aux Nouettes, manifester à haute voix la possibilité d'un veuvage : « Naturellement, en cas de décès, Eugène, il serait sage de laisser vos fils en pension, vos aînées au couvent et Olga chez moi. »

Sophie avait frémi ; Olga, son bouton d'or, chez la dure grand-mère. Elle n'hésiterait pas à lui pincer les oreilles jusqu'au sang comme elle le faisait à Gaston ! Sophie imagine Nathalie, seule, le soir, dans le froid dortoir de l'hôtel de Biron. Et les jumelles, mon Dieu, les séparerait-on, quitte à les faire mourir de chagrin ? « Je dois guérir, pense Sophie de toutes ses forces, je dois guérir. Il le faut. Pour les enfants, je guérirai. » Elle avait griffonné sur l'ardoise « Guérison ». Mot en forme de couleuvre vif-argent, évasion entre les pics d'une haie meurtrière.

« M. Thiers, président du Conseil, est un ambitieux ! » chuchote Mme Adélaïde à Sophie. « Le roi devrait se méfier. Il veut la première place et il l'aura. »

« Mais, Madame, articule péniblement Sophie, qui n'ose pas griffonner la honteuse ardoise, il l'a, cette place ! »

« Non, ma chère, s'échauffe Mme Adélaïde — Dieu ! ces grosses femmes ont dans la voix et le geste une énergie de vieux gendarme ! —, M. Thiers a la seconde place et il veut la première. »

Sophie ne répond plus ; sa gorge la brûle plus fort qu'une angine. « Toi, maman, balbutie Olga à son oreille, vous dire toi. » La chambre, la chaise longue. Le refuge, chaud et noir... Sabine et Henriette se sont rapprochées, Nathalie aussi. Edgar dévore les chocolats offerts par la princesse Clémentine. Olga se réfugie dans

---

1. *Ma chère maman, souvenirs intimes et familiaux*, Olga de Pitray.

les bras de Sophie. Les filles seraient-elles les seules à comprendre la montée d'une souffrance ? Leur mère a encore blanchi, va-t-elle s'évanouir ? Une envie de sangloter s'empare de Sophie. Elle trouve le courage surhumain d'achever sa visite. La reine est triste et préoccupée. Son mari est menacé d'attentats. La France va très mal. On fait avancer la voiture ; Sophie entre dans le délire d'un rêve sans enfants. Elle est seule avec Eugène, seule dans le lit d'amour. Elle a retrouvé sa jeunesse. La robe blanche et rose de son premier bal. L'éclat de son ignorance. L'emportement des baisers d'Eugène. Sa peau éblouissante qui arrachait, à certaines heures nocturnes, ce « tu » exigé par Olga, murmuré par Eugène couché contre elle, doux comme un faune. Elle lui roucoulait alors en russe des mots réservés aux extrêmes émotions amoureuses. Des mots que nul ne lui avait enseignés, relevant d'un code ancien, murmurés par toutes les femmes du monde entier. Des mots que jamais elle n'écrira sur l'ardoise. « Tu es doux comme un loup. Tu es chaud comme le feu. Tendre comme la tourterelle, beau comme une femme... » Jamais il n'avait demandé la traduction. Il la laissait faire, se contentait du rauque murmure qui entraînait son plaisir. Mais il se relevait, se libérait de l'enlacement des bras si blancs, qui serraient, semblaient retenir l'étreinte, le lien, avec une force presque animale. « Je t'aime », appelait nettement cette voix « je t'aime ». Il avait soudain la hâte de fuir ce « je t'aime », cette inconvenance. Il lui donnait alors de ce « vous » qui brûle Olga au fer rouge. Jadis, un certain général Rostopchine avait aussi été seul à se débattre dans une passion au glacial écho :

« Cessez donc de dire que vous m'aimez, Fédor Vassilievitch Rostopchine ! Mon ami, vous êtes impossible ! »

« Sophie, cessez donc de vous donner en spectacle, ma chère. Oubliez donc cette nuit et toutes les autres. Contrôlez-vous. Ne me faites pas honte. »

Jamais les petites n'ont vu un visage aussi contracté à leur mère. Autre chose que le masque de sa maladie. Puissance maléfique de la soudaine double vue. Quelle femme, si sotte soit-elle, affaiblie, abêtie, peut admettre que un plus un égal trois ? Eugène va passer cette nuit à l'extérieur. Chez la belle Olympe Pélissier ? Ou chez la somptueuse princesse de Wittgenstein-Sayn ? La jalousie mord à nouveau Sophie. Ce retour à Paris ramène le mal redoutable, la morsure au cœur. La Parisienne ! Jambes devinées sous les étoffes luxueuses, colliers éblouissants autour des cous dénudés, visages de perle. Sophie tremble. Elle se vit laide, amoindrie, ternie à l'extrême. Que peut-elle devant la pose alanguie d'Olympe et des autres, rutilantes dans leur peau à grain fin et rose ? Sophie comprend qu'un homme de quarante ans et une femme de trente-neuf n'ont pas le même âge. J'aurais dû épouser un bossu ! a-t-elle envie d'éclater.

« A quoi penses-tu donc, Gaga ? demande Sophie, qui sent sa raison chanceler. La fillette la fixe, la scrute, en osmose avec sa souffrance.

— Je pense que si tu meures, je me jetterai dans la mare.

— Mais ce serait très mal ! Que dirait le bon Dieu quand tu paraîtras devant lui ?

— Je lui dirai : " Bon Dieu pourquoi tu as fait mourir maman ? " et puis je dirais à mon ange gardien : " Ange gardien, conduis-moi de suite à maman[1]. " »

Sophie se met à trembler. Non, non, Gaga, nous n'allons pas mourir. Sophie va exploser. Une colère formidable. Un péché mortel. Sophie gronde, grogne. Sa voix remonte, fleuve fou, torrent plein de cailloux que rien ni personne ne va pouvoir arrêter.

Un éclat. Parfaitement. Elle est décidée à un éclat. Le dernier. Un terrible. Une colère russe. Celle de son père, un jour, quand Catherine avait abjuré. Papa, ô papa. Elle descend, sans aide, de voiture : « Suivez-moi ! s'enroue-t-elle, tournée vers les enfants. Ne me laissez pas. » Les vitres de la rue de Grenelle vont-elles voler en éclats ? Sophie, d'un seul coup, a perdu cette patience dont Gaston la félicite dans chaque courrier. La comtesse de Ségur ne se contrôle plus. Qu'importe, et même tant mieux si les enfants sont témoins d'une scène de ménage ! Elle sera pire que celles, aux Nouettes, du père et de la mère Marcotte...

Il va voir, Eugène ! Eugène qui couche ailleurs. Cette nuit, justement, c'est insupportable.

Sophie Rostopchine est en train de voir rouge. « Eugène, le bel Eugène, lui donnait des soucis qu'elle ne pouvait surmonter silencieusement, et sur les ailes de sa terrible voix roulante, les revendications conjugales gagnaient le pays[2]. »

Cette fois, la scène gagnera tout le septième arrondissement. Elle va crier, Sophie, par-delà le larynx bloqué. Un feulement de bête sauvage. Sa dernière scène, sa dernière chance. Elle se souvient, brusquement, de l'été de la Saint-Eutrope. L'histoire d'Eugène et de la bonne dans la grange. Le lendemain, elle avait éclaté devant tout le monde, au déjeuner, à Beaumesnil. « Elle arriva froncée

---

1. *Ma chère maman, souvenirs intimes et familiaux*, Olga de Pitray.
2. *Le Centaure de Dieu*, M. de la Varende.

d'un si violent courroux, d'un tel ressentiment que le châtelain s'était exclamé : " Eugène file doux, Sophie a une figure de l'autre monde. Surtout, cachez-lui bien les allumettes[1] ! " »

Elle écume, elle rage. Olga a peur. Gros Zézé se tient coi. Anatole et Nathalie sont offusqués. Les jumelles, atterrées. Sabine prie tout bas. Elle a rêvé que la Sainte Vierge avait fleuri en une nuit son petit jardin.

Sophie a commencé ses hurlements dans l'escalier. Le concierge devient narquois. Madame la comtesse a l'air d'une servante congédiée, d'une portière, d'une fermière. Une moujike déchaînée. Le Faubourg a bien raison. Cachons les allumettes : le père était un fou.

Eugène est au salon. Il est près de six heures. Il boutonne ses gants. Il a vu du premier coup d'œil que les ennuis recommencent. La maladie de sa femme l'arrangeait bien ! Au moins, elle était devenue silencieuse ! Il aurait dû faire atteler dès son départ à Neuilly. Quelle matrone avec sa marmaille ! Jamais ma mère ne s'attifait ainsi. Des enfants, des cris et cette robe chiffonnée, froissée sur elle, n'importe comment ! Elle est laide, défaite, sa bouche trop grande, les larmes lui siéent comme à un cocher. Elle l'agonit de mille folies, vocifère en russe, donne des coups de pied dans le guéridon. Quel exemple pour ses enfants et les voisins, surtout, les voisins ! Les enfants se groupent derrière elle, une mère poule, une volaille en furie ! Elle ne supporte brusquement plus ce salon, la perspective inévitable de la chambre refermée. Au diable, le purgatoire, la patience, la douceur, la victime ! Eugène est épouvanté par cette houri qui a commencé une danse de derviche. Elle court, non, elle se rue vers l'escalier, toujours flanquée des enfants.

« Où allez-vous, à la fin ? » s'impatiente Eugène, quand même inquiet du scandale inévitable — et si elle était devenue folle ? Elle s'est précipitée à pied, rue de Grenelle, avec tous ses amourets. « A Moscou ! » hurle-t-elle, en cheveux, Olga au cou, les petites courant avec elle, dans la rue déjà sombre. Les fenêtres s'ouvrent. Eugène a une envie folle de casser sa canne. De disparaître six mois aux eaux de Bagnoles. Elle a crié si fort que toute la rue a entendu :

« Si j'avais remarqué à quel point vous avez les yeux jaunes, jamais je ne vous aurais épousé[2]. »

---

1. *Le Centaure de Dieu,* M. de la Varende.
2. Archives familiales/Ségur.

COMTESSE DE SÉGUR

L'illumination

Elle n'est pas allée très loin. Elle a entraîné sa tribu chez son voisin, Philippe de Ségur. Célestine est au salon quand Sophie se précipite telle une flèche dans le bureau où écrit son oncle. « Allons, soupire-t-il tout bas, elle a encore eu une scène avec Eugène. »

Elle tombe en sanglotant sur un sec petit canapé (encore !). Eugène est un sec petit canapé qui m'a collé la migraine, huit enfants et probablement une vilaine maladie ! Olga se roule sur le tapis. Maman ! Ma chère maman ! Laissez-moi vous dire toi ! Toi ! Sabine fait vœu de se consacrer à la Vierge. Que cessent la discorde et la souffrance de sa mère. Edgar pille sournoisement une grosse boîte de chocolats offerte par les d'Armaillé. Anatole est très gêné. Philippe de Ségur prise un peu de tabac en attendant la fin de la crise de Sophie. Elle l'a dérangé au moment où il écrivait la suite de ses campagnes. Célestine, « petite, menue, grêle, des yeux gris très nets, un profil d'oiseau avec des traits très marqués et une expression virile et énergique qui, au premier abord, n'avait rien de tendre [1] », méprise cette tante par alliance. Les Russes sont-ils des ours ? Tante Sophie est-elle un animal ? Ses cheveux en désordre, le bas de sa robe plein de boue. Une grande dame ne doit pas courir en cheveux et à pied dans les rues ! Tante Sophie gesticule, crie des sons qui sortent de sa bouche bizarre, semblable à celle de ses enfants, mes cousins. Même Nathalie, si belle, n'a pas échappé à cette bouche impossible. Célestine de Ségur n'aime guère la comtesse de Ségur. Elle ne ressemble en rien aux dames qui défilent dans le salon de sa mère. Le comte Eugène de Ségur est bien plus élégant et poli qu'elle ! Maman le dit, la comtesse Octave le dit, tout le monde le dit. Célestine trouve encore plus inquiétant le rire de Sophie de Ségur, née Rostopchine. Le rire de Sophie est pire que ses sanglots. Philippe de Ségur a-t-il su lui chuchoter des mots légers, apaisants, surtout affectueux ? Sophie s'est mise à rire de sa propre colère. Elle s'en roule sur le canapé, elle hoquette, les larmes plein les yeux. Le rire jaillit d'elle avec la brusquerie d'une source crevée hors de terre.

« Je lui ai crié qu'il avait les yeux jaunes ! »

« Rentrons faire une illumination ! » dit-elle à ses enfants.

---

1. *Quand on savait vivre heureux*, Célestine d'Armaillé.

Arrivée en pleurant, repartie en riant, elle ne laisse pas le temps à Philippe de Ségur de la raccompagner. Elle est tout à son idée de fête, de lumières, de résurrection. « Une fête ! nous allons faire une fête ! Tout de suite ! Tout de suite ! *Gleich !* Les enfants rient ; soulagés, heureux de la joie revenue, la rue, la nuit, ne sont plus cet égarement de damnés, mais une fête ! une fête !

Ils parlent tous à la fois : « Nous allons faire des lampions avec des coquilles de noix et de noisettes, de la cire jaune et de la chandelle [1]. »

Le salon est vide. Sophie a presque oublié pourquoi elle en est partie. Les enfants l'aident à casser les coquilles. L'opération est longue, passionnante. La douleur fait trêve. Sophie est passée de la tragédie à l'exaltation. « Allons, voilà notre ouvrage terminé ; il ne nous reste plus qu'à placer ces petits lampions sur les croisées, sur les cheminées, sur les tables, et nous les allumerons après dîner quand il fera nuit [2]. »

Il fait nuit ! Tous ces petits lampions forment un effet charmant. Sophie tire en même temps un feu d'artifice qu'elle a sorti d'une armoire pleine de jouets. Dieu ! que j'aime le feu ! Si vous saviez comme c'était beau, l'aurore boréale de l'incendie de Moscou ! Superbe, les enfants ! Superbe ! Votre grand-père avait des idées géniales ! géniales ! Elle a totalement oublié sa colère contre Eugène et, peut-être, Eugène tout entier.

Circonspect, inquiet, ayant renoncé à sa nuit, devant une telle fureur de femme, le bel Eugène pousse la porte, bien plus tôt que prévu. Sophie lui fait un charmant accueil au milieu des flammèches et des pétards : « Prenez mon ami, prenez, craquez une allumette ! c'est charmant à faire et à voir ! »

Philippe de Ségur, venu aux nouvelles, est stupéfait de retrouver un salon plein de lumières, d'étincelles multicolores, et un piteux Eugène qui lui dit :

« Eh bien, mon oncle, tout ne va-t-il pas bien [3] ? »

Eugène n'a pas très bien deviné que Sophie a cessé de l'aimer.

Le silence de Sophie va revenir. La rechute sera pire que le mal. Ne plus aimer est pour Sophie un désert. Un grand vide, un silence épaissi, une chute plus dure que sa colère. Le rire aussi va s'engluer, bien en deçà de la voix. L'ardoise deviendra muette.

---

1. *Les Petits Filles modèles.*
2. *Ibid.*
3. *Quand on savait vivre heureux,* Célestine d'Armaillé.

Eugène ne sait pas, Sophie non plus, que la dernière scène fut aussi leur dernière fête à deux.

Le lendemain, Sophie regagne de toute urgence la chambre dont elle aménage l'obscurité. Jamais la migraine n'a été aussi féroce. Elle va prendre toute la place, reléguer les autres douleurs, devenir la Douleur.

Un vent russe

Les nouvelles de la santé de Sophie préoccupent les Rostopchine. Nathalie Narychkine commente :

> *Je ne crois pas Eugène aussi méchant que Sophie le dépeint : il est avare, j'en suis sûre, mais c'est un père exemplaire. Il a aimé sa femme comme jamais mari n'a aimé la sienne et je crois que ma sœur envisage les choses sous un point de vue tout à fait faux ; elle n'a pas pu voir avec calme l'amour d'Eugène dégénérer en simple affection, et ne reconnaissant plus l'amant dans le mari, elle a commencé à faire des comparaisons du passé avec le présent, qui devaient remplir son cœur de tristesse et d'amertume[1].*

La rechute de Sophie est si grave qu'elle se tourne vers sa mère. Faut-il que sa détresse soit grande, pour avouer le drame conjugal à la dure Catherine ! Elle ne répond rien à sa fille. Elle communique ses lettres à Nathalie. Que faire pour Sophie ? Elle se plaint de l'avarice d'Eugène. Son sort est, pourtant, de rester l'épouse d'Eugène de Ségur.

> *Sophie croit que ma mère pourra mettre plus d'union dans le ménage. Et moi, je pense tout le contraire : Eugène n'aime pas la contradiction et son caractère est boudeur et entêté à l'excès. C'est affreux de savoir que mon beau-frère laisse sa femme manquer de tout et qu'il jouit tout seul de la belle fortune que mon père a laissée à sa fille[2].*

Nathalie croit comprendre que l'avarice de son beau-frère a rendu sa sœur malade. Eugène s'est vengé de la dernière scène. Il a coupé les vivres à sa femme. Sophie l'écrit fiévreusement à sa mère. Nathalie s'indigne :

---

1. *Les Rostopchine*, M. de Hédouville.
2. *Ibid.*

La comtesse Rostopchine, d'après un dessin de Mgr Gaston de Ségur, son petit-fils.
"Priez le Bon Dieu qu'il ne vous fasse pas mourir cette nuit avant de vous être reconnue et repentie."
("Les Petites Filles modèles"). Photo D.R.

Le comte Rostopchine, père de la comtesse de Ségur, pendant l'incendie de Moscou. 1812.
"J'attends la mort sans crainte, comme sans impatience. Ma vie a été un mauvais mélodrame à grand spectacle, dans lequel j'ai joué les héros, les tyrans, les amoureux, les pères nobles, mais jamais les valets."
("Mes mémoires ou moi au naturel", comte Rostopchine. 1823). Photo Roger-Viollet.

Le comte Rostopchine, père de la comtesse de Ségur, gouverneur de Moscou, en 1812.
"J'avais de l'aversion... pour les rats, les liqueurs, la métaphysique et la rhubarbe; de l'effroi pour la justice et les bêtes enragées..."
("Mes mémoires ou moi au naturel", comte Rostopchine, 1823). Photo Roger-Viollet.

Paul 1er, le tsar fou dont le comte Rostopchine, père de la comtesse de Ségur, était le Premier ministre et l'ami. "Laissez-moi Rostopchine! C'est mon seul ami! Je vous enverrai tous en Sibérie!" Photo Giraudon.

Gravure satirique représentant le gouverneur Rostopchine, père de la comtesse de Ségur, regardant l'embrasement de Moscou en 1812. "Ah, ça va à merveille!"
Photo Roger-Viollet.

Le comte Eugène de Ségur, mari de la comtesse de Ségur. Gravure de Geoffroy.
"Si j'avais remarqué, Eugène, à quel point vous avez les yeux jaunes, jamais je ne vous aurais épousé !" Photo Roger-Viollet.

La comtesse de Ségur en 1820. Dessin attribué à Achille Deveria.
Jeune mariée de vingt et un ans, mère d'un bébé, Gaston de Ségur. "Grande, élancée, gracieuse et élégante, ses grands yeux, son teint frais, ses beaux cheveux blonds, de belles dents, une physionomie ouverte, gaie, intelligente et aimable faisaient toute sa beauté..."
("François le Bossu"). Photo Hachette.

"Sophie avait une bonne grosse figure bien fraîche, bien gaie, avec de très beaux yeux gris, un nez en l'air un peu gros, une bouche grande et toujours prête à rire, des cheveux blonds, pas frisés, et coupés court comme ceux d'un garçon."
("Les Malheurs de Sophie"). Photo B.N.

La comtesse de Ségur à l'âge de quarante-deux ans. Aquarelle par Mgr Gaston de Ségur.
"Son nez un peu gros, sa bouche un peu grande, ses lèvres un peu fortes, ne permettaient pas de la qualifier de belle ni de jolie mais tout le monde la trouvait charmante..." Photo Hachette.

La comtesse de Ségur, par Nadar. 1871.
"J'ai posé pour me faire tirer comme disent les bonnes gens... On a tiré sur moi une figure étincelante, non de beauté mais de férocité... C'est ennuyeux pour moi de passer à la postérité comme un tigre dévorant ou une portière avinée." (Lettre à Olga, 2 décembre 1871). Photo Roger-Viollet.

La comtesse de Ségur en 1860.
"Pour moi qui devient de plus en plus sourde et aveugle, je ne puis tenir beaucoup, ni même du tout à une existence infiniment prolongée."
(Lettre à sa fille Olga de Pitray. 7 mai 1860).
Photo Caret-Hachette (Paris B.N. Estampes).

Inauguration du monument de la comtesse de Ségur au jardin du Luxembourg.
"Les enfants m'ont toujours fascinée, par un goût, un instinct naturel que je n'ai jamais pu dominer ni diminuer..."
("Évangile d'une grand-mère"). Photo Harlingue-Viollet.

Mme la vicomtesse de Pitray, née de Ségur.
"Oh, maman, laissez-moi vous dire Toi..."
"Si vous mourez, je mourrai aussi..."
(Olga de Pitray). Photo B.N.

Monseigneur Gaston de Ségur, fils aîné de la comtesse de Ségur. Prélat et français. Gravure de E. Burney.
"C'est fini. Je suis aveugle. Ne le dis pas à maman. Elle le saura toujours assez tôt..."
(Parole de Gaston de Ségur à son frère Anatole, lors de sa cécité, le 2 septembre 1854). Photo Roger-Viollet.

Les "Petites Filles modèles" Camille et Madeleine de Malaret, qui inspirèrent la comtesse de Ségur. Photo Harlingue-Viollet.

Les petites filles modèles, Camille et Madeleine de Malaret, jeunes filles.
"Camille et Madeleine sont une réalité dont peut s'assurer toute personne qui connaît l'auteur."
(Préface des "Petites Filles modèles"). Photo Roger-Viollet.

Sabine de Ségur. En religieuse Jeanne-Françoise de la Visitation.
"Mon Dieu... n'être qu'une bête pourvu que je vous aime..." Photo D.R.

La baronne Nathalie de Malaret, à vingt-huit ans. Tableau de Winterhalter, "l'Impératrice Eugénie et ses dames d'honneur". 1855.
"Elle fit sensation pour sa beauté…"
("Quel amour d'enfant !"). Photo Giraudon.

Monseigneur de Ségur auprès de sa mère, d'après une photographie de famille.
"A quoi penses-tu ?
– Je pense au Bon Dieu qui m'a fait la grâce de devenir aveugle...
– La grâce ? Tu appelles grâce ce malheur qui fait trembler les plus courageux ?
– Oui... la grâce..."
Photo D.R.

("Le Bon Petit Diable").

La lourde table en pierre, dans le parc des Nouettes, ou la comtesse de Ségur, par beau temps, écrivit la plupart de ses romans. (Photo prise par l'auteur).
"Il fait si chaud que j'écris en jupons..." Photo D.R.

"Tout était en l'air au château de Fleurville. Camille et Madeleine de Fleurville, Marguerite de Rosbourg et Sophie Fichini, leurs amies, allaient et venaient, montaient et descendaient l'escalier, couraient dans les corridors, suaient, riaient, se poussaient."
("Les vacances"). Photo Lapad-Viollet.

Charles Gounod, compositeur français.
"Le ciel a visité la terre ou l'air de la puce ?
Marguerite, ou Méphisto ?"
(L'abbé Gounod). Photo Roger-Viollet.

Eugène Sue, gravure par Fuhr.
"Le beau Sue... serait-il devenu socialiste ?"
(Opinion de la comtesse de Ségur sur son
ami Sue, invité aux Nouettes. 1836).
Photo Roger-Viollet.

Louis Hachette, éditeur de la comtesse de Ségur. Gravure par Charles Barbant.
"L'éditeur règne en despote sur ses auteurs, mais le droit de retranchement d'auteur me semble être tout nouveau et pas encore passé en usage."
(Lettre de la comtesse de Ségur à Louis Hachette. 1856).
Photo Roger-Viollet.

Louis Veuillot, (1813-1883), journaliste et écrivain. Gravure de Lemoine.
"Grande et belle nature, âme riche, cœur chaud... Il a de grands yeux surmontés de sourcils bien fournis, un râtelier bien monté."
(Description de L. Veuillot par la comtesse de Ségur. 1855).
Photo Harlingue-Viollet.

Émile Templier, éditeur de la comtesse de Ségur. Il était le gendre de Louis Hachette et continuera son œuvre après le décès de celui-ci en 1864.
"La suppression des cinquante pages que vous me demandez est un fait grave..."
(Lettre à Émile Templier, mai 1864). Coll. M. Maurice Labouret.

Illustration pour "Les Nouveaux Contes de fée" par Gustave Doré. "Histoire de Blandine".
"Ils restèrent longtemps embrassés."
Photo Roger-Viollet.

Illustration du "Général Dourakine" par Bayard.
"Il fit saisir Mitineka et Yégor et les fit fouetter;" (page 224). Photo Roger-Viollet.

Illustration de "Comédies et
proverbes" par Bayard.
"La ceinture de bonne tenue."
Photo Roger-Viollet.

Illustration des "Petites Filles modèles"
par Bertall.
"La charité"
"Pauvre petite, dit Madeleine, comme
elle pleure !" Photo Roger-Viollet.

Illustration pour "Le Général Dourakine", par Bayard.
"Madame Papofski et le général."
"Ah, mon oncle, je ne compte pas hériter de vous !" (page 175).

Lettre autographe de la comtesse de Ségur à sa filleule Marie. 8 décembre 1871.

Illustration des "Petites Filles modèles", vignette de Bertall.
Mme Fichini fouettant Sophie.
"Elle s'élança sur Sophie et la fouetta à coups redoublés."

Illustration pour "Les Malheurs de Sophie" par Castelli.
"Et voilà Sophie qui met la tête sous la gouttière."

Illustration pour "Les Mémoires d'un âne" par Castelli.
"Une perche! une perche!" disait-il.

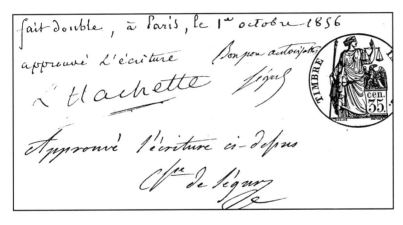

L'écriture de la comtesse de Ségur, écrivain. Extrait des "Malheurs de Sophie", où l'on s'aperçoit que, dans un premier jet, la comtesse de Ségur avait nommé Sophie, "Marie", et Paul, "Paulin".
"Grand Album de la comtesse de Ségur". Hachette. 1973. Photo D.R.

La comtesse de Ségur vient de signer son 1er contrat d'édition avec la librairie Hachette.
Il s'agit des "Nouveaux Contes de fées". 1er octobre 1856. Photo D.R.

Papier en deuil de la comtesse de Ségur surmonté de la couronne et des armes des Ségur.
Elle vient de perdre son époux, l'été 1863 et remercie M. Hachette de ses condoléances tout en lui écrivant professionnellement au sujet du général Dourakine... Malgré la peine, son écriture ne flanche pas. Photo D.R.

L'ARDOISE DE SOPHIE

Eugène m'inspire un dégoût profond par son avarice. Figurez-vous qu'il a déclaré à Sophie qu'il ne lui permettrait de rentrer en ville qu'à condition que ma mère lui envoie mille francs[1].

Sophie n'a plus d'argent liquide. Elle s'est comportée en sauvage, eh bien, qu'elle s'adresse à tous ses Russes si elle veut bouger de ses Nouettes ! Qu'elle nourrisse ses enfants et elle-même des produits de sa ferme, puisqu'elle adore jouer à la barinia paysanne. Il ne donnera pas un sou. Sa mère a bien raison. Qu'elle s'adresse à la veuve de ce Rostopchine qui jonglait et brûlait ses précieux millions. L'aîné claque des sommes folles au jeu. Qu'ils s'arrangent ensemble, ces Tartares qui lui ont volé sa dot !

Sans argent, la comtesse de Ségur est devenue une prisonnière. Comment trouver un moyen d'en gagner quand on est une dame de la bonne société ? La musique ? Écrire des livres ? Sophie n'a plus que sa petite pièce russe dans le creux de la main.

La chambre se referme sur elle et la douleur.

Sophie est vaincue.

Elle gît.

Rechute

Sophie est clouée aux Nouettes. Sa migraine a évolué. Néfaste mémoire de ces heures immobiles. Les images, funestes évidences, augmentent la douleur de Sophie.

Les jumelles avaient quatre ans quand Eugène était tombé malade, à Versailles, chez sa mère. Avertie par un froid courrier de la comtesse Octave, Sophie avait aussitôt fait envoyer son fidèle médecin parisien, M. Pronsard. La comtesse Octave le renvoya tel un laquais. Sophie éclate ainsi qu'un marron sur le feu. Le temps de remplir un mince bagage, de confier les petites à Adèle et la voilà partie pour Versailles. Elle a quitté sa timidité. Elle bouscule sa belle-mère qui pousse un cri de renarde. Elle entre dans la chambre d'Eugène. Elle le tire violemment du lit, par une manche. Elle le traite de faible et de goujat. Renvoyer le Dr Pronsard n'est-ce pas, par personne interposée, la jeter, elle, à la porte de sa propre demeure ? N'est-ce pas mépriser de façon injurieuse ses choix, ses amis, sa tendresse ? Choisir de se faire soigner chez sa mère et non

---

1. *Ibid.*

chez sa femme, n'est-ce pas le comble de la grossièreté ? Sophie, avant de claquer la porte, lance à Eugène : « Vous mourrez un jour, loin de moi, dans votre méchante famille. »

Cette scène est maintenant le prélude de sa rechute. Cette scène la meurtrit bien davantage que les trahisons. Elle est la véritable offense, la preuve d'une grave indifférence. D'une totale offense que la fille de Rostopchine ne supporte pas. Roulent dans sa tête non plus les cailloux du chemin du Bon Ange, mais le souvenir d'Eugène, chez sa mère. Son regard flottant, ennuyé, prodigieusement ennuyé. Je préférerais qu'il me batte ! qu'il me fouette ! qu'il me morde ! quelle fureur, s'il m'avait vraiment aimée !

La migraine martèle son cerveau qui suscite la cohorte dévastatrice des humiliations. Ses oreilles se remplissent d'un essaim de guêpes captives. Va-t-elle devenir sourde ? Après la voix, l'ouïe ? Et les yeux, donc ? Elle ne supporte même plus la lune au carreau. Elle vit dans la nuit.

> *Les jours de migraine de notre chère maman, les Nouettes devenaient une succursale de la trappe pour le silence, notre bien-aimée malade ne pouvant supporter aucun bruit. On allait et venait dans le corridor sur la pointe du pied ; la parole devenait un souffle et se faisait rare lorqu'on entrait chez notre bonne mère, pour avoir des nouvelles. Quelle peine alors de voir notre pauvre mère livide, les yeux éteints, le front couvert d'une sueur froide, le visage décomposé par la souffrance ! elle pouvait à peine articuler une parole malgré son courage* [1].

Non, elle n'a plus de courage. La migraine la fouette de l'intérieur. Attaque chacune des fragiles petites peaux du cerveau, de la mémoire. L'aube aggrave son mal. Sophie a rechuté dans les souffrances rénales. Elle se traîne du petit canapé au fauteuil. Heureusement, les enfants n'entreront pas ici avant huit heures. Sophie titube, navire sans mât. Elle est le naufrage. La poupe et la proue qui s'engloutissent dans un océan salé. Elle vomit. L'océan remonte par sa bouche, le long de ses narines. Elle est la glorieuse et misérable frégate du frère de Fédor au moment d'exploser. Une violente crise de cystite complique sa migraine. Elle n'a pas la force d'essuyer les traces de son mal. Elle est une bête puante, sans contrôle. Ma chère, quelle tenue ! Qui parle ? Eugène ? Catherine ? La comtesse Octave ? Le père Jourdan ? Mon Dieu, laissez-moi le temps de marier Olga, après retirez-moi de ce monde. Elle a des

---

1. *Ma chère maman, souvenirs intimes et familiaux*, Olga de Pitray.

fourmis dans le bras droit. Les mains se glacent, des branches mortes, dévorées d'insectes infamants. « La campagne sans monde. En tête-à-tête avec son mari. C'est ce que j'appelle le repos. La vie que je préférerai et que je mènerai sept ou huit mois de l'année sera la vie tranquille à la campagne[1]. » Sept ou huit mois de l'année, la comtesse de Ségur est une recluse. En tête-à-tête avec ses filles.

Une hallucination la saisit dans la convulsion de ses vomissements et de sa douleur articulaire généralisée. Verechtchaguine lui tend une cuvette pleine de vomi, le sien, non, du sang, le sien, celui d'un crâne éclaté à coups de baïonnette. Papa a été obligé, obligé de tuer ce traître ! Elle gémit, remplit la cuvette du petit drapier, mais non, il est mort, disparu. On ne sait pas même ce qu'est devenu son corps. Son propre père n'avait pas réclamé son corps.

« Dieu seul est au-dessus de nous ! »

Sophie a beau mettre l'oreiller en caoutchouc sous sa nuque, sur son front, sous ses reins, la migraine la suit tel un chien enragé. C'est une crise très forte. Sophie ne supporte que la position fœtale, les genoux repliés sous son menton. La tête basculée sur deux poings qui tremblent. Elle meurt de sommeil mais surtout de douleur. Ne pas s'étendre à plat. La migraine s'empare alors de l'autre moitié du crâne jusqu'à ce hoquet terrifiant qui ramène un autre flot de bile et du feu sous les paupières. Ses veines se gonflent sur les mains, sur les pieds, lourd réseau bleu, prêt à craquer en un sang noir, houle sous la peau, les tempes. Où est sa niania qui connaissait une méthode georgienne pour lutter avec ce bas fauve ? Masser, à coups de pouces vigoureux, le contour de la tête, du visage, de la nuque. L'extrémité des pieds, des mains, jusqu'à ce que les tenailles relâchent leur joug. Où es-tu, ma Niania qui m'appelait « Petite âme » quand Moscou ronflait de lueurs rouges, détruite, folle, tordue ?

Sophie lutte avec le courage des femmes. Le bout de sa peine arrive seulement le lendemain soir. Ce genre de crise dure près de quarante-huit heures.

Paradis, alors, d'un thé noir et d'une poignée de radis roses. Baisers de ses enfants quand cette affreuse foudre, enfin, s'éloigne, pour revenir, fidèle à sa proie.

---

1. *Quel amour d'enfant !*

COMTESSE DE SÉGUR

Mort de Serge

Deux lettres sont arrivées de Russie. Cachetées de noir. Datées de janvier 1837. Elles ont mis près d'un an à parvenir aux Nouettes. Sophie déchiffre d'abord celle de sa mère, la tête encore secouée d'un reste de nuage opaque. L'autre courrier est de Nathalie Narychkine. Serge Rostopchine est mort.

> *Inutile de pleurer Serge,* écrit l'impitoyable mère. *Il a eu la vie comme il l'a voulue, courte mais bonne.*

La lettre de Catherine souligne le principal malheur. Serge est mort orthodoxe. Le courrier de Nathalie tremble dans les mains de Sophie. Les détails de ce décès la remplissent d'effroi. Serge a trouvé la mort en sauvant sa mère d'une perquisition. Elle avait été dénoncée comme catholique.

Serge est alors à Voronovo, à cause de sa mauvaise santé. Les poumons fragiles, de fortes crises d'asthme. Il est, bien sûr, criblé de dettes. Il vient d'épouser sa maîtresse, une italienne, Marie Filippi qui lui a donné un fils, Woldémar. Nathalie déteste Marie Filippi, cette roturière, étrangère, et cet enfant qu'elle considère comme un bâtard. Nathalie porte une telle répulsion à la descendance de Serge qu'elle le fait mourir, dans son livre *Le Comte Rostopchine et son temps,* célibataire ! Elle blâme Serge d'avoir dilapidé leur fortune depuis la mort de Fédor. Son frère est capable de ruiner sa femme, Marie, pourtant presque pauvre :

> *Sa vie (Marie Filippi) avec Serge,* écrit-elle à André, son frère, *a été un enchaînement de malheurs et de désagréments ; elle a supporté pendant son séjour en Russie des privations continuelles, et quoique nous ne sommes pour rien dans ce qu'elle a souffert, elle s'en prend à mère, à vous, à moi, plutôt que d'accuser l'être infortuné à qui Marie a sacrifié son honneur et le peu de fortune qu'elle possédait en Italie*[1].

Voici comment Serge est mort.

Catherine a donc été dénoncée comme catholique au gouverneur de Moscou, le prince Galitzine, son cousin. Eu égard à leur parenté, ce dernier, obligé d'obéir au tsar, fait prévenir Serge, vingt-quatre heures avant la descente de police. Que Catherine

---

1. *Les Rostopchine,* M. de Hédouville.

Rostopchine se débrouille pour dissimuler toutes les traces de sa religion ! Le prince Galitzine compte sur Serge. Qu'il sauve sa mère du knout et de la Sibérie ! Plus que jamais, les catholiques sont persécutés. Nicolas Ier est un autocrate farouche doublé d'un militaire sans pitié.

Serge, alors, redevint d'un seul coup le vaillant fils de Fédor Rostopchine. Il emmène le prêtre catholique, hébergé à Voronovo, jusqu'à Smolensk. La fuite a lieu de nuit, à travers bois et villages. Le prêtre est dissimulé dans un grand manteau. Serge organise pour lui une fugue habile, de Smolensk au premier port. Il soudoie son passeur, paye sa traversée vers l'Angleterre. Mal couvert, fiévreux, déjà phtisique, souffrant d'un début de pneumonie, Serge a beau avaler l'alcool au litre, la maladie va l'emporter. Qu'importe ! Sa mission n'est pas finie. Il revient ventre à terre à Voronovo, halluciné. Il trouve la force de brûler et d'enterrer les objets du culte de sa mère malgré ses protestations. Elle veut le martyre et la Sibérie. Il hausse les épaules. « Je vous sauverai malgré vous en souvenir de mon père ! »

La police du tsar envahit Voronovo. Les agents bousculent Catherine à genoux dans son oratoire. Serge grelotte dans son lit, veillé par Marie. La police s'en va. Déçue et bredouille. Sept jours plus tard, Serge expire sans que Catherine daigne lui rendre visite. Cet orthodoxe a osé détruire les preuves de sa foi !

Serge sera inhumé, sans Catherine. Comme jadis son père... Il fait − 60 °C quand on transporte son corps jusqu'au tombeau paternel. Est-ce pendant ce trajet que Marie, à son tour, attrapera la mort ?

Quant au courrier, il attendra le dégel pour trembler dans les mains de Sophie.

« Mon bon Woldémar »

Woldémar devient le souci des brumeux Rostopchine. Quelques courriers frénétiques s'échangent entre Catherine, Nathalie et André aussitôt après le décès de Serge.

> *Ma mère m'a écrit que Marie le fait appeler (Woldémar) par tous les gens « comte de Rostopchine » ; je vous avouerai, mon frère chéri, qu'en apprenant cette folie de ma belle-sœur, j'ai souhaité plus vivement que jamais que le ciel vous accordât le bonheur d'avoir des*

fils et que nous ne soyons pas réduits à la nécessité de voir un petit bâtard porter le nom que notre père a rendu illustre[1].

L'échec de Marie Filippi vient-il du tsar, furieux d'avoir été joué par ce Rostopchine qui a détourné les preuves d'un culte défendu ? ou bien, de l'obstination haineuse de Nathalie et des siens ? Marie meurt en 1838, quelque temps après les lettres écrites aux Nouettes. Le temps passe encore, sans solution pour Woldémar que Nathalie repousse toujours. Elle l'appelle « bâtard » plus que jamais. Elle l'écrit à André, en janvier 1839 :

« L'enfant ne nous aimera jamais. Mon pauvre père disait toujours que les bâtards haïssent leurs parents et c'est bien vrai. »

Sophie, au courant de cette mesquinerie, est bouleversée du sort de cet orphelin. Il a l'âge d'Olga, risque le pire, relégué dans un coin glacial de Voronovo. « Pauvre petit, vas-tu à ton tour laper la gamelle du chien et dévorer le pain des chevaux ? » Sophie écrit d'abord sur son ardoise, puis vigoureusement à sa sœur :

« Faites venir Woldémar Filippi chez moi, le plus vite possible : Je l'adopte. »

Sophie manifeste un acte d'indépendance inouï. Eugène en reste coi. Debout, encore chancelante, elle le foudroie de « son regard mandchou ». Il sera « mon bon Woldémar », décide-t-elle. Sophie a agi comme l'eût fait Fédor Vassilievitch Rostopchine. Ce fils de Serge, ce fils d'ivrogne, ce fils d'amour, qu'elle ne connaît pas encore, va reconstituer d'un seul coup le puzzle brisé de toutes ses nuits anéanties. Elle allait donc encore enfanter ?

Sophie se remet à parler russe, à parler tout court, en attendant l'enfant tombé tout droit d'une tempête.

Migraine des rois

Mme Adélaïde a une santé guère plus brillante que celle de Sophie. D'autres soucis angoissent la lucide sœur du roi. La montée de M. Thiers et de ses républicains. Une série d'agressions contre son frère.

Il y a eu, le 28 juillet 1835, anniversaire des Trois Glorieuses, l'attentat de Pépin, Morey et Fieschi. Le roi passait en revue la Garde nationale, avec trois de ses fils. Ils allaient, de la rue Royale

---

1. *Les Rostopchine,* M. de Hédouville.

à la Bastille, quand, soudain, boulevard du Temple, face au jardin turc, éclata une machine infernale composée de vingt-quatre fusils. « Me voici ! » cria intrépidement le roi tandis que s'écroulaient dix-huit morts dont le général Mortier. La police retrouva la machine infernale au deuxième étage d'une maison et arrêta les trois anarchistes.

Il y a, maintenant, la division des orléanistes. D'un côté, la gauche dynastique, écartée du pouvoir, avec leur meneur, Odilon Barrot et leur journal, *Le Siècle*. Les Ségur délaissent *Le Constitutionnel,* journal de l'ancienne résistance désormais divisée en centre gauche. Le petit Thiers y règne. Il répète inlassablement : « Le roi règne et ne gouverne pas. »

Mme Adélaïde a des palpitations, des insomnies, de justes prémonitions. Le centre droit est représenté par *Le Journal des débats*. Le mot d'ordre de son chef, Guizot, rassure Mme Adélaïde : « Le trône n'est pas un fauteuil vide. »

Depuis la mort de Serge se dessine fortement le mouvement républicain. Les radicaux ont pour leaders, Arago, Ledru-Rollin, l'avocat Dupin. On les surnomme « les Ventrus ». Leur grand journal est *Le National*. Mme Adélaïde a aussi des migraines. Elle agace son frère par ses prédictions.

Le parti des Ségur et de Sophie, la droite légitimiste, est représenté à la Chambre par le brillant avocat Berryer. Les légitimistes n'ont aucun pouvoir au gouvernement. La maladie a brouillé l'esprit si vif de Sophie. Elle a écouté avec indifférence Philippe de Ségur lui commenter le procès de Fieschi et de ses complices, condamnés à mort, puis guillotinés. Les événements de politique extérieure ne marquent guère Sophie qui lutte pied à pied avec la douleur. Cette politique, par contre, provoqua des ennuis cardiaques chez Mme Adélaïde. Depuis mars 1836, le général Clauzel occupe Mascara, capitale d'Abd El-Kader. Un certain Alibaud, mécontent de l'ensemble du régime, a failli tuer le roi à bout portant.

Le 6 novembre 1836, Charles X vient à décéder, au fond de son exil. L'avenir, pour Sophie et les siens, est le fils de Marie-Caroline, le petit duc de Bordeaux. Sophie approuve secrètement le blocus matrimonial dont Louis-Philippe est atteint. Mme Adélaïde met toute sa force à tenter de marier les fils de son frère aux héritières des grandes cours d'Europe. Elles ne sont pas très chaudes à donner leurs filles aux Orléans. Louis-Philippe devient de plus en plus impopulaire. Mme Adélaïde, de plus en plus malade. Légitimistes et républicains détestent le roi. Le peuple tire sur lui, les grands de ce monde l'achèvent socialement en refusant tout mariage. Louis-Philippe, Mme Adélaïde, ont tout juste obtenu, pour leur aîné, une princesse « d'une petite mais bonne maison allemande ». Ferdinand, duc d'Orléans, épousera le 30 mai 1837, en grande pompe, à Fontainebleau, la princesse Hélène de Mecklembourg-Schwerin.

Eugène de Ségur a été invité. Sophie, trop malade, est restée aux Nouettes. Eugène en a profité pour passer quelques jours à Thomery, au château de La Rivière chez Philippe de Ségur et sa famille. Tandis que se pose l'avenir de Woldémar, la royauté bourgeoise court à sa perte. Seule, Mme Adélaïde en est intimement convaincue.

Baccalauréat

Gaston écrit sans relâche à sa mère. La pension, « la cage », dit-il, lui pèse de plus en plus. Le baccalauréat est pour cette année. Son courage s'étiole. Il va sur dix-huit ans.

Une seule fois, Sophie a pris le parti d'Eugène contre Gaston qui avait fait une modeste fugue. Il était allé visiter un musée, sans permission. Il a été blâmé. Le directeur a écrit à son père. L'affaire a pris de l'ampleur. Sophie, le cœur navré, est obligée d'écrire une lettre assez dure à Gaston :

> *Ton père a été peiné et blessé de ce manque de confiance, et frappé surtout de la crainte d'être obligé de te retirer sa propre confiance, qui est pleine et entière, comme tu le sais : car il te laisse plus de liberté que n'en laissent la plupart des parents aux jeunes gens de ton âge parce qu'il sait que tu ne fais rien que tu doives cacher.*

Que n'a-t-elle pu s'échapper avec lui, visiter ce musée de peintures délicieuses ! Gaston aime tant à peindre ! Il pense si peu au mal ! La fête eût été complète si elle avait pu partager avec lui cette petite escapade ! Pourvu que Gaston comprenne le sens caché de sa lettre, la seule désagréable qu'elle lui ait écrite, à cause d'Eugène !

Navré, Gaston répond coup sur coup : « Dites à mon père que je me repens bien et embrassez-le pour moi. »

Gaston a glissé dans une sorte de dépression, depuis le départ de ses deux amis intimes, Paul de Malaret et Albert d'Ayguevives. La lenteur des courriers, une canicule affreuse, l'accablent.

« Quelle chaleur il a fait hier, ma chère maman, nous sommes vêtus aussi légèrement que possible et malgré cela nous étouffons. Dans ce sale cloaque appelé Paris. »

Vole, vole, mon oiseau mandchou, échappe-toi de la grande volière, pigeon vole, papillon, pin, pa, ni caille, sur chaque fleur des Nouettes. Sophie a fait mûrir pour Gaston des abricots en espaliers. Les rudes chaînes du mariage et des deuils ont rogné les ailes de Sophie. Quelle est la femme qui vole et s'envole quand l'enfant la fait frémir jour et nuit ? Quand les morts s'accumulent, lents, inéluctables ? Papa, ô papa, Lise, Serge. Oui, Serge aussi. Et si je ne m'occupe pas de Woldémar, il mourra aussi. Volent, volent volent, nos morts. Volent, leurs âmes. Pin, pa, ni caille, c'est le roi des papillons. Nous ne sommes que des cailloux roulés du ciel.

Pourtant, lors de cette année 1838, enfin, volent les premiers barreaux de la longue entrave. Gaston est reçu bachelier. Finie la pension. L'examen a eu lieu en deux sessions. La première en juin, pendant l'insupportable canicule.

Sophie avait fait clore les volets pour maintenir la fraîcheur aux Nouettes, protéger les meubles, les parquets. Les bouteilles de cidre sont descendues dans le puits, ainsi que le beurre. Sophie donne ses ordres par ardoise, visite elle-même le potager assoiffé et ses cultures en espaliers. Les petites sont habillées d'un jupon en coton blanc. Elles ont les bras et le cou nus. Gaga lit déjà convenablement, sur l'ardoise, A, E, I, O, U. Elle coud à grands points maladroits un petit ourlet.

La seconde session est pour octobre. L'examen est entièrement oral. Gaston révise d'arrache-pied, tandis que meurt Talleyrand, le 17 mai, après avoir prévu la fin des Orléans Gaston voit avec terreur et bonheur approcher la première interrogation orale. Il doit commenter, avec un petit groupe, un texte pris au hasard dans le programme. Il s'en sortira parfaitement, malgré son trac. Il sera bachelier.

La visite d'Augustin Galitzine aux Nouettes

Bon été que cet été 1838, malgré ce second oral qui attend Gaston en octobre !

C'est la joie ! Les petites ont accueilli les trois collégiens avec des cris, des sauts, des battements de mains. Elles parlent à qui mieux mieux. Anatole ! Gaston ! Edgar ! Venez voir notre petit jardin !

COMTESSE DE SÉGUR

Nous avons mis des fleurs dans vos chambres ! Sophie a entraîné Gaston au verger. Elle le tient par le bras. Ils s'arrêtent dans le raidillon Ségur, se regardent, s'embrassent encore. « Maman vous allez beaucoup mieux, je le vois ! » Sophie a emmené son aîné vers ses abricots en espaliers, tôt mûris. Elle les lui tend, un à un, ils tremblent et rient à la fois. Gaston a l'air chétif, amaigri, les cheveux trop courts, mais le regard si clair, si dru. Sophie s'est réveillée tôt, ce jour-là. La migraine a fait trêve. La voix de Sophie roucoule, déverse les mots d'amour, par saccades. La jolie grande bouche vole un baiser de-ci, de-là. On s'embrasse beaucoup trop, dans cette famille, juge le froid Eugène. Sophie pétrit ses enfants, pain de sa chair, de son âme. Gaston trouve sa mère charmante, rajeunie, dans une robe fraîche, simple, où domine le bleu ciel. « Mme Charles m'a aidée à coudre ma robe ! » dit-elle fièrement, en tournant sur elle-même. On dirait une jeune fille, cette mère de trente-neuf ans qui a souffert et souffrira encore de longs mois. Les manches du corsage remontent sur les épaules que la mode fait de plus en plus tombantes. La jupe est d'une ampleur modérée. Elle rejoint le sol, effleure la terre odorante des abricotiers en espaliers. Les oreilles sont cachées par les rigoureux bandeaux, symétriques, longuement brossés par Olga et les jumelles. Sophie a ensuite achevé seule sa coiffure, enfoui les beaux cheveux blonds sous un bonnet garni de simples rubans bleus assortis à sa robe en percale à pois bleus et noirs. La mode s'est entichée du XVIIᵉ siècle. Aussi Mme Charles et Sophie ont-elles cousu des « engageantes » aux manches arrêtées à mi-coudes. « La couture sert toujours à une femme », enseigne la comtesse de Ségur à ses filles, qui suivent, fascinées, le jeu de l'aiguille et son point « d'écrevisse » autour du charmant col rabattu.

« Sophie, maman chérie, vous vivez dans mon cœur telle une image à jamais transfigurée. Aucune femme ne m'attire. Mon corps ne me tourmente guère. Je ne suis jamais allé voir les filles, furtivement, avec les camarades qui me chuchotaient des adresses où, je le sais, mon père a osé se réduire. Vous seule, ma mère, irradiait tous mes songes. Vous avez traversé ma vie en un seul et unique amour. Vais-je échouer à jamais sur cette douce terre en espaliers, au pied de votre jolie robe ? Vais-je vivre un autre élan, qui parfois, la nuit, me trouble et m'angoisse, pire qu'une joie, pire qu'une mort ? Avons-nous une âme, ma mère ? Est-ce là mon tourment ? En dehors de vous, ma mère, je n'espère rien, je n'attends rien. Vous êtes mon âme. »

Sabine, Henriette, Nathalie, Olga ont rempli de bouquets la

354

chambre de Gaston et de leurs frères. « Des dahlias et du réséda, ce sera facile à arranger et l'odeur en sera agréable et pas trop forte. Les quatre petites se mirent à l'ouvrage avec une telle activité, qu'un quart d'heure après, les vases étaient pleins de fleurs gracieusement arrangées[1]. »

La chambre contiguë à celle de Gaston a aussi été préparée avec soin. Un invité va arriver, Augustin Galitzine, fils de la princesse Galitzine, sœur aînée de la comtesse Catherine Rostopchine. « Il a ton âge, Gaston. Nous l'avons reçu à Paris. Il est d'une piété extraordinaire. Il est ton cousin. Son père est le gouverneur de Moscou qui fut chargé de perquisitionner chez ma mère. Augustin a fui les persécutions du tsar contre les catholiques. »

Les enfants ont rejoint Sophie et Gaston. Les projets vont grand train. Gaston propose d'embellir les cabanes de l'été d'avant. « A la fin des vacances, elles étaient devenues de charmantes maisonnettes ; l'intervalle des planches avait été bouché avec de la mousse au-dedans comme au-dehors ; les fenêtres étaient garnies de rideaux, les planches qui formaient le toit avaient été recouvertes de mousse, rattachée par des bouts de ficelle afin que le vent ne l'emportât pas[2]. »

« Mon père viendra-t-il bientôt ?

— Il accompagne Augustin Galitzine. Mais il repartira aussitôt aux eaux de Bagnoles. Il passera par Domfront, prendre la correspondance. Comme toujours. »

Sophie a prononcé cette phrase sans le choc de jadis. Au milieu de ses enfants, elle ressuscite. Elle goûte de la tarte aux cerises. Eugène ne lui manque plus. L'enchantement de ses enfants devient le sien.

« Nous laverons le chien Biribi. Il est plein de puces ! »

« Nous arrangerons nos papillons dans des boîtes en verre. »

« Nous emporterons notre pièce de vingt francs. Nous la donnerons, en nous promenant, à des pauvres. »

« Et si nous emportions dans nos cabanes nos livres et nos cahiers ? Nous pourrions aussi y goûter. Un jour, du salé, un autre, du sucré. »

« Je propose que le terrain soit recouvert de sable fin... »

« La première messe a lieu a six heures, à Aube. »

« Laissez-moi réviser la seconde partie de mon examen au moins de une heure à trois heures. »

1. *Les Vacances.*
2. *Ibid.*

355

« Impossible ! c'est la meilleure heure pour attraper les papillons ! »

Sophie put partager quelquefois les joies de ses enfants. La chambre resta ouverte. Huit jours avant la Saint-Eutrope, arrivèrent Eugène et le cousin Augustin Galitzine.

Augustin parle le français à la perfection. Il séduit aussitôt les Nouettes par sa gentillesse. Il impressionne tout particulièrement Gaston par sa gravité, étonnante pour son âge, et l'intensité de sa foi.

Augustin est le seul à se rendre à la première messe. Il ne déjeune qu'après ses visites aux pauvres. Augustin Galitzine fait partie, depuis son arrivée à Paris, de la Société de Saint-Vincent-de-Paul. Gaston l'entend s'éveiller à l'aube. Un murmure de prières, à genoux à même le carreau rouge de la chambre. « Notre Père qui êtes aux cieux, que votre nom soit sanctifié. » Gaston l'aperçoit ensuite descendre le raidillon Ségur jusqu'à la barrière. Il revient de la messe, le regard transfiguré. Sophie mélange le russe et le français, avec son neveu. Augustin mange peu, boit du thé très fort. Il aime à jeûner. Il se transfigure dès qu'il parle du Christ. « Augustin se destine-t-il aux ordres ? » songe Sophie en croquant ses radis. Augustin est fiancé à Stéphanie de La Roche-Aymar. Sera-t-elle heureuse avec un homme aussi pieux ? Sophie n'a pas prévu la véritable trajectoire des mots d'Augustin. Augustin sous le soleil, dans les petits chemins des Nouettes, glisse à l'oreille de Gaston les messages de Marc, Luc, Matthieu et Jean. Des mots plus beaux qu'un essaim de tourterelles. Un rayon de miel que Gaston, peu à peu, savoure jusqu'à l'éblouissement. Il en oublie totalement les cabanes, à la déception des filles qui ont pris en charge leur entretien. Une visite couleur de foudre se greffe ce même été.

Catherine Rostopchine est en route pour la Normandie. Sa mission est de convertir Gaston.

Catherine Rostopchine revient

Sophie est un peu irritée par les longues conversations d'Augustin et de Gaston. Ils chuchotent sur les chemins, loin d'elle. Son amouret préféré semble avoir perdu sa gaieté. Il a peu travaillé, est devenu rêveur, replié. Il s'enferme volontiers dans sa chambre. Il suit maintenant son cousin pour la première messe. Depuis sa confirmation, Gaston pratique l'oubli total de Dieu. Où est le

Christ dans la vie de Gaston quand Augustin Galitzine, puis Catherine Rostopchine, lui en parleront du matin au soir ? « Tu dormais dans mon cœur et je n'osais pas te réveiller [1]. »

Gaston est pris de vertige, sur les sentiers normands, accompagné d'Augustin. Son cousin a perdu toute épaisseur réelle. La voix, rien qu'une voix qui répète, inlassable. Ne jamais servir le démon infâme. Se fondre tout entier dans l'espérance totale et divine. Ne jamais pécher contre l'Esprit.

Augustin Galitzine repart pour Paris et la Société de Saint-Vincent-de-Paul, vers le milieu de l'été. Gaston est comme anéanti. Il a mué, telle une douce couleuvre qui laisse sa peau d'argent au pied des abricotiers en espaliers. Le Christ est devenu tout à coup le centre de sa vie. Il se nourrit à peine. Sophie est effrayée. Elle tente de le gaver de cerises et d'écrevisses. « Es-tu malade, cher enfant ? »

Il secoua la tête. « C'est ce maudit examen, songe Sophie. Cette pension, décidément, a rendu malade mon pauvre Gaston. Comment va-t-il supporter le séjour de ma mère ? Et moi-même ? Pourvu que la vilaine migraine me laisse en repos. »

Catherine Rostopchine avait écrit de Rome. Elle s'est enivrée du Dieu catholique, d'une audience du pape. La lettre ne précise aucune date d'arrivée. Catherine ne veut ni qu'on aille la chercher, ni qu'on l'attende, ni qu'on l'aide en quoi que ce soit. « J'arriverai comme un voleur, a dit le Seigneur. Et tu mourras ; et tu vivras. »

Sophie est-elle prête ? « Malheur à ceux qui ne voient pas », murmure la voix de sa mère dans les songes tout à coup embrumés de la comtesse de Ségur. Un malheur va-t-il arriver avec le retour de cette mère qu'elle n'a pas revue depuis douze années ?

Qui a vu en premier cette vieille femme de noir vêtue, bien droite sur le perron aux fenêtres ouvertes ? Toute la tribu Ségur se précipite devant les caisses d'orangers. « Grand-mère Rostopchine ! » chuchotent les petites, vaguement effarées.

Catherine Protassov, veuve Rostopchine, est là. Muette, l'œil fixe. La statue de commandeur. Elle semble chercher quelqu'un. Sophie tâtonne vers son ardoise ; sa voix s'engloutit d'un coup. « Ma mère », réussit-elle à articuler.

Avant de s'approcher de qui que ce soit, d'ouvrir sa bouche aux lèvres minces, Catherine a longuement regardé les uns et les autres. Ses chaussures pleines de poussière prouvent qu'elle a marché sur

---

1. *Les Vacances.*

la route. Peut-être depuis L'Aigle, cette puissante aïeule, qui disait à une Sophie de quatre ans : « Je ne me retournerai pas si vous ne suivez pas mon pas. La forêt est pleine de loups. Tant pis pour vous si vous vous arrêtez en chemin. » Inquiètes, les jumelles regardent cette vieille femme sèche et brune, pire qu'un sarment. Impassible, pleine d'allure, malgré sa robe de pauvresse et son vilain bonnet sur des cheveux taillés comme ceux d'un homme. « A la Titus ! » s'épouvante Sophie.

Soudain, elle voit le but de son voyage. Elle marche aussitôt vers Gaston. A travers le temps, l'espace, le silence, les steppes, les deuils, les routes sous un soleil de plomb ou une neige d'enfer, Catherine Protassov, veuve Rostopchine, éclaire son terrible regard d'un fanal de lumière rutilant, dévorant. Gaston recule. Le perron, le ciel des Nouettes, sont devenus éblouissants. Sa mère, ses sœurs, ses frères, disparaissent dans l'ombre. Il ne voit que sa grand-mère qui l'embrasse, l'étreint, le hèle très loin de tous. Elle lui parle d'amour, en russe. Catherine et Gaston vivent un coup de foudre.

Jamais, auparavant, Catherine Rostopchine n'avait aimé — à part ses perroquets — ses biens terrestres et humains. Une impitoyable indifférence l'avait inhibée lors de chaque incendie, chaque guerre, chaque enterrement. Catherine Protassov, invincible archer d'un Dieu qui n'a pas pitié des mères, est venue arracher Gaston à ce monde. Le livrer en entier à celui du Christ. Le malaise scie les jambes de Sophie. Sa mère l'a, une nouvelle fois, perdue dans la forêt. Pourtant, elle semble enfin voir sa fille. « Elle lui saisit la main et lui donna un sec baiser sur le front[1]. »

Les petites sont ahuries. Anatole et Edgar n'osent plus parler. Gaga a peur. Saint-Jean, le domestique, porte deux misérables bagages. L'un d'eux, lourd, contient un village en bois avec une cathédrale, sculptée à la main, cadeau pour les petites. L'autre enferme ses livres et objets pieux, « deux ou trois pauvres robes grises ou brunes, en toile unie. Une seule en soie, pour les grandes fêtes[2] ».

La chambre préparée lui semble luxueuse. Bien entendu, elle demande aussitôt que l'on retire le matelas. Elle dispose sur la table son crucifix, une Vierge, son missel, ses Évangiles, sa Bible. Les petites n'osent pas entrer. Sabine fixe la Vierge et le Christ.

---

1. *François le Bossu.*
2. *Ma mère. Souvenir de sa vie et sa sainte mort,* Mgr de Ségur.

Sabine voulait prier, se fondre dans les bras du Christ, s'anéantir au pied de la Vierge. Aimer. Aimer avec le regard d'Augustin et désormais celui de Gaston. Sophie a envie d'éclater en sanglots.

« Quelle indifférence ! Après douze années d'absence ! Papa, ô papa ! »

Gaston, pâle, bouleversé, est prêt à s'éloigner dans un total espace pur qu'il est incapable de nommer.

Dialogues sans Sophie

La maternité jalouse de Sophie a ranimé sa vieille douleur. Chaque soir, sa mère entraîne Gaston dans sa chambre. Voilà son bel été gâché ! On lui prend à nouveau ce fils chéri. Où sont leurs rires, leurs conversations et le doux moment où il la dessinait, sur son lit de repos ? Les apartés avec Catherine l'offensent davantage que si Gaston avait eu sa première maîtresse. Que se disent-ils donc de si palpitant ? Une réminiscence bouleverse Sophie. Sa mère déambulant sur des kilomètres de parquets cirés avec l'abbé Surrugues. Gaston a pris la démarche de l'abbé Surrugues. Sa mère marche, marche dans les couloirs des Nouettes, le salon, sa chambre, avec Gaston. Elle ne s'aperçoit plus de la présence des autres. Un pressentiment assaille Sophie. Sa mère serait-elle en train de fanatiser Gaston ?

Sa mère est une briseuse de rêves. Un bourreau d'oiseaux-mouches qu'elle enfonce dans le bec de ses perroquets maudits. Un glaive qui a coupé la joie de son mari, pour maintenant et pour toujours. Elle l'a rejeté en purgatoire, ou même en enfer ; papa, ô papa ! Sa mère est une dénaturée, enfournant une hostie dans la bouche de la pauvre Lise qui, déjà, était en train de s'étouffer. Sa mère est une ingrate qui n'a versé ni larmes ni regrets la nuit où Serge, pour elle, est entré en agonie. Sa mère est une criminelle, abandonnant Woldémar à son méchant intendant, Timothée.

Va-t-elle, cette vieille fée Crapaud, emporter Gaston, le ceindre là où Sophie ne veut pas ? En plus, malgré ses chuchotements et ses airs de ne tenir aucun compte de ce bas monde, elle critique d'un œil perçant et noir l'état des parquets mal cirés selon elle.

Sophie perd à nouveau le sommeil. A son tour, elle regarde le parc, très tôt, par la fenêtre. Elle a entendu remuer dans la chambre de Gaston. Pourquoi se lève-t-il maintenant à l'aube ? Va-t-il recommencer ce va-et-vient de la première messe, sans seulement avoir bu son thé ? Sophie avait été soulagée du départ

359

d'Augustin. Qu'au moins Gaston dorme, mange, reprenne le rythme si doux de leurs vacances !

Les murmures qu'elle surprend, si tôt, de sa chambre sont ceux du credo, de l'ave, du Notre-Père. Allons bon ! Deviendrait-il mystique ? Quel ennui ! Mon Dieu ! Mon Dieu ! Quelle assommante perspective ! A six semaines du baccalauréat, de l'avenir et, qui sait, d'un bon mariage ! Maudites visites russes !

Il n'est pas seul à descendre si tôt le raidillon Ségur. Catherine, noire et drue, vieux bouleau dont elle a l'allure tavelée de neige blanche, l'accompagne. Sophie sent son cœur enrager. Que faire ? Si je commandais à Luche un chou farci ? Et une grosse tourte à la pêche ? Les petits poulets sont bien tendres, cuits avec le beurre de la ferme des Haies.

En fin de matinée, Catherine et Gaston reviennent. Radieux, fourbus, ayant oublié le petit déjeuner, grignotant à peine le chou rutilant dans sa graisse. Gaston a encore maigri. Sophie s'agite de plus en plus. Elle remonte dans sa chambre. Elle entend, de sa fenêtre ouverte, des bribes de mots. Gaston et sa grand-mère sont assis sur le banc de pierre. Leurs paroles montent, incomplètes, vers le silence de Sophie. La voix de sa mère, métallique, domine celle de Gaston. La voix de l'aïeule assène des jugements catégoriques. « Je déteste le romantisme. » La voix descend jusqu'à la basse. « Ne jamais sacrifier ses opinions à aucune mode. » Hier soir, au salon, n'avait-elle pas, cette voix de piques et de clous, fait l'éloge des auteurs classiques et vomit son grand mépris du mot « sympathie » ?

> *Il est, je crois, de lèse-imprimerie de ne pas mettre le mot « sympathie » à tout bout de champ dans les lettres, les discours, les histoires, aussi bien que dans les billets, les chansons, les adresses, les cartes de visite, etc.* [1] *»*

Gaston semblait boire chacune de ses paroles ! Sophie hausse les épaules, doublement agacée, parce que, au fond, elle est du même avis.

« J'aime la simplicité », éclate alors la voix dont le clou vrille de plus en plus le crâne de Sophie. « Saint François de Sales », murmure soudain la voix, surprenante comme une caresse. Sophie est atterrée ; Gaston ne quitte plus d'une semelle sa grand-mère.

« Oui, grand-mère... Vous avez raison, grand-mère... »

---

1. Inédit.

Catherine murmure : « Ils ont des oreilles et ils n'entendent pas. » Puis elle éclate, telle la foudre, contre les auteurs à succès qui écrivent « sans souci de goût, de simplicité, de bon sens, de vraie éloquence ». Quel ridicule se donnent ces romantiques avec « leurs " boursouflures ", leurs phrases étudiées, emphatiques, maniérées, obscures, fatigantes et qui ne pensent qu'à inspirer la passion enragée des arts, de la brillante oratoire[1] ».

Sophie envie presque l'étonnante vitalité de cette femme de soixante-trois ans, prête à toutes les guerres, jamais vaincue, jamais malade. Elle aime ses maux en saine expiation. Rien ne la domine sinon sa foi. Elle avait su faire trembler et ployer l'incendiaire de Moscou.

Des cris éclatent. Nathalie poursuit Olga avec la cathédrale en bois. Elle jalouse cette cadette tant choyée par sa mère.

« Maman ! piaule Olga surgissant dans la chambre de Sophie, Nathalie m'a donné un coup de cathédrale[2] !

— Ne pleure pas, Gaga. Je vais t'emmener chez Mme Hurel, l'épicière, manger des sucres d'orge. Même s'ils sont confits de fourmis[3]. »

— Où est Gaston ?

— Avec grand-mère. Ils sont allés à l'église.

— Encore ? »

Catherine aime le contact du bras de Gaston sous le sien. Frémissement secret de sa préférence ici bas : Gaston. Elle dédaigne Sophie, ses filles, ses autres fils. Elle n'a pas même demandé des nouvelles d'Eugène. Elle distille dans l'oreille de Gaston les paroles déjà dites par Augustin Galitzine. Gaston frôle une crise d'exaltation. Ces mots ! Ces mots ! Comme je les attendais et je n'en savais rien ! Catherine lui a fait lire *L'Introduction à la vie dévote*. Leurs chuchotements qui irritent et inquiètent tant Sophie viennent des commentaires de cette lecture. Gaston de Ségur confiera plus tard à l'abbé Chaumont : « C'est de là que date ma conversion. » Dans l'église d'Aube, la grand-mère et le petit-fils se mettent à genoux. Ils entrent ensemble dans l'orgie d'une prière sans fin.

Sabine est la seule à les comprendre et les envier. Personne n'en sait rien. Sabine ouvre déjà de vastes yeux sur un au-delà divin. Son heure n'a pas encore sonné.

---

1. Inédit.
2. *Ma chère maman, souvenirs intimes et familiaux,* Olga de Pitray.
3. *Ibid.*

Ils ont tout oublié. La dureté des dalles tiédies par le féroce été, l'éclair mauve du vitrail, la lenteur du jour, la nuit si longue à venir où ils se repaissent encore de prières et de lectures pieuses. Un autre livre sort du sac de Catherine. Elle le pose dans les mains de Gaston qui ne sent plus la faim, la soif, la solitude, ni même le souvenir des siens. Saint François de Sales. Se préparer par les méditations à « la purgation de l'âme ». Le but de ce texte est l'élection de la vie dévote et la FIN DE LA VIE DU MONDE.

« Prends une date avec le Seigneur, encourage Catherine. Offre-lui déjà le serment de ta rencontre et de ton choix, qui est sa volonté. »

Courbé vers le sol, Gaston jure, dans cette petite église d'Aube, de prononcer le serment de sa conversion. La date ? Le 8 septembre de cet été 1838... cette date s'est inscrite d'elle-même, arabesque éblouie dans la poussière d'or du vitrail. Sophie vient de perdre son fils.

Catherine Rostopchine remontera seule le raidillon Ségur. Entourée de la poussière du chemin tel l'enchanteur qui a accompli sa mission.

Gaston ne sent plus filer les heures, l'espace, l'Éternité... Prendre racine, Seigneur, à même ces dures pierres plus douces que la soie des anges, l'or des anges.

8 septembre 1838

Sophie entre dans la chambre de Gaston.

Sur la table, des livres pieux qui n'étaient pas là avant la venue de sa mère. *L'Introduction à la vie dévote* l'attire. Saint François de Sales. *Les Confessions* de saint Augustin la bousculent de souvenirs ; elle fronce son visage des mauvais jours.

« Madame la comtesse, lui a dit M. Naudet après le déjeuner, navré de sa tristesse, si vous voulez rire un peu, imaginez vos invités, en costume de bain dans votre salon[1]. »

Non, elle n'a pas envie de rire en feuilletant le carnet de dessins de Gaston. N'a-t-il pas intitulé ses dessins *Une vie de Jésus ?* Elle trouve plat et mièvre le premier tableau, Jésus dans sa crèche. Son dessin d'Olga bébé était tellement ravissant ! Y compris elle-même allongée gracieusement sur son canapé !

---

1. *Ma chère maman, souvenirs intimes et familiaux,* Olga de Pitray.

Sophie continue ses investigations. Un objet retient soudain son attention, l'immobilise et la glace. Un fouet. Caché derrière la grande glace de la cheminée. N'a-t-elle pas entendu Gaston gémir, l'autre nuit, ahanner du han ! d'un âne qui se bat à la mangeoire ? Elle a d'abord cru à un cauchemar. Pas de doute ! Le nigaud se donne la discipline.

Sophie a envie de piétiner l'objet détestable. Moi qui ne les ai jamais fouettés ! Moi qui suis contre le fouet et la violence sur les enfants ! Elle se précipite à nouveau sur le bureau. Elle ouvre brutalement le tiroir. Des lettres d'Augustin Galitzine. Des lettres en forme de prêches interminables sur le bonheur de la vie religieuse ! L'une d'elle promet sa visite l'hiver prochain et jure à Gaston de le présenter enfin à la Société de Saint-Vincent-de-Paul.

Sophie sent une colère hors d'âge l'envahir. Flouée, volée, dépossédée. Le mysticisme jeté ainsi dans un esprit si jeune, influençable et tendre, n'est-il pas aussi dangereux que la débauche dont est mort Serge ? Sophie est atterrée. Ne voilà-t-il pas aussi que son imbécile d'enfant gémit maintenant à qui mieux mieux sur « sa vie criminelle » ?

Quel été ! Mais quel été ! Elle choisit de ne rien dire, de ne rien laisser voir de ces découvertes qui lui ôtent d'un seul coup la voix.

Sa mère est devenue aimable et bavarde. Le danger n'en est que plus imminent. Sophie se ronge. Le rêve de mort dont jadis son père était hanté au sujet de Catherine est maintenant son lot. Elle rêve qu'on assassine Catherine Rostopchine, sa mère dénaturée.

Le 7 septembre, Gaston a prié toute la nuit.

La pluie est tombée, douce, odorante. Les premières mûres éclaboussent les haies de mauve sombre. Les pommes sont une suave promesse. Le poirier d'une espèce rare que Sophie avait fait planter pour Gaston, il y a maintenant tant d'années, donne son opulence délicieuse. Les poires de saint Augustin. Sophie cauche-marde, mal endormie malgré la fleur d'oranger. Encore ces maudites poires. Et ces saints, tous ces saints qui entraînent Gaston, à l'aube du 8 septembre, sur le raidillon Ségur. Il en reviendra à jamais modifié.

Gaston a prié et communié seul dans la petite église. Il vit sa seconde naissance. Il formule alors « une protestation... pour graver en l'âme la résolution de servir Dieu et conclure les actes de pénitence [1] ».

---

1. *Monseigneur de Ségur, sa vie, son action,* M. de Hédouville.

Un soleil radieux a modifié le vitrail en une roue de paon. Un trône, une couronne. Un éclat sans pareil. Gaston se courbe. La foi est ce boulet, ce fardeau, ce coup de poing dans l'estomac. Cette croix que l'on porte, mais qui vous porte. Lorsqu'il relève un front transfiguré, Gaston de Ségur se sent plus léger que les colombes des vieux pigeonniers normands.

Il est cette colombe du Christ, il est cette lumière du vitrail et même le vitrail tout entier. Alléluia! Alléluia! Gai, gai, il revient aux Nouettes, de ce pas qui désormais sera le sien. Le pas de tous les pèlerins du Christ, ceux qui marchent et marchent pour lui. Rapide, léger, jamais fatigué, la semelle à peine souillée. Il a retrouvé son rire, il saisit les mains de sa mère qui, soulagée, pense qu'il a traversé une crise enfin terminée. Il participe au déjeuner, à la conversation, taquine les jumelles, embrasse Olga. Il est prévenant avec sa grand-mère retombée mystérieusement dans son silence, son dédain et son secret. Gaston évoque (enfin!) la session finale du baccalauréat. L'inscription à la faculté de droit, l'obéissance due à son père. Mais Sophie voit plus loin que ce Gaston apparent, ordinaire, aimable. Elle a décelé une différence capitale, cette gaieté a l'air « tempérée par ce je ne sais quoi de délicat et de doux qui donne l'union habituelle avec Dieu[1] ».

Sophie a retrouvé la parole. Eugène est rentré, s'empresse auprès de sa belle-mère qui plaide la cause de Woldémar Filippi. Aucun Rostopchine ne prendra la charge de ce bâtard. Elle est même prête à débourser mille francs si les Ségur font un effort.

Sophie éclate d'une voix formidable : « Vous savez bien que je l'adopte! » Elle s'emporte d'une fureur trop longtemps contenue contre sa mère et son mari. Et même Gaston qui l'agace avec cet air béat, empressé, absent auquel elle n'ose pas donner l'éclatante définition. Va-t-elle perdre Gaston *de l'intérieur?* Elle veut un autre enfant, elle, stérile et déjà âgée! Elle, qu'Eugène ne touche plus, d'aucune manière! Un autre fils, tout de suite! à la minute! *Gleich!* Je suis prête à le faire par les oreilles! Qu'on lui envoie Woldémar puisqu'ils rêvent tous de la quitter! Qu'ils aillent tous au Diable, aux femmes, aux hommes ou au Christ!

« Vous savez bien, ma mère, que " nous " adoptons Woldémar Rostopchine!

— Filippi, Woldémar Filippi susurre, sadique, Catherine. Je vous l'enverrai dès mon retour... Êtes-vous d'accord, Eugène?

---

1. *Ibid.*

— Oui ! » brame Sophie qui jette sa serviette et quitte la table.

Gaston est à deux doigts de la suivre. Il se retient. Il est temps d'exercer la force de résister à l'amour de sa mère. Suivre sa voie, c'est désormais tout abandonner sans se retourner. Rester ferme et de pierre devant les convulsions possessives des femmes, de toutes les femmes qui aiment.

II

L'ABBÉ DE SÉGUR

> « *Ta mère et tes frères sont dehors...*
> *— Qui est ma mère, et qui sont mes frères ?* »
> *Puis étendant la main sur ses disciples, Jésus*
> *dit : « Voici ma mère et mes frères, Car quicon-*
> *que fait la volonté de mon Père qui est dans les*
> *cieux, celui-là est mon frère, et ma sœur, et ma*
> *mère. »*
>
> Matthieu, 12

Une fuite russe

Gaston a quitté les Nouettes pour passer avec succès son dernier examen. Il a commencé son droit. Il continue à dessiner la vie de Jésus. Il est parfois obligé de délaisser livres et crayons. Ses yeux sont fatigués. Surtout l'œil gauche. Les cours de droit l'ennuient. Il écoute néanmoins consciencieusement le professeur, M. Blondeau, qui distille, monotone, l'histoire du droit romain. Plus fastidieux encore, M. Bravard enchaîne avec le droit commercial.

Catherine Rostopchine est toujours là. Elle a passé Noël rue de Grenelle. Elle contemple Gaston, son œuvre spirituelle : « Te donnes-tu toujours la discipline, cher enfant ? Pense maintenant à ton vœu de chasteté. » Elle néglige toujours autant Sophie, dont la maladie va et vient au rythme des jours, des heures. Le 23 janvier 1839, Gaston est reçu à son premier examen. Hiver glacial qui exige les « moines » au fond du lit des petites filles. Mme Charles tousse de plus en plus. Elle est même obligée de rester couchée, désolée de ne pouvoir servir les enfants. Catherine, raide, presque assise, somnole trois heures par nuit sur son canapé. Elle méprise les événements parisiens. Le 8 mars, la Chambre est dissoute. Sophie songe au départ pour le printemps aux Nouettes. Les nouvelles élections amènent Molé au pouvoir. Abd El-Kader prépare sa guerre sainte. Catherine a traversé le carême d'un jeûne si sévère qu'elle se décharne de jour en jour. Sabine aussi a voulu jeûner. Gaston rapporte, chaque dimanche, une figure de cire étiolée. Les Nouettes remettront-ils tout en place y compris la santé de la pauvre bonne atteinte de phtisie ? Le Dr Pronsard est très pessimiste au sujet de Mme Charles. « Elle est mourante », précise-t-il à Sophie. Navrée, la comtesse de Ségur avance son départ en Normandie. Sophie a tenu à ce qu'elle voyage enveloppée de couvertures, dans la même berline qu'elle. Catherine fixe la malheureuse. « Il va vous falloir comparaître, ma fille. » Mme Charles décédera peu de jours après leur arrivée. Tous les enfants la pleurent. La mère Leuffroy a composé un magnifique bouquet pour son cercueil. Sophie a payé en entier le modeste ensevelissement. Tous y sont allés. Adèle devient alors la bonne dévouée des Ségur.

Ce glacial printemps 1839 couronne du grand prix de Rome un jeune compositeur qui deviendra un familier des Nouettes, Charles Gounod. Gounod, ami de Lacordaire, puissant orateur dominicain, est fasciné par la vie religieuse. Frappé, à la même époque que Gaston, d'une crise mystique, Gounod va jusqu'à porter une soutane et signer ses lettres, « L'abbé Gounod ».

Ce séjour aux Nouettes est lugubre. Sophie endure sa mère tel un supplice. Elle sent peser la contrainte d'une telle présence. Les petites sont tristes de la mort de Mme Charles. La pluie, la grêle et la tempête assombrissent leurs jeux. Une nuit, les portes claquent. Sophie, sursaute, se lève. Est-ce un voleur ? Va-t-elle prendre à nouveau son grand couteau d'Ukraine qui ne la quitte pas ? Ou bien, le nouveau petit domestique a-t-il négligé de fermer les volets du salon ? Est-ce la tempête qui balaye le parc d'une si rude caresse qu'il a fallu protéger les caisses d'orangers ? Un jour blafard envahit le couloir de l'étage. Sophie, le cœur serré, entrouvre la chambre vide de Gaston. Elle tombe en arrêt devant la chambre de sa mère dont la porte bat à tout rompre. De là est venu ce claquement de pistolet qu'il l'a éveillée si brusquement.

Sophie est entrée. La première chose qui lui saute aux yeux est une lettre grande ouverte sur le bureau désert de livres et d'objets pieux. Le drap et la couverture sont soigneusement roulés sur le canapé.

Ma fille,

    Pour éviter les sottes émotions des adieux, je m'en vais sans prévenir. Nous nous reverrons en Dieu.

Catherine Rostopchine

La veille au soir, elle avait dit bonsoir à sa fille sans manifester la moindre émotion. La lettre tombe des mains de Sophie. La porte peut bien claquer, le vent gémir, l'aube blêmir... Sophie éclate en sanglots.

La route de Gaston

Le 31 mars 1840, sous le second ministère de M. Thiers, Gaston obtient son diplôme de bachelier en droit. Le 6 janvier 1841, il passe le premier examen de licence, puis le second le 15 février. Il prépare sa thèse de licence au moment où le gouvernement présente, le 12 mars 1841, une loi interdisant d'employer les enfants au-dessous de huit ans. De huit ans à douze ans, leur journée de travail ne doit plus dépasser huit heures.

Le 26 avril 1841, Gaston obtient son certificat d'aptitude, le 24 mai, son diplôme de licencié en droit. Il a vingt et un ans.

Une lettre de Voronovo, signée Catherine, réclame ardemment une visite de Gaston en Russie. Catherine, seule, dans l'immense propriété, brouillée avec toute sa famille, les cages remplies de perroquets, l'oratoire débordant de crucifix, réclame Gaston.

« Envoyez-moi Woldémar », écrit Sophie.

Elle redoute une telle équipée pour son fils. Elle préfère le voir fréquenter l'atelier de Paul Delaroche, plutôt que de s'aventurer chez la frénétique aïeule.

« Je suis bien heureux, écrit Gaston à sa mère, de voir que nous avons maintenant en France de véritables peintres. Nous possédons M. Paul Delaroche, un grand artiste, sans compter tant d'autres qui feront vite et sûrement leur chemin[1]. »

La critique de cette époque déteste Paul Delaroche. Heine le

---

1. *Monseigneur de Ségur, souvenirs et récits d'un frère*, A. de Ségur.

définit « peintre ordinaire des majestés décapitées ». Qu'est-ce qui a tant attiré Gaston en Paul Delaroche ? La chasteté absolue de ses sujets. Si Gaston s'est accusé « des pires crimes », en parlant de l'indifférence de sa foi, il est resté chaste, naturellement, d'instinct et de nature. Son neveu, le marquis de Moussac, écrira à ce sujet, bien après la mort de Gaston :

« Je puis aujourd'hui rendre à monseigneur de Ségur ce témoignage que, dans une conversation intime, il m'a confié avoir toujours conservé intacte sa pureté [1]. »

Gaston quittera l'atelier de Paul Delaroche dès l'intrusion de modèles nus. Une certaine liberté de mœurs choquent le futur prêtre. « Je n'ai pas eu le triste courage d'affronter longtemps ces périls. » Que peint Gaston en dehors de sa *Vie de Jésus ?* Quelques portraits de sa mère, ses sœurs. Des têtes de vieillards et d'enfants qui viennent poser chez lui. Il a parfois le crayon féroce. L'humour de Fédor et de Sophie se retrouvent dans certaines caricatures de Gaston. Un cousin s'étant vanté, rue de Grenelle, d'être à la fois poète et de ne jamais se laver, Gaston l'a aussitôt croqué. « Le corps est un porc-épic, juché sur un trépied, le tout accompagné de cette légende : *Un porc-épic* [2]. »

Si quelque remords le prend, du moins a-t-il le bonheur de voir rire sa mère. Eugène félicite son fils pour son don de la caricature qu'il compare à celui de Cham. Sophie reprend espoir. Gaston se met à fréquenter le salon de Mme Paul Delaroche, rue de la Tour-des-Dames. Mme Delaroche, fille d'Horace Vernet, reçoit très bien. Chez elle, on rit, on danse. Gaston invite des filles à valser « ne serait-ce, écrira la prude de Moussac, que par charité, pour les jeunes filles qui faisaient tapisserie ».

Sophie est presque sûre de marier Gaston qui, licencié en droit, semble avoir oublié sa grand-mère et Augustin Galitzine. Il a repris toute sa gaieté et son humour.

Sophie aussi a retrouvé un peu de courage et d'allant. Son ami Eugène Sue l'a abonnée à son feuilleton *Mathilde, mémoires d'une jeune femme.* Eugène passe beaucoup de soirées à la maison depuis que Gaston a entrepris son portrait. Ce tableau, présenté au salon de 1841, recevra une médaille d'or. Gaston vendra cette médaille pour ses charités. Ses charités !

Sophie est bien dans l'illusion si elle s'imagine marier Gaston ou

---

1. *Monseigneur de Ségur,* Marquis de Moussac.
2. *Monseigneur de Ségur,* M. Even.

le détourner de la voie lactée du 8 septembre 1838. Non, il n'a pas renoncé au chemin de sa foi. Olga, qui trottine sur ses talons, remarque bien les charités de son frère, aux Nouettes et dans ses alentours. « Son excellent cœur trouvait un bonheur toujours nouveau à visiter, consoler, soigner et secourir les pauvres de notre village et des environs [1]. » Olga a maintenant six ans. Elle s'imprègne de ce grand frère qui l'éblouit, l'attire tel un aimant. Elle reste marquée par l'expression des pauvres gens quand Gaston leur rend visite. « Les figures soucieuses de ces pauvres gens (s'épanouissaient) en voyant Gaston, en écoutant les bonnes paroles dont il savait accompagner ses aumônes [2]. »

A Paris, il a aussi ses pauvres. Il a renoué avec Augustin Galitzine. Il s'est enrôlé dans la Société de Saint-Vincent-de-Paul. Le président est Fernand de Missol, médecin devenu prêtre. Tout est bon pour exercer la charité. Les pauvres du quartier, le catéchisme, les prisons, les hôpitaux. Gaston cache soigneusement à sa mère qu'il se sent transporté « dans une vie surnaturelle très intense ». Il monte, avec Augustin et ses nouveaux amis, dans les mansardes. Il arpente les quartiers misérables, descend dans des caves immondes, partout où gît la misère, effroyable sous ce régime bourgeois qui craque sourdement. Gaston a tellement besoin d'argent pour soulager les pauvres, qu'il écrit à sa grand-mère russe. Catherine lui répond par un refus, étayé d'arguments implacables :

> *Quant à ta demande de secours pour les pauvres, croirais-tu que je te refuse. Il n'y en a que trop dans mon pays et je leur dois la préférence.*
> *1. Pour donner une bonne idée de la foi que je professe.*
> *2. Pour réparer en quelque sorte l'obligation où je me suis longtemps mise de me resserrer de leur côté, dans le but de ramasser un fonds de liquidation de mes dettes et de mes promesses vis-à-vis de mes enfants et aussi de venir en aide à des parents pauvres que j'ai. Tu te borneras donc à l'essentiel, à désirer sincèrement faire l'aumône, et à te résigner à la volonté de Dieu sur le non-moyen d'en faire davantage. Je me trouve bien la force de résister à ta charitable demande [3] !*

C'est dit. Gaston ira à Voronovo. Rien n'arrête un marcheur de Dieu. Le temps est venu de voyager. Loin. Très loin.

---

1. *Mon bon Gaston*, Olga de Pitray.
2. *Ibid.*
3. *Monseigueur de Ségur, souvenirs et récits d'un frère*, A. de Ségur.

COMTESSE DE SÉGUR

Voronovo 1841

Gaston a quitté les Nouettes jusqu'au Havre. Il embarque pour Hambourg, puis Lübeck. En malle-poste, il rejoint Saint-Pétersbourg et Moscou. Il a mis près de deux mois. Gaston se nourrit dans des auberges de plus en plus pauvres, couche sur des lits de plus en plus mauvais. Le soleil est de plomb, la forêt étouffante ; le ravitaillement médiocre. « Il déjeune avec du thé, du pain, des " kalatche ", du beurre et une jatte de crème[1]. » Les espaces, d'un relais à l'autre, d'un village à l'autre, effrayants de longueur. Rien n'a changé depuis le départ de Sophie pour la France.

Enfin, la voiture le laisse devant le parc de Voronovo.

Un dessin de Gaston nous restitue le visage de Catherine Rostopchine au moment de ce séjour. Un simple ruban de toile retient les cheveux coupés très courts. A genoux, devant un pupitre en bois, supportant un crucifix et un livre saint, Catherine est en prières. Les mains jointes ne portent plus d'alliance. L'œil grave n'est que vigilance intérieure. La bouche exprime le mépris total du bourbier humain. Tête de martyre mais non de vaincue. Le nez est un peu fort, la pommette haute, les lourdes paupières composent encore les traits qui avaient ébloui Fédor Vassilievitch Rostopchine. Ce dédain, cet intégrisme, cette folie intérieure, attirent et repoussent à la fois. Catherine semble rajeunie dans son décor familier, dont l'immensité effare Gaston. Aux Nouettes, il avait déjà été fasciné par sa grand-mère. Voronovo lui restitue sa féroce grandeur.

Le corps amaigri est vêtu d'une simple robe noire, à collerette blanche. Sur le dos, une cape en laine sombre. Ces vêtements ressemblent à ceux des cloîtrées. L'oreille, très dégagée, mignarde dans cet ensemble féroce, ne semble entendre que les voix de l'Invisible.

L'intendant, Timothée, a désigné l'étage :

« Madame la comtesse attend Monsieur. »

Gaston a traversé des kilomètres de parquets cirés. Les portes sont ouvertes. Gaston a erré longtemps avant de la trouver dans son oratoire.

« Prions », lui dit-elle simplement sans s'enquérir de sa soif, de sa faim, de sa route.

---

1. *Le Général Dourakine.*

372

Le dialogue interrompu est repris. Ces deux êtres, si dissemblables, se retrouvent de plain-pied. Gaston, quoique épuisé de son voyage, ressuscite aussitôt, à genoux, près de l'aïeule. La prière agit sur eux jusqu'à l'oubli du temps, de l'espace, du lieu. Gaston abolit l'image de sa mère, révulsée de jalousie quand il a franchi la barrière des Nouettes... Un été entièrement volé !

Gaston et Catherine déambulent, ensuite, dans le parc si vaste qu'il faut une journée pour en faire le tour. Ils visitent le haras désormais vide, la stèle de Vorontsov, l'orée de la grande forêt où s'est dissous le pauvre chevalier de Saint-Félix. Un petit garçon aux grands yeux gris, blond et doux a surgi. Woldémar. La voix de l'intendant gronde. « Dès que certaines formalités seront achevées, je l'envoie à ta mère, dit Catherine. Qu'elle en fasse un bon catholique. » Gaston s'évertue alors à convaincre Catherine. Il est prêt à emmener Woldémar. « Pas encore ! » dit-elle avec une sécheresse soudaine. Est-il régulièrement battu, humilié jusqu'à son abjuration ? Gaston ferme les yeux. Il convaincra Catherine. Woldémar quittera Voronovo. La confiance reprend Gaston.

Côte à côte, ils parlent du Christ, des heures entières, sur ces parquets tellement cirés que leurs reflets les mêlent.

« Je vais entrer dans les ordres », crie presque Gaston dans la jolie oreille, bien irriguée, imprévisible dans ce bloc de marbre. Catherine, alors, l'embrasse en plein sur la bouche. Elle hurle presque de joie. Gaston va passer deux mois à s'enchanter de l'aïeule.

Pendant cette longue intimité, Gaston apprit à connaître plus à fond la beauté de cette âme forte et chrétienne à la façon des premiers siècles de l'Église, et il fit de nouveaux progrès dans la voie de la sainteté[1].

De ce voyage, Gaston va croquer quelques paysans russes, des paysages. Il écrira aussi un journal. Il convaincra Catherine d'accélérer le départ du pauvre Woldémar. Ce séjour lui a donné le courage définitif d'avouer à sa mère sa véritable vocation. Il va entrer au séminaire.

Cette nouvelle va éclater comme la foudre chez les Ségur.

---

1. *Monseigneur de Ségur, souvenirs et récits d'un frère*, A. de Ségur.

COMTESSE DE SÉGUR

L'enfer d'Eugène

Eugène est décidé à envoyer Gaston, futur pair de France, à Rome, dès son retour. Le comte de Ségur est de plus en plus attentif à l'avenir de cet aîné qui héritera du titre et de la pairie. « Gaston de Ségur a le devoir de continuer la postérité glorieuse de la famille », fait le fantôme du maréchal, qui n'en finit plus dans l'éternité de déféquer sur des dalles de l'enfer. Eugène s'est donc activement occupé du sort de Gaston. Il négocie pour lui un poste d'attaché d'ambassade. Eugène a eu un long entretien à ce sujet avec son ami de collège, le comte Septime de Latour Maubourg. Eugène de Ségur a semé et bien semé. Depuis que Gaston a peint son portrait à l'huile, Eugène est convaincu que Rome épanouirait également son aîné sur le plan artistique. Le comte de Ségur a soigneusement entretenu son réseau social. Il en connaît les rouages et la haute utilité. Malgré le puissant obstacle qu'est son épouse. Sophie confond le grand monde avec le mal. Elle le fuit et le déteste. Eugène a plus d'une fois tremblé devant ses gaffes. Bon père, à sa manière, Eugène a fixé le départ du futur diplomate pour le mois de janvier 1842. Gaston a obtenu sa médaille d'or à l'exposition pendant son absence. Eugène s'est fait également recevoir par M. de Montalivet, alors directeur des Beaux-Arts. Le comte de Ségur est très fier de son fils. Il ne lui porte aucune molle tendresse, mais une réelle admiration. Gaston est digne de lui succéder un jour. Anatole semble aussi évoluer au mieux. Contrôle de soi, diplomatie, études satisfaisantes. Edgar n'est pas mal non plus. Allons, malgré sa femme, le comte a sauvé ses fils de la mollesse et de la décadence. Forme-t-on des diplomates et des Ségur à coups de cabanes construites dans les bois ? Qui a compris la longue lutte d'Eugène pour former ses fils, les arracher à la tendresse dévorante, désastreuse de Sophie ? Pourquoi a-t-elle penché constamment là où sont ses enfants ? Qu'a-t-elle fait de son mariage avec lui ? Faisait-elle exprès de rester cette Tartare rurale qui saccageait, à ses dépens, les redoutables bienfaits de la vie mondaine bien gérée ? Eugène a été seul à ruser avec ses relations. Parfois, c'est vrai, un plaisir, une volupté passagère, compensaient l'effort de la constante dissimulation. Eugène de Ségur, au secret de lui-même, se vit abandonné. Dépareillé. Mal marié. Il lui a fallu la haute conscience de sa caste pour sauver ses enfants d'un univers rustique, déplorable à la longue. Son épouse, la comtesse de Ségur, ne se devait-elle pas de l'aider, le suivre, l'épauler dans la dure tâche sociale, au lieu de chausser des bottes de soldat, courir les bois au vu et au su de tout le Faubourg qui a longtemps ricané ? Ne se devait-elle pas de parer son visage et son corps, quand entraient au salon les commères de la haute société ? Ne serait-ce que pour lui, son époux ? Cette trop longue maladie n'est-elle pas une offense contre le conjoint ? Elle n'a toujours pas compris que son lit de barbare, son oreiller en caoutchouc, l'ont dégoûté ? Sur son canapé mandchou, il n'avait qu'une hâte : accélérer le devoir conjugal. Son corps se refroidissait à tous les angles d'un lit sans matelas. Évidemment, il ne contrôlait plus l'échappée de son sperme. Il renonçait aux caresses, d'ailleurs, en voulait-elle, de ses caresses ? « Laissez-les à vos prostituées ! » semblait dire le terrible regard cosaque. Eugène fuyait alors dans sa chambre. Comment achever la nuit près de cette barbare, scandaleusement endormie sur cette planche ? La regarder dormir l'agitait presque de haine. Il n'avait donc pas su, pas pu allumer autre chose en elle que ce choc brutal des chairs, sans jamais la recherche passionnée d'un libertinage salvateur ? De plus, elle exigeait l'ombre. Il lui arrivait parfois, au lieu d'un sein, de malaxer, ô horreur, l'oreiller en caoutchouc. D'un coup de poing rageur, il le dégonflait. Elle riait, la folle ! Le rire, quand l'amant, est devenu une outre vide, dégonflée hâtivement, tel ce maudit oreiller. Que de fois le rire de Sophie l'avait offensé dans sa virilité ! Il compensait alors sur d'autres corps les pannes qu'elle provoquait, en toute innocence et folie. L'échec de Sophie a-t-il pour origine la dure voix maternelle ? Catherine raisonne-t-elle au secret de sa fille l'interdit définitif des ébats d'amants ? Eugène de Ségur a eu autant qu'elle envie d'exploser et de claquer les portes. Elle s'imaginait donc coudre son Gaston à ses jupes ? Les enfants d'abord, toujours ses enfants d'abord ! A table, elle partage avec eux les meilleurs morceaux et ne garde que les ailes ou la tête des poulets. « Elle a le dévouement des ailes de poulet[1] », songeait Eugène, exaspéré. Va-t-elle recommencer encore le coup de l'ardoise, des migraines et de la chambre ?

Elle lui en a toujours voulu de partir aux eaux. Épuisé par ses hivers à la chambre, un début de phlébite, les eaux n'étaient pas un luxe. Une récupération indispensable pour continuer à gérer une aussi grande famille. Il l'a bien laissé aller aux Nouettes pour sa santé, sans la contrarier !

Depuis le départ de Gaston à Voronovo, elle recommence ses

---

1. *Ma chère maman, souvenirs intimes et familiaux,* Olga de Pitray.

folies. L'ardoise, la chambre, les Nouettes. Les gadgets. Il l'a pourtant mise en garde ! Une fois, de plus, elle n'en fait qu'à sa tête.

Elle a commandé à un grand magasin une théière à vapeur. Naturellement, la théière a sauté, vapeur et soucoupe comprises, jusqu'au plafond de la salle à manger. « Cet appareil à thé rappelait vaguement le canon du Palais-Royal. »

« C'est une tromperie atroce. Emportez cette horreur, dit-elle au domestique qui riait sous cape... et qu'elle ne reparaisse plus[1]. »

Elle s'est acheté, incorrigible, une autre paire de bottines en caoutchouc. Le dessin flatteur, la légende extraordinaire dans *le Constitutionnel* l'ont éblouie. Les bottines ont fondu à moitié sur ses pieds trop près du calorifère. Sophie, tandis que les aînées font leurs devoirs dans la bibliothèque, se jette dehors avec Gaga. Elle a trouvé une autre idée. Une méthode employée jadis à Voronovo pour conserver le foin. Cela s'appelle « le regain ». Eugène est consterné.

« Comment n'ai-je pas pensé jusqu'ici à employer la méthode russe ? On fait une grande meule en posant çà et là de longues traverses de bois que l'on retire lorsque la meule est achevée. Cela donne une ventilation qui empêche le foin de s'échauffer. Je vais faire arranger mon regain de cette façon, cela épargne le bottelage et la main-d'œuvre pour le rentrer dans les greniers[2]. »

Au bout de quinze jours, le garde Bouland se fait un devoir d'avertir la comtesse de Ségur que son regain russe est devenu un épouvantable charnier.

Elle arrache elle-même, avec Gaga, l'herbe dans ses allées. Elle tombe en arrêt devant des pissenlits. « Ce doit être excellent en salade ! » Elle s'attable avec Gaga et commence à manger. La dure herbe se bloque dans leur gorge, elles toussent, les yeux exorbités. « Crache, Gaga crache ou tu vas t'étrangler ! » Elle lui promet qu'elle pourra emporter sa tortue à Paris et continuer à joncher sa chambre de feuilles de salade pour la nourrir. Eugène, à son tour, devient muet. A la Saint-Eutrope, Sophie laisse Nathalie, qui adore la danse, user deux paires de chaussures pour le galop monstre. Eugène a compris que Sophie s'étourdit depuis le voyage de l'aîné en Russie et les négociations pour Rome. Elle invite, sans son consentement, pêle-mêle, une série de visiteurs. Mme Svetchine, Raymond d'Aguesseau, la vieille cousine Galitzine et ses insuppor-

---

1. *Ma chère maman, souvenirs intimes et familiaux*, Olga de Pitray.
2. *Ibid.*

tables roquets qui aboient du matin au soir et souillent les planchers. Le soir, Sophie joue au billard comme un homme. Avec des grands cris à chaque doublé. Eugène repart aux eaux. Il va lui falloir des forces pour cette rentrée capitale. L'avenir de Gaston et, déjà, d'Anatole. Nathalie a quinze ans. Il faudra songer à son sort. Les jumelles ne se quittèrent guère, en fait, peu choyées par Sophie soudée à Olga. A la fin de l'été, quand Gaston est sur l'interminable route du retour, Eugène est obligé de trancher. Il a revu le comte de Latour Maubourg. Tout va bien. Gaston ira à Rome, peut-être pour plusieurs années. L'ardoise se couvre de signes frénétiques. Des convulsions de mots. Points d'orgue, soupirs, portée sans issue, partition tronquée. L'ardoise est jetée à la volée au fond de la chambre. Le silence de Sophie est paroxystique pendant plusieurs heures. Eugène se durcit encore. Gaston ira à Rome. Elle n'a qu'à remercier Dieu et son mari. Se taire davantage si ça lui chante.

Jamais un mari et une femme ne se sont aussi mal compris.

Mme Svetchine caquette toute la journée, même en dormant. Les roquets aboient. La cousine Galitzine radote en russe. Raymond est de plus en plus étrange et jaune. L'été de Sophie est l'enfer d'Eugène où braient des ânes, puent des fumiers ratés, explosent des théières, se referment les mares sur les enfants. Ne voilà-t-il pas que Gaga menace de se tuer avec un couteau si sa mère ne l'emmène pas dans ses promenades lointaines ? Sophie ne mange même plus de plats sucrés, elle entretient ses insomnies au thé noir versé du lourd samovar. Il est question aussi de ce lointain neveu russe qui doit débouler dans leur vie. Woldémar ! Comme s'ils n'avaient pas assez d'enfants comme ça ! C'est à n'y pas tenir, lui aussi partirait volontiers faire un petit tour à Rome.

Rome

Un matin de janvier, alors que Sophie a commencé les préparatifs du départ de Gaston, Augustin Galitzine frappe à la porte. Il est accompagné d'un enfant blond pâle, aux magnifiques yeux gris, et d'une grosse malle. Woldémar ! Le fils de Serge ! Les yeux de Serge ! Les yeux de son père ! Son propre regard ! Elle tremble d'émotion. Mon bon Woldémar ! Pauvre petit balancé ici tel un paquet ! Heureusement le doux Augustin a déjà rassuré l'enfant qui regarde, stupéfait, cet intérieur parisien si minuscule à côté des salles de Voronovo.

Le régisseur de Catherine Rostopchine, Timothée, a rempli la malle, habillé Woldémar d'un caftan de laine bleue, d'un gros pantalon à galons rouges, de bottes en cuir doublées de peau de mouton et d'un gros bonnet enfoncé jusqu'aux yeux. Timothée, selon les ordres de Catherine, a accompagné le petit orphelin et sa malle jusqu'à la frontière allemande. Augustin Galitzine l'y attendait. La lettre de Catherine Rostopchine arrivera bien après cet enfant tavelé d'or pâle, que Sophie serre aussitôt dans ses bras. L'enfant se raidit moins, vaguement rassuré. Cette grande femme, dont les yeux sont si semblables aux siens, va-t-elle devenir sa mère ? Habitué à la totale indifférence, à la solitude, Woldémar a du mal à répondre à la tendresse de Sophie. Enchantée, Olga lui montre aussitôt sa tortue et ses jouets. Woldémar ! fruit de l'exil total, parlant à peine le français ! chassé de l'immensité féodale de l'Est qui n'a point voulu d'un bâtard. Insondable enfant, si digne dans son deuil et son déracinement. Toute la soirée est occupée à faire connaissance. Sophie lui parle en russe et en allemand. Woldémar se rassure de plus en plus devant la tendresse de ses cousines. Sabine lui caresse les mains. Quelle angoisse, quand, à la frontière russe, Timothée l'avait laissé seul un long moment ! Enfin, Augustin a grimpé dans la malle-poste. Woldémar avait sincèrement cru qu'on l'abandonnait là, à jamais. « Maman ! a-t-il eu envie de crier, maman ! »

Ce nouvel enfant sous son toit anesthésie le chagrin de Sophie qui remplit le bagage de Gaston. « Il peut bien m'appeler maman, ce bon Woldémar. » Sophie a glissé au fond de la malle les meilleurs vêtements de son fils, des friandises, ses aquarelles. Elle a ajouté un costume neuf, très élégant. Qui sait, peut-être Gaston se fiancera-t-il avec la délicieuse petite comtesse de Caraman, jeune sœur de Mme de Latour Maubourg ?

Le 22 février 1842, Gaston prend son dernier petit déjeuner en famille. Sophie a fait préparer des gimblettes, du thé, du chocolat, des brioches. Woldémar engloutit tout ce qu'on lui donne. Eugène est ému en embrassant son fils. Gaston s'engouffre dans la noire berline, en route pour Marseille d'où Gaston embarquera pour Rome.

Après une rude traversée, Gaston arrive enfin chez les Latour Maubourg. Le comte de Latour Maubourg, froid, distant, glace vaguement Gaston. Il a fait préparer au jeune homme un logement dans son palais Colonna. Mme de Latour Maubourg est fort aimable. Elle n'est pas sans lui rappeler Sophie par sa gaieté, sa gentillesse et sa patience en dépit, elle aussi, d'une maladie capricieuse. A ses côtés, sa sœur, la jolie petite Mme de Caraman. Gaston a juré de ne se donner qu'à Dieu. Cependant, le peintre en lui détaille avec ravissement le fin visage, l'harmonie d'un corps léger, habilement drapé, les bras en belles anses, les attaches dont Mme de Caraman sait jouer telle une colombe. Le désir effleura-t-il Gaston ? Il ferme les yeux ; il revoit un certain 8 septembre, où glissait l'or poudré d'un vitrail sur son serment ébloui. Il entend la voix de Catherine, à Voronovo. Sa foi relègue la petite comtesse à l'état d'un objet délicieux à peindre. Une douce amitié rien d'autre. Gaston est heureux des soirées au palais Colonna. La bonne société romaine et française s'y retrouve. Il évite ainsi de trop longs tête-à-tête avec la jolie comtesse. Il fait la connaissance de Mme et de M. Odier, amis intimes des Latour Maubourg avec qui il peut longuement parler peinture et art.

Ses journées se déroulent de façon très plaisante. Sous la direction de son hôte, Gaston apprend son métier d'attaché d'ambassade. Il passe plusieurs heures à rédiger des dépêches, son propre journal et à multiplier les visites officielles. L'après-midi, il visite les musées, se régale des galeries publiques et privées. Il se jette, cœur battant, vers l'urgence de son être : l'Église. Toutes les églises. Il contemple jusqu'à l'ivresse les statues du Vatican. Le *Démosthène*, l'*Apollon du Belvédère*, le *Moïse* de Michel-Ange. Il s'apaise devant cette statue d'une femme violée qu'il nomme en lui « la Pudeur » ou « la Modestie ». Les Vierges de Raphaël l'enchantent. *Le Couronnement de la Vierge* du Perugin chemine en lui, travaille à l'accomplissement de sa voie secrète. *La Transfiguration* de Raphaël parle à sa place, *La Madone* de Foligno l'invite à la prière permanente. L'envie de prier le reprend totalement devant *Le Jeune Homme jouant du violon*, toujours de Raphaël. Stimulé par un tel spectacle, Gaston reprend ses pinceaux.

Sophie range la chambre de Gaston

Sophie entre souvent dans la chambre de Gaston. Elle passe ce printemps à Paris car la communion des jumelles approche. Sophie regarde longuement l'album des dessins de son fils. Les douze tableaux de la vie de Jésus-Christ. En particulier, un croquis du Saint-Sacrement adoré par les anges, avec, au dos, l'écriture de Gaston :

« Souvenir de ma conversion à Aube. Notre-Dame 8 septembre

379

1838. *Beati quorum remissae sunt iniquitates et quorum teda sunt peccata.* »

Elle tressaille faiblement. Elle remet dans l'album cette image qui soudain la brûle. Découverte d'une trahison ? D'un péché ? D'un pressentiment ? Les lettres de Gaston arrivent. Abondantes, joyeuses, remplies du récit des soirées mondaines au palais Colonna. Les invités des Latour Maubourg lui demandent de les croquer sur son calepin. La haute société admire son Timothée, belle tête de vieillard, assez réussie.

Les lettres aux jumelles, à Nathalie la belle, à Olga, sont ornées de dessins humoristiques et adressées à « Mesdemoiselles de Ségur Ponchat ». Gaston se moque en évoquant ainsi la branche aînée, pompeuse et dissoute, des Ségur. Sophie relit les lettres de Gaston. Elle se repaît des récits pétillants de son fils qui a croqué tous les visages mondains de Rome. Le comte d'Astorg (il a joint le croquis à cette lettre), le comte de Reiset, Sophie sourit, Dieu, quelle tête ! L'ami retrouvé, Paul de Malaret (il est presque trop beau, ce Paul, toutes les filles de Rome rêvent de l'épouser), Paul, destiné lui aussi à la diplomatie. Gaston a promis de l'emmener en séjour aux Nouettes.

Gaston a dessiné pour Sophie des fontaines, des gargouilles, des profils de statues. Une lettre, plus brève que les autres, d'une écriture plus nerveuse, évoque un événement qui met Sophie en arrêt. Gaston, dans la rue, a perdu la vue quelques secondes. Excès de lumière ? Il lui arrive d'être obligé de cesser croquis et lectures. Une soudaine obscurité, proche du songe, transforme l'opulente lumière de Rome en un voile opaque. Quelques secondes seulement.

Sophie reprend aussitôt la plume. Elle écrit, écrit à son Gaston pour se rassurer elle-même. A-t-il consulté un oculiste ? Ses lettres contiennent le détail des événements de ce printemps 1842. En particulier, le déraillement du Paris-Versailles.

Déraillement ou la bibliothèque des gares

Cette ligne de chemin de fer, inaugurée en 1837 par la reine, avait été créée grâce aux initiatives du banquier Pereire. Le chemin de fer est alors en plein développement. Les banquiers Rothschild et Fould ont financé la construction du Paris-Versailles, sur chaque rive de la Seine. Les deux grandes lignes, Paris-Rouen, Paris-Orléans, sont inaugurées par les ducs de Nemours et Montpensier.

Le 8 mai 1842, le déraillement de la ligne Paris-Versailles a lieu à Bellevue. Spectaculaire catastrophe. Plus de cent corps mutilés, brûlés, dont celui de l'explorateur Dumont d'Urville. Agé de cinquante-deux ans, ex-amiral de la *Belle-Poule,* navire chargé des cendres de Napoléon Ier. Cet accident excite tout le monde, en particulier les caricaturistes. Honoré Daumier s'en donne à cœur joie. Provost se lance dans un tableau échevelé où l'on voit la machine (la future bête humaine ?) se tordre dans les flammes.

Le 11 juin 1842, des nouvelles lois relatives aux chemins de fer sont mises en place. L'État concède à des compagnies privées la gestion de diverses lignes. L'État gardera en propre l'achat des terrains, la construction des voies et des gares.

Eugène de Ségur entre au conseil d'administration de la Compagnie des chemins de fer de l'Est. L'éditeur Hachette réfléchit à un système de « bibliothèques de gares » afin de distraire les enfants pendant les longs parcours. Qui serait à même de leur écrire des romans palpitants, uniquement réservés pour eux ? On pourrait même imaginer une collection de livres rose et or.

La prière de Sabine

Gaston est reçu par le pape Grégoire XVI. Il se lie d'amitié avec le père de Villefort et l'abbé Véron. Le 12 mai 1842, les jumelles font leur communion à Saint-Thomas-d'Aquin. Sophie est irritée par le prêtre qui a préparé la retraite des jumelles. Ne voilà-t-il pas qu'il s'est transformé en prédicateur d'épouvante à la suite du déraillement du Paris-Versailles ? Il a fustigé la machine pire que suppôt du diable. Toute forme de progrès est une marche inéluctable vers l'Apocalypse. Henriette a même pleuré. Sophie s'agite devant l'exaltation religieuse de Sabine. Elle parle de demander pardon à genoux au salon, devant tous les domestiques ! « Repentir » devient son grand mot. Elle se jette en pleurant dans les bras de ses frères. Elle prie de longues heures dans sa chambre, à même le sol, comme sa grand-mère Rostopchine. Elle récite par cœur des extraits de *L'Imitation de Jésus-Christ* :

« Jésus Christ a voulu souffrir et être méprisé, et vous osez vous plaindre de quelque chose !

Si vous ne voulez rien souffrir, comment serez-vous ami de Jésus-Christ ? »

Ce 12 mai, le temps est radieux. Sophie regrette bien un peu ses Nouettes, mais se réjouit de la grâce des jumelles. Habillées d'organdi, émues, silencieuses, jolies, tels des amours. Levée depuis six heures, Sophie a elle-même coiffé ses filles, aidé Adèle à fixer leur voile, sous la couronne de fleurs blanches. Sophie, de son côté, « a fait une toilette soignée. Ses cheveux étaient ornés d'un bonnet de gaze et de fleurs, sa robe était en soie brochée vert émeraude ; ses mains cachées par des gants blancs en peau de daim, et ses pieds étaient chaussés de bas chinés et de souliers de peau, plus fins que ceux qu'elle mettait habituellement[1] ».

Eugène et sa mère sont là, au premier rang. La comtesse Octave a offert aux petites les chapelets de nacre et d'or, assortis aux missels gravés d'une croix.

La cérémonie s'achève dans l'émotion, l'odeur des lys, des glaïeuls, de l'encens et des roses. « Le curé, au moment de quitter l'église, vint s'agenouiller une dernière fois devant l'autel ; il vit les deux enfants à genoux sur la dalle, les mains jointes, les yeux fermés, l'air si recueilli qu'il s'arrêta pour les contempler[2]. »

« Mon Dieu, prie tout bas Sabine, mon Dieu, prenez-moi un jour dans votre sainte clôture. Mon Dieu, faites que Gaston s'anéantisse en vous. Je prierai jour et nuit pour ces deux intentions. »

Sophie est heureuse en songeant à l'excellent déjeuner qui attend ses invités rue de Grenelle. Il y aura une bisque de homard, une fricassée de poulet, un gratin de légumes, tous les fromages, les premières fraises et un excellent « Quillet » couvert de dragées et de pralines argent, commandé rue de Buci, chez Quillet. Les enfants pourront ce jour-là boire du café et de l'anisette.

Si seulement Gaston était là pour se régaler avec eux !

Foudres

Les Ségur sont aux Nouettes. Sophie retrouve avec ravissement la campagne. Woldémar a l'air enchanté des parties d'âne et de l'espace qui n'est pas sans lui rappeler la Russie. Il parle presque couramment le français, s'habille des vêtements d'Edgar. Il a conservé ses grandes bottes russes pour se promener. Dès l'arrivée, Sabine se jette dans la charité. Elle découvre une petite fille infirme, tout près d'Aube. Elle lui rend visite quotidiennement. Elle passera son été à lui apprendre à lire et à compter. Sabine se

---

1. *Les Deux Nigauds.*
2. *Pauvre Blaise.*

rend à pied chez sa petite protégée. Elle réfléchit chaque jour au bonheur d'avoir un prêtre dans la famille. Depuis Jean-Charles de Ségur, évêque de Saint-Papoul, révolté contre le pape, à propos de la si lointaine querelle autour de la bulle *Unigenitus* nul prêtre chez les Ségur. Leur foi est davantage une convenance qu'une conviction. Sabine a été la seule — avec Gaston — à se réjouir de la visite de Catherine Rostopchine et de sa piété. La seule à deviner la route de son frère, un certain 8 septembre, alors qu'elle n'avait que neuf ans...

Un deuil assombrit la France. Le 13 juillet 1842, le fils aîné du roi, le duc d'Orléans, se tue à Neuilly, en versant de sa voiture. Mort misérable pour ce brillant aîné. Décès qui, peut-être, entraînera celui de la monarchie bourgeoise, dont, patiemment, Louis Napoléon Bonaparte guette la fin. Un passant, à onze heures du matin, relève sur la route le corps du jeune homme parti seul dans son phaéton. L'inconnu dépose le prince au crâne brisé dans une modeste épicerie sur le bord même de la route fatale. Il mourra là, sur un pauvre petit sommier d'épicier. Les chevaux s'étaient emballés à la hauteur de la porte Maillot. Marie-Amélie, le roi, sa sœur, accourent. Le prince est dans le coma. Ils ne retiennent pas leurs sanglots devant le corps de celui qui s'était distingué en Algérie. Il laisse deux jeunes fils dont l'aîné n'a que quatre ans.

La confusion est grande. L'ironie de Béranger blesse la reine désespérée. « La providence, ose écrire le chansonnier, se fait furieusement républicaine. » Le testament du duc d'Orléans ne laisse pas la régence à sa femme. L'aîné de ses frères, le duc de Nemours, le plus conservateur des Orléans, a été désigné. Hélène, la jeune veuve, est davantage libérale. Lamartine, chevaleresque, appuie l'idée de la régence maternelle. Le prudent Guizot triomphe en imposant à la Chambre le duc de Nemours.

Quant aux Ségur, comme tous les légitimistes, ils ont les yeux fixés sur le duc de Bordeaux. Les fidèles des Bourbons, Chateaubriand en tête, acclament le futur Henri V au grand enthousiasme de Sophie, distraite par ces événements de la séparation d'avec Gaston.

Sainte-Marie-Majeure. Cierges odorants, iris, roses, épaisses gerbes de camomilles, glycines au-delà des murs, Gaston prie, oubliant les heures et les siens. Rome est un vivier d'églises où sa foi devient hypertrophique. Saint-Jean-de-Latran, Sainte-Croix-de-Jérusalem, église du Gésù, multiples et humbles sanctuaires derrière la place Navone où coule la douce fontaine à gueules de lions et de loups mélangés.

Le père de Villefort, énergique jésuite, a remarqué Gaston. Directeur de conscience des Français qui viennent visiter le tombeau de saint Pierre, le père de Villefort a décelé la foi exceptionnelle de Gaston de Ségur. On lui a rapporté que Gaston, du temps où il était à la Société Saint-Vincent-de-Paul, avait converti un malade à l'hôpital. Évangéliser et visiter tant de pauvres avec Augustin Galitzine et le père Olivain.

Gaston est subjugué par le puissant ecclésiastique. Il se confesse à lui. Il lui demande d'être son directeur jusqu'à son entrée dans les ordres. Le père de Villefort accepte et encourage.

Sophie ignore tout cela mais reçoit une lettre du comte de Latour Maubourg. Gaston est tombé violemment malade d'une crise de dysenterie. Il est alité, grelottant de fièvre, tandis que Rome se vide pour l'été. Gaston a voulu cacher sa maladie à sa mère. Le comte, près de rejoindre sa terre d'été en France, s'est fait un devoir d'écrire à Sophie.

Le père de Villefort prend la situation en main. Il envoie l'abbé Véron à l'ambassade. Gaston est seul, assisté d'un valet affolé, recroquevillé, dans la chambre trop chaude. L'abbé Véron se montre efficace. Il écrit aux Nouettes une lettre rassurante. Villefort et Véron ont-ils voulu ainsi éviter l'arrivée de la mère auprès de ce fils si près du but divin ? L'abbé Véron affirme dans son courrier prendre Gaston chez lui et le soigner. Gaston, chancelant, appuyé contre l'abbé Véron, quitte le palais Colonna. Il échoue chez son ami, dans un lit tout frais, une bonne chambre bien aérée. Nuit et jour, l'abbé Véron veillera Gaston, qui, dans son délire et sa fièvre, réitère sa demande d'affamé. Devenir prêtre.

Sophie s'agite de mille sentiments contradictoires à la réception des lettres de l'abbé Véron. Que d'étrangers autour de son fils ! Que font tous ces curés dans l'intimité de Gaston ? Ce maladroit d'abbé sait-il soulager les diarrhées de Gaston ? A-t-il seulement l'idée de lui faire boire de l'eau de « palagi » ? Sait-il qu'en cas de fièvre, la tête d'un enfant est constamment menacée ? Sophie tressaille : Gaston n'est plus un enfant ! Comment un homme s'y prend-t-il pour en soigner un autre ? Est-ce qu'au moins ce ridicule Véron a le bon sens, pour dégager la tête de Gaston, de « lui faire prendre un bain de pieds d'eau chaude et de savon[1] » ? et « si le bain de pieds ne soulage pas l'enfant (c'est vrai, ce n'est plus un

---

1. *La Santé des enfants,* Grand Album de la comtesse de Ségur.

enfant !), a-t-il l'idée, ce prêtre de malheur, de « mettre à chaque pied un cataplasme de graines de lin saupoudré de camphre une bonne demi-heure [1] » ?

Sophie écrit aussitôt à l'abbé Véron comment soulager les coliques de son cher chéri.

« Donnez matin et soir une tasse de gruau un peu sucrée, chaude ou froide. S'il y a des coliques, de fréquentes garde-robes avec un peu de matières et de glaires, donnez une cuillerée à café d'huile de ricin dans une petite tasse de bouillon ou dans du jus d'orange ; la purgation légère amenée par l'huile de ricin arrêtera l'irritation d'entrailles commençante [2]. »

L'abbé Véron a-t-il suivi les conseils de la comtesse de Ségur prête à s'embarquer follement à Marseille si son enfant préféré est encore malade ? Toujours est-il que fin août, Gaston est sur pied. Il peut écrire lui-même à sa mère. La rassurer.

Un de ses visiteurs, M. de Cazalés, Français fou de Rome, prêt à entrer dans les ordres, propose à Gaston d'achever sa convalescence. Qu'il fasse donc un petit voyage à Pérouse, Assise et Lorette.

Gaston accepte avec bonheur. Ses nuits de fièvre ont été traversées par le visage de la Vierge confondu à celui de Sabine. Sabine, dont la prière télépathique ne l'a pas quitté. Début septembre, Gaston part à travers les Apennins. Radieux voyage malgré sa faiblesse ! Radieux voyage composé d'une prière permanente, de dessins, de visites aux chefs-d'œuvre d'Ombrie, d'une longue prosternation à Assise.

Le père de Villefort n'est pas étonné de recevoir une lettre de Gaston.

Après une interminable prière au tombeau de saint François, Gaston s'est fait recevoir tertiaire de Saint-François. Première passerelle vers les vœux définitifs.

Fin septembre, à Lorette, Gaston, « en entrant dans la sainte maison de Nazareth » a presque oublié Sophie. Léger, proche du ciel, tremblant encore d'un reste de fièvre, Gaston se « promet », se fiance officiellement à Jésus-Christ.

Le 24 décembre 1842, tandis que les Ségur vont à la messe de minuit à Saint-Thomas-d'Aquin, Gaston de Ségur, en l'église du Gésù, écrit son vœu de chasteté. Il remet solennellement au père de

---

1. *La Santé des enfants.*
2. *Ibid.*

Villefort ce document, qu'il a écrit en latin, à minuit, la nuit de Noël :

> *Romæ, in nocte*
> *Natalis Domini anno 1842*

> *Domine Jesu Criste, ante adorabile Eucharistiæ sacramentum, in hac sancta nocte natalis tui, me totum tibi ac Virgini Mariæ etiam, sub perpertuæ caitatis voto sacrio ac dovoveo. Hic spondeo et juro secutorum vocationem sanctiam, quâ me ad te vocare dignatus es. In cujus opignus promitto tibi, o mi sponse dulcis Jesu, quotidie lectorum. Officium parvum Beatæ Mariæ Virginis usque dum, ordinibus sacris ex tua gratia susceptis, Brevariu magni onus suavissimum susceptero. Amen.*

> *Alleluia*
> *Pars mea Dominus !*

> *Gaston de Ségur*

> *Rome,*
> *En la nuit de la nativité du Seigneur, an 1842*

> *Seigneur Jésus-Christ, devant l'adorable sacrement de l'Eucharistie, en cette sainte nuit de votre naissance, je me consacre et me voue tout entier à vous et la Vierge Marie, sous le vœu d'une perpétuelle chasteté. Ici, je promets et je jure de suivre la sainte vocation par laquelle vous m'avez appelé à vous. En foi de quoi, je vous promets, ô Jésus ! doux époux de mon âme, de lire chaque jour le petit office de la bienheureuse Vierge Marie, jusqu'à ce que, ayant reçu par votre grâce les ordres sacrés, j'aie pris le très doux fardeau du grand bréviaire. Amen.*

> *Alleluia*
> " *Le Seigneur est mon partage.* "

> *Gaston de Ségur*[1]

« Attention, dit le père de Villefort en serrant ce texte. Vous allez devoir désormais lutter contre les êtres qui vous sont les plus chers. Votre mère... Restez ferme, Gaston ! Cherchez premièrement le royaume de Dieu et le reste vous sera donné par surcroît ! »

Si la lettre de Gaston annonçant sa décision a disparu, par contre, on connaît la réaction violente de Sophie et d'Eugène. Le plus outré fut Eugène. D'après l'abbé de Chaumont, le comte de Ségur écrivit aussitôt une lettre à son fils lui manifestant « son

---

1. *Monseigneur de Ségur, souvenirs et récits d'un frère*, A. de Ségur.

extrême déplaisir, (...) le renversement complet de ses plus beaux rêves [1] ».

C'en est fait de la pairie et du transfert du nom ! C'en est fait, si le délirant Gaston persiste dans cette folie, d'un beau mariage et de la naissance glorieuse d'un autre pair de France ! Son aîné défiguré, amoindri sous une misérable soutane d'abbé ! Quel coup dans les relations du comte de Ségur, désormais très en vue dans la Compagnie des chemins de fer de l'Est et à la Chambre ! De plus, l'ingrat enfant compromet aussi l'avenir de ses frères et de ses sœurs. Quelles alliances peuvent-ils espérer, si l'aîné, dépositaire de l'avenir symbolique, se gomme ainsi du monde ?

Humilié, furieux, pour une fois proche de Sophie, Eugène s'épanche, éclate et tonne. A quoi ont donc servi ses efforts et sa dépense pour envoyer ce fourbe à Rome ? Est-ce un irresponsable, un rêveur, un fou ?

Quant à Sophie, elle est presque au bord d'une syncope. « Sa douleur toucha presque au désespoir [2]. » Elle n'eût pas pleuré davantage si elle avait appris son décès. Jamais elle n'a suffoqué autant depuis la mort de Serge. Elle écrit à Gaston un courrier plein de détresse et de supplications.

« Soyez fort », chuchote le subtil Villefort.

Les lettres de Sophie arrivent, jusqu'à trois par jour. Gaston n'ose même plus les ouvrir. Il reconnaît, le cœur brisé, l'écriture chérie. Il va longuement s'agenouiller à Notre-Dame-de-Majeure. Il a alors la force d'ouvrir les lettres maternelles. « A genoux, devant le saint sacrement, il les lisait comme on lit le testament d'une mère mourante [3]. »

Cette épreuve fut pour Gaston la plus dure, la plus longue, car ses sœurs s'en mêlèrent. Nathalie écrivit à une amie au sujet de « ce malheur qui les menaçait ». Anatole, Edgar, sont navrés. Olga est consternée car plus personne ne rit. Woldémar est inquiet car Sophie, trop absorbée de soucis, ne l'appelle plus « mon bon Woldémar ». Pourvu qu'on ne le renvoie pas en malle-poste dans cet affreux pays de l'Est ! Seule, Sabine tremble de joie et d'espoir, « sœur unique et véritable [4] » de son jumeau spirituel : l'abbé Gaston de Ségur.

1. *La Comtesse de Ségur et les siens*, M. de Hédouville.
2. *Ma mère. Souvenir de sa vie et sa sainte mort*, Gaston de Ségur.
3. *Monseigneur de Ségur, souvenirs et récits d'un frère*, A. de Ségur.
4. *Sabine de Ségur, en religion sœur Jeanne Françoise*, A. de Ségur.

Nouveaux voyages. Nouveaux orages

Janvier 1843. Gaston a quitté Rome. Il est temps de retourner dans sa famille. Consoler sa mère. Convaincre son père qui a catégoriquement refusé de le laisser commencer ses études ecclésiastiques à Rome. Le père de Villefort a conseillé à Gaston le séminaire d'Issy, près de Paris.

Gaston est reçu par les siens de façon contradictoire. Sa mère tombe dans ses bras. Son père reste froid. Ses sœurs ont une expression de méfiance et de curiosité jamais vue. Sabine a l'air heureux. Woldémar sourit de ses belles dents carnassières d'enfant désormais bien nourri.

Gaston affirme son indépendance. Il entreprend le carême sous le prêche, à Notre-Dame, du père Ravignan. Aussitôt arrivé, aussitôt à l'église. Sophie est déchirée, à peine résignée, silencieuse. Le comte boude et ne parle plus de rien. Gaston, de façon très naturelle, annonce, vers Pâques, son désir de revoir, probablement une dernière fois, sa grand-mère russe. Sophie est effarée. Où est son petit garçon? Un homme, un homme déterminé, qui va, vient, s'engage, se dégage. Il prépare ce long voyage en Russie alors qu'elle a à peine eu le temps de se repaître de leurs retrouvailles. Quand sa mère le presse de questions sur sa maladie et les soins reçus, il répond peu. Il manifeste une réserve d'homme qui a des maîtresses. Ses maîtresses sont les églises. L'Église tout entière. Cette bande de religieux que Sophie déteste. Elle se souvient des vilains Jourdan et Surrugues. Véron, Villefort, les autres, lui ont pris son Gaston. Ils ont profité de sa faiblesse et de sa maladie. Le comte de Ségur organise sa survie mondaine. Il fait croire dans les salons parisiens que son fils se réfugie dans la religion à cause d'une déception amoureuse. Il eût été repoussé par la jolie petite cousine du côté de Philippe de Ségur. La commère Lydie Rostopchine en fera plus tard des gorges chaudes. « Il avait eu une grande déception d'amour, ayant été repoussé par la jeune personne qu'il désirait épouser. Ce chagrin violent décida de sa vocation[1]. »

La petite fille d'Olga, Arlette de Pitray, démentira ce bruit dans son livre sur Sophie de Ségur. « La jeune personne était sa cousine, se nommait Marie de Ségur et devint duchesse de Lesparre. »

« Soyez fort! » claque, vigoureuse et tonique, la voix du jésuite à

---

1. *Les Rostopchine*, Lydie Rostopchine.

388

l'oreille de Gaston. Laissez dire, laissez pleurer, laissez mourir. Gaston, non sans irritation, tente de dissiper cette fable d'échec amoureux, auprès d'Anatole.

« Quant aux précieux renseignements qu'on t'a donnés sur ma vocation, ils n'ont pas le sens commun. J'ai pensé à me consacrer à Dieu dès l'âge de dix-huit ans. Je suis entré au séminaire à l'âge de vingt-trois ans et j'y serais bien entré plus tôt si j'avais eu un directeur qui se fût occupé de m'éclairer et de me conduire [1]. »

Sabine avec son air béat, alors qu'ils sont bouleversés, irrite au plus haut point Sophie. Elle affirme qu'elle ne se mariera pas et tiendra le ménage de son frère. Henriette est prête à suivre sa jumelle. Nathalie, déjà mondaine, au beau cou en fût parfait, au sourire enjôleur, aux cheveux opulents, sculpturale dans ses robes bien serrées à la taille, a peur de rater son entrée dans le monde à cause de son frère. Anatole et Edgar sont en plein dans leurs études et les bals d'hiver. Olga souffre du chagrin de Sophie, depuis le départ de Gaston en Russie. Sophie ne cache plus sa peine. Elle la marmonne à voix haute. Les hommes, tous les hommes, religieux, ou pas, sont libres. Je voudrais être un âne, braire et ruer tout mon saoul. M'échapper de cette vilaine campagne, cet affreux Paris, ces ridicules enfants! Seul, Woldémar est paisible. Bien décidé à s'enraciner, ne jamais reprendre la route des pays de l'Est! Route de la faim, du froid, de la peur, des dénonciations, du knout, de l'abandon, des mauvais lits sans matelas et des soupes aux choux qui gonflent l'estomac. Quel délice de coucher dans la plume !

« Mon bon Woldémar, songe Sophie, tu avais l'air d'un pauvre Torchonnet quand je t'ai recueilli. »

Olga lit couramment, écrit convenablement, joue ses notes au piano et apprend un peu d'histoire et de calcul. Elle a brodé un napperon pour la fête de sa mère. Elle vocalise volontiers à belle voix. « A, A, A, Ah... » M. Naudet lui a enseigné comment lever un plan. Eugène l'appelle en riant « la perle de son salon ».

Oiseaux assassinés

Catherine Rostopchine est désormais au paroxysme de sa folie. Woldémar chassé ; brouillée à mort avec Nathalie, Eudoxie, André et ses petits-enfants. Ils sont, cet été-là, à Voronovo. Elle baigne dans la haine, de façon naturelle. Lydie définira ainsi la haine de sa

1. Lettre à Anatole, correspondance de Mgr de Ségur aux siens, 1860.

grand-mère : « à base religieuse qui glaçait l'âme et l'esprit de ses petits-enfants ». Du matin au soir, elle les harcèle pour qu'ils abjurent la criminelle Église grecque. Eudoxie, déjà malade, sent son état s'aggraver. Chaque journée est mutilée de querelles continuelles. « Partons ! », supplie Eudoxie. André, navré, accepte de quitter Voronovo qui lui appartient. Sa mère « jure de se venger ».

Faute de parents et d'amis à torturer, sa vengeance s'exercera sur ses malheureux serfs. Elle commence par signer une foule d'ordres de déportation à leur sujet au point que le gouverneur général s'en montre étonné. A partir de 1850, il sera même obligé de stopper les actes de la dangereuse folle, en lui supprimant légalement l'administration de son domaine confié à nouveau à André Rostopchine. Timothée, l'intendant, est devenu le complice de toutes les cruautés de Catherine Rostopchine. André le destituera en temps voulu.

Catherine est-elle devenue Mme Papofski ? Fédor avait aboli les châtiments corporels, affranchi ses serfs. Catherine laisse Timothée knouter une malheureuse servante enceinte, accusée par l'intendant « d'avoir bu de la vodka ». Catherine acquiesce alors au supplice de la malheureuse qui en mourra.

« Je la haïssais, témoigne Lydie Rostopchine qui avait entendu les hurlements de bête de la servante martyrisée, je la haïssais, cette femme implacable et sans entrailles que les sots traitaient de sainte parce qu'elle allait en pompe à l'église comme les pharisiens et y donnait le spectacle de sa fausse piété. »

Fausse piété ? En fait, fanatisme et démence religieuse. « Préoccupée seulement, continue Lydie, du salut de son âme, de la crainte de se tromper de porte et de se trouver tout à coup en enfer. » Elle poussera la démence jusqu'à faire arracher tous les magnifiques pommiers de son jardin de Moscou, pour ne pas exposer « ses gens à la tentation ».

Gaston s'est-il douté d'un tel saccage mental ? Aucun mot, aucun journal de ce dernier séjour. Rien n'y parle de leurs dialogues antérieurs. Gaston est arrivé au moment où André et Eudoxie avaient plié bagages. Voronovo est vide. Il retrouve sa grand-mère vieillie, radotant. Levée aux aurores, écoutant la première messe, puis, faisant une ou deux heures de prières. Lisant ensuite les livres saints jusqu'à la fin de la matinée. Gaston partage avec elle ces heures-là, se recueille à son tour dans sa chambre. La folle aïeule se livre l'après-midi à la passion sanglante d'un milan au détriment de toute une volière :

« Un jour, raconte Lydie, elle ramassa dans son jardin un petit milan à moitié mort qu'elle fit soigner et placer dans la grande volière. Le misérable tua toutes les jolies bestioles à qui il ouvrait le crâne pour boire leur cervelle. Nous eûmes beau montrer à ma grand-mère la trace du bec meurtrier, elle s'obstina. Quand la volière fut dépeuplée, elle y fit servir chaque jour deux moineaux vivants à ce minotaure ailé. Quelqu'un de la maison le tua lui-même. »

Gaston a-t-il tué l'oiseau diabolique ? Le démon s'est-il emparé du cerveau de Catherine sous forme de ce milan au bec ensanglanté du matin au soir ?

Catherine aime tant à charmer les oiseaux. Les voir mourir.

L'œil de Catherine Protassov, veuve Rostopchine, ressemble à celui de l'oiseau criminel, affolé de sang. Œil capable de contempler la mort sans fermer les paupières. Catherine, ivre d'un Dieu de colère et de châtiment, veut boire au sang même des âmes écorchées par ses soins.

Gaston sait qu'il a perdu à jamais leurs dialogues passionnés. Il n'a plus besoin d'elle. Elle l'a presque oublié. Gaston ne la reverra plus.

« Soyez fort », claque la voix de Villefort.

Il est temps d'entrer au séminaire.

Le séminaire d'Issy

Le 4 septembre 1843, Léopoldine Hugo se noie à Villequier avec son mari, Charles Vacquerie. Gaston reçoit, à cette date, une lettre du père de Villefort. Il l'encourage à renoncer à Rome et à sa direction spirituelle afin d'adoucir le mécontentement paternel. Qu'il entre le plus tôt possible à Issy. La lettre contient l'éloge de Saint-Sulpice.

Rome, septembre 1843

Vous avez fait sagement en vous rendant aux désirs de Monsieur votre père par rapport au choix de votre confesseur après votre retour de Rome. Vous désirez quelques conseils sur les divers détails de la vie parfaite du séminariste, sur l'esprit général qui doit animer ses actions, qui doit donner l'impulsion à sa conduite. Mon cher ami, vous êtes à la source de bons conseils. L'esprit de Saint-Sulpice est l'esprit de Jésus-Christ. L'esprit du séminariste, la vie parfaite du séminariste, doivent être étudiés dans la vie cachée de Notre-Seigneur. Souvenez-vous de moi d'une manière spéciale à la chapelle de Lorette, à Issy.

Père de Villefort,
De la Compagnie de Jésus[1]

Gaston naïvement fait lire ce courrier de Villefort à sa mère. Sophie se réjouit ouvertement de savoir les jésuites persécutés. « Nous sommes, maintenant, nous autres, pauvres jésuites, bien attaqués... » « C'est bien fait ! » dit Sophie, incapable de dominer son désarroi. Inflexible, d'une douceur redoutable, Gaston entre au séminaire d'Issy le 1er octobre 1843. Gaston n'est plus en famille, Gaston les a trahis. Sophie froisse et jette violemment à terre la première lettre qu'elle reçoit d'Issy.

8 octobre 1843

Adieu, ma chère maman, mon cher père, mes chères sœurs. Que Dieu vous console et vous encourage ! Appelez la foi à votre aide, et pensez, non pas aux douleurs présentes, mais aux joies éternelles et futures dont Notre Seigneur daignera les récompenser[2].

La pensée de Sophie suit les journées au séminaire. Elle les compare à un mélange de prison et de pension. Gaston reçoit une lettre de sa grande-mère russe.

Février 1843

Dès que tu seras sous-diacre, je ne te tutoierai plus, si je vis encore. Le saint ministère exige du respect, même au sein de la familiarité du parentage.

Sophie soupçonne-t-elle en ce doux jeune homme une âme aussi trempée que celle de la dure aïeule ? Sophie avouera plus tard à Gaston que « son angoisse ne disparut qu'au bout de cinq longues années[3] ». Le jour du départ à Issy, Sophie avait communié auprès de son fils et n'en avait ressenti « aucune consolation ». Elle avait alors reçu l'hostie « quasi désespérée ».

Le séminaire d'Issy est une maison de campagne de Saint-Sulpice. Les futurs prêtres étudient pendant deux années la

---

1. *Monseigneur de Ségur, souvenirs et récits d'un frère*, A. de Ségur.
2. Correspondance de Gaston de Ségur aux siens.
3. *Ma mère. Souvenir de sa vie et sa sainte mort*, Mgr de Ségur.

philosophie, avant d'aborder, à Paris, la théologie. Sophie trouve ce séminaire encore plus laid que Fontenay-aux-Roses. La cour est mal pavée, la façade délabrée. Un bâtiment contient la bibliothèque des élèves, une aumônerie des pauvres. Le corps central est sombre, humide, construit à moitié sur un sous-sol[1]. La chapelle est glaciale, nue. Au XVIe siècle, cet endroit avait eu tant de charme ! C'était la maison de campagne de la reine Margot. Elle y accueillait ses doux minets de cour et ses poètes lutineurs.

Petit reste du voluptueux passé ? un jardin de derrière où poussent des seringas, glissent des poissons dans un bassin moussu sous les mauves nénuphars. On y a enlevé les statues de nymphes penchées.

Séminaire d'Issy, 16 octobre 1843

> *Voilà deux ou trois jours, ma chère maman, que je veux vous écrire. J'ai la consolation, ma chère maman, de vous voir plus tranquille à mon sujet. Dieu merci, vous commencez à entrevoir ce que bientôt vous verrez avec tant d'évidence, que j'ai été par ma vocation ecclésiastique l'enfant gâté du bon Dieu et le privilégié entre tous vos enfants.*

Sophie reçoit le choc léger d'un poignard à peine appuyé sur le cœur.

> *Je me trouve dans mon élément depuis que je suis au séminaire. Il me semble que j'y suis né et je ne me souviens plus en quelque sorte de mon habit séculier...*

Les journées de Gaston, sous la direction du père supérieur, M. Gosselin, se déroulent en entretiens, retraites, solitude dans la cellule. Il prend la soutane si vite qu'il l'écrit d'abord à ses sœurs pour ne pas choquer son père. Sa mère va-t-elle enfin s'habituer à l'irréversible parcours ?

17 octobre 1843

> *Il faut vous réjouir de mon changement, mes chères petites, car il est le prélude d'une des plus grandes grâces que Notre Seigneur puisse faire à une famille. La soutane réchauffe le cœur, quoi qu'en disent les pauvres impies... J'ai été bien heureux d'apprendre que notre chère maman n'était pas trop abattue, le bon Dieu a eu pitié d'elle et de moi...*

---

1. *Au séminaire, Saint-Sulpice et les Sulpiciens,* d'après le livre de l'abbé Paul Fesch.

Est-ce si sûr ? Les lèvres de Sophie tremblent quand ses filles lui donnent la lettre. Elle se vit veuve d'un fils vivant.

> *Je suis de plus en plus heureux dans mon nouvel habit et dans mon nouveau palais. Il me semble que j'ai été toute ma vie ce que je suis... Adieu mes chères belles des belles, chères des chères, grandes des grandes, je vous embrasse tendrement.*
>
> *Gaston*

Sophie s'enfonce dans sa nuit opaque. Gaston est entré dans l'allégresse.

Voici son emploi du temps :

4 heures, le matin. Levé au cri de l'excitateur qui entrouvre les cellules avec un sonore « *Benedicamus Domino* ». Les séminaristes répondent tous ensemble « *Deo Gratias* », sinon l'excitateur (quel nom ! enrage Sophie), répète de plus en plus fort « *Benedicamus Domino* ».

Les narines sensibles de Sophie suspectent l'hygiène au séminaire. Eau froide, petite bassine... Y a-t-il au moins un savon ? Gaston va attraper des poux et même la gale, c'est sûr. Vingt-cinq minutes seulement pour le ménage de la chambrette et la toilette ? Est-ce une auge ? Bien certainement, les rats sont attirés par ce cloaque. Il aura le choléra.

5 h 30. Mon Dieu ! cet enfant n'a pas même déjeuné ! Estomac vide, le voilà qui court à son oraison, dans la salle des « exercices ». Salle jamais chauffée, entourée d'un vilain banc, éclairée d'un méchant quinquet. Ces séminaristes, dans l'aube froide, ont l'air d'une bande de squelettes. Gaston est à genoux pendant cette longue heure. Le banc est réservé seulement aux malades.

6 h 30. Il n'a toujours pas déjeuné.

En surplis, l'aréopage de séminaristes assiste à la messe. Gaston entre dans sa première jouissance. La communion.

7 heures — 8 heures. Toujours à jeun, bouclé, à genoux dans sa cellule. Selon le mot de Sainte-Beuve : « Ils ne relèvent plus que de leur conscience. »

8 h 30. Gaston et les autres descendent au réfectoire (enfin !) pour manger (quoi ?) : « un morceau de pain sec ».

Cet enfant va mourir ! Lui donne-t-on le fouet ? Tout est possible chez les fous.

10 h 30. A nouveau en cellule. Prière sans fin. Jusqu'à la syncope...

11 h 30. Tous se retrouvent encore dans la salle des « exercices »

(tortures ?), « à genoux et tête nue » pour faire leur examen de conscience. Plus ils se mortifient, plus le supérieur est content d'eux.

Midi. Enfin, à table. Directeurs et élèves déjeunent ensemble. Heureusement il y a un peu de vin. Un demi-litre devant chaque place. Ceci est mon sang. Une portion de viande mélangée de pommes de terre. Ceci est mon corps. Les plus zélés refusent vin et viande. Cela se remarque. Au séminaire, le moindre détail, un battement de cils, est remarqué. A la différence de Julien Sorel, Gaston de Ségur est fils de grande famille. Il sait rompre le pain et manger la bouche close. A tour de rôle, un séminariste lit un livre saint. On mange, tête baissée, en silence. Sophie frémit. Quelle erreur pour l'estomac et quel risque d'une constipation ! Fin du repas ; chacun lave son assiette. Beaucoup se contentent de l'essuyer, toujours en silence. « Moi aussi, je suis le silence, ratatinée derrière une lourde herse baissée. Je me tais, mais sans joie, sans espoir. » Chaque couvert est remis à sa place, la serviette roulée dans le verre pas même lavé — les cochons ! Les miettes du repas, recueillies conformément aux écritures. Sabine aussi fait de même, quitte furtivement la table, les miettes dans les poches de son joli tablier rose. Elle murmure à ce sujet la phrase que lui a écrite Gaston :

« *Colligite quæ superaverunt fragmenta ne pareant...* » Les futures petites saintes savent donc le latin interdit aux filles ?

Sortie de table. Les séminaristes récitent l'Angelus à la chapelle. Vont-ils enfin parler ? Oui ! Oui ! C'est la récréation. Mais défense de s'isoler, surtout à deux. Le groupe est de rigueur.

A nouveau le silence jusqu'à la classe de 3 h 30. Petite pause, puis, à 6 h 30, lecture spirituelle présidée par le supérieur.

7 heures. Souper, suivi d'une récréation.

9 heures. Coucher. Les zélés restent à genoux jusqu'à l'extrême limite de leurs forces. Cela se sait, traverse les murs, les oreilles, les cervelles.

La cellule de Gaston. Petite, vétuste, murs au crépi meurtri. Une fenêtre basse donne sur les toits. On y grille en été, on y gèle en hiver. Pour tout mobilier, un lit de fer, une table de travail en bois blanc, surmontée d'un crucifix. Une petite console en fer-blanc supporte le broc et la cuvette en émail. Un bahut, une étagère à livres. Par terre, la malle de Gaston. Un minimum de linge blanchi par lui-même. Chacun se sert.

Quant aux escaliers : « Ils doivent se monter une marche à la fois, les visites d'une cellule à l'autre sont interdites, les journaux prohibés[1]. »

Sophie griffonne plus que jamais son ardoise.

Tonsure

Gaston ne fit qu'un an de philosophie à Issy. Il entre, en 1844, au séminaire de Paris. Là, « tout est d'une propreté remarquable avec deux espèces d'armoires pour serrer les effets[2] ». Le chauffage est meilleur qu'à Issy grâce à « une cheminée parisienne d'une construction très ingénieuse ». Gaston n'est pas encore sous-diacre mais figure parmi les aumôniers des pauvres. Son zèle a porté fruit. L'abbé Richard, futur cardinal-archevêque de Paris, l'accompagne dans son apostolat.

Quelles sont ces ombres soudaines, au fond des prunelles? Dieu a-t-il frappé la vue de Paul en signe du grand message? Gaston, à nouveau, est obligé de tout arrêter. Lectures, courrier, simple contemplation du vitrail de la chapelle. Un rideau noir descend sur ses paupières, l'entraîne quelques secondes au fond d'une fausse nuit. Il en émerge avec moins d'effroi qu'à Rome. Il est armé d'un vague espoir qu'il n'ose formuler. S'il offrait ses yeux à la Sainte Vierge?

> *Mes yeux allaient s'affaiblissant chaque jour. Au carême, j'ai été consulter un oculiste, j'ai suivi un traitement et je le suis encore. Mais pour cela, il m'a fallu interrompre mon année de théologie et laisser là presque le séminaire[3].*

Gaston a beaucoup de peine à suivre les cours de l'abbé Lourdet, professeur au Collège de France. Il se passionne, néanmoins, pour l'enseignement de saint Jean-Chrysostome par M. Garbon. Il lui arrive, parfois, d'écrire à tâtons. Il s'efforce de retenir par cœur l'écriture sainte, expliquée par M. Laloux. L'abbé Mollevant devient le directeur de conscience de Gaston.

Le 1er juin 1844, à Saint-Sulpice, Gaston reçoit la tonsure. Sophie a envie de sangloter devant son fils devenu affreux. Elle a nourri le vague espoir qu'il renoncerait au dernier moment. Mais, quand, le 20 décembre 1845, Gaston reçoit à la fois les quatre ordres mineurs,

---

1. *Monseigneur de Ségur, sa vie, son action*, M. de Hédouville.
2. *Ibid.*
3. Correspondance de Mgr de Ségur, mai 1846.

le scandale, chez les Ségur est complet. Philippe de Ségur vient d'être élu à l'Académie, au milieu de MM. Royer-Collard, le duc de Pasquier, Dupin Aîné, le comte de Salvandy, Dupaty, Mérimée et Sainte-Beuve. Ce futur petit prêtre va-t-il compromettre l'avenir de gens aussi illustres ?

Nathalie se marie

Après sa tonsure, Gaston est venu passer quelques jours aux Nouettes. Fidèle à sa promesse, il a invité son ami d'enfance, Paul de Malaret.

Sophie a beau, consternée, contempler son vilain petit canard — Dieu quelle affreuseté, cette tonsure ! — Gaston a conservé toute sa gaieté. Il n'est pas sans remarquer l'attirance de Paul pour la belle Nathalie. Nathalie, de dix-sept ans et demi, en fraîche robe ouverte en corolle. Nathalie aux pieds agiles, capable de danser quarante contredanses de suite. Rire aux éclats sur ses dents bien plantées. Ramasser d'un geste gracieux et charnel à la fois sa belle chevelure en boucles. Nathalie, invitée à Eu, pendant la réception de la reine Victoria, a déjà été très remarquée ; son éclat, sa grâce extrême à se mouvoir, à manier l'éventail, son rire, le glissement de la paupière bombée sur les larges prunelles presque bleues. Coup de foudre aux Nouettes entre Paul et elle ? Baisers dérobés derrière la haie du raidillon Ségur ? Complicité de Gaston ? Tout va si vite que Nathalie et Paul de Malaret se fiancent deux mois plus tard, à la fin de l'été 1844. Sophie en reste une fois de plus sans voix. Quoi ! ses amourets ont donc grandi ! Quoi ! tout le monde s'en va. Elle serre contre elle Gaga et son bon Woldémar. Ô restez, petits, restez petits !

Sophie et le comte de Ségur négocient les fiançailles avec la famille de Malaret. Qu'au moins Nathalie atteigne dix-neuf ans pour se marier ! Le comte de Ségur est ravi du projet. Les Malaret d'Ayguevives sont une excellente famille. Riches. Ils ont une belle terre près de Castres. Elle doit revenir à Paul.

Qui est ce Paul dont s'est entichée aussitôt la belle aînée des Ségur ? Paul de Malaret fréquentait à Rome le même cercle mondain que celui de Gaston. Si Gaston en fuyait les aventures féminines, Paul en aucun cas n'a dédaigné les jolies femmes autour de son hôte, le prince Torlonia, le « Rothschild de Rome ». Les femmes envahissent le palais du prince Doria, sans parler des salons d'Autriche où l'on danse et boit volontiers. Chaque soir,

Gaston et Paul avaient été fort bien reçus chez le prince Doria. « Deux valets de pied en grande livrée nous reconduisent jusqu'à notre voiture avec des torches allumées... » Paul est aussi invité à l'ambassade de France. Le jeune diplomate est sans cesse en contact avec des femmes en prodigieux décolleté ; la chevelure nattée de fleurs, de diamants et de perles. Elles dansent, chaussées de satin, sur les parquets rutilants. Paul offre une coupe de champagne, contemple un cou renversé par le rire. Gaston, aussi, a vu tout cela, car, « c'est la coutume en Italie (que les prélats) puissent paraître le soir dans le grand monde, quoique prêtres ». Paul adore cette vie mondaine dont secrètement Nathalie, très différente de sa mère, a constamment rêvé. Gaston « s'est d'abord choqué de cet excès de mondanités ». Quelle inconvenance, ces corps de femmes sculptés dans le marbre rosé des chairs, ce parfum arraché des aisselles quand elles dansent, tournent et rient !

Paul de Malaret se régale, savoure, dévore et n'en dit rien au prude Gaston suspendu à la sèche voix du jésuite Villefort :

« Soyez fort ! »

Paul de Malaret ne passe probablement pas ses nuits romaines comme Gaston qui honnit jusqu'à l'idée même de la sensualité. De retour à Paris, Paul de Malaret n'a pas omis de rechercher les dames du Palais-Royal, que fréquentent Nemours, Joinville et certainement Eugène dont le discret carnet d'adresses avait presque fait sombrer Sophie, un moment, dans la folie.

Paul de Malaret, le fiancé, a-t-il, comme les fils de famille proche d'un mariage avec bien sûr une vierge de bonne famille, consulté un médecin ? Est-il sûr d'être intact de certains microbes secrets dus aux hygiéniques débauches d'ici et d'ailleurs ?

Un traitement au mercure, des tisanes de nénuphar, des bains de gros sel et de soufre, remettent discrètement en forme la vertu du futur.

Sophie et le comte de Ségur se rassérènent sur le point délicat de la dot de Nathalie. « Ils auront, écrit-elle avec satisfaction, 24 000 francs de rente à eux deux en se mariant et 45 000 à l'avenir. »

Quant aux opinions politiques de Paul de Malaret, ce jeune légitimiste rassure Sophie qui écrit aussitôt à la générale de Ségur :

« Ses opinions sont ce qu'elles doivent être dans mon gendre et votre neveu. Il a été présenté dernièrement au roi et à la famille royale de Neuilly, il en a été parfaitement accueilli. »

Tandis que la France se passionne pour la conquête d'Abd El-Kader, puis pour l'affaire Pritchard, le mariage a eu lieu le

19 décembre 1846. Gaston achève alors son sous-diaconat. La corbeille devant laquelle va défiler le Faubourg a été très admirée grâce à une parure de turquoises offerte par André Rostopochine, évaluée d'après Lydie à « 35 000 francs ».

Sophie n'a jamais aimé le tapage autour d'une noce. La veille du mariage, devant la robe en dentelle et satin broché, la coiffure luxueuse, Sophie écrit ce mot vigoureux à sa fille, code de toutes les noces à venir. Pas de larmes !

> *Surtout ne pleure pas demain. Il n'y a rien de plus ridicule et de plus embarrassant qu'une mariée larmoyante. Pourquoi des pleurs, quand on a confiance en celui qu'on épouse? C'est désagréable pour lui et assommant pour les autres. Je te préviens, que pour ma part, je ne pleurerai pas. Ainsi, compte là-dessus et ne va pas t'attendrir, car tu serais toute seule. Je suis heureuse de ton bonheur; j'ai confiance en celui qui va être ton mari. Je serais donc injuste et sotte de lui faire voir une émotion pouvant lui faire croire à de la méfiance de ma part sur ton bonheur futur* [1].

Pas un mot sur la sexualité. Si le but du mariage est d'avoir des enfants, DITES-MOI, MA CHÈRE MAMAN, COMMENT ON FAIT LES ENFANTS ET JE NE PLEURERAI PAS. Oui, les filles du XIXe siècle ont envie de pleurer le jour de leurs noces. Le mariage, en dehors de l'organdi blanc, d'une parure de turquoises, est-ce l'étau d'un courtois Paul de Malaret qui jette, au matin des noces, un singulier regard sur sa fiancée-qui-ne-doit-pas-pleurer? Après les noces, les jeunes mariés galopent vers Melun, cinq ou six malles de robes et de parures à l'arrière de la voiture. Dès leur retour, ils sont présentés au roi et à la reine, « un dimanche après la messe aux Tuileries ». Sophie gâte Olga plus que jamais. Son âne, Rapide, obtient des colliers supplémentaires. Woldémar conduit fort bien la petite voiture qui ne verse plus dans le raidillon Ségur où, déjà, les deux aînés ont disparu.

Le destin d'Anatole

La paix de Sophie ne dure guère. La vue de Gaston donne des signes tellement inquiétants qu'on le force à prendre des vacances. Il va au Tyrol, en juillet 1846, avec l'abbé Véron et son frère Anatole. Anatole achève ses études de droit. Lui aussi cherche sa

---

1. *Ma chère maman, souvenirs intimes et familiaux*, Olga de Pitray.

voie. Va-t-il devenir religieux ? L'influence du vilain Véron et de Gaston va-t-elle jouer sur l'esprit d'Anatole ? Il manifeste quelques allures puritaines, depuis que « des camarades pensant que noblesse oblige... à l'oisiveté et au plaisir, ne réussirent qu'une fois à l'entraîner dans une réunion où ses mœurs pouvaient courir quelque danger. L'impression fut si forte, le dégoût si violent, qu'à tout jamais il cessa de fréquenter cette société ». La Vierge est apparue à la Salette à deux enfants : Mélanie et Maximin.

Au fond d'elle, Sophie a une tendre pensée pour Serge, le débauché. Mon bon Woldémar, j'espère que tu courras un peu le monde, différemment que tes cousins. Est-ce le spectacle des infidélités d'Eugène dont a tant souffert Sophie qui marque ainsi le prude Anatole ? Gros Zézé va-t-il lui aussi choisir la chasteté ? Sophie s'inquiète. Et si l'horreur de la chair venait d'elle ? Après tout, elle n'a jamais qu'une seule de ses filles d'établie. Aura-t-elle des petits-enfants ? C'est un souhait très vif, en elle.

En septembre 1846, Anatole est nommé au Conseil d'État.

Sophie, aux Nouettes, n'a pas eu le temps de s'ennuyer lors de cet été exceptionnel. Tonsure, mariage, situation d'Anatole. Sans omettre la visite d'André Rostopchine et d'Eudoxie. Eugène Sue, en pleines finitions de son *Juif errant,* est resté une semaine avec eux. Le beau Sue amuse toute la société et fait rire aux éclats Sophie en se prétendant « socialiste ».

André est très heureux de revoir sa sœur. Ils s'embrassent en pleurant, comme tu ressembles à papa ! Papa, ô papa ! La table est couverte de cuisses de lièvres grillés, de tous les légumes, et d'éclairs au chocolat. Le café est délicieux, les liqueurs exquises. Un bon vieux vin a été remonté de la cave, discrètement goûté au passage par le dernier petit domestique de Sophie. L'honnête Saint-Jean fait les gros yeux. Attention, madame la comtesse veille à tout, même quand on la croit mourante... Il lui arrive de descendre à l'improviste à la cuisine, de gronder parce qu'on n'a pas déversé le ragoût de la casserole en cuivre dans le plat hygiénique en faïence. Elle ouvre le garde-manger, recompte les bouteilles, contrôle la réserve de sucre et des liqueurs. André trouve éclatant de santé le petit Woldémar, déjà instruit, tellement doux qu'un vague remords l'effleure. Que Nathalie est devenue méchante, autant que maman, avec cette histoire de bâtard ! Traiter ainsi le fils de Serge ! Que serait-il devenu sans la bonne Sophie ? Eudoxie, en revanche, montre les signes inquiétants d'une maladie grave. (Elle mourra d'un cancer.) L'année d'avant, elle a fait, sans grand résultat, une cure aux eaux de Helsingfors. Elle s'apprête à suivre, après son été aux Nouettes, un autre traitement. « De quoi souffrez-vous exactement ? » demande Sophie, prête à secourir sa belle-sœur avec son manuel de santé et ses compositions médicales. Sophie croit aussi beaucoup à l'homéopathie.

« Une nouvelle infirmité qui se développe en moi, un gonflement d'intestins et d'estomac tel, qu'après dîner, j'étouffe, me délace et m'endors, plutôt m'affaisse sans pouvoir vaincre ce malaise très contrariant[1]. »

Qu'a donc conseillé son médecin de Moscou, le Dr Schultz ? « Schultz a commencé à me donner un thé que je boirai tout l'été et puis il me prescrira des bains aromatiques[2]. »

Il est urgent d'emmener Eudoxie aux bains de mer, dans un climat plus doux. Nice ? Eudoxie complique sa guérison, en regrettant son avenir mondain. Elle n'aime pas se priver de ses bals et de ses réceptions à Saint-Pétersbourg : « Me voilà... privée de mon joli salon de la Fontanka, mes robes de bal... Les amis... Rubini... Tout ce qui me sourit dans mon cher et odieusement froid Saint-Pétersbourg[3]. »

Sophie ne reverra plus Eudoxie.

Mort de la comtesse Octave

Début 1847, Mme Svetchine est la première à annoncer à Sophie le déclin de sa belle-mère. La marquise de Lillers, grande amie de la comtesse Octave, expose à Sophie la modification (heureuse) de sa vieille ennemie. Des cauchemars l'empêchent de dormir. Le suicide de son mari, charrié dans la vase de la Seine à cause d'elle. Les mauvaises pensées et les traitements dont elle a, jadis, agressé Gaston et Sophie. Gaston a depuis longtemps pardonné à la scélérate grand-mère. De l'ancienne beauté de Félicité, il ne reste rien. Gaston rend visite à une vieillarde prostrée. Frêle, le cœur mal ajusté, perdue dans ses rides, dévorée d'angoisse. La moribonde ne veut pas brûler en enfer. Gaston l'apaise et la console aussitôt. Elle lui saisit soudain la main, qu'elle baise humblement :

« J'espère aller au ciel, mais je n'en suis pas digne. Quand tu seras prêtre, tu diras la messe pour moi, spécialement en ce jour-ci... Pardon, pardon de t'avoir si mal traité[4]. »

---

1. *Les Rostopchine*, M. de Hédouville.
2. *Ibid.*
3. *Ibid.*
4. *Ma mère. Souvenir de sa vie et sa sainte mort*, Mgr de Ségur.

COMTESSE DE SÉGUR

La comtesse Octave mourut le même jour, la main accrochée à celle de Gaston. De l'enfant jadis haï lui est venue son ultime consolation.

Inlassable, Gaston parachève son apostolat. La mère de la comtesse Octave, l'antique marquise d'Aguesseau, vit encore. Libre penseur, détachée de l'Église, totalement femme du XVIIIᵉ siècle. Quelques mois après la mort de sa fille, qui portait plus âgé qu'elle, la marquise se sentit submergée d'une vague religieuse. Elle exigea la présence du sous-diacre de la famille. Gaston accourut chez sa bisaïeule. Quel fut leur entretien ? La presque centenaire accepta, grâce à Gaston, de recevoir le père de Ravignan. Il écrivit sous sa dictée cette sorte de testament spirituel, résultat de l'influence de Gaston :

> *Madame la marquise d'Aguesseau désire que sa famille soit instruite de ses dispositions actuelles. Ramenée à la pratique des devoirs religieux par la miséricorde divine, elle regrette sincèrement un passé qui a dû contrister ses enfants. Elle demande qu'on ait pour elle à la fin de sa longue carrière les sentiments de charité chrétienne, et elle déclare n'en avoir pas d'autres dans son cœur à l'égard de tous ceux qu'elle doit aimer d'une manière spéciale et selon Dieu.*
>
> *Paris, 5 septembre 1841* [1]

Dans le caveau des Ségur d'Aguesseau reposent ces deux femmes, dont toute la vie n'avait été que sécheresse, égoïsme et vanité. Les prières de Gaston sont intarissables. Gaston accourt maintenant auprès de la pauvre Adèle, mourante à son tour. La dévouée servante cauchoise est emportée de la poitrine, comme autrefois Mme Charles. Sabine a veillé sa bonne jour et nuit. Gaston arrive de justesse pour l'administrer. Sophie paya en entier l'enterrement, qui eut lieu dans les mêmes conditions que celui de Mme Charles. Olga pleura à chaudes larmes.

Ordination de Gaston de Ségur

Le 19 mai 1847, Solange, la fille de George Sand, épouse le sculpteur Clessinger. Les jumelles lisent avec passion *La Mare au diable*. Sand quitte Chopin, qui s'en va du même mal qu'Adèle. Sand commence l'écriture de *François le Champi*.

---

1. *La Comtesse de Ségur et les siens,* M. de Hédouville.

Le 29 mai, la veille de son diaconat, Gaston reçoit cette lettre de sa mère. « Je suis heureuse de ton bonheur, mon cher enfant, et je te bénis du fond de mon cœur et de mon âme. »

De Russie, arrive ce courrier de Catherine :

« Je désire (et j'espère) que quand tu monteras en chaire, tu te souviennes que les longs sermons sont fatigants et que le profil devient très petit ou nul par l'impatience ou l'ennui de plusieurs. »

Debout, devant l'autel du séminaire au milieu de ses confrères rangés en demi-cercle, Gaston est transfiguré. Sabine est aux anges. Sophie a la gorge sèche d'émotion. Elle est loin de se douter qu'il demande à la Vierge le sacrifice de ses yeux. Le sacrifice de la lumière terrestre au profit d'une lumière intérieure.

Gaston enverra à sa grand-mère le double du petit calendrier sur lequel est inscrit l'essentiel de sa route qui n'a pas défailli :

> *TONSURE : 1er juin 1844, Saint-Sulpice*
> « *Mortuus sum mundo et mihi vivere christus est.* »
> *Je suis mort au monde et ma vie est en Jésus-Christ.*
> *ORDRES MINEURS : 20 décembre 1845*
> « *Altaria tua, Domine virtutem ! Rex meus et omnia ! »*
> *Vos autels, ô Dieu des vertus ! Mon Dieu et mon tout !*
> *SOUS-DIACONAT : 19 décembre 1846*
> « *Beatus quem elegisti et assumpsisti ; deus meus, misericordia mea ! »*
> *Heureux celui que vous avez choisi et élevé à vous, mon Dieu et ma miséricorde.*
> *DIACONAT : 29 mai 1847*
> « *Accipe Spiritum sanctum ad robus.* »
> *Recevez l'Esprit Saint pour être fort.*

La jardinière des Nouettes, la mère Leuffroy, a composé elle-même le bouquet destiné à ce 29 mai. Seringas, lys, roses, Sophie a voyagé avec le bouquet dans un seau d'eau. Le même jour, la mère Leuffroy a disposé dans la petite église d'Aube une autre gerbe aussi belle. « Comme pour la Sainte-Trinité, dira-t-elle à Sophie de Ségur, il m'a semblé voir les trois soleils... »

Le 17 décembre, a lieu la cérémonie définitive d'ordination. La mère Leuffroy a imaginé un bouquet d'immortelles et de jacinthes. Revu les trois soleils, devant l'autel où Gaston s'était donné au Christ, le 8 septembre 1838.

Ce samedi 17 décembre, l'archevêque de Paris, Mgr Affre, ordonne Gaston à Saint-Sulpice. Gaston de Ségur « se consacre entièrement et éternellement ». Il est heureux d'être enfin admis à adorer sans réserve la Trinité, saint François d'Assise, François de Sales, Charles Borromée.

Sa mère ne le quitte pas des yeux. Un calme extraordinaire l'envahit. Douceur des paroles captées sur la bouche de ce fils transcendé. Le lendemain, 18 décembre, l'abbé de Ségur dit sa première messe à la chapelle de Sainte-Geneviève, à Saint-Sulpice. Sophie l'écoutera entièrement à genoux. Elle reçoit, bouleversée, la première bénédiction de Gaston.

Sophie a-t-elle aussi abouti un chemin ? La douleur a disparu. Son âme s'apaise, s'élance...

Gaston a croqué son ordination. Dessin que Sophie conservera toute sa vie, telle une relique. De dos, on reconnaît Gaston, tonsuré, dont les bras s'élèvent, porteurs de l'hostie sacrée. Une armée d'anges semble descendre de la voûte. Tous les saints arrivent, en un déferlement intarissable. Quatre prêtres sont agenouillés dont Mgr Affre et l'abbé Le Rebour, futur curé de la Madeleine. Nuages, séraphins, souffle des bienheureux, flot de lumière, Gaston n'a plus besoin de ses yeux. Sophie relève une tête enfin libérée de sa migraine. Son été aux Nouettes sera doux et recueilli. Sabine est au comble de sa joie secrète. Henriette n'y comprend rien et se trouve trop grosse. Nathalie est enceinte. Olga s'enlaidit à souhait avec des essais de coquetterie. Woldémar rougit dès qu'une fille le regarde, Anatole et Edgar pensent à s'établir. (Comment fait-on un enfant, ma chère maman ?) M. de Chateaubriand est enterré à Saint-Malo. La révolution va éclater, le sang va couler.

Sophie chantonne. Elle a quitté la chambre et l'ardoise. Elle dévore à son tour les cerises et les écrevisses. Libérée de Gaston, d'Eugène. D'elle-même. Est-ce cela, le début de la vieillesse ? Une grande paix des sens, de constantes petites compensations, une santé meilleure ? Est-ce une visite du Bon Ange ?

CINQUIÈME PARTIE

LES VACANCES DE SOPHIE
(1848-1855)

I

INSTALLATIONS

32, rue Cassette

La fin de l'année 1847 fut heureuse pour Sophie. S'est-elle rendu compte de l'exaspération du peuple et des intellectuels devant ce régime bourgeois et policier ? Le roi, toujours sûr de lui, ne veut rien voir, rien pressentir. La mort de son fils, l'étiolement de sa fille Marie, ont effondré la reine. La plus clairvoyante reste Mme Adélaïde. Jambes gonflées d'œdèmes, elle agace son frère par ses trop justes prédictions. Nemours et Joinville, aussi, sont lucides. Sophie et presque heureuse. Sa santé semble refleurir, elle parle sans difficulté. Les migraines sont plus rares, les maux de reins guéris. Finie, l'ardoise ! Elle rit volontiers, s'entoure plus que jamais de ses filles. Sophie, à travers cette épreuve d'une longue maladie, a agencé des forces nouvelles. La maturité ? Sa vitalité est décuplée depuis la mort de la comtesse Octave. Sophie hérite du rôle de l'autoritaire belle-mère enfin disparue. Les réunions du jeudi, où sont invités cousins, cousines et autres enfants du faubourg Saint-Germain, ont désormais lieu chez elle, rue de Grenelle. A son tour de déployer son imagination, d'animer son salon, oui, son salon, à sa guise, à son rythme. Sophie est devenue la maîtresse d'un royaume chargé d'enfants, de mères, de thé, de gâteaux qu'elle découpe elle-même. Elle est la reine de ce phalanstère féminin qu'elle mène à son gré.

Elle rit.

Gaston prend encore quelques repas en famille. La peine de Sophie est usée. « Tout a une fin, la gaieté comme la tristesse[1]. »

---

1. *Le Général Dourakine.*

Que Gaston aille, vienne, reparte, ne la bouleverse plus. Il a l'air plus heureux que jamais. Allons ! Dieu est là, tout est bien.

Elle rit. Elle sait maintenant qu'il n'y a rien de plus féroce que les anges.

Gaston a organisé sa vie sacerdotale. Il s'est trouvé un appartement, au 32, rue Cassette. Il y associe quatre compagnons au même idéal. Les abbés Gay, Gibert, de Conny, de Girardin. L'appartement compte cinq petites pièces. Elles sont meublées d'un lit, d'une table, d'une chaise, d'une armoire pour les vêtements réduits au minimum. Chacun fait son lit, Gaston, le premier. La discipline du séminaire continue. Prêcher l'Évangile, c'est devenir le pauvre d'entre les pauvres. Les cinq amis se mettent aussitôt à l'œuvre. Ils prêchent, visitent les misérables, aident, consolent, grimpent les étages, courent les hôpitaux. Messes, prières, recueillement, sont quotidiens. Gaston espace ses repas chez sa mère qui n'en souffre décidément plus. Les cinq apôtres se retrouvent le soir pour un bref dîner. Ils laissent la porte ouverte aux indigents, aux désespérés, à tous ceux qui veulent entendre une parole de l'Évangile. Ils n'ont pour aide qu'une pauvre servante, goitreuse, vaguement folle, « un peu simplette qui entretient le linge, la cuisine, les planchers[1] ». Ils n'hésitent pas à laver eux-mêmes quand la pauvrette a oublié.

La prison de l'abbaye n'allait pas tarder à devenir pour Gaston un vivier de bonnes œuvres. Mgr Affre connaissait l'abandon absolu de ces malheureux, il avait vite deviné l'ardeur de Gaston, son absence totale de dégoût et de mépris, son envie de descendre tout droit au fond des cœurs obscurs. « Je ne suis pas venu pour les bien portants mais pour les malades[2]. » Mgr Affre pensa aussitôt à Gaston.

« *Fils de Saint Louis, montez en fiacre !* »

La mort de Mme Adélaïde, le 31 décembre 1847, entraîne celle de la monarchie bourgeoise. Tempête de haine, dans cette France exaspérée, déçue par la reddition d'Abd El-Kader, et sa misère croissante. Le roi est portraituré, plus que jamais, en forme de poire. Sur les murs, sur les routes, sur les portes cochères.

Le 17 février 1848, le duc de Montpensier écrit à son frère le duc d'Aumale, toujours en Algérie : « Les affaires vont terriblement

---

1. *Monseigneur de Ségur, sa vie, son action*, M. de Hédouville.
2. Évangile selon Luc.

mal. Le ministère a poussé les choses à une extrémité telle que nous nous attendons à tout. »

Le roi est devenu aberrant, égaré, depuis la mort de Mme Adélaïde. Le roi s'absorbe dans des futilités. Au lieu d'affronter la réalité de son impopularité, il organise l'affreuse crypte des tombeaux de famille à Évreux. Il manipule, avec les ouvriers, des vieux os. Il reconnaît au fond de cercueils éventrés, des mâchoires et des fémurs. « Tiens ! mon cousin de Ponthieu ! » Ces lointains défunts, qu'il n'aimait même pas, lui procurent d'intenses jouissances. Il rassemble les cendres des siens tandis que la France prépare la république à son détriment.

Ignore-t-il que la campagne des réformes a prévu « un banquet monstre », le 22 février, dans le XII⁺ arrondissement ? Il opine mollement à l'opposition qui craint tout de ce banquet. Il faut supprimer ce banquet ! En hausser tellement le prix des places que le peuple ne pourra jamais y accéder. Le peuple devient dangereux. Il faut l'empêcher d'agiter les esprits déjà mécontents. Odilon Barrot proteste contre cette violation du droit de réunion. Le gouvernement envoie un commissaire de police afin d'interdire ce banquet.

Dans les rues, un chant d'ouvriers furieux monte. La bonne société, les Ségur compris, les accusent « de boire ». Le raz de marée est prêt. Guizot envoie la Garde nationale pour contrôler l'ordre du banquet. Le petit Thiers, seul, soupçonne que le sang va couler. Le prétentieux Lamartine s'enivre de lui-même au sujet de ce banquet qui n'aura pas lieu : « La place de la Concorde dût-elle être déserte, j'irai seul au banquet avec mon ombre derrière moi ! »

Louis-Philippe redresse sa glotte de pigeon, croit rassurer Rambuteau, préfet de la Seine : « Dans huit jours, vous serez bien honteux des sottes peurs qu'on vous a données. »

Le 22 février, une foule d'étudiants défilent au cri de « A bas Guizot ! A bas les gardes municipaux ». Ils descendent tout droit vers le palais Bourbon. Sentencieux, la poire royale commente : « Les Parisiens ne feront pas de révolution en hiver. »

Les barricades sont commencées. Il y a des incendies aux barrières. Un amoncellement de pavés et de vieux meubles jusque dans la rue de Grenelle. Sophie ferme les fenêtres, pourvu que ces voyous ne cassent pas mes vitres ! Et Gaston qui court les rues, les taudis, on va le tuer, c'est sûr ! Il est trop tard pour fuir aux Nouettes. « Ces événements sont déplorables », commentent Sophie et ses filles. La Garde nationale, ces braves militaires que Sophie admirait tant, va tourner casaque. Le 23 février, à eux de crier de concert avec les insurgés : « Vive la réforme ! ». Rue Saint-Denis, ils se mettent à leurs côtés. Au pied du Panthéon, une seule voix s'élève « Vive la République ! ». Sophie se bouche les oreilles.

Atterré, enfin conscient, le gros roi croit tout résoudre en obligeant son meilleur ami, Guizot, à abdiquer. Le 23 février, à 9 h 30 du soir, la foule nargue et s'oppose au 14e régiment de ligne, boulevard des Capucines. Le régiment tire. Seize morts, entassés aussitôt sur un chariot, promenés dans tout Paris, sous les fenêtres de Sophie. Un seul cri, houleur, spasmodique : « Vengeance ! ». « Vont-ils brûler Paris ? » songe Sophie qui trouverait au fond cela naturel. Papa, ô papa ! Le 24 février au matin, c'est la barricade de la rue Saint-Martin. Affolé, le piètre roi « en poire » (quel malheur !) a la sotte idée de nommer à la tête de sa troupe Bugeaud, impopulaire à l'extrême. La vieille ganache, bornée et sanguinaire, fait massacrer une foule d'insurgés près de la Concorde. La Garde nationale a commencé sa marche sur l'Hôtel de Ville.

Le petit Thiers, ravi, chuchote au roi : « la fuite, la fuite, sire ». Le mot bruisse, telle une couleuvre dans l'oreille un peu dure de ce d'Orléans qui, tout à coup, joue au monarque de grande classe. Il passe lui-même en revue les troupes, au carrousel. Des cris jaillissent de partout, hostiles, obscènes. Les insurgés alors attaquent le château d'eau, tout près du Palais-Royal. Gaston a disparu à travers les barricades. Sophie frémit : « ah, les bandits ! Les canailles ! Les coquins ! ». Le journaliste Girardin suggère au roi, replié dans son salon et sa honte, l'abdication. En faveur de son petit-fils, le comte de Paris.

Louis-Philippe d'Orléans signe. Mme Adélaïde se retourne dans son tombeau. Girardin s'empare de l'acte fatal, le brandit devant les insurgés groupés sous le balcon. Tout craque, tout brûle. Gaston est obligé de s'habiller en civil. A Rome, Nathalie de Malaret est prise des premières douleurs de l'accouchement. Louis-Philippe, honteux pis que le corbeau de la fable, s'engouffre avec sa famille place de la Concorde dans un méchant fiacre. Il balbutie, irrite la reine qui a caché un fusil sous le siège : « Pire que Charles X ! Cent fois pire ! » Un titi parisien lui claque au nez la portière en ricanant ce mot qui fera le tour de la France :

« Fils de Saint Louis, montez en fiacre ! »

Le fiacre, surchargé des lambeaux royaux, passera lui aussi devant la barrière des Nouettes... jusqu'au Havre. Ensuite, l'Angleterre, où mourra ce vieux bourgeois qui n'a pas compris, admis, que la prudence, les petits sous, les soirées douillettes, la sécurité des imbéciles, n'ont jamais fabriqué un grand chef d'État.

Rome. L'accouchement est terminé. Paul de Malaret est soulagé. Les cris de Nathalie avaient atteint l'aigu d'une bête égorgée dans ce vaste palais, plein de marbres, incommode, luxueux, difficile à chauffer. La sage-femme s'affolait. Une petite fille blonde aux yeux bleus est née. Camille. Sophie est grand-mère.

Le peuple de Paris pénètre dans le palais des Tuileries. Un émeutier a bondi sur le trône et coiffe un bonnet phrygien. Tout est cassé, détruit. Les porcelaines renversées, le service Christofle piétiné. Les prostituées de la rue Saint-Martin se roulent dans le lit de la reine. Elles pillent ses armoires, copulent avec les insurgés à même les tapis en hurlant : « Vive la République ! » Les caves sont vidées. Tout le monde est ivre. Les bouteilles jetées à la volée contre les grands miroirs à feuille d'or. La révolution, est-ce le souper de Mlle Justine [1] quand les esclaves, enfin, avalent au goulot le vin des maîtres ?

Le soir même de cette belle orgie sont gravés au charbon ces mots sur des banderoles accrochées tout autour de l'Hôtel de Ville : « LA RÉPUBLIQUE UNE ET INDIVISIBLE EST PROCLAMÉE EN FRANCE. »

La communion d'Olga est reculée à cause de ces événements. Eugène continue à fréquenter la Chambre. Il suppute les chances d'un avenir à nouveau glorieux. Gaston s'active dans les prisons désormais pleines. La confusion est générale. Les blessés et les morts s'entassent. Sophie a peur des microbes. La république est un microbe. Début mars, elle part en catastrophe aux Nouettes avec ses filles, Edgar et le bon Woldémar. Anatole est resté avec son père. Au revoir, cher enfant, le devoir avant tout. Dieu nous réunira. Célestine, la gardienne, n'a pas eu le temps de bassiner les lits, de remonter les pendules, d'épousseter les marbres. La mère Leuffroy n'a pu composer ses bouquets dans les chambres des filles et de madame la comtesse. Anatole publie son premier recueil de fables. Quand tout se calmera, il écrira des chansons pour son ami Gounod. Sophie et les siens veillent, assis tous ensemble sur la pelouse, tandis que Paris gronde pis que tigre. Les fenêtres du château sont ouvertes. La chaleur est revenue. La tendresse du ciel, le chuchotement des grillons, la profusion des lilas, des fruits, des oiseaux, tout est là pour enchanter ceux qui, jamais, n'ont couru d'une barricade à l'autre, le ventre vide, la rage à l'âme, « puisque

---

1. *Comédies et Proverbes.*

c'est la faute à Rousseau, la faute à Voltaire ». Une suave paix inhibe désormais Sophie dans ses chères Nouettes, cet enclos dont elle a, semble-t-il, épaissi davantage l'invisible muraille avec les dilemmes sociaux. Une Sophie de quarante-neuf ans, encore svelte, vêtue de coton jaune et violet, les cheveux filetés de cendre fine. Impatiente de courir le long du raidillon Ségur jusqu'aux grands champs de blé. Impatiente des brassées de fleurs ramenées et tressées en couronnes. Celle de Louis-Philippe a désormais moins de consistance que ses coquelicots sur la tête du chien Calino. Impatiente de voir la petite fille de Nathalie et l'ordre, son précieux ordre, revenir à Paris et en France. Pourvu que ces bandits ne cassent pas mon appartement, rue de Grenelle ! Ces républicains, quand ils ont bu, sont capables de tout ! « Que peut-on attendre de bon d'une république ? » demandent ses filles, assises autour d'elle, le soir, sur la pelouse odorante : « Mes pauvres enfants, c'est toujours ainsi dans le monde ; le bon Dieu nous envoie des peines, des chagrins ; des souffrances pour nous empêcher de trop aimer la vie et pour nous habituer à la pensée de la quitter. Quand tu seras plus grande (Olga), tu comprendras ce que (Gaston) comprend très bien déjà : c'est que pour bien et chrétiennement vivre, il faut souffrir ce que le bon Dieu nous envoie, être charitable pour tout le monde, aimer Dieu comme notre père, les hommes comme nos frères [1]. »

« Mais, ma chère maman, les républicains, justement, disent que tous les hommes sont frères et... » « Non. Ils se disent et se croient les égaux de leurs supérieurs. Ils renient le Seigneur. Ce sont des Antéchrist. Dieu les punira. Prions pour qu'un jour le fils du duc de Berry monte sur le trône. Prions pour que Gaston puisse ramener à Dieu quelques-uns de ces assassins. »

Juin apporte sa floraison et ses veillées sans fin sur la pelouse des Nouettes. « Si on se racontait l'histoire de la fée Bonsens, de Modeste et de sa sœur Insatiable [2]. » Les batailles ont repris de plus belle dans les rues de Paris. Le gouvernement provisoire, installé à l'Hôtel de Ville, est composé de modérés soutenus par *Le National,* Lamartine, Dupont de l'Eure, Ledru-Rollin, et de républicains plus durs, patronnés par le journal *La Réforme :* Louis Blanc, Marat, Flocon.

Rien ne va, personne ne s'entend, tout le monde hurle. Une

---

1. *Les Vacances.*
2. *Les Bons Enfants.*

nouvelle Garde nationale est constituée. Les républicains les plus farouches veulent immédiatement le drapeau rouge. Nouvelle occasion, pour Lamartine, de monter sur une chaise et de lancer, en effet, sa fameuse péroraison : « Le drapeau rouge n'a jamais fait que le tour du Champs-de-Mars. Traîné dans le sang du peuple, le drapeau tricolore a fait le tour du monde avec la gloire et la liberté de la patrie. »

On finit par se mettre d'accord sur le drapeau tricolore à condition d'y graver « Liberté-Égalité-Fraternité ». L'euphorie submerge Paris qui abolit la peine de mort en matière politique. On réduit à dix heures la journée d'un ouvrier. On exige la liberté de la presse, de réunion, l'abolition de l'esclavage aux colonies.

L'innovation fondamentale de cette curieuse et courte républi-que fut LE SUFFRAGE UNIVERSEL. Il sera conservé, sous le Second Empire, sous forme de plébiscite. La démocratie est née grâce à ce printemps furieux de 1848 où les cerises débordent dans les paniers du verger de Sophie. Suffrage universel, tandis que Sabine cuit des confitures pour la pauvre mère Germain. Sa petite protégée paralysée sait écrire sans faute le mot RÉPUBLIQUE alors que Sabine lui avait appris en premier le Pater, l'Ave et le Credo. Le microbe aurait-il envahi la campagne malgré son bon air ?

Les femmes se déchaînent

Sophie a-t-elle enfin compris le sens du mot « socialisme » prôné par Eugène Sue ? Où est passé M. Naudet ? Barricades ? Sociétés secrètes ? Que signifie l'abolition de l'esclavage ? Ramoramor, le Noir de son roman *Après la pluie, le beau temps,* vient-il tout droit de ce moment de l'histoire ? Cette nouvelle république angoisse en premier le bourgeois. La Bourse est fermée. La rente tombe. Eugène s'inquiète. Que vont devenir les actions des chemins de fer de l'Est ? Le décret du 4 mars 1848 accorde à nouveau le droit de réunion. Scandale ! Une profusion de clubs féministes en profite. A leur tête, George Sand, âgée de quarante-quatre ans, Eugénie Niboyet, Jeanne Deroin. Toutes réclament l'émancipation. Elles en ont lu le principe avec fièvre dans *Le Globe* et *Le Producteur,* journaux signés Prosper Barthélemy Enfantin. Enfantin est le principal propagandiste du saint-simonisme. On voit partout Sand, plus que jamais en pantalons, haut-de-forme et cigare au bec. Elle réclame l'abolition de la dot, le droit au concubinage, le divorce par consentement mutuel, la garde des enfants. Jeanne Deroin, liée d'amour passion à Eugénie Niboyet, exige l'égalité des salaires, la maternité sans le mariage. Hissées sur des tonneaux, elles vociférent, applaudies par Daniel Stern, la comtesse Marie d'Agoult dont Franz Liszt lui enlèvera les trois enfants, et la belle Mme de Girardin. Sophie ne dira jamais un mot à leur sujet. S'il y a dans sa bibliothèque *Lélia* et d'autres ouvrages de George Sand, l'applaudir, elle et ses amies, serait trop grave. Elle n'aurait plus qu'à abandonner la bande d'enfants qui gravite autour d'elle, la dévore depuis tant d'années et prendre un amant. M. Naudet ? Sue ? Gounod ? Qui ? Par contre, Sophie réfléchit comment rédiger ses recettes de soins. Si elle les rassemblait en un volume intitulé *La Santé des enfants* ? Cela serait de grande utilité aux femmes, aux jeunes mères. Elle pourrait, peut-être, essayer d'éditer son livre à compte d'auteur ? Qui peut aider une mère sans expérience quand son enfant est malade ? Le médecin et la bourse n'y suffisent pas toujours. Mes recettes sont faciles à concevoir. La liberté des mères, n'est-ce pas la santé de leurs enfants ?

La république bourgeoise finit par l'emporter. On ricane, on réduit au plus vite les femmes au silence. Les ateliers nationaux ferment. Désœuvrés, les ouvriers se sentent floués. Le 21 juin, le gouvernement décide que les célibataires de dix-huit à vingt-cinq ans seront enrôlés dans l'armée.

Les barricades resurgissent. L'Assemblée confie le pouvoir à Cavaignac, homme de poigne que Gaston ne cesse de caricaturer. La révolte est sauvage. Au Quartier latin, autour de l'église Saint-Gervais, 50 000 hommes se battent contre les hommes de Cavaignac.

Mgr Affre veut s'interposer entre un fusil et un ouvrier. Il est abattu sur-le-champ. Le 26 juin, la répression est impitoyable. 1 500 hommes fusillés sans jugement. 1 600 morts dont 6 généraux. Conséquences : 15 000 insurgés arrêtés, 11 000 en prison. Ils traversent Paris, enchaînés. Le chant révolutionnaire aux lèvres, l'orgueil des pauvres, ou des saints. Sûrs de mourir, joyeux de haine, d'espoir et de rage ! Dramatique et triomphant cortège qui pue la sueur, le sang, le vomi, l'urine, la crasse. Tu peux aimer et décrire les pauvres, Sophie ! Tu as toujours su qu'il puait, ce peuple qui avance, noble à sa façon. Qu'il se nomme Diloy, Blaise, Lucie, Caroline, Gribouille ou Gaspard... Ce peuple a tout donné et souvent dévoré des glands dans ta forêt. A Fleurville. Faute de pain...

414

Gaston et les exécutions capitales

Le 3 juillet, l'insurrection est vaincue. Cavaignac remet ses pouvoirs à l'Assemblée. Louis-Philippe, du fond de son exil, s'écrie : « La république a de la chance, elle peut tirer sur le peuple ! »

Gaston a fort à faire à la prison de l'abbaye. Gaston est désigné pour accompagner au poteau d'exécution le sergent Herbuel. Il a tiré à bout portant sur son supérieur pendant les journées tumultueuses. Herbuel est condamné à mort en août 1848. Sophie et ses filles bêtifient sur la pelouse des Nouettes. Anatole chante fort et faux *Le ciel a visité la terre*. Gaston visite quotidiennement Herbuel en prison. Il lui parle de Jésus-Christ, de rédemption et d'espérance. Le vieux Herbuel, d'abord farouche, anticlérical, hostile, haineux, s'adoucit. Il courbe un front résigné, accepte son châtiment. « Je suis heureux. Je suis prêt. Que le bon Dieu fasse de moi ce qu'il voudra. Je suis dans une paix profonde. Je ne voudrais vivre que pour pouvoir faire pénitence [1]. »

Herbuel sera fusillé le 2 novembre.

La nuit du 1er novembre, Sophie n'a pas dormi. Elle prie pour son fils et pour le sergent Herbuel, bien droit dans son vieux costume râpé. Gaston va-t-il supporter d'entendre la décharge de fusils ? Voir le corps frémir avant de s'immobiliser ? Le coup de grâce dans la tête d'Herbuel peut-être encore conscient ?

Le 1er novembre au soir, fête de tous les saints, de tous les morts, Gaston a confessé Herbuel. Il lui a donné le saint viatique.

A 4 heures du matin, Sophie sursaute. C'est l'heure. On a ouvert la lourde porte de l'abbaye. Herbuel et Gaston sont montés dans la voiture fermée, entourés de gendarmes. On galope vers Vincennes et ses fossés. Sophie serait-elle soulagée si elle voyait la tendresse de Gaston, le calme presque gai du condamné ? « Rien ne peut exprimer la joie que j'ai goûtée cette nuit. La mort n'est plus rien pour moi, je sais où je vais, je vais là-haut, chez mon père. »

Gaston a raconté fidèlement à sa mère la suite de ce poignant matin. Gaston, pâle, tremblant — le Christ n'a-t-il pas supplié Dieu d'éloigner de lui une telle coupe ? —, Gaston s'est brièvement senti défaillir quand le vieux sergent a demandé au chef de l'exécution

---

1. *Monseigneur de Ségur, souvenirs et récits d'un frère*, A. de Ségur.

qu'on lui laisse le commandement du feu. « J'ai eu le courage du crime, il faut que j'aie celui de l'expiation. » Gaston alla s'agenouiller un peu plus loin. Il se sentit tétanisé quand les coups partirent après le cri du vaillant Herbuel : FEU !

Quelques jours après l'exécution d'Herbuel, Cavaignac, « le bourreau de Paris », remit ses pouvoirs. Le 20 décembre 1848, le citoyen Louis-Napoléon Bonaparte, bénéficiaire d'une surprenante victoire, prêta serment à la Constitution. Il est nommé président de la République. Lamartine ne s'en remettra jamais.

Gaston de Ségur vit cette période face à face avec la mort des condamnés. Après Herbuel, le carabinier Guth. Lui aussi a tiré à bout portant sur son capitaine. Gaston visite Guth dans sa cellule. L'abbaye devient le champ clos d'entretiens périlleux. Guth a l'air d'une brute, d'une bête sauvage. Gaston le regarde, lui prend les mains, le console. Il lui parle sans relâche. Les mots volent, telles des colombes, de sa bouche au cœur du condamné à mort. Guth, brusquement, se résigne. Il dit à l'abbé de Ségur : « Mon jugement est juste. On me donnerait ma grâce que je n'en voudrais pas. »

Sabine, à son tour, prend le relais des dernières nuits des condamnés. Ainsi la petite Thérèse, à Lisieux, suppliant une nuit entière que se repente l'assassin avant de mourir. « Il est sauvé ! Il est sauvé ! », avait crié Thérèse quand le misérable avait balbutié devant la guillotine : « Jésus ! Jésus ! Jésus ! », et baisé le crucifix de l'aumônier.

Gaston a promis à Guth de l'accompagner jusqu'aux plaines de Satory, près de Versailles, où il sera fusillé. Ils ont passé la nuit à prier. Côte à côte. Deux frères. Sophie est très agitée, a mal au cœur, un début de migraine. Son fils, lancé, une fois de plus, dans ces horribles champs où l'on tue, au fond d'une aube blanche. Comment Gaston va-t-il endurer, encore une fois, le choc de douze coups qui l'atteignent un peu chaque fois ? Se blase-t-on de voir mourir ? Jamais ! Jamais !

3 heures et demie du matin. Sabine est en prières. Sophie boit un thé très fort. Gaston et Guth. Deux frères, oui, deux frères. Les républicains ont raison. Nous sommes tous égaux. Mais non ! si cela était vrai, on ne fusillerait pas Herbuel, Guth et tant d'autres. Pourquoi l'armée s'est-elle révoltée et a-t-elle tiré sur ses supérieurs ? On doit respecter ses supérieurs, sinon, comment respecter Dieu ? Jamais Guth n'a été aussi calme. Le trajet est horriblement long. Plus de quatre heures pour aller se faire trouer la peau !

« Notre-Seigneur est entre nous deux, mon pauvre enfant ; avec le bon sauveur, on est toujours bien.

— Oh oui ! J'ai le cœur tout content... je ne voulais pas vous le dire mais c'est comme si j'allais à une noce [1]. »

Toute sa vie, Gaston se souviendra de ces mots, rayon de miel malgré la désolation. Quand ils arrivent à Satory, il est 6 heures. On lit la sentence à Guth qui embrasse une dernière fois Gaston puis étend ses bras en croix : « J'unis ma mort à celle de mon sauveur Jésus. » Douze coups, sourds. Un corps qui s'agite, se cloue au sol. « Guth, mon pauvre frère, belle âme, épurée, délivrée. Mon ami. Mon enfant. Je t'aime. En Dieu et pour toi-même. »

La belle et dure mission de Gaston n'est pas finie. Il va lui falloir, maintenant, accompagner à l'échafaud les assassins du général Bréa tombé en juin. Gaston ne sait comment adoucir le cœur des quatre condamnés : Choppard, Lahr, Daix et Noury. Deux sont très jeunes. Choppard a vingt-trois ans, Noury, dix-neuf.

Gaston multiplie les démarches. Il ne ménage pas sa peine, ses négociations, ses supplications auprès de M. de Falloux. Les quatre meurtriers finissent par mettre tout leur espoir en Gaston. Il multiplie les visites, les lettres, et même les vivres. Est-ce Sophie, reine des paniers à provisions, qui a garni de gâteaux et de poulet froid le panier des condamnés Choppard, Noury, Daix et Lahr ? Après leur rejet en cassation, Lahr, le plus instruit des quatre, écrit et confie à Gaston cette lettre destinée à M. de Falloux. Chaleureusement appuyée par Gaston, elle vaudra la grâce des deux plus jeunes :

> Monsieur, dans la fâcheuse position où nous nous trouvons, il ne nous reste plus que la miséricorde divine (...). Malgré notre confiance en la bonté divine, nous comprenons toute notre infirmité spirituelle. C'est pourquoi nous osons espérer que vous vous souviendrez de nous dans vos pieuses prières.
>
> André Choppart, Lahr, Daix, J. Noury,
> Fort de Vanves, 13 mars 1849

Choppard et Noury sont condamnés à perpétuité au bagne de Rochefort-sur-Mer ; Lahr et Daix à mort. Encore une aube froide où Gaston dissimule sa terreur. La guillotine est dressée dans la cour. Lahr et Daix pensaient être fusillés. Gaston a été obligé de les avertir. A genoux tout près de l'infâme machine — quoi ? les bois

---

1. *Monseigneur de Ségur, souvenirs et récits d'un frère*, A. de Ségur.

n'ont que quarante centimètres d'espace ? —, il prie jusqu'au vertige. Lahr et Daix poussent des cris lamentables. Ils se démènent, appellent au secours. Gaston leur crie « mes amis, mes enfants ». Gaston reçoit en premier le flot de sang de Daix, dont le corps, mal ficelé, est tombé à côté du panier. Cet affolement, cette horreur, sont rendus en entier par un grand témoin présent, Victor Hugo.

> On se jeta sur eux et on les garrotta. Personne ne disait un mot. Ils commencèrent à entrevoir une lueur et se mirent à pousser des cris terribles. « Si on ne les avait liés, disait le bourreau, ils nous eussent dévorés ! »
>
> Puis Lahr s'affaissa et se mit à réciter des prières pendant qu'on leur lisait l'arrêt.
>
> Daix cria : « Au secours ! »
>
> ... L'exécution se fit en grand appareil (...). 25 000 hommes, infanterie et cavalerie, entouraient l'échafaud ; deux généraux commandaient.
>
> Daix fut exécuté le premier. Quand sa tête fut tombée et qu'on délia le corps, le tronc d'où jaillissait un ruisseau de sang tomba sur l'échafaud entre la bascule et le panier. Les exécuteurs étaient éperdus. Un homme du peuple dit : « Cette guillotine ! Tout le monde y perd la tête, le bourreau aussi[1] ! »

Et la prière de Gaston ? Elle monte dans cette vapeur rouge, par-delà les cris de porc égorgé de Lahr devenu fou de terreur. « Seigneur, prenez ma vie, prenez mes yeux, supplie Gaston ; j'offre tout pour que plus jamais on ne tue, jamais. »

Gaston écrit un best-seller

Le 9 janvier 1849, la communion d'Olga eut enfin lieu à Saint-Thomas-d'Aquin. Gaston donne l'hostie à sa petite sœur, bien enlaidie sous son voile de communiante, devant la famille réunie. Sophie est saisie d'inquiétude devant la maigreur de Gaston. L'altération de ses traits. Au lieu de se reposer de ses émotions, il s'occupe de l'œuvre des apprentis. Leur maison est située rue du Regard. L'aumônerie militaire ne suffit donc pas à Gaston ?

---

1. *Choses vues*, V. Hugo.

Beaucoup de ces apprentis sont très jeunes. Ils ont l'âge d'Olga. Elle a grandi d'un coup, proche de ses quatorze ans. « Pourvu que je puisse marier Olga et j'aurai bien assez vécu ! » Gaston connaît la peine de ses apprentis. Enchaînés dix heures par jour et davantage aux ateliers. Point de chapelle, rue du Regard. Gaston dit pour eux la messe, devant une simple niche. Elle est ornée de rideaux rouges et de deux candélabres. Une relique, paraît-il, de la croix de Jésus-Christ, prêtée par un disciple du père Olivain, Georges de la Rochefoucauld. Sophie et ses filles s'en mêlent. Elles confectionnent des gâteaux pour le patronage de la rue du Regard. Il se mit à porter un nom bien ségurien : l'Œuvre des gâteaux.

Cet hiver 1849, Émile Templier, d'abord avocat, puis clerc d'un notaire, ensuite assistant de M. Hachette, épouse la fille de son éditeur. Il expose à son beau-père le projet d'agrandir cette austère librairie avec un département de géographie. Pourquoi ne pas entreprendre une collection d'atlas ? Ne pas créer une collection moderne, rose et or, pour les enfants ? On pourrait même l'intituler « la bibliothèque rose », la vendre dans les gares. M. Hachette trouve l'idée excellente. Il demande à y réfléchir. Quel écrivain serait capable d'écrire spécialement pour cette collection ? Louis Hachette récupère un autre gendre : Louis Bréton. Il lui propose aussi d'autres innovations. L'édition deviendrait-elle une affaire de famille ? Ces filles d'éditeurs, judicieusement casées, ont-elles contribué, précieux bétail, à l'agrandissement économique de la maison Hachette ? M. Louis Hachette compte beaucoup sur ses gendres, depuis la mort de son fils aîné, Alfred Hachette. Il faut que survive, de façon éclatante, l'auguste maison, sise rue Pierre-Sarrazin, à l'angle du boulevard Saint-Germain...

A force de travailler jour et nuit, de dormir à peine quatre heures sur son petit lit en fer, Gaston est tombé malade. Sophie s'en doutait. Il se met à cracher du sang, à perdre la voix. Va-t-il communiquer avec une ardoise ? Gaston de Ségur, de même nature que sa mère... Le médecin envoyé d'autorité par Sophie bougonne : « Si vous tenez à être porté au cimetière dans six mois, vous n'avez qu'à continuer ce que vous faites. »

Affolée, Sophie ne quitte presque plus Gaston. Elle lui fait boire du lait d'ânesse. Elle essaye de le reconforter. Elle a trouvé dans son escalier un billet de 200 francs. Personne ne l'a réclamé. Si Gaston est sage, c'est-à-dire, se laisse soigner, elle lui donnera ce gros billet pour ses charités. Sur sa table de chevet, elle ouvre un petit opuscule écrit de sa main, *Règlement de vie*. L'abbé de Ségur a tracé ces lignes afin de s'y soumettre jour et nuit, jusqu'à sa mort :

« L'esprit chrétien et sacerdotal est l'âme de ma vie. Les exercices de piété et de ministère en sont le corps[1]. »

Sophie comprend tout à coup d'où vient son surmenage. « La nuit, élévation du cœur de J.-C. et à Marie, puis le jour, oraison, sainte messe... soigner la préparation immédiate. » Sans parler des plages de « silence », de l'inlassable relecture des Évangiles. « Pas de messe, pas de lecture, pas de prêche avant six mois ou c'est la mort ! » répète sévèrement le médecin.

« Adoration... Prédication... Sacrement de pénitence... » « Cet enfant s'est tué ! », songe Sophie, épouvantée devant la voix engluée au fond du larynx. Va-t-il endurer mon martyre de dix années ? Gaston est obligé de garder la chambre. Renoncer, le cœur déchiré, à sa chère messe, à la chapelle de Saint-Thomas-de-Villeneuve, rue de Sèvres. Sophie lui fait jurer de ne se lever qu'à partir de 10 heures le matin. Moment où elle lui rend visite. Elle croise l'abbé Gay qui, pour consoler Gaston, lui apporte l'hostie dans une custode. On dirait celle de Catherine ! Pendant six semaines, Gaston restera couché. Il estime son esprit suffisamment libre, à défaut de son corps, pour œuvrer, dans le sens de sa foi. L'abbé Gay et ses compagnons de la rue du Regard lui font part du projet d'écrire un manuel de cantiques pour les apprentis. Enthousiasmé, Gaston reprend sa gaieté. Il va se charger de cette écriture puisque Dieu lui impose l'épreuve de la chambre. Le dos contre un coussin brodé par ses sœurs, l'abbé de Ségur se met immédiatement à l'œuvre.

« Réponse aux principales objections contre la religion. » Ce texte existait, écrit par le directeur de la maison du patronage, mais très mal rédigé. Il le soumet à Gaston en lui donnant la liberté d'un complet remaniement. Gaston se met d'accord avec les abbés Gay, Gibert, de Conny et, bien sûr, l'auteur de ce premier brouillon. « Il nous a paru qu'il était impossible de traiter un pareil sujet en quelques pages. C'est un livre qu'il faut et je vais m'y mettre tout entier[2]. »

Sophie peste contre ce projet. D'après l'abbé de Conny, Gaston, avec son ardeur habituelle, « déchirait sa feuille, se remettait à l'ouvrage jusqu'à trois ou quatre fois de suite ».

Qui va publier ? Déception ! La Société de Saint-Vincent-de-Paul sollicitée, présidée par M. Le Prevost, examine soigneusement le

---

1. *Règlement de vie*, Mgr de Ségur.
2. *Monseigneur de Ségur, souvenirs et récits d'un frère*, A. de Ségur.

livre de Gaston de Ségur. Le refus définitif de publier viendra d'un distingué académicien, dont voici le rapport : « Livre admirable, plein de bonnes intentions, mais sans portée, comme on en voit éclore tous les jours, hélas ! et justifier la réputation d'ennui des bons livres. »

Sophie explose. Quoi ? Un refus ? Gaston, humble et gai de nature, est près de renoncer. La fille de Fédor Vassilievitch Rostopchine va jusqu'au bout de son indignation. Elle empoigne le manuscrit de Gaston, court d'une traite chez l'éditeur Lecoffre. Elle négocie, argumente, sort le fameux billet de 200 francs, le brandit sous le nez de M. Lecoffre. Il accepte de publier à compte d'auteur, épouvanté par « le regard en pistolet » de la comtesse de Ségur. Sophie pousse un grand cri de joie. Elle saute au cou de Lecoffre, encore plus terrifié par la puissante embrassade.

Résultat ? *Réponses,* auquel Lecoffre ne croyait guère, va se vendre à un rythme que jamais Victor Hugo n'a atteint si vite. 700 000 exemplaires ! La Belgique, l'étranger, réclament aussitôt *Réponses.* Les traductions abondent : italien, allemand, anglais, espagnol, portugais, suédois, polonais, bulgare, russe, et Sophie s'en pâme, EN LANGUE BANTOUE... On dépasse le million d'exemplaires. Gaston de Ségur est devenu, grâce au billet de 200 francs et à l'initiative maternelle, le prélat le plus lu d'Europe, si ce n'est du monde... Philippe de Ségur, une fois dépassée une légitime petite jalousie, s'exclame : « Gaston a cru faire un petit livre, c'est un grand livre qu'il a fait ! »

Gaston bénit sa maladie, le sang qu'il a craché, les insomnies, le larynx bloqué. La souffrance. Il bénit ses pauvres larrons repentis. Le sergent Herbuel et Guth. Lahr et Daix. Choppard et Noury. Il a rédigé ce livre entièrement sous le signe de la croix. Tout lui a été donné de surcroît, ô transfiguration de nos misères, à jamais, par la croix !

Gaston achève sa convalescence à Eaux-Bonnes, dans les Pyrénées. Il n'a pas confié à sa mère que, par instant, il écrivait dans l'ombre. Sa vue disparaissait telle une lampe qui se voile... Gaston passe ensuite quelques jours aux Nouettes, heureux d'apprendre que Nathalie est à nouveau enceinte et qu'un certain Armand Fresneau a demandé Henriette en mariage.

Gaston reçoit aux Nouettes une lettre qui le bouleverse. Elle vient du bagne de Rochefort-sur-Mer. Elle est signée Choppard et Noury. Ils supplient Gaston d'intercéder pour qu'ils puissent quitter le bagne « où la foi est impossible à conserver (...). Les détenus de juin condamnés aux galères partent pour le Mont-Saint-

Michel, ceux de l'affaire Bréa, avec les condamnés pour vols, incendies et meurtres restent au bagne (...). Mon père, je vous demande en grâce de nous faire transférer dans une prison autre que le bagne... »

Hélas, Gaston ne pourra rien faire. Les condamnés restèrent au bagne de Rochefort jusqu'à la loi de 1852 qui permettra aux forçats d'opter pour le bagne de Cayenne[1]. Gaston restera de longues années en correspondance avec ses détenus.

Henriette va-t-elle devenir « une falloute » ?

La famille est au complet autour de Sophie cet été-là. Une petite Camille aux yeux bleus passe de bras en bras, Sophie l'aime aussitôt. Elle sent couler dans ses veines une vitalité si neuve qu'elle se surprend à rire, à chanter, à s'occuper du matin au soir du bien-être de tous. Nathalie, quoique fatiguée par son début de grossesse, participe au prurit de charité dont Gaston a contaminé toute la famille. Sabine les entraîne vers ses pauvres, de plus en plus nombreux. Sophie encourage vivement la charité prônée par Sabine et Gaston. Tout se donne, tout est offert. Vieux jouets, vêtements, meubles au grenier, pain, fruits, légumes, confitures, consolations. Chaque veillée est désormais une conversation intarissable. On parle du choléra qui, le 11 mai, a tué Mme Récamier, puis Bugeaud. Ce Paris ! Quel cloaque ! Patrie des microbes, des rats et des révolutionnaires ! On se réjouit des expéditions punitives contre les journaux républicains. On s'échauffe parce que Victor Hugo s'est déclaré au quatrième bureau de la législative « contre la loi sur l'enseignement déposée par Falloux le 18 juin ». Tous les regards se portent alors sur le nouvel invité des Nouettes, le rapporteur, justement, de cette loi Falloux : Armand Fresneau. Le fiancé d'Henriette que Sophie regarde de biais, comme un crabe. Elle ne l'aime guère. D'abord, elle le trouve laid. Breton, natif de Kermadio, fervent catholique, député du Morbihan. Sophie est agacée, quoi qu'elle en dise, de l'absence de particule du futur mari de sa fille. De plus, il adore la mer, les lointaines navigations, les pêches dangereuses, les étangs, les mares, les ruisseaux, l'eau qui noie les enfants. Son exaltation politique diverge de la sienne. Le père d'Armand, M. Fresneau, est affreux à voir.

Le fiancé d'Henriette est-il énorme, court sur pattes, coxalgique,

---

1. *Monseigneur de Ségur, souvenirs et récits d'un frère*, A. de Ségur.

avec un nez troué de points violets ? On parle, on parle, chez les Ségur en vacances. Des affaires de Rome, de la papauté menacée par les rouges. Du dernier livre de Lamartine, *Histoire de la révolution de 1848*. On se dispute, on se réconcilie, « on rit même en se fâchant ». On espère que cette république va disparaître. Comment ? « Un coup d'État ? » « Bien sûr. Un coup d'État. »

Sophie restera aux Nouettes jusqu'à la fin de l'automne, pour les couches de Nathalie. Elle accouche, mi-novembre, d'une seconde petite fille, Madeleine. « Camille et Madeleine », répète Sophie, ravie. Camille et Madeleine !

On peut rejoindre Paris. L'établissement social des enfants l'exige. Le mariage d'Henriette est proche. Espérons en celui de Sabine, d'Anatole, d'Edgar et d'Olga. Tu manges trop, Edgar ! Quel ventre tu vas avoir ! Pis que celui du vieux père Fresneau ! Décidément, Sophie est agacée par cet Armand ! Cette loi Falloux est la pièce principale de leur adversité. Le 1er janvier 1850, apparaît à la chambre une première « petite » loi Falloux qui donnait aux préfets le droit de nommer et de révoquer les instituteurs. Le 15 mars 1850, les Ségur sont suspendus aux résultats du vote de la « grande » loi Falloux dont Armand est le définitif rapporteur. Le clergé, de ce fait, s'approprie l'enseignement primaire et concurrence le secondaire, dégagé du contrôle de l'État. Cette loi, destinée à durer vingt-cinq ans, fournira le cadre de la troisième République.

Louis Veuillot est le farouche adversaire de la loi Falloux. Il la fustige dans *L'Univers*. Il dénonce la participation des laïcs à l'élaboration de cette loi, la « traîtrise » des ecclésiastiques qui ont collaboré avec leurs ennemis de toujours, les laïcs. Il est probable que Veuillot se soit senti vexé d'être exclu du cercle de Dupanloup. La bande à Falloux-Dupanloup répliquera au rédacteur de *L'Univers* :

> *Vos attaques contre cette loi de la liberté de l'enseignement à laquelle l'Église de France doit depuis vingt ans la prospérité de ses petits séminaires et ses collègues de jésuites, de dominicains et de tant d'autres, loi qui n'a jamais pu trouver grâce devant vous, parce que ce n'était pas vous qui l'aviez faite. On ne savait, chez vous, la nommer que le mariage du Grand Turc avec la république de Venise*[1].

---

1. Lettre de Mgr d'Orléans aux prêtres de son diocèse pour leur donner communication de son avertissement à M. L. Veuillot, rédacteur en chef du journal *L'Univers*.

COMTESSE DE SÉGUR

Les Ségur sont divisés sur le choix d'Henriette. Sophie prépare la corbeille avec véhémence. Elle tempête à très haute voix contre Falloux (et son rapporteur, c'est-à-dire son complice !).

> *Vous me prenez donc pour un ours du Nord, une falloute, de me croire capable de ne pas répondre à l'appel de l'esprit et du cœur[1] ?*

Henriette va-t-elle devenir une « falloute » ?

Solitude de Sabine

« Comment aimer Rose sans aimer Blanche ? » avait écrit Eugène Sue, dans son roman *Mathilde*. Il n'avait pu oublier le charme des jumelles. L'une va se marier, l'autre pas. Elles ont vingt et un ans. Le mariage d'Henriette attire l'attention de Sophie sur le sort de Sabine. Pourquoi ne pas essayer de la marier au jeune comte d'Armaillé ? Sophie, avec qui rien ne traîne, organise rue de Grenelle une petite réception. Y sont invitées Célestine et Laure de Ségur. Souvent, Sabine s'enferme dans sa chambre, quand sa mère invite des partis intéressants. Sabine ne se sent à l'aise qu'avec les siens. Ou M. Naudet, avec qui elle rit volontiers. Naturellement, il est hors de question que Sabine épouse son professeur de dessin, fût-il devenu un ami de la famille !

La générale de Ségur songe aussi à établir Célestine. Sophie ignore qu'elle convoite le comte d'Armaillé. La rencontre se fait dans le salon de Sophie. Le coup de foudre du comte d'Armaillé et de Célestine de Ségur ! Sabine reste dans l'ombre, malgré sa robe en soie rose que sa mère lui a ordonné de mettre. Sabine semble appartenir à un autre monde. Une sphère qui lui donne un air de singulière ressemblance avec l'abbé de Ségur.

M. d'Armaillé est-il beau ? Il vient d'arriver d'Autriche. Il a donné sa démission d'officier d'état-major de cette armée. Il remarque aussitôt Célestine, flanquée de la petite Laure. Toutes deux « en coiffure plate et robes sans garnitures[2] ». Célestine se colore du maquillage particulier aux filles qu'un homme désire. Le comte d'Armaillé, « à la belle figure et dont l'apparition inopinée[3] », émeut Célestine. Sabine, le teint un peu vert, hantée de migraine (elle aussi), s'engloutit davantage dans la sphère des

---

1. Lettre de Sophie à Louis Veuillot, 1856.
2. *Quand on savait vivre heureux*, Célestine d'Armaillé.
3. *Ibid.*

anges. Célestine devient de plus en plus lumineuse. Sophie, agitée, agacée, pense aux terres de Mme d'Armaillé. A l'excellent voisinage qu'elle a su entretenir, en Normandie, avec les parents du jeune comte. « Un château entre Tubœuf et les Nouettes ! Quelle jolie installation cela ferait ! Nathalie va repartir pour Rome. Henriette, bientôt, à Kermadio. Gaston est à peine visible. Anatole et Edgar sont très pris. Sabine ne la quitterait pas. On se verrait beaucoup. M. d'Armaillé a une belle tournure ; rien à voir avec le " Falloux " d'Henriette ! M. d'Armaillé a fait ses études en Angleterre avec un pasteur protestant. Mais nul n'est parfait en ce monde ! Et c'est un bon catholique. Allons bon, je parle comme ma mère ! »

Le comte d'Armaillé traverse tout droit le salon de Sophie qui sourit d'aise. Après avoir salué son hôtesse, il se penche sur la main de Célestine. Elle est devenue d'un seul coup ravissante. Sophie a compris. Elle a envie d'envoyer une grande gifle à cette sotte de Sabine. Elle a l'air d'un balai stupide dans cette robe de soie ornée de rubans. D'abord pourquoi est-elle aussi maigre et pâle ? Sabine n'a même pas vu M. d'Armaillé. Tout son être est ailleurs. Très loin. Très haut… Voici des nuits et des nuits qu'elle prie. Elle jeûne et répète, éblouie, les phrases de sainte Jeanne de Chantal, fondatrice de la Visitation. Jeanne de Chantal est devenue son guide. Sa vérité.

> *Mes chères sœurs… Il faut que vous vous ruiniez, je veux dire que vous travailliez fidèlement et courageusement à votre perfection. Il faut laisser faire les autres en vous laissant écorcher, dépouiller et plier tout ainsi que l'on voudra. Si vous résistez, vous ne serez pas les vraies épouses de Jésus-Christ crucifié. Donnez tout à Dieu, ruinez tout ce qui lui déplaît, méprisez le monde, oubliez-le de tout cœur[1].*

On en est à choisir la faille et la dentelle de la robe des noces d'Henriette. M. d'Armaillé a fait sa demande officielle à la générale de Ségur. Sabine s'imprègne encore davantage des mots de la sainte. Perdre sa jumelle est déjà la première marque d'un grave dépouillement.

> *Il faut quitter surtout le propre jugement, la propre volonté, le propre amour. Il faut que vous vous démettiez tellement de vous-mêmes entre les mains de ceux qui vous conduisent, qu'ils vous tordent à leur gré comme on fait d'un mouchoir[2].*

---

1. *Histoire de sainte Jeanne de Chantal et des origines de la Visitation,* Abbé Bougaud.
2. *Ibid.*

Sophie et Eugène sont loin de se douter de la décision de Sabine, « froissée comme un mouchoir ». Disponible au Christ comme le fut Gaston, un certain 8 septembre 1838. Les noces de la jumelle adorée préparent le renoncement de Sabine. Suave solitude des élus ! Sabine sourit. Sophie lui trouve un air niais. Bien sûr, elle a bien remarqué son silence, ses charités excessives. Le surnom que le pays des Nouettes lui a donné, « la demoiselle à la robe verte ». Elle s'habitue si peu, si mal ! Cette vieille robe verte, en effet, lui donne un teint de cire. Le vert, symbole du quotidien où rien ne se passe. Sinon l'espérance d'ouvrir la porte du ciel... La demoiselle à la robe verte, froissée comme un mouchoir. Ruinée. Dépouillée. Heureuse !

Les fiançailles de Célestine ont lieu, (ô sotte de Sabine !), le 30 décembre 1850, jour des noces d'Henriette. Le 29 décembre, Sophie a recommandé bien sûr à sa fille de ne pas pleurer. Henriette est mariée sous le régime dotal. Kermadio lui reviendra, grâce aux 15 000 francs de rente signés par les Ségur. La corbeille offerte par Mme Fresneau ressemble à celle de Célestine. Il y a des cachemires, une prestigieuse garniture d'Angleterre, une casaque rose. Un mantelet de taffetas noir confectionné par la grande maison Félicie. Un grand châle double assorti. Une robe en pièce de velours noir. Une de taffetas vert. Une de soie chinée. Des éventails. Un joli bracelet. Une charmante montre en lapis-lazuli. Trois chapeaux de chez Mme Barenne. L'un en paille de riz à plumes blanches, un autre garni de fleurs. Une jolie capote bleue. Plusieurs coiffures de plumes et de fleurs. André Rostopchine a fait parvenir une rivière de diamants.

L'étalage a lieu dans le salon de Sophie où se bousculent les commères d'usage. Mmes de Lamoignon, d'Armaillé, de Broglie, de Macklot, de La Force, de Greffulhe, de Vintimille du Luc... Anatole est présent avec sa fiancée, Cécile Cuvelier.

Les d'Armaillé et les Greffulhe sont plus riches que les Ségur. La dot de Célestine, outre le château de La Rivière, comporte 10 000 francs de plus que celle d'Henriette. Un cachemire blanc, à lui seul, à coûté 3 000 francs. Son demi-frère, Charles Greffulhe, lui a offert « un piano droit de Boller et Blanchet en bois avec mon chiffre en bronze doré. Henri me donna une charmante pendule représentant l'amour couronnant l'hymen avec la devise " Qui que tu sois, je suis ton maître ", les deux candélabres des enfants Clodion et une jolie paire de chenets. Ma tante de Girardin, un bureau de Boule, moderne, et deux meubles assortis... M. Alexandre de Ségur m'envoya un coffret de mouchoirs de chez Tahan. De

M. d'Armaillé, je reçus un bracelet de diamants, de Mme Pauline, un peigne orné de brillants. Et une bague de Mlle Macklot[1] », écrit-elle.

Le 17 mars 1851, les Ségur assistent au mariage de Célestine. Le 30 avril, à celui d'Anatole de Ségur, préfet de la Haute-Marne, avec Cécile Cuvelier. Sophie n'aimera guère cette froide et hautaine bru. Sophie est maintenant absorbée par les layettes à préparer. Nathalie est encore enceinte. Henriette et Célestine aussi... Henriette a-t-elle été fécondée à Kermadio. Célestine, en Vendée, lors de son voyage de noces, au vieux logis de Saint-Amadour où le comte d'Armaillé a tenu à présenter sa jeune épouse ?

Maman, ma chère maman, est-ce donc ainsi que l'on fait des enfants ? Êtes-vous sûre, maman, ma chère maman, que Dieu pardonne cette hallucinante œuvre de chair ? Je me suis demandé, la nuit de mes noces, si mon si correct époux n'était pas devenu une bête malade et folle, obscène et dangereuse comme celles qui grognent au fond des étables avant qu'on ne les égorge. Je vous assure, ma chère maman, mon époux tout neuf grognait. A moins que ce ne fût moi, la bête égorgée. Je vous ai promis de ne pas pleurer le matin de mes noces, ma chère maman. Mais je ne puis vous cacher que mes sœurs et moi nous avons pleuré le lendemain.

« Que de fautes rachètent la souffrance d'une couche ! (...) A bas les maris ! Ils ont été créés (...) pour permettre aux femmes d'aller au paradis[2]. »

La mère de Célestine a commandé une layette de 650 francs au magasin *Les Montagnes russes.* Sophie ménage la dépense. Elle coud, tricote avec Sabine et Olga. En novembre 1851, Henriette met au monde, à Kermadio, Henriette. Nathalie, vers la même date, accouche de son premier fils, Louis. Le 22 décembre, au tour de Célestine. Une fille : Pauline Marie Célestine Louise, future duchesse de Broglie. Sophie a tremblé pour ses filles. Hélas, elles habitent si loin ! Sabine a repris, pour ses sœurs, la prière de sainte Jeanne de Chantal. « Mon Dieu, je vous donne et abandonne mon cœur, mon corps, mon âme et mon esprit. »

Sabine prépare en secret ses noces. Religieuse à la Visitation.

---

1. *Quand on savait vivre heureux,* Célestine d'Armaillé.
2. Lettre de Sophie à Madeleine de Malaret.

COMTESSE DE SÉGUR

Coup d'État

Au moment de toutes ces noces, le prince-président avait commencé sa campagne de persuasion à travers la France. Louis Napoléon Bonaparte est élégant, courtois. L'œil pâle, l'accent allemand, séduisent les campagnes. Il a un grand succès en Normandie. Beaucoup d'aristocrates, les Ségur en tête, l'apprécient. Ils haïssent cette république. Un nouveau souverain serait le bienvenu. Fût-il ce Bonaparte dont sa mère, la reine Hortense, n'a jamais su vraiment qui en était le père. La fin de l'année 1851 est confuse. M. de Falloux et son « catholicisme libéral » sont étouffés. Armand Fresneau, écarté de la politique. Sophie applaudit, avec les siens, la montée du courant ultramontain, exprimé dans *L'Univers*. Les Ségur sont à ces croisées d'opinions qui vont déboucher tout droit sur le Second Empire.

> *A Paris, l'aristocratie légitimiste est moins réticente à l'égard du nouveau régime que l'aristocratie orléaniste. Voilà la famille de la comtesse de Ségur née Rostopchine. Son mari, membre d'importants conseils d'administration, est bonapartiste ; l'un de ses gendres appartient au corps diplomatique, un autre est légitimiste, comme le sont ses trois fils dont Mgr de Ségur qui (...) ne cache pas son hostilité à Napoléon III dès que la politique impériale apparaît inquiétante pour le pouvoir temporel du pape[1].*

Ce coup d'État que Sophie attend, souhaite et veut, son cousin, le général Lamoricière, a juré de l' « empêcher par tous les moyens ». Il passe sa dernière soirée, avant l'événement, chez Sophie. Il s'excite avec la même fougue que le royaliste Armand Fresneau.

> *« S'il le faut, on l'emmènera (Louis Napoléon) à la prison de Mazas !*
> *Sophie de répliquer :*
> *— Mais s'il vous prévenait par un coup d'État ?*
> *— J'ai toujours mes deux pistolets près de mon lit, je casserai la tête à tous ceux qui voudraient mettre la main sur moi. »*

Au milieu de la nuit du 1ᵉʳ décembre, Lamoricière est arrêté par deux agents qui entrent dans sa chambre :
« C'est illégal ! brame-t-il, malgré ses deux pistolets sur sa table de nuit.

---

1. *Du 2 décembre au 4 septembre, le Second Empire,* Adrien Dansette.

— Non ; c'est le coup d'État ! disent les gendarmes[1]. »

Piteux, furieux, Lamoricière est obligé de suivre cette nouvelle police qui le boucle... A Mazas ! il n'y sera pas seul. La même nuit, à l'Élysée, après le grand bal, a lieu « l'opération Rubicon ». Louis Napoléon Bonaparte s'est retiré discrètement dans son bureau. Il sort d'un tiroir une petite bouteille remplie d'eau du Rubicon. Fleuve, symbole du coup d'État de Jules César. Sans un mot, Louis Napoléon montre le flacon à ses cinq fidèles. Morny son demi-frère, le général de Saint-Arnaud, Persigny, Maupas, le secrétaire Macquard. Morny, quelques heures auparavant, était à l'Opéra-Comique. Il a répondu à une duchesse qui soupçonne le coup d'État. « S'il y a un coup de balai, croyez-bien, madame, je tâcherai d'être du côté du manche ! » L'Assemblée n'a pas l'intention de réélire le prince-président. Thiers, au nom de tous les républicains, fortement appuyé par Hugo, l'a traité, en public, de « crétin ».

Le crétin secoue gravement le flacon Rubicon. Le coup d'État ? Maintenant. La nouvelle proclamation est apportée à l'Imprimerie nationale. L'Imprimerie est entourée de gendarmes mobiles, farouches serviteurs du futur empereur. Sous la menace des fusils, les typographes, pour la plupart républicains, sont obligés d'obéir. A 4 heures du matin, les Parisiens vont lire :

Au nom du peuple français
le président de la République décrète
ART. 1
L'Assemblée nationale est dissoute.
ART. 2
Le suffrage universel est rétabli. La loi du 31 mai est abrogée.
ART. 3
Le peuple français est convoqué dans ses comices à partir du 14 décembre jusqu'au 21 décembre suivant.
ART. 4
L'État de siège est décrété dans l'étendue de la 1ʳᵉ division militaire.
ART. 5
Le conseil d'État est dissous.
ART. 6
Le ministre de l'Intérieur est chargé de l'exécution du présent décret.

Fait au palais de l'Élysée, le 2 décembre
L.N.B.

Le ministre de l'Intérieur, De Morny.

---

1. *La Comtesse de Ségur et les siens*, M. de Hédouville.

429

Exécution : arrestation de tous les députés de l'arrondissement. Ils étaient réunis dans la mairie, au bout de la rue de Grenelle. On les conduit à pied jusqu'à la prison de Mazas. Lamoricière, en pyjama sous sa veste, y fulmine toujours.

Les républicains appellent aussitôt le peuple aux armes. Un ouvrier lance au député Baudin : « Croyez-vous que nous allons nous faire tuer pour vos 25 francs ? » Il fait ainsi allusion à l'indemnité journalière des députés. Piqué au vif, Baudin s'élance sur la barricade : « Vous allez voir comment on meurt pour 25 francs ! » La troupe tire. Baudin a la tête fracassée.

Exécution : malgré le *Te Deum* à Notre-Dame, l'émeute s'aggrave. Le 4 décembre, les insurgés se groupent boulevard Bonne-Nouvelle. Célestine allaite la jolie petite Pauline. On n'ose pas l'inquiéter avec ce remue-ménage afin de ne pas couper son lait. Pris d'une folie meurtrière, les soldats se lancent à la poursuite des passants. Ils tirent sur les femmes et les enfants. Le coup d'État ardemment souhaité par Sophie a été une effusion de sang innocent. Victor Hugo l'exprimera ainsi dans *Les Châtiments*. « L'aristocratie est satisfaite d'être débarrassée de la république. Qu'importe la mort de quelques gueux ! »

Anatole de Ségur sera un des premiers à profiter du régime. Le 13 décembre, il est nommé préfet et membre de la commission consultative. Montalembert et Mérode en font également parti. Victor Hugo, exilé à Jersey, définit ainsi la politique de 1851 :

> NÉRON AU CARCAN
> *L'absolutisme, le catholicisme, la réaction bourgeoise, ont trouvé cet homme bon pour en faire un empereur, l'ayant pris dans la famille de Napoléon, le cordon rouge sur la poitrine, une couronne d'altesse sur la tête, une épée de prince au côté, et la main dans le sac*[1].

Le 5 décembre, Hugo lit avec dégoût cet article de Louis Veuillot en faveur du coup d'État.

> *Il n'y a plus ni à choisir ni à récriminer, il faut soutenir le gouvernement. Sa cause est celle de l'ordre social... si vous ne triomphez pas avec lui, vous serez vaincus avec lui.*

---

1. *Choses vues*, V. Hugo.

Veuillot a succédé, depuis 1849, à Roux-Lavergne, dont Hugo lapide les opinions, qui sont celles des Ségur :

> *Roux-Lavergne, de terroriste, est devenu jésuite. Après avoir adoré* Le Père Duchesne *et* L'Ami du peuple, *et les septembriseurs, il est devenu rédacteur de* L'Univers. *Il a passé à Veuillot. Il n'a fait que changer de Marat*[1].

Jésuite... Marat... Le monde intellectuel se divise en deux blocs prêts à se haïr sans merci. Éclatant, péremptoire, chatoyant, le Second Empire est né.

Les Rostopchine, Nathalie, André, Eudoxie, méprisent violemment la France. Quoi, les Ségur sont devenus les alliés de ce pouvoir de parvenus ? Nathalie Narychkine écrit cette lettre furieuse à sa famille russe :

> *Je suis sûre... que l'antichambre du Président est remplie de Ségur. Concevez-vous rien de plus triste, de plus décourageant pour l'humanité que ce qui se passe en France*[2] ?
>
> *Janvier 1852.*

Nathalie accuse les Ségur, la France en général, Sophie en particulier de « bavardage, bassesse, légèreté et férocité, voilà ce qu'ils devraient adopter pour devise au lieu de leur fameux Liberté et Fraternité. »

Quant à son opinion sur Louis Napoléon Bonaparte, elle n'est guère plus brillante :

> *Chasser ce bon vieux Charles X, expulser Louis-Philippe pour mettre une* nullité *des plus grandes sur le trône car le bruit se confirme que le Président s'est fait nommer empereur (...). Le duc de Bordeaux et les princes d'Orléans me tiennent à cœur et je ne comprends pas trop ce qu'ils deviendront au milieu de cette nouvelle révolution...*

« Dieu seul est au-dessus de nous », songe Sophie, ravie d'être débarrassée de la république.

---

1. *Choses vues,* V. Hugo.
2. *Les Rostopchine,* M. de Hédouville.

COMTESSE DE SÉGUR

Gaston auditeur de la Rote

Louis Napoléon Bonaparte a l'habileté de rallier la cause pontificale. Le pape Pie IX applaudit ce nouveau prince. Il le trouve bien plus habile que ne l'avait été Louis-Philippe. Les Ségur sont enchantés.

Depuis les premiers siècles de l'Église existe à Rome le tribunal de la Rote. « Les attributions, à la fois civiles et ecclésiastiques participent à celles des cours d'appel et de cassation.[1] » Ce tribunal ne juge pas les causes criminelles. Il est composé de douze membres choisis dans plusieurs pays, surtout européens. L'unique siège revenant à la France est libre depuis 1847.

Le 18 février 1852, Gaston de Ségur est nommé auditeur de la Rote par Louis Napoléon Bonaparte grâce aux relations du comte de Ségur. Eugène n'a jamais cessé d'épauler l'avenir de ses fils. Le marquis de Turgot, ami d'enfance d'Eugène, est alors ministre des Affaires étrangères. Il a persuadé Louis Napoléon Bonaparte que l'auteur de *Réponses* conviendrait admirablement à ce poste. Il a rappelé au prince la formation juridique et diplomatique de Gaston de Ségur. L'abbé de Ségur a été un grand familier des hauts prélats de Rome.

> *Le gouvernement, pour resserrer encore ses bons rapports avec la cour de Rome, rétablit le 18 février 1852 le poste d'auditeur de la Rote pour la France resté sans titulaire depuis 1847, et le confia à un ultramontain ardent, l'abbé de Ségur. Investi de la confiance personnelle de Louis Napoléon, Ségur joua dans les rapports entre la France et Rome un rôle important; il consacra son influence à favoriser les ultramontains[2].*

Gaston est d'abord bouleversé à l'annonce de sa nomination. Quel chagrin d'abandonner ses missions ! Sa chère rue Cassette, ses « enfants » de la rue du Regard ! Ses prisonniers. Sa mère. Son humilité naturelle, sa répugnance pour le luxe, la politique, le droit, l'agitent, l'attristent. Une fois de plus, il se ressaisit. Que la volonté de Dieu soit faite ! Il donnera à cette mission un sens fondamentalement chrétien. Accepter les honneurs fait partie aussi de l'esprit d'obéissance qui plaît tant à Dieu. Renoncer à ses

---

1. *Monseigneur de Ségur, sa vie, son action*, M. de Hédouville.
2. *La Politique ecclésiastique du Second Empire, de 1852 à 1869*, Jean Maurian.

patronages et à sa famille est un seul et même sacrifice. Il partira donc à Rome. Il reçoit une lettre de Mgr Pie, évêque de Poitiers, qui achève de lever sa secrète répulsion.

Poitiers, 4 mars 1852

Monsieur l'abbé,

C'est un grand bienfait du ciel que votre nomination ; c'est une preuve de plus des pensées très miséricordieuses que Dieu nourrit en ce moment pour cette portion de l'Église à laquelle nous appartenons [1]...

Sophie ne peut cacher sa joie. Gaston, accueilli enfin de façon prestigieuse ! Promis à un train de vie bien différent de la modeste rue Cassette ! Gaston, tel un prince, installé au palais Brancadoro ! Ce départ, pour une fois, l'enchante. Fin avril, Gaston est à Rome. Il écrit aussitôt à Anatole :

Rome, la Rome chrétienne... J'y suis très bien, vous me manquez tous un peu, il est vrai, et même beaucoup ; mais je remets à plus tard la réunion... J'ai un excellent appartement dans un beau quartier de Rome : je t'y attends, ainsi que Cécile que j'aime déjà beaucoup [2].

Gaston écrit aussi beaucoup à sa mère. Il la presse de venir le rejoindre. Il peut la loger, la gâter. Qu'elle prenne des vacances ! Sophie, très tentée, se décide. Oui, elle ira à Rome. Elle en oublie le petit chagrin à la réception d'un faire-part mortuaire. Le comte Xavier de Maistre vient de s'éteindre à Turin, le 12 juin 1852. Sophie ne veut plus s'attarder sur le passé. Il lui a cloué le bec, arraché le crâne tant d'années ! Elle veut aller à Rome. Sophie est entrée dans sa belle saison, l'âge de s'enrichir, de s'épanouir. Ni sang ni enfants ne couleront plus jamais d'elle. Elle le vit enfin comme une paix. Les petits-enfants ne cessent de naître. Le 25 juin 1852, Anatole a un fils. Gaston s'enthousiasme :

Rome, 4 juillet 1852

Bonjour, mon cher père Anatole, je te félicite de la bonne nouvelle que m'annonce ta lettre reçue avant-hier. J'ai dit hier matin la sainte messe pour Cécile et pour le petit. Dieu veuille amener le tout à bien, puis au baptême... Surtout que Cécile ait du courage, qu'elle ne fasse pas d'imprudences et qu'elle ait soin de recevoir de temps en temps la très sainte communion...

---

1. *Monseigneur de Ségur, souvenirs et récits, d'un frère,* A. de Ségur.
2. Correspondance de Gaston de Ségur, 20 mai 1852.

COMTESSE DE SÉGUR

Grande discussion familiale autour du prénom à choisir. Sophie et Gaston adorent « Pierre ». Anatole et Cécile hésitent. Le prénom n'est toujours pas choisi quand Sophie sera à Rome. Gaston continue à s'en inquiéter :

Rome, 31 octobre 1852

> *Je regrette un peu, je te l'avoue, l'abandon du nom Pierre, en cas de masculinade. Si tu le quittais, il faudrait, il me semble, prendre un de nos noms de famille, Henri ou Louis. Le nom de Pierre marquerait l'ère catholique de notre famille que cet enfant serait chargé de continuer et développer...*

Finalement, ce sera Pierre. Gaston a retrouvé tous ses amis. L'abbé Véron, le père de Villefort, Mgr de Mérode, Mgr Bastide. Il se met aussitôt à l'ouvrage. Il approfondit ses études en théologie. Il resserre ses liens avec le pape Pie IX. Il retrouve avec délices la peinture, les rues, les fontaines, la lumière de Rome, ses églises... Il craint son incompétence juridique au point de faiblir encore une fois. Il demande au pape de le faire remplacer à la Rote. Avec un doux sourire, Pie IX refuse. Il engage le cardinal Antonelli à former Gaston. Le familiariser avec les rouages complexes de la Rote.

Lorsque Sophie et une partie de ses filles débarquent à Rome, Gaston a repris confiance en lui. Sophie et Gaston vont vivre leurs plus beaux jours.

II

UN AMI POUR SOPHIE :
LOUIS VEUILLOT

Sophie fait ses malles

Sophie prépare dans la fièvre les 350 kilos de bagages pour Rome. Elle part avec Sabine, Olga, Henriette ; Armand, Élisabeth et leur bébé ; trois femmes de chambre. La comtesse de Ségur est très excitée. Tout est en l'air, rue de Grenelle. Sophie bouscule sa femme de chambre. « Allons donc, Azéma, dépêchez-vous. Vous êtes d'une lenteur désespérante. Vite, vite, Azéma. Vous allez comme une tortue. Allons ! voilà qu'elle marche de côté comme un crabe ! Mais nous n'en finirons pas, ma chère[1] ! »

Qu'emporte donc Sophie ? « Les coiffures et les chaussures et les manteaux de toutes saisons. Mes livres, mon papier, mon buvard, mes tapisseries, mes crayons, mes couleurs, mes pinceaux... Fourre tout cela vivement dans la malle. »

Azéma se fâche. Sophie a l'air d'une guêpe qui vole d'une caisse à l'autre, écrase tout au passage. « Mais Madame jette tout sur les mantelets, les fichus ! Tout va être chiffonné à ne plus pouvoir servir ! »

Mais non, mais non ! Ce sont les stupides « cages » d'Henriette qui prennent tant de place et les costumes d'Armand. Quelle plaie d'emmener un homme avec nous ! Woldémar est au lycée Bourbon. Il va passer son baccalauréat. Eugène initie Edgar à la vie politique. Edgar, amoureux de Marie de Reiset. Tous ces hommes restent à Paris. Bon vent et en route ! *Gleich !*

---

1. *Après la pluie, le beau temps.*

« A force d'entasser robes, chaussures, livres, papiers, parfume-ries, etc., la caisse se trouva pleine : il restait encore une foule d'objets. » Qu'Azéma aille chercher une autre malle ! « Azéma sortit et rentra en courant et traînant après elle une autre caisse presque aussi grande que la première. » Sophie est ravie. « Vous aviez oublié mes robes de chambre, ma toilette de voyage, mes boîtes de couleurs : mettez les boîtes au fond. » Il y a aussi les cadeaux, des statuettes... Azéma s'épouvante devant la troisième malle. « Il me semble que pour quinze jours... » Sophie réplique vivement : « Est-ce que je sais le temps que je passerai là-bas ? Peut-être y resterai-je trois mois, six mois... »

Sophie rit et se frotte les mains. Gaston ! Et si elle ne revenait plus ? La bonne s'inquiète. Combien de temps Madame la comtesse lui donne-t-elle pour préparer son propre bagage ?

« Je vous donne dix minutes.

— Comment Madame veut-elle que j'aie tout fini en dix minutes ?

— Vous croyez ? Eh bien je vous donne un quart d'heure ; pas une minute de plus ! »

Enfin, le matin du 1er octobre, deux grosses berlines partent de la rue de Grenelle. Sophie est ravie. La France aussi. Le slogan de Louis Napoléon, « l'empire, c'est la paix ! » est dans toutes les bouches. Les berlines vont trop lentement au gré de Sophie. Elle penche la tête par la fenêtre et crie en russe au cocher « *Skareï ! Skareï !* » (plus vite ! plus vite !), au grand agacement d'Armand. Le chef de famille est cette femme de cinquante-trois ans qui décide de tout et de tous. Sophie revit ! Elle tend aux uns et aux autres un paquet de gimblettes. Pourvu que Sabine n'ait pas une crise de migraine ! Sophie n'a pas oublié d'emporter « la mallette des soins ». Sucres, flacons d'eau de mélisse, d'oranger, d'arnica, du vinaigre, des sels et les onguents que nous savons.

Trois jours plus tard, ils sont à Marseille. Sophie crie de joie devant le port. Gaston au bout de cette traversée. Rome et sa lumière !

Olga atteint dix-sept ans. Elle est jolie malgré sa grande bouche. On remarque ses grands yeux, les boucles brillantes, la grâce de son corps. Allons, j'arriverai bien à la marier, jubile Sophie. Olga brûle d'admiration autant que sa mère devant la Méditerranée qu'elles n'avaient jamais vue. Voici le bateau à voiles qui doit les emmener le soir même jusqu'à Civita Vecchia. Les vacances ! Les vacances ! Une mer bleue, différente de celle, âpre et grise, qui bat les falaises normandes. En attendant l'embarquement, Élisabeth s'est mise à

UN AMI POUR SOPHIE : LOUIS VEUILLOT

hurler. Sophie la prend dans ses bras. Elle lui raconte l'histoire de la fée Drôlette, inventée pour endormir Camille, sa petite chérie :

« La fée Drôlette apparut dans toute sa gloire, sur un char d'or massif traîné par cent cinquante alouettes. Elle était vêtue d'une robe en ailes de papillon des couleurs les plus brillantes ; sur ses épaules tombait un manteau en réseau de diamants, qui traînait à dix pieds derrière elle et d'un travail si fin qu'il était léger comme de la gaze. Ses cheveux, luisants comme des soies d'or, étaient surmontés d'une couronne en escarboucles brillantes comme des soleils [1]. »

Élisabeth s'est assoupie dans les bras de sa grand-mère. La traversée, quoique mouvementée, enchante Sophie. La mer devient de plus en plus rose sous le crépuscule.

Le vœu de Sabine

Sabine s'isole sur le pont. Elle prie, à bouche close : « Ruinez-vous... Anéantissez-vous... Laissez-vous tordre comme un mouchoir... » Très tard dans la nuit, Sabine regarde les étoiles. « Le chariot » d'or. Est-ce la couronne de la fée des Alouettes ? Celle de la Sainte Vierge ? Les saints sont bien plus beaux que les génies et les fées racontées par sa mère. Sabine ne sent pas la fraîcheur de la nuit. Ni cette petite toux qui s'arrache de sa poitrine. Le capitaine lui conseille de rejoindre sa cabine qu'elle partage avec Olga. On tangue, il vente, il y a des embruns. « Vous allez attraper du mal, mademoiselle de Ségur. » Sabine ne voit que le ciel. Le mugissement d'un début de tempête, la création devenue furieuse, exaltent sa prière. Son envie aiguë d'absolu. Sophie, depuis longtemps, est couchée. Bercée de-ci, de-là par les vagues. Un sourire aux lèvres. Elle va vers Gaston. Elle dort, la chemise de nuit en pilou lacée jusqu'au cou. Les cheveux bien lissés sous une voilette. L'oreiller en caoutchouc gonflé à bloc. Le matelas du lit posé par terre. En vacances ! Enfin, ses enfants sont grands ! Enfin, elle n'est plus la chèvre au piquet, rivée à une marmaille aspirant sa vie ! Que Sabine reste sur le pont toute la nuit si ça lui chante ! C'est une grande fille de vingt-trois ans qu'il faudra bien marier l'hiver prochain. *Gleich* et bon vent !

Sabine n'entend pas les jurons des matelots qui besognent toute la nuit. Elle répète cette prière, qu'elle disait enfant, quand ses

---

1. *Nouveaux Contes de fées.*

437

frères la taquinaient. La traitaient de sotte : « Mon Dieu, que je sois une bête, pourvu que je vous aime [1]. » Une bête, un poisson, une alouette, un morceau de cette écume, pourvu que je vous aime... Sophie dort avec des petits « cloup » joyeux. De l'autre côté de la cloison, Armand a bien envie de siffler pour faire cesser le ronflement de sa belle-mère.

Piazza Colonna, Palazzo Brancadoro

La fête continue. Gaston accueille les siens à bras ouverts. On s'embrasse à s'étouffer. On redevient russe. On s'étreint, on s'exclame, on se regarde, on s'extasie sur le bébé pourtant affreux d'Henriette. On s'aime. On sait qu'un jour, dans le ciel, on se retrouvera pour ne jamais plus se quitter. Gaston a fait préparer pour sa mère et ses sœurs un appartement somptueux. Situé près du Corso. La terrasse est embaumée de roses, d'un chèvrefeuille délicieux.

Sophie et ses filles croisent dans la rue des militaires français. L'armée française occupe Rome depuis trois ans déjà. Gaston présente à sa mère la petite congrégation habituée au palais Brancadoro. L'abbé de Valois, l'abbé de Thury, l'abbé Jules Hugo — neveu du poète exilé à Jersey. Mgr de Mérode impressionne Sophie : « Une épée ayant une soutane pour fourreau... Admirable devant Dieu et redoutable devant les hommes. »

On reçoit des soirées entières, dans ce palais fantastiquement éclairé. Il rutile d'or, de cristaux, d'acajou luisant. Les valets portent la livrée des Ségur. Les maux de reins de Sophie ont disparu. Sa migraine est en veilleuse. Sa voix débloquée. Elle babille, roucoule, rit à gorge déployée. En quelques semaines, elle rattrape des années « d'ardoise ». Ses yeux luisent d'une flamme extraordinaire. Elle contemple Gaston, sa plus belle œuvre. Enchantement aussi du souper tardif. Le goût du basilic dans les pâtes. Les fruits en pyramides, les gâteaux et les glaces. Le champagne d'Asti. Est-elle à nouveau dans le salon de Fédor, au milieu des Tziganes qui chantent et boivent ?

Gaston taquine volontiers Mgr de Mérode sur son accent. Il riposte : « Si nous n'avons pas de langue, nous avons un accent. » Le rire de gorge de Sophie dépasse tous les autres. Celui de Mgr de

---

1. *Sabine de Ségur, en religion sœur Jeanne Françoise,* A. Ségur.

Langalerie, Mgr Parisis, le général de Cotte. Mgr Mérode glisse à l'oreille de Sophie au sujet des soldats français qui usent souvent du mot de Cambronne : « Ces braves gens, ils ont dit mon nom sans O. »

Chaque jour, Gaston entraîne sa mère et ses sœurs dans un grisant tourisme. Il l'écrit fidèlement à Anatole :

> *Nous avons déjà visité, ou plutôt vénéré, les plus grands de ces souvenirs de la Rome antique chrétienne. Saint-Pierre, Saint-Jean-de-Latran, Sainte-Marie-Majeure, le Colisée, le Forum, la Sainte-Crèche, la table de la Cène, la Scala Santa, la prison Mamertine, le lieu du premier séjour de saint Pierre à son arrivée à Rome dans le palais du sénateur Prudens.*

Le soir, on parle aussi des événements de la France. L'empire semble imminent. Tout le monde approuve cette perspective. La lettre de Gaston à son frère s'achève sur ce sujet :

> *L'empire sera probablement proclamé lors de l'arrivé de ma lettre. Le Sénat l'aura voté comme un seul homme et tout sera consommé... Il me paraît, en somme, que dans l'état des choses c'est une bénédiction de Dieu. Il faut beaucoup prier pour Napoléon.*

Armand Fresneau se fâche tout rouge. Quoi ? Prier pour un Bonaparte ! Les soirées deviennent alors querelleuses. Henriette pleure, Sophie renchérit dans le sens de Gaston. Armand explose, quitte brusquement Rome, avec sa femme et son bébé. Sophie sent une migraine l'assaillir. Pourquoi ce Falloux ne veut-il pas prier pour Napoléon ? C'est assommant à la fin toutes ces disputes ! Sophie est soulagée du départ d'Armand. Bon vent ! Elle devient féroce de bonheur.

Sabine quitte souvent le groupe chaleureux et gai qui continue à visiter de fond en comble la Ville éternelle. Elle part aux aurores, en voiture, accompagnée de sa femme de chambre. Elle prie jusqu'à l'extase à Sainte-Marie-Majeure. Elle remplit ses poches de pierres ramassées dans les catacombes. Elle se met à genoux au milieu du Colisée.

Sabine continue à faire rire les siens par ses bévues, sa naïveté. Elle paye le cocher, lui dit en mauvais italien : « Tenez, voici pour vous *cinque bacchiochi* — cinq petits baisers. » Sabine a confondu baîocchi, la monnaie, avec, *bacchiochi,* les baisers. « Une bête, mon Dieu, être une bête, pourvu que je vous aime... »

COMTESSE DE SÉGUR

Louis Veuillot est un mangeur de radis

Sophie ne songe plus à repartir. Noël parachève son enchantement. Ils sont allés à la messe de minuit en l'église du Gésù, où Gaston avait signé son vœu de chasteté. L'hiver n'a pas terni le grand ciel de Rome. Les vacances de Sophie continuent. Anatole a publié son premier et piètre roman, *Les Mémoires d'un troupier*. Gaston et Sophie le reçoivent. Gaston s'enthousiasme aussitôt :

Rome, 4 janvier 1853

> *As-tu montré (ton roman) à mon oncle Philippe ou à quelque autre éplucheur ? Je te demande cela à cause de quelques incorrections qui m'ont frappé au simple parcours. Je pleure comme une bête en lisant tes histoires...*

Sophie s'ouvre à toute nouvelle relation. Début février, Louis Veuillot arrive à Rome. Il est invité au palais Brancadoro. Sophie et Olga ont le coup de foudre pour « ce colosse au regard d'enfant ».

Fils d'un tonnelier illettré, Louis est très attaché à sa famille. Sa mère, son frère Eugène, Élise, leur sœur, forment un ensemble très uni. Dès l'enfance, Louis Veuillot est hanté par l'ambition. S'instruire. Écrire. Sa mère veut en faire « un jurisconsulte ».

« Qu'est-ce qu'un jurisconsulte ? demande le brave tonnelier.

— Un notaire en plus fort », répond la mère.

Louis quitte très tôt sa famille pour Paris. Il est d'abord un saute-ruisseau. La révolution de 1830 l'entraîne vers sa véritable vocation. Le journalisme. Louis Veuillot vibre alors à l'unisson des romantiques et de l'idéal démocratique. Louis est avant tout un verbal. Un ferrailleur de mots. Il aime lutter à coups de mots. S'échauffer. S'encolérer. Après sa conversion, à Rome, en 1838, l'année de celle de Gaston, il deviendra sa vie entière un catholique forcené. Comme Pascal, il se mit à genoux, il crut et l'écrivit plus tard : « J'avais vingt-quatre ans. Au détour d'un chemin, je rencontrai Dieu. Il me fit signe, j'hésitai à le suivre. Il me prit par la main, j'étais sauvé. »

Veuillot partira alors en guerre contre les athées. Il deviendra ultramontain, « par-delà les monts ». Il est violemment antisémite.

L'abbé Mignard, éditeur des Pères de l'Église, lui confie en 1840 la direction d'une modeste feuille. Son but ? Combattre l'irréligion. Son titre ? *L'Univers*. Louis, doué d'une éloquence inouïe, déversera dans *L'Univers* force articles implacables, véhéments. Le ton « Veuillot » a remonté ce modeste journal. Il deviendra la voix de tous les ultramontains. *L'Univers* est fort prisé du pape et de Rome. Le pape est curieux d'en connaître son rédacteur en chef. Veuillot, au moment de rencontrer Sophie, avait soutenu Louis Napoléon et l'empire. L'obsession de Veuillot, celle de Sophie, est de combattre « les rouges » de 1848. Victor Hugo le hait. Veuillot arrive à Rome, l'hiver 1853. Il est en plein deuil. Il avait épousé en 1845 « la douce Mathilde » dont il a déjà eu quatre petites filles. Marie, Gertrude, Agnès, Luce. En novembre 1852, Mathilde Veuillot accouche d'une cinquième fillette, Madeleine.

A la comtesse de Montsaulnin, 20 novembre 1852

 Madame,

  Nous avons eu cette nuit une petite fille. Elle est bien portante et n'a pas fait de difficulté pour entrer en scène. Nous la baptisons tout à l'heure. Elle se nommera Madeleine[1].

Une lettre navrée, datée du 26 novembre, annonce à la même correspondante la mort de Mathilde :

 Chère madame,

  Cette pauvre petite dont je vous annonçais la naissance, il y a quelques jours est maintenant orpheline. Elle ne verra jamais sa sainte mère en ce monde et saura qu'elle lui a coûté la vie[2].

Mathilde fut atteinte d'une péritonite compliquée de fièvre puerpérale. Elle mourut le surlendemain de l'accouchement. Le mariage de Louis aura duré sept ans et quatre mois.

Élise Veuillot, la sœur dévouée, s'installe aussitôt rue du Bac. Elle s'occupe des cinq petites filles. L'aînée, Marie, n'a pas sept ans. Malgré son chagrin, Louis s'active plus que jamais. Invité par le pape, il part pour Rome. Dans son maigre bagage, le journaliste a glissé le livre de messe de Mathilde. Il relit les mots qu'elle avait écrits sur la première page : « Ne nous attristons pas de ce qui n'attriste pas Dieu. »

Ta mort, ma bien-aimée, n'attristerait donc que moi ? Dieu qui t'a accueillie me fait-il le signe, par tes mots, de transformer cette

---

1. *Œuvres complètes*, t. XVIII, Louis Veuillot.
2. *Ibid.*

douleur qui dure et qui dure, en joie ? Bien sûr, il y a la dévouée Élise. Il n'en reste pas moins cinq petites filles modèles sans mère. Quelle amitié pourrait consoler Louis, en dehors de sa foi ?

Marseille, 5 février 1853

Cher frère, chère sœur, chères enfants,

A Lyon, je n'ai pas manqué le pèlerinage de Fourvière. J'ai allumé deux cierges qui ont fait l'admiration du public. L'un pour L'Univers, l'autre pour mes... petites filles...

Olga, la première, remarque Veuillot. « Il est un de ces génies, Louis, comme Dieu n'en accorde au monde que de siècle en siècle. » Olga fut-elle amoureuse de Veuillot ? Olga dont les dix-huit ans révèlent une beauté qui s'affirme. A la Rostopchine. Fraîche, rose, svelte, armée d'une paire d'yeux magnifiques, d'une pétulance identique à celle de sa mère. « Voir Veuillot, c'est l'aimer. Il ne pouvait parler cinq minutes sans fasciner les âmes droites et les cœurs vraiment religieux. »

Pourtant, il est laid, ce barbon de quarante ans au visage grelé par la petite vérole ! Sophie aussi est fascinée. Elle en trace le portrait :

LOUIS VEUILLOT

Grande et belle nature
Ame riche
Cœur chaud
Franc et libre dans ses opinions
Idem dans ses sentiments
Quand il aime, c'est largement
Quand il n'aime pas, il néglige
Trop grand et généreux pour haïr, il est assez fort pour négliger la vengeance
Énergie, droiture, franchise, puissance, liberté, parole nette et hardie, voilà les côtés saillants de cette nature
Extrême propreté
Point de luxe
Se servant de l'argent sans y tenir autrement qu'un moyen
Il jouit d'une belle santé
Il a de grands yeux, surmontés de sourcils bien fournis, un râtelier bien monté.

Autres particularités de Veuillot. Il déteste les dahlias et les femmes parvenues.

UN AMI POUR SOPHIE : LOUIS VEUILLOT

Les dahlias ressemblent à ces grosses belles femmes de la banque et de l'industrie... Belles sans grâce, impertinentes sans esprit, riches sans élégance, ignorantes sans simplicité... Le dahlia, quelle tige grossière, quelles feuilles lourdes, quelle absence de gaze, jamais de dentelles et jamais de parfum [1]...

La comtesse de Ségur l'invite, pour le prochain été, aux Nouettes. Qu'il vienne avec toute sa petite famille ! Sophie se renseigne sur ses goûts en matière de petit déjeuner. Il lui avoue adorer les radis avec du thé ou un café bien noir. Sophie applaudit : il aura tout son saoul de radis.

Sophie, à son tour, est reçue en audience particulière par le pape. Elle en conserve une impression ineffaçable. La foi de Sophie se met à augmenter de façon vertigineuse. Il y a eu Rome, le pape et Louis Veuillot... A son tour d'être présenté au pape :

Rome, 18 février 1853

... Premièrement, j'ai vu le pape... J'ai donc été présenté avec Masson et les cinq abbés de la suite de l'évêque. Il m'a été facile de voir que L'Univers *est aimé et considéré...*

En France, c'est l'empire.

L'empire a été rétabli le 22 novembre 1852, à raison de 7 824 000 voix. Louis Napoléon s'est fait sacrer empereur, le 2 décembre. Un an après son coup d'État. L'empereur est amoureux de la belle Eugénie de Montijo, comtesse de Teba. Elle a eu l'habilité de se refuser. Louis Napoléon, grand amateur de femmes, est peu habitué à leur refus. Il est obsédé par la froide Espagnole. Au départ, il souhaitait en faire sa maîtresse. Il lui rend visite, quotidiennement, dans son hôtel, place Vendôme.

« Comment arriver à vous, Eugénie ? soupire ce vainqueur devant une telle résistance, soigneusement entretenue par la mère d'Eugénie.

— Par la chapelle, Sire », répond la somptueuse Madrilène.

Il se mariera donc. Le 30 janvier 1853. Mariage religieux, qui fait jaser beaucoup de monde. Louis Napoléon a délaissé Miss Horward, sa maîtresse anglaise. Elle lui avait donné sa fortune pour payer sa campagne politique. On reproche, surtout en haut lieu, l'origine plus ou moins trouble de la catholique Eugénie. Est-ce une vraie princesse ? Une authentique courtisane, influencée par une habile mère maquerelle ? L'empereur agace le faubourg Saint-

---

1. *Çà et là*, Louis Veuillot.

Germain. Son demi-frère, de Morny, ricane. Plomplon, fils de Lucien Bonaparte, est plein de haine. Quoi ! faire passer son inclination à la place de la raison d'État ? Ne pas avoir su négocier une alliance avec une fille de puissante famille royale ?

Louis Napoléon ferme à demi ses paupières. Sa voix sourde tranche, décide. Il est l'empereur de tous les Français. Il a épousé la plus belle femme de Paris. Il met à la mode le mariage d'amour. Il a un grand droit de regard sur Rome. Il fera du Second Empire la puissance et la gloire. L'optimisme est grand. Sur la carte de France, Sedan n'est qu'une bourgade.

Les rôles de Gaston

Deux points assombrissent les vacances de Sophie. L'évanescence progressive de Sabine, murée dans un ailleurs. Le surmenage de Gaston. « Six mois de lit, souviens-toi ! » a-t-elle envie de lui dire devant son rythme quotidien à Rome. Sophie tremble devant un nouvel affaiblissement de la vue de son fils. En feuilletant son album de dessins, elle tombe sur les croquis de son voyage au Tyrol. Gaston avait dessiné une extatique stigmatisée. Cette jeune fille, à genoux nuit et jour, se nomme Dominica Lazzori. Elle a l'air d'une aveugle. Une aveugle qui voit de l'intérieur. Des espaces infinis qui épouvantent Sophie : « Image vivante et sanglante du crucifix, les mains, les pieds, le côté percé de plaies profondes, ouvertes, et qui, depuis quinze ans, tous les vendredis, rendaient des flots de sang (...)[1]. »

Prémonition de Sophie ? Sophie a remarqué que son fils cherche parfois ses livres à tâtons. Sophie tourne la page du carnet de croquis. Plus rien après le visage de Dominica Lazzori. Gaston a crayonné en dernier ce regard halluciné, clos, fixé vers le ciel et l'invisible.

Sophie comprend-elle que son fils est loin d'être en vacances ? S'est-elle leurrée du charmant accueil ? L'a-t-elle cru disponible, reposé ? Son rôle diplomatique, ses exigences sociales de responsable à la Rote sont accablants. Gaston de Ségur est sollicité sans cesse par Napoléon III. L'empereur souhaiterait la présence du pape à son sacre. Le pape soulève aussitôt l'affaire des articles organiques. L'empereur est-il prêt à les abolir ? Ces articles blessent le pape. Ils sont une redoutable muselière pour Rome.

---

1. *Monseigneur de Ségur, souvenirs et récits d'un frère*, A. de Ségur.

« Aucune bulle, aucun bref, etc. du pape ne pourra être publié en France sans l'autorisation du gouvernement. » Cette affaire surcharge l'emploi du temps de Gaston. Les lettres impériales au sujet du sacre sont de plus en plus pressantes.

« Mon cher Monseigneur de Ségur, je profite du départ de Mgr Ricci pour vous envoyer la lettre ci-jointe pour le Saint-Père. Je lui demande dans cette lettre de me dire franchement s'il veut venir à Paris[1]... »

Après l'avoir lue, le pape se contente de rendre la lettre à l'auditeur de la Rote : « *Ecce una bella letterera*[2] ! »

Le subtil italien n'est pas dupe de la suite de la lettre. L'empereur est habile, certes, mais bien décidé à ne pas lâcher les avantages de lois organiques : « J'avais chargé l'évêque de Carcassonne de dire au Saint-Père combien je désirais que d'un commun accord (les articles organiques) puissent être révisés (...), je ne voulais pas qu'on crût que c'était par intérêt ou ambition que je désirais la révision de ces articles... »

Gaston entre malgré lui dans un véritable rôle d'ambassadeur. Dès juillet 1853 — après le départ de Sophie — sans même passer aux Nouettes, Gaston est reçu chez l'empereur. Il lui rapporte la proposition du pape. Le sacre est accepté, mais à Rome. Dans le fief de Pie IX et non à Paris. Habileté du pape. Pas de franc refus. Amener l'empereur à renoncer de lui-même. Sa jeunesse à Rome a été si peu édifiante ! Gaston a-t-il mené lui-même cette ruse ? Offrir une possibilité de sacre impossible ? Pendant trois ans encore, l'empereur écrira à Mgr de Ségur lettre sur lettre. L'empereur, secrètement humilié, est obligé de continuer ses négociations. Il songe au baptême d'un héritier futur.

Le secrétaire de Gaston est obligé de lire et de répondre à sa place. Un voile, plus opaque que de coutume, grillage l'œil droit. Gaston entre aussi en querelle, même amicale, avec Mgr Pie, puis avec Veuillot, au sujet de l'épithète « ultramontain ». « " Je suis ultramontain, avait écrit Mgr Pie à Poitiers, à l'occasion de la fête de saint Pierre. Il faut l'être pour être catholique. " C'est au-delà des monts qu'est la tête du catholicisme, ailleurs, seulement les membres... »

Gaston se fâche, s'absorbe dans de nouveaux courriers qui l'épuisent. Il écrit à Veuillot de ne plus utiliser constamment le

---

1. Lettre de L. N. Bonaparte à Mgr de Ségur, 8 mai 1853.
2. *Monseigneur de Ségur, sa vie, son action*, M. de Hédouville.

terme « ultramontain ». Cela crée chez les lecteurs les pires confusions. Attention à l'intolérance :

> *Vous ne sauriez croire les pensées étranges que ce mot éveille dans les neuf dixièmes des lecteurs. Exagération, fanatisme, asservissement à des intrigants (...). Intolérance cruelle et aveugle (...). Il faut se dire catholique romain, rien de plus (...) et si le bon Dieu était d'un pays, il serait romain, non pas italien, mais romain* [1]... »

Gaston écrit, dicte près de trente lettres quotidiennes. Il cache à sa mère que sa vue baisse. Sa toux est revenue. Crache-t-il encore du sang ? En ce début de printemps, il s'écarte de Sophie. Il veut la laisser à l'écart de ces querelles, de ces conflits. Ces exigences de la France, de la Rote. Celles de l'Église. Sophie ressent cet éloignement très vivement. Sa santé est moins bonne. La migraine la cloue trois jours en chambre. Gaston en informe Anatole :

> *Maman et mes sœurs vont assez bien, maman, cependant, souffre un peu de ses rhumatismes dans la tête. Elle a été arrêtée deux jours ou trois, le reste du temps, elle va, elle vient, comme tout le monde et a seulement un peu mal à la tête...*

Un peu mal à la tête ? « Femme, qu'y a-t-il entre toi et moi ? » a dit le Christ à Marie qui s'affolait de ne plus le voir. Signe mystérieux d'une séparation plus grande après de si jolies retrouvailles ? La joie n'a qu'un temps... Sophie admet-elle la solitude obligatoire du prêtre en son fils ? Est-il temps de rentrer ? La mère est-elle maintenant de trop dans le territoire symbolique du fils ? Les vacances doivent finir. « Le temps agit enfin sur son chagrin comme il agit sur tout ; il l'usa et le diminua sensiblement [2]. » Gaston se jette dans un surcroît d'activités. Ses missions. « Il va se tuer ! » s'affole tout bas la mère. Gaston souffre trop de faire passer les exigences diplomatiques avant le sacerdoce. Il s'en ouvre à Mgr de Mérode et Mgr Bastide. Gaston veut reprendre son rôle d'aumônier militaire auprès des soldats qui croupissent à Rome. La plupart sont ignorants, fous d'ennui, au fond des cafés et des bouges. Les propagandistes « rouges » leur soufflent : « Rome est une ville comme les autres ! Le pape, un homme comme les autres ! »

---

1. Lettre de Mgr de Ségur à Louis Veuillot.
2. *Pauvre Blaise.*

UN AMI POUR SOPHIE : LOUIS VEUILLOT

Gaston laisse volontiers Sophie et ses sœurs le suivre chez les pauvres et les enfants. Gaston a reconstitué son cher patronage chez les frères de l'école chrétienne de la fontaine de Trevi. Le père supérieur, Siméon, acccueille chaque dimanche Gaston, sa mère et ses sœurs. A 9 heures, Mgr de Ségur interroge les enfants. Il fait pour eux une petite instruction et on en revient à l'œuvre des gâteaux.

Sophie, Sabine, Olga, portent de lourds paniers remplis de gâteaux. « Pour la note très bien, l'enfant reçoit un gâteau de trois sous, pour la note bien, de deux sous, assez bien, un sou[1]... »

Gaston a-t-il amené Sophie à aimer encore plus profondément les enfants ? Ceux non issus de sa chair ? Sophie observe son fils œuvrer pour eux. Si elle savait écrire, elle montrerait que le bien peut se véhiculer dans une petite âme grâce à des mots bien clairs. Dits fermement et doucement. Les enfants comprennent, retiennent les textes très simples. Vifs, courts, précis. Le dialogue est plus perceptible à l'enfant qu'un long sermon. Sophie a bien écouté la méthode de Gaston. Si elle invente d'autres historiettes pour ses petites-filles, elle simplifiera encore le dialogue.

Gaston a l'air épuisé en fin de matinée ! Exsangue, léger et flottant dans un vêtement trop large. Il a maigri. Il ne se reposera pas. Elle le sait, maintenant. L'après-midi, ce sont les vêpres, les visites, la promenade. « Rentrons à Paris », confie Sophie à Olga. Ne le fatiguons pas davantage. Messe, soirée, prière du soir, lecture. Certaines matinées de la semaine sont dévorées par les conférences de Fra Angelo. L'angélisme, mouvement chrétien parmi d'autres, est-il digne d'être brûlé ou est-il une râpeuse vérité ? Gaston s'informe sans relâche. Le devoir avant tout. La mission avant sa peine. Dieu seul est au-dessus de nous. Ensuite, ce sont les griefs du pape contre Saint-Sulpice. Le séminaire que Gaston a adoré emploierait certains livres en défaveur de Rome ! M. Le Hir, saint-sulpicien, atterré, écrit à Gaston, le 30 mai 1853 : « Je gémis profondément de penser que la pauvre petite compagnie de Saint-Sulpice afflige le cœur du Saint-Père. »

Désaccords, obscurités, absurdités, tout retombe sur Gaston. Son secrétariat est surchargé. Consciencieux, il répond à tout, à tous. Sans parler d'une autre mission auprès du concile de La Rochelle. Le pape souhaite, lors de ce concile, que les évêques provinciaux ne prennent aucune décision sans passer par Rome.

---

1. *Monseigneur de Ségur, sa vie, son action*, M. de Hédouville.

COMTESSE DE SÉGUR

Toutes les volontés du pape sont transmises à son négociateur favori, Mgr Gaston de Ségur, près de s'écrouler de fatigue. Les vacances de Sophie ont correspondu à tous ces remous. Il y a aussi, cette année-là, l'installation à Rome d'un séminaire français, où, bien sûr, Gaston se précipite. Gaston a la vie trépidante d'un ministre, d'un apôtre, sans avoir relâché une seule journée son dévouement familial. Sophie, quoique très inquiète d'un tel excès d'activités, est soulagée de l'heureux aboutissement en faveur de Saint-Sulpice. Grâce à Gaston. Dès son retour en France, son fils chéri occupera pour le moins un siège épiscopal !

La veille du départ de sa mère et de ses sœurs, Gaston porte soudain la main à son œil gauche. La douleur a été si violente, qu'il ne peut la dissimuler. Il a travaillé, cette dernière semaine, près de quatre-vingts heures. « Gaston ! » balbutie Sophie. Un sourire éblouissant lui répond. Il regarde plutôt la direction de sa voix, que son visage lui-même. Déjà, elle l'a surpris en train d'écrire dans l'obscurité. « Il faut que je m'habitue », avait-il dit vaguement.

A quoi ? Quelle chute, quel stigmate Dieu lui réserve-t-il et qui la poignardera en premier ?

Le 27 avril 1853, Sophie, le cœur serré, embarque avec ses filles. Quoi ? Nous ne sommes plus que trois ? Nous étions six à l'arrivée, huit ou neuf jadis et même davantage. Gaston sourit, les embrasse, les pousse vers la passerelle. Allez mes belles ! Que Dieu vous garde ! C'est une des dernières fois que son fils la verra en entier, elle, Sophie. Le ciel de Rome, la lumière du ciel. La lumière des vacances de Sophie.

III

CÉCITÉ

CHARLES

A quoi penses-tu ?

JULIETTE

Je pense au bon Dieu qui m'a fait la grâce de devenir aveugle.

CHARLES

La grâce ? Tu appelles grâce ce malheur qui fait trembler les plus courageux ?

JULIETTE

Oui, Charles. La grâce...

Un bon petit diable

Les amies de Nathalie

Des satisfactions de toutes sortes attendent Sophie en France. Elle embrasse enfin Pierre, le fils d'Anatole. Elle est ravie de retrouver Camille, Madeleine. Ils sont maintenant installés à Auteuil, avec leurs parents. La vie sociale des Malaret est à son comble. Nathalie vient d'être nommée dame du palais de l'impératrice Eugénie. Le peintre Winterhalter a le projet de composer *L'Impératrice Eugénie entourée de ses dames d'honneur.* Le visage et la silhouette de Nathalie contribuent à l'aspect floral du tableau. Comment Nathalie a-t-elle obtenu cette haute fonction de la maison impériale ? Tout y a contribué. Sa beauté, le poste important de Paul de Malaret, diplomate confirmé. Les relations d'Eugène de Ségur ; leur lien familial avec l'auditeur de la Rote. Par décret du 29 janvier 1855, le nombre des dames du palais passera de sept à treize. Dès 1853, Nathalie eut la chance d'être parmi les premières et principales élues. Les dames du tableau de Winterhalter sont les relations et amies de Nathalie.

L'impératrice domine le groupe, vêtue de soie et de tulle blanc. Sa toilette est garnie d'entre-deux, en satin lilas, assorti aux fleurs de sa coiffure, bandeaux châtain doré. Les dames du palais sont disposées autour d'elle, à la façon d'un bouquet. A droite d'Eugénie, la princesse d'Essling. Tout de taffetas rose, triple collier de perles. L'impératrice lui tend un bouquet. Devant la princesse est assise la baronne de Pierres. Coiffée en anglaises emmêlées de ruban d'un bleu sourd, comme ceux de sa robe en tulle et soie blancs. Contre elle, la vicomtesse de Lezay-Marnésia. Son cou, très dénudé, est entouré d'un simple lacet en velours noir. Sa robe est en mousseline blanche à rayures rouges. Un châle en dentelle noire est gracieusement jeté sur son bras gauche. Qui est la plus belle ? La marquise de Montebello ? Elle resplendit au centre, taffetas vert, gros bouquet de lilas et de roses choux. On dit que l'empereur a été son amant. Son chignon est retenu par un ruban en satin rose foncé. La plus âgée, dans sa toilette rouge garnie de chantilly noir, est la duchesse de Bassano. La main posée sous le menton, elle semble veiller sur sa souveraine. A droite du tableau, debout telle une flamme dans sa robe de soie jaune, étincelle Nathalie, baronne de Malaret... Aucune « coiffure » sur ses cheveux blond foncé, en bandeaux bien lissés. « Ils tombent en boucles sur son joli petit cou blanc et potelé[1]. » Il porte quatre rangs de perles fines, sortis de sa corbeille de noces. Nathalie, les pommettes hautes, la paupière abaissée, semble ignorer le petit bouquet de violettes épinglé à son corsage. Ses bras aux belles attaches portent des bracelets d'or, à fermoir travaillé. Elle est la seule, debout, face au spectateur. Face à ses responsabilités. En servant l'impératrice, elle se rend utile à la carrière de son mari. Le service de Nathalie, des dames d'Eugénie, est très dur. Elle doit se lever tôt. Elle se sépare tout un long jour de ses enfants. Elle arrive chez l'impératrice, en grand décolleté. Ainsi l'exige l'étiquette. Sa santé s'en ressent ; elle crache un peu de sang. Elle cache le froid qui l'assaille dès le grand escalier. La petite fièvre, le long du jour,

---

1. *Les Petites Filles modèles.*

dans le salon trop grand. Sa taille, malgré trois grossesses, est restée mince. La toilette Second Empire est une entrave pour les femmes. Nathalie marche lentement. Elle apprend à ne heurter ni meuble ni personne. Il lui faut rester gracieuse pendant près de douze heures. Il y a aussi les grandes soirées. Elle change alors « la cage » du jour, pour celle, encore plus cruelle, du soir. Nathalie, sur ce tableau, est au comble de la beauté de sa trentaine proche. Elle aide la marquise de Las Marismas à soutenir un gros livre. La marquise est assise. Le corsage orné d'une double berthe en dentelle, piquée de roses. Mme de Las Marismas lève la tête vers la marquise de Latour Maubourg. L'amie de Nathalie tient à la main un chapeau de paille d'Italie orné de roses. Sa robe est une puissante merveille de soie bleue à volants de chantilly noire. Cages et corsets torturent toutes ces femmes sans qu'elles se révoltent. Sophie se moque de ces toilettes qu'elle juge absurdes. « Est-ce que vous préféreriez le voisinage d'une crinoline qui vous écrase les genoux, qui vous serre les hanches, qui vous bat dans les jambes[1] ? »

Les fleurs de ces bouquets, de ces corsages, de ces coiffures sont naturelles. Elles vivent le temps d'une pose, le temps d'un règne, d'un amour, pas même une vie. Pour Sophie, ces robes sont celles de mère Cigogne (...) « Robe de soie lilas clair. Garnie de trois amples volants bordés de ruches, de dentelles, de velours. Corsage également bariolé de mille enjolivures qui le rendent aussi ridicule que la jupe[2]... »

Chaque matin, Camille et Madeleine admirent leur mère. Elles tournent autour d'elle.

« Cela vous va à merveille, maman. Coiffez-vous toujours ainsi... »

« Moi, je trouve cette coiffure jolie, mais pas très commode. »

« Très commode ! (...) Rien de si commode ! C'est solide ! Tous les cheveux sont crêpés dessous. »

« Est-ce que vous les décrêperez le soir, maman ? »

« Je ne sais pas encore, chère petite, c'est la première fois que je suis coiffée ainsi[3]. »

La voiture aux armes impériales emporte la ravissante mère. Les petites filles la regardent partir, longtemps appuyées au carreau. Heureusement, elles vont goûter chez grand-mère cet après-midi.

---

1. *Les Deux Nigauds.*
2. *Les Petites Filles modèles.*
3. *La Sœur de Gribouille.*

Grand-mère qui a leur portrait, dans sa chambre, entouré d'un cadre en ivoire. Elles aussi sont jolies, habillées de taffetas gorge-de-pigeon. Sous la jupe large, les jolis petits pantalons à festons. Elles sont si sages, si sages, que grand-mère Ségur les appelle « ses petites-filles modèles ».

« Une goutte sereine »

Gaston a écrit directement à son père. Le comte de Ségur est consterné. Son fils a perdu l'œil gauche. Depuis le 1er mai 1853.

> *Mon œil n'est plus à moi : c'est la bonne Vierge qui me l'a pris et qui l'a envoyé en mon lieu et place* [1].

Sophie est au salon. Eugène est très ému. Il s'est mis sincèrement à aimer ce fils. Comment annoncer la nouvelle à sa femme ? Va-t-elle rechuter dans sa dépression ? Une tendresse le lie désormais à Sophie. Après sept mois d'absence, elle est revenue de Rome, gaie, rétablie dans sa santé. Lui manquait-elle ? Il la recherche volontiers. Une amie, une sorte de sœur à qui il n'ose plus faire de la peine. L'atteindre dans ses enfants, surtout Gaston, c'est la détruire. L'œil perdu de son fils, c'est son œil à elle que l'on va arracher. La dure tâche de parler lui est confiée. Il espère en être digne.

« Notre fils... », dit-il. La suite lui échappe. Sophie a vu la lettre, s'en est emparée. Eugène a devant lui une pauvre femme en sanglots. Écroulée, la tête sur la table, qu'elle cogne violemment contre ses poings. Il la prend dans ses bras, il donnerait sincèrement tout — mais que peut-il donner désormais pour apaiser ses pleurs ? Calmer sa propre peine. Il resserre ses bras autour d'elle. Il caresse ses cheveux de plus en plus gris. Jamais il n'a été tendre avec Sophie. « Gaston ! crie-t-elle, sauvage. Gaston... »

Un cri d'amoureuse. Eugène baisse la tête. Puni. Crierait-elle d'un tel feulement, s'il lui arrivait malheur ? Il sait bien que non et qu'il en est responsable. Le temps a développé l'amour maternel, détruit l'amour conjugal. Gaston, époux spirituel de Sophie de Ségur. Gaston, qui a perdu son œil, âgé de trente-trois ans.

« Allons Sophie, allons. Nous allons soigner notre abbé... La bonne nourriture, le repos, la campagne feront le reste [2]. »

---

1. Lettre de Gaston à Eugène de Ségur, 8 mai 1853.
2. *La Comtesse de Ségur et les siens,* M. de Hédouville.

Eugène est navré. Le chagrin de Sophie est affreux. Sabine et Olga aussi ont éclaté en pleurs. Gaston, Gaston a perdu un œil. Sabine, la première, a séché ses larmes. Elle prie. Son père la regarde, l'admire, s'apaise. Il attend d'elle le secours que Sophie a obtenu sa vie durant de Gaston. Sabine lève une passion paternelle dans le cœur d'Eugène. Seule, Sabine sait ébranler sa tendresse, fêler cette froide coquille. Faire sourdre la lumière, oui, la lumière que Gaston va lentement perdre.

Lessivée de larmes, Sophie écrit d'une main tremblante à Rome.

> *Ta lettre, cher enfant, me laisse une grande tristesse par rapport à tes pauvres yeux. Toute ta résignation ne t'empêchera pas de souffrir de mille pénibles et continuelles privations concernant même ton ministère et le bien que tu peux faire comme prêtre... je n'ai pas le courage d'arrêter ma pensée sur mon pauvre Gaston aveugle (...). Je croyais que ton silence sur tes yeux était bon signe dans les trois dernières lettres ; je vois que tu n'en parlais pas par charité, pour ne pas augmenter mes inquiétudes et ma préoccupation*[1]...

Sophie rechute dans les affres de la migraine et du mutisme. Elle écrit quotidiennement à son fils, cachant ses maux pour ne pas augmenter les siens. Qu'il ne sache pas qu'elle a envie de hurler ! Qu'il se soigne, par pitié, qu'il sauve le second œil ! Le surmenage l'a détruit, elle s'en était douté, à Rome. Pourvu qu'il ne jeûne pas trop durement.

> *Est-ce que tu fais maigre, cher enfant ? Souviens-toi du mal que t'a fait, au carême dernier, le maigre, même mitigé de bouillon. Moi, de mon côté, je fais maigre, cette année, les trois jours de carême sans autre symptôme fâcheux que le retour de mes enrouements et de ma gorge brûlante...*

Pendant des jours, les lettres de Sophie zigzaguent aussi fort que son angoisse. Marier Olga et mourir... « Depuis hier, je suis enrouée à ne pas parler ; mais à mon âge, qu'importe une santé plus ou moins compromise. Si Dieu m'accorde de marier Olga, j'aurai bien assez vécu[2]... »

Gaston parle plus franchement de son malheur à son ami, le comte de Leusse. « J'ai un œil quasi perdu, celui qui me reste est un si pauvre sire qu'il ne vaut pas la peine qu'on en parle (...). Le nerf

---

1. Lettre de Sophie à Gaston.
2. *Ibid.*

optique tombe en paralysie partielle ou totale (...). Je distingue encore les objets comme au travers de l'eau[1]... »

Gaston supplie sa mère d'arrêter de se désoler. Elle l'éprouve davantage. Qu'elle songe surtout à « demander à Dieu (qu'il) supporte comme il faut une épreuve aussi excellente ».

Que se passe-t-il à Rome, après la perte de l'œil gauche ? Qui va s'occuper de Gaston ? Quel diagnostic a-t-il été médicalement établi ? Dès le 2 mai, Mgr de Conny accompagne Gaston chez le Dr Mayer, médecin de l'armée. Mayer diagnostique une « goutte sereine ». Mgr de Mérode mène à son tour Gaston chez un autre spécialiste. Tous sont dans l'impuissance de guérir l'auditeur de la Rote. Le traitement est dérisoire. Gaston en informe Anatole. « Je ne fais pas de remèdes, si ce n'est un peu de fer et de quinquina que je prends chaque jour pour fortifier mon système nerveux[2]. »

Sophie recopie fébrilement le paragraphe de *La Santé des enfants,* intitulé « Inflammation des yeux ». Elle se rend compte des limites de sa pauvre science devant un cas aussi grave. Elle veut faire plus et mieux que cet oculiste qui n'a prescrit que du quinquina ! Gaston reçoit donc ces conseils. Son secrétaire lit à haute voix :

« Si l'enfant (elle a laissé le mot " enfant ". Son enfant, qui a perdu un œil) a les yeux enflammés, ce qui arrive quelquefois par suite d'un coup d'air, d'une lumière trop vive, etc. (la lumière de Rome ? Celle du ciel ?), prenez un oignon de lys, faites-le cuire dans très peu d'eau. Quand il est refroidi, écrasez-le pour en faire un cataplasme que vous appliquez sur l'œil malade ; laissez-le douze heures[3]. »

Juin éblouissant, juin radieux. Cerises aux oreilles des filles qui veulent se marier dans l'année. La mère Leuffroy a composé un bouquet de lys pour la petite église d'Aube. Un bouquet pour la Sainte Vierge. Qu'elle rende son œil à Mgr de Ségur !

« Si vous n'avez pas d'oignons de lys, écrit Sophie de plus en plus désespérée, prenez cinq ou six feuilles de laitue crues — Faites une application de pomme cuite que vous laisserez cinq à six heures : Bassinez l'œil avec de l'eau de riz froide, très légère, légèrement acidulée de quelques gouttes de vinaigre[4]... »

Le pape hoche la tête. Il ne voit pas d'autre remède que « le

---

1. Lettre de Gaston de Ségur au comte de Leusse, 25 mai 1853.
2. Lettre de Gaston de Ségur, 6 juin 1853.
3. *La Santé des enfants.*
4. *Ibid.*

sommeil et la patience ». Gaston se moque de lui. Cet œil mi-clos lui donne drôle de tête. Combien de temps dispose-t-il pour apercevoir, trouble et glauque, son drôle de visage dans le grand miroir vénitien du palais Brancadoro ? Il se décrit ainsi à Anatole : « As-tu jamais vu le portrait du Tasse ? Figure-toi un œil complètement fermé et rappelant le sommeil de l'innocence, et l'autre immensément ouvert et plein de feu. »

Pie IX fait alors un grand cadeau à Gaston pour le consoler. Il lui permet de garder chez lui le saint sacrement. « A un autre je dirai non, mais à vous je dis oui *perche vi voglio bene*[1]. »

Son malheur a du bon. Le triomphe sur la mort ne passe-t-il pas par une nuit ? Il pourra revenir à Paris, « confesser ses pauvres voyous ». Se rapprocher de sa mère, des humbles, ceux pour qui le Christ est venu...

Épreuves

Gaston est aux Nouettes. Sophie le gave de bonne nourriture. Elle simule la gaieté qui ressemble au courage et finit par l'engendrer. L'attention et l'affection sont générales autour de Gaston. Pour la première fois, il frôle le désespoir. Accepter n'est pas si aisé, même à un prêtre. Peut-être, quand il sera définitivement dans sa nuit, touchera-t-il au moment béni de la paix du Christ ? « N'ayez plus peur ! je vous donne ma paix[2]. »

Eugène réfléchit au sort de son fils. Il voit bien que repos, petits poulets grillés, fruits en abondance et bon air, n'entraînent aucune amélioration. L'été s'achève. Gaston parle de repartir. Eugène s'adresse alors au comte de Turgot, son ami. M. de Turgot est une puissante passerelle entre l'empereur et les décisions administratives de haute importance.

> *Mon fils aîné me quitte après-demain pour retourner à Rome prendre son poste. Il y retourne dans le même état qu'il en est venu, c'est-à-dire avec l'œil gauche perdu et l'œil droit faible et fatigué ne lui permettant aucun travail. Il va suppléer à ses yeux par un secrétaire et il attendra avec impatience que l'empereur lui envoie son frère Edgar comme premier secrétaire (d'ambassade) à Rome*[3].

---

1. *Monseigneur de Ségur, souvenirs et récits d'un frère*, A. de Ségur.
2. Évangiles.
3. Correspondance, Ségur.

Napoléon III fait la sourde oreille sur le malheur de Gaston de Ségur. Gaston, qui a le courage de continuer les négociations pour le sacre. L'empereur est trop absorbé par la guerre de Crimée. Guerre qui oppose la Russie et la France sur la question des lieux saints. Bethléem et Jérusalem, situés en terre ottomane. Deux communautés chrétiennes se disputent la garde des lieux saints. Les religieux orthodoxes, protégés par la Russie et les catholiques latins, alliés de la France. Depuis 1852, un édit du sultan semblait avoir accordé les concessions aux religieux latins. Le tsar Nicolas Ier avait envoyé en mars 1853, à Constantinople, son ambassadeur Mentchikoff. Il revendique le droit de protection de la Russie sur les chrétiens orthodoxes de l'Empire ottoman. Le sultan refuse. La querelle des lieux saints déboule en un conflit européen.

Quand Gaston achève son triste été 1853 aux Nouettes, la Russie a déjà occupé les principautés danubiennes. La Moldavie, la Valachie, vassales du sultan. Français et Anglais envoient leurs flottes à l'entrée des Dardanelles. Le 4 octobre 1853, au moment où Eugène négocie l'avenir de Gaston et d'Edgar, la Turquie déclare la guerre à la Russie.

L'impératrice Eugénie pousse Napoléon III à protéger les intérêts catholiques en Orient. Surtout depuis le désastre de la flotte turque par les Russes, dans la baie de Sinope. Début janvier 1854, les navires anglais et français pénètrent dans la mer Noire. C'est la longue guerre qui entraîne le siège de Sébastopol. La phase ultime de ce siège sera la prise de la tour de Malakoff par Mac-Mahon. Le 8 septembre 1855. Le zouave Moutier, sous la plume de la comtesse de Ségur, en raconte les détails :

> *Une descente en Crimée, une bataille à Alma comme on en avait jamais vu ; sans vanité nous nous sommes tous battus comme des lions. Je ne parle pas des Anglais, qui, selon leur habitude, se sont trouvés en retard parce que leur rosbif et leur pouding n'étaient pas cuits. (...) Nous avons grimpé des rochers à pic sous une grêle de balles et de mitraille ; nous avons chassé les Russes du plateau où ils s'étaient joliment installés (...). Leur général, le prince Mentchikoff, qui était là pour voir comme on nous culbutait par-dessus les rochers, a failli être pris. Il s'est sauvé, laissant sa voiture, ses effets, ses papiers et tout. Après est venu le siège de Sébastopol (...). A Inkerman, au camp des Anglais, les Russes les ont rossés et en ont tué à l'impossible, comme à Balaklava. Nous autres Français, nous avons fait à notre tour une marmelade de ces pauvres Russes. A Malakoff, j'ai attrapé deux balles*[1].

---

1. *L'Auberge de l'Ange Gardien.*

Les campagnes militaires de l'empire — sans parler du choléra à Gallipoli qui emporte beaucoup de soldats français — expliquent la préoccupation de l'empereur. La « goutte sereine » de Mgr de Ségur le laisse insensible. Gaston se dépêche d'organiser le pire de son avenir. Il apprend à vivre dans la nuit. Il s'essaye à la méthode de Louis Braille, décédé l'année d'avant, en 1852. Il apprend ainsi par cœur le texte de la messe. Ses grands passages favoris des Évangiles et de la Bible. Il apprend à marcher en se tenant aux murs. Puis, lâcher le mur, chanceler, tremblant et seul au milieu de la chambre. Où suis-je ? Où suis-je ? Au secours ! Maman ! Seigneur ! Je n'y arriverai jamais ! Prier, sentir la sueur (de sang) inonder son front. Se ressaisir. Atteindre la porte, tâtonner. Ouvrir le loquet de la fenêtre à la place de celle de la porte. Le vide... et si je me laissais glisser ? J'ai peur de l'escalier. Je rechigne devant cette trappe qu'est devenu le corridor pourtant si connu de mes chères Nouettes. Je ne reconnais plus rien. Revenir sur ses pas. Heurter une commode à la place du lit. Retracer le circuit. Aiguiser l'ouïe. N'est-ce pas ma mère qui gémit, qui sanglote ? Comme elle a bien caché tout le jour la souffrance que je lui donne ! Qui a pris mon bras ? Qui me guide ? Gaston ouvre alors son pauvre œil qui devient cette vitre sous-marine. Sabine est là.

Tous deux pleurent.

2 septembre 1854

Gaston repart à Rome. Louis Veuillot lui envoie un courrier très affectueux. Lui aussi se plaint de ses yeux : « J'ai bien peu d'yeux pour beaucoup de besogne. Hélas, Monseigneur, que mes yeux m'attendrissent, pour les vôtres. Priez Dieu de me donner votre sérénité s'il m'envoie aussi votre goutte sereine... »

Sophie traverse une crise d'agressivité contre tout l'entourage de Gaston. Elle leur en veut, à Rome. Comprennent-ils, ces imbéciles de Rome, le calvaire de son fils ?

> *La comtesse Primoli m'a dit hier que le prince Lucien allait se faire prêtre, le vois-tu toujours ? (...) Je soupçonne Mgr de Falloux de le très mal conseiller et d'avoir cherché à le soustraire à ta douce et excellente influence pour l'avoir complètement sous sa ridicule et mauvaise direction[1].*

1. Lettre de Sophie, Paris, mars 1854.

Gaston vit une dépression. La douleur prend toute la place. Il bute contre les petits points de M. Braille. L'envie de mourir le hante. Le chagrin de ne plus voir sa mère, ses chères églises, la divine lumière, le tue. Il lui arrive de sangloter, tellement maladroit à se diriger. Comment commence, déjà, la lettre de saint Paul aux Corinthiens ? Gaston se vit misérable, désespéré. Plus triste que les pauvres Herbuel et Guth au seuil de la mort. Désespoir, péché contre l'espérance, chute suprême des prêtres.

En juillet 1854, il revient aux Nouettes. Quel voyage, mon Dieu ! La traversée houleuse, la voiture qui cahote, le chemin de fer épuisant, l'obscurité de plus en plus épaisse...

La famille est au complet. Nathalie, Henriette, leurs enfants. La gaieté forcée est de commande. 2 septembre 1854. Un soleil de feu sur une campagne d'or et d'odeurs délicieuses. On a déjeuné toutes fenêtres ouvertes. Puis la famille part en promenade. On descend le raidillon Ségur. Sophie est bien un peu rouge, essoufflée, hélant son fils au fond de son cœur torturé. Edgar donne le bras à Gaston qui porte son masque riant. De dos, les deux frères se ressemblent. Minces, blonds, nerveux, avançant du même pas rapide. Tout à coup, Gaston serre convulsivement le bras d'Edgar. Il trébuche, se redresse. Il vient de tomber à jamais au fond d'un puits plus noir que le noir. La cécité est bien autre chose que l'exercice de fermer les yeux derrière lesquels dansent encore quelques lueurs.

Qu'a donc chuchoté Gaston à Edgar ? « C'est fini. Je suis aveugle. Ne le dis pas à maman. Elle le saura toujours assez tôt [1]. »

De bouche à oreille, la chaîne de l'affreux secret s'élabore. « Gaston est aveugle. Ne pas le dire tout de suite à maman. » Le murmure fatal va d'Eugène à Paul, de Nathalie à Henriette, de Sabine à Olga, de Woldémar à Anatole, de Cécile à Armand, à Camille, à Madeleine, aux plus petits. Un instinct surnaturel rend sourde Sophie qui marche, marche, marche si vite qu'elle a distancé tout le monde. Elle n'a rien entendu et tout compris. Elle veut fuir vers les grands bois et s'y engloutir. Ivre d'effroi, comme le pauvre chevalier de Saint-Félix.

Le soir, au salon, Gaston parle avec un tel naturel que Sophie s'apaise. Peut-être s'est-elle trompée ? Peut-être chantait-on sur le chemin, *Pin pa ni caille* ? Tout le monde passe à table. Gaston renverse son verre, coupe de travers sa viande. Nathalie ne dit rien. Elle se penche vers son frère, aussi gracieuse que sur le portrait de

---

1. *La Comtesse de Ségur et les siens,* M. de Hédouville.

Winterhalter. Elle découpe sa viande, rétablit le verre, le remplit elle-même, tremble. Tous baissent la tête. Le silence est total. Sophie pousse un affreux sanglot. Elle quitte la table. « Ce fut une scène douloureuse », écrira simplement Gaston à ce sujet.

Gaston, pourtant désespéré, mal ajusté dans sa cage, secoue d'abord ses sœurs. « Comment, filles dévotes, depuis plusieurs années, j'offre chaque jour sur l'autel la Victime sans tache, et le jour où le Seigneur me demande mes pauvres yeux, vous voulez que je les lui refuse ! »

Gaston se fait un devoir de dicter le courrier de son état à Rome et à leurs amis. Veuillot est un des premiers à répondre.

> *Quelle triste nouvelle vous me donnez ! Je n'en suis pas consolé même par la résignation (...). Plaise à Dieu que cela ne soit pas trop difficile à madame votre mère (...), j'irai aujourd'hui chez l'abbé Olivaint remplir la cruelle commission que vous me donnez pour lui*[1].

Gaston a écrit directement à l'empereur. Napoléon III est obligé de répondre à son auditeur de la Rote. Sophie lit d'une voix altérée la lettre impériale :

> *Palais des Tuileries*
> *22 septembre 1854*
>
> *Mon cher Monseigneur de Ségur,*
>
> *Je suis bien sincèrement affligé de la triste cause qui me prive du plaisir de vous revoir, et je ne suis pas moins touché du courage avec lequel vous n'hésitez pas à reprendre vos fonctions si importantes. Continuez comme par le passé à me donner de vos nouvelles, elles me feront toujours plaisir, et joignez-y les renseignements me rapportant les circonstances. J'attends l'occasion favorable d'adoucir autant qu'il est en moi, par la présence de votre frère à Rome, le malheur qui vous frappe et dès que cette occasion sera venue, je la saisirai, croyez-le, avec empressement. S'il était possible d'obtenir du pape un seul catéchisme en France, j'y attacherais un prix réel. Je désire que vous présentiez les intentions de Sa Sainteté à cet égard. Croyez à tous mes sentiments.*
>
> *Napoléon*

---

1. Lettre de Gaston de Ségur à Louis Veuillot, 13 septembre 1854.

Gaston n'est pas sorti de sa crise de désespoir. En octobre, il est encore aux Nouettes. Il se sent maintenant devenir sourd. En fait, ce n'est pas grave. Le Dr Mazier extirpe de son oreille un bouchon de cérumen. Il reprend son courage après cette redoutable alerte. Le soir, au salon, il dit à sa mère, reprise d'insomnie et de cauchemars.

« Eh bien, chère maman, vous pouvez être tranquille, je ne mourrai pas !

— Que veux-tu dire mon enfant ?

— Oui, dit calmement Gaston, je croyais d'abord que je mourrais de chagrin, mais maintenant, je vois que j'ai surmonté cela, et je veux que vous soyez rassurée, je vivrai[1]... »

« Sa résignation m'épouvante ! » écrira de lui Mgr Bastide.

Le chapitre impérial de Saint-Denis

Une seule personne éprouve une immense joie devant la cécité de Gaston. Catherine Rostopchine.

> Dieu aime donc bien Gaston, puisqu'il l'éprouve par une perte aussi douloureuse que celle de la vue. En vérité, ma fille, vous avez été bien heureuse d'avoir enfanté un saint...

L'épouvantable aïeule a écrit à Gaston. Sophie lit, avec, par moments, la disparition de sa voix :

> Mon cher et même précieusement cher, tu as été frappé comme saint Paul et, si j'osais dire, mieux que saint Paul, puisque ce n'était pas au moment où tu persécutais Jésus-Christ, mais où tu recherchais sa gloire et le vrai bonheur du prochain[2].

Début novembre, Gaston repart à Rome. Les manifestations de sympathie sont générales, mais son avenir à la Rote est sans issue. Le pape évoque l'idée d'opérer Gaston « de la cataracte ».

La présence d'Edgar à Rome, secrétaire d'ambassade, certes, aide Gaston. Il y a aussi l'arrivée du fils de Nathalie Narychkine. Napoléon III finit par s'occuper activement du dossier de l'auditeur de la Rote. Il fait demander au Saint-Siège, par l'intermédiaire du

---

1. *Mon bon Gaston*, Olga de Pitray.
2. Lettre de Catherine Rostopchine à Gaston.

ministre des Affaires étrangères, Walewski, « un titre d'évêque *in partibus* pour Mgr de Ségur ». L'ambassadeur Rayneval n'a jamais aimé Gaston. Il y fait obstacle. Un aveugle ne peut pas occuper une telle fonction ! Le pape propose un meilleur arrangement. Admettre Gaston de Ségur au rang des chanoines évêques du chapitre impérial de Saint-Denis. Pie IX ne sait que faire pour son favori. Il lui donne la mitre d'or qu'il avait lui-même portée pour la proclamation de son dogme.

La démission de Gaston donnera lieu à des querelles, à des complications. Elle traînera plusieurs mois. Le 8 mars 1855, Gaston est enfin nommé « chanoine dignitaire du chapitre de Saint-Denis en tant que prélat de la maison de Sa Sainteté et ancien auditeur de la Rote ».

Le voici assimilé aux évêques. Il va s'organiser au mieux. Il engage un fidèle serviteur, Méthol, et un secrétaire. En janvier 1856, ils s'installent au 39, rue du Bac.

Les vacances de Sophie sont finies. Sa grande saison va commencer.

SIXIÈME PARTIE

LES LIVRES DE SOPHIE

> *N'écris que ce que tu as vu.*
>
> Lettre à Olga

> *L'éditeur règne en despote sur ses auteurs, mais le droit de retranchement d'auteur me semble être tout nouveau et pas encore passé en usage.*
>
> Lettre à Louis Hachette

I

RÉSEAU FERROVIAIRE,
RÉSEAU LITTÉRAIRE

Le cadeau d'Eugène

Novembre 1854, gare de l'Est. Le dogme de l'Immaculée Conception est proclamé. Gaston est aveugle depuis deux mois. Le comte de Ségur est invité à l'inauguration du Paris-Strasbourg. Flanqué de deux autres administrateurs, le comte de Ségur accompagne Louis Napoléon Bonaparte. Tous s'émerveillent quand démarre le train pour Strasbourg. Quelle rapidité ! C'est vraiment extraordinaire. Au moment d'arriver à Strasbourg, l'empereur se penche malicieusement vers Eugène de Ségur. Quand Louis Napoléon s'était évadé du fort de Ham, le président des chemins de fer de l'Est avait voté son arrestation. Vous avez eu raison de me condamner ! lance joyeusement l'empereur à Eugène.

Eugène est secoué en tous sens. Si le train est rapide, le confort laisse à désirer. Dans un autre compartiment, un invité, M. Louis Hachette, discute vivement avec son gendre. Émile Templier réitère l'idée d'une bibliothèque de gare pour les enfants. « Si nous en parlions au président de la compagnie, le comte de Ségur ? »

Eugène, décidément violemment secoué au moment du freinage en gare de Strasbourg, avale son dentier. Quatre dents de devant ! A son retour, il court, très mortifié, chez le dentiste de la famille, M. Lefoulon. Il a eu le temps de promettre à MM. Hachette et Templier de réfléchir à ce projet, fort judicieux, d'une bibliothèque des chemins de fer. M. Lefoulon officie sur la mâchoire édentée. Eugène, légèrement chloroformé, se souvient des contes de Sophie : Ourson, la princesse Rosette, Blandine, le bon petit Henri. Voici exactement un type d'ouvrages pour Hachette, dans

465

nos gares ! Bonne idée pour distraire Sophie de la cécité de son fils. Publier ses contes l'occupera, l'empêchera de rechuter dans son silence et ses migraines redoutables. Le comte de Ségur a mûri, souffert du malheur de son fils. Les sanglots de Sophie l'ont bouleversé. Il ne s'agissait plus des irritantes crises de jalousie qui le laissaient glacial et ennuyé. Le chagrin de Sophie est désormais d'une autre espèce. Les yeux de Gaston. Ses propres yeux. Sa propre vie... Eugène, le froid Eugène, aura été l'instrument du destin éclatant de la comtesse de Ségur. L'instigateur de ses publications. A travers rails et réseaux.

Il présentera son épouse à MM. Hachette et Templier. Après tout, *La Santé des enfants* ne manque ni d'allant ni de bon sens. Ses contes de fées sont vraiment ravissants. Sue les lisaient en y mettant le ton ; à haute voix Louis Veuillot, que le comte n'aime guère, s'était exclamé après la lecture d'Ourson : « Publiez, comtesse ! »

« Publiez, comtesse ! », marmonne Eugène sous l'effet du chloroforme. M. Lefoulon, impassible, a « crocheté » le dentier en or qui donne au comte un vague aspect de lapin quand il sourit.

Que va publier la comtesse de Ségur de 1855 à 1872 ?

La Santé des enfants, 1855, publié à compte d'auteur, réédité par Hachette en 1857

Nouveaux Contes de fées, Hachette, 1857, 20 vignettes de Gustave Doré

Les Petites Filles modèles, Hachette, 1858, vignettes de Bertall

Livre de messe pour les petits enfants, Douniol, 1858

Les Vacances, Hachette, 1859, vignettes de Bertall

Les Malheurs de Sophie, Hachette, 1859, vignettes de Castelli

Les Mémoires d'un âne, Hachette, 1860, 58 vignettes de Castelli

Pauvre Blaise, Hachette, 1861, 65 vignettes de Castelli

La Sœur de Gribouille, Hachette, 1862, 72 vignettes de Castelli

Les Bons Enfants, Hachette, 1862, vignettes de Ferogio

Les Deux Nigauds, Hachette, 1862, 76 vignettes de Castelli

L'Auberge de l'Ange Gardien, Hachette, 1863, 75 vignettes de Foulquier

Le Général Dourakine, Hachette, 1863, 100 vignettes de Bayard

François le Bossu, Hachette, 1864, vignettes de Bayard

Un bon petit diable, Hachette, 1865, vignettes de Castelli

Comédies et Proverbes, Hachette, 1865, vignettes de Bayard

Jean qui grogne et Jean qui rit, Hachette, 1865, vignettes de Castelli

Évangile d'une grand-mère, Hachette, 1866, vignettes de Schnorr

La Fortune de Gaspard, Hachette, 1866, vignettes de Gerlier
Quel amour d'enfant !, Hachette, 1866, vignettes de Bayard
Le Mauvais Génie, Hachette, 1867, 90 vignettes de Bayard
Les Actes des Apôtres, Hachette, 1867 ; 10 gravures sur acier
(d'après des tableaux de peintres célèbres)
Diloy le Chemineau, Hachette, 1868, vignettes de Castelli
Bible d'une grand-mère, Hachette, 1869, vignettes de Schnorr
Après la pluie, le beau temps, 1871, vignettes de Bayard.

L'écriture de Sophie : une indomptable cursive

Sophie a toujours aimé l'acte d'écrire. Dans son éducation, l'écriture a tenu une très grande place. Bien écrire, c'est se tenir bien, penser bien. S'entraîner à l'endurance, à l'élégance, à la courtoisie. Échanger des nouvelles avec les siens. Écrire est le seul moyen de communiquer. Le principe du téléphone n'apparaîtra qu'en 1876.

Jusqu'en 1820, Sophie écrivait comme son père, à la plume d'oie. Elle l'affûtait au canif à manche d'écaille et d'or (celui qui lui avait servi à découper les petits poissons de sa mère ?). A Voronovo, la petite Sophie Rostopchine avait eu son « maître d'écriture ». Elle avait appris très vite la calligraphie. La ronde, la coulée, la bâtarde, tracée « à main posée ». Sophie l'enseignera à ses filles.

Après son mariage, Sophie a disposé des premières plumes métalliques. Elles étaient en métal assez dur et flexible pour se prêter aux liaisons et aux traits. Le métal employé était l'acier, le platine, le fer ou l'argent. L'inventeur ? Un mécanicien (au chemin de fer ?) nommé Arnoux. Dans le boudoir de Sophie, aux Nouettes ou à Paris, il y a toujours une grande bouteille remplie d'encre noire. Elle servira à teindre un gros mouton en peluche blanc, offert à ses petits-enfants. « J'ai une idée ! Prenons l'encrier et versons l'encre sur le mouton (...). Nous prendrons la bouteille d'encre qui est dans le cabinet de maman [1]. »

La comtesse de Ségur dispose d'une grande réserve de plumes, porte-plume, papier à correspondance et industriel pour ses manuscrits.

Sophie écrit avec jubilation. Elle rassemble sous sa main l'art des phrases brèves, directes, savoureuses. Elle écrit en « coulées » qui

---

1. *Les Bons Enfants.*

ne défaillent pas. Elle écrit sans maladresse, presque sans interruption. Il est vrai qu'elle peignait et dessinait d'une main sûre.

L'écriture de Sophie n'a rien à voir avec la mièvre bâtarde. Son dessin est la cursive, ou « anglaise », « à l'expédiée ». Ses « T » se jettent en avant telles les voiles d'une frégate bien partie. Prête à une longue traversée. Les « M » ont les jambes d'un cheval (son petit poney ? Cadichon ?) qui trotte, puis galope, sans perdre une once de son rythme. L'ensemble est bien coulé sur le côté. Le « A » majuscule est un chef-d'œuvre de haute couture. Aristocrate, fier, indomptable. Jusqu'à l'orgueil. Un « A » qui domine autant l'alphabet que toute une œuvre. M. Hachette aurait dû se méfier de la force virile du « A » ségurien. Que faire contre la volonté d'une femme qui trace des « A » aussi férocement parfaits ? Le « D » est gaiement chapeauté en arrière. Le « P » rappelle que Mme de Ségur est très stricte sur l'hygiène, la rigueur et déteste le désordre. Les « P » composent un amalgame parfait. Pas un jambage plus long que l'autre ! Même malade, la comtesse de Ségur n'a jamais badiné avec la propreté de ses enfants, de sa maison et de son corps. Elle déteste les « pâtés » d'encre, lâchés par une plume maladroite.

> *La plume, se trouvant trop secouée et trop pleine d'encre, en laissa échapper une grosse goutte.*

L'ADJOINT

Là ! (...) Voilà un registre déshonoré[1].

Son écriture témoigne d'une pensée vive, qui n'a jamais de mal à se bloquer. Un torrent qui court, charrieur d'eaux vives, délaissant aisément quelques cailloux au bord des marges parfaitement alignées.

M. Lubin, professeur d'écriture de George Sand, eût aimé cette calligraphie qui exige une impeccable position corporelle. « La tête droite, le cou dégagé, trois doigts allongés sur la plume et le petit doigt étendu sur le papier de manière à soutenir le poids de la main[2]. »

Sophie avait commencé son ouvrage *La Santé des enfants,* avant la cécité de Gaston. Ses petites-filles préférées, Camille et Madeleine, partiront pour Londres début 1855. Paul de Malaret a été nommé ambassadeur en Angleterre. Les petites supplieront leur

---

1. *Diloy le Chemineau.*
2. *Saintes ou pouliches, l'éducation des filles au XIXᵉ siècle.* I. Briçard

grand-mère de rédiger ses jolis contes de fées, de façon à les relire. Elle s'est mise aussitôt au travail dans sa belle bibliothèque, aux Nouettes. Elle rédigea « un double » pour elle. Les grands jours d'été, elle finira par écrire dehors. Sur la lourde table penchée qui ressemble, les jours de pluie, à un dolmen incliné.

Orthographe et manuscrits

L'article de Gabriel Aymé, intitulé « Sophie conforme », approfondit la conception des manuscrits de la comtesse de Ségur. *Les Malheurs de Sophie, Les Vacances, Les Deux Nigauds,* ont été rédigés sur du papier industriel. Papier solide qui enchante le bon sens et l'instinct d'économie de Sophie. Il est fort probable que ces fournitures viennent, gratuites, par « cuvée » et petite vitesse — le train s'arrête maintenant en gare de L'Aigle — des bureaux de la Compagnie des chemins de fer de l'Est... Sophie comprend très vite, comme Sand, que lorsque l'écriture s'empare d'un être, cela devient une passion sans relâche. Un plaisir « fastueux » disait Colette. Gâchis ruineux à cause de ces tonnes de feuilles que l'on froisse, déchire et jette avec rage au panier.

Sophie déteste gâcher. Influence normande ? La Russie de Rostopchine, le richissime papa, ô papa ! n'est plus que dans ses songes. Ne pas gâcher... Incessants besoins d'argent pour l'entretien des Nouettes, des enfants. Les corbeilles de noces à remplir décemment. Les voyages pour revoir les siens. Les petits-enfants à gâter tant et plus. La comtesse de Ségur est devenue, non pas avare, mais économe, prudente, au nom même de son instinctive générosité. Faire des livres, c'est faire de l'argent. Pour les siens. Les combler, les régaler. « Chaque somme gagnée par ses livres s'investissait en améliorations immédiates aux Nouettes, meuble de salon comme embellissement du parc[1]. »

Sophie de Ségur organise son travail d'écrivain tel un métier à part entière. Elle apprend à ménager le papier, l'encre, ses yeux. Elle utilise un collyre de sa composition. Le papier industriel, capable de résister sans crever sous la fougue d'une plume qui s'emballe, est de format 18×24. Chaque manuscrit achevé est relié d'une fort modeste couverture cartonnée. *Les Malheurs de Sophie* comporte 219 feuillets ; *Les Vacances,* 309 ; *Les Deux Nigauds,* 279.

---

1. *Le Centaure de Dieu,* M. de la Varende.

Elle va rarement au-delà de 300 pages, excepté pour son œuvre apologétique religieuse.

La comtesse de Ségur écrit d'une seule traite. Au verso. Une marge, parfaitement respectée sans l'aide d'un trait à la règle, sert à ajouter les inévitables corrections. Sophie a tant d'ordre ! Ses manuscrits ressemblent à ses armoires bien rangées. Draps en piles symétriques, petit brin de lavande pour en détourner les mites et les vilaines odeurs. Un manuscrit dégoûtant lui ferait autant honte que le linge mal plié dans ses commodes. Chez Sophie, tout est féminin, prévu, à sa place. La fantaisie est dans ses personnages, son cœur, ses sautes d'humeur. Jamais dans l'*organisation* de sa maison et de ses textes. Elle écrit à l'encre noire. Sa correspondance adopte le même style. Marge, élégance, encre noire. Mais le papier à en-tête n'est plus industriel. Il comporte une couronne à neuf pointes.

Les noms de ses personnages sont inspirés de la réalité de sa vie. « N'écris que ce que tu as vu » est sa grande règle. Dans *Les Vacances,* M. de Traypi est l'anagramme de M. de Pitray, mari d'Olga. M. de Ruges, celui de Ségur. Il lui arrive de changer les noms du manuscrit au moment de l'impression définitive. Paul et Sophie des *Malheurs de Sophie* ont failli s'appeler Paulin et Marie. La bonne Anna est devenue Lucie.

Auteur et éditeur. Histoire d'un couple : despotisme

La comtesse de Ségur, ses contrats, son œuvre, ses rapports avec la librairie Hachette, sont l'histoire de l'édition française.

Au seuil de la vieillesse, Sophie se « remarie » symboliquement deux fois. Elle forme avec son fils aveugle un couple spirituel. Elle trouve en Louis Hachette, puis en Émile Templier, les dispensateurs de sa gloire et de sa bourse. Sophie est un des premiers écrivains de son siècle à résister au despotisme des éditeurs.

> *L'éditeur règne en despote sur ses auteurs, mais le droit de retranchement d'auteur me semble être tout nouveau et pas encore passé en usage*[1].

Ruche d'une maison d'édition. Cauchemar des auteurs en butte à une direction littéraire, souvent à l'opposé de sa sensibilité.

---

1. Correspondance de la comtesse de Ségur avec Émile Templier.

Stratégie de la vente, accélération des rythmes de production, obsession de « la coupure ». La comtesse de Ségur a connu très vite ces joutes et ces pugilats. Parfois, l'auteur s'impose. M. Hachette s'incline. Pas longtemps ! Sophie est vaincue. L'éditeur reprend le pouvoir. L'auteur est haï, honni. Réciproquement. Les retrouvailles, les réconciliations sont permanentes. Éditeur et auteur, drogue, poison, création. Ensemble mâle-femelle, lot d'une vie d'écrivain. Orgueil de créateur ? Bon sens d'éditeur, créateur à sa manière ? Confusion des deux regards sur le même objet, qui les hante jour et nuit : le livre ?

Sophie va vivre jusqu'à son dernier livre, son dernier souffle, sa campagne militaire avec MM. Hachette et Templier. La comtesse de Ségur écrira pendant plus de quinze années à ses éditeurs. Ces lettres sont une constante récrimination. Elle peste contre leur censure. Le mauvais choix de leurs imprimeurs. La débilité de certaines illustrations. Elle tonne, elle menace. Après ses premiers succès, elle exige des augmentations à ses contrats. Sophie, malgré sa plume incendiaire, ne gagne pas toujours. M. Templier se bouche les oreilles. Quand elle crie trop, il lui envoie un mandat pour ses charités. Elle abdique alors avec mépris. En féodale. Ces Hachette et Cie ne sont que des petits bourgeois ! M. Hachette reproche au ton des *Deux Nigauds* sa drue familiarité. La comtesse a la rage aux lèvres, le sang dans la gorge. Elle craint une apoplexie quand elle lit sur épreuves les *trahisons de l'éditeur*. M. Hachette a fait substituer le mot « aimable » à celui choisi par la vigoureuse comtesse : « minable ». « Il est *minable* de s'attaquer aux plus jeunes ! dit le polonais », devient « il est peu *aimable* de s'attaquer aux plus jeunes. »

Hachette est parfois horrifié pour ses chers petits lecteurs des insultes maniées par la comtesse de Ségur. La censure de l'auguste maison s'empresse de rectifier les injures de Mme Bonbeck. « Tu n'est pas *serré* comme un pétard, toi ! » devient dans *Les Deux Nigauds*. « Tu n'es pas *dissimulé,* toi... »

Hachette préfère le verbe « redouter », à ceux de « détester » et « haïr », élus par la comtesse de Ségur dans la bouche de ses chers chérubins. Sophie sait que les enfants sont mauvais comme la gale quand ils s'y mettent.

Cent ans après sa mort, la maison Hachette a compris la saveur des manuscrits d'origine. Les turbulences du texte ont été remises à leur juste place. En 1981, les livres de Sophie sont réédités en grandes œuvres et livres de poche jeunesse, dans leur version d'origine.

COMTESSE DE SÉGUR

La comtesse écrit avec une orthographe parfaite, issue tout droit du XVIIIᵉ siècle. Elle n'a pas besoin de M. Littré qui n'achèvera son grand dictionnaire qu'en 1873. L'œuvre de Sophie était terminée. Elle supprime pourtant tous les « t » de certains mots, dont un qui revient sans cesse, essence de son œuvre : « ENFAN ».

On lit dans ses manuscrits, « méchans enfans », « instans », etc. Elle utilise « A revoir » et non « Au revoir ». Elle double souvent les consonnes : « Galopper » « Imbécille » (mot qu'elle adore).

M. Hachette s'arrache souvent les cheveux. Ses imprimeurs sont terrifiés. Elle a froissé Gustave Doré et les autres. Rien ne l'arrête dans sa franchise terrible. Elle est entrée en passion absolue avec son métier.

Elle utilise sans erreur les points, les accents. Par contre, elle est fâchée avec l'accent circonflexe : « bruler », « diner ». Il lui arrive d'écrire « coûteau » avec un accent insolite. Elle est étourdie vis-à-vis des noms propres. La célèbre Mme de Fleurville devient Mme de Rouville dans *Les Bons Enfants,* puis Mme de Roubier dans *Les Deux Nigauds.* M. de Fleurville, tué par les Arabes au début des *Petites Filles modèles,* ressuscite dans *Les Vacances,* puisque Sophie dit à Paul : « M. de Rosbourg est pour toi ce que M. de Fleurville est pour moi. »

Elle se trompe aussi avec l'histoire. Elle s'obstine à toujours nommer « place Louis XVI », la Concorde. Dans *Les Vacances,* elle glisse une note sur Cartouche, fameux voleur du temps de Louis XVI, alors que Cartouche a été roué sous Louis XV. Il lui arrive d'écrire en abrégé les titres de civilité. En revanche, elle retrouve son imperturbable logique quand elle manifeste son anglophobie légendaire.

« Quoi c'est gâchis ? demanda l'Anglais.

— C'est comme Inkermann, dit un des Polonais, ou Waterloo, quand Anglais tombaient, couraient, mouraient. A Inkermann, Français sauver Anglais. A Waterloo, Prussiens sauver Anglais ; mais Anglais tout seuls pas pouvoir jamais sauver [1]. » Bien sûr, Hachette censure. Il ne veut pas choquer son époque. Il publie à la place du texte d'origine : « Quoi c'est, gâchis ? » demanda l'Anglais. Un des polonais voulut expliquer à l'Anglais dans son jargon ce qu'on entend en français par le mot gâchis ; il mêla à son explication quelques mots piquants contre le gouvernement anglais dans les affaires de l'Europe.

---

1. *Les Deux Nigauds.*

472

Sophie envoie de grands coups de pied dans la table en pierre. Rien à faire. C'est trop tard. C'est imprimé. Diffusé. Elle se vengera ! La comtesse de Ségur ne supporte pas que MM. Hachette et Templier osent non seulement « atténuer » la vigueur de son style mais refuser le réalisme de certaines scènes. Louis Hachette est choqué, incrédule, par les flagellations de Mme Fichini sur la petite Sophie. Une telle cruauté est impensable ! Ne peut pas être mise à la disposition de la lecture des enfants ! Surtout en chemin de fer !

Sophie, humiliée, vaincue, désolée, est obligée d'enlever une scène violente qui n'existe plus nulle part. Hachette tolérera à peine la scène restée célèbre dans *Les Petites Filles modèles*. La flagellation de Sophie par la méchante belle-mère. La comtesse de Ségur, irritée au plus haut point, écrit à son tourmenteur d'éditeur :

> *L'amour-propre d'auteur a sans doute sévi sur moi, monsieur... L'auteur, tout homme, peut faiblir, le droit de remontrance est sans doute acquis à l'éditeur qui règne en despote sur ses auteurs... Je baisse pavillon devant vous, je retrancherai tout ce que vous voudrez... Je renvoie donc à l'impression l'épreuve revue, endommagée et diminuée et j'attends les suivantes dans l'humble attitude d'un ballon crevé[1].*

La comtesse de Ségur insiste dans toutes ses lettres pour corriger elle-même les épreuves. Elle se battra avec ses imprimeurs, ses illustrateurs. Elle critique leurs interprétations. Elle contrôle son service de presse. Elle rencontre régulièrement chez elle son éditeur. Elle trouve nécessaire de recevoir chez elle M. Templier — jamais plus d'une heure ; afin de faire le point sur sa production, ses griefs, ses contrats, ses projets. Elle lui exprime de vive voix son mécontentement au sujet des « coquilles » de la fabrication. Son imprimeur, Lahure, est un âne ! Qu'il en change ! La diplomatie extraordinaire de M. Templier arrangera bien des choses. Sophie a beau trépigner, son éditeur, presque toujours, reste le maître. S'en délecte-t-elle au secret de ses Nouettes ? Ses colères sont-elles sa coquetterie, dans cette maison d'hommes, qui la publie ?

Quand la tension est trop forte entre la bouillonnante vieille dame et Émile Templier, elle le menace. Elle est outrée des modifications imposées à ses *Mémoires d'un âne*. MM. Hachette et Cie jugent Cadichon trop violent. Ils veulent que Cadichon « se repente de ses méchancetés ». Sophie explose :

---

1. Lettre à Louis Hachette, 16 mars 1858.

Je n'ai pas voulu faire un âne chrétien ! Je n'ai pas encore pu trouver un moment pour revoir mon pauvre âne que vous avez si malmené... Faut-il vous le présenter encore ou bien l'envoyer tout droit à un autre (éditeur). Je chercherai à trouver ailleurs un éditeur aussi obligeant et aussi aimable que vous l'avez toujours été pour moi et mes œuvres [1]...

Elle ne quittera jamais Hachette qu'elle aime et estime profondément. Elle vomira toujours l'imprimeur Lahure. Elle ne renoncera jamais à ce ton âpre et savoureux qui a fait d'elle le principal tourmenteur des impassibles Hachette. Elle n'ignore pas qu'elle est devenue en partie leur pont d'or... Elle leur écrira plus de lettres que ni Eugène ni ses enfants n'en reçurent de leur vie ! Son métier est devenu sa passion. Au même plan que Dieu et ses enfants.

Écrivain. Une règle de vie

Le 1er octobre 1855, la comtesse de Ségur signe son premier contrat avec la librairie Hachette. Sophie officialise sa nouvelle structure. Sa personnalité est modifiée à partir de cette date. Elle est devenue un écrivain qui prend à cœur un métier rapidement dévorant. Sophie avait toujours aimé mener une vie très régulière. L'écriture ne fait qu'approfondir sa règle de vie. Sophie écrivain trouve un autre rythme « biologique ». Celui de l'écriture n'est pas loin de celui des exigences sans relâche de la maternité. Son métier s'empare d'elle, comme naguère ses enfants. L'écrivain, en elle, pousse dru, ajoute en elle une véritable force de la nature... La guerre de 1870, la Commune, tous les désordres, les deuils de la famille, ne modifieront en rien la « règle » de la comtesse de Ségur, née Rostopchine. Elle ne s'effondrera plus jamais. Son silence est bien fini. Sans « règle », pas d'œuvre ; pas plus littéraire, scientifique, maternelle que religieuse. Sophie écrira sans relâche pendant dix-sept années. Sa vraie jeunesse ?

Éveillée à 4 heures et demie. Depuis qu'elle est sous contrat, elle a avancé son réveil d'une heure. Aussitôt dite sa première prière, nettoyé minutieusement son corps, l'intérieur de ses narines, elle entre dans la bibliothèque. Nous sommes aux Nouettes, où elle a le plus écrit. Elle ouvre le sous-main qui contient le dur papier industriel.

Elle travaille plus d'une heure sans relâche. Divin moment, divin

---

1. Lettre à Louis Hachette, 16 mars 1859.

silence d'une maison où tout dort tandis qu'elle règne, en paix, en action. Elle abat, en cette heure, deux ou trois chapitres. « Je fais vite et bien ou alors lentement et mal. » Elle se rend ensuite à pied, par tous les temps, à la petite église d'Aube. Elle écoute la première messe dont elle entend battre la cloche dans la fin de la nuit.

Il est 6 heures. « La messe allait commencer, (elle) l'écouta tout entière à genoux[1]. » Elle revient vers 7 heures. Elle grimpe le raidillon Ségur. Elle fait le tour de sa propriété. Elle compte les arbres à élaguer. Les haies à replanter. Les fruits volés ou menacés de vers. Elle considère l'herbe à arracher dans les allées. Les tuiles à changer. La peinture craquelée des volets... Elle déjeune « d'une tasse de thé et d'une tranche de pain et de beurre[2] ». L'été, elle ajoute son bol de radis. La maison s'éveille. Enfants, parents, invités, vont descendre. Elle les accueille, partage encore du thé avec eux.

Puis, elle s'enferme à nouveau. Elle retourne au précieux sous-main qu'elle a eu soin de refermer après avoir séché dûment l'encre au buvard. Attention aux pâtés ! signe d'infamie secrète ou d'un déplorable désordre mental ! Elle ouvre l'encrier. Elle lève au jour la plume métallique pour s'assurer qu'elle ne comporte aucune fêlure. Sinon, elle en change aussitôt. Elle travaille d'une traite, sans reprendre haleine, à bouche close. Elle oublie la faim, la soif, le froid, le chaud, les enfants. Il est 11 heures et demie. La comtesse de Ségur, ponctuelle, essuie sa plume avec un essuie plume. Elle entasse avec soin les feuilles dont elle regarde avec satisfaction la sensible augmentation depuis l'aube froide... Elle déjeune. « Un ou deux œufs, des gaudes qui lui rappellent les gimblettes, deux ou trois tasses de thé[3]... »

En pleine œuvre, elle adore sa solitude. L'excès d'invités la perturbe un peu. Après ce déjeuner servi par son petit valet si laid, elle donne ses ordres : « Désiré, vous direz à Saint-Jean que le compotier est mal recollé et qu'il doit remonter le vin, plus tôt. »

Elle retourne dans sa bibliothèque. Elle lit *L'Univers,* allongée sur sa chaise longue. Il lui arrive pendant cette petite récréation « de piquer un petit somme, le nez dans le feuilleton Les Mormons ». Elle sort une seconde fois pour une courte prome-

---

1. *La Fortune de Gaspard.*
2. *Les Petites Filles modèles.*
3. *Ma chère maman, souvenirs intimes et familiaux,* Olga de Pitray.

nade. Tour du parc, nouvel examen de tout, y compris l'écurie des ânes. Le garde Bouland tremble quand il aperçoit la silhouette noire et menue. Pourvu que Mme la comtesse ne voit pas le dégât de la mare qui a débordé ! La litière de Cadichon qui n'a pas été changée ! Elle a chaussé ses caoutchoucs s'il pleut, ou mis ses grandes bottes russes. Papa, ô papa. Elle ouvre son parapluie. Elle porte un bonnet. L'ensemble est bizarre, tonique, unique. Elle marmonne pour elle la suite de son roman. Elle semble courir. Les mots la hèlent. Elle y retourne. Bouland respire, elle n'a pas vu les hérissons qu'il a noyés dans la mare. Il est 3 heures de l'après-midi. Elle est tout à coup moins essoufflée, reprise par la paix du travail. Elle s'enfonce dans son manuscrit. Elle s'y embourbe, s'impatiente, grogne, recommence jusqu'au dîner. 6 heures en hiver, 6 heures et demie, en été. Son dîner : du potage, un peu de viande, du fromage, presque plus de dessert. Son plat sucré ? L'écriture.

Elle est heureuse. Elle ne s'est pas ennuyée une seule seconde. Elle totalise sept heures de labeur quotidien. Elle y ajoute sa correspondance, le livre de comptes de la maison. Entre deux chapitres, elle s'offre un arrêt pour réciter son chapelet en entier. Puis elle reprend ses personnages, exactement où elle les a laissés. Elle s'envole avec eux, et là-haut, tout là-haut, elle continue de prier avec le grattement furieux d'une plume qui crèverait le papier s'il n'était aussi solide.

La comtesse de Ségur oublie jusqu'à la cécité de Gaston. Voici ce qu'est devenu LE BONHEUR pour elle. Souhait qu'elle envoie à Veuillot, à l'occasion d'un nouvel an.

> Je vous souhaite du papier, de l'encre, des plumes et la paix aux Nouettes. Ce sont les appeaux pour prendre les muses, les bonnes muses de la prose et des bonnes gens : elles viendront, elles seront prises et les oies deviendront des rossignols[1]...

La comtesse de Ségur a enfin rencontré son Bon Ange. Il était en papier. Elle a dû attendre cinquante-six ans pour le savoir.

Œuvre de l'interruption

Il y a toujours dans la vie de la comtesse de Ségur, fut-elle devenue écrivain, les enfants. Les siens étaient grands quand elle a

---

1. Correspondance de Sophie à Louis Veuillot.

commencé son œuvre. Désormais, les petits-enfants tiennent dans sa vie une très grande place. Chaque été, à Pâques, ils viennent aux Nouettes. A Paris, on se voit aussi beaucoup. Elle a maintenu ses fameux jeudis où elle les régale. Il faut une singulière obstination, un grand courage pour écrire quand on est encerclée d'enfants. Les vacances modifient l'œuvre de Sophie en œuvre du dérangement. Certes, elle maintient sa règle. Elle a suffisamment éduqué grands et petits pour qu'on la respecte. Cependant, elle travaille moins en paix. Il y a toujours une petite-fille (modèle) qui frappe à la porte de « grand-mère Ségur ».

« Qu'est-ce que vous faites ? A quoi travaillez-vous ?

— Tu es une petite curieuse. Je travaille à un livre que tu ne comprends pas.

— Vous croyez ? Je crois, moi, que je comprendrai. De quoi parlez-vous ?

— De l'éducation des enfants et des sacrifices qu'on doit leur faire.

— Ce n'est pas difficile. Il faut faire comme vous, voilà tout[1]... »

Elle répond toujours, quitte parfois l'établi pour distraire les plus petits. Tant pis, elle veillera plus tard, se lèvera plus tôt, toujours plus tôt. La nuit et le jour finissent par ne faire qu'une seule passerelle d'encre et d'or.

A partir de 1860, à Paris, Sophie sera dérangée d'une autre manière. Le comte de Ségur est alors gravement malade. Sophie deviendra garde-malade. Elle le veillera, s'occupera aussi de Camille qui crache du sang. Comment s'en tire la comtesse de Ségur ? Jamais Hachette ne lui a demandé autant de livres !

« Tu vois que je serai plus dérangée que jamais dans ma vie tranquille, qui se trouve toujours contrariée et agitée. Je livre demain *Pauvre Blaise,* je ne peux le corriger que le soir, après le coucher tardif de ton père ; j'y travaille jusqu'à minuit et demi, une heure[2]... »

Camille, quoique très chérie, dévore son précieux temps. Quelques jours après ce courrier, Sophie enchaîne à Olga : « Chère petite, j'ai moins de temps que jamais ; le loisir et le libre emploi de mes heures semblent me fuir de plus en plus. Je suis seule pour Camille[3]... »

---

1. *François le Bossu.*
2. Lettre à Olga, Paris, vendredi 30 novembre 1860.
3. Lettre à Olga.

Peste soit des uns et des autres ! Le bonheur de n'avoir pas d'enfants (et de mari !) serait-il plus grand que son contraire ? Bien certainement. Mais qu'aurais-je donc écrit sans eux ? Des poèmes ? C'est ridicule, pour une femme, d'écrire des poèmes... Non, non, je ne regrette pas tous mes amourets. Vive mes amourets !

Ses incessants voyages chez les uns et les autres se multiplient. Désormais, elle fourre dans son sac de curé, outre l'oreiller en caoutchouc, le manuscrit en cours. Les voyages de Sophie, à Kermadio, à Malaret, à Livet, aboutissent au même espace : une table, du papier, une plume. Écrire, même sans idée, sans plan. Même si une de ses filles est près d'accoucher, tandis que l'autre enterre un nouveau-né. Il faut, elle doit, elle veut écrire.

« J'ai commencé mon livre, *Le Petit Bossu*. Je n'ai pas d'idées, je n'ai pas de plan, mais j'écris tout de même. Seulement, je crains pour ma réputation. J'ai les trois dernières feuilles de Dourakine à corriger [1]... »

Aucun événement, si grave soit-il, ne tarira désormais l'écrivain Sophie de Ségur. A force de parcourir à pied le pays breton, enfin, elle trouve l'idée. Le bonheur de la promenade tant aimée est désormais transcendé. « J'ai enfin trouvé une idée, au lieu d'errer dans une lande peuplée de chardons et de joncs marins [2]. »

Le constant envahissement des enfants l'agace parfois prodigieusement. Quel malheur de perdre le précieux « fil » de la muse. Le temps lui court dessus. Qui va gagner ? L'enfant ? Le livre ?

> *J'avance mon petit bossu malgré les incursions des deux petits (...). Ils font des invasions continuelles et dérangent le cours de mes idées qui ne naissent que dans le repos (...). Il me faut avoir livré mon manuscrit avant le jour de l'an ; j'en ai cent pages d'écrites [3]...*

Depuis qu'elle est soumise à l'exigence de la grande édition, Sophie n'a plus même envie de vacances. Tout, désormais, aboutit à l'œuvre. Elle est en séjour chez Nathalie, à Pau. Jadis, elle eût elle-même emmené Camille et Madeleine faire des courses. Cette fois-ci, elle profite que leurs parents aient emmené les petites pour accélérer la mise en page de Cadichon : « Je vais être *bien*

---

1. Lettre à Olga, Kermadio, 7 novembre 1863.
2. Lettre à Olga, Kermadio, 11 novembre 1863.
3. Lettre à Olga, Kermadio, novembre 1863.

tranquille et je pourrai commencer et finir mon âne sans préjudice de mes correspondances[1]. »

Sophie n'en néglige pas un seul jour sa correspondance. Des lettres, vives, spirituelles, naturelles. La comtesse de Ségur ne posera la plume que pour mourir. Elle déposera l'outil quand s'en iront les dernières forces.

Les prix de la comtesse de Ségur

Avant de commencer un nouvel ouvrage, la comtesse de Ségur fait dire une messe à l'intention des âmes du purgatoire. « Par reconnaissance, elles bénissent le livre en cours. » Cela est le prix spirituel. Mère Marie Donat de la Visitation le lui a vivement conseillé. La comtesse de Ségur n'en oublie jamais ses autres comptes. Le prix qu'elle estime valoir. Prix qu'elle augmente, non sans lutte, au fur et à mesure de ses succès et de sa production sans relâche. Elle œuvre en professionnelle. Elle a vite compris la côte de ses « compositions nigaudes ». Ainsi, elle aimait à nommer ses romans. A partir des *Malheurs de Sophie,* elle devient plus exigeante. D'abord, elle veut être émancipée. A bas les maris ! Pourquoi cet Eugène toucherait-il le gain de son œuvre ? De son sang ? Lui qu'elle n'aime plus et qui l'a bien cherché ?

Le premier contrat, signé le 1er octobre 1855, portait donc sur *Les Nouveaux Contes de fées.* Le lendemain, 2 octobre, la comtesse de Ségur entre en tractation avec Louis Hachette. Elle propose un manuscrit, déjà bien avancé : *Les Petites Filles modèles.*

> *Je profite du départ de mon fils, pour vous faire parvenir, Monsieur, le manuscrit annoncé depuis longtemps ; (...) je pense que le volume aura au moins 300 pages : j'espère sous peu avoir terminé la deuxième partie de ce livre. Il faudrait pour cela que je sache s'il a pour les enfants l'intérêt qu'y ont trouvé mes petites-filles. Mais je demande instamment que M. Bohange ne soit pas juge du camp ; nous attendrions son arrêt indéfiniment, comme vous attendez depuis un an la conclusion de votre traité avec la Cie de l'Est[2]...*

Sophie ne veut pas passer par les intermédiaires, en particulier par M. Bohange, autre gendre de Louis Hachette, sorte de directeur littéraire. Elle veut son émancipation financière.

---

1. Lettre à Olga, Pau, 7 avril 1859.
2. Lettre à Louis Hachette, 2 octobre 1855.

COMTESSE DE SÉGUR

En 1855, le gain des *Nouveaux Contes de fées* serait de l'argent de poche ? Ou irait-il dans la poche d'Eugène ? Pas question ! La comtesse de Ségur commence sa grande affaire, si difficile pour une femme de cette époque. Transformer l'aumône du mari en capital foncier. Au XIXe siècle, une femme ne peut toucher aucun argent sans l'accord du mari. Hachette a deviné qu'il fait avec Mme de Ségur une bonne affaire pour sa librairie. La maligne fille de Rostopchine l'a senti tout autant. Le 1er octobre 1855, Louis Hachette obtient de la Compagnie des chemins de fer, c'est-à-dire d'Eugène de Ségur, l'exclusivité des ventes en gare. Sans consulter Sophie. Elle devine qu'on peut parfaitement l'exploiter. Il faut absolument qu'Eugène de Ségur l'affranchisse. Quelles querelles ont eu lieu ? Elle va lutter encore quatre années. A la manière des Russes contre les Français de 1812. Elle menace de tout arrêter. Tout brûler. Y compris ses contrats. Elle insulte « ce faux amant aux yeux jaunes qui n'a su que l'engrosser et la faire pleurer ». En 1859 seulement, cette femme de soixante ans, déterminée, en guerre, les yeux en pistolet, la menace à la bouche, finit par gagner. Aurait-elle devancé toutes les féministes ? Elle a presque achevé le cycle Fleurville, quand la lettre libératrice arrive enfin chez M. Hachette.

> *Je viens vous déclarer par cette lettre que j'ai autorisé Mme de Ségur, mon épouse, à disposer complètement de ses œuvres suivant les conditions ou conventions arrêtées entre elle et vous, et à recevoir toute somme qui pourrait résulter de ces conventions.* [1]

Elle pousse un cri de triomphe ! Ses finances ! A elle de dépenser à sa guise, gâter les siens tout son saoul ! Ne plus mendier Eugène pour ses charités ! La comtesse de Ségur engage une autre stratégie avec Hachette. Elle lui abandonne volontiers « la propriété de ses œuvres ». Elle sait qu'Hachette l'exploitera au mieux. Sous condition d'augmenter ses avances, de conserver son droit de regard. Elle se réjouit de signer elle-même les précieux reçus de ses à-valoir. Elle est devenue un auteur moderne. Elle n'a rien à envier à Flaubert, à Dumas, à Sue.

> *J'ai reçu de M. Hachette, la somme de mille francs, pour* Les Mémoires d'un âne *dont je lui concède la propriété*[2].

> Comtesse de Ségur
> née Rostopchine.

---

1. Lettre d'Eugène de Ségur à Louis Hachette, 27 mai 1859.
2. Lettre de la comtesse de Ségur, 30 mai 1863.

« Née Rostopchine ». Elle l'exige, s'en délecte. Sa grande marque d'origine. Sa vengeance. Papa, ô papa. Elle eût volontiers tout signé « Sophie Feodorovna Rostopchine ». Elle regrette de ne pouvoir envoyer ce « Ségur » à la tête d'Eugène, comme une potiche dont il ne resterait rien ! Elle soupire : ses enfants se nomment Ségur. Son Gaston... Toujours, les enfants. Quel boulet, les enfants ! Pourquoi ne portent-ils pas le nom de la mère ? Gaston Rostopchine, évêque au chapître de Saint-Denis... Premier paladin de la chrétienté.

L'Évangile d'une grand-mère est ce que l'on nomme un beau contrat. Quatre mille exemplaires dès le premier tirage. 10 % d'augmentation du prix de vente. Paiement à 50 % dans les premiers mois de la mise en vente. Solde net au bout de six mois. La comtesse de Ségur écrit vite et vend encore mieux. M. Hachette se doit d'être aussi performant que son étourdissant auteur.

La comtesse de Ségur débute avec 500 francs pour *Les Nouveaux Contes de fées*. Elle stagne un moment autour de cette somme. *Les Petites Filles modèles* se vendent si bien que Sophie monte ses projets à 2 000 francs.

> *J'ai une proposition nouvelle à vous adresser. Voulez-vous m'acheter la propriété de mes* Contes *et de mes* Petites Filles modèles ? *Si vous voulez vous en rendre possesseur, combien m'en donneriez-vous ? Je désirerais avoir 2 000 francs par ouvrage. J'en ai deux autres en train.* Les Vacances *faisant suite aux* Petites Filles. *Si nous pouvions faire le marché que je propose, je vous livrerais ces deux derniers avant septembre* [1].

Ce courrier correspond au moment de son émancipation. Elle lutte alors avec une double vitalité. Deux adversaires mâles. Le mari et l'éditeur. Elle a tout à gagner si elle est la plus ferme, la plus femme... Elle les mate, ainsi qu'elle a maté sept enfants.

Après son émancipation, elle touchera 1 500 francs pour ses *Mémoires d'un âne* en 1860. Elle obtient enfin ses 2 000 francs, avec *Pauvre Blaise,* en 1861. « Je porte à 2 000 francs mon prochain manuscrit plus 100 exemplaires et 400 francs de livres de votre librairie [2]... »

Elle demande et obtient de la librairie Hachette force ouvrages pour sa famille, ses relations, ses charités. « Les enfants » de

---

1. Lettre à Émile Templier, 16 mars 1858.
2. Lettre à Émile Templier, 20 février 1861.

Gaston en auront largement leur part. Mais pas ses livres brochés d'or. « Il ne faut pas habituer les pauvres au luxe. »

A partir de décembre 1863, la comtesse de Ségur passe sans transition à 3 000 francs d'avance. Il s'agit de *François le Bossu* et du *bon petit diable*. Quelques années encore et la voilà à 4 000 francs ! Ils seront versés en deux fois 2 000 francs, pour son cycle apologétique.

« *Sic quoque docebo* »

M. Hachette et Templier tenaient beaucoup à leur réputation de mécènes. *Sic quoque docebo* est la devise de la maison Hachette. Le bénévolat, à cette époque, est une stratégie parmi d'autres. Ne nions pas cependant la sincérité du patient Émile Templier. Après le décès de Louis Hachette, Émile, désormais doyen de l'auguste maison, approfondit l'œuvre de son prédécesseur. « En poursuivant la transformation de la librairie française et en cherchant à l'élever au triple point de vue de la littérature, de la science et de l'art[1]. »

La presse nécrologique soulignera le mécénat et la générosité d'Émile Templier. Il conservera et appliquera la devise *Sic quoque decebo* grâce « à un esprit méditatif, infiniment délicat, profondément cultivé, d'une sensibilité morale exquise, d'un sentiment religieux pur et élevé[2] ».

La comtesse de Ségur n'hésite pas à réclamer des avances « pour ses pauvres ». Surtout quand elle dépend encore de son mari. « Je dois vous faire un exposé des motifs et vous rappeler que j'écris au profit des pauvres (...). Tant que j'ai eu dans ma bourse, j'y ai puisé, mais la mienne n'ayant malheureusement pas les propriétés de celle du juif errant, elle reste vide, je n'y trouve plus rien ; Vous savez, monsieur, que dans une communauté conjugale, la bourse du mari ne s'ouvre pas toujours devant les exigences de la femme (...). Que faire dans cette extrémité, sinon vous demander, contrairement... aux conventions de notre traité... de me verser d'avance les 500 francs que je ne devrais toucher que lors de la mise en vente de mes *Petites Filles modèles*[3] ?... »

On comprend la hâte de Sophie à s'émanciper de « la bourse du

---

1. Article nécrologique de M. Fr. Schrader pour le décès d'Émile Templier.
2. *Ibid.*
3. Lettre à Louis Hachette, 5 février 1858.

mari ». Gaston devient son protecteur spirituel, Hachette, le protecteur temporel, les deux relayant le défaillant Eugène. Louis Hachette, puis Émile Templier ont souvent répondu favorablement aux demandes de charité de Sophie. Elle leur recommande des jeunes gens « bien sous tous les rapports » qui cherchent un emploi. Gaston lui a parlé d'un jeune homme, Joseph Picard, dont les ressources sont misérables. La famille est en détresse depuis la folie du père. Sophie demande aussitôt à son éditeur de le recommander au chef du personnel : « Le jeune homme (car il a dix-sept ou dix-huit ans), Picard (Joseph), excellent garçon, fils d'un ancien professeur de l'Université devenu complètement fou (...). Le pauvre Joseph (...) n'a rien de fixe[1]... »

Sophie se domine, est parfois prise de honte, de « répugnance » à exiger. Gaston lui rappelle que « le renard a une tanière, le Christ pas même un caillou où reposer sa tête[2] ». Alors, elle ose braver la gêne, l'humiliation. Mendier dans la bourse Hachette. Le prix des mots devient celui de la charité. Un devoir qui touche au sacré. « Vous allez me trouver bizarre et ma demande ridicule (...). Mes enfants donnent tout ce qu'ils ont. Ils n'ont plus rien... » écrit sans relâche la courageuse Sophie. « *Sic quoque docebo* », répond silencieusement Hachette en employant ses protégés.

L'imprimerie Lahure ou le venin de Sophie

Femme d'ordre et de convenances, bien décidée à s'occuper de la fabrication de ses manuscrits, la comtesse de Ségur ne supporte pas les « coquilles ». Les responsables ? l'intolérable négligence des imprimeurs Hachette. Elle se met en rage quand il manque des pages au paquet d'épreuves. L'imprimerie a tout envoyé, « en petite vitesse » à la gare de L'Aigle. De la gare, le manuscrit en pièces parvient à la poste d'Aube. Un avis arrive ensuite aux Nouettes. Cette lenteur irrite la fille de Fédor. *Gleich !* Vite ! Elle écrit d'une traite au patient Hachette. « Que deviennent *Les Mémoires d'un âne* ? Je n'en entends plus parler[3]... »

Depuis le manuscrit *Les Vacances,* son irritation a pris sa forme définitive. « Il me manque la 66ᵉ page des *Vacances* et puis, à partir de 160, on les a gardées à l'imprimerie[4]... » La « négligence » de

---

1. Lettre de Louis Hachette, 7 mars 1864.
2. Évangiles.
3. Lettre à Louis Hachette, 28 novembre 1859.
4. Lettre à Louis Hachette, 24 juin 1859.

ses imprimeurs l'oblige à corriger un troisième jeu d'épreuves :
« Cher monsieur, je viens me plaindre à vous de la pratique, de
l'ennui et de la contrariété que me donne l'imprimerie de Mr Lahure (...). Lignes entières omises, des mots oubliés, des lettres
interverties (...). Les épreuves de *Jean qui rit* plus négligées
encore ; les placards (qui ne sont pas numérotés pour rendre la
tâche plus difficile) ne se suivent pas ayant des pages entières
oubliées (...). C'est honteux pour M. Lahure et son imprimerie [1]. »

Sophie va jusqu'à la franche insulte. Elle souligne, dans la même
lettre, que les imprimeurs de son fils sont beaucoup plus soigneux
« malgré qu'ils s'adressent à de pauvres petits éditeurs qui sont des
pygmées près de votre maison européenne ».

Elle exige que, désormais, les épreuves lui soient envoyées « par
le chemin de fer du Nord ». Elle se venge d'un coup de l'éditeur et
du mari qui ont fait affaire aux chemins de fer de l'Est ! Sans répit,
elle traite de moins que rien ce Lahure et son équipe. MM. Hachette et Templier semblent les apprécier puisqu'ils leur fourniront
jusqu'au bout leurs livres à imprimer. Ils bouchent donc leurs
oreilles, insensibles aux éclats de l'emportée Tartare. Elle va
jusqu'à traiter de « crétin », M. Crété, associé principal de
l'indéfectible Lahure :

« Cher monsieur, depuis que j'ai quitté Paris, le 8 mai, je n'ai pas
reçu d'épreuves à corriger de mon Histoire sainte. Je crains que
M. Crétin, imprimeur, faisant honneur à son nom, n'ait continué à
les envoyer au n° 53 de la rue de Grenelle [2]... »

Elle s'acharne pendant des mois sur le déconfit M. Crété. La
première réclamation datait de mai 1869. En septembre de la même
année, elle continue ses attaques. « J'espérais n'avoir plus de
réclamations à faire près de votre inexact imprimeur M. Crété (...).
Veuillez, Monsieur, donner vos ordres précis (elle souligne, elle
fulmine) à M. Crété... » Dont elle déplore « la négligence et le
mauvais vouloir ».

Habitué, impassible, M. Templier ne répond rien. Il continue, de
son côté, son œuvre à lui. L'impression de Dickens et de tant
d'autres. Émile Templier est épris avant tout de sa citadelle de
livres. Il espère s'y cacher des courriers furibonds de sa terrible
comtesse. Il trouve les Lahure parfaits, les livres bien composés. Il
consigne soigneusement les lettres de la comtesse de Ségur. Il trie
ce qui mérite réponse, occulte les injures et les excès. Le décès de

1. Lettre à Émile Templier, Les Nouettes, 30 septembre 1865.
2. Lettre à Émile Templier, 24 mai 1869.

Louis Hachette, le 30 août 1864, accentue ses initiatives. Sophie avait été navrée de la mort de Louis Hachette. Navrée d'interrompre sa vigoureuse correspondance ? Ce n'est qu'une pause ! Elle enchaîne aussitôt son courrier avec É. Templier.

> *La position de M. Hachette rend sa perte plus fâcheuse et plus douloureuse encore. Son activité et son intelligence hors ligne doivent manquer énormément dans votre maison qui a des affaires dans le monde entier* [1]...

Rue Pierre-Sarrazin, M. Templier lit en soupirant les récriminations de la comtesse de Ségur. Elle lui écrit des Nouettes, de Kermadio, de Malaret, de Paris.

Des titres, des illustrateurs. Encore des querelles

Émile Templier n'a pas renvoyé « sur-le-champ » l'imprimeur Lahure ? La comtesse de Ségur s'en prend à ses illustrateurs. Au choix de ses titres. « La mauvaise mère », premier choix de Sophie pour « Le petit bossu » est jugé impensable et même scandaleux par Templier. « La mauvaise mère », titre pour des enfants ?! Mme des Ormes est pourtant bel et bien une mère indigne. Sophie enrage, propose le titre final, *François le Bossu*. Il en sera de même pour *La Fortune de Gaspard*. Elle l'avait d'abord appelé « La fortune de Ruffin ». « Ruffin » est jugé vulgaire. Son dernier ouvrage, *Après la pluie, le beau temps,* s'était intitulé, avant impression (toujours ces Lahure !), « Après l'orage, le beau temps ». *Le Mauvais Génie* lui donna beaucoup de mal. Elle avait hésité entre « Les amis », puis, « Les amis dangereux ». *Diloy le Chemineau* s'était appelé en premier jet, « Le chemineau ». Sophie avait à ce sujet écrit longuement à Templier pour lui expliquer le sens du mot « chemineau ». « Les caprices de Giselle » deviendront *Quel amour d'enfant !*...

Elle vit pleinement sa lutte. L'exaltation d'être « affranchie ». La fin de son silence. Elle proteste. Elle jubile. Elle s'offre le luxe des refus, des injures. Elle ose affronter, et de haut, le monde des hommes. Le monde des affaires. L'argent est à elle. La charité, les enfants, la bibliothèque rose, les Nouettes, tout, son éditeur, même le ciel sont à elle !

---

1. Lettre à Émile Templier, 30 août 1864.

Sa première querelle a été, en 1857, le choix des prénoms. Eugène s'était opposé à ce qu'elle utilise le vrai prénom de la bonne Élisa. Sophie finira par gagner. Cette première victoire entraînera toutes les autres. Abolir l'odieuse intrusion maritale dans la création. En 1857, devenue écrivain, elle est au comble de son mépris pour Eugène qui ose se mêler de censurer son choix et ne l'a pas encore émancipée.

« J'ai su qu'une personne (elle appelle son mari " une personne ") de ma famille proposait de vous faire changer le nom d'Élisa, la bonne des enfans, contre celui d'Adèle. Si " on " vient le demander, veuillez répondre que je m'y oppose positivement[1]. »

Pleine gloire ! Elle gagne encore quand M. Hachette, épouvanté du réalisme de la noyade d'un enfant, veut lui faire supprimer l'épisode de l'enfant noyé dans *Pauvre Blaise*. Non seulement, lui dit-elle, elle a été témoin de ce malheur, mais elle a tenté de faire revenir le pauvre petit sans y parvenir. A la campagne, monsieur, sachez-le, les enfants tombent dans les mares. La mère qui lave le linge ne peut tout surveiller, lessive et enfant ! Mais elle s'est remise de son chagrin. On se remet de la mort d'un enfant, monsieur. Le temps use tout, monsieur. Tout...

Ce réalisme explique son succès auprès des enfants. Elle eut beaucoup de mal à conserver les scènes de fouet. « Le knout a du bon », dira-t-elle, exaspérée des remontrances d'Hachette au sujet des verges de Mme Fichini. Sans parler de Mme Papofski knoutée, fesses nues dans une trappe.

> *Malgré sa résistance, madame Papofski fut enlevée par ces hommes robustes qu'elle n'avait pas aperçus et entraînée dans un salon petit, mais d'apparence assez élégante. Quand elle fut au milieu de ce salon, elle se sentit descendre par une trappe à peine assez large pour laisser passer le bas de son corps ; ses épaules arrêtèrent la descente de la trappe ; terrifiée, ne sachant ce qui allait lui arriver, elle voulut implorer la pitié des deux hommes qui l'avaient amenée, mais ils étaient disparus ; elle était seule. A peine commençait-elle à s'inquiéter de sa position, elle en comprit toute l'horreur, elle se sentit fouettée. (...) Le supplice fut court, mais terrible[2].*

La vignette signée Bayard achève de nous troubler. A la limite de l'obscène quand on songe aux jeunes lecteurs du XIXe siècle. L'expression extatique d'une femme engloutie dans une trappe et

---

1. Lettre à Louis Hachette, Les Nouettes, 6 novembre 1857.
2. *Le Général Dourakine*.

qui reçoit le fouet sur le bas du corps. Le fouet est appliqué, en sous-sol, par deux hommes barbus. Quelle lutte a donc menée Sophie pour imposer aux si convenables Hachette et Templier une scène proche du plus troublant délire ? Scène qui fera couler tellement d'encre. Au XXᵉ siècle contre Mme de Ségur, psychanalistes et moralistes s'en mêleront. « Je m'en bats l'œil et le mollet[1] ! » Elle adore sauter les obstacles comme autant de chevaux au galop. L'écrivain redevient Sophie Rostopchine qui éperonne son âne à coup d'épingle... « Et puis il faut dire qu'elle est russe, et qu'en Russie les coups de fouet se donnent plus facilement que chez nous[2] ».

Ses illustrateurs, pourtant très doués, ne sont pas plus épargnés. Elle a commencé sa carrière avec Gustave Doré. *Les Nouveaux Contes de fées* retiennent la marque éblouissante de Doré. Il a su donner aux textes de Sophie une épaisseur, une fascination, leur vrai sens fantastique. La vignette de la fée Rageuse est un petit chef-d'œuvre. Tout y est. La peau abominable de la reine des crapauds. Sa bouche énorme qui ricane de haine. Ses créatures immondes éparpillées à ses pieds et qu'elle dompte d'une baguette dans sa main crochue. Au loin, une ruine étrange, éboulée, cultive la terreur. Les sourcils et la dent unique de la fée Rageuse accompagnent la description de la comtesse de Ségur : « le front ridé et flétri (...), son large nez épaté (...), une langue noire et pointue ». Doré a pénétré les fantasmes de Sophie.

Quand Doré illustre *Les Nouveaux Contes de fées,* il n'a que vingt-cinq ans. Hachette connaît le génie de ce jeune homme. Dès l'âge de quinze ans, il avait déjà fait paraître *Les Travaux d'Hercule,* les œuvres de Rabelais, *Les Contes drolatiques* de Balzac. Il avait illustré *Le Juif errant* que Sophie, charmée, contemplait longuement. En une seule année, Gustave Doré publia jusqu'à 700 vignettes. Il a contribué au lancement d'un auteur de cinquante-sept ans qui égalera en fougue et en jeunesse ce maître de l'image. Pourtant, Sophie ne peut s'empêcher d'attaquer Doré quand il s'agira (peut-être) de faire appel à lui pour *Les Mémoires d'un âne.* A-t-elle été prise de jalousie devant les exclamations admiratives qui visaient davantage l'illustrateur que l'auteur ? « J'espère, que ce ne sera ni lui (Bertall) ni Doré qui auront votre commande pour *Les Mémoires d'un âne*[3]... »

---

1. *François le Bossu.*
2. *L'Auberge de l'Ange Gardien.*
3. Lettre à Louis Hachette, 24 juin 1859.

Sa préférence semble aller régulièrement à Castelli. Le pouvoir fascinant des livres de Sophie ne peut se dissocier de ces maîtres de la plume. Doré, Castelli, Bayard, Bertall, Foulquier, Schnorr, Gerlier, Ferogio... Leurs vignettes marquent de façon indélébile. La silhouette de Dourakine par Bayard, celle de Mr de Rosbourg, face à un chef indien... Quant au revenant, de haute taille, revêtu d'une armure, porteur d'un inquiétant fanal allumé, il est inoubliable sous la plume de Bertall. Regard de braise, près d'entraîner en enfer le maréchal de Ségur au fond du souterrain où il fera caca. Ce revenant nous fixe d'une bien singulière puissance. Sophie insulte quand même : « M. Bertall nous a fait si longtemps attendre les sapins des *Vacances* en pure perte, car ils sont d'une insignifiance qui passe permission [1]... »

Castelli, même avec sa préférence, essuie le reproche de « faire des chevelures comme des serpents ». Elle va jusqu'à le taxer d'« obscénité » quand il illustrera *Pauvre Blaise* : « Il y en a même (des vignettes) de tout à fait grotesques ; le comte a généralement un type commun, presque ignoble. Ses favoris ridicules rendent cette figure désagréable au possible [2]. »

Elle a déjà exigé que l'on supprime « la ridicule gravure qui se trouve après la page 126 ». Elle se met alors en quête de son côté d'un illustrateur. Son fils lui a-t-il recommandé l'obscur M. Colin ? « J'ai à vous recommander... un illustrateur émérite, il a une touche fine, spirituelle, intelligente (...). Il s'appelle M. Colin [3]. »

Il s'agit bien certainement d'une charité doublée de son esprit de vengeance. M. Hachette, heureusement, ne l'écoute pas. Ses illustrateurs reprennent la plume pour servir délicieusement ses livres. Foulquier croque *L'Auberge de l'Ange Gardien*. Son réalisme se double de paillardise. L'insupportable aïeule commente :

« Êtes-vous content des illustrations de Foulquier ? Moi, je ne le suis pas. Il y a des fautes de dessins impardonnables et un ensemble commun (...). Pourquoi met-il les enfants en haillons, Moutier en mendiant etc. [4]. »

Le ton monte au sujet de *François le Bossu*. Ferogio, génie du trait, de l'élan, de l'angoisse, a mis toute sa finesse aiguë. Sophie déteste le résultat. « Le peu qu'on m'a envoyé des illustrations de François le Bossu est pitoyable (...). Absence de goût, de mouve-

---

1. Lettre à Louis Hachette, 24 juin 1859.
2. Lettre à Louis Hachette, 25 mai 1862.
3. Lettre à Louis Hachette, 3 février 1864.
4. Lettre à Louis Hachette, 10 avril 1863.

ment, de dessin, d'esprit. Je demande instamment que le grand artiste qui a gâché François ne soit pas employé à gâter mon *Petit Diable*[1]. »

On ne sait pas si MM. Hachette et Templier communiquaient ces véhéments courriers aux coupables ! Combien de fois, d'un ton furibond, Sophie n'a-t-elle pas été obligée de s'incliner ! « L'éditeur règne en despote », rêve-t-elle tout haut dans ses nuits de plus en plus courtes. « En despote... Je les aurai... Je les crèverai tous... »

Le comble de sa susceptibilité est éveillé dès qu'il s'agit de ses *Évangiles*. Elle les trouve « défigurés par l'illustrateur ». Il s'agit de Schnorr. Né à Leipzig le 26 mars 1794, il meurt à Dresde le 24 mai 1872. En 1851, alors qu'il vivait à Londres, il reçoit la commande pour illustrer une Bible devenue célèbre. Hachette qui n'hésitait pas à se déplacer en Europe, fait appel à lui pour l'Évangile et la Bible de Sophie, « Détail cruel et troublant, Schnorr est devenu aveugle en 1871[2]. »

L'affaire va plus loin que les récriminations habituelles. Anatole de Ségur tente de présenter les *Évangiles* de sa mère à l'Académie. L'illustration y fait obstacle. « Ces illustrations antichrétiennes et applicables à l'Évangile de Renan (ce pauvre impie qui n'a vu dans L'Évangile que des hommes et des femmes), ces illustrations blasphématoires (peuvent aller jusqu'à empêcher l'Académie) de me décerner le prix de je ne sais quel prix... Je crains que l'Évangile ne se relève pas du coup porté par l'illustrateur[3]. » L'éditeur passe outre, et les plaquettes vont bon train.

Dans l'ensemble, Castelli est le plus proche de son univers. Réalisme des visages. Convulsion des grimaces. Silhouettes inquiétantes. Paysages surchargés d'où se détache, tout à coup, la fixité obsessionnelle de certains regards. Gribouille et le brigadier avancent sur une route de campagne. La nuit est épaisse. On aperçoit la maison du crime. On s'épouvante lentement. On croit voir le vent qui se lève, la lune qui roussit, la mort qui approche. Castelli sait manier le suspens du fond de ses vignettes presque noires. Sophie n'a peut-être pas admis de voir en images la furie de son inconscient... Comment supporter, en effet, la bouche en O de Sophie piquant les flancs de son âne, jusqu'à l'inévitable chute ? La douleur, la folie, l'horreur, s'inscrivent sur ce visage d'enfant. Le

---

1. Lettre à Louis Hachette, Kermadio, 1864.
2. Inédit de G. Lanthoinette, archiviste Hachette, courrier à l'auteur du 8-1-1990.
3. Lettre à Émile Templier, 8 décembre 1865.

visage de Sophie superposé constamment à celui de la comtesse de Ségur dont Castelli a su capter le secret tourment, la fureur, le dédain, la totale angoisse.

L'angoisse de l'enfant sinistré qui gît en chacun de nous.

II

GRAND-MÈRE SÉGUR
INTIMITÉ ET DÉSORDRE DU MONDE
(1855-1873)

Fêtes impériales

1855. Apogée de la gloire impériale. Louis Napoléon gouverne seul. En août, il reçoit la reine Victoria, le prince Albert, leurs enfants aînés, avec un luxe inouï. Eugénie ne peut suivre les épuisantes festivités. Elle est en proie aux premiers malaises d'une grossesse. La reine Victoria s'en réjouit. Portraits, projets d'une littérature, l'enfant est devenu une coqueluche. MM. Hachette et Templier ont rencontré la comtesse de Ségur. Enchantés de ses *Contes,* ils engagent le contrat pour octobre. Les *Contes* paraîtront d'abord dans *La Semaine des enfants*. Puis, sous la célèbre couverture rose et or. La distribution se met en place dans les gares. La reine Victoria contribue à cette mode de l'enfant-roi. Reflet édifiant de la femme maternelle. Justification de la honteuse sexualité.

Sophie ne regrette pas d'éviter les mondanités aux Tuileries. Elle en laisse le soin à Nathalie. Enfermée dans ses Nouettes, elle rédige déjà *Les Petites Filles modèles*.

Jamais Nathalie n'a porté d'aussi belles robes. Tulle, soie, rubans, fleurs naturelles et brillants dans sa coiffure... La robe de bal de Victoria comporte des feuilles de vraie sauge mêlées à des perles faisant gouttes de rosée. Les femmes ressemblent à de gros « dahlias », honnis par Veuillot. Sophie, bien à l'aise, en robe plate, cheveux lissés sous un simple bonnet, chaussées de commodes « caoutchoucs », ricane et œuvre. L'extravagance des parures et des cages est à son comble. Sophie travaille la description de la toilette ridicule de Mme Fichini. La parvenue qui copie

491

les robes impériales. Sophie rit toute seule en décrivant la chute de Mme Fichini à cause d'une toilette, semblable à celle de la reine Victoria et autres mondaines...

> *Mme Fichini voulut prendre place sur un fauteuil (...). La largeur de sa robe, la raideur de ses jupons repoussèrent le fauteuil (...). L'élégante Mme Fichini tomba par terre (...). Un rire général salua cette chute, rendue ridicule par le ballonnement de tous les jupons, qui restèrent bouffants, faisant un énorme cerceau au-dessus de Mme Fichini, et laissant à découvert deux grosses jambes dont l'une gigotait avec emportement, tandis que l'autre restait immobile dans toute son ampleur[1].*

Pourvu que Nathalie ne tombe pas, dans la salle de spectacle, à Versailles ! Elle a mis, à cette occasion, une crinoline jaune paille. Le corsage est orné d'une double berthe en dentelle. Le cou étincelant de la parure offerte à ses noces, par André Rostopchine. Il y a aussi les dîners, rue de Courcelles, chez la princesse Mathilde. A cette occasion, Nathalie change encore de robe. Dahlia ou rose ? Nathalie est en satin ruché de dentelle rose, piquée de roses naturelles. Toilette assortie à la salle à manger de la princesse Mathilde. Le plafond est aussi haut que celui d'une église. Plantes de serre, orchidées, camélias, fleurs exotiques, rosiers innombrables, composent un décor de nouveau conte de fées. Les fauteuils sont en velours rouge. La table, aux pieds de bronze travaillés, est surchargée de couverts en vermeil. Les carafes sont étincelantes, assorties aux cristaux. Reflétant les rayons d'or des lustres. Les verres sont plus fins que des lames de diamants. La princesse porte « un cordon de diamants sur son front bourgeonné[2] ». Un champagne, frais et d'or bruni, à odeur de rose, coule dans les flûtes presque invisibles. La gorge des femmes très décolletée palpite. Celles qui osent rire — Nathalie ? La comtesse de Bassano ? La languissante marquise de Latour Maubourg ? — révèlent une bouche encore bien enchâssée de dents. L'empereur et le pervers de Morny les convoitent sournoisement. Nathalie a décrit à sa mère la robe de l'impératrice, au grand bal qui a clos la visite de la souveraine anglaise. Sophie travaille encore une fois les toilettes de ses fées :

> *Sa robe était en gaze qui semblait faite d'ailes de papillons, tant elle était fine, légère et brillante ; elle était parsemée de diamants qui*

---

1. *Les Petites Filles modèles.*
2. *Ibid.*

brillaient comme des étincelles ; le bas de la robe, le corsage et la taille était garnis de franges de diamants éclatants comme des soleils. Sa tête était à moitié couverte d'une résille de diamants qui tombaient jusque sur son cou. Son collier, ses bracelets étaient en diamants si gros et si étincelants qu'ils faisaient mal aux yeux quand on les regardait fixement[1].

Nathalie vit ses dernières glorieuses réceptions parisiennes. Paul est nommé ambassadeur à Londres. Il va falloir se séparer. Renoncer à visiter encore l'Exposition universelle au palais de l'industrie. Camille et Madeleine sont désolées de quitter « grand-mère Ségur ». Sophie et Gaston trouvent les fêtes impériales gênantes, alors que la guerre en Crimée continue. Il y a eu la prise du mamelon vert. Beaucoup de morts pour si peu de gloire ! Que de familles endeuillées, dans le souci de la misère pendant que l'empereur et son entourage dansent dans leurs palais d'or et de cristaux ! Les Malaret sont partis pour Londres. Sophie est assise, seule dans sa grande bibliothèque. Un découragement passager lui mord l'estomac. Camille ! Comme elle aime Camille ! Madeleine est exquise aussi, mais Camille, c'est inexplicable : « Mes petites filles modèles ne sont pas une création : elles existent bien réellement : ce sont des portraits ; la preuve en est dans leurs imperfections mêmes. Elles ont des défauts, des ombres légères qui font ressortir le charme du portrait et attestent l'existence du modèle. Camille et Madeleine sont une réalité dont peut s'assurer toute personne qui connaît l'auteur[2]. » Elle aime Camille autant que Gaston et Olga. Sans eux, la vie se ternit. Le cœur a d'imprévisibles hypertrophies contre lesquelles il ne peut rien.

Trois petites filles et puis s'en vont

L'écriture console Sophie. Septembre est radieux. Sophie a fait tirer les volets pour protéger son travail et ses meubles. Elle entend Veuillot marcher dans sa chambre. Une bête qui tente d'échapper à son propre corps. Un silence. Le grattement de la plume. Sophie se calme. Lui aussi écrit. Pour oublier. De temps en temps, elle jette un œil sur les portraits de Camille et Madeleine. Si jolies, si semblables et pourtant différentes. Camille ! Ma chérie ! Sophie tremble. Que Dieu les épargne. Comment l'ami Louis peut-il

---

1. *Nouveaux Contes de fées.*
2. Préface des *Petites Filles modèles.*

supporter désormais la vie ? Début juin, Sophie s'enchantait d'écrire. Elle s'était réjouie du succès de Gounod avec son *Ave Maria*. Elle avait tenu à jour sa correspondance, invité Veuillot aux Nouettes. Sa sœur, la grosse Élise, les cinq charmantes petites filles. Qu'Agnès est douce ! Et Gertrude, quel sourire ! Et Marie, quelle tendresse ! Luce est bien gentille, aussi. La pauvre petite Madeleine, dont la naissance a tué sa mère, est en adoration devant son père. Ils doivent avoir trop chaud, rue du Bac. Paris est si mauvais en été ! A moins que Louis n'ait envoyé les petites en Alsace, où ils ont aussi des amis ?

Les filles de Louis ne dérangeront pas Sophie. Il y a tant de place, aux Nouettes. Elles dormiront dans les deux chambres contiguës à celles de Camille et de Madeleine. Sophie a commencé son bel été d'écriture et de projets amicaux. Coup sur coup, arrivent trois lettres sur papier entouré de noir. Sophie en perd la voix et le fil de ses ouvrages.

Louis Veuillot ne viendra pas tout de suite aux Nouettes. De juin à fin août, meurent ses trois petites filles, Marie, Madeleine et Gertrude. Veuillot écrit d'abord à la comtesse de Mont-Saulnin. Puis à Sophie :

> *Dieu frappe bien terriblement sur moi, Madame. Notre chère Marie est morte d'une angine couenneuse. Elle a été enlevée en quelques heures, pour ainsi dire en quelques minutes (...). Je suis arrivé ici jeudi matin. Marie était au cimetière et Madeleine, au lit, prise du même mal*[1].

Début juillet, Sophie tremble devant une deuxième lettre cachetée de noir :

> *Continuez de prier pour nous, Madame, nous n'avons plus que trois enfants. Dieu vient de nous prendre encore notre petite Gertrude. J'étais en Alsace, auprès de Madeleine, et nous nous réjouissions après bien des angoisses de la voir hors de danger. Une lettre de mon frère m'apprend que Gertrude est frappée à son tour. J'accours, mais trop tard. Une des sévérités de Dieu m'éloigne du dernier soupir de mes enfants, et je n'ai même pas revu le visage de ma chère Marie. J'ai pu du moins, poser mes lèvres sur le front de Gertrude morte. Elle a expiré tenant à la main le crucifix qu'elle baisait souvent sans en être avertie (...). Elle faisait le signe de la croix (...). Rien n'a pu la sauver, non plus que sa sœur*[2]...

---

1. Lettre de Louis Veuillot à Sophie de Ségur, 24 juin 1855.
2. Lettre de Louis Veuillot à Sophie de Ségur, 4 juillet 1855.

Sophie s'enferme dans sa bibliothèque et éclate en sanglots. Elle s'oblige à reprendre son calme. Elle lave ses yeux rougis. Elle descend rejoindre Olga, occupée à sa leçon de chant. Sabine est à ses charités. Olga est atterrée. « C'est trop affreux, maman, pauvre Louis. » Camille et Madeleine pleurent. Aurons-nous le temps de le revoir avant de partir pour Londres ? Le départ est fixé fin août.

Olga est devenue ravissante. Habillée de bleu pâle, la taille mince, bien prise. On chuchote, à Paris, ses fiançailles possibles avec le vicomte Émile Simard de Pitray... Sophie, ses filles, Gaston, Anatole, Edgar, Cécile, tout le monde écrit à Louis. On le presse plus que jamais de venir aux Nouettes avec les survivantes. Sophie a presque rédigé en entier *Le Bon Petit Henri,* quand arrive une troisième lettre funestement encadrée de noir. Sophie ose à peine l'ouvrir. Madeleine est morte.

> *La chère petite Madeleine en mourant nous a cependant donné la même consolation que les autres (...). J'allais chercher un petit crucifix qui a reçu le dernier baiser de sa mère mourante (...). Elle lui tendit ses pauvres petits bras décharnés qui s'agitaient vaguement dans les angoisses de l'agonie (...). Elle regarda le ciel par la fenêtre grande ouverte, elle sourit à ce ciel brillant et pur et retomba en exhalant un souffle si doux que je crus sentir le passage de son âme*[1]...

Les repas aux Nouettes ressemblent à des lendemains de deuil. Les malles des Malaret sont prêtes. Sabine va quotidiennement prier pour Louis, faites, mon Dieu, qu'il n'entre pas dans le péché du désespoir ! Qu'il accepte cette ruine, d'être froissé comme un mouchoir. A la veillée, on parle de Dieu. Gaston les console tant et plus. « Il faut pleurer bien doucement », dit-il. Se soumettre. Tout comme il a accepté la cécité. Comment Louis va-t-il supporter de telles affres ? Et les deux autres petites ? Sont-elles aussi en danger ? L'angine couenneuse est une grave maladie. Tellement contagieuse.

Sophie ouvre avec fébrilité *La Santé des enfants.* Que faire en cas d'angine couenneuse ? « L'angine couenneuse, qui semble s'être implantée en France, a des symptômes particuliers qui la font facilement reconnaître. L'enfant se plaint de mal de gorge, mais pas d'une manière vive. Ce léger mal de gorge s'accompagne d'une altération extraordinaire du visage *(ô Gertrude, ô Marie, ô Madeleine!),* de courbatures et de malaises. La fièvre, par sa violence,

---

1. Lettre de Louis Veuillot à Sophie de Ségur, 3 août 1855.

n'est pas en harmonie avec le mal de gorge ; l'haleine est fétide. La gorge est rouge à l'intérieur, à la place des amygdales. Il y a de l'enflure à l'extérieur.

(...) On peut avoir l'espérance d'arrêter cette terrible maladie au début.

Faire prendre matin et soir un bain de pieds d'eau de savon. Recoucher l'enfant dans un lit bassiné et mettre aux pieds une bouteille d'eau chaude.

Faire boire souvent une boisson acidulée. Faites gargariser au moins trois fois par jour avec de l'eau fortement vinaigrée ; vous mettrez un quart de vinaigre contre trois quarts d'eau.

(...) S'il n'y a pas d'amélioration, faites faire de l'eau d'orge, faites aciduler fortement par un pharmacien avec *l'acide muriatique* et sucrer avec du miel.

L'angine couenneuse est contagieuse [1]. »

Est-ce pour lutter contre cette contagion que la fenêtre des enfants resta ouverte jusqu'à leur décès ? Petites âmes envolées, colombes invisibles, où êtes-vous dans les nuées ? L'affreux virus continue son ravage.

A partir des deuils de Louis, Sophie a été très touchée de la mort des enfants. Elle introduira souvent des décès enfantins dans ses livres. L'enfant noyé dans *Pauvre Blaise*. Pauline, dans *Les Mémoires d'un âne*. Un bébé dans *Les Vacances*. Maurice, dans *François le Bossu*. Raoul, à l'agonie si douloureuse, dans *Jean qui grogne et Jean qui rit*. Gribouille, âgé de seize ans, dans *La Sœur de Gribouille*...

Chez la comtesse de Ségur, des enfants meurent. Sophie ne nous épargne ni leur agonie ni leur repentir. Bons ou mauvais, ils doivent comparaître. Se souvenir que le Bon Ange les attend au virage. Les emmènera dans quel chemin invisible, à jamais séparés de leur mère ?

La mortalité infantile n'a cessé d'augmenter sous le Second Empire. D'après l'étude d'Alain Plessis : « Un bébé sur trois n'atteignait pas sa cinquième année [2]. » Sophie est sans cesse en contact avec Gaston qui s'occupe activement d'enfants malades et mourants. Elle écrit sous la dictée de l'aveugle de déchirants courriers destinés, en particulier, à un petit enfant paralysé, René. Gaston le suivra jusqu'à son décès à l'âge de dix ans. Sophie va jusqu'à la férocité. Il y a des morts *nécessaires*. Des enfants qui

1. *La Santé des enfants*, Grand Album de la comtesse de Ségur.
2. *De la fête impériale au mur des Fédérés*, Alain Plessis.

entraveraient trop gravement l'avenir de leurs aînés. Le simplet Gribouille meurt de son noble sacrifice. Elle écrit à Olga : « Je t'annonce avec un plaisir féroce l'heureuse mort de Gribouille ; il n'y a plus qu'à l'enterrer et marier Caroline avec l'ami de Gribouille, un excellent brigadier pour lequel il est mort et auquel il lègue sa sœur[1]. »

Sulpicien, Gaston cultive les récits de morts d'enfants édifiantes. Son opuscule intitulé *Une petite sainte de neuf ans* est adressé aux enfants. Il décrit longuement les affreuses souffrances de la petite fille malade — Gertrude ? Marie ? Madeleine ? Sa chrétienne résignation devant la mort. Le sacré se véhicule à travers le dolorisme. La première victime est l'enfant. Il devient ce « saint » (pauvre Blaise ?) qui épure l'adulte et lave son constant péché. L'agneau (ou le diable), dans l'œuvre de Sophie, reste l'enfant. Le bon Gaston va jusqu'à approuver la peine capitale quand l'enfant tourne au mauvais adolescent. Quand la comtesse de Ségur « fait passer par les armes », Alcide, « le mauvais génie », Gaston est ravi : « Il faut rendre à César ce qui est à César et, de temps en temps, au moins, pendre les coquins[2]. »

L'enfant, obscurément, est le péché originel. Le mal, en lui, est inscrit. Dès le départ. D'où cette œuvre en entier hantée par l'éducation, la modification d'une première « nature » enfantine. Menacée et menaçante, la bonne Sophie va jusqu'à souhaiter la mort à ses petits-enfants, s'ils venaient à pécher mortellement.

> *Ce que je demande au bon Dieu bien des fois par jour, c'est de retirer à lui ceux de mes petits-enfants qui perdraient leur âme par suite de mauvais conseils, de mauvais exemples, de vicieuse direction[3].*

A la fin de l'été, le pauvre Louis, les deux survivantes et Élise viendront aux Nouettes. Il y a aussi le révérend lazariste, le père Huc. Il a offert à Sophie un livre qu'il a publié sur ses voyages en Chine, *L'Empire chinois*. Le père Huc distrait Sophie et Louis par ses pittoresques récits de voyages. Un jour, au Tibet, habillé en lama, il a réussi à pénétrer dans la ville sainte de Lhassa. Sophie est fascinée par sa grande barbe en pointe ; il ne sait jamais s'il doit la glisser *sous* le drap ou *sur* le drap pour bien dormir. La confiture de

---

1. Lettre à Olga, 11 mai 1861.
2. Lettre de Gaston à Olga, décembre 1866.
3. Lettre à Olga, 7 novembre 1870.

crapauds que lui ont fait manger ces méchants Chinois est un délice. « On enfile les crapauds, par la patte, on accroche les ficelles avec les crapauds enfilés dans de grands hangars, on les laisse sécher, on les pile en poudre avec des mortiers, puis on mêle cette poudre avec de l'huile de sésame et avec du miel et cela devient une confiture excellente [1]. »

Sophie ne peut s'empêcher de rire. Le révérend père Huc raconte les abominations chinoises qu'il a vues de ses yeux :

« Ils tourmentent des hommes, ils les coupent en morceaux sans que cela leur fasse pitié ; ils jettent leurs enfants tout petits aux cochons, ils battent leurs femmes, ils vendent leurs filles, ce qui est abominable et beaucoup d'autres choses comme cela très amusantes [2]... »

On frémit, on commente. Le souvenir des petites mortes glace le rire, allume une lueur malade dans les yeux de Veuillot. Pris de vertige, il se lève, penche la tête. Est-ce possible, mon Dieu ? Est-ce possible ? Sophie fait servir des glaces, un petit souper, du thé, propose un billard monstre. Seule dans sa chambre, elle a tout loisir de réfléchir. Louis non plus ne dort pas. Elle entend le faible grattement de la plume. La chaise remuée, le pas sur le plancher. Qu'écrit donc le pauvre ami dans la nuit presque bleue ?

> Bien que j'eusse un instant et dont je sus le prix,
> Doux enfants, chaste épouse, ô gerbe moissonnée !
> Ô mon premier amour et ma première née,
> Anges que le ciel m'a pris !
>
> La mère, en s'en allant, des agneaux fut suivie ;
> L'une partie, puis l'autre ! Avant qu'il fût deux mois.
> De mes tremblantes mains j'en ensevelis trois [3] ! »

Vers l'aube — oh ! cette insomnie ! Que fait Sabine, si tôt, sur le raidillon Ségur avec Louis ? Ah ! ils vont encore prier dans l'église glaciale en attendant la première messe. Sabine m'inquiète. Vite, rejoindre mon buvard, mes feuilles ! Publier !

Cette certitude ressemble au bonheur. Déjà Louis se console en entreprenant un gros livre intitulé *Parfum de Rome*.

---

1. *Les Bons Enfants.*
2. *Ibid.*
3. « Le Cyprès », in *La Campagne, la musique et la mer,* Louis Veuillot.

Gaston au 39, rue du Bac

La cécité de Gaston va resserrer les liens avec sa mère. Son nouveau logis est tout près du 53, rue de Grenelle. Il est aisé de se voir.

Sophie soupire devant la modeste installation de son aîné. Quelle différence avec les fastes de Rome ! Mais Gaston s'épanouit dans ce style de vie. Sophie, toujours hantée par l'hygiène, les microbes — phtisie, angine couenneuse —, n'aime guère l'obscurité de ce second étage. Au fond d'une cour sans air. L'appartement comporte cinq pièces. La plus grande est aussitôt aménagée en chapelle. La chambre à coucher est la plus petite. Elle est non chauffée. Elle comporte « deux armoires en bois blanc, deux chaises en paille et un lit servant en même temps de commode[1] ».

Gaston ne lésine pas quand il s'agit de son culte. Le tabernacle de la chapelle est composé d'or, de pierreries. Deux lampes ciselées, à la feuille d'or, enchâssées de rubis. Sophie a bien espéré, un moment, que Gaston aveugle logerait chez elle. Rien à faire ! Gaston conserve toute son indépendance. Il se jette à nouveau dans tous ses apostolats. Méthol le sert très bien. Urruti aussi. Tous deux doivent voir en Mgr de Ségur, mieux qu'un maître, « le représentant de Dieu sur terre »...

Sophie déteste l'espèce de sergent-abbé qui sert de secrétaire à Gaston. L'abbé Klingenhoffen est un Alsacien. Il se comporte en despote sur le doux aveugle. Sophie s'en mêlera. Elle réussira à épouvanter, puis à éloigner Klingenhoffen. Elle entreprendra quotidiennement « une campagne (militaire) en digne fille de Rostopchine qu'elle était ». Le successeur, l'abbé Leroux, n'a pas non plus les qualités qui calmeraient la fille de Fédor. Ce Leroux est sale, répugnant. Une véritable charogne. Invité à dîner rue de Grenelle : « Il met du vin dans son potage et se cure les dents avec un couteau[3]. »

Gaston rit. Sophie, obsédée de propreté, explose. Elle fait jeter à la poubelle le couvert et l'assiette « de ce cochon d'abbé ». D'autres vont se succéder auprès de l'aveugle. Sans sa mère, Gaston se fût bien contenté de son souillon ! Il y a eu donc, rue du Bac, l'abbé Baille, l'abbé Baille que Sophie trouve « excellent et

---

1. *Monseigneur de Ségur, sa vie, son action*, M. de Hédouville.
2. *Ibid.*
3. *Ibid.*

spirituel secrétaire ». Grâce à Élise Veuillot, Gaston trouvera sa perle, l'abbé Diringer. Sophie est enfin satisfaite : « L'abbé Diringer est de plus en plus excellent et dévoué à Gaston (...). Gaston travaille parfaitement avec lui : il trouve en lui aide, intelligence, zèle et déférence affectueuse[1]. »

Le rythme de Gaston a toujours cette intensité qui inquiète Sophie. Il a bien perdu la vue par excès de travail, que va-t-il encore lui arriver ? Levé avant 5 heures, il appelle Méthol qui l'aide à s'habiller. Puis ce sont, à jeun, les prières. Ensuite, il confesse les hommes et les jeunes gens qui attendent dans son antichambre. Point de femmes. Elles vont se confesser à Saint-Sulpice. Il s'interrompt pour boire un peu de lait. A 9 heures, il dit sa chère messe. Jusqu'à la fin de la matinée, il dicte sa correspondance à l'abbé Diringer. A midi, Méthol et Urruti le servent. Il déjeune avec l'abbé Diringer. Il mange à peine. Il se rend ensuite, avec Diringer, au siège de ses œuvres. A 3 heures, ils reviennent rue du Bac pour les vêpres. Jusqu'à 6 heures du soir, Gaston reprend sa correspondance. L'écriture de ses opuscules. Il dicte souvent près de trente lettres quotidiennes. Vers 7 heures du soir ce sont à nouveau les confessions. Souvent très tard dans la soirée. Méthol sait que le dîner refroidira. Monseigneur ne regarde jamais à son temps. Il dîne d'un potage, d'un peu de viande. Il boit du vin largement coupé d'eau. En temps de carême, il fait maigre. Après dîner, la prière et la lecture des Évangiles sont dites en commun avec ses fidèles. Gaston se couche vers 10 heures. Il se relève à minuit pour passer une heure devant le saint sacrement. Chaque samedi, Gaston dîne chez sa mère.

L'été, Gaston se repose un peu aux Nouettes. Il y emmène ses trois fidèles. Vers 10 heures, le soir, solennellement, Méthol annonce : « La prière, Monseigneur... »

Sophie a fait construire une chapelle dans le parc en 1858. C'est là que tous s'acheminent, après le rappel de Méthol. La foi de Sophie a encore augmenté. Son manuscrit *Les Petits Filles modèles* est achevé. Elle prie tout bas pour trouver l'inspiration. Si elle jetait sur le papier (publication Hachette, bien entendu), ses mémoires, ses malheurs d'enfant ? Ses malheurs de Sophie ?

Les âmes du purgatoire comprendront et intercéderont.

---

1. Lettre à Olga, octobre 1860.

Mariage d'Olga

La dernière grave angoisse de Sophie est levée. Olga va épouser le vicomte Émile Simard de Pitray. Sophie s'en est engouée. Elle se met à l'aimer comme un fils. Elle songe à en faire le portrait dans un roman qui serait la suite de ses *Petites Filles modèles*. Ce roman s'intitulerait *Les Vacances*. Émile de Pitray y apparaîtrait, père et mari modèle, sous l'anagramme de « Traypi ». Elle s'entiche d'Émile au point de le tutoyer ! (Laissez-moi vous dire toi... ») « Chère Minette chérie, d'abord, je t'embrasse avec mon petit Émile qui me semble être bien plus mon fils, mon cher fils depuis que je le tutoie[1]. »

Sophie est bouleversée par la prise de Malakoff et le siège de Sébastopol. Son frère André Rostopchine lutte, en bon Russe, contre la France. Si elle veut mentalement survivre, Sophie *doit se vivre française*. Le zouave Moutier exprime les idées de Sophie à ce sujet : « Je n'avais jamais eu de rencontre avec les Russes, puisque nous étions en paix avec eux, je savais qu'ils se battaient bien et que c'étaient de braves soldats[2]. »

La fille de Rostopchine reconnaît, par la voix de Moutier, « la bravoure russe ». Que faire d'autre ? Sophie s'en tire par l'anglophobie. Russes et Français, dans son esprit, sont d'accord, donc amis, pour haïr « la stupide Albion ». Pirouette ségurienne. La Russie s'éloigne, revient, s'éloigne... Un jour elle écrira un roman russe... l'histoire d'un fantastique général. Papa, ô papa ! Elle pourrait l'appeler Dourakine, par exemple...

Le 30 mars 1856, l'empereur signe le traité de Paris. Il semble mettre fin aux hostilités. L'allégresse est générale. L'accouchement d'Eugénie occupe les esprits. Le prince impérial est né le 16 mars. L'impératrice a failli en mourir. Plomplon est furieux. Il ne régnera jamais. De Morny ricane, humilié. Pour les mêmes raisons. La France tout entière chantonne :

Lundi matin, l'empereur, sa femme et le p'tit prince
Sont venus chez moi, pour me serrer la pince,
Comme j'étais parti, le p'tit prince a dit
Puisque c'est ainsi nous reviendrons mardi.

Sophie est radieuse de marier Olga. Émile Simard de Pitray a tout pour la séduire. Excellente famille du Midi. Belles et bonnes

1. Lettre à Olga, Les Nouettes, 13 mai 1855.
2. *L'Auberge de l'Ange Gardien.*

terres. Émile a passé son enfance en Amérique. Il lui en reste un léger accent anglais. Olga et Sophie estiment « sa beauté remarquable ». Il aime réellement Olga. Il symbolise pour Sophie le mari idéal. Émile adore vivre à la campagne. Se consacrer à ses terres et à son village. S'occuper de sa famille. Dans la bouche de M. Rosbourg, Sophie mettra toute la mentalité d'Émile Simard de Pitray. Idéal conjugal jamais atteint par la comtesse de Ségur. Elle le vivra par sa fille préférée interposée.

> *Voici ce que j'ai décidé. J'envoie ma démission au ministre ; nous vivrons tous ensemble ; tu n'auras d'autre maître, d'autre ami que moi, et nous emploierons nos heures de loisir à améliorer l'état de nos bons villageois et la culture de nos fermes ; vie de propriétaire normand. Nous élèverons des chevaux, nous cultiverons nos terres et nous ferons du bien tout en nous amusant, en nous instruisant et en améliorant tout autour de nous* [1].

Les fiançailles sont un ravissement pour Sophie autant que pour Olga. La corbeille est fort bien lotie. Louis Veuillot la taquine à ce sujet : « Je sais par Élise que les fanfreluches de la situation vous amusent sans vous enivrer. Vous nagez dans les bijoux et dans les dentelles sans vous laisser submerger. »

Sophie devient la belle-mère modèle. Quelques jours avant les noces, elle écrit au précieux Émile : « Avez-vous dormi ? (...) Je vous supplie, cher enfant, de ne vous fatiguer d'aucune façon, de vous tourmenter le moins possible, en un mot de vous soigner avec toute la tendresse que vous portez à Olga. Faites-vous apporter chez vous un bain de son [2]... »

Le 10 mai 1856, ce sont les noces. La veille, l'envahissante belle-mère a recommandé au futur : « Prenez une nourriture légère et recouchez-vous jusqu'à midi. » Aussitôt après le mariage, Sophie regagne les Nouettes avec Sabine et le bon Woldémar. Le brave Russe s'est gavé à la noce d'Olga. Qu'est-ce qu'on mange bien dans les pays de l'Ouest ! Quelle chance de n'avoir été qu'un bâtard ! Sabine est prise d'une affreuse migraine. Sophie a détesté ce voyage « dans une horrible diligence envahie par vingt et un voyageurs ; il doit y tenir dix à onze, tout au plus (...). A L'Aigle, nous avons dîné assez mal (...). La pauvre Sabine a payé au voyage son tribut accoutumé par une migraine et un vomissement (...). Sabine a vomi en deux temps sur les spectateurs horrifiés [3]... »

1. *Les Vacances.*
2. Lettre à Émile de Pitray, 1856.
3. Lettre à Olga, 13 mai 1856.

Est-ce cette diligence qui inspirera celle des *Deux Nigauds*? Que va devenir Sabine? Sophie est inquiète.

Une robe verte ou le souci

Sabine a vingt-sept ans. Sophie la trouve âgée pour se marier. Va-t-elle rester fille? Même Olga, la petite dernière, est établie. Il est vrai qu'elle est bien plus jolie que les jumelles. Moins belle que Nathalie, mais si charmante! Elle était délicieuse sous son voile, ses fleurs d'oranger, l'or et les perles de ses colliers! Émile la dévorait des yeux. J'espère qu'il ne sera pas un maladroit et saura ménager sa pudeur. Pauvre petite! De qui tient Sabine, qui détruit sa grâce à plaisir? La folle aïeule d'Aguesseau? Mais non. Celle-là avait beaucoup d'amants. Une lointaine et débile de Ponchat Ségur? Une vilaine et inconnue Protassov? Sabine! Toujours vêtue de cette imbuvable robe verte qui colore du même vert son teint d'ivoire. A peine propre, à peine coiffée. La chevelure tirée, attachée simplement sur la nuque par un lacet noir. Les boucles aplaties, ruinées, dans la torsade d'un vilain chignon de vieille femme... Elle exagère! Seul M. Naudet la recherche volontiers, se dit son ami. Sabine, fille non casée. Elle reste d'un bout de l'année à l'autre près de sa mère. Elle a retrouvé son envie de s'occuper du ménage de Gaston. Gaston, subtilement, a refusé. Les prêtres aiment à s'entourer d'hommes. A l'occasion, d'une antique servante.

Sabine essaye de convertir M. Naudet. Il rit aux éclats à l'idée d'un ciel auquel il n'a jamais cru. Le ciel? quelle blague! Sabine est atterré. « Non, M. Naudet, ne dites pas cela! Que diront le bon Dieu et ses saints quand vous comparaîtrez? Et la Sainte Vierge, M. Naudet? Y avez-vous songé? » « Oui », dit-il en la regardant fixement.

Sabine est souvent malade. Des migraines dont elle met plusieurs jours à se remettre. Elle en émerge encore plus verte de teint. Elle crache parfois du sang. Elle ne peut dissimuler à Sophie, inquiète, les œdèmes de ses jambes. Sophie les entourent de feuilles de laitues. Elle oblige sa fille au repos. Sophie méprise-t-elle Sabine?

Singularité des sentiments. Seul Eugène, si peu paternel, quoique consciencieux, aime profondément Sabine. Sa toute-petite-à-la-robe-verte. Elle a toujours éprouvé de la compassion et de l'amour pour la solitude d'Eugène. Même absent, coureur, froid, n'est-on pas seul ? Pire que ceux qui savent aimer. « Vous saurez aimer, cher papa, vous verrez », fait le regard caressant de Sabine.

Eugène ferme les yeux, consolé, adouci. Pour elle, il vient davantage aux Nouettes. Sabine. La plus démunie de ses filles. Quand Sabine lui dit : « Cher papa, la Sainte Vierge veille sur vous ; et votre Bon Ange », il l'écoute volontiers. Il plie, il ploie, sans orgueil devant ce regard plein d'amour. Qui, de sa vie, l'a regardé et aimé ainsi ? Il lui avoue volontiers ses péchés. Jamais, il n'a pu communiquer ainsi avec Gaston. Ou les autres de sa famille. « Le péché ?... Comme nous tous, cher papa. »

Tous ses enfants, depuis des années, ont du « chère maman » plein la bouche. Ses filles disaient « mon père » et ses fils « père ». Sabine est la seule à lui dire « cher papa ». A l'aimer. Est-ce pour cela que Sabine semble avoir été la fille la moins aimée de Sophie ? Elle préfère tous les autres à cette triste fille en vert dont elle ne sait que faire.

Sabine multiplie ses charités. A Paris, depuis le mariage d'Olga, elle refuse une femme de chambre. Elle se sert elle-même. Elle se lève aux aurores pour la prière et la messe. Elle oublie de manger. Sans relâche, elle reprend le murmure de sainte Jeanne de Chantal. « Ruinez... Ruinez l'orgueil, la vanité, la désobéissance. »

Elle rejoint le message de saint François de Sales si cher à Gaston. Son humanité. Sabine prie de toutes ses forces. Il faut annoncer à sa famille son choix. Entrer à la Visitation. « En aurez-vous de la peine, cher papa ? » Il y a eu la mort des filles de Louis Veuillot. L'entrée en écriture de sa mère. Le départ de sa dernière sœur. Sabine sent l'empreinte de Dieu. Nathalie, enceinte pour la quatrième fois, réclame la présence de Sophie à Londres. Sophie pousse de grands cris. Jamais elle n'ira dans ce sot pays ! Le démon de l'écriture prend toute la place. Quel dérangement tous ces accouchements ! Quels maladroits, ces maris ! Pourtant Sophie ira à Londres. Sabine et Eugène resteront à Paris. Sophie a tout décidé. Elle agit seule, va où ça lui chante et même où ça ne lui chante pas. Elle réquisitionne son bon Woldémar.

Depuis juillet 1856, Olga a « un affreux mal au cœur ». Il n'a pas perdu de temps, le prolifique Émile ! Sophie s'inquiète pour Olga. Le jeune couple a des difficultés pour se loger à Paris. Ils dépendent de l'hospitalité des de Pitray, dans le Midi, et de celle de Sophie, aux Nouettes. Sophie propose alors au jeune couple une solution : l'entresol de son appartement. Elle l'écrit aussitôt à Émile : « Où peut-on être mieux que dans sa famille ? Tu aurais tout l'entresol de notre appartement, ta chambre serait l'ancienne d'Olga qui prendrait celle de Sabine[1]... »

Pauvre et incommode Sabine dont Sophie décide sans la consulter qu' « elle ira avec bonheur occuper chez Henriette une chambre qui était jadis occupée par Sabinette et sa nourrice[2] ». L'aimable régente conclut d'un coup, prêtant aux autres ses propres sentiments : « Sabine sera enchantée, Henriette sera enchantée, Armand sera enchanté, les enfants seront ravis. » « Crie ! mais consens ! » exige la comtesse de Ségur. Elle trépigne d'impatience et de possession cannibale. Olga et Émile, sagement, resteront deux mois de plus dans le Midi.

Sabine multiplie ses charités à L'Aigle où sévit une fièvre thyphoïde. Elle vient en aide aux sœurs de charité qui « sont tellement occupées par les malades, qu'elles y sont insuffisantes[3] ». Sabine se surmène, complique sa santé par « des yeux fatigués ». Sophie, au milieu des pages à écrire, des grossesses des unes et des autres, de l'incessant courrier, s'occupe à nouveau de ses terres. Son nouvel essai de regain est devenu « un amas de pourriture ». Elle ne quitte pas pour autant les premières pages des *Vacances*. Tandis que Sabine « ira faire une inspection aux malades (...), je continuerai ma correspondance et mes compositions nigaudes[4]. »

Elle a déjà l'idée du naufrage et de la survie de M. de Rosbourg, commandant de frégate. Il se sauvera avec Paul et le Normand dans une île perdue. Si elle inventait une langue de sauvage ? Douce litanie de l'amour-amoureux qu'elle a si peu connu : « *Tchihan, tchihan poundi... Peika mi hane, cou rou glou... brese ni Kouliche, na ne hapra*[5]. » Elle s'enthousiasme sur la traduction. « Viens, viens vite... je ne te quitterai jamais, ami de mon cœur. Quand tu seras grand, tu m'oublieras. » Est-ce ainsi qu'Émile parle à Olga ? Décidément, je vais leur laisser mon entresol.

Sophie à Londres

Sophie restera à Londres du 20 octobre au 20 décembre 1856. Depuis Rome, elle n'était plus partie aussi longtemps. Elle prend le bateau au Havre. C'est l'année où Flaubert publie *Madame Bovary*

---

1. Lettre au vicomte Émile de Pitray, 5 octobre 1856.
2. *Ibid.*
3. Lettre à Olga, 14 octobre 1856.
4. *Ibid.*
5. *Les Vacances.*

dans *La Revue de Paris*. L'Angleterre! Sophie enrage dès la traversée. « J'ai commencé à vomir aussitôt et n'ai pas arrêté pendant les sept quarts d'heure de la traversée. » Elle trouve la maison de Nathalie « charmante » : « Outre l'élégance remarquable, la beauté des marbres et des tableaux (...). On trouve à chaque étage (...) une baignoire avec robinets donnant toujours de l'eau chaude et froide fournie par la ville (...). Tout cela pour seulement 625 francs par mois[1]. » Sophie apprécie l'abondance des armoires, des commodes. Les machines à eau, les bains de pieds et, s'il vous plaît, les bains de siège.

Rien à dire sur le confort! Sophie attaque alors le pays et ses habitants. « On ne m'attrapera plus à passer cette affreuse Manche que le voisinage inhospitalier de l'Angleterre rend horrible aux voyageurs[2]. »

Camille relit chaque soir *Les Nouveaux Contes de fées*. Sophie visite Londres avec les petites. Sans Nathalie qui va « assez bien, en dépit de ses insomnies et ses maux d'estomac ». Londres lui semble « magnifique ». Mais « il faut traverser toute la ville pour trouver une église[3]. » Sophie fait des courses. Elle achète un hochet pour le bébé que porte Olga. D'autorité elle l'appelle « Jacques ». Elle critique le mauvais éclairage de la ville. La cherté des magasins. Les pickpockets dans Oxford Street. Elle doit ménager ses finances. « Mon voyage, mes présents, l'argent à donner aux domestiques absorbent tout[4]. » Il s'agit du premier à-valoir de M. Hachette. Pourvu qu'il accepte son idée d'acheter en bloc le cycle complet des Fleurville! Cela pourrait bien faire une somme de mille francs? Et ce fat d'Eugène qui ne l'a pas encore affranchie! Il est aussi avare qu'un Anglais. D'ailleurs, avec ses yeux jaunes, il a une tête d'Anglais. A bas les Anglais! A bas les maris!

Sophie s'offre « une robe en laine noire et deux jupons en flanelle ». L'achat vient de sa bourse d'écrivain! Plaisir ineffable! Quel vilain climat à Londres! « Ces affreux brouillards humides » désertent brusquement la ville... Heureusement il y a sa petite famille. Camille, surtout. L'excellente bonne Élisa. J'ai pu conserver son vrai prénom malgré l'intervention de cet animal d'Eugène. Woldémar parcourt Londres à pied, en tous sens. Paul de Malaret

---

1. Lettre à Olga, Londres, 28 octobre 1856.
2. *Ibid.*
3. *Ibid.*
4. Lettre à Olga, Londres, 30 octobre 1856.

est satisfait de sa position sociale. La coquette ambassadrice, entichée de lui, réclame sans cesse sa présence. Paul trompe-t-il Nathalie, grosse de près de neuf mois ? Sophie hausse les épaules. Elle choit les petites. Achète des cadeaux pour Olga et les siens. Elle part en excursions à Hyde-Park, Green-Park, Westminster Abbey. Paul a beaucoup de travail entre « les absences continuelles de l'ambassadeur à Windsor... et les caprices de sa femme, petite femme qui est une enfant gâtée qui a peur d'être seule [1]. »

Jusqu'à quel point le très diplomate Paul de Malaret s'est-il dévoué auprès de l'ambassadrice ? Sophie regarde le large ventre de sa fille. Nathalie a perdu provisoirement sa beauté. La durée de cette grossesse est insupportable. Un tas de fausses alertes, des malaises, et puis rien ! Sophie est agacée, dérangée surtout. L'ambassadrice s'empare de plus en plus de Paul : « Cette jeune folle danse, tout en nourrissant ses enfants, jusqu'à quatre, cinq heures du matin, elle enterre tous les bals [2]. »

Naturellement, Paul de Malaret revient parfois au logis au petit matin. Sophie fait mauvais visage à certains souvenirs. Grosse de Gaston ou des autres, elle attendait au carreau de la rue de Varenne. Elle attendait le retour d'Eugène qui avait consolé elle ne sait combien d'ambassadrices. Sophie s'échauffe. Les soirées deviennent irritables. Paul fume trop. Il la dérange avec son tabac. Deviendrait-il aussi bas que ces Anglais qui « en somme, vivent bizarrement ; ils ne vivent que pour le commerce et l'industrie ; je n'aime pas cette existence sordide de tout un peuple (...) ; ce perpétuel Wellington est irritant [3] ». Ils n'ont donc pas d'autres gloires militaires ? Une satisfaction, cependant, Olga et Émile ont trouvé un appartement au 110, rue Saint-Dominique. Elle l'imagine meublé des cadeaux de mariage d'Olga. « Tu vas pouvoir dire avec fierté : " Je suis dans mes meubles ! ". »

L'accouchement de Nathalie se fait toujours attendre. Paul fume de plus en plus. « Vous êtes bien nerveux, mon ami, allez donc consoler l'ambassadrice. » Sophie est maintenant exaspérée par l'accoucheur anglais : « L'accoucheur est une bête qui ne dit rien, qui va se coucher, qui ne songe qu'à ne pas être retenu ; la garde est une lourde Anglaise [4]. » Tout est décidément odieux, en Angleterre. Enfin, le 15 novembre « à onze heures trois quarts du soir », naît un petit Louis. Sous chloroforme. « Le médecin a légèrement

1. Lettre à Olga, Londres, 8 novembre 1856.
2. Lettre à Olga, 8 novembre 1856.
3. Lettre à Olga, 11 novembre 1856.
4. Lettre à Olga, Londres, 15 novembre 1856.

chloroformé Nathalie non pour l'endormir mais pour amortir la douleur[1]. »

L'accouchement « à la reine » est à la mode. Victoria avait demandé une fois le chloroforme. Désormais, conclut Sophie : « En Angleterre, les accoucheurs chloroforment toujours à la dernière période de l'accouchement. » Le bébé est ondoyé aussitôt. Son parrain et sa marraine sont l'empereur et l'impératrice. Le baptême officiel aura lieu dès le retour des Malaret à Paris. Par contre, le prix à l'accoucheur, la déclaration de naissance, diffèrent selon le sexe de l'enfant. « Pour les filles on n'est tenu à rien. Le payement de l'accoucheur diffère aussi selon le sexe : 15 livres sterling pour une fille, 20 pour un garçon[2]. »

La plume de Sophie devient de plus en plus acerbe. Elle déteste la façon dont on nourrit le bébé. « L'enfant élevé au biberon par une garde imbécile (…) qui le gave de bouillies épaisses. » Pendant ce temps-là, le consciencieux Paul de Malaret est obligé d'aller à la chasse. L'ambassadrice est tellement craintive de tout ! Ridicule chasse ! Ridicule peuple ! Obscène ambassadrice ! Enfer des coquettes ! Sottes gens !

« Paul est à la chasse au cerf, ridicule chasse, bien anglaise, on élève des cerfs, on les bourre d'avoine, on en lâche un dans les bois… On le poursuit pendant deux heures, on le ramasse quand il tombe de fatigue, on le saigne, on le ramène en voiture, et on le laisse reposer pour une autre fois. Voilà pour la chasse (…). Menée par deux cents nigauds d'Anglais[3]. »

Il est temps, pour Sophie, de revenir. Elle ne mettra plus jamais les pieds en Angleterre. Elle regrettera tout de même l'eau chaude à toute heure. Elle fera installer aux Nouettes des bains de siège, dans chaque cabinet de toilette. Mais pour cela, il faut de l'argent. Continuer son œuvre que ce grotesque voyage a bien dérangée. Heureusement, il y avait le doux regard bleu foncé de Camille. La tendresse de Madeleine. Le dévouement d'Élisa. Ses petites-filles ont relégué Nathalie au second plan. « C'est l'Angleterre », songe-t-elle. Et l'accouchement. « Décidément, je n'aime ni l'Angleterre ni les accouchements de mes filles. » Ils la font trop trembler. Elle ne peut plus écrire en paix. Ce chloroforme a été une bonne idée. Un bâillon sur le cri. Il faudrait qu'elle parle au médecin d'Olga. Ces Français sont si arriérés pour soulager nos douleurs de femme

---

1. Lettre à Olga, Londres, 16 novembre 1856.
2. *Ibid.*
3. Lettre à Olga, Londres, 24 novembre 1856.

et notre émancipation financière ! Aurait-elle dû naître anglaise ? En Angleterre, c'est « par les femmes que se transmettent la fortune et le titre ».

Sophie se range à l'avis de Louis Veuillot. Il lui écrit en fin d'année, à propos de la crise d'anglomanie qui s'est abattue sur la France après la visite de la reine Victoria : « Bonne fin d'année aux bambini, ne disons plus bébés, c'est anglais. Pouah ! » Sophie n'a pas le mal de mer en retraversant la Manche. La France est en face. Son gros papier industriel qu'elle a hâte de recouvrir de mots aussi.

Guérir Gaston. Les uns, les autres

L'année 1857 surcharge par ses événements intimes le précieux temps de l'écrivain. Il y a le mariage d'Edgar. Deux naissances en route. Olga et Henriette. Les Malaret sont en France. Le petit Louis — prénom choisi en l'honneur de son illustre parrain — a eu un baptême solennel. Veuillot a des ennuis avec *L'Univers,* au bord d'être supprimé. L'empereur n'aime guère l'ultramontanisme de Veuillot. Ses articles ont-ils influencé le pape, l'empêchant de venir au sacre et au baptême du petit prince ? Sabine tourne à l'extase religieuse. Sophie se met en tête qu'une opération peut guérir la cécité de Gaston. Un miracle, même ! Gaston, sceptique, ennuyé, accepte par amour pour sa mère. Elle prend une date avec le chirurgien Nélaton. Il examine Gaston. Il diagnostique « une cataracte opérable ». Deux oculistes, consultés parallèlement, MM. Séchet et Desmars, sont moins optimistes. Le nerf optique est mort. Gaston se soumet à ces visites mais, au fond de lui, prie pour rester aveugle. Sa cécité ? Il en parle avec tendresse. Il l'appelle « son petit cloître ambulant (...). Croix terrible, mais belle ». Il en avait fait le vœu, le 29 mai 1847...

On l'opère au 39, rue du Bac. Sous chloroforme. Auprès de lui, Charles Baille, Méthol. Sophie tremble dans la pièce à côté. Nélaton extrait le cristallin « gris et opaque ». Gaston entend dans son semi-coma la phrase de Séchet : « La rétine est décollée. »

On lui a recouvert les yeux d'un bandage d'eau glacée. Patient, il reste plusieurs jours étendu, immobile. Chaque jour, Nélaton vérifie les bandages, interroge :

« Voyez-vous un peu de lumière à travers la toile ?

— Non, docteur. S'il y a progrès, c'est plutôt en pire. »

Huit jours plus tard, Nélaton ôte le bandeau :

« Que voyez-vous donc ?

— Rien, docteur ! Que la volonté de Dieu soit faite [1]. »

Nélaton est froissé, Sophie, désolée, Gaston jubile. Sophie s'obstine. Sabine a entendu parler d'un certain M. Dupont, qui fait des miracles. Toujours par complaisance, Gaston accepte d'aller voir le mage. M. Dupont procède par prières. En vain. Gaston, tout content, reste aveugle. « Il le fait exprès ! » s'irrite Sophie.

Gaston est surtout préoccupé à conserver l'œuvre de saint François de Sales. Gaston le catholique s'est brouillé avec Eugène Sue. Brouille que déplore Sophie qui a toujours eu un faible pour le beau socialiste. Sue et son ami Edgar Quinet créent un mouvement protestant. Une feuille est éditée en Belgique. Leurs articles fustigent les catholiques. Le père d'Alzon met la puce à l'oreille de Gaston. Sue et Quinet sont en train d'alimenter un mouvement anticatholique. Ils se proclament partisans de l'alliance du protestantisme, de la guerre contre la religion catholique et Genève, Londres se mettent à distribuer des Bibles « de la version de Sacy ». L'innovation de cette Bible, due aux articles propagandistes de Sue et de Quinet, secoue Gaston. Veuillot est fou de rage. Sophie, perplexe. Pourquoi ce grand serin de Sue participe-t-il au financement de l'Association de son Protestant ? Quelle mouche l'a piqué d'écrire une série d'articles exploitant l'idée d'un « protestantisme libéral » ? Tout paraît dans *Le National de Bruxelles,* sous le titre de « Lettres sur la question religieuse ». Le contenu est cynique. Sue et Quinet démontrent que le catholicisme est un signe de faiblesse humaine. De débilité dangereuse.

« Nous, écrit Sue avec ses gants beurre frais, nous, libres penseurs, pénétrés des périls inhérents à toute religion (...) savons qu'il y aurait ignorance profonde et notoire ingratitude à le reconnaître : le protestantisme a puissamment servi la cause de la liberté... » Gaston s'affole. Baille lui lit la suite. « Jésus de Nazareth, un sage, un philosophe, comme Socrate, Marc-Aurèle ou Platon ! » Quant à Edgar Quinet, il souhaite, tout simplement, « l'extermination du catholicisme ».

Allons, il faut, hélas, se brouiller. Sophie en est navrée, d'autant plus que l'incorrigible Sue est malade. Au point de décéder à Annecy, le 3 août 1857. Entière dans ses amitiés comme dans ses haines, Sophie pleure, dans sa bibliothèque des Nouettes. Gaston est toujours aveugle, le beau Sue qui la faisait tant rire n'est plus. « Qui peut aimer Rose sans aimer Blanche ? » Qu'écrirait-il s'il

---

1. *Monseigneur de Ségur, souvenirs et récits d'un frère,* A. de Ségur.

voyait l'anéantissement progressif de Sabine, celle qui fut Blanche, celle qui fut Rose ? Verte comme sa vilaine robe !

Ah ! seuls les enfants sont beaux. Seuls les enfants sont dignes. Ils meurent, en moins de bruit qu'une colombe envolée. Sophie se mouche bruyamment. Elle reprend espoir. Il ne reste plus que mille cinq cents exemplaires des *Nouveaux Contes de fées* dans la librairie Hachette. Tout a été vendu, le stock sera liquidé avant la fin de l'année. Vendre ses livres, le récent et joli mariage d'Edgar détourne sa pensée du chagrin. Sophie est fascinée par la douce Marie de Reiset. Edgar en semble très épris. Sophie aussi. Le mariage a eu lieu, le 8 juillet, un mois avant la mort de Sue. A Enghien. Le mariage « s'est passé admirablement ; pas de migraine ; presque pas de larmes ; municipalité à onze heures et demie, église à midi dix, excellent petit discours ému de Gaston, départ des mariés avec pères et mères pour Enghien, retour d'un chacun chez soi, toilette à trois heures et demie, départ à quatre pour Enghien [1]... »

Eugène de Ségur, souffrant (« Cher papa, voulez-vous que je reste près de vous ? » a proposé Sabine), s'est fait remplacer par le bon Woldémar, ravi du banquet et des vins. Qu'on mange bien, mais qu'on mange bien en Occident ! Sabine, Nathalie, Gaston, rejoignent Enghien pour « la réception cordiale, dîner à six heures et demie précise ». La princesse Mathilde est parmi les invités de marque. La mère de Marie, Mme de Reiset, est une de ses dames d'honneur. Le dîner est délicieux, la vue sur le lac, une féérie, musique toute la soirée suivie d' « une illumination aux lanternes de couleur accrochées à tous les arbres ; feux de Bengale, lampions [2]... » Marie, délicieusement blonde sous la dentelle, et Edgar ont l'air radieux. Ils quittent la soirée pour leur nuit de noces dans « un chalet qui est un bijou ».

Seule, Sabine chancelle de migraine. Les jambes douloureuses, une angoissante envie de solitude. Malade, dans le monde artificiel des fêtes. Elle devine la pensée de sa mère pendant ce mariage : « Que faire d'une fille de vingt-huit ans non mariée ? » Olga a accouché d'un petit Jacques. Sophie s'en prend de passion, le baigne, lui donne à manger, coud sa layette. Henriette, de son côté, a une petite Henriette, « jolie et très forte mais fort pâle ». La santé de la mère donne des inquiétudes. Après cette troisième couche, Henriette Fresneau « ne peut ni marcher, ni s'asseoir sans

---

1. Lettre à Olga, 10 juillet 1857.
2. *Ibid.*

mal aux reins ». Sabinette, la seconde petite fille, « grandie, pâlie », dont Sabine est la marraine, a l'air malade. Du côté de Kermadio, Sophie a du souci. Elle reçoit sa nièce par alliance, Russe, épouse de Fédor Narychkine, fils de sa sœur Nathalie. Elle se nomme Tatiana et passera l'été 1857 aux Nouettes. « Tatiana est très agréable, écrit Sophie à Olga, le haut du visage assez beau (…). Sa petite fille est grosse, blonde, gentille. » Comme ses neveux et nièces russes ressemblent à Woldémar ! Sophie a oublié ce type physique si proche du sien, quand elle était jeune… Français et Russes, aussi dissemblables, dit-elle que « deux hémisphères ». Il est normal qu'ils se soient battus comme des chiens à Malakoff…

Sophie a remis, par l'intermédiaire de Gaston, ses *Petites Filles modèles,* à Hachette. Elle songe à écrire un livre de messe pour les petits enfants. L'idée n'enchante pas Hachette. Qu'importe ! elle le publiera chez Douniol. *Les Nouveaux Contes de fées* connaissent un grand succès auprès des adultes. Le révérend père Huc, à qui Sophie a offert un exemplaire, lui fait savoir ainsi son admiration : « Je vous dois la plus grande insomnie de ma vie. Vous m'avez joué un vilain tour. » Il s'explique devant Sophie effarée. « Comment ? je vous ai empêché de dormir ? » Il a commencé distraitement la lecture des *Nouveaux Contes*. Il n'a pu les lâcher de toute la nuit enchanté, envoûté. Veuillot de même. Le succès de Sophie est d'avoir dédaigné la berquinade, la mièvrerie. Elle a compris que le plaisir enfantin passait par l'angoisse.

Eugène est devenu jaloux des amis de Sophie. Les Nouettes encombrées de Russes et des Veuillot. Sa femme lui échappe d'avantage par l'amitié. Ses enfants, ses amis, forment une citadelle d'où il se sent exclu. Eugène se met à bouder. Les Nouettes. Non plus à cause de ses dîners dans la haute finance — les femmes ont cessé de s'intéresser à ce demi-vieillard — mais de la présence de Veuillot. Sophie, généreuse, reçoit aussi Élise et les deux pauvres petites, Agnès et Luce. En attendant de les rejoindre un long mois, Louis leur écrit, rassuré de savoir sa petite famille dans un tel hâvre de paix et d'abondance. « Que vous devez vous trouver bien ! des bois, de l'herbe, des Ségur partout, maman Ségur toujours… »

« Maman Ségur », mais pas de « papa Ségur » qui méprise ce Veuillot. Eugène a pris en grippe cet ultramontain de basse extraction. Sophie en surajoute. La chambre de Gaston, la meilleure, pour Veuillot. Les plus beaux draps. Le papier bleu, les plumes bien taillées… le « moine » tout chaud glissé au fond du lit à l'épais matelas. Eugène est exaspéré. « L'accueil a été charmant, écrit Louis à son frère, on m'avait préparé la chambre de

Monseigneur. J'y ai trouvé papier, plumes d'oie, livres, tout ce qui constitue la vie. Cette bonne et charmante Cosaque m'avait fait acheter du papier non glacé, sachant que le glacé me glace[1]... »

Le lendemain matin, en attendant le thé délicieux, les gimblettes et les frais radis, « je suis allé à la messe avec maman Ségur, causotant tout le long du chemin qui n'est pas trop crotté. » Louis souffre d'un lumbago au bas des reins. Sophie frappe à sa chambre, entre d'autorité avec un onguent de sa composition. Eugène s'agite. Veuillot a honte. Il ne veut pas dénuder ses reins. « Veuillot, ne soyez pas stupide ! Vous êtes un frère ! Allons, laissez-vous faire ! » Elle rabat le drap. Vaincu, heureux, Louis se laisse faire et la Tartare lui applique « une grande plaque de poix, grande comme la main, qu'elle avait pétrie pendant une heure ».

Eugène boudera toute la journée. Sophie s'en moque. Elle masse le haut de fesses du cher Veuillot. Dieu ! Que c'est laid, un corps d'homme ! J'avais oublié ! Décidément, je plains mes pauvres filles la première fois qu'elles ont dû voir ça ! Sophie en tremble de rire, un mauvais rire féminin, vindicatif entre ses rides. Elle ne déteste pas l'homme vaincu, livré, fesses nues, à ses mains de matrone et de nourrice. Elle a caché à Veuillot la composition réelle de son cataplasme. Il s'agit du remède « Valdajou », invention de Sophie que le rédacteur de *L'Univers* a pris pour de la poix : « Je prends du son, que je mets dans une casserole, j'y verse, pour en faire un cataplasme de (l'urine) ; je mets au feu, et quand c'est chaud, je fais fondre une chandelle en la tenant par la mèche, voilà tout[2]. »

Il est toujours facile de trouver de l'urine dans une grande maison comme la sienne... Sophie passe un bon été. Sabine, de plus en plus verte dans sa robe verte, la décourage et l'attriste. Elle en fait son deuil.

Sophie contre Sophie

La fin de l'année 1857 entraîne des ombres basses qui annoncent l'orage. Eudoxie, la femme d'André, s'est éteinte de son cancer. Elle est morte à Voronovo, chez la vieille Catherine Rostopchine de plus en plus méchante. Lydie s'épouvante de la haine de Catherine à leur encontre. Catherine n'est pas allée à l'enterrement

---

1. Correspondance de Louis Veuillot.
2. *Pauvre Blaise.*

d'Eudoxie. Elle entre dans une crise de réjouissance pure. Elle survit à toutes, à tous ! Barbe est morte, Véra depuis longtemps, Fédor, Lise. Après la cérémonie funèbre, l'aïeule se tourne vers Lydie, accablée : « Eh, Eh, mam'zelle, plus jeune que moi, morte avant moi [1]. »

Dans son délire scélérat, elle refuse l'usufruit de Voronovo à André. Que soient maudits et ruinés ces orthodoxes ! « Tant mieux. Lorsqu'il se ruinera et ruinera ses enfants, ceux-ci seront sur la paille et pourront peut-être alors sauver leurs âmes [2]. » Elle va encore plus loin dans l'ignominie. Elle convoque Lydie. Elle lui insinue que son père va se remarier « aussitôt ». Lydie riposte : « Eh bien moi, grand-maman, je pense que grand-papa aurait été si heureux de votre mort qu'il n'aurait pas attendu même neuf jours pour épouser une personne moins méchante que vous. »

De rage, elle fait aussitôt arracher tous les poiriers de Voronovo. La tentation par les poires. Dans la foulée, elle fait envoyer cinq cents autres serfs en Sibérie. Ils refusent toujours de devenir catholiques. Elle tient tête au tsar lui-même. Qu'il la déloge, qu'il l'envoie en Sibérie ! Elle restera catholique. Où qu'elle soit. La plus forte. Elle rit, hagarde, hystérique : la police emmène le troupeau épouvanté d'hommes, de femmes et d'enfants, chaînes aux chevilles, par-delà les troncs arrachés des poiriers. Elle crie, elle jouit, bien droite sur ses parquets cirés. Devant ses cages à perroquets auxquels elle jette désormais des souris dont elle a crevé les yeux.

Est-ce à cause de ces nouvelles russes que Sophie écrit d'un seul jet *Les Malheurs de Sophie,* livre camouflant le procès d'une mère sans amour (Mme de Réan) plutôt que celui des défauts d'une petite-fille ? La préface en est singulière. La comtesse de Ségur y parle de « Sophie » à travers un miroir. Celui d'Alice ? Sophie veut-elle absoudre Sophie ? Avouer, sous l'apparence de la sévérité, la solitude, la détresse dangereuse d'une enfant de quatre ans sans arrêt punie ? « Sophie méchante », ou mère épouvantable ? Attaquer « Sophie » est-ce une ruse, un détour, pour que l'on haïsse, à la fin du roman, la mère qui châtie sans cesse ? (Catherine ?) La préface a été écrite pour Élisabeth Fresneau, fille aînée d'Henriette.

Chère enfant, tu me dis souvent : « Oh ! grand-mère, que je vous aime ! vous êtes si bonne ! » Grand-mère n'a pas toujours été bonne, et

---

1. *La Comtesse de Ségur et les siens,* M. de Hédouville.
2. *Ibid.*

il y a bien des enfants qui ont été méchants comme elle et qui se sont corrigés comme elle; voici des histoires vraies d'une petite-fille que grand-mère a beaucoup connue dans son enfance, elle était colère, elle est devenue douce; elle était gourmande, elle est devenue sobre; elle était menteuse, elle est devenue sincère; elle était voleuse, elle est devenue honnête; enfin, elle était méchante, elle est devenue bonne; grand-mère a tâché de faire de même. Faites comme elle, mes chers petits-enfants; cela vous sera facile à vous qui n'avez pas tous les défauts de Sophie.

Comtesse de Ségur,
née Rostopchine[1].

Chers enfants, non issus directement d'une telle mère qui a pour nom Catherine Protassov, veuve Rostopchine... Ma mère. Ma mère qui était un monstre.

Journal de Sabine

Des événements fâcheux pour l'empire se déclenchent au début de l'année 1858. Le 14 janvier, l'attentat d'Orsini. Trois bombes jetées à la volée sur le carrosse impérial. Le couple se rendait à l'Opéra. Ils sont miraculeusement intacts malgré 154 blessés. Orsini reproche à l'empereur de ne rien faire pour la cause italienne. Orsini devient pour certains Français le symbole de l'idéalisme patriotique. L'avocat Jules Favre ne sauvera pas la tête d'Orsini, mais ses idées courent.

Le geste d'Orsini puis son exécution déclencheront une crise. Cavour veut réaliser l'unité italienne. Napoléon III engage la France aux côtés du Piémont pour réaliser cette unité. L'Italie envoie près de l'empereur une espionne, la comtesse de Castiglione. La stupéfiante beauté remuera Paris et ouvrira le lit de l'empereur. La Castiglione arrachera toutes les confidences nécessaires à sa cause sur l'oreiller impérial.

Eugénie fait des scènes d'enfer. L'empereur détourne un regard ennuyé, yeux mi-clos, perdu dans le nuage de fumée de son cigare. Impassible, comme jadis Eugène de Ségur quand Sophie hurlait sa jalousie. La Castiglione apparaît, malgré l'opposition d'Eugénie, au bal des Tuileries. Vêtue en dame de cœur. A demi nue sous des voiles et des rubis. Les cheveux blonds lâchés jusqu'aux pieds. Sa

---

1. *Les Malheurs de Sophie,* préface.

mission ? Rallier la France pour confirmer la déclaration de guerre. L'homme est puni par où il pèche. La faiblesse amoureuse de l'empereur sera en partie responsable de la fin de l'empire.

Malgré la fureur d'Eugénie, c'est la déclaration de guerre. Napoléon III se brouille avec Victoria et le tsar. Le 30 avril 1859, l'empereur et les troupes françaises entrent à Gênes. Ce sont les batailles de Magenta et Solferino, gagnées de justesse grâce aux zouaves de Mac-Mahon. Le capitaine Colette, père de l'écrivain, y perdit sa jambe... et y gagna en compensation une croix, et « une petite perception de l'Yonne », à Saint-Sauveur-en-Puisaye où il rencontrera Sido. Magenta et Solferino sont les conséquences de la lutte italienne contre l'oppressante Autriche. Le traité de Villa-franca fait perdre au Piémont son espoir d'unité. Garibaldi déchaîne ses « chemises rouges ». Sophie endure plusieurs contra-riétés. Le 30 janvier 1859, le journal *L'Univers* est supprimé. Le curé d'Ars chez qui Sophie a envoyé Gaston — décidément, elle ne se fera jamais à sa cécité — a échoué :

« Je pourrais vous guérir, lui dit le curé d'Ars, mais Dieu vous aime mieux aveugle.

— Je reste aveugle ! » choisit Gaston.

Sabine les a quittés pour la Visitation. A Pâques 1858, elle avait laissé une lettre sur la table du salon, rue de Grenelle.

Lundi de Pâques, 5 avril 1858

Mon cher père, ma chère maman,

> *Je vous supplie en commençant de lire cette lettre jusqu'au bout et de vous souvenir avant tout que l'affection que vous devez avoir pour moi doit être chrétienne. J'ai bien prié Dieu afin qu'il vous fasse recevoir dans un grand esprit de foi la grande et bienheureuse nouvelle que je viens vous apporter et que je ne vous ai pas dite plus tôt pour vous éviter à tous les déchirements trop pénibles et trop prolongés : mon bon père, ma bien chère maman, bénissez Notre Seigneur, car il daigne m'appeler à lui, et j'entre à la Visitation.*
>
> *Ne croyez pas que ce soit un coup de tête ou un moment d'exaltation : ma vocation est sérieuse[1].*

Sophie n'éclate pas en sanglots comme pour Gaston. La colère la prend. Que s'est-il donc passé dans cette tête de vingt-neuf ans ? Jamais on n'a coupé Sabine du monde ou de ses charités ! Et M. Naudet avec qui elle s'entendait si bien ? Il n'a donc pas su la

---

1. *Sabine de Ségur, en religion sœur Jeanne Françoise*, A. de Ségur.

convaincre de renoncer au voile ? Seul, Eugène a vraiment de la peine, mêlée à une secrète joie qui ne demande qu'à se développer. Dieu prend un sens pour lui à travers la vocation de Sabine qu'il aime.

Sophie se sent dupée. Gaston est sûrement dans le coup ! Le curé d'Ars aussi ! Elle avait laissé Sabine entrer en retraite trois jours à la Visitation. Sabine en était sortie soulagée, semblait-il. Heureuse de se sentir libre à nouveau... et voilà le résultat ! La décision finale de ce lundi de Pâques ! Décision irrévocable. Sophie le sait. Elle donne alors, en pleurant, son consentement. Qu'elle entre au plus tôt ! Moins grande sera la déchirure. La date du 10 avril est fixée. Sophie prépare avec essoufflement le maigre trousseau de la postulante « six chemises de calicot, deux petits bonnets noirs, quelques bas, quelques mouchoirs et une robe de laine [1] ». On est loin des corbeilles de Nathalie, Henriette et de la préférée Olga...

Sa chambre, rue de Grenelle, est déserte. Sabine a tout donné aux pauvres. Même ses draps. Navrée, Sophie l'accompagne elle-même au couvent. Elle communie près d'elle... Sophie se souvient de détails qui la font frémir *a posteriori*. Elle avait découvert une discipline dans la chambre dévastée de Sabine. Un pauvre journal où il n'est question que d' « anéantissement », de « mortifications ». Les feuilles de laitues dont elle tentait de soulager ses jambes étaient enlevées. La souffrance, offerte... Sabine relayait sans cesse ses sœurs près de leurs bébés pour soulager leur fatigue. Sabine est une sainte, songe Sophie. Pardonnez-moi, Seigneur, de ne pas assez aimer ma petite sainte chérie. De n'avoir rien vu, rien voulu voir, rien compris. Sabine, plus humble que les humbles, plus humble que Gaston.

Le 21 août 1858, Sabine de Ségur prend l'habit. La veille, Sophie la trouve rayonnante, presque belle. Pourvu qu'elle n'ait pas froid, pas faim. Heureusement, la règle de Saint-François-de-Sales est humaine. Mère Marie Donat semble aimer Sabine comme sa fille. La cellule n'a rien à voir avec celle du séminaire de Saint-Sulpice. Elle est vaste, bien éclairée. Le lit a un baldaquin en bois et des rideaux de futaine pour conserver la chaleur.

Ce 21 août, Sabine est vêtue en mariée. Elle porte au corsage un admirable bouquet de fleurs blanches offert par sa mère. Très ému, Eugène lui donne le bras. Après la cérémonie, Sophie offrira à Olga le bouquet de la nouvelle épouse du Christ. Elle dira à Olga, retenue au loin, le nouveau nom de sa sœur : « Sœur Jeanne

---

1. *Sabine de Ségur, en religion sœur Jeanne Françoise,* A. de Ségur.

Françoise de Ségur ». Louis Veuillot est présent à la cérémonie. Gaston prononce un édifiant petit discours. La cérémonie n'a pas été longue. « Tout était fini à dix heures et demie. » Maman Ségur a prévu un déjeuner monstre dans « le grand parloir de Sainte-Chantal » prêté à la famille à cet effet. Le bon Woldémar est enchanté. Qu'est-ce qu'on mange bien dans les couvents catholiques occidentaux ! Sophie ramènera à Olga « deux pêches et des noisettes » de ce déjeuner. Elle console son chagrin en dévorant « le tas de melons délicieux, ouverts en quatre ». Henriette est la plus éprouvée, au bord d'une syncope. Elle a perdu sa jumelle. Elle a perdu son double. Gaston est ravi, Veuillot satisfait. Il l'écrit à Élise restée aux Nouettes avec Agnès et Luce.

« Je l'ai vue, cette Sabine, feu Sabine... Je l'ai vue sur le bord de sa fosse, en mariée, c'était une belle mariée (...). De l'autre côté de la grille, les yeux baissés, l'âme en l'air, très haut (...). Elle est très bien, en sœur Jeanne Françoise. Elle a l'air heureux, sans souci et recueillie [1]. »

Sophie dévorant cette tonne de melons impressionne Louis qui ajoute dans sa lettre : « Te vois-tu religieuse, et moi de l'autre côté, en face d'un melon ? »

La main du diable va frapper. Sabinette, la fille d'Henriette, la filleule de sœur Jeanne Françoise, meurt cette année-là. Elle a cinq ans. Sabine, Henriette, Sabinette, Blanche ou Rose ?

Qui est qui ? Qui a tué qui ?

Camille en littérature

La mort de Sabinette a effondré Sophie. Elle se tourne du côté des Fresneau. Elle ajoute une scène aux *Malheurs de Sophie*. Élisabeth se révèle excellente et dévouée. « Je vais te raconter un beau trait d'Élisabeth Fresneau », dit Mme de Réan pour humilier davantage Sophie. Henriette est inconsolable. La santé de Sophie flanche début avril 1859. Le cœur. Elle l'écrit à Olga : « J'avais mon rhumatisme au cœur... »

Gaston, sûr de rester aveugle, redouble d'activité. Il prêche à Saint-Roch, à la Madeleine, à Saint-Thomas. Il publie une brochure intitulée *Le Pape aux questions à l'ordre du jour*. Gaston dépasse sa mère en vente. 200 000 exemplaires ! Sophie fait un court séjour à Pau, chez Nathalie. Elle revoit surtout sa chère

---

1. Correspondance de Louis Veuillot, 1858.

Camille. Elle revient soulagée de ce voyage. Elle n'aime pas cette ville froide, le dérangement dans son écriture. Son « Cadichon » avance mal. A son âge et surtout quand on écrit, on n'est bien que chez soi. « A soixante ans, écrit-elle à Olga, on aime la monotonie de fait. » Elle est heureuse d'apprendre les heureuses couches de Marie. « Edgar a eu l'amabilité de m'envoyer une dépêche télégraphique », s'émerveille-t-elle. Une petite fille ! Valentine de Ségur Lamoignon. Edgar a pris le nom de « Lamoignon ». Il s'est fait adopter par son oncle de Ségur qui avait épousé une Lamoignon. Les intérêts du patrimoine familial sont satisfaits de cet arrangement.

Sophie, malgré son profond attachement à Camille, brûle de rentrer aux Nouettes. Elle est sur le point de monter dans le wagon quand une dépêche lui parvient et lui fait rebrousser chemin. Un début d'angine couenneuse cloue Madeleine au lit. La petite va mieux — Sophie a tremblé en songeant aux filles de Veuillot. Elle les emmène toutes les deux d'autorité aux Nouettes pour leur convalescence. Camille, non plus, n'allait pas très bien. Elles sont accompagnées d'une gouvernante « stupide ». Elle inspirera la fâcheuse Mme d'Embrun dans *Comédies et Proverbes*. Camille est de plus en plus pieuse. « Aurait-elle les mêmes dispositions que Sabine ? » « La pauvre Camille a eu la constance vertueuse d'aller tous les jours à la messe de huit heures pendant tout son séjour aux eaux. » Camille devient l'obsession littéraire de la comtesse de Ségur. Depuis *Les Petites Filles modèles*, Camille est le modèle idéal de petite fille. De jeune fille, de jeune femme. Sophie raffole de son modèle qui apparaît dans *Les Malheurs de Sophie, Les Bons Enfants, Les Vacances, Les Mémoires d'un âne*. On y apprend qu'elle est de plus « la plus jolie des enfants ». Dans son dernier roman, *Après la pluie, le beau temps* Sophie travaille encore au portrait de Camille :

> *Elle est très jolie, pleine de charme et de distinction (...). Elle est grande, mince, élancée, elle a l'embonpoint nécessaire pour être très bien, elle a des cheveux blond cendré, pas trop blonds, sur la limite du châtain clair, elle a de grands yeux bleu foncé, charmants, doux, vifs, intelligents ; des traits fins ; un teint charmant : légèrement coloré, de petits pieds, de petites mains blanches et fines, une tournure distinguée, enfin dans toute sa personne, il y a un charme, une grâce, une élégance qui en font une des plus charmantes femmes que j'aie jamais vues*[1].

---

1. *Après la pluie, le beau temps.*

Sophie est enchantée de ramener une telle perle aux Nouettes. Mais elle enrage de traîner la gouvernante idiote, au point de tomber malade de contrariété, aussitôt arrivée chez elle. « J'ai toussé comme un loup, j'ai retranspiré et je me suis mis un vésicatoire à six heures [1]. » Le sirop composé par les religieuses de la Visitation achève de la rétablir. Le 28 août 1859, un second bébé naît chez Anatole et Cécile, Marie-Thérèse. Sophie corrige *Les Vacances,* achève son « Cadichon ». *Les Vacances* développent sa haine des parvenus. L'étonnante famille Tourneboule y brade ses terres pour payer leurs dettes. M. de Rosbourg achète à bas prix le château des parvenus qui ont osé imiter les aristocrates. Est-ce l'achat de la terre de Livet, château voisin des Nouettes qu'Olga et Émile finiront par acquérir ? Sophie en est comblée. Elle verra plus que jamais sa fille et Jacquot, le petit-fils qui, insensiblement, prend une place essentielle dans le cœur de grand-mère Ségur. Il sera, dans ses romans, le pendant masculin de Camille en littérature.

Modifications

Le Second Empire correspond à une nouvelle aristocratie qu'est la haute finance. M. Mouchel s'installe à L'Aigle pour créer sa manufacture utilisant les eaux de la Risle. Georges Haussmann, énergique Alsacien, préfet de la Seine depuis 1853, transforme Paris en un vaste chantier. L'obsession des hygiénistes, dont Sophie, est le manque de « ventilation » du vieux Paris. Abattre l'ancien Paris pour un neuf est une attaque directe contre les virus mortels. La guerre du propre contre le sale est engagée.

L'équipe d'Haussmann travaille jour et nuit à la modification de la rue de Rivoli. Ce ne sont que tranchées, maisons éboulées, éventrations de ruelles à phtisie, à typhus, à choléra... Un viaduc de chemin de fer ceinture le boulevard Exelmans. Paris devient une métropole moderne. M. Mouchel trouve un nouveau système de mécanique. Haussmann ouvre la future avenue de l'Opéra. Sophie conçoit alors un roman qui raconterait le rêve ridicule de deux provinciaux obsédés par un Paris mythique. *Les Deux Nigauds...* Sophie déplore le projet de l'architecte Garnier au sujet de l'Opéra. Elle n'aime pas l'armature métallique de l'église Saint-Augustin. Elle critique le Grand Hôtel, boulevard des Capucines. Le décret de 1860 agrandit encore Paris. Passy, Grenelle, Mont-

---

1. Lettre à Olga, 1859.

martre, Auteuil, Vaugirard — villages où poussaient des vignes, paissaient des vaches — deviennent parisiens.

Gounod aussi a changé. La gloire est venue. Jusqu'en 1850, il n'avait guère composé que de la musique d'église. Son *Faust,* dont les premières notes étaient nées aux Nouettes, devient à la mode. Fini pour Gounod de vivre en petit chef de chant des écoles communales et inspecteur des orphéons ! Fini le temps où sa *Sapho,* malgré la défense de son amie Pauline Viardot, avait été un échec. La critique s'engoue de *Faust* qui sera à Gounod ce que Cadichon sera à Sophie.

Quelle constance faut-il à la comtesse de Ségur pour écrire, plus que jamais dérangée par les siens ! Eugène, maintenant, s'avise de tomber malade. Œdèmes, cirrhose, goutte... Quel poids sur l'énergie de Sophie, transformée en garde-malade ! Eugène se rend souvent en voiture à la Visitation. Sabine est la seule personne au monde qui lui apporte du réconfort. Une résignation chrétienne dont il était incapable. Sophie le soigne par devoir, mais sans tendresse. Elle se confie de plus en plus à Olga. Elle peut alors librement parler de l'amertume d'une vie conjugale. Après l'abandon, le dédain, son si long silence de femme vaincue, il y a maintenant le joug d'en soigner le responsable. Le don Juan, le tyran, l'indifférent est devenu un vieux malade.

> *(Ton père) ne peut presque pas marcher. La maladie fait des progrès ; je crains bien, l'année prochaine, ne pouvoir plus m'absenter comme d'habitude. Ainsi commencera la seconde partie de ma vie conjugale, interrompue par un entracte de quelques étés, ou même de quelques années* [1].

Maladie, fléau entre tous... il y a encore le décès d'un enfant dont Gaston s'occupait activement. « Le pauvre petit d'Esgrigny est mort. Son agonie a été affreuse et a duré quatre mois. Les pauvres parents sont au désespoir [2]. » Mort encore, mort toujours, celle-là, sans regret ! Début septembre 1859, Catherine Rostopchine, âgée de quatre-vingt-quatre ans, meurt à Voronovo. D'une glissade sur ses parquets cirés. Col de fémur brisé comme celui de la vieille Mme Mac Miche [3] ? Personne ne la pleure. Seul, Gaston a prié pour elle. Elle est enterrée seule, suivant son désir. André occupe en maître la terre de son père.

---

1. Lettre à Olga, 10 septembre 1859.
2. *Ibid.*
3. *Un bon petit diable.*

Le 24 septembre 1859, Méthol épouse la pieuse Josephine. Gaston conseille au couple, dont il bénit lui-même l'union : « Marchez toujours en présence de Dieu. Ne négligez pas la sainte communion qui empêche la dissipation et mettez Dieu avant tout [1]. »

Trois enfants naîtront de ce ménage. Les Méthol, parents et enfants, ne quitteront jamais Gaston ni les Ségur. Marie, puis Pierre et Joseph. Gaston, leur parrain, écrira en septembre 1873 aux parents : « Sont-ils toujours très bien dévoués au bon Dieu, à son amour, à son service [2]? »

Pierre Méthol entrera au séminaire comme « enfant de Saint-Vincent-de-Paul ». Henriette est proche d'une nouvelle couche. Camille est à nouveau malade. Madeleine l'a contaminée de son angine couenneuse, heureusement enrayée. Sophie enlève Camille du couvent d'Auteuil, la ramène rue de Grenelle pour mieux la soigner. Sophie a donc deux malades chez elle. Elle tremble pour Camille et ses crachements de sang. Ne meurs pas chère petite, oh non, pas toi! La dot de Marie de Reiset, entièrement versée, s'élève à 24 000 francs, « sans compter les bijoux et les diamants ». Olga, enceinte, va vers son terme. « Votre nombre toujours et rapidement croissant a dépassé mon courage », s'exclame grand-mère Ségur dans une de ses préfaces. L'achat de la terre de Livet, village à deux lieues à peine des Nouettes, est presque conclu. Sophie s'empresse d'en donner les détails positifs à Olga. Frère, sœur, belle-sœur s'y sont rendus, ont visité l'ensemble de cette terre. L'impression générale a été excellente :

« L'impression qu'Edgar, Marie et Nathalie ont rapporté de Livet, c'est que c'est une magnifique propriété, qui renferme les éléments d'une belle et charmante habitation, mais que tout y est à créer [3]. »

Corps principal solide, loti d'une tour. Arbres centenaires, bouleaux et chênes. Le parc est très beau, flanqué de bois touffus. Du salon, la vue sur la vallée est charmante. Quelle verdure délicieuse, Minette chérie, et ce ciel là-dessus, tout d'argent et d'azur! Tu seras heureuse, à Livet. Les étangs regorgent de poissons, la forêt de gibier. La ferme donne tant et plus du laitage et des produits de la basse-cour. « Vous y dépenserez peu », conclut Sophie pratique, au courant des soucis d'entretien d'une

---

1. Correspondance de Mgr de Ségur.
2. *Ibid.*
3. Lettre à Olga, 30 septembre 1859.

grande famille. « C'est Paris qui gruge », Sophie n'a pu visiter Livet, clouée, dans ce vilain Paris, « à cause de ton père ». Camille ne sera jamais un poids. Elle a envie de ruer. Écrire un livre méchant.

Une femme, un âne

Le thème des *Mémoires d'un âne* est sans doute le rassemblement vengeur du temps où elle était muette, avec sa ridicule ardoise. Son père — papa, ô papa — aimait les ânes. Il l'avait écrit au prince Tsitsianov. L'âne, l'animal qui a porté le Christ. Peau d'âne, âne d'or, métamorphose de la femme. Princesse ou âne, un seul et même malheur. Humiliation, femme-âne à qui on refuse l'instruction. L'émancipation. Qu'elle reste bête comme un âne ! Vouée aux écuries d'enfants et non aux royaumes de la haute finance. Ou encore, ânesse (la Castiglione, tant d'autres) hennissant aux auges des infidèles. Il faut devenir âne pour ruer et braire bien à son aise. A la fin de son roman, triomphante, la comtesse de Ségur revalorise totalement son âne (elle-même) dans sa dédicace à Henri de Ségur :

> *Lorsqu'on aura lu ce livre, au lieu de dire bête comme un âne, ignorant comme un âne, têtu comme un âne, on dira de l'esprit comme un âne, savant comme un âne, docile comme un âne*[1].

Il suffit de remplacer le mot « âne » par « femme » et on a la pensée de Mme de Ségur, au moment où elle achève ce livre féroce. Veuillot est ébloui à la lecture du livre, mais choqué par le thème.

> *Je ne me permettrai pas de pénétrer, même en papier, dans ce sanctuaire devenu écurie, ou dans cette écurie devenue sanctuaire où se parachèvent* Les Mémoires d'un âne. *Maman Ségur se faisant âne ! Dieu, qu'elle doit avoir de difficultés*[2].

Elle a déchaîné la meilleure fougue, sa pire vengeance, son grand galop. La permission de tout vomir, tout casser, ronger la longe. S'échapper ! Louis Hachette a frémi, exigé qu'au moins Cadichon se repentisse. Elle s'irrite avec violence. « Faire un âne chrétien ? Quelle horreur ! »

---

1. *Mémoire d'un âne,* préface à Henri de Ségur.
2. Lettre de Louis Veuillot à Olga de Pitray, 14 décembre 1858.

On ne peut donc pas la laisser tranquille, Hachette et tous les autres ? La bande de chrétiens qui l'entourent et l'énervent du matin au soir ? Ce Gaston, n'a-t-il pas fait le vœu ridicule de rester aveugle même si elle en crève ? Et Sabine qui rit aux anges ? Partie ! Envolée ! Ne lui ont-ils pas mis, ces catholiques, sa méchante vieille mère en premier, le mors entre les dents ? Elle qui aimait tant à mordre, rire et dévorer ? Racheter Cadichon ? Quel despote, ce catholique de Hachette ! Rien à faire. Hachette refuse d'imprimer la première conclusion, celle de la haine et la vengeance de Cadichon. La rage au cœur, Sophie est obligée d'écrire la scène du remords. Sa plume va de travers. Elle a « son rhumatisme au cœur ». Et cet Eugène qui l'appelle la nuit parce que maintenant il souffre ! Venait-il, quand elle gémissait, seule dans sa migraine ? C'était si bien que son âne noyât Auguste, tuât et mordît tout le monde ! Vive son Cadichon *à elle,* crapule, assassin, incendiaire. Capable d'une extermination générale. Enfants, hommes, femmes, vieillards, maris, à bas les maris, riches, pauvres, oui, même les pauvres... Quelle horreur, les pauvres ! Ils puent, ils ont sur la tête « des petites puces blanches qui ne sautent pas [1] ». Jubilation de tout détruire, y compris le marché de la ville de L'Aigle, le château de la Herpinière, les Nouettes, dont Cadichon sait si bien briser les barrières, devant lesquelles passent les vaincus de l'histoire. Les barrières, que les petites filles n'ont pas le droit de franchir. D'un bond, Cadichon a tout brisé, vive Cadichon. Plaisir suprême : il a envie de précipiter, d'un pont pourri, les enfants au fond d'une rivière. QUEL BON DÉBARRAS, LA NOYADE DE TOUS CES ENFANTS !!!!!

« *Pauvre Blaise* » ou l'enfant saint

Sophie a remis Cadichon remanié. Elle est en pleine écriture de *Pauvre Blaise.* Hélas ! il faut redevenir bonne. Quel ennui ! Heureusement, elle distille à volonté le venin de Jules de Trénilly [2]. Elle intitule ce nouveau roman « Le triomphe du pauvre Blaise ». Nathalie est prise de violents maux de tête. Olga est très malade, en milieu de grossesse, depuis le 23 octobre 1859. Il y a les caisses qu'elle remplit elle-même de cadeaux pour les étrennes des petits. Livet exige de gros travaux. Changer les papiers du salon, certains parquets trop anciens. Agrandir, refaire et consolider l'escalier central, ramoner certaines cheminées, etc. Veuillot, désormais, est

---

1. *Les Mémoires d'un âne.*
2. *Pauvre Blaise.*

beaucoup invité à Livet. Il correspond de plus en plus avec Olga. Il signe ses lettres, « Fra Luigi ». Sophie est absorbée, outre la composition de *Pauvre Blaise,* par ses plantations d'arbres. Elle se remet à lire la presse. Le dernier article de Montalembert. Celui où Veuillot se moque de Voltaire. L'agitation s'empare d'elle. Elle déteste les illustrations des *Mémoires d'un âne.* Elle accuse les négligences du honni Lahure. L'attaque de paralysie du comte de Ségur, diagnostiquée par le Dr Tessier, l'angoisse. Les yeux de Sophie, à son tour, s'affaiblissent. Ses yeux ? Mais c'est son instrument de travail ! « Mon œil est en trop mauvais état ; il est rouge et douloureux. Quand j'écris, cet œil brûle et s'injecte tant qu'il peut [1]. » Tous ont des problèmes oculaires. Qu'a donc fait cet Eugène pour les avoir obligés, les uns et les autres, à se soigner au mercure ? Sophie ne relâche pas un jour son rythme d'écrivain, d'épistolière, de chef de tribu. Elle soigne cet œil d'un collyre de sa composition. « J'écris, je range, je sors, je lis, je passe mes journées sans ennui comme sans plaisir [2]. »

Quel plaisir y a-t-il, en effet, à se dévouer à l'impotent Eugène ? Endurer ses propres maux, trembler pour les couches de ses filles ? Penser à Sabinette en terre ? Aux vœux définitifs de Sabine, en décembre dernier ? Enrager contre ses imprimeurs, ses éditeurs qui tiquent, ces animaux, à augmenter ses à-valoir malgré le succès éclatant de ses ventes ?

Elle jette parfois à Eugène le méprisant regard des Mandchous devant le cheval vaincu, bon à abattre. « Ton père ne va pas bien ; ses sangsues d'avant-hier lui ont fait plus de mal que de bien, ce matin, il craignait de ne pas pouvoir marcher ; son engourdissement et sa faiblesse sont pis que jamais [3]. »

Elle a écrit la moitié de *Pauvre Blaise.* Elle réclame à cor et à cri ses manuscrits que l'imprimerie tarde à lui rendre. Elle peste contre les pages manquantes. Elle se demande pourquoi on fait un tel procès à Flaubert pour une histoire de froissement de dentelles sur une peau nue ! Par contre, elle refuse de lire *Les Fleurs du mal* d'un certain Baudelaire. Elle lui trouve une tête de malade mental. Elle ne comprend guère pourquoi l'empereur a signé des plébiscites à Nice et en Savoie. Paul de Malaret est nommé ambassadeur au Hanovre. Nouveau départ de Nathalie et des enfants. Camille reste à Paris pour sa première communion et sa convalescence chez Sophie. L'état de santé d'Eugène empire. Sophie fait venir auprès

---

1. Lettre à Olga, Les Nouettes, 4 novembre 1859.
2. Lettre à Olga, 6 avril 1860.
3. Lettre à Olga, 10 avril 1860.

de lui le Dr Royer. Le comte de Ségur « éprouve un tel engourdissement et un tel embarras de la tête, qu'il craint une attaque d'apoplexie immédiate[1] ». M. Naudet va rejoindre les Pitray à Livet pour les aider à décorer leur demeure. Gaston « marche à Bordeaux d'honneur en honneur ». Sophie ne peut bouger de Paris pour les couches d'Olga. Au tour de Sabine d'être malade. Elle passe trois jours auprès « de la fille qui s'est volontairement chargée d'une lourde croix ». Le 25 avril Olga accouche d'une petite Marguerite qu'elle boude aussitôt. Après Jacques, Jeanne, elle ne voulait plus de grossesses à répétition. Elle redoute ses affreux accouchements. Elle n'a pas la fibre maternelle de Sophie. Elle écrit une lettre piquante à son père sur « la grande bouche et les petits yeux » de ce bébé. Sophie de répliquer vivement : « Tu t'es trompée en parlant à ton père de Marguerite ; car au lieu de mettre ses grands yeux et sa petite bouche, tu as mis, ses petits yeux et sa grande bouche, prends garde de retomber dans de pareilles négligences de style. Fi de l'oiseau qui salit son nid[2] ! »

Les nouvelles du Hanovre ne sont pas bonnes. Nathalie crache du sang. Elle semble atteinte de tuberculose. Camille aussi. Sophie n'a qu'une hâte : rejoindre ses Nouettes pour écrire, encore écrire. Revoir Olga, Jacquot et Jeanneton. Faire embellir sa chapelle où elle prie jusqu'à trois fois par jour. Ses nouveaux domestiques parisiens la volent, l'agacent, sont négligents. Début juin, l'état de Nathalie s'améliore sensiblement. Son installation de femme d'ambassadeur, comme toujours, est confortable. La ville dotée d'un « parc superbe » où les enfants ne manquent pas de promenades avec leur bonne. Sophie envoie à ses filles une recette, « nouvelle et facile méthode de faire le beurre sans l'aide de personne ». Vivement ses Nouettes car, écrit-elle à ses filles, « j'ai des inquiétudes pour mes sapins ».

Pauvre Blaise est enfin terminé. Nathalie en a lu le premier jet. Elle trouve « Blaise trop parfait ». Sophie passe ses nuits à corriger les épreuves. La journée est prise par les soins à Eugène, puis à Camille « toussant et crachant (...). Le docteur Tessier lui a trouvé le poumon gauche très fatigué ». Sophie la soigne ainsi : « Sulfur 2 000e dilution pendant huit jours, sodium 5 000e dilution, les huit autres jours, une tasse de lait matin et soir dans son lit, de la bière pour boisson, du repos. Tu vois à quel point je suis dérangée[3]. »

---

1. Lettre à Olga, 10 avril 1860.
2. Lettre à Olga, 30 avril 1860.
3. Lettre à Olga, 30 novembre 1860.

Camille se soucie pour sa communion. Pourra-t-elle se traîner à l'église dans les jours qui viennent ? La fièvre ne la quitte pas encore. Sabine se charge de simplifier l'organisation. Camille communiera à l'heure romantique de minuit, dans la chapelle de Gaston. Sabine fait quotidiennement à Camille une petite instruction « d'une heure », pour ne pas la fatiguer. Sophie, bien sûr, l'accompagne chaque fois à la Visitation. Ce remue-ménage lui laisse « un peu de temps pour écrire ». *Pauvre Blaise* est enfin achevé, corrigé, prêt pour l'imprimerie. Le 8 décembre 1858, lors des vœux définitifs de Sabine, Sophie avait eu l'idée d'écrire l'histoire d'un enfant saint. Sans cette cérémonie, elle en serait restée à la furie de Cadichon.

Dès le parloir, Eugène se met à pleurer devant le portrait de Sabine, sœur Jeanne Françoise, exécuté par une ancienne postulante. La supérieure offre ce portrait à la famille présente, sauf à Henriette au bord d'un nouvel accouchement. Gaston, « revêtu d'une chasuble faite dans la robe de mariée de la prise d'habit[1] », dit la messe. Assis près de la grille, il engage avec sa sœur le dialogue des vœux. Sabine les prononcent avec une grave émotion. Elle reçoit des mains de Gaston le ruban noir, glissé au cou, et le voile noir. Sabine s'étend alors à terre, sur le drap mortuaire, tandis que les sœurs psalmodient le chant funéraire qui mène à la vie éternelle.

Eugène pleure, ne peut plus retenir l'émotion d'un grand vide. Est-ce l'enterrement de sa fille préférée ? De retour à la maison, il passe de longues heures à contempler ce portrait. Sophie crispe ses mâchoires. Elle aussi a eu envie de pleurer devant ses deux enfants. Des saints, oui, des saints... « Je te reçois en Jésus-Christ », a dit Gaston à Sabine qui jurait fidélité et amour. Ces enfants-là rachètent tous les autres, toutes ses fautes. Mettre sa plume au service d'un thème meilleur que le précédent. Vaincre l'esprit de mort. Créer un enfant saint Blaise, Blaise, vainqueur du démon ? de tous les démons ? de tous les « Cadichon » quand ils deviennent fous de haine ?

« *Pauvre Blaise* »

Blaise est né au plus bas de l'échelle sociale. Il a onze ans quand commence le récit. Il est le fils du portier de l'orgueilleux comte de

---

1. *La Comtesse de Ségur et les siens*, M. de Hédouville.

Trénilly. Pauvre Blaise est aussitôt martyrisé, rudoyé, humilié par le fils du comte, Jules de Trénilly. Le comte prend injustement parti pour son fils. Blaise va lutter pied à pied pour sauver l'âme du comte et de Jules, ses deux bourreaux. Blaise, fort dans sa sainteté, aux sentiments aussi « élevés que ceux d'un prince », grâce à la contemplation intérieure du Christ. A travers l'image des fours allumés, la nuit, sur le bord d'une route. Ces « gerbes d'étincelles », Blaise les allumera sous forme de remords dans le cerveau déchiré de son ennemi. Jules, hanté par l'implacable rédemption. Blaise, dont Jules et le comte avaient essayé de détruire l'âme, triomphe. Plus éblouissant qu'une foudre, Blaise anéantit le mal par le feu de sa foi.

« Les Bons Enfants »

Nathalie a pu assister à la communion de Camille. Sophie s'est imprégnée d'une Camille affûtée en cristal précieux. Bien en accord avec son Blaise. Une Camille si recueillie, si pieuse qu'elle la remodèle, inlassable, pour son prochain livre. Le titre ? *Les Bons Enfants*. Elle n'ose pas l'intituler « Camille ». Il y a déjà eu ses « petites filles ». Attention à la jalousie des cousins et cousines. Elle écrira un chapitre où Camille portera une bannière d'or. Y seront inscrits son prénom et sa fonction, dont elle ne se rassasie jamais. « Camille (...). La meilleure de toutes. » La famille est rassemblée dans la chapelle de Gaston. A minuit, il donne l'hostie à Camille, bouleversée sous son voile. Il y a Anatole dont le beaupère, M. Cuvelier, est mourant. Cécile, Edgar, Olga, Marie, Nathalie, Pierre, Marie-Thérèse. « Mes bons enfants », songe Sophie en regardant les uns et les autres. Woldémar, pour une fois, ne mangera guère, « très souffrant du foie et de l'estomac ». Eugène fait pitié, assis dans la petite pièce très encombrée. Ont été invités, Méthol, sa femme, l'abbé Diringer.

Cette année 1861 commence par les ennuis de santé de l'impératrice. Depuis plusieurs mois, Eugénie a une dépression. Napoléon la trompe plus que jamais. Eugénie est devenue « maigre, pâle et triste à pleurer[1] ». Les affaires de Veuillot vont plutôt mieux. Persigny, « malgré son athéisme, lui a rendu tous ses papiers[2] ». Eugène a du mal à parler, à retrouver le fil de sa mémoire. A Saint-

---

1. Lettre à Olga, 28 décembre 1860.
2. *Ibid.*

Pétersbourg, la vieille tante Anna Tolstoï meurt en janvier, d'une hydropisie de la poitrine.

La dépression de la catholique impératrice n'est pas seulement due aux infidélités conjugales. La politique de l'empire est devenue nettement anticléricale. Le 1er mars 1861, Napoléon III prononce un discours franchement hostile à l'Église. Il attaque les conférences de Saint-Vincent-de-Paul. Persigny se réjouit d'en véhiculer les circulaires officielles.

L'empire est tout entier impliqué dans la finance. L'argent est roi, c'est le règne des banquiers Fould et Pereire. L'élargissement des pouvoirs financiers au corps législatif. Les ministres s'en mettent plein la poche, occupent les plus beaux hôtels de Paris. L'exclusion et la haine du pauvre sont à leur comble. On assiste à la fondation d'une série de journaux matérialistes dont *Le Temps,* ennemi de Veuillot.

Le succès des livres de Sophie vient-il aussi d'un sursaut de la foi ? La religion trouve-t-elle une place quand l'argent est devenu l'unique et vulgaire idole ? Sophie lutte à sa manière contre le matérialisme. L'argent pour elle n'est jamais l'objet d'une tractation immobilière, à la Fould et Cie. Il a pour but ses charités et les siens.

Veuillot est proscrit du journalisme, malgré les miettes lâchées par Persigny. Il fourbit alors sa plume en polémiste. Il rédige *Parfums de Rome, Les Odeurs de Paris,* succédant à *Çà et là.* Sans parler d'une immense correspondance. Il souffre cependant de la suppression de *L'Univers. Les Odeurs de Paris* se moquent de la construction de l'Opéra. La vulgarité de ce régime qui se veut fastueux. L'empire bourgeois a déjà entamé sa chute. Veuillot fustige, à bon escient, le désastreux accord de l'Angleterre et de l'Espagne en faveur d'une intervention au Mexique. Dès le mois de janvier 1861, Sophie a une nouvelle tête de Turc. Le postier de L'Aigle.

« Le scélérat M. Ir(?) recommence sa persécution. » Elle se met à honnir cet agent des Postes, avec la même obstination qu'elle déteste l'infortuné Lahure. Ce postier lui égare ses courriers, les épreuves de ses précieux manuscrits. *Pauvre Blaise* étant retenu à la poste, elle s'y précipite. M. Ir refuse de donner le paquet. Il ne connaît ni ne reconnaît la comtesse de Ségur. Qu'elle lui prouve son identité et il donnera le colis ! Or, il la connaît depuis des années. Elle fait à son persécuteur « une scène qui la met au bord d'une apoplexie ». De rage, elle jette toute une pile de lettres à la corbeille. Elle est prête à souffleter le malheureux. Il faut l'intervention du chef de service. On finit par remettre à la bouillonnante comtesse son colis.

Elle est en train d'achever *Les Bons Enfants*. Elle l'a intitulé d'abord, par amitié et clin d'œil à Veuillot, « Ça et là des enfants ». « Le titre est ambitieux, car il est imité d'un livre fait par un grand talent, un grand esprit, un grand cœur[1]. » Camille est repartie avec sa mère au Hanovre. Par douce mortification, « elle a refusé d'aller à deux matinées du jour de l'an des princesses à cause de sa première communion si récente[2] ». Sophie a travaillé sans relâche. Elle est fatiguée. Ses *Bons Enfants* marquent quelques signes de relâchement. Le livre est inégal, « les enfants » se racontent des histoires sur la pelouse (des Nouettes?). On revient trop au merveilleux. Le conte dans le conte. Sophie est affaiblie par le surmenage familial et littéraire. Elle lance un dernier clin d'œil de Sophie à Sophie. Sa prochaine, qu'elle aime comme elle-même :

« Il faut avouer que Sophie est bonne fille.

— Elle s'emporte quelquefois, mais cela ne dure pas.

— Elle a été très patiente.

— Une bonne figure riante et sans malice.

— Voyez comme Sophie est modeste... Sans orgueil du tout[3]. »

En 1861, Sophie a déjà seize petits-enfants. On comprend mieux sa fatigue en lisant la dédicace des *Bons Enfants :*

À

MES PETITS-ENFANTS
Pierre, Henri, Marie-Thérèse de Ségur,
Valentine, Louis de Ségur,
Camille, Madeleine, Louis, Gaston de Malaret,
Élisabeth, Henriette, Armand Fresneau,
Jacques, Jeanne, Marguerite, Paul de Pitray,

Je voulais, mes chers petits-enfants, que chacun de vous eût son nom en tête de mes ouvrages, mais votre nombre, toujours et rapidement croissant, a dépassé mon courage, et je vous réunis tous en une seule dédicace, qui sera, je l'espère, pas la dernière, quoique tous les ans je perde une année de vie, comme dirait le bon M. de la Palisse. Encore un peu de temps, et je garderai le silence, pour cacher au public les infirmités de mon esprit ; vous en serez les seuls et chers petits confidents.

Votre grand-mère,

Comtesse de Ségur
née Rostopchine.

---

1. Lettre à Olga, 2 janvier 1861.
2. *Ibid.*
3. *Les Bons Enfants.*

« Les Deux Nigauds »

Sophie, tout à coup, reprend une grande vitalité de plume. Dans la foulée de ses bons enfants, elle enchaîne avec l'histoire de deux nigauds ou son roman comique. Il est publié en 1862. Il est dédicacé au petit-fils le plus provincial, Armand Fresneau. Elle le félicite de préférer la campagne à Paris.

Sophie développe un thème qui l'obsède depuis son mariage. L'horreur de vivre à Paris. Ses deux héros, Simplicie et Innocent Gargilier, ont onze et douze ans. Enfants d'un gros propriétaire normand, riche et bon bourgeois, Simplicie et Innocent mènent une vie d'enfer à leurs parents. Bouderies, pleurnicheries sans répit. Le but ? les envoyer visiter la merveille entre toutes : Paris.

Lassés de leur sotte obstination, M. et Mme Gargilier consentent à les envoyer vivre leur rêve. Innocent entrera en pension, chez « Les Jeunes Savants », près du Luxembourg. Simplicie ira chez sa tante, Mme Bonbeck. Prudence, la fidèle bonne bretonne, les accompagnera, maudissant ce voyage.

Affreux voyage, en effet. Dès la diligence, les deux nigauds sont punis. Un chien du nom de Chérimignon, mal élevé par sa maîtresse, Mme Courtemiche, leur vole leur rôti. Deux Polonais, Cozrgrbrelewski (dit Coz) et Boginski, jettent par la fenêtre Mme Courtemiche et son chien. Prudence, terrorisée par le chemin de fer, ne se sépare plus de ses deux Polonais. Heureusement, ils sont honnêtes et bons quoique parfaitement ridicules. Ils sont pensionnés par l'État de « un franc cinquante centimes par jour ». Ils ont tué un tas de Russes à Ostrolenska, en 1830. L'étrange cortège débarque chez Mme Bonbeck, qui ne les a pas même attendus à la gare. Mme Bonbeck vit avec sa bonne, Croquemitaine la souillon, un chien, dit l'amour des chiens, un chat, l'amour des chats. La tante commence par crier, rire, injurier les deux nigauds. Elle assomme à coups de fouet son chien et son chat. Les deux Polonais l'amusent. Elle les adopte, leur offre chambre et couvert. Boginski est musicien, accordeur d'instruments, compositeur. Mme Bonbeck adore gratter sur son violon. Elle soumet Boginski au supplice de l'accompagner au piano. L'ensemble est affreux. Mme Bonbeck est généreuse, quoique coléreuse jusqu'à la folie. Simplicie l'irrite aussitôt. Elle la rudoie, la claque. Innocent entre en pension. Le premier jour, ses camarades le torturent. Pendant des semaines, il est « chahuté, jusqu'au danger réel ». On le « presse » contre un mur, (« une poussée à Gargilier ! »), on essaye de le noyer dans la piscine... (« une passade à Gargilier ! »)

Simplicie ne mène pas, de son côté, une vie plus heureuse. Sa tante la roue de coups dans une crise de colère. Elle se réfugie avec Prudence, également soufflettée par la violente Bonbeck, chez ses amies de la campagne, Mlles de Roubier (de Ségur), rue de Grenelle. Mme de Roubier (Sophie de Ségur) lui fait le plus grand sermon de sa vie. Elle la loge, rue de Grenelle, avec sa bonne et Coz, dans un petit appartement attenant à ses salons. « Occupé par la femme de chambre en congé. » Elle lui fait comprendre que le faubourg Saint-Germain ne mélange pas aisément les genres. Après d'autres péripéties pittoresques en diable, les deux nigauds se repentent. Ils redeviennent de radieux et apaisés Normands. M. Gargilier fait grâce. Il accueille ses définitifs provinciaux ainsi que les deux Polonais. Coz épousera l'excellente Prudence qui n'a rien à envier à Bécassine. Mme Bonbeck mourra d'une apoplexie suite à une violente colère. « J'essaye d'être bonne, mais cela m'irrite trop », dira-t-elle. Mme Bonbeck, est-ce Sophie, comtesse de Ségur, qui ose, sans plus se dissimuler dans un âne, décrire une vieille femme de soixante ans qui jure, tonne, gifle, boxe et donne des coups de pied ?

« La Sœur de Gribouille »

La comtesse de Ségur a plus d'un tour dans son sac. On la croit épuisée, lassée de cet excès d'enfants et de livres. A peine posé le dernier point des *Deux Nigauds,* elle commence, à grand train, un de ses grands livres, *La Sœur de Gribouille.* Tragédie loin de l'enfance, récit à la Maupassant. Elle en a puisé l'idée dans *La Sœur de Jocrisse.* Elle s'en excuse auprès des auteurs, MM. Duvert, Varner et Lausanne, dans un avertissement pour ses lecteurs.

> *L'idée première de ce livre m'a été donnée par un ancien souvenir d'une des plus charmantes et spirituelles bêtises qui aient été jouées sur la scène :* La Sœur de Jocrisse. *Je me suis permis d'y emprunter deux ou trois paroles ou situations plaisantes que j'ai développées au profit de mes jeunes lecteurs ; la plus importante est l'inimitié de Gribouille contre le perroquet. J'espère que les auteurs me pardonneront ce demi-plagiat ; Gribouille et Jocrisse étant jumeaux, mon Gribouille a imité presque involontairement son plaisant et inimitable prédécesseur.*

Le livre est dédicacé à Valentine de Ségur Lamoignon, fille d'Edgar. Sophie approfondit le thème de *Pauvre Blaise*. La sainteté chez un être très jeune, Gribouille, passe à travers le dur chemin de l'asservissement. L'anéantissement, le sacrifice de sa vie... Influence de Sabine? Gribouille « froissé » comme un mouchoir? A la différence de Blaise, Gribouille est un simplet. Effet comique de ses déchirantes sottises? Sa sœur, Caroline, est couturière de son état. Après la mort de leur mère, elle devient bonne à tout faire chez les bourgeois de la ville (L'Aigle?), les Delmis. M. Delmis est le maire de cette ville. Caroline doit assurer la subsistance de ce pauvre frère. M. Delmis consent à admettre Gribouille chez lui. Un simple d'esprit, une servante. On ne peut guère descendre plus bas dans l'échelle sociale du Second Empire. Chez les Delmis, il y a un perroquet, Jacquot. Gribouille (Sophie Rostopchine) ne peut s'empêcher de l'étrangler. Par amour pour sa sœur, Gribouille assomme à moitié une amie de Mme Delmis qui en dit pis que pendre. Mme Denis garderait bien Caroline, qu'elle fait trimer du matin au soir, « à condition qu'elle place Gribouille dans un établissement de charité ». Les larmes aux yeux, le frère et la sœur refusent de se séparer. Ils sont chassés. Heureusement, ils ont trois amis, M. Delmis, le bon curé et le beau brigadier. Caroline reprend son état de couturière. Un bandit, Michel, amant de Rose, l'ex-bonne des Delmis, veut assassiner Caroline pour voler ses petites économies. Le brigadier passe la nuit dans la maison à attendre l'assassin. Il est accompagné de Gribouille qui se jette devant le coup de feu destiné au brigadier. Il lui fait jurer, avant de mourir, d'épouser sa sœur. La sœur de Gribouille. *La Sœur de Gribouille* se moque des petits bourgeois de province. Mme Delmis, sorte de « muse du département », se donne beaucoup de ridicule pour paraître la plus belle. Il y a aussi « les méchantes langues », « les bonnes amies » de Mme Delmis. Gribouille, le saint. Celui qui donne sa vie pour sauver celle d'un ami. Gribouille, soumis, de ce fait, à l'un des plus grands commandements des Évangiles. La mort de Gribouille est un morceau d'anthologie d'une grande émotion. Pourtant Sophie s'était réjouie de le tuer, d'en débarrasser le ménage de Caroline! Quel encombrement, un débile chez soi! Sophie aime l'ordre. Une mort utile y participe, d'autant plus que Gribouille ira au paradis...

L'année où Sophie écrit ce livre, des persécutions religieuses éclaboussent Gaston. La Société de Saint-Vincent-de-Paul a grand mal à se maintenir. « On pourchasse les missions des faubourgs (fondées par Gaston). Saint-Vincent-de-Paul n'existe plus. On commence une croisade contre les frères de l'enseignement des prêtres et religieux[1]... » Veuillot a envoyé à Sophie son livre *Parfums de Rome*. Elle l'estime comme de « la haute poésie chrétienne ». Elle s'indigne : le premier vicaire de Sainte-Clotilde est arbitrairement changé. L'abbé Cognat le remplace. « On commence à parler de la suppression du traitement des évêques. (...) On a déjà émis la prétention de l'État propriétaire des églises[2]. » Tout cela, décidément, est de la faute des Anglais « qui souhaitent faire évacuer les Français de la Syrie et de Rome ». Elle revient à son anglophobie : « l'Anglais, ça ne va pas avec le Français. (...) Si jamais je les rencontre. (...) Que je puisse leur frotter les épaules. (...) Laissons le bon Dieu leur donner une lessive dans leurs Indes[3]... »

Testament

Janvier 1862, Eugène a eu une attaque de phlébite. Sophie, lucide, prévoit son veuvage. « La paralysie complète semble inévitable avec le temps ! ce sera terrible et le chagrin abrégera ses jours[4]. » Eugène est résigné. Le 20 novembre 1862, il écrit son testament. L'influence de Sabine a-t-elle joué pour qu'on y trouve une trace de remords de sa conduite passée avec sa femme ? « Je demande pardon à Dieu et aux hommes de toutes les fautes que j'ai commises et particulièrement à ma femme et à mes enfants des peines que j'ai pu leur faire et des mauvais exemples que j'ai pu leur donner[5]. »

Il est aussi très attaché à Camille et à Madeleine, au point de leur léguer « une forte portion (...) pour aider à les doter ». Il lègue à Gaston, « la montre d'or à répétition » que lui avait offert le comte Fédor Vassilievitch Rostopchine, le jour de son mariage. Nathalie aura « le portrait à l'huile de ma mère ». Il souhaite des obsèques simples. Il réclame des prières « de mon cher bien-aimé fils Gaston et de ma chère et sainte fille Sabine. Gaston voudra bien dire pour moi une messe annuelle ».

Il se traîne encore une fois à ses réunions de conseils. La neurasthénie maintenant aggrave son mal. « Il pleure pour un rien », dit Sophie à Olga. Il suit les publications de sa femme, lit ses

---

1. Lettre à Olga, Paris, décembre 1861.
2. *Ibid.*
3. *Les Vacances.*
4. Lettre à Olga, 1862.
5. Testament, papier Ségur.

livres. S'intéresse-t-il aux émeutes anticléricales et antilégitimistes de ce mois de février 1862 menées par le journal *Le Siècle* ? « Il y a eu deux journées de petites émeutes rouges. On criait, " A bas les prêtres ! A bas Ségur d'Aguesseau ! " (...) On a voulu faire un charivari à ton oncle sous ses fenêtres ; la police l'a empêché[1]. » Émeutes qui correspondent aux dernières corrections de ses *Deux Nigauds*. « Demain, je recommencerai mes deux nigauds que ton père espérait voir très avancés. » Gribouille, parallèlement, est achevé. Elle songe à un troisième livre. Remettre la Russie en page. Une auberge. Un brave zouave. Un général russe (papa ?). Jacques et Paul, les fils d'Olga, en seraient les gracieux héros. Sophie en appelle à son ange. *L'Auberge de l'Ange Gardien*. Sans relâche, son écriture avance, son imagination se perfectionne. Au printemps, Eugène « est très souffrant et ennuyé depuis deux jours d'une inflammation des veines à la jambe gauche (...). Les veines sont fort engorgées et la jambe est très dure et tendue[2]. » Malgré le joli mois de mai, elle est donc clouée à Paris. Nathalie Narychkine tombe très malade. Sophie est surmenée entre les uns, les autres, l'œuvre est foudroyée à son tour. Le 1er janvier 1863, elle a réuni selon l'usage des étrennes tous les siens. Elle gémit et se tord sur son lit. Gaston se demande même s'il faut l'administrer. Il s'agit d'une occlusion intestinale. A-t-elle abusé des bonnes choses dont elle avait couvert la table du réveillon ? Le dernier d'Eugène ? Elle mettra plusieurs heures à émerger du pire. Sa santé reste ébranlée plusieurs jours. Pourtant, elle a hâte de perfectionner ses nouveaux héros. Ils hantent son « auberge ». Ils se nomment Moutier, Elfy, Mme Blidot, Torchonnet, Jacques et Paul. Panacée de sa création : *Le Général Dourakine*. Décidément, mon Dourakine mérite un livre à part entière, songe-t-elle. Il fera suite à *L'Auberge de l'Ange Gardien*. Il y a encore les épreuves de Gribouille à revoir. Elle se recouche. Diarrhées et vomissements la reprennent. Le comte de Ségur ne vaut guère mieux... Qu'importe ! Olga est mariée.

Prions les âmes du purgatoires.

Deux décès ou le cycle slave

Elle se traîne à sa table de travail. Le besoin d'écrire est plus impérieux que ses maux et l'agonie du comte. Dourakine l'habite si fort qu'elle en tremble. Elle a bien cru mourir ce 1er janvier. Des

1. Lettre à Olga, 27 février 1862.
2. Lettre à Olga, 4 mai 1862.

535

images traversaient sa fièvre et ses cris. Des images anciennes, ineffaçables. La Russie avait déboulé, précieuses couches enfouies. Pendant qu'elle se tordait sur son lit, ses mains se crispaient sur la petite pièce russe. Elle avait balbutié en sa langue paternelle. Dourakine, papa, ô papa ! Voronovo, « près de Smolensk ». On avait cru à un franc délire. Mourir ou le parfait langage de l'enfance retrouvée. « Gromiline » ! a-t-elle soudain crié. Gaston a songé alors au saint viatique. En fait, elle venait de transposer le nom Voronovo en Gromiline et Rostopchine en Dourakine. Il est si difficile de partager la vie d'un écrivain...

Elle se repose de son « auberge » et de son vieux général, en écrivant chaque jour (en plus de ses autres enfants) à Jacques de Pitray. « Si papa se moque de toi et dit que tu es une poule mouillée, ne t'en oblige pas et pense, pour te consoler, que tu es un bon petit coq bien huppé[1]... » Elle revient ensuite à ses personnages, dont Jacques Dérigny, reflet de Jacques de Pitray.

Eugène part pour Méry « se reposer » chez son frère Adolphe, vicomte de Ségur Lamoignon. Sophie est à la fois soulagée et assombrie par ce départ. Certes, c'est pour elle, encore lasse, une grande fatigue en moins. Pourquoi va-t-il chez les siens au lieu d'achever bien doucement son été, sa vie, aux Nouettes, près d'elle ? Le vieux mépris Ségur s'est-il encore une fois emparé d'Eugène, détournant ses pas des Nouettes, de Sophie, vers Méry ? Juillet 1863 tremble de chaleur et de guêpes aux glycines. Sophie engage un nouveau cuisinier « habile, propre, honnête et excellent », pour remplacer Catherine la souillon. Louis Hachette reçoit la seconde partie de *L'Auberge de l'Ange Gardien*. Sophie lui demande des livres (les siens) pour offrir au collège Stanislas. Sophie achève son « auberge » et commence d'un seul coup *Le Général Dourakine*.

Le 15 juillet, Henri Raymond Eugène, comte de Ségur, meurt à Méry. L'attaque a été très violente. Eugène a eu le temps de voir le curé de Méry ; « Monsieur le curé, vous êtes mon meilleur médecin. » Il rend l'âme à quatre heures du matin.

Edgar et Anatole, prévenus par dépêche, arrivent le même jour. Ils se retrouvent sur le quai de la gare. Gaston les rejoint à neuf heures du soir. Sophie aussi a reçu sa dépêche. Sophie est veuve. Elle ne tremble pas. Pose sa plume, fait un minuscule bagage. Elle prend seule le train jusqu'à ce château qu'elle n'aime guère, où on

---

1. Lettre à Jacques de Pitray, 21 avril 1863.

l'a si peu invitée. Elle marche à pied, frêle et vêtue de noir, de la gare à la chambre d'Eugène. Elle écrit à Olga, assise au bureau, devant le corps rigide sur le grand lit.

> *C'est hier matin que ton pauvre père a cessé d'exister, sa mort a été parfaitement chrétienne et douce. La paralysie a gagné le larynx, et les poumons*[1].

Sophie va à l'enterrement, le 18 juillet. Eugène est inhumé dans le caveau des Ségur Lamoignon. Le lendemain, 19 juillet, Sophie a soixante-quatre ans. Eugène en avait tout juste soixante-cinq. Il y a quarante-quatre ans, ils s'épousaient. Fédor rutilait dans son costume de lieutenant-général du royaume de toutes les Russies. La comtesse de Ségur est désormais le chef de famille. « Une foule de souvenirs, écrit-elle à M. Hachette pour l'informer de son deuil, se bousculent dans ma tête... » Le bal, où Eugène l'avait remarquée. La robe de soie blanche et rose. Le rire et le baiser dérobé. L'enveloppe que son père lui avait donnée pour acheter les Nouettes. Les premières caresses d'Eugène. Sa beauté. Il se savait plus beau qu'elle. Les enfants. Renaud accroché à son cou. Toujours les enfants. Sont-ils la mort de l'amour ? Les héros littéraires de Sophie n'en auront pas plus de trois. Elle veut des couples amoureux. Des mariages d'amour. Des caresses d'amour. Caroline et le brigadier. Moutier et Elfy. Natasha et le prince Romane. Des amants mariés. Eux, les enfants de son œuvre Jacques et Paul, ses petits héros, ses garçons modèles sont « jolis comme des amours, polis comme des demoiselles, tranquilles comme des curés[2] ». Elle dédicace son « Auberge », à Louis et à Gaston de Malaret, pour rester juste. Elle offre *Le Général Dourakine* à Jeanne de Pitray. « Tes frères Jacques et Paul m'ont servi de modèles dans *L'Auberge de l'Ange Gardien* pour Jacques et Paul Dérigny. » Eugène en était alors au dernier mois de sa vie. Elle remanie la scène où Dourakine knoute violemment Torchonnet, coupable de vol. Eugène pleurait devant elle. Sans honte, libéré de tout, de tous. Il attendait, avec soulagement, la fin de sa dernière chaîne.

Sophie se ressaisit. Elle décide de déménager afin de réduire sa dépense. Dès le 21 juillet, elle en informe Olga. « Je cherche un pied-à-terre à Paris (...). Mon ménage va être bien simplifié. Je

---

1. Lettre à Olga, 17 juillet 1863.
2. *L'Auberge de l'Ange Gardien.*

n'aurai plus de dîners quotidiens de huit et dix personnes ; ni des éclairages de neuf ou dix lampes. » Elle distribue également aux enfants d'Olga les petits legs de leur grand-père. « Jacques a le petit panier en bronze vert (...). Jeanne a la petite locomotive, Marguerite a le petit pot à plomb. »

Sophie déménage donc du 91, rue de Grenelle, dans un petit entresol, au 53 de la même rue. Elle y reçoit la lettre de condoléance de Veuillot adressée à Olga.

Paris, 20 juillet 1863.

Madame et chère amie,

C'est par le journal que j'apprends la mort de votre père... Voilà la fin des choses de ce monde, la fin de toutes les joies, de toutes les fortunes, et plus certainement encore pour les chrétiens, la fin de toutes les peines.

La fin de toutes les joies ? Ni Sophie ni Olga ne s'attendent à la tragédie du mois de septembre. Veuillot, venu en villégiature au printemps, chez Olga, à Livet, s'était inquiété du teint pâle de Marguerite. La petite dernière des Pitray a l'air malade. Louis l'avait écrit à sa sœur Élise : « Les quatre enfants vont bien (...). Seule Marguerite a un certain air triste et souffreteux. J'ai été frappé de l'expression d'amour avec laquelle cette enfant regarde sa mère [1]... »

La petite Marguerite joua-t-elle avec le petit pot à plomb légué par son grand-père ? Le 14 septembre, elle meurt, probablement d'une maladie « bleue ». On l'enterre au petit cimetière d'Aube. Sophie est près d'Olga, anéantie. Émile frôle la même désolation. Jacques, Paul, Jeanne, ne cessent de pleurer. Marguerite, vêtue de satin, a été couchée dans un petit cercueil blanc dont la vue rend Olga presque folle. Le Dr Mazier est consterné. Il avait posé sa tête sur la poitrine au cœur trop agité, soudain ralenti. Hoché la tête devant le réseau de veines bleues, inquiétante géographie sur les mains, les pieds. La mère Leuffroy a composé une gerbe de roses, avec de tremblantes mains égarées. Henriette avait tellement sangloté, après l'enterrement de Sabinette ! Sophie entend, fulgurant, le cri d'un bébé qui se mourait dans ses bras, Renaud. Veuillot se souvient de la disparition de ses trois filles. Il tremble

---

1. Lettre à Élise Veuillot, 6 mai 1863.

malgré l'incessante prière. La sienne, celle de Gaston. Sabine, dans sa cellule. Trois jours après l'enterrement de Marguerite, Veuillot perd sa mère. Olga est déchirée doublement d'avoir boudé cette naissance. Olga se sent mourir. La petite est morte dans ses bras. Lucide, avec « ce regard d'amour » qui hantera sa mère jusqu'à la fin de sa vie.

Une croix blanche, en pierre, est plantée sur cette tombe sur laquelle on déchiffre toujours aussi aisément :

Ici repose
En Notre Seigneur Jésus-Christ
Notre chère petite-fille très innocente
Marguerite Simard de Pitray
Qui a vécu II ans, IX mois, III jours
et est entrée au ciel
le 14 septembre 1863

Sophie a trop de peine. Hachette est enthousiasmé par *Le Général Dourakine.* Peut-être un peu trop de coups de fouet ? Émile Templier prédit qu'il restera éternellement en littérature, flanqué du premier tome, *L'Auberge de l'Ange Gardien.* Quel ange ? a envie de crier Sophie. Son écriture se courbe, prend la forme d'un petit enfant bossu.

Comment redresser un bossu

« J'avais commencé un nouveau volume, il y a quinze jours ; la mort de ma pauvre petite Marguerite de Pitray a tout interrompu, me plongeant dans la tristesse [1]. » La mort de Marguerite, cependant, décourage provisoirement l'écrivain. Quel est ce nouveau volume ? Elle n'en sait trop rien encore. Reprise par le sens du devoir, elle doit montrer l'exemple de la fermeté. Surtout depuis qu'elle est chef de famille. Elle avait promis à Henriette une visite à Kermadio. Malgré la peine affreuse des habitants de Livet, Sophie, nantie d'un paquet de feuilles, de ses plumes et de son oreiller en caoutchouc, part en Bretagne.

« Je t'ai quittée trois semaines après ton malheur », écrit-elle à sa fille. De Kermadio, l'infatigable écrivain se rend à Bruxelles où Paul de Malaret est en poste. Elle y trouve « Camille et Madeleine fort embellies ». Elle multiplie ses lettres à Olga qui se retrouve enceinte. Sophie s'en était doutée d'après le courrier d'Olga au

---

1. Lettre à Louis Hachette, 27 septembre 1863.

sujet de certains malaises. Elle répond aussitôt : « (A son malheur) se joignent les souffrances et les tristesses d'une grossesse. » Sophie n'ose plus manier le mot « joie » à celui de grossesse. Tous les deuils se mélangent. Émile et Olga serrés et sanglotant des nuits et des jours. La tendresse d'Émile, hélas, porte trop de fruits ! Le malheur attire le malheur. Petit Paul, à son tour, tombe en octobre gravement malade. Sophie est déchirée, aussi inquiète que la mère. Abraham a demandé le sacrifice de l'enfant. Dieu ôtera-t-il le couteau à la dernière minute ?

« Si le bon Dieu te demande le sacrifice du petit Paul, j'irai te rejoindre tout de suite[1]. » Sophie va jusqu'à développer l'idée que Dieu a ses raisons de reprendre l'âme d'un enfant. Perdre un enfant est « d'après les lois naturelles un grand malheur (...) mais si nos enfants doivent en grandissant devenir des serviteurs infidèles, c'est qu'il (Dieu) les appelle à lui dans l'âge de l'innocence, c'est encore un effet de sa miséricorde et de son amour[2]. »

Que peut penser Olga d'un tel courrier ? Gaston, depuis octobre, ne cesse plus ses prédications. On le voit, on l'écoute, au Mans, à Versailles, à Poitiers. Le désespoir, quelle qu'en soit la cause — fût-il la perte de son enfant — est un effet de « notre ennemi commun », le démon. La certitude du royaume promis par le Christ doit, à jamais, ôter tout souci, toute angoisse. Les larmes doivent couler « doucement ». Marguerite nous attend dans ce ciel, qu'elle rachète pour nous.

Bruxelles, Sophie repart encore sur Kermadio. Elle continue à soutenir Olga qui supporte très mal sa grossesse. Elle craint de mettre au monde une petite fille, c'est-à-dire une future mère, crucifiée, à son tour, dans sa chair.

« Repousse les imaginations qui te terrifient et te désolent (...). Une fille sera peut-être l'orgueil et le bonheur de ta vie[3]. Petit Paul est sauvé. Dans cette Bretagne cinglée de pluie, râpeuse et belle, elle songe vraiment à écrire son livre : « Dieu merci, je vais me mettre tout de bon à écrire mon livre (...). Pourtant (...) je n'ai pas d'idées, je n'ai pas de plan (...). Je crains pour ma réputation[4]. »

Tout en concevant ce nouveau projet, elle corrige les épreuves du *Général Dourakine*. Elle ignore que Léon Tolstoï est en train d'achever *Guerre et Paix* où Rostopchine y sera si cruellement

---

1. Lettre à Olga, Bruxelles, 20 octobre 1863.
2. Lettre à Olga, Bruxelles, 21 octobre 1863.
3. Lettre à Olga, Kermadio, 30 octobre 1863.
4. Lettre à Olga, 2 novembre 1863.

décrit. Sophie s'émerveille sur les filles d'Henriette. L'intelligence de la petite Henriette, « la docilité d'agneau » d'Élisabeth. Toutes ces petites filles ont consolé la mère d'avoir enterré Sabinette. Vivent les petites filles ! Vive l'avenir ! Sophie tente de convaincre sa chère Minette. Une petite fille, quelle merveille ! Elle l'encourage dans sa grossesse à travers sa création littéraire : « Si tu as une fille, appelle-la Christine. Je fais une Christine charmante pour mon petit bossu[1]. »

Sophie est donc bien en train d'écrire l'histoire d'un bossu. En juin 1864, Olga accouche en effet d'une petite fille, Françoise. Veuillot écrit directement au bébé : « Salut à la mère et à l'enfant ! (...) Je te souhaite de beaux cheveux, de bonnes dents et des yeux clairs avec du velours à la surface et du feu dans le fond. (...) Moque-toi de tout sauf de Dieu... »

Émile de Pitray est nommé maire de Beaufai, village proche de Livet. Olga va un peu mieux. Elle se remet à chanter des romances de Nadaud. A écrire, pour se distraire, ses mauvais romans pour enfants. Elle a achevé *Gros Philéas* que Veuillot critique avec beaucoup de franchise. Il en profite pour faire l'éloge littéraire de la comtesse de Ségur :

> *Le grand défaut de l'ouvrage* (Gros Philéas) *est la composition. Elle est défectueuse, parce que le héros qui est « Philéas » n'y paraît que comme pièce ajoutée. (...) C'est maintenant que j'apprécie l'art prodigieux de maman Ségur, et je vois bien quels chefs-d'œuvre sont* Les Mémoires d'un âne, Les Malheurs de Sophie, Le Général Dourakine, *et les autres ; mais maman Ségur a commencé grand-mère, avec une expérience des choses de la vie et des greniers d'abondance dont nul don naturel ne peut tenir lieu[2].*

Olga donne à Hachette ce premier et médiocre ouvrage suivi, hélas, de beaucoup d'autres. Sophie a fini son « Petit Bossu » et a obtenu une avance de 3 000 francs ! Elle va pouvoir gâter tous les siens ! Et puis Fédor, papa, ô papa, aimait tellement les bossus.

« *François le Bossu* »

François le Bossu devait d'abord s'intituler « La Mauvaise Mère ». Après le veto Hachette, « Le Petit Bossu ». Finalement, ce sera *François le Bossu*. L'histoire raconte celle d'un homme veuf,

---

1. Lettre à Olga, 25 novembre 1863.
2. Correspondance de Louis Veuillot à Olga, 1864.

digne sous tous rapports, M. de Nancé. Il vit retiré à la campagne, en Normandie, dans ses terres, pour se consacrer entièrement à l'éducation de son fils âgé de dix ans, François. Plein de qualités, charmant et bon, mais bossu, à la suite d'une chute. Il est constamment en butte aux moqueries des méchants. M. de Nancé « écrit un livre sur l'éducation des enfants et des sacrifices qu'on doit leur faire ». Sa vie ressemble beaucoup à celle de Sophie aux Nouettes. Il adopte Christine des Ormes, fillette délicieuse de huit ans. La mère, Mme des Ormes, à force de coquetterie et d'indifférence est devenue une sorte de monstre ridicule (d'où le premier titre). Le mari est un faible, abruti par sa femme et les dépenses folles de cette dernière pour ses toilettes et ses réceptions. La pauvre Christine est livrée à une méchante bonne, Mina, qui la bat, « lui met du savon dans les yeux en la débarbouillant ». Abandonnée par la mère volage, elle est recueillie, pour son plus grand bien, par M. de Nancé. Un Italien original, Paolo, médecin fort instruit, s'occupe des enfants et de la santé de François qui adore Christine. Il redressera François qui deviendra un beau jeune homme. Bien entendu, il épousera Christine. Sophie ne sépare jamais ses « bons enfants ».

Le feu — un grand incendie — est décrit dans ce livre. Le château des tourmenteurs de François, Maurice et Adolphe de Sibran, va brûler. Maurice mourra des suites de cet incendie. Il n'a que treize ans. Mais Sophie punit durement les méchants enfants. M. Hachette demande d'épargner Maurice. Rien à faire ! Il s'est trop moqué de la bosse de François. Elle consent uniquement à adoucir sa fin « par une conversion », grâce à l'influence de l'excellent François.

La bonne Mina est fouettée quotidiennement par un prince valaque au service duquel elle était entrée. « Sa méchanceté se trouve ainsi justement et terriblement punie. » Conclusion troublante, couple monstrueux du crime et du châtiment ? Le knout, manié par un homme sur le corps dénudé d'une femme ?

L'enfant saint a eu pour croix, cette fois-ci, une bosse.

Des mauvais et un bon petit diable

L'année 1863 s'est achevée, le 17 décembre, par un discours à la Chambre de Raymond de Ségur d'Aguesseau. Il soulève brillamment la question des affaires de la Pologne. Janvier 1864 commence par une violente dispute chez Sophie. Ses enfants sont tous, politiquement, divisés. Tandis que Gounod compose sa *Mireille,* la famille se chamaille à cause des « sots discours de Thiers ». « D'une part, Anatole criait comme quatre, M. Naudet, plus démocrate 89 que jamais, d'autre part, Gaston, Edgar, Woldémar, l'abbé et moi... C'était affreux, un mélange confus de cris, d'interruptions, de petites injures [1]... »

On se dispute à cause de la politique impériale, à l'étranger, et sur la question religieuse. Veuillot est persécuté par Persigny qui attaque Pie IX. Mgr Parisis a tenté en vain une démarche en faveur de *L'Univers* auprès de l'empereur.

Au printemps, Veuillot publie *Une vie de Notre-Seigneur*. Le pape lui en fait l'éloge, l'invite à Rome, avec sa famille. L'écart entre l'Église et les sociétés savantes du XIXe siècle s'accentue depuis la proclamation de l'encyclique « *Quanta cura* » accompagné du « *Syllabus* » ou liste des « Erreurs modernes ». Le 3 août 1864, Sophie reçoit aux Nouettes l'avis de décès de Louis Hachette. Il a eu le temps de lire son dernier livre, *Un bon petit diable*. Sophie l'avait achevé le 30 juin. Louis Hachette, alors très malade, laisse à son gendre, Emile Templier, la gestion de ses éditions. Sophie est reprise d'angoisse. En juillet, Sabine perd un œil. « Un de ses yeux se voila et, quelques semaines plus tard, il était mort. » Comment la pauvre Sabine interprète-t-elle ce malheur qui navre sa mère et exalte Gaston ?

« J'ai perdu un œil, dit-elle à ses sœurs ; je perdrai bientôt l'autre. Vous souvenez-vous que je pleurais de ne pas souffrir pour Notre-Seigneur ? Je voulais des croix ; celle-là est bonne. Priez bien pour moi afin que j'aime mon sacrifice [2]. »

Sabine vit singulièrement le même destin que Gaston. Elle s'exerce à marcher les yeux fermés pour ne pas peser sur la communauté. Elle prévoit sa totale cécité, errant, mains contre le mur, frayant dans ses ténèbres le laborieux chemin de son Bon Ange, vers la lumière « du jardin du bien ». Il y a maintenant dix années, Gaston avait ainsi erré, gémi, trébuché dans le désespoir, puis trouvé sa paix... Il l'exhorte aussitôt, délicat et dur : « Où en est ton œil borgne ? Je te souhaite bien vraiment la conservation de ton peu de vue temporelle (...). Sinon, si elle peut servir à ton bien spirituel, je te souhaite la belle et dure croix de la cécité terrestre [3]. »

Sophie ne se sent plus capable d'assumer deux fois dans sa vie la

---

1. Lettre à Olga, 20 janvier 1864.
2. *Sabine de Ségur, en religion sœur Jeanne Françoise,* A. de Ségur.
3. Lettre de Gaston à Sabine, 13 août 1864.

cécité d'un de ses enfants. Gaston va prendre, à sa manière sulpicienne, le relais de leur mère. Il lui écrit pour la Sainte-Sabine : « Je te souhaite pour la Sainte-Sabine de subir comme elle le martyre de la vie, sinon celui de la mort. » Il insiste sur la grâce de la cécité. Chaque 2 septembre, anniversaire de la perte de sa vue, est une petite fête : « Toi et ma sœur Marie Donat, n'oubliez pas non plus le dixième anniversaire de ma chère cécité. Cela commençait aujourd'hui et se terminait le 2 septembre. Ce jour-là était un jour de grande grâce, dont je bénirai Dieu pour l'éternité[1]. »

A Sabine et Gaston (en fait, les vrais jumeaux de Sophie), d'interpréter ainsi leur malheur ! Sophie reste une mère. Elle s'affole, multiplie ses visites à la Visitation. Elle consulte un oculiste renommé. Il y a peu d'espoir. Sophie a du mal à se résigner. Un mois plus tard, Gaston est attaqué, humilié par Mgr Darboy, jaloux de sa popularité. Il s'agit bien d'une querelle entre intégristes et ultramontains. Gaston se voit interdit par son archevêque, Mgr Darboy. Gaston a trop de succès, dans ses publications, ses prêches, sa paroisse. Mgr Darboy souhaite former et diriger une Église séparée de Rome, or Gaston est farouchement attaché à Rome. Napoléon III considère Gaston de Ségur comme le chef des ultramontains. La faveur incessante de Pie IX à son égard le hisse au statut des évêques dont il n'a pas officiellement le titre. Mgr Darboy, qui a sa police, est exaspéré que Mgr de Ségur soit appelé l'« évêque du pape à Paris ». Pis encore, l'« archevêque de la rue du Bac ». L'archevêque, c'est lui, Darboy, pas ce Ségur ! On chuchote à Mgr Darboy que Gaston aurait divulgué au pape ses opinions gallicanes. Mgr Darboy devient violent. Il exige des excuses. Il interdit à Gaston, du jour au lendemain, de prêcher et de confesser dans son diocèse. Sophie et les siens explosent. Sabine pleure et supplie son frère de se soumettre, d'éviter la querelle. Vivre chrétiennement cette épreuve. L'empereur est secrètement ravi. Mgr Darboy, chef d'une Église séparée de Rome, l'arrangerait. Les journaux s'en mêlent. *L'Indépendance belge* agonit Gaston d'injures. L'aveugle supplie Veuillot et ses partisans de rester calmes. « Votre frère est un saint ! » s'exclame le pape à Anatole, en poste à Rome. Sophie s'évade de tous ses drames avec un nouveau roman, *Un bon petit diable*. Hantée par la cécité de ses enfants, elle campe une héroïne aveugle, Juliette. Par sa douceur angélique, elle ramènera à Dieu Charles, le petit diable.

Les rumeurs s'apaisent. Gaston triomphe. « Il a plus que jamais

---

1. Lettre de Gaston à Sabine, Les Nouettes, 29 août 1864.

une affluence de monde à confesser », se rengorge Sophie. Honneur suprême, la Savoie invite Gaston pour le second centenaire de la canonisation de saint François de Sales. Sophie ne fait ni une ni deux, Gaston est un saint « considéré comme un saint François de Sales ».

La piété de Sophie a augmenté devant l'extraordinaire patience de Gaston et de Sabine. Quels modèles ! La Juliette aveugle du *bon petit diable* est le pendant sanctifié du héros de ce livre violent, Charles Mac Lance. Enfant martyr, il se collette avec l'argent. Son tyran est sa vieille cousine, Mme Mac Miche, qui l'a recueilli orphelin. Son but ? Dérober la fortune de Charles. 50 000 francs en rouleaux d'or pur que la vieille avare caresse avec amour. Harpagon femelle, elle mourra de la perte de sa cassette. Elle cloîtrera Charles dans une pension ignoble, chez les frères Old Nick. Pension qui multiplie les sévices sur les malheureux enfants. Charles prend en main sa captivité. Sa haine et son imagination terroriseront ses tourmenteurs. Le roman ressemble par moments à ceux de Dickens, l'Écosse en décor, l'enfant en danger de mort. Ah ! détestable Angleterre, pays de bourreaux ! Charles fera mourir de rage sa vieille tyranne. Il la menace de brûler sa maison. Il lui montre ses fesses avec deux diables à langue noire collés dessus. Il s'entoure, avec la complicité de la servante Betty, d'un nuage de fumée grâce à des allumettes au soufre craquées sournoisement. La Mac Miche croit aux fées (terreur des légendes écossaises). Elle meurt misérablement. Charles hérite, se venge de tous et épouse Juliette. Charles n'est pas l'enfant saint. Une sorte de justicier à la saint Michel qui écrase la tête du démon. La sainte est la petite aveugle, Juliette. « Je pense au bon Dieu qui m'a fait la grâce de devenir aveugle... » Émile Templier reproche à la fougueuse Sophie ces diables collés sur les fesses de Charles. Elle prend aussitôt la plume, maintient à toute force ces pages, parmi les meilleures. Que ses éditeurs sont donc timorés ! S'ils comprenaient une fois pour toutes que son public — les enfants — adorent avoir peur et être choqués !

> *L'aventure que vous croyez invraisemblable et impossible est historique, arrivée à l'enfant d'une de mes cousines, la princesse Desmains. (...) La suppression des cinquante pages que vous me demandez est un fait grave*[1]...

---

1. Lettre à Émile Templier, 12 mai 1864.

Sachez, cher éditeur, que là où il y a l'argent, il y a le diable. Le seul lieu digne de le loger est encore une paire de fesses. Sophie règle une fois de plus son compte avec les pensionnats. Le livre est dédicacé à Madeleine de Malaret qui a sur Juliette aveugle « l'avantage d'avoir de bons et beaux yeux »...

L'article de Didier Decoin rend compte des aspérités redoutables du caractère de Charles Mac Lance : « Charles Mac Lance (...) est un Monte-Cristo en culottes courtes qui, comme l'Edmond Dantès de Dumas, parfait sa patiente vengeance en utilisant cette arme — déroutante entre les mains d'un enfant — qu'est l'argent. Charles glisse alors « dans un monde clos, infiniment dangereux, d'une cruauté parfois aux limites de l'acceptable, où la lumière est celle de la nuit — nuit du cabinet noir où Charles est enfermé —, nuit de la cécité sans espoir dont est victime Juliette, sa jeune amie [1] ».

« Comédies et Proverbes ». Petite halte

Sophie achève ce livre au moment de la communion de Pierre, le fils d'Anatole. Elle lui écrit sur son papier désormais à liséré noir, à son adresse, 120, rue du Bac :

> Mon cher enfant, je regrette vivement de ne pouvoir t'offrir moi-même mon petit présent en souvenir de ta première communion. (...) Tu as le bonheur de faire ta première communion sans avoir à effacer par le repentir aucune faute grave [2]...

Gaston a dirigé la retraite de ce neveu qu'il aime particulièrement. Sophie vient d'écrire une série de livres drus, talentueux. Sa plume s'affaiblit un peu. *Comédies et Proverbes* a été conçu très rapidement. Ce n'est pas un roman mais un ensemble de saynètes, sauvées par quelques traits vigoureux dont déjà, le portrait de Giselle. Enfant haïssable, héroïne future de *Quel amour d'enfant !* Le monde des domestiques y est décrit sans complaisance, dans « Le dîner de Mlle Justine », il y a aussi une abominable gouvernante, Mme d'Embrun. Perversement, elle tourmente, « avec une ceinture de maintien », deux petites élèves. Sophie campe l'histoire d'un enfant mythomane. Puis celle de Valentin, forçat repenti. La noirceur d'âme y fait des tours de passe-passe. Sophie n'est jamais

---

1. *Grand Album de la comtesse de Ségur,* Hachette.
2. Lettre de Sophie à son petit-fils Pierre.

mièvre, mais l'ensemble reste une ébauche. Le théâtre n'est pas le fort de Sophie, excepté dans ses dialogues. La comtesse de Ségur a le souffle bien plus rauque que celui des comédies de salon.

Portrait de « Nenay [1] »

Quelle est l'allure de la comtesse de Ségur à soixante-cinq ans ?
Elle est toujours d'une rigoureuse propreté. Bains de siège, bains de pieds, lavage jusqu'au fond des narines et des oreilles. L'ensemble de sa personne est bizarre. Quelque chose de féroce, de puissant, de tragique, marque ce visage aux traits singuliers. Certaines photos d'elle soulignent une effrayante tristesse. L'effort harassant « d'être bonne ». Une force indomptable, sous le vilain petit fichu. D'un portrait que Nadar a tiré d'elle, elle se trouve horrible. « Une portière avinée (...). Un visage étincelant (...). Non de beauté mais de férocité (...). » Sur ce portrait, elle porte bien droit une tête singulière. Un corps épaissi. Un bras toujours gracieux. On devine la main et le pied prompts à lancer des coups. Bonne grand-mère ou vieille régente mandchoue ?

Les yeux sont perçants, « comme ceux d'un tigre ». Elle foudroie, tels « deux pistolets chargés », l'infortuné Lahure, le postier de L'Aigle, les intégristes hostiles à son fils, les « rouges » en général, les Prussiens et les épiciers. « Leurs airs goguenards, impertinents, leur aisance et leur sans-gêne, leur esprit et leur langage épicé, tout cela m'impatiente et j'ai toujours envie de leur jouer des tours [2]. » Elle abhorre les chefs de pension, les Anglais, les coquettes, les gens sales, les parvenus, les avares, les mauvais maris, les bonnes négligentes, les chats, la couleur noire, le sexe de l'homme, les enfants qui désobéissent, l'éditeur en mal de despotisme, presque tout le faubourg Saint-Germain, Méry et ses habitants, les juifs et M. Thiers. Elle déteste un tas de monde.

Elle gesticule, « mouline des bras » dans l'émotion ou quand elle veut convaincre. Elle s'habille à la limite du ridicule. D' « une robe pensée, avec des nœuds violemment jaunes », et d' « un bonnet aventureux ». Ses cheveux ont la couleur de la cendre. Elle affectionne une vieille robe et un châle noirs, achetés au magasin du Louvre, au rayon des bonnes. Le dentiste Lefoulon a dû remplacer ses dents. Veuillot en parle ainsi : « Elle a des dents

---

1. « Nenay » était le surnom donné à Sophie par son petit-fils, Jacques de Pitray.
2. *Jean qui grogne et Jean qui rit.*

pour mordre quand il faut mordre. » Elle mord souvent. Y compris de « baisers ».

Elle a un débit rapide, éclatant. On l'entend de loin. Elle roule plus ses « r » depuis qu'elle est veuve... Elle « crève de rire », facilement. D'abord sur un ton de contralto. Elle atteint un aigu de hoquets. Elle hennit de rire, s'en roule, s'en tord les mains. Tombe parfois à terre, les yeux mouillés. Il lui est arrivé de vomir de joie et d'enfler du ventre après de fortes émotions. Elle ne les contient jamais. Le pointu faubourg Saint-Germain l'en juge affreusement bestiale. Une sorte d'ourse. Elle crie beaucoup. Elle gifle à la volée ses petits-enfants quand ils tombent dans la mare. Elle les couvre aussitôt de baisers à les étouffer. Elle ne fouette jamais. Elle ne leur parle ni ne leur écrit durement. Ses gifles sont plus sonores que méchantes. Elle aime réellement les enfants. Elle ressemble à ses héros les plus violents. Cadichon, Charles Mac Lance, Dourakine, le général de Saint-Alban, Mme Bonbeck. Elle marche très vite, « file comme une flèche ». Elle bondit facilement d'une barrière à un chemin. Elle avance aussi rapidement que, jadis, sa mère, qui l'avait avertie le jour de ses quatre ans. « Si tu n'arrives pas à me suivre, je ne t'attendrai pas. » La lenteur, sur tous les plans, l'ennuie, l'embête, l'assomme. « Je n'aime pas attendre. (...) A quoi bon attendre ? Attendre quoi[1] ? *Gleich !* Elle a toujours aimé vivre à la campagne. Elle y dépense physiquement cette incroyable énergie héritée de son père. Elle bouge sans cesse. Elle écrit à toute vitesse. Nette, précise, très peu de ratures sur le gros papier industriel. Elle déteste que son éditeur, ou tout autre, lui donne des ordres. « L'*ordre* ! sachez, monsieur, que je n'ai d'*ordre* à recevoir de personne que de mon souverain (qui est très loin)[2]. » La comtesse de Ségur est profondément « homme ». De la femme, elle a les contradictions. De l'homme, l'horreur de la nostalgie et du passé, le goût de l'action. Elle aime interdire, régenter sa maison en entier. Elle est née chef de famille nombreuse. Chef de tribu mongole. Gare à ceux qui touchent à ses arbres, à ses idées, fussent-ils les siens ! Elle est vindicative, franche jusqu'à la cruauté. Elle ne lâche pas plus ses ennemis qu'elle n'abandonne, par fidélité foncière, ses amis.

Elle est un mélange de délicatesse et d'attention constantes pour les autres. De folle générosité, de brutalité féodale, quand elle est contrariée. Elle lèverait facilement le poing et lancerait son pied

---

1. *Le Général Dourakine.*
2. *L'Auberge de l'Ange Gardien.*

contre l'adversaire. Elle aime les combats, les armes, les militaires, le feu. Elle est gourmande, adore les plats sucrés, les interminables banquets. Le temps, les deuils, la rendront sobre jusqu'à l'austérité. Elle a de l'esprit et s'en sert souvent. Elle court ensuite se confesser. Elle préfère à toutes, les âmes du purgatoire. Devenir une bonne chrétienne a été son plus dur combat.

Sa nature est profondément slave. Compliquée par l'imprégnation de cette Normandie où elle s'est camouflée, cinquante ans, en Française. Le portrait qu'elle trace de Mme Bonbeck la campe assez bien :

> *C'était une femme de soixante-dix ans, sèche, vigoureuse, décidée, taille moyenne, cheveux gris, tête nue, petits yeux gris, malicieux, nez recourbé, bouche maligne, l'ensemble bizarre et conservant des restes de beauté*[1].

Elle tourne souvent à la maniaquerie dans le domaine de l'hygiène. Après la visite aux Nouettes d'un chapelain très sale, elle ordonne à son domestique de « faire emporter (ce) savon avec des pincettes (...), enterrez-le avec les objets de toilette qui sont là, puis grattez, lavez avec rage, sans cela, nous aurons la peste[2]. »

Depuis que sa gloire s'affirme, elle met les bouchées doubles. Elle rattrape les douze années de mutisme. Elle voyage sans cesse, d'une fille à l'autre, là où on a besoin d'elle. Elle ne quitte jamais son oreiller en caoutchouc. Elle est rétrograde avec, cependant, deux cents ans d'avance si l'on observe son indépendance mentale. C'est une autocrate. Elle est capable, telle Mme Bonbeck, de suffoquer de colère. Charles Baille, alors secrétaire de Gaston, nous rapporte un exemple de sa rage. Le modeste peintre Tissot avait recopié, croyant faire plaisir à Mme de Ségur, un dessin de Gaston, *L'Enfant Jésus à la crèche*. Tissot lui montre ce qu'il croit être une réussite. Il a devant lui une furie hors d'âge. Elle l'épouvante, le fait trembler de tous ses membres. Elle se met à hurler, écume, debout dans son salon, à Paris : « Vous osez m'apporter ça comme la copie du chef-d'œuvre de Gaston ! Mais cet enfant-là, grimaçant, ratatiné, est un fœtus qui sort d'un bocal d'esprit-de-vin ! Jamais je ne donnerai deux sous de cet avorton[3]... »

Elle bouda alors Tissot à vie. Il en allait de ses haines comme de

1. *Les Deux Nigauds.*
2. *Sophie Rostopchine, comtesse de Ségur,* Arlette de Pitray.
3. *La Comtesse de Ségur et les siens,* M. de Hédouville.

ses amours. Irréversibles. Quand son éditeur ou quelqu'un l'agace trop, elle leur envoie des billets qu'elle nomme « poulet à la tartare ». Elle compte sur ses amis pour vexer ses ennemis. « Veuillot, déclare-t-elle brusquement un jour, je vais vous présenter un de mes cousins, un mécréant, un pointu, vous me seriez agréable en étant désagréable avec lui. »

Elle redevient d'un seul coup suzeraine, aristocrate, boyarde et hautaine. Elle convoque son éditeur plus qu'elle ne l'invite. Si les humbles peuvent entrer dans son salon, elle humilie avec délectation les nouveaux riches. Elle n'a peur de rien. Elle dort avec un couteau près d'elle. Elle se fâche violemment contre ses domestiques s'ils la trompent. Elle les renvoie « sur-le-champ ». Elle claque les portes, rit à nouveau, insulte ceux qui font du mal aux siens. Elle utilise fréquemment, pour injurier, « animal, imbécile, pétard, idiot, âne bâté, sotte, crétin, tournebroche, etc. »

Elle est farouchement antisémite. Veuillot avait surenchéri en ce sens odieux lors de l'affaire Mortara, lamentable histoire d'un enfant juif, enlevé de force à ses parents pour être baptisé et élevé en milieu chrétien. Veuillot écrivait à son frère, au sujet d'un garçon en librairie de religion juive, une lettre approuvée par Sophie :

> *Ce garçon qui doit tenir la boutique (...) il est juif! (...) Rien n'est moins difficile de démêler en lui les qualités de l'espèce, le mépris et la haine de l'Église. Il affirme très tranquillement que le juif est sans préjugé ; prêt à baiser les pieds du pape, prêt à jurer sur l'Évangile*[1]...

Sophie de Ségur et les catholiques de l'époque considèrent les juifs comme déicides. Assassins du Christ. Sophie exprime son antisémitisme à travers ses livres. Dans *Les Mémoires d'un âne*, Mme Juivet vend hors de prix des frusques aux fillettes du château qui veulent habiller une pauvresse. Mme Juivet présente la note exorbitante à la grand-mère (Sophie ?). Celle-ci refuse « sévèrement » de payer un tel vol. Cadichon chasse alors Mme Juivet du parc. Le mépris de Sophie va jusqu'à faire chasser le juif par un animal. Dans son œuvre apologétique, elle parle de « ces vilains juifs » qui ont crucifié Jésus. « ce Tobie ridicule de pleurer, c'est que les juifs pleurent comme des petits enfants. S'ils sont tristes, ils pleurent, s'ils sont contents, ils pleurent. (...) C'est ridicule de voir pleurer des hommes, des vieillards, des guerriers comme des enfants de trois ans. » Bref, c'est juif. Donc, détestable, même si :

---

1. Lettre de Louis Veuillot à Eugène Veuillot, 14 janvier 1865.

« Les larmes sont dans la nature humaine, un témoignage extérieur de la souffrance... [1] »

Sophie est la mère-grand du petit chaperon rouge, qui prend parfois l'habit du loup pour mieux dévorer ses enfants. Elle a l'amour cannibale. Ogresse, elle les tient sous le joug de son verbe roucouleur. Ses générosités sans fin. Sa vigueur tonique qu'elle apporte même dans les pires deuils. Elle a profondément le sens de ses devoirs. Dure à l'égard d'elle-même, elle est prête à veiller des nuits auprès de ceux qu'elle aime. Elle adore donner de grandes claques amicales dans le dos. Qui peut lui survivre ? Elle a dévoré d'amour Camille et Jacques qui mourront peu de temps après elle. Elle les veut au ciel, à ses côtés. Qu'ils viennent la chercher au purgatoire !

Sa santé a souvent été ébranlée. Douée d'une forte constitution, sa vie presque paysanne, à Voronovo, l'avait rendue résistante au froid, au chaud, au mal. Elle a un système vasculaire défaillant. D'où ses terribles migraines. Elle a les intestins fragiles. Elle vomit souvent, a eu une occlusion intestinale. Elle a sombré plusieurs années en dépression. Elle a de fréquentes bronchites d'où cette toux « qui l'empêche de dormir ». Ses yeux sont souvent irrités, enflammés ; elle a quelquefois des abcès, des kystes, de l'eczéma. L'insomnie est son lot. La migraine s'est espacée mais la menace encore. L'apoplexie la guette souvent. Le cœur, son précieux cœur, bizarre, tendre, emporté, finira par la vaincre.

Femme de bon sens, réaliste, elle gère avec sagesse l'argent et les sentiments. Elle est pleine de bons conseils pour le deuil d'Olga. « Prends la vie pour ce qu'elle est, une succession de jours pénibles qui s'écoulent pour ne plus jamais revenir, et qui mènent infailliblement à la mort de la matière, (source de tout mal) pour arriver à la vie éternelle de l'âme... »

A chaque jour suffit sa peine. Ce colosse femelle empoigne peines et joies. Elle leur fait front, prête à sauter hardiment dans son dernier parcours. Bousculer saint Pierre, *Gleich !* atteindre au plus vite cette lumière dont, grâce à Gaston et Sabine, elle n'a plus cessé de douter.

Quel amour de lettre !

La maîtrise littéraire de Sophie est confirmée. Plus de frontière entre son style romanesque et celui de sa correspondance. Jacques

---

1. *Bible d'une grand-mère.*

a sept ans. Il confie à Nenay la perte de son furet. La réponse de Sophie est digne d'un petite conte.

Paris, 1864, 14 février

> *Mon cher petit Jacques,*
>
> *Je t'embrasse bien tendrement pour tes sept ans, et j'espère que tu vas avoir bientôt un nouveau furet. Prie papa de te donner de ma part cinq francs pour t'aider à en acheter un. Tu crois que ton furet est mort dans un trou ; pas du tout ; il vit encore ; il lui est arrivé ce qui arrive à presque tous les furets ; il est entré dans un trou à lapins ; il les a massacrés impitoyablement, il a sucé leur sang (car tu sais que les longues dents des furets leur servent à percer les grosses veines des lapins pour sucer leur sang) ; il s'est enivré, car le sang chaud enivre comme le vin ; il est tombé endormi dans le trou et il en a fait sa demeure, ne pouvant plus retrouver Livet ; il a probablement fait connaissance avec des amis furets ; et il vit là-bas, dans un terrier volé aux pauvres lapins, avec quelques amis, et il se réjouit d'avoir recouvré sa liberté. Des gens qui travaillent près de là l'ont entendu dire : « Si vous saviez, mes amis, quelle horrible vie mène un pauvre furet prisonnier ; toujours enfermé dans une prison noire, petite, puante ; peu à manger, souvent battu. Moi, j'avais heureusement un bon, excellent petit maître (le furet pleure, essuie ses yeux avec sa petite patte et continue d'une voix tremblante :) un maître que j'aimais, qui me faisait sortir, prendre l'air, qui avait la bonté de me lâcher près des terriers de ses lapins ; j'en tuais des douzaines, je suçais leur sang, puis je sortais quand je me sentais devenir ivre, et j'arrivais près de M. Jacques, mon bon petit maître. (Le furet pleure.) Hi... hi... hi... ça me fait de la peine de ne pas le voir ; il est si bon ! je l'aime tant ! » Les autres furets ennuyés l'ont laissé pleurer et ne sont revenus que le soir ; ton furet était consolé, mais encore triste. Adieu, mon cher petit Jacquot ; te voilà à l'âge de raison ; je t'embrasse encore bien tendrement.*

Grand-mère DE SÉGUR.

Rire ou grogner ? Les deux Jean

André Rostopchine a partagé l'été 1864 entre les Nouettes et Livet. En octobre, la France reconnaît la valeur légale des chèques. Les États-Unis demandent à la France de rappeler les troupes françaises du Mexique. Au début de l'année 1865, à Paris, un événement enivre les femmes. La création du magasin Le Printemps par Jaluzot. Sophie a entrepris l'écriture d'une histoire qui commence en Bretagne, *Jean qui grogne et Jean qui rit*.

Le 10 mars 1865, le duc de Morny meurt. Il a mis Deauville à la mode. Ce libertin accepte d'être administré. « ... Mgr Darboy a administré (Morny) dans la soirée (...). Je te quitte pour *Jean qui grogne et Jean qui rit,* je n'en ai que quarante pages d'écrites[1]. »

Le 28 mars 1865 Sophie a achevé le grand premier jet de *Jean qui grogne et Jean qui rit.* Elle s'est inspirée de ses séjours à Kermadio. Elle connaît par cœur « cette lande couverte d'ajoncs ». Il y avait eu aussi une paire de loups qui terrifiaient la région. Pour Sophie, les loups sont le rappel naturel de son enfance. « Nous sommes débarrassés du loup depuis quinze jours (...). Il a été à quatre lieues d'ici, dans un village qu'on appelle Kracq, où il a mangé une belle génisse, les habitants se sont fâchés, ils l'ont chassé et ils lui ont cassé une patte d'un coup de fusil[2]... »

Qui a tué le loup ? Est-ce le bon fermier Kersac, ami de Jean qui rit ? Tout ce roman reflète une ambiance bretonne. Y compris le nom des villages. Kérantré, Sainte-Anne-d'Auray, Kénispère, « Vous ne connaissez pas Kénispère, près de Sainte-Anne-d'Auray ? (...) Ni la fontaine miraculeuse de Mme Sainte-Anne ? (...) Ni le sanctuaire de Mme Sainte-Anne[3] ? »

Elle corrige sans relâche les dernières pages. Olga lui envoie son nouveau manuscrit, *Les Petits et les Grands Normands.* Après lecture, Sophie le remet pour publication à É. Templier. Elle donne des conseils littéraires à sa fille :

> *Dans tes compositions, ne ménage pas le papier (...). Je trouve que* Grands et Petits Normands *est parfait, pourvu que les Normands n'y soient pas trop maltraités, ce qui ameuterait contre toi la Normandie entière[4]...*

Elle continue à jongler avec ses finances. Elle réclame d'autres à-valoir à Templier. Elle travaille sans répit. Son repos ? sa correspondance avec son petit Jacques, la progression de ses études, ses joies. « Je suis bien contente d'avoir assisté à ton examen jeudi ; je crois que tu en sais assez pour être en septième avec tous les enfants de ton âge[5]. »

A coups d'insomnies et de collyre, elle met le mot fin à son roman breton. Elle continue à conseiller à Olga. Elle critique les excès maladroits.

---

1. Lettre à Olga, 11 mars 1865.
2. Lettre à Jacques de Pitray, Kermadio, 11 décembre 1864.
3. *Jean qui grogne et Jean qui rit.*
4. Lettre à Olga, mars et avril 1865.
5. Lettre à Jacques, 1865.

COMTESSE DE SÉGUR

J'ai pu lire hier soir 80 pages de ton manuscrit ; c'est fort joli, gai et en train ; mais il y a beaucoup de mots à adoucir (...). *Le calme, même dans une plume filiale, est toujours plus persuasif et plus insinuant que l'éloge passionné*[1].

Elle donne enfin en lecture son roman. D'abord, à son censeur préféré, Gaston. Il reproche à Sophie la familiarité de Jean, petit valet, et de M. Abel, son maître. Il blâme les embrassades de Jean à son maître, « le ton trop familier des domestiques et trop amical des maîtres ; ils sont trop camarades... ».

Gaston est hautement pour la hiérarchie. Lui-même se vit le serviteur du Christ. Jamais son égal. Notre vie temporelle doit impérativement suivre ce modèle. Comment aimer et servir Dieu si on ne sait ni aimer ni servir un maître ? Sophie reprend ses corrections, malgré ses maux d'yeux. Elle atténue un peu ses excès russes, mais garde les embrassades. Au moins les plus émouvantes. « Je corrige du matin au soir (...). Ton collyre me rend un service immense, je serais aveugle de fatigue sans ce précieux remède[2]. » Elle voit danser les mots comme à travers un verre trouble.

Jean qui grogne et Jean qui rit est dédicacé à Marie-Thérèse de Ségur, fille d'Anatole et Cécile. Deux jeunes garçons de treize ans, cousins germains, Jean et Jeannot, sont obligés de quitter mère, tante et pays breton. Ils se rendent à pied à Paris gagner leur vie. Ils sont attendus par le frère de Jean, Simon, parti des années auparavant, pour les mêmes raisons. Simon travaille dans un grand café, boulevard des Capucines. Les deux enfants, dont l'un est « sauvé » par sa nature généreuse et aimable — Jean qui rit — et l'autre maudit par la neurasthénie et la bassesse de son âme — Jean qui grogne —, font, en route, deux rencontres qui influeront tant sur leur destin.

M. Abel, caché dans un bois, a surpris la conversation des deux enfants. Les pleurnicheries de Jeannot l'agacent ; la générosité de Jean l'émeut. Il fait semblant de voler leur bourse. Leçon pour leur apprendre à ne jamais compter en public son argent... M. Abel est en réalité un grand seigneur. Il s'occupe aussitôt des deux enfants. Jean qui rit le charme, Jean qui grogne le dégoûte. Il leur paye à déjeuner, laisse à Jean qui rit une bourse bien remplie et son

---

1. Lettre à Olga, 25 avril 1865.
2. *Ibid.*

554

adresse, à Paris. Seconde rencontre : Kersac, le bon fermier. Il rossera Jean qui grogne, paiera auberge et chemin de fer aux deux enfants, par intérêt pour Jean qui rit. Il ira voir, comme promis, la mère de Jean. Il la sortira de la misère. Jean qui rit travaille au café de Simon où M. Abel prend régulièrement ses repas. M. Abel fait entrer Jean au service des de Grignan. Ils ont un enfant saint, le petit Raoul, en train de mourir. Il ressemble au petit d'Esgrigny dont Gaston s'était occupé jusqu'à sa mort. Tout finira bien pour Jean qui rit. Son frère Simon épousera Aimée, la fille d'un riche marchand de meubles. D'avoir été coquette, Aimée sera défigurée par la petite vérole. Jean qui grogne ira d'infamie en ignominie. D'abord employé chez un épicier, il vole ensuite une grande maison dont il est domestique. Il finira au bagne. M. Abel épousera Mlle de Grignan, la sœur du petit Raoul. Ce livre marque un singulier glissement « janséniste » dans la pensée spirituelle de Sophie. Il y a la prédestination. La grâce. La porte est étroite. Deux enfants, d'un même milieu social, avec les mêmes chances et malchances vont vers deux destins différents. L'un, béni, l'autre, maudit. Jean qui grogne ne sauvera pas même son âme. L'impitoyable comtesse de Ségur le damne, après l'avoir fait ramer vingt ans aux galères.

Quant à M. Abel, Sophie s'est inspirée de M. Naudet. Peintre, fantasque, dévoué et dont Sabine fut peut-être éprise. Un chapitre entier s'intitule, « l'enlèvement des Sabines ». Ah, pourquoi M. Naudet n'a-t-il pas enlevé Sabine ?

« *Évangiles* » *selon Sophie*

L'influence de Gaston est de plus en plus grande dans la vie de Sophie. Il a modifié le rythme religieux de sa mère. Parallèlement à son œuvre romanesque, elle travaille à ses *Évangiles*. Sous la direction de son fils. A Paris, Sophie va quotidiennement à la messe, à l'église Sainte-Clotilde. Aux Nouettes, elle descend le raidillon Ségur jusqu'à Aube. Elle dépose souvent une gerbe sur la tombe de Marguerite. Dans la journée, elle se rend trois fois dans sa petite chapelle dire son chapelet. Elle renonce, petit sacrifice, à sa dernière douceur. Sa tasse de thé du soir. Elle prie plus que jamais pour les âmes du purgatoire. Elle songe aussi à écrire des livres « utiles » à l'éducation des enfants. Sa plume, son talent, ne lui appartiennent plus. Elle les met au service de la charité universelle. « Je veux commencer, cet hiver, des livres utiles et agréables pour les enfants. Je tâcherai de faire vite une grammaire et un livre de calcul pour toi (Jacques) [1]. »

Elle n'aura ni le temps ni la force d'écrire ce genre de manuel. La dédicace de sa *Bible d'une grand-mère* symbolise toute sa vie. Elle la dédie à tous ses petits-enfants, y compris les morts. Elle se met en scène, assise, entourée par eux tous, racontant Dieu.

Elle écrira en premier *L'Évangile d'une grand-mère.* Puis, *Les Actes des apôtres. La Bible d'une grand-mère* paraîtra en dernier. Un livre épais, dépassant 500 pages. Son plus gros ouvrage. Cette œuvre apologétique lui a dévoré des mois de travail. Elle a mis en scène ses petits-enfants, toujours par ruse littéraire. Ils l'assaillent de questions. Ils lui permettent d'expliquer les mots difficiles de la Bible :

Paul : « Qu'est-ce que c'est qu'un ÉPHOD ? »

Grand-mère : « C'est la tunique de lin, ou longue robe blanche que mettaient les prêtres juifs dans les cérémonies [2]. »

Dans *Les Actes des apôtres,* elle ne peut s'empêcher d'exprimer son goût de l'horreur, du réalisme et du sang. Elle maintient auprès des enfants — les lecteurs — le suspense et l'effroi. Il s'agit du martyre de saint Barthélemy :

Armand : « Comment est-il mort, saint Barthélemy ? »

Grand-mère : « D'une mort horrible ; mais tu vas le voir bientôt. (...)Astyage le fit fouetter rudement. (Puis) le fit écorcher vif depuis le haut de la tête jusqu'à la plante des pieds, de sorte que n'ayant plus de peau, le saint n'était qu'une masse de chair sanglante percée de place en place par les os. »

Tous les enfants se mettent à hurler : « quelle horreur [3] ! »

Tout est contrôlé page après page par Gaston. Au point de provoquer chez elle une sorte de petite paranoïa quand son éditeur réfute ou critique. Inconsciemment, Sophie est irritée du joug de son fils. Insupportable intrusion dans l'intimité fabuleuse qu'est l'écriture. Son indépendance créatrice s'en trouve contrariée. Elle en rajoute en horreur et supplices. Ses *Évangiles* sont un échec littéraire. A cause des démarches exaltées et bornées de Gaston. Il soumet les livres pieux de sa mère à des prélats importants de

---

1. Lettre à Jacques de Pitray, avril 1865.
2. *Bible d'une grand-mère.*
3. *Les Actes des apôtres.*

l'époque. Tous vont s'en mêler. Écrire à Sophie et à Gaston. Dans l'ensemble, la censure religieuse approuve. Sophie l'écrit vivement à Émile Templier : « *L'Évangile d'une grand-mère* est hautement approuvé par le cardinal-archevêque de Bordeaux, les archevêques de Sens, de Bourges et les évêques de Séez, de Poitiers, de Nîmes, d'Annecy... » Quel bourdonnement de mouches autour de sa bienheureuse solitude ! Qui Sophie veut-elle convaincre ? Émile Templier qui, pourtant, publie, sans trop rechigner, cet ensemble assez insupportable ? A-t-elle peur d'avoir tout raté, profané, en s'attaquant à un sujet grandiose, presque tabou ? Sophie a-t-elle tenté, sous l'influence de Gaston, de réfuter par ses *Évangiles* les mouvements religieux contradictoires qui divisent alors l'Église ? L'approbation de ces prélats — les partisans de Gaston — signifie qu'il existe aussi d'autres courants hostiles aux *Évangiles* selon Sophie. Sophie s'épuise en guerre constante avec Templier au sujet de cette entreprise. Elle juge les illustrations de Schnorr « choquantes ». Elle fulmine contre ses illustrateurs « qui n'ont vu que des hommes et des femmes » là où il s'agit du sacré. Elle les traite d'impies « à la Renan ». Jamais elle n'a autant récriminé à cause de ces trois livres. La censure l'irrite. Surtout celle (elle ne le dira jamais) de l'aveugle qui se fait tout lire, mot après mot... De cette expérience va sourdre le thème de son livre capital. *La Fortune de Gaspard* ou la pauvreté modifiée.

Si le pauvre avait droit, à son tour, à la fortune autre que celle du ciel ? N'est-ce pas en fait, le sens caché de l'Évangile ? « Qu'as-tu fait de ton talent ? » demande sévèrement Jésus à l'inconscient, au dilapideur. Le pauvre doit exploiter « son talent ». Son droit à l'instruction. Le développement de son intelligence. La fortune. Habiter d'aussi belles demeures que celles des aristocrates. Tous frères en l'argent ?

Après tout, le « talent » est une pièce de monnaie. Ses *Évangiles* auront au moins amené l'impensable. Le scandale. Lazare milliardaire. En ce monde. Et dans l'autre.

« *La Fortune de Gaspard* »

J'ai terminé mon livre, La Fortune de Ruffin *dont vous m'avez donné le sujet qui est l'avantage de l'instruction sur le peuple. J'ai dû, pour le développement du sujet, mener le jeune homme bien au-delà de l'enfance, ce qui m'a fait un livre plus amusant pour les enfants de douze à seize ans que pour le premier et le second âge*[1].

La révolution industrielle a décuplé la misère du peuple. L'instruction pour tous est une question soulevée par le gouvernement. Émile Templier en a parlé à Sophie. Raymond de Ségur écrit un discours, prononcé en 1867, sur la loi relative à l'enseignement primaire. L'idée est déjà dans l'air. Cette loi accorderait aux instituteurs une véritable école. Fini, ce simple local créé en 1833. L'école proche d'une écurie où s'entassent un tas d'enfants pouilleux. Sophie a longtemps pensé que l'argent ne pouvait que polluer le peuple. L'avilir d'avantage. Détruire son âme. Quel sens a la charité sans les pauvres ? En 1856, Sophie avait décrit, dans ses *Petites Filles modèles,* une scène de charité. Elles habillent de force une pauvresse, Lucie Lecomte. La charité rend folles et brutales les petites filles modèles. « Elles faillirent la mettre en pièces tant elles se dépêchaient de la débarrasser de ses haillons et de la revêtir des effets qu'elles avaient apportés. Lucie ne put s'empêcher de pousser quelques petits cris tandis que l'une lui arrachait les cheveux, en lui enlevant son bonnet sale, que l'autre lui enfonçait une épingle dans le dos, que la troisième la pinçait en lui passant ses manches, et que la quatrième l'étranglait en lui nouant son bonnet blanc[2]. »

S'emparer du pauvre ! Bonheur cannibale de la charité ségurienne. Jouissance rapace, le pauvre, gibier favori de Gaston. Lucie Lecomte ? Est-ce la future Louise Michel ? Sophie a du mal à écrire « la Fortune » du pauvre... Dans un premier jet, elle a nommé Gaspard, « Ruffin ». Le « ruffian », le voleur, le sale type. Pendant plus d'un tiers du roman, le portrait de Ruffin-Gaspard Thomas est loin d'être sympathique. Il doit payer sa réalité sociale. Avant sa fortune, il a été le fils d'un paysan. Sa fortune passera d'abord par la méchanceté. Il devient riche à coups de délation. Froide ambition. Indifférence familiale. Performance personnelle, au prix du sang des autres. Il renie le nom de son père en se faisant adopter par M. Féréor. Il portera désormais le nom de son richissime employeur : Gaspard Féréor. Il héritera ainsi de ses millions. Gaspard est ignoble. Sophie met beaucoup de temps à le « modifier ». Le rendre « saint » et heureux malgré sa fortune.

---

1. Lettre à Émile Templier, 3 décembre 1865.
2. *Les Petites Filles modèles.*

La Fortune de Gaspard est l'histoire de Gaspard et de son frère Lucas. Ils sont fils de paysans. L'un, Gaspard, accède au plus haut niveau de la fortune grâce à son « talent ». L'autre, Lucas, restera paysan. Gaspard, d'une grande intelligence, a la passion des études. Son père, qui hait les livres, le maltraite rudement. « Je reste ce que le bon Dieu m'a fait : un pauvre paysan. » Le père Thomas « roue de coups » Gaspard, coupable d'être allé à l'école, plutôt que d'aider aux champs.

Gaspard est remarqué par M. Féréor qui vient de s'établir dans le pays. Il le fait entrer, après le certificat d'études, dans ses usines. En peu d'années, Gaspard décuple ses connaissances. Il devient le bras droit de l'impitoyable vieillard. M. Féréor finit par l'adopter. On assiste à la vie de l'usine, annonçant le monde moderne. La rédemption de Gaspard passera par son mariage avec « l'ange chrétien », Mina. Elle est la fille de l'ennemi mortel de M. Féréor, le sinistre M. Fröleichen, dont l'usine marche moins bien. M. Féréor et le père de Mina se traitent de « juif » et d' « arabe ». Sophie hait trop les parvenus pour épargner à ses héros les insultes les plus caractéristiques. Pour décrire l'usine de M. Féréor, Sophie s'est inspirée de celle de Boisthorel. Créée en 1765 par Jean-Baptiste Mouchel, à Aube, tout près des Nouettes. Cette usine bat son plein, au moment de la rédaction de ce livre. Sophie entend le bruit des machines, contemple de près les belles mécaniques ». Le bouleversement industriel est irréversible. M. Mouchel n'est pas un aristocrate mais fait « vivre » le pays. Les petits-fils de Sophie n'échapperont pas à cette nouvelle classe sociale. L'industrie pourrait bien être leur gagne-pain. Ils ne construiront plus jamais de cabanes quand finiront pour eux les vacances et l'empire.

Pierre-Jean-Félix Mouchel est M. Féréor. Il décédera en 1871. Chose curieuse, M. Mouchel avait réellement adopté un jeune homme. Quand Sophie commence son roman « industriel », en 1865, M. Mouchel habite un bel hôtel à L'Aigle, 4, rue Louis-Pasteur.

Est-ce dans cette jolie maison — qui existe toujours — que Mina Féréor chantera l'air « *Di tanti palpiti* » de Rossini, provoquant dans la rue un attroupement d'ouvriers et la jalousie de Gaspard, enfin amoureux, enfin adouci, enfin « racheté ». Mina amènera Gaspard à vouer sa fortune à la charité. *La Fortune de Gaspard* est dédicacée à Paul de Pitray. Avec ce roman, Sophie entre dans la modernité. Au point d'écrire à Olga, pour l'avenir de Paul : « Plus tard, qu'il apprenne la chimie, la physique, l'histoire naturelle, qui lui prépareront des succès dans l'industrie[1]. »

Sophie accepte que ses petits-fils suivent le chemin et la fortune de Gaspard. Le nouveau modèle du jeune homme selon Sophie quitte la semi-oisiveté. Plus de héros, en clôture, au fond de leurs châteaux, mais d'actifs industriels. Elle n'a pas soumis ce roman, son meilleur, à la censure de Gaston.

Sophie au parloir

Sophie est absorbée par l'éducation de ses petits-fils qui ont grandi. Qu'ils fassent de bonnes études ! Elle s'empare moralement de Jacques, son favori. Le fils d'Olga est entré en pension à Vaugirard, chez les pères jésuites. Pension agréable, différente de celle où Gaston et ses frères avaient souffert. Pierre, le fils d'Anatole, voudrait aussi entrer à Vaugirard. Mais il est à Turin où son père est en poste. Quant à Louis de Malaret, pas question de Vaugirard pour l'instant. « Il est toujours souffrant, pâle et maigre, depuis son angine couenneuse[2]. »

Les succès de Jacques comblent Sophie : « Comment tu y vas, mon petit chéri ! Tu marches à pas de géant. (...) Je n'espérais pas te voir entrer dans la première vingtaine avant trois ou quatre mois d'ici[3]. » Jacques est un brillant élève qui « a déjà une réputation parmi ses camarades. On dit de lui : " Oh, Pitray, c'est un fort ! " Il est plus fort que les vétérans qui redoublent[4]. »

Sophie lui rend visite le jeudi. Grand succès de la comtesse de Ségur au parloir ! Elle est maintenant très célèbre. Lue par le public de Vaugirard et d'ailleurs. Au courant de sa visite, les élèves se pressent, curieux de voir de près l'auteur et le modèle de *L'Auberge de l'Ange Gardien*. Elle arrive chargée de bonbons, de « boîtes de boules de gomme pour la gorge, bénies par Gaston »[4]. On l'entoure, on la fête. On la presse de questions. Elle dédicace des bouts de papier. Elle rit, elle est enchantée de Vaugirard, de Jacques. Non seulement, il est « fort » mais il sait se battre, ne craint pas la bagarre. La fille de Rostopchine le souligne avec une fierté militaire. « Il s'est battu ferme, m'a-t-il dit, il y a deux jours contre un élève de son âge au moins, qui l'ennuyait depuis

---

1. Lettre à Olga, mars 1871.
2. Lettre à Jacques, 2 mars 1866.
3. Lettre à Jacques, mars 1866.
4. *Ibid.*

longtemps (...). Jacques lui a donné une claque solide à laquelle l'autre a riposté. Jacques est tombé dessus à coups de poing [1]. »

Jeanne, sa sœur, est au couvent, à Saint-Maur. L'instruction a évolué. On élève moins les petites filles à domicile. Olga a été obligée de se séparer des enfants à cause de leur scolarité. Sophie, à Paris, court de Vaugirard à Saint-Maur : « (Jeanne) a bonne mine, est contente de tout, joue très gaiement avec les petites filles, dit que le temps passe très vite, qu'elle ne s'ennuie jamais [2]. »

Inlassable, elle continue, bien sûr, à écrire, « au point d'avoir à peine le temps de manger ». Elle se précipite à la Visitation. Sabine crache à nouveau du sang. L'entourage de Sophie craint pour elle le surmenage. Elle bouge et agit autant qu'un homme jeune et vaillant. Gaston lui trouve d'évidents signes de fatigue. Il en informe ses sœurs en province. Sophie hausse les épaules. Elle écrit à Élisabeth Fresneau : « Soyez donc tranquilles comme des saints dans leur niche, comptez sur ma sagesse, sur ma haute raison et un peu sur ma paresse. Sais-tu comment je passe mes soirées ? Je prends un livre, je lis dix minutes, les yeux se brouillent, je les ferme pour cinq minutes et je dors une heure [3]. »

Aussitôt réveillée elle se remet à écrire. Surprise fâcheuse : « Je découvre que je me suis endormie à la dixième ligne et que mon nez a effacé ce que ma plume avait griffonné [4]. »

« Maman est étonnante pour son âge », s'écrie Gaston. Elle a soixante-sept ans, quelques symptômes d'apoplexie. Sa voix bredouille. La vue se trouble. Elle chancelle, étourdie, s'endort. Elle perd le fil de ses idées. Elle se secoue, se remet à travailler. Les bouchées doubles. La mort n'est plus si loin. Qu'au moins elle ait le temps de remplir ses contrats ! Après, oui, elle s'offrira le droit de sombrer dans ce gouffre sans halte. Jusqu'au grand repos.

« Quel amour d'enfant ! »

En la seule année 1866, elle écrit *Quel amour d'enfant !* et *Le Mauvais Génie*. Elle corrige les épreuves de *Quel amour d'enfant !*, sans lâcher ses *Évangiles*, l'autre roman, et l'intarissable courrier. Sophie a rédigé *Quel amour d'enfant !* en moins de trois mois. Elle s'est réjouie de la réapparition de *L'Univers*. Retour qui corres-

---

1. Lettre à Olga, 31 octobre 1866.
2. *Ibid.*
3. Lettre à Élisabeth Fresneau, 29 octobre 1866.
4. *Ibid.*

pond aux nouvelles lois sur la liberté de la presse. Veuillot, enchanté, part pour Rome. Il vient de publier *L'Illusion libérale,* dans laquelle il se réclame de la théocratie médiévale : « Jésus-Christ est le roi du monde, il parle au monde par l'intermédiaire de son prêtre, et les décrets de ce prêtre, étant l'expression des droits royaux de Jésus-Christ, sont éternels. » Sophie dédicace *Quel amour d'enfant !* à Louis de Ségur Lamoignon.

Pour décrire la haïssable Giselle, Sophie s'est inspirée d'une petite fille fort mal élevée qu'elle connaît. Sa mère, aveuglée, l'appelle « ma charmante ». Le roman décrit, comme toujours, les risques d'une mauvaise éducation. Cette fois-ci, il s'agit non pas de la cruauté d'une Mme Fichini, mais des dangers du laxisme.

Des parents en adoration, jusqu'à la faiblesse dangereuse, devant leur fille unique. Ils la gâtent jusqu'à l'absurdité. Pour les remercier, Giselle de Gerville ment, répond avec violence. Elle bat, griffe, mord ses cousins. Elle joue à tous de fort sales tours, y compris aux adultes, à ses bonnes, à ses institutrices, au vieil ami de ses parents, M. Tocambel. Elle va jusqu'à lui voler une paire de brodequins gagnée à une loterie.

Plus ils la gâtent, plus elle déteste et méprise ses parents. Heureusement, sa tante, la bonne et énergique Mme de Monclair, convainc Giselle d'entrer au couvent. L'influence des Oiseaux arrangera un peu sa mauvaise éducation. Pas longtemps. Elle sort du couvent à quatorze ans. Ses méchancetés recommencent. A dix-huit ans, fort belle, elle décide de se marier. Elle se vendra au vieux duc de La Palma. « Parce qu'il est riche, assez âgé et sot pour me passer tous mes caprices. » Julien de Mortimer, amoureux, a essayé en vain de la transformer. Il l'attendra plus de dix ans. Enfin veuve, malade, ruinée et repentie, elle l'épousera.

Sophie pousse très loin le portrait de la haine d'un enfant. La méchanceté hors d'âge de Giselle épouvante. Giselle est doublement en danger par son éclatante beauté dont elle abuse sur le vieux duc et Julien. Sophie ose camper à la Balzac l'exploitation sensuelle d'une femme perverse, perdue. Bien sûr, il y aura Julien et tout finira bien. Sophie eût volontiers écrit une fin tragique. Hélas, écrire pour les enfants empêche la jubilation littéraire d'un meurtre final. Elle se rattrapera avec une autre espèce de mauvais génie.

Cette année 1866, Sophie a créé deux portraits de monstres, Giselle et Alcide. Le démon, à toute seconde, dépasse largement le bien. Giselle sera sauvée. Pas le mauvais génie.

« Le Mauvais Génie » ou les armées de Sophie

Je fais un nouveau volume sur le danger des mauvais amis, le titre n'est pas encore décidé, ce sera probablement Les Mauvais Amis[1].

Ce livre ne comporte aucune dédicace. L'a-t-elle écrit pour elle seule ?

Le Mauvais Génie marque un effort de reconciliation de Sophie avec les Anglais. Un des héros est le sympathique M. Georgey. Naturellement, elle ne peut s'empêcher de le rendre ridicule. Grandes dents, accent impossible, pantalons à carreaux, effroyable appétit... Richissime, créateur (encore !) d'industrie et de techniques nouvelles. Le livre s'ouvre au moment où l'Anglais est poursuivi par quarante dindons. Ils sont gardés par le pauvre petit Julien, orphelin recueilli chez les fermiers Bonnard. Ils ont un fils, Frédéric. Ce garçon de dix-sept ans est en train de mal tourner. Il fréquente un voyou, fils de cafetier : Alcide Bourel. Le mauvais génie. Son mauvais génie. M. Georgey devient le protecteur de Julien. Julien, ancien gardien de dindons, apprendra la technique industrielle. Sophie admet définitivement l'accès des plus humbles aux postes les plus modernes. Les dindons sont volés par Alcide, avec la complicité de Frédéric. Alcide les vend alors à l'innocent M. Georgey. Le père Bonnard accuse Julien de négligence. Le démon destructeur d'Alcide parcourt le livre jusqu'à la fin — la fin du mauvais génie. Alcide amène amène Frédéric à voler M. Georgey dans sa poche, après l'avoir enivré. Voler ses propres parents... Découvert, le père Bonnard veut tuer son fils d'un coup de pincette à cheminée. Haine du père et du fils. M. Georgey va tout arranger. Il envoie Frédéric, après une fièvre typhoïde, à l'armée. Sous la protection de son ami, colonel de ce régiment. Hélas, Alcide s'engage dans la même compagnie ! Il reprend son influence démoniaque sur Frédéric Bonnard devenu « un bon soldat qui fait la fierté de ses parents ». Alcide pousse Frédéric à boire. Puis à frapper son maréchal des logis — souvenir des sergents Herbuel et Guth ? Alcide assomme son supérieur en le traitant de « canaille ». Alcide et Frédéric passent en conseil de guerre. Grâce à la plaidoirie (extraordinaire) de M. Georgey, Frédéric est acquitté. Alcide est passé par les armes. Il maudit jusqu'au prêtre qui l'accompagne au lieu d'exécution...

---

1. Lettre à Émile Templier, 1866.

Aspect comique du roman : l'admiration, jusqu'à l'absurde, de la fille de Rostopchine pour les militaires, l'armée, les « supérieurs ». Alcide pousse Frédéric à se saouler avec tout un corps de garde. Voici les santés auxquelles il boit avec empressement et amour :

« A la santé du colonel ! »

« A la santé du lieutenant-colonel ! »

« A la santé du capitaine ! »

« A la santé du lieutenant ! »

On se demande si on ne rêve pas devant l'organisation exaltée d'une telle beuverie... Vit-on jamais soldat boire en hurlant de telles absurdités ? Il y aurait donc (aussi !) « les soldats modèles ? » Même ivres ?

Voici le dialogue hallucinant du malheureux Frédéric qui se réveille sur la paille de son cachot. Il est dessaoulé et ne comprend pas sa triste position.

LE MARÉCHAL DES LOGIS

Tu as porté la main sur moi ! Tu as lutté contre moi !

FRÉDÉRIC

Sur vous ? Sur vous, maréchal des logis que j'aime et respecte ! Vous, mon supérieur ! Mais c'est le déshonneur, la mort !

Le maréchal des logis ne répondit pas.

FRÉDÉRIC

(se tordant les mains)

Malheureux ! Malheureux, qu'ai-je fait ? La mort plutôt que le déshonneur ! Mon maréchal des logis, ayez pitié de moi et de mes pauvres parents. Et mon excellent colonel. Lever les mains sur mon maréchal des logis ! Mais c'est affreux, c'est horrible ! J'étais donc fou ! Oh, malheureux ! malheureux !

Le pauvre Frédéric tomba sur la paille ; il s'y roula en poussant des cris déchirants : « (...) Mon maréchal des logis ! Par grâce, tuez-moi[1]*!!! »*

Au moment où la comtesse de Ségur écrit cet extravagant dialogue de militaires — tout en corrigeant ses *Évangiles* — Anatole a été décoré. L'aïeule explose de joie :

Vive la Croix ! Vive l'empereur ! Et vive toi, cher enfant qui as si légitimement gagné ta croix en la portant depuis des années au profit

---

1. *Le Mauvais Génie.*

des soldats et autres, sans compter Chaumont. La 1ʳᵉ classe suivra
bientôt (...). Adieu, cher décoré, que ta croix te soit légère, j'abrège
pour copter vite, vite mes Évangiles. Il ne s'agit que de copier les 200
premières pages écrites au crayon. Je t'envoie pour dimanche un pâté
de faisans ¹...

En 1866, l'armée est à la mode. Épuisée d'écriture, sans jamais
l'avouer, Sophie est aux Nouettes, avec les dernières pages de son
Mauvais Génie. Le 6 juin, Jacques de Pitray est présent avec son
collège, à l'attentat de Longchamp. Geste qui mettra fin aux bons
rapports de la Russie et de la France. Le tsar, Alexandre II, est en
visite officielle à Paris. Mal va lui en prendre.

> *Mon cher petit Jacques chéri, j'ai su par ta tante Henriette que tu*
> *avais assisté à la grande revue de Longchamp, j'espère que tu as pu*
> *voir les empereurs, rois, princes, grands-ducs, taikoune, etc. et surtout*
> *les beaux régiments de cavalerie suivant au galop sous la tribune des*
> *souverains et s'arrêtant court sans déformer les rangs. Tu as vu ensuite*
> *l'attentat contre l'empereur revenant en voiture* ²...

Il s'agit de l'agression d'un Polonais révolutionnaire. La suite de
la lettre, malgré tout, prend le parti de l'assassin. Un pauvre
Polonais catholique. Sophie plaide sa cause. Elle connaît trop
l'horreur militaire à la russe. Opprimant depuis toujours ce peuple
martyr :

> *Le malheureux qui a tiré sur le tsar a son père en Sibérie ; sa mère est*
> *morte pendant le voyage en Sibérie ; sa sœur, restée seule, a été en butte*
> *aux plus cruels traitements de la part de l'escorte. Tous ces souvenirs*
> *ont tourné la tête du malheureux Polonais et il a fait l'acte de folie qui*
> *va le mener à l'échafaud. (...) Il a deux doigts de coupés par les éclats*
> *du pistolet qui était trop chargé.*

L'année du *Mauvais Génie* est une année d'avant-guerre. Une
série de crises qui mèneront l'empire à Sedan. Il y a eu l'Exposition
universelle. La popularité croissante du petit prince, Loulou, que
son père hisse sur son cheval pendant les revues. L'entrevue de
Napoléon III avec Bismarck, à Biarritz, le 5 août 1866, est un
désastre. Napoléon demande au malin chancelier la rive gauche du
Rhin, le Luxembourg, la Belgique. Au même moment a lieu la

1. Lettre à Anatole de Ségur, vers 1866.
2. Lettre à Jacques de Pitray, 11 juin 1866.

bataille de Sadowa consécutive à la convention franco-autri-
chienne. En décembre 1866, la piètre évacuation des troupes
françaises de Rome.

Niel est nommé ministre de la Guerre. Les ennuis continuent.
L'aventure du Mexique tourne à la tragédie. Le 19 juin 1867,
l'empereur Maximilien est fusillé à Querétaro. Sa malheureuse
épouse, la princesse Charlotte, réfugiée à Paris, chez l'empereur,
devient folle. Il faut l'enfermer.

La France aurait-elle envie d'une guerre ? Une hémorragie bien
sanglante, une capitulation ? L'armée veut-elle prouver qu'il faut
faire confiance à son maréchal des logis ?

« Diloy le Chemineau »

1867. Gounod fait jouer à l'Opéra son *Roméo et Juliette*. Sophie
envoie, le 23 mars 1867, à Émile Templier « Le Chemineau ».

> *Cher monsieur, je vous envoie mon nouveau manuscrit,* Le
> Chemineau. *(Malgré que vous n'habitez pas souvent la campagne,
> vous savez, je pense, qu'on appelle* chemineaux *les ouvriers ambulants
> qui travaillent au chemin de fer.) Il rentre dans les ouvrages du jeune
> âge que je faisais jadis* [1].

Ce roman est dédicacé à Françoise de Pitray. « Je te dédie
l'histoire du bon chemineau et de l'orgueilleuse Félicie… » Il n'est
pas sûr que ce livre, tel qu'elle le prétend, s'adresse à un très jeune
public. La haine d'une fillette de douze ans, Félicie d'Orvillet,
contre un homme de quarante, Diloy le Chemineau qui l'a
agressée, détourne d'une lecture enfantine. Ce conflit entre Félicie
et Diloy est la poutre centrale du livre. Félicie pardonnera-t-elle à
son agresseur ?

Diloy le Chemineau erre dans la campagne normande, à la
recherche d'un travail. Il est pris de vin, sur le petit chemin qui
monte au château d'Orvillet. Il y rencontre Félicie. Elle y est seule,
par désobéissance. Elle a échappé à sa bonne, obligée de garder les
deux plus jeunes, Anne et Laurent d'Orvillet. Félicie, dévorée d'un
maladif orgueil, se sentait honteuse de partager la cueillette des
cerises avec « des pauvres paysans ». Diloy veut l'aider à franchir
une ornière. La petite, ivre de mépris, ressent alors la répulsion
épidermique du pauvre. Elle l'insulte férocement. « Ne me touchez

---

1. Lettre à Émile Templier, 23 mars 1867.

pas, sale paysan ! » Diloy, « brave homme, affectionné des enfants », perd patience. Il la roue de coups. L'agression de cet homme contre une petite fille ressemble à un viol. Le langage de Sophie s'y emploie. Le chemineau explique ainsi, au père Germain, métayer des d'Orvillet, comment il a rossé Félicie : « Elle en a eu et c'était bien fait (...). Elle avait beau gigoter, me cracher à la figure, elle l'a eu tout de même. (...) Plus je la tirais, plus elle m'agonisait de sottises, plus elle jouait des pieds et des mains [1]... »

Il y a de quoi frémir sur cette petite phrase « elle l'a eu tout de même ». Le roman aborde les thèmes chers à Sophie. Le remords, celui du chemineau, le pardon, celui de Félicie. La répulsion de Félicie pour « les sales paysans » occupe les trois quarts du texte. Malgré les discours pontifiants de l'excellente Gertrude, cousine de Félicie, âgée de quatorze ans. Gertrude s'évertue. « Si tu lui pardonnais, ce serait si beau de ta part. » Non seulement le pardon, mais aussi l'amour ! « Tu ne peux donc pas aimer ce pauvre Diloy ? » La coulpe sulpicienne bat son plein. Félicie se déchaîne. Elle éclate contre « ces sales paysans dont l'un a osé la toucher, elle, la fille du comte d'Orvillet... » Ce sont nos frères, répond inlassablement sainte Gertrude. Sophie laisse-t-elle échapper à travers le venin de Félicie un affreux secret ? La lassitude, le dégoût clairement avoués des pauvres. Ceux qui lui ont pris Sabine et Gaston, son temps, sa bourse, ses nuits... Les pauvres ! Plaie toujours vive, même virulence que les microbes ! Un de mort, mille errants. Vermine que rien ne nettoie, ne soulage. Pour des siècles et des siècles. Combien de misérables pour une seule fortune de Gaspard ? Le Christ est-il venu pour Diloy ou pour Gaspard ?

« Je déteste leur saleté, (...) leur grossièreté, (...) leur langage commun. Ces gens qui ne savent rien, qui travaillent à la terre... »

Gertrude, écho patient de Gaston et Sabine, répond à Félicie : « Je les aime (les pauvres) très réellement. (...) Je compte sur leur affection ; je les considère comme des amis et, sauf la fortune, comme nos égaux en tous points. (...) J'ai trouvé ces idées dans l'Évangile. (...) C'est là que j'ai appris à voir des frères dans tous les hommes... » Un personnage tonique anime le livre. Le frère de Mme d'Orvillet, le général de Saint-Alban. Il ressemble assez à Sophie. « Prends garde aux grands airs ! (...) Ou je te donne un coup de pied à la chute des reins ! » tonne-t-il sans cesse à Félicie. La comtesse de Ségur a toujours détesté « les grands airs ». Le

---

1. *Diloy le Chemineau.*

général a jadis été sauvé par Diloy, alors colon en Algérie, sous Bugeaud. Diloy, entre-temps, vient de sauver Mme d'Orvillet, ses enfants (encore Félicie !) de l'attaque d'un ours dans les bois. Cunégonde et Clodoald de Castelsot sont les amis de Félicie. Odieux parvenus, que Sophie « exécutera » sauvagement. Les parents des petits Castelsot sont d'anciens valets qui ont volé la fortune de leur ancien maître, le duc de La Follote. Leur vrai nom est « Futet ». Le général les chasse comme des laquais qu'ils sont. Il rachètera à bas prix leur terre. Les Castelsot, au complet, « périront en Amérique, massacrés par les Indiens ». Point de pitié pour le sot et le parvenu ! La comtesse de Ségur n'épargne même pas leurs enfants. Diloy sauve une nouvelle fois Félicie. Elle est tombée au fond de l'étang pendant une partie de pêche. Après avoir agoni encore une fois Diloy d'insultes. Diloy plonge et la ramène. Comment échapper à Diloy ? Est-ce le Destin ? « Cet homme est toujours sur ma route » sanglote Félicie. Est-ce l'Ange à l'orée du râpeux chemin ? Il ne lâchera donc jamais Sophie ? Morne, Félicie fait sa paix avec Diloy. Elle accepte que sa mère l'emploie comme jardinier au château. On a demandé l'impossible à Félicie d'Orvillet. Elle se mariera dans son milieu et « restera à jamais hautaine », malgré ce pardon auquel elle n'a pu échapper. Diloy, sa chaîne. Sa croix. Le remords reste le lot du « pauvre ». L'absolution dédaigneuse appartient au riche. Le thème chrétien s'est heurté à une sorte de furieux murmure sous les mots. Sophie est-elle découragée ? Baisse-t-elle les bras devant les montagnes à remuer ? La charité, celle des autres, la sienne, l'insensé effort d'être bonne. Comme elle préférait ruer avec son âne, jurer, knouter avec Dourakine !

Mort de Sabine

Les fiançailles de Camille effraie Sophie. Elle flaire, dans le futur, un coureur de dot. A vingt ans, sa jeune fille modèle va épouser le marquis de Belot. Mâle, brutal, sensuel, égoïste. Jouant du fouet sur les chiens, d'un regard métallique, illisible, sur Camille. Il a flairé la dot de Camille de Malaret...

Sophie se voûte. Ce mariage est un affreux accident. Qu'y faire ? La petite semble très éprise. Ce Belot la compromet. L'engagement est trop officiel pour oser rompre ces dangereuses fiançailles. Un soupçon accable Sophie. A-t-elle raté l'éducation des petites-filles ? A-t-elle su les mettre en garde contre un tyranneau banal, qui transforme une vie de femme en enfer ? Ses livres, désormais, tentent de camper le style des époux modèles. Tendres, protecteurs, épris de leur jeune femme qu'ils appellent « ma chère enfant ». Belot regarde Camille telle une levrette qui filera doux. Y compris sous les coups.

Sabine va de plus en plus mal depuis juin 1867. Presque aveugle, ses jambes ont enflé d'un seul coup. Elle vomit du sang, fiévreuse du matin au soir. Henriette en éprouve un choc. Sa vue se met à baisser. « Les yeux d'Henriette ne sont que faibles », écrit Gaston de Kermadio. Depuis février, le choléra fait des ravages en Bretagne. Rien ne perburbe autant Sophie que les microbes et les mauvais maris. Oh! ce Belot! Quel choléra! et Sabine! si tous ses Fresneau allaient périr? « Le choléra, écrit Gaston à Sabine, et sa fille la cholérine se promènent dans toute la Bretagne, sans compter les fièvres typhoïdes et les fièvres muqueuses [1]. » Gaston envoie quotidiennement des nouvelles à Sabine, des uns et des autres. Depuis les fiançailles « déplorables » de Camille, Sophie souhaite « pour ses petites-filles des mariages impossibles ». De noires prémonitions ébranlent la santé de Sophie. Gaston est inquiet. « Maman vieillit singulièrement tout en se portant bien. Elle devient beaucoup plus sourde. (...) Elle s'endort souvent et facilement, ses yeux se fatiguent, sa voix perd de sa force et surtout de sa clarté. »

La fête d'inauguration des locaux de la Visitation a détruit le moral de Sophie. Elle a pu revoir de près sa fille. Dans quel état est la pauvre Sabine! Pendant neuf ans — excepté le contact familier avec Gaston — Sabine ne pouvait ni toucher ni embrasser les siens, « sauf du bout des doigts à travers deux rangées de barreaux [2] », ce qui faisait tant pleurer feu Eugène.

Sabine a tenu à participer à cette fête, malgré ses maux. Elle fait visiter, à tâtons, le réfectoire et sa cellule. Sa mère, ses sœurs, sont navrées. Gaston, calme, inébranlable. Ils déjeunent ensemble. Sophie observe attentivement sa fille, le pauvre œil fermé, l'autre presque éteint, bleuâtre. La toux sèche et répétitive, la jambe qui se traîne. « C'est l'été que je souffre le plus. » La pauvrette a l'air de s'excuser. Une douce chaleur de repas de communion anime la table. Sophie a fait livrer d'excellentes choses. La pauvre Sabine ne peut rien avaler. Sophie, non plus. Henriette est la plus triste. Sophie se mord violemment l'intérieur de la joue. Elle s'interdit d'éclater en larmes. Elle part aux Nouettes d'où elle écrit passion-

1. Lettre de Gaston à Sabine, 12 février 1867.
2. *La Comtesse de Ségur et les siens,* M. de Hédouville.

nément à Jacques. Elle faiblit, s'accroche à tout ce qui lui survivra. Elle repousse l'image qui la hante. La fin probable de Sabine. Impuissante, elle refuse, symboliquement, dans son cœur, une place de choix à Sabine, Sabine qui va mourir. « Quoi qu'il arrive et quoi que tu dises et fasses, je sais que tu m'aimeras toujours (...). Il n'y a rien que je mette au-dessus de toi, excepté ton oncle Gaston, Camille et Henriette (la fille d'Henriette) [1]... »

Mars 1868. Sophie envoie d'autorité deux médecins auprès de Sabine. Elle veut un diagnostic d'une franchise absolue. « La consultation a été très alarmante (...). Ils ont trouvé le poumon droit engagé surtout du haut. » Sabine a bel et bien la tuberculose. Henriette, la jumelle, supplie son double, sa chère, de faire une saison à Eaux-Bonnes. Sabine refuse. « Ce sont, dit-elle, des remèdes de riches ; c'est un luxe que les pauvres ne connaissent pas. » Sophie, désespérée — pauvre Camille qui convole avec son bandit depuis un mois ! un voyou ! une physionomie insolente et fausse ! —, rejoint Kermadio où « la chaleur est atroce ». Au point « qu'elle écrit en jupons ».

Qu'écrit-elle donc, ainsi dénudée, tandis que Sabine agonise, que Camille est enceinte de quatre semaines, et que son « Chemineau » est enfin paru ?

« J'avance, écrit-elle à Émile Templier, mon Histoire sainte ; elle sera finie pour le mois d'août... » Où en sera Sabine, fin août ? Sophie suit la procession à Auray. Elle prie pour Sabine, la canicule féroce est pire à Paris. Fatale pour l'état général de sa pauvre religieuse. Sophie n'y tient plus. Elle veut se rapprocher de sa fille. Elle revient aux Nouettes, tenaillée, malade. Sans pour cela lâcher la fin de sa *Bible d'une grand-mère*. Elle ébauche un roman, son dernier, dont elle n'a pas le titre. Gaston la rejoint. Des Nouettes, il donne des nouvelles de Sophie à Sabine. Elles ne sont pas très bonnes. « Maman a pu manger ce matin un peu de viande avec son bouillon ; elle parle plus librement, est un peu moins faible (...). Tâche de n'avoir à nous envoyer que des bonnes nouvelles de ton cher cœur et de ton pauvre corps [2]. »

Les étouffements de Sabine ont empiré. Sa maladie s'est compliquée d'une soudaine dépression. Mère Marie Chappuis lui a rendu visite. Elle la console le plus doucement possible (...). Sabine est prise des angoisses de la mort. Pour un peu, elle hurlerait de terreur. Le front inondé de sueur froide. Les intestins disloqués.

---

1. Lettre à Jacques de Pitray, Les Nouettes, 14 juin 1867.
2. Lettre de Gaston à Sabine, 7 août 1868.

Les jambes monstrueuses d'enflures. La respiration trop courte. La fièvre chronique.

« J'ai terriblement peur de mourir », avoue-t-elle à mère Marie Donat qui l'accompagne dans son agonie. « Sainte Thérèse demandait de souffrir ou de mourir, eh bien moi, je demande de ne pas souffrir et de guérir. »

La souffrance, jour et nuit. Son vieil ami, M. Naudet, est aussi à l'article de la mort. « M. Naudet est très malade, tout en croyant qu'il n'a rien. Avant-hier, il a eu encore un évanouissement de plusieurs minutes. (...) Je lui demandais instamment de se mettre en règle pour paraître devant le bon Dieu, (...) je verrais Sabine aujourd'hui. (...) Il a un peu pleuré et m'a dit qu'il n'était pas dans les mauvais sentiments comme nous le pensions. (...) Il est convaincu par le message de Sabine ; il prend enfin jour pour la confession [1]... »

Les Drs Simon et Biard, délégués par Sophie, concluent désormais le sort de Sabine. Une question de jours, « malgré des vésicatoires, du vieux vin et une potion ». Sabine songe à M. Naudet avec tendresse. Son pauvre et radieux mécréant ! Aura-t-il le temps de se ramener à Dieu ? Et elle-même ? Va-t-elle retrouver la paix ? Quel péché, cette honteuse terreur ! Quelle négation du Christ en entier ! Sophie s'est résignée avant sa fille :

« Pauvre Sabine ! Ou plutôt, heureuse Sabine qui ira recevoir la récompense de sa vie de sacrifice et de dévouement et nous attendre au ciel où elle priera pour nous tous comme elle le fait depuis tant d'années sur la terre [2]. » Sophie retient ses sanglots. Elle revient navrée de ses dernières visites à Sabine. Elle se confie, une fois de plus, à Jacques :

« Ta pauvre tante Sabine te remercie de penser à elle et de prier pour elle (...). Elle souffre beaucoup de tous les membres. Ses jambes sont enflées et douloureuses jusqu'au-dessus du genou, elles sont grosses comme le corps de Françon et crevassées aux chevilles, aux talons et sur le cou-de-pied (...). On ne l'entend presque pas parler tant sa voix est faible (...). Elle ne vomit plus ce qu'elle mange ; mais la maladie va toujours bon train, et la fièvre ne la quitte presque pas [3]. »

Sophie est incapable, depuis toujours, de cacher la vérité râpeuse et drue, tels ses livres. Raymond de Ségur prononce un discours,

---

1. Lettre à Olga, avril 1868.
2. Lettre à Olga, 9 avril 1868.
3. Lettre à Jacques, Paris, 9 septembre 1868.

sur la loi relative à la presse et à l'enseignement supérieur. Sa première femme, Nadine Svetchine, est morte depuis longtemps de phtisie.

Sophie est tout entière dans la tristesse. Fin septembre, M. Naudet est le premier à mourir. Aux Nouettes. Il a accepté, par amour pour Sabine, les saints sacrements. Sabine devient plus calme. Les ponctions amènent un léger adoucissement à son mal. Gaston insiste pour que sa mère prenne un plus long repos aux Nouettes. Surtout, qu'elle invite ses fidèles amis. L'amitié est une puissante alliée dans l'épreuve. Veuillot y fait donc un séjour. Gounod, une brève apparition. Veuillot en informe Élise :

« J'ai déjà touché le café au lait, je vais toucher les radis, j'ai le cœur touché. (...) Ma belle chambre dans les belles Nouettes rajeunies étonnamment... Gounod est charmant, il s'en donne et il se donne. Il sait cent histoires drôles, il est bon acteur, il possède par cœur Beethoven et Mozart. (...) Le café passe que c'est un charme[1]... »

Tous, autour de Sophie, s'évertuent à la distraire. Ménager sa peine. On parle, on rit tendrement. On joue au billard. On n'en pense pas moins à Sabine. Les prières vont bon train. Sophie ne sait plus à quel saint s'adresser. Ces fâcheuses âmes du purgatoire sont réservées à ses romans. Qui, alors, qui ? Gaston prend la situation en main.

Il convient d'une petite ruse avec la mère supérieure de Vaugirard. Ne pas choquer trop brutalement Sophie. La supérieure enverra les nouvelles ultimes de Sabine au chef de gare d'Aube. Il transmettra le message à Gaston.

(...) Il est bien convenu, n'est-ce pas, que dans le bulletin vous adoucirez le plus possible les nouvelles (...). En cas de danger sérieux et imminent, (...) cette clause : « Nous croyons qu'il est prudent que vous veniez. » Et si ma chère sœur n'était plus, vous mettriez : « qu'il est très prudent » etc.[2]

Le 1er octobre, pour sa fête, Gaston écrit la dernière lettre à Sabine :

Je veux t'écrire deux lignes, ma très bonne et très chère, pour la fête de ton ange gardien, (...) je te souhaite d'être un ange, ni plus, ni moins, un ange de Jésus, un ange de la croix (...). Je bénis mon cher

---

1. Lettre de Louis Veuillot à Élise, 9 octobre 1868.
2. Lettre de Gaston à la mère supérieure de la Visitation, Les Nouettes, 16 octobre 1868.

*ange borgne, à moitié estropié, mais qui n'en aime pas moins de tout
son cœur le Dieu des anges.*

Un très pauvre homme[1].

Hélas, la dépêche est arrivée le 20 octobre à la gare d'Aube. Plus
question de ne rien cacher à Sophie. Le larynx verrouillé, elle a tout
compris. En silence, Sophie, Gaston et Henriette se précipitent à la
Visitation. Le voyage est affreux de longueur, de tristesse. Sophie
trouve sa pauvre fille encore lucide. Elle est entourée de la mère
supérieure, mère Marie Donat et de sœur Marie Thais. Sabine se
souvient de la mort de sa vieille bonne, phtisique. Elle l'avait tant
soignée. Elle articule : « La pauvre Adèle, comme elle a dû
souffrir ! »

Elle pétrit le drap, spasmodiquement. Elle rejette du sang. N'en
appelle qu'à Henriette pétrifiée d'effroi : « Ma pauvre Henriette,
c'est aujourd'hui un grand jour, entends-tu ? C'est mon grand jour,
mais ne pleure pas, je ne veux pas que tu aies de la peine, je suis si
heureuse... » Elle demande à Gaston : « Suis-je en agonie ? »
« Pas encore... »

Gaston serre doucement une de ses mains. Sabine ne sent plus
rien. La moitié de son être est déjà mort. Vers 21 heures, elle
expire. Sophie l'a observée jusqu'au bout, hallucinée. Non, non, il
n'y a pas l'extase de la jouissance divine. Il n'y a qu'une pauvre
femme de trente-neuf ans dont la mort est ce souffle fétide. Ce sang
et ce vomi mêlés. Un ballon intérieur crevé à coups de poignards.
Sophie et Henriette ont eu l'impression de les recevoir en même
temps. Sœur Jeanne Françoise n'est plus.

Le cercueil de Sabine est exposé, ouvert, couvert de fleurs
blanches dans le chœur du couvent. Elle partira, selon son vœu,
dans le corbillard des pauvres. Elle est inhumée dans le caveau de
la Visitation, au cimetière de Montparnasse.

Sophie semble toute petite dans un vieux châle noir. Elle
sombrerait bien, sans se retenir, au fond d'un noir repos, sans Dieu
ni ange, ni mots, ni rien. Rien. Après une telle pluie, le beau temps
reviendra-t-il ?

Février 1869. La loi militaire de Niel établit une garde mobile.
L'empereur veut renforcer les troupes mobilisées. Un parfum de
guerre traîne. Nuée basse, encore informe. Sophie retarde les

---

1. Lettre de Gaston à Sabine, 1er octobre 1868.

dernières corrections des 600 pages de son Histoire sainte. Camille est au bord d'accoucher. « J'attends chaque jour les couches de ma petite-fille, Mme de Belot et, au premier signal, je me transporte près d'elle pour ne la quitter que lorsque ma troisième génération aura poussé son premier cri[1]... »

La section française de l'Internationale est condamnée. Le 3 mars, des émeutes éclatent à Paris. Camille est prise de douleurs. Sophie reste près d'elle toute la soirée. Courage, chère petite... c'est presque fini, chère enfant.

Un petit Paul est né ! Sophie tremble de joie. Son arrière-petit-fils ! Elle s'empresse aussitôt d'en avertir son favori : « Je t'annonce que tu as un neveu depuis hier soir. Camille a un petit garçon qui s'appelle Paul : ainsi que tu as maintenant un frère Paul, un neveu Paul, et un oncle Paul (de Malaret). Camille est enchantée, elle va très bien ; le petit Paul crie souvent et fort, ce qui prouve qu'il n'est pas enchanté[2]... »

Sophie pose sa plume. Lasse. Des bourdonnements dans la tête, les oreilles... Si elle cessait d'écrire ? Son éditeur n'en croit rien. Il a l'habitude de ces crises d'écrivains. La pétulance de Sophie lui a fait oublier qu'elle a soixante-dix ans. Qu'écrit-on à soixante-dix ans ? Le 26 mars 1869, elle a achevé sa *Bible*. Enfin ! Elle prie Émile Templier de bien vouloir passer chez elle prendre le manuscrit. Ses forces s'en vont. « Cher Monsieur, pouvez-vous venir me voir demain samedi, vers 2 heures ? Je vous livrerai mon manuscrit de l'Histoire sainte[3]... »

Elle développe à Templier le sujet d'un roman. Elle lui demande des comptes. 3 000 francs. Elle se force à engager le projet. Elle a tellement besoin d'argent pour aider Camille ! Belot a grevé largement la dot de sa femme. Avec des filles et le jeu. Camille, faible, avec un bébé... Qu'importent la maladie, la fatigue ! Que les âmes du purgatoire et celle de Sabine lui viennent en aide ! Lui laissent un peu de vie, un peu de temps ! La force d'aider Camille. Pâques approche. Sophie se charge de Jacques, jusqu'aux Nouettes. De là, ses parents l'emmèneront à Livet. Quel souci de laisser Camille et ce bébé avec ce joueur, cette brute qui l'a déjà frappée. Malaret est trop loin. Le mari a tous les pouvoirs. Camille, à peine remise de ses couches, le suit dans sa petite terre normande.

1. Lettre à Émile Templier, 23 février 1869.
2. Lettre à Jacques de Pitray, Paris, 4 mars 1869.
3. Lettre à Émile Templier, 26 mars 1869.

Il l'oblige à dîner à Caen. Il a invité sa maîtresse en titre, Mlle Tautin. Il fait publiquement passer Mlle Tautin, prostituée, pour son épouse, et Camille, atterrée, pour Mlle Tautin. Insensible, presque folle, Camille se tait. Le champagne coule. Mlle Tautin, dite marquise de Belot, rit aux éclats. Camille s'enfuit avec son bébé. Sophie passe un très mauvais été. Que Camille se réfugie chez elle avec le bébé ! Une séparation... un divorce... ou, mieux, si Belot mourait... A Malaret, Paul et Nathalie sont navrés. Camille, hagarde, est arrivée chez eux. Sans argent. Un petit bagage, un bébé qui criait. Madeleine, tout à ses charités, reçoit de sa grand-mère cette lettre au sujet de Camille :

> A bas les maris ! Ce sont des méchants drôles que le bon Dieu a créés pour exercer la patience des femmes et pour leur faire gagner plus sûrement le ciel pour lequel elles ont été créées. Je suis sûre que parmi les gens du monde, une bonne moitié se précipite dans l'enfer ; quatre dixièmes grimpent difficilement jusqu'au purgatoire ; et un seul petit dixième arrive dans le paradis (je parle des hommes). Les coquins ! ils méritent bien leur sort [1].

Sophie n'arrive pas à commencer son roman. A soixante-dix ans, on ne projette rien. On se retourne sur ses souvenirs. Quel effort, ce dernier livre ! Il le faut. Pour Camille. Sophie eût aimé écrire « une vie des saints » avant de mourir.

> Malgré mon âge avancé (...). J'aurai ainsi travaillé jusqu'à la fin pour ceux que j'aime et auxquels je dois le bonheur de cinquante années de maternité.

Cette dédicace est le testament de toute son œuvre. Elle ne peut sauver Camille. Elle la mettra donc en tête de la *Bible d'une grand-mère*. Elle remplira sa dernière promesse. Elle les citera tous. Jusqu'au petit Paul, fils de Camille, enfant qui ferme la parenthèse de toute une œuvre, une vie. Elle ne connaîtra plus d'autres bons enfants. Le tour est joué. Avec ses vivants et ses morts.

A tous mes petits-enfants,

Camille de Malaret, marquise de Belot, 20 ans
Madeleine de Malaret, 18 ans
Louis de Malaret, 12 ans
Gaston de Malaret, 5 ans

---

1. Lettre à Madeleine de Malaret, 4 août 1869.

COMTESSE DE SÉGUR

> *Pierre de Ségur, 15 ans*
> *Henri de Ségur, 12 ans*
> *Marie-Thérèse de Ségur, 8 ans*
> *Valentine de Ségur Lamoignon, 9 ans*
> *Louis de Ségur Lamoignon, 7 ans*
> *Mathilde de Ségur Lamoignon, 3 ans*
> *Élisabeth Fresneau, 16 ans*
> *Sabine Fresneau, †*
> *Henriette Fresneau, 10 ans*
> *Armand Fresneau, 7 ans*
> *Jacques de Pitray, 11 ans*
> *Jeanne de Pitray, 9 ans*
> *Marguerite de Pitray, †*
> *Paul de Pitray, 6 ans*
> *Françoise de Pitray, 4 ans*
> *Paul de Belot, 1 mois*[1].

Quelle douceur de les nommer une dernière fois !... Tous... Au ciel, n'est-ce pas ? nous nous retrouverons. Il n'y a pas d'autre « cabane » possible pour ne jamais plus se séparer.

L'écriture l'a dévorée, parmi tant de deuils, de soucis. Elle a bien raison de présumer de ses forces. Elle a achevé dans un effort terrible *Après la pluie, le beau temps*. Elle ne l'a pas relu. Épuisée. La lecture de *Guerre et Paix* de Léon Tolstoï provoque son attaque. Le coup est trop fort. Papa, ô papa ! Rostopchine y est décrit tel un bourreau menteur et hâbleur. Sous la plume de Tolstoï, il est l'assassin de Verechtchaguine. Le 19 octobre 1869, Sophie tombe foudroyée, à Paris. Un an après la mort de Sabine. Sa bonne la trouve par terre, inconsciente. A 5 heures du matin. On court chercher Gaston qui la croit à l'agonie. Elle balbutie des mots sans suite, en russe. *Guerre et Paix* a glissé près d'elle. Elle met un mois à se remettre. Elle peut écrire sa première lettre à Olga :

> *Chère enfant, je t'adresse ma première lettre, le mieux marche lentement, mais il marche, dans quinze jours, j'espère pouvoir m'en sortir : mes vertiges subsistent mais diminués. Je marche dans le salon et je ne chancelle pas trop*[2].

Bien sûr, Jacques reçoit son premier essai d'écriture. Gaston de Malaret se met à tousser, à ne plus manger. Camille est repartie

---

1. Dédicace à *La Bible d'une grand-mère*, 1869.
2. Lettre à Olga, 12 novembre 1869.

avec son affreux mari. Sophie s'affaiblit à nouveau. Elle n'écrira jamais sa « vie des saints ». Tout le monde la dévore. Même ce Tolstoï qui a insulté son père et failli ainsi la tuer ! Jacques est un des héros de son dernier roman. « Jacques, avait-elle écrit à Olga, a un rôle assez important, et très beau, comme de juste, en qualité d'élève de Vaugirard. »

« *Après la pluie, le beau temps.* » *Le dernier livre*

Geneviève Dormère, petite-fille modèle, est âgée de dix ans. Orpheline, elle vit chez son oncle, M. Dormère. Ils habitent, en Normandie, un château nommé « Plaisance ». Dur et froid avec sa nièce, M. Dormère idolâtre son fils, le méchant Georges Dormère. Il maltraite et calomnie sans répit sa petite cousine. Heureusement, la bonne, Pélagie, qui l'a élevée, prend sa défense. Puis, l'excellente Mlle Primerose. Pour le bonheur de Geneviève, l'indifférent tuteur abandonne à la pétulante vieille fille l'éducation de la petite. Mlle Primerose, très instruite, remplira hautement sa mission. Geneviève deviendra sa fille, au fil des ans et des épreuves. Un serviteur noir, Ramoramor, jadis très dévoué aux parents de Geneviève, arrive un matin au château. M. Dormère accepte que ce « Rame » tout noir entre au service de Geneviève, à condition qu'il ne le dérange jamais. Georges, haineux, commence à insulter le « nègre » de sa cousine... Le (bon) cousin, Jacques de Belmont, devient l'ami intime de Geneviève. Il prend sa défense contre ces vilains Dormère, père et fils. Georges part en pension, à Vaugirard, où se trouve Jacques. L'été, Jacques raffle tous les prix. Georges ne fait rien. Les jésuites le renvoient de Vaugirard. M. Dormère en conçoit de l'humeur. Il chasse Mlle Primerose et Geneviève de Plaisance, avec Ramoramor et Pélagie, pour le repos de son fils et le sien.

Mlle Primerose a une belle fortune. Geneviève sera un jour fort riche. Le tuteur est obligé de verser une pension. Elles s'installent donc à Auteuil, dans une belle maison. Geneviève achève son éducation au Sacré-Cœur. Plaisance est loin. Geneviève atteint dix-huit ans. Jacques termine ses brillantes études de droit. Il n'a jamais cessé ses visites à Auteuil. L'amitié de Geneviève et de Jacques s'est transformée en amour. Tout irait bien sans l'invitation de M. Dormère. Il souhaite revoir sa nièce. Il songe à la fortune de Geneviève. Il veut la marier à ce dilapideur de Georges. Dès l'arrivée, il est séduit par sa beauté. (Sophie a tracé le portrait de Camille. « Les grands yeux bleus, les cheveux blond foncé, la taille élégante... »)

Georges songe aussitôt à la dot. Sophie a-t-elle campé le portrait du mari de Camille ? Georges fait une cour en règle. Geneviève le fuit. Mlle Primerose a deviné la vérité. Il faut partir au plus vite. Geneviève surprend son cousin en train de voler son père. Georges accuse Ramoramor du vol. Incapable de le dénoncer, Geneviève tombe malade. Une dangereuse typhoïde. Heureusement, Mlle Primerose a dérobé une lettre de Georges à Geneviève. Il réitère sa demande en mariage en avouant son vol. A peine remise, Mlle Primerose ramène Geneviève à Auteuil. M. Dormère menace sa pupille, encore mineure, de la séquestrer. Mlle Primerose confie l'affaire à un notaire. La lettre de Georges, précieux document, sauvera la situation au détriment des Dormère.

A Rome, c'est la guerre. Jacques s'est engagé dans les zouaves pontificaux. Ramoramor aussi. Comment suivre Jacques quand on est une jeune fille ? Mlle Primerose accélère le mariage. Le notaire, subrogé tuteur de Geneviève, se charge du consentement de M. Dormère. Il refuse. Le notaire brandit la lettre fatale. Atterré, M. Dormère signe.

Jacques et Geneviève de Belmont vont à Rome. Mlle Primerose, Pélagie et Rame sont du voyage. Ils habitent le fameux Palazzo Brancadoro, Plazza Colonna. Le pape bénit Jacques avant la grande bataille de Mentana. Ramoramor sauve la vie de Jacques. Le bon serviteur se jette entre son maître et la balle d'un « rouge ». Il n'est que blessé. A chaque zouave tué, l'inlassable comtesse le bénit à travers la voix de Mgr B. (Gaston). « Ils meurent pour leur Dieu, moi, je les fais vivre pour le bonheur éternel. » Mlle Primerose soigne les zouaves éborgnés et manchots. Tout est bien qui finit bien. Après la pluie, le beau temps. Sauf pour M. Dormère, obligé de reconnaître l'infamie de son fils. Une terrible dispute éclate entre père et fils. Voici les adieux de Georges à son père : « Donnez-moi de l'argent et je vous quitterai volontiers (...). J'emprunte sur mon héritage futur cinq à six mille francs ; après quoi, je pars pour ne jamais revenir et je vous laisse pour adieu ma malédiction comme récompense de la belle éducation que vous m'avez lâchement et sottement donnée. »

Georges disparaît au Pérou. Il y mourra de la fièvre jaune. M. Dormère a une attaque. Paralysé, il demande pardon à Mlle Primerose, à Geneviève et à Jacques. Il lègue, à sa mort, le reste de sa fortune à Geneviève et à Jacques. M. Dormère ira-t-il rejoindre les âmes du purgatoire ? Qu'importe ! Sophie a écrit son dernier livre. Elle tourne ailleurs sa prière...

Tout va mal en France. Que pense Garibaldi des zouaves pontificaux ? « Jamais l'Italie n'entrera dans Rome », avait déclaré Rouher. La guerre de Garibaldi contre les zouaves ressemble à une guerre sainte. Les Italiens, dans l'ensemble, sont exaspérés par Rome. Ils s'indignent après la victoire de Mentana. « Mentana a tué Magenta. » Ils haïssent ces zouaves, cette France qui devient un obstacle à l'unité italienne. Pourtant, elle avait été sa principale alliée dans la lutte du Piémont pour l'indépendance.

Tout le monde parle d' « unité ». L'ombre redoutable de la Prusse est toute proche. Bismarck aussi veut réaliser l'unité allemande. Cela précipitera la France dans la guerre de 1870. Unité... Grande Allemagne... La France va perdre tous ses maréchaux de logis.

A la santé du colonel, alors ?

Sophie, lugubre, entre dans la morne saison de la fin d'écriture. Spectatrice désolée d'une France vaincue, divisée, qui s'appellera longtemps Sedan.

III

ÉTAIS-TU A SEDAN, SOPHIE?
(1870-1873)

> *L'armée prussienne est une horloge bien montée qui fait 75 pas à la minute.*
>
> Fédor Rostopchine

La ruse de Bismarck ou la dépêche d'Ems

L'unité allemande. Rêve de Bismarck. Laisser croire à la France qu'elle jouera le rôle de médiateur. Assurer, par cette ruse, la domination prussienne. Utiliser habilement Napoléon III. Depuis les affaires italiennes, Bismarck veut d'abord neutraliser l'Autriche. Bismarck se déplace à Biarritz. Il y rencontre l'empereur des Français. Ambiance amicale dans la ville si chère à Eugénie. Secrètement satisfait, Bismarck s'aperçoit à quel point Napoléon semble diminué. Diminué... torturé par un calcul rénal, effondré par la tournure sanglante de l'aventure au Mexique. Napoléon III n'est plus à la hauteur de la situation. Sa souffrance physique le mine. L'infiniment petit — un calcul rénal — aura précipité la France dans sa défaite... L'empereur est devenu incapable de suivre longtemps une stratégie. Il n'écoute pas son judicieux ministre des Affaires étrangères, Drouyn de Lhuys. Le ministre a deviné les conséquences redoutables d'une « entente » avec la Prusse.

Dépressif, indifférent, l'empereur abandonne à Bismarck, « le chancelier de fer », les négociations avec l'Autriche. Attitude suicidaire pour la France. La Prusse annexe les États allemands au nord du Main. Le but de Bismarck : faire de la Prusse un État d'un seul tenant. Il irait de la frontière russe à la frontière française. Bismarck, victorieux, déjà dédaigneux, se moque des tardives requêtes du défaillant empereur : « Louis nous a présenté sa note d'aubergiste ! » ricane-t-il.

La France, plus bas que *L'Auberge de l'Ange Gardien,* sans zouave ni général russe. L'empire a commencé son déclin. Une force « rouge » se prépare, consciente de cette bascule mortelle de tout un pays. Un jeune républicain, Gambetta, défend le journaliste républicain Delescluze. Gambetta prononce un violent réquisitoire contre le Second Empire. Les élections législatives de mai 1869 aboutissent à une semi-défaite pour l'empereur. La grève des mineurs, au Creusot, va dégénérer. La troupe tire : seize morts. Le journaliste Victor Noir est assassiné d'une balle à bout portant par l'odieux Plomplon Bonaparte. Il n'aimait pas ses articles. La famille impériale est éclaboussée, honnie. Victor Noir devient « le martyr de la démocratie ». Plomplon l'a tué parce qu'il le contredisait. Le 12 janvier 1870, Bismarck trouve opportun de ménager la France. Sous forme d'une dépêche. La dépêche d'Ems.

Le roi de Prusse, Guillaume Ier, envoie une dépêche à Bismarck. Le contenu relate l'incident qui l'avait opposé à l'ambassadeur de France. Bismarck retourne habilement les termes de cette dépêche, contre la France. Elle aurait gravement offensé l'empereur prussien. Le 14 juillet, la dépêche est publiée à Paris. Le soir même, le conseil législatif, Émile Ollivier en tête, demande de voter les crédits nécessaires à la guerre.

Le 19 juillet 1870, jour des soixante et onze ans de la comtesse de Ségur, la guerre est déclarée à la Prusse. La France éclate en un seul cri, répétitif et rude à son histoire : « A Berlin ! »

Camille vit sa propre défaite. Maltraitée par son mari, elle est ruinée quand s'élabore la dépêche d'Ems. Invitée au mariage de sa cousine de Lassus, à Chambéry, elle s'enfuit encore. Son père la ramène à Malaret, avec son bébé. Sophie, au courant, désolée, oublie le sort de la France pour écrire à Madeleine. Madeleine est alors entrée dans les ordres actifs à Toulouse.

> *Tu es heureuse et gaie, du moins, toi, heureuse fille, qui n'as pas traîné la lourde chaîne d'un fatal mariage. Ma pauvre Camille n'est plus ce qu'elle était, gaie, heureuse comme toi, un sort plus malheureux que celui des femmes a été son partage. Peut-être le bon Dieu lui a-t-il*

donné ce triste lot pour lui éviter les fautes de l'enivrement du monde :
jeune, jolie, bien née, riche, charmante, spirituelle, excellente, elle eût
peut-être été trop adulée par tous et aurait peut-être trop apprécié le
bonheur de ce monde qui lui aurait fait abandonner la voie étroite du
ciel [1]...

Certes, le bout de cette voie est l'éternité. Cela n'empêche pas
Sophie d'être déchirée du malheur de sa chérie. Elle souhaite la
mort de l'infâme. Si seulement Camille avait le bonheur de tomber
veuve ! « J'espère dans la miséricorde de Dieu qui peut briser les
chaînes de ma pauvre Camille et lui donner du bonheur ; ce serait
un grand bienfait pour nous tous et un repos de cœur pour papa,
maman et moi, etc. [2] »

Madeleine est consternée. Que faire ? Madeleine est heureuse,
en effet. Entrée toute jeune dans la société des filles de Saint-
François-de-Sales, elle mène, comme elles, sans costume ni
couvent, une vie dirigée par les préceptes de l'évêque de Genève.
La charité active. Prier pour Camille, l'héberger, la soulager de son
bébé d'un an. Évincer légalement Belot est une machine aussi
lourde à manier qu'un char prussien. Prier ou se battre ? Camille
est la petite fille modèle vaincue. Jamais Sophie n'eût soupçonné
un tel sort à sa perle. Jamais la France n'a pensé être vaincue.

Les armes se préparent. Les lourds chassepots se remplissent de
poudre. Les Prussiens affûtent leurs baïonnettes. Les casques à
pointe sont fourbis. Va-t-on prier ou se battre pire que sauvages ?

Sophie et les siens ne mesurent pas encore la gravité désastreuse
de la guerre. Sophie approuve le projet des Pitray. Ils quêtent des
dons afin de construire une chapelle à Baufai, près de Livet. Son
nom ? « Notre-Dame-des-Bons-Enfants ». Le vitrail porte le dessin
exquis d'un ange bleu aux ailes déployées, représentant Marguerite [3].

Sophie n'écrit plus, excepté les dernières corrections d'épreuves.
Elle songe vaguement à un roman, *Le Petit Savoyard*. Elle ne
l'écrira jamais. Sa correspondance avec ses interlocuteurs habituels
lui tient lieu de « roman ». Le plus réaliste de tous. La guerre de
1870 selon la comtesse de Ségur.

---

1. Lettre à Madeleine de Malaret, 11 juin 1870.
2. *Ibid.*
3. Visite de l'auteur à Baufai, en septembre 1988. Chapelle et vitraux sont intacts.

COMTESSE DE SÉGUR

Stratégies

La réapparition du petit Thiers agace Sophie au plus haut point. L'urgence est ailleurs. Thiers, « le petit fourbe », sait attendre son heure.

Deux états-majors vont mener cette guerre jusqu'à la chute de l'empire. Guillaume Ier, accompagné du *Kronprinz*, Frédéric Charles de Prusse, de Bismarck et de Moltke, commandant en chef des forces allemandes. Ils mettent en place trois armées. Elles partent aussitôt vers l'Alsace et la Lorraine. Le commandant du feld-maréchal Steinmetz est en tête de cette première troupe. Ses hommes sont armés jusqu'aux dents. Fédor Rostopchine les reconnaîtrait d'un seul regard. « Une horloge bien montée qui fait 75 pas à la minute. »

La France présente une défense dérisoire. Napoléon III a l'air de plus en plus indifférent. L'implacable troupe de fer avance vers l'est. Mac-Mahon est à la tête de l'armée d'Alsace. Il n'a ni le temps ni la possibilité de réaliser le rassemblement d'une armée éparpillée. Le 2 août 1870, Sophie, exténuée, se réfugie à Kermadio. Napoléon III lance son armée à l'assaut de Sarrebruck. Succès apparent mais fallacieux. Début de l'inévitable défaite. Les soldats français se battent à un contre dix Prussiens. La division du 1er corps d'armée est commandée par M. Abel Douay. Le 4 août, elle est écrasée à Wissenberg par la IIe armée du *Konprinz*.

Mac-Mahon a regroupé ses troupes à Froschwiller-Woerth. Le 13 août, c'est la défaite. « Grande perte en hommes et en matériel », télégraphie Mac-Mahon à l'empereur. L'Alsace est livrée à l'ennemi. C'est la débâcle. Strasbourg se rend après trente-neuf jours de bombardements intensifs.

Frossard ne peut de son côté résister. Après l'Alsace, la Lorraine. Affolée, Eugénie envoie à son mari affaibli, dégoûté, dépêche sur dépêche. L'empereur remet au maréchal Bazaine le commandement.

Le 10 août, Sophie écrit à Olga : « Un bien grand sujet de consternation est la défaite du maréchal Mac-Mahon... Nos pauvres troupes se sont battues comme des lions, mais que faire un contre dix[1] ? » Sophie prend férocement parti pour la France. Patriote jusqu'au fanatisme. Elle adore les hauts faits militaires. Les défaites, les tourments de l'armée lui donnent des insomnies :

---

1. Lettre à Olga, 10 août 1870.

« J'ai la tête en mauvais état : je n'ai pas dormi de la nuit, j'ai eu de forts vertiges, mal au cœur. (...) J'avais su une demi-heure avant le dîner les mauvaises nouvelles de l'armée ; mon dîner m'a travaillé et ma tête aussi a subi une défaite [1]. »

Si l'affreux coquin de Camille pouvait être égorgé par un Prussien ! Elle bénirait ce Prussien ! Elle est inquiète pour son Jacques resté à Vaugirard. Gaston, heureusement, est arrivé à Kermadio. Gounod s'est réfugié en Angleterre. Sa passion pour la cantatrice Georgina Weldon le dévore. Il achève *Mars et Vita,* compose son requiem, *Rédemption,* tandis que la France ressemble à un séisme. L'évacuation de Rome par les troupes françaises coïncide pour Sophie avec la défaite.

« Les mauvaises nouvelles de ces derniers jours ont coïncidé avec l'évacuation de Rome par nos troupes. (...) Jusqu'aux républicains qui crient contre l'empereur pour avoir violé sa parole d'honneur envers le pape et qui lui attribuent la défaite de nos pauvres soldats [2]... »

Kermadio devient le refuge des uns et des autres. Pierre et Henri y sont envoyés d'urgence par leur mère, Cécile. Elle est effrayée de rester seule aux Nouettes, sans homme. Anatole est obligé d'être à Paris. Les Prussiens ont commencé l'envahissement des campagnes. « En attendant, précise Sophie, qu'on ne les fasse déguerpir. » La guerre prend dans l'esprit de Sophie et de Gaston une tournure religieuse. Les « rouges » vont profiter du désarroi général pour détruire la religion. Le 16 août 1870, les Prussiens ont bloqué la marche de Bazaine. Le général Trochu est nommé gouverneur militaire de Paris. Jusqu'à la fin du mois d'août, l'impératrice et Palikao s'occupent, mal et à distance, des opérations militaires. Ils envoient une foule de dépêches contradictoires à l'empereur dont on ne sait presque plus rien. L'ambassadeur d'Angleterre, à Paris, fait courir le bruit que Napoléon III a abdiqué. Un journal espagnol annonce tout simplement son suicide !

La poste est totalement désorganisée. Aucune lettre de Livet ou des Nouettes n'arrivent à Kermadio. Sophie s'épouvante de ce silence. Elle n'en continue pas moins à écrire à Olga : « Ce qui augmente mon inquiétude c'est le silence absolu que gardent les lettres des Nouettes. Pas même de réponses à mes lettres pour la communion de Jeanne. »

---

1. *Ibid.*
2. Lettre à Jacques de Pitray, Kermadio, 11 août 1870.

Sedan

Septembre 1870. L'impératrice régente s'oppose au retour de son mari à Paris. Mac-Mahon, à cause de ses dépêches confuses, reprend sa marche sur Metz. Le 30 août commence la bataille de Sedan. Le 5ᵉ corps, installé à Beaumont, au sud de Sedan, se laisse surprendre par les Prussiens. Les Français, commandés par le général de Failly, sont divisés. Impossible de repousser cette féroce armée vers la cuvette de Sedan. 125 000 soldats mal armés luttent contre 250 000 Prussiens. Mac-Mahon espère en vain réorganiser ses troupes. L'encerclement prussien et sa mitraille sont sans répit. Au village de Bazeille, les soldats français en sont à leurs dernières cartouches. Les Prussiens massacrent même les habitants. Les cuirassiers du général Bonnemain, les chasseurs d'Afrique du général Margueritte, s'élancent sur le plateau de Flony.

C'est l'échec. L'échec, en dépit de la présence de Napoléon III. Malgré la souffrance intolérable due à ses calculs urinaires, il est en première ligne. Il comprend l'absurdité d'une lutte aussi inégale. Il décide de faire hisser le drapeau blanc sur la citadelle de Sedan. Le drapeau de la honte. Il fait transmettre au général Reille — le message court tout droit au roi de Prusse — sa reddition, la défaite de la France.

« Monsieur mon frère, n'ayant pu mourir au milieu de mes troupes, il ne me reste qu'à remettre mon épée entre les mains de Votre Majesté. Je suis, de Votre Majesté, le bon frère... »

Le matin du 2 septembre 1870, Bismarck accompagne son prisonnier, Napoléon III. Un homme physiquement et moralement détruit. La courtoisie de l'ennemi est d'autant plus dangereuse que l'armée française est en entier prisonnière. L'empereur le sait.

Sa captivité est commencée. Il est assigné à résidence, au château de Wilhenshöhe, près de Kassel. Sophie a de plus en plus d'étourdissements à cause de « ces événements déplorables ». Elle prie et communie avec Gaston pour la fête d'Olga et surtout « (pour) la défaite complète des Prussiens ». Elle s'exaspère du temps magnifique. « Enrageant par rapport à ces Allemands qui se sèchent et se chauffent à notre beau soleil[1]. »

La gouvernante des enfants d'Henriette, Mlle Heyberger, est alsacienne. Elle est terrifiée par la prise de Strasbourg. L'abbé Diringer est aussi alsacien. Il « ne veut pas être prussien, ni que son

---

1. Lettre à Olga, Kermadio, 1ᵉʳ octobre 1870.

586

bien soit prussien et en prusse ». Tout, concluent Gaston et Sophie, est le résultat de « l'iniquité protestante ».

Pour Gaston, tout cela est dû au progrès, ou à l'œuvre de Satan. « Je préchotte le dimanche à Auray, bonne population, peu gâtée encore par cette infâme corruption que Satan appelle la civilisation et le progrès. »

Le doux prélat accuse en premier les juifs et les révolutionnaires. Il développe ces idées dans une lettre, le 10 décembre 1870, à un religieux réfugié en Valois : « Mon pauvre enfant, que Notre-Seigneur frappe dur quand il s'y met ! Sa France avait laissé prendre pied chez elle à tous ces voleurs, à tous ces juifs, à tous ces marchands de grosses et petites bêtes communes sous le nom générique de révolutionnaires [1]... »

Le ton de la lettre s'échauffe. Sont nommément cités les responsables de ce désordre. Le Christ aurait pris à partie : « Notre-Seigneur s'est fâché ; il a pris ses Crémieux, ses Cluseret, ses Equiros, ses Duportal, ses Garibaldi et il est en train de schlaguer d'importance les princes, les préfets, les richards... »

Sophie, Gaston, Veuillot, s'excitent à qui mieux mieux. La fin de Rome serait la fin de tout... « Ceci, continue Gaston, est la punition de l'abandon des principes catholiques, surtout relativement à l'autorité du Saint-Siège et à l'organisation de la monarchie chrétienne et légitime [2]... »

Bismarck, l'impératrice, l'empereur, Berlin, l'Espagne, l'Autriche, le peuple révolté, « c'est Satan et Cie ». Les Prussiens ont brûlé le palais de Saint-Cloud. Comment lutter contre ces vandales qui ont mutilé une statue de la Vierge ? « Ils ont souillé et brisé les statues de la Sainte Vierge, protectrice de la France, ils ont profané nos églises. (...) Ils seront punis [3]. » La solution ? Le retour à la monarchie.

« Tu as vu la belle proclamation du comte de Chambord aux Français. On dit qu'il a eu la visite (en Suisse) de ses cousins d'Orléans ; mais qu'ils n'ont pas pu s'entendre. (...) S'il en est ainsi, nous retomberons dans l'irréligion, l'impiété, l'anarchie, la révolution et le sabbat d'enfer [4]. »

Où aller si les rouges et Satan gagnent à ce point du terrain ? « Puissiez-vous, continue la savoureuse aïeule, vous retirer dans

1. Correspondance de Gaston de Ségur.
2. Lettre de Gaston de Ségur, février 1871.
3. Lettre à Olga, 19 octobre 1870.
4. *Ibid.*

quelque pays tranquille, sage, pieux comme le val d'Andorre qui n'a jamais laissé pénétrer dans son petit territoire ni étranger, ni mauvaise littérature. »

Sophie attire sa tribu à Kermadio. Ah ! qu'elle les voudrait tous autour d'elle ! Nathalie lui envoie son fils, Louis. Qu'elle le mette chez les jésuites, à Vannes. Sophie fait tout pour convaincre Olga de lui envoyer Jacques. Il irait à Vannes. « C'est un si bel établissement, un air si sain, des promenades charmantes. »

Sophie est bel et bien un chef de tribu. Tout converge autour de ses avis. Elle est ravie que le temps se soit gâté. « J'espère que ces abominables Prussiens sont trempés, traversés, qu'ils vont tous périr [1]... »

A Livet, les choses bougent. Émile songe à mettre sa famille en sûreté dans le Midi. Il a toujours résisté au tendre despotisme de Sophie. Il ne veut pas qu'elle décide du sort de sa femme et de son fils. Émile souhaite s'engager comme franc-tireur. L'ennemi est maintenant aux portes de L'Aigle. Sophie, morte d'inquiétude, s'oblige à rassurer Olga : « Quand à Émile, sois tranquille sur son compte ; les Prussiens ne viendront pas pour se faire tuer dans ce dédale de haies, de bois, de vallées, de hauteurs [2]... »

Elle continue à gâter les enfants d'Olga. Elle envoie un mandat de 20 francs aux aînés pour acheter des livres. Un autre de dix francs « à Paul et Françon, pour dessins, crayons, couleurs, ciseaux à découper ». La fille de Rostopchine estime que les généraux responsables de Sedan sont des traîtres. « On devrait tuer ce (traître) de Bazaine. » Comme Verechtchaguine sur les marches de la Loubianka ?

Le 4 septembre 1870, c'est l'apothéose. Gambetta, drapeau tricolore en tête, proclame la déchéance de l'empire. Jules Favre entraîne la foule vers l'Hôtel de Ville. La république est proclamée « sans effusion de sang ». Un gouvernement de défense nationale de onze membres est organisé. L'impératrice est obligée de fuir les Tuileries désertes. Seule fidèle : une dame d'honneur fort modeste. Elle s'enfuit dans un méchant fiacre, trouve refuge chez son dentiste ! Elle ne sait plus où sont son mari et son fils. Il lui faudra une année pour les rejoindre en exil.

Se souvient-elle, dans son désarroi, du radieux tableau de Winterhalter ? Ravissantes femmes-fruits, autour d'elle, capiteux

---

1. Lettre à Jacques, 8 octobre 1870.
2. Lettre à Olga, 4 octobre 1870.

lys... Nathalie inclinée, épaules en douces petites mandarines qui donnent à l'empereur l'envie constante d'y mordre. Cous de neige, robes de fées ? Les princes sont-ils des songes dont le réveil est le sang ?

Émile de Pitray envoie Jacques chez les jésuites, à Poitiers. Arrivé sans mauvaise rencontre, il ne connaît personne dans ce collège. Qui peut le sortir ? Aucun membre de sa famille n'habite cette ville. Nathalie éprouve de sérieuses inquiétudes, car « on fait à Toulouse une liste de prescriptions dans laquelle sont naturellement compris Paul et Albert ». Comment retrouver les beaux jours de jadis ? Le petit Paul de Pitray a failli mourir de sa rougeole. Jeanne a très peur qu'Émile, son père, ne soit capturé par les Prussiens. La tombe de Marguerite n'est plus fleurie, balayée par le vent. Sophie tremble. Jusqu'où peuvent aller ces hordes de loups ? Elle essaye de rassurer Olga au sujet des Prussiens à Poitiers. « On m'assure que ce n'est pas probable. Que Poitiers ne mène à rien, et leur projet est de ne pas pousser plus bas que Tours [1]... » Mais ils avancent, ces maudits ! Les voilà à Rouen. Comble d'infortune, « Gambetta vient de décorer ce brigand de Garibaldi [2]. » Le sort de Jacques se trouve compromis, puisque fin décembre : « On ordonne aux jésuites de Poitiers de licencier leur collège et on s'empare de leur maison pour des soldats et des blessés. Justice de Gambetta qui vole les propriétés particulières [3]. »

A Kermadio, les habitants mangent encore à leur faim. La Bretagne ne cesse ses processions religieuses. Pierre, qui a échappé à l'enrôlement de force, et Élisabeth « courent de tous côtés pour avoir des vêtements chauds pour nos pauvres prisonniers qui souffrent tant de froid et de faim en Allemagne [4] ». Pierre, bon chasseur, garnit la table : « Il y a des grives en quantité, à en tuer dix ou douze par heure, des courlis excellents, des bécasses énormes, comme je n'en ai jamais vu, des canards sauvages en quantité et des lièvres énormes [5]. »

Tandis qu'on se gave de gibiers et de prières à Kermadio, Paris mange du rat.

1. Lettre à Olga, 9 décembre 1870.
2. Lettre à Olga, 13 décembre 1870.
3. Lettre à Émile de Pitray, 23 décembre 1870.
4. Lettre à Jacques, 30 novembre 1870.
5. Lettre à Jacques, 5 janvier 1871.

COMTESSE DE SÉGUR

Le ballon de Gambetta. Capitulation de la France

A Paris, l'hiver est atroce, la faim, dévorante. Où sont les glands du château de Fleurville ? On tue et dévore tout ce que l'on trouve. Chevaux, chiens, chats et rats. Bismarck a fait bombarder la ville. Les obus pleuvent sur les femmes qui cherchent pain et avoine. Les petits enfants meurent par dizaines. On les enterre sans cercueil. Il n'y a plus de lait. Gambetta, aidé de Freycinet, quitte Paris en ballon, pour représenter le gouvernement à Tours. Gambetta recueille tous les dévouements. Il rassemble l'espoir de 600 000 hommes. Les zouaves pontificaux de Charrette, les princes d'Orléans, les garibaldiens. Parmi les zouaves, un jeune homme, Jean de Moussac, est le fiancé d'Henriette Fresneau.

Que crie Gambetta de son ballon ? « Faisons-nous un cœur et un front d'airain, le pays sera sauvé par lui-même et la république libératrice sera fondée. » Cette phrase devient le chuchotement exalté de toute la France. Ces armées improvisées refoulent en partie l'ennemi. Ô chimérique Gaston, la république serait-elle à ce point le ballon dirigeable de Satan ? Paris capitule le 28 janvier 1871, à cause de la faim. La province se remet à trembler. Début décembre, les Prussiens sont tout près des Nouettes. « Ils sont à Chauday. » Livet et L'Aigle sont épargnés parce que les Prussiens « ont fait payer par la ville de L'Aigle 200 000 francs pour lui épargner une visite... (Ils ont menacé) d'emmener en otage le maire de L'Aigle, M. Rouyer, qui avait eu le courage de leur refuser 10 000 francs qu'ils demandaient en plus [1]... » Sophie essaye de rassurer, dans ce courrier, Jacques toujours bloqué à Poitiers. Où est son père franc-tireur ? « J'ai reçu vers Noël une lettre de papa qui va très bien et qui paraît définitivement débarrassé des Prussiens. » Pour retourner à Livet, Olga, qui était dans le Midi, est obligée d'attendre que Tours et Le Mans soient débarrassés de l'ennemi. La capitulation de la France est signée à Versailles.

Les princes allemands, non sans sadisme, exigent de se réunir dans la galerie des Glaces. Ils y proclament, au sus de la France, « Guillaume Ier, Empereur *héréditaire de l'Allemagne* ». Ils achèvent d'humilier la France en concluant leur unité à Versailles, le 18 janvier 1871, jour anniversaire de la création de la Prusse, cent soixante-dix ans auparavant. La fille de Rostopchine explose de colère.

---

1. Lettre à Jacques, décembre 1870.

ÉTAIS-TU À SEDAN, SOPHIE?

Chère enfant, la honteuse paix signée par Jules Favre avec Bismarck. (...) Quel coup de foudre que ce traité de signé. (...) On s'est empressé de livrer à l'ennemi les forts de Paris. (...) Cette livraison inconcevable met la France et l'Assemblée dans l'impossibilité de refuser le traité quelque diabolique qu'il soit[1].

Ah! que n'a-t-on brûlé Paris plutôt que d'accepter le déshonneur! Papa, ô papa! où sont désormais des guerriers tels que vous? Elle a bien raison de s'enflammer, la pétulante aïeule. Le traité est définitivement signé le 10 mai 1871, sous le nom de « traité de Francfort ». Il oblige la France à abandonner à l'Allemagne toute l'Alsace, sauf Belfort. Une partie de la Lorraine, avec Château-Salins, Thionville et Metz. « Nous leur payerons, achève Sophie très au courantt de la politique, 3 milliards d'indemnités et nous leur livrerons 20 vaisseaux de guerre tout équipés[2]. »

Jules Favre commente différemment ce désastreux armistice : « La France est malheureuse mais elle a fait son devoir. » C'est le comble! Sophie, née Rostopchine, sent le sang battre sous ses tempes. Elle frôle une attaque, à l'aise comme une ganache dans le vocabulaire militaire : « De quel droit Jules Favre, méchant avocat, ose-t-il représenter la France pour le déshonneur et la perdre? (...) Quoi qu'il en soit, la chose est impossible à défaire à cause de la livraison des forts, des 10 000 canons et des 500 000 chassepots sans compter les mitrailleuses, l'artillerie de campagne etc.[3]. »

Une petite fête adoucit sa colère. Armand Fresneau a été nommé député à une grande majorité. Le petit Armand offre alors une fête à sa grand-mère Ségur. Il monte sur la table de la grande cuisine, va chercher son violon et joue des airs bretons sur l'air du « roi boit ». « On a fini par faire une immense ronde autour de la table sur laquelle était montée Armand[4]. »

« Le roi boit... » Sophie rêve du rétablissement du comte de Chambord. « Peut-être la chambre rappellera-t-elle une monarchie qui achèvera de rétablir la paix à l'intérieur[5]? » En attendant, les atrocités, dans les campagnes, vont bon train.

---

1. Lettre à Olga, janvier 1871.
2. Lettre à Olga, 11 février 1871.
3. *Ibid.*
4. Lettre à Jacques, 9 janvier 1871.
5. Lettre à Olga, 11 janvier 1871.

COMTESSE DE SÉGUR

Le curé de Ray

Livet et les Nouettes, par miracle, n'ont été ni pillés ni brûlés. Par contre, les chemins de Cadichon sont détruits. Le réseau ferroviaire défoncé. Des soldats en haillons mendient. Le village de Ray, non loin des Nouettes, a été saccagé. Les habitants battus. Certains massacrés. Le maire, emmené et rossé. Les représailles ont eu lieu à cause des francs-tireurs. Ils ont eu l'imprudence de laisser sur la route le corps abattu d'un soldat prussien. Ils cachent le fusil du mort chez le curé de Ray. Les Prussiens aperçoivent le cadavre sans fusil. Ils se précipitent au presbytère. Ils trouvent aussitôt le fusil.

> *Ils sont tombés sur le pauvre vieux curé à coups de poing ; à coups de pied et à coups de crosse de fusil ; ils l'ont entraîné et l'ont fait marcher jusqu'à Chambord, à quatorze lieues de L'Aigle ; à chaque village, ils s'arrêtaient, faisaient signe au pauvre curé qu'il allait être fusillé ; ils lui criaient : « Capout » et lui donnaient des coups de poing sur la tête. Enfin, à Chambord, un officier supérieur l'a fait relâcher, et le pauvre curé est revenu à Ray le surlendemain ; il n'a trouvé ni sa servante qui s'était réfugiée aux Nouettes, ni aucun habitant ; le presbytère et le village avaient été pillés, dévastés, les meubles brisés, les effets volés, les portes et les fenêtres arrachées* [1]...

Émile recueille et soigne le pauvre homme dépossédé. Le curé de Ray, piètre martyr. Quelques sots francs-tireurs, incapables de faire la guerre, courant comme des lapins dans des haies normandes... Où sont ces « Scythes » dont Sophie, fille de l'un d'eux, a la secrète nostalgie ?

Les Prussiens continuent à menacer la région des Nouettes. Ils exigent « 25 francs par tête d'habitant ». Les maires, dont Émile, refusent. Sophie continue ses prières. Que le déshonneur retombe sur la tête de l'ennemi ! Séparée de son petit chéri, Jacques, qui a maintenant quatorze ans, le bonheur n'est plus qu'un songe, Camille, ô pauvre Camille ! Sophie a accroché au pied de son lit, à Kermadio, un énorme chapelet et un crucifix. Ses insomnies sont longues. Elle prie sans relâche. Un matin, très tôt, elle a eu le cœur agité à se rompre. Une voiture s'est arrêtée, cahotant, livrant deux pauvres passagers. Camille et petit Paul. Encore en fuite. Sophie se

---

1. Lettre à Jacques, 13 février 1871.

592

précipite vers elle et son bébé « aux yeux bleus (...) gros comme une volaille (...) colère comme un dindon ». Camille, malgré sa peine, lui donne déjà l'éducation ségurienne. « Elle ne lui cède jamais », se réjouit Sophie. Peut-être le Belot a-t-il été étripé ?

Sophie aimerait promener Jacques et Camille, seuls dans cette terre chargée de légendes. Ses petits-enfants déjà lourds de soucis funestes ! Redevenons tous des enfants. Allons vers ces pierres de Carnac. Elles ont l'air d'une armée rangée en bataille. La légende dit que « c'est une armée romaine pétrifiée par un miracle de saint Corneille, poursuivi par les Romains pour être martyrisé ».

Emmener Camille et Jacques respirer la bruyère et les ajoncs. Voir poindre la promesse des camélias sauvages. La petite rose insoupçonnable, presque mauve. Les premières violettes, émouvantes et bleues, au pied des calvaires... Prions, chers enfants, prions pour la France et le Saint-Sacrement. Le narcisse a jailli ; il couvrira d'or la lande, par-delà l'escarpement hostile de roches guerrières.

Saint Corneille, malgré les prières incessantes de Gaston et de Sophie, n'a pas pétrifié l'armée prussienne talochant à mort le vieux curé de Ray. Camille tousse, pleure la nuit. Son ignoble mari s'est caché chez Mlle Tautin. Il a disparu on ne sait où. Trop lâche pour se battre et suffisamment pour avoir détruit sa jeune femme. Elle serre très fort contre elle ce petit de moins de deux ans. Ont-il assez chaud dans la grande chambre pavée de lourdes dalles ? On les a lavées à grands coups de brosse trempée dans l'eau savonneuse. La cheminée du bas tire mal. Malgré son ronflement d'enfer et les troncs d'arbre que l'on y brûle, elle donne peu de chaleur. Que je regrette le confort si simple de mes chères Nouettes ! Tout cela est la faute de M. Thiers. Je ferai mettre deux autres « moines » dans le lit de Camille. « N'oublie pas, chère petite, que toutes les peines en ce monde te glorifieront dans l'autre. »

Où puiser le courage de ne pas éclater en aveux, la tête dans les mains, sur les ruines de la vie ? La vieillesse surgit, talonne les insomnies de Sophie. Quoi, déjà soixante-douze ans ? L'écriture et les enfants lui avaient fait oublier son âge à chaque instant. Est-ce le chagrin de Camille qui la catapulte dans la vieillesse ? Nos enfants nous font donc vieillir, pâtir, frémir ? La petite fille modèle a pris l'âge du désespoir. Il faut pourtant vivre et rire. Malgré tout. Malgré tous. Cousins et cousines, dans le sombre château de Kermadio, « travaillent à un reposoir... en gaze blanche doublée de roses et de chêne à profusion ». Le 29 mai, le reposoir flamboiera à la communion d'Armand, le violoneux.

COMTESSE DE SÉGUR

La vieillesse se compte en mois, en heures, quand on aime. Sophie se languit de Jacques. « Voilà un an, mon cher petit bien-aimé, que je ne t'ai vu... »

La Commune

Varlin, imprimeur, est un des responsables de la Commune. La comtesse de Ségur l'eût-elle préféré à l'infortuné Lahure ? Le 18 mars 1871, Paris explose en tous sens. D'où a jailli la Commune ? Elle vivra moins qu'un printemps. Deux mois, soldés dans un bain de sang.

Qui a grossi les rangs de ce peuple soulevé d'un seul bloc ? Marée, ivre de rage et de faim... Non ! Les rats n'ont pas le goût du poulet des bourgeois ! Qui compose ce peuple, prêt à tenter le tout pour le tout ?

Les domestiques chassés par le comte de Trénilly ? Les bonnes de Mme Delmis ? Le frère de Gaspard Féréor ? Les ouvriers de son usine ? Les Alcide Bourel, déserteurs de l'armée ? Jean qui grogne, concubin de la bonne renvoyée par Mme de Réan ? Lucie Lecomte, habitée de haine d'avoir mangé des glands ? Oublié de dire merci, chaque jour, à Mme de Rosbourg, sa bienfaitrice ? La Jeannette du moulin, qui avait osé toucher à la poupée des riches ? Les quatre enfants de Diloy le Chemineau, témoins des insultes de Félicie d'Orvillet ? Les institutrices renvoyées à cause de Giselle ? Les élèves chassés de la pension des Jeunes Savants ? Les Polonais, dont M. Gargilier n'a plus voulu ? Un des fils de Caroline et du brigadier, qui a mal tourné ? Le garde Bouland, blâmé d'avoir noyé les hérissons, sans la permission de ces demoiselles ? La misère est une bête. Une fange qui étouffe par le nez et la gorge, comme le fond des mares, à Fleurville. Mais personne ne vous en retire.

Depuis 1830, le peuple a grand goût d'escalader l'Hôtel de Ville. D'y planter son drapeau rouge. Les « bandits rouges », selon Sophie, les auteurs de la Commune, portent des noms. Louis Blanc, Ledru-Rollin, Raspail, Pierre Leroux, Edgar Quinet, Félix Pyat, Clément Thomas, Varlin, Étienne Arago, Victor Hugo, Edmond Adam, Schoelcher, Émile Ollivier, Louise Michel... Un froid génie anonyme, (un mauvais génie ?), Karl Marx, en a été le spectateur. Il observe les étapes de cette singulière histoire de peuple. Le massacre des communards, de quartier en quartier, par les Versaillais. De cette observation, Karl Marx écrira un traité,

La Guerre civile en France. Il y précise ce que le peuple ne doit *jamais faire* pour perdre son pouvoir et sa vie.

Premier rassemblement de la Commune : les hauteurs de Montmartre. Son cimetière devient le jardin où éclate la mitraille d'un seul cri : « Vive l'Italie ! Vive Garibaldi ! »

La Commune est un grand bœuf saigné qui rugit encore. Il n'y a qu'à visiter à Paris, entrée Denfert-Rochereau, les catacombes. On frôle des milliers de crânes, troués d'une balle, celle des Versaillais, hautement applaudie par le bon Gaston, Sophie et les siens.

Paris gronde et enfle telle une bête qui va mordre et voit rouge. A Kermadio, on joue une comédie de salon, pour distraire Sophie. Elle se tient au courant des événements. Naturellement, l'ouvrier est celui « qui boit ». « Les communards ont tant bu de vin et d'eau-de-vie pendant leur règne de bandit que la moindre blessure devient gangréneuse [1]. » Des bandits : rien d'autre. Qu'on les tue ! On les tuera.

Sophie songe à déménager. Son appartement a-t-il été pillé par cette pègre ? Elle se sent trop âgée pour vivre aux Nouettes. Anatole et Cécile lui succéderont. Si elle s'installait à Fontainebleau ? Cette Commune est leur bouquet d'épines, composé de « sauvages (qu'on) a eu l'imbécillité de laisser s'emparer des hauteurs (Montmartre), des canons, des mitrailleuses, des forts, des mairies, de l'état-major, des gares [2]... »

Sophie est reprise par le prurit des voyages. Kermadio a plus été une prison qu'un séjour. Ah ! revoir son petit chéri, ses autres lieux, ses enfants éparpillés ! Tout est de la faute de M. Thiers. « (Il) ne veut rien faire qui contrarie les rouges et, bien mieux, de concert avec son ami rouge, Grévy, Président, il empêche des membres de la droite de parler... » La France, quel désastre ! Surtout depuis l'application du plan de M. Thiers. Pour se débarrasser des communards, il a utilisé des Français — les Versaillais — et les bandes traînardes de Prussiens. Ravi, soldé pour cela, l'ennemi a collaboré avec Versailles pour assassiner la Commune. Un printemps de feu et de sang. Tout ce qui a l'air d'un gueux, d'une pauvresse, est passé par les armes. Rue du Château-d'Eau, les corps s'entassent. Certains palpitent d'un reste de vie, écrasés par les morts. Balles, baïonnettes, tout est bon pour achever ce seul et même cadavre. Celui de la Commune. Les Prussiens sont à leur aise. Ils aiment tuer et égorger. Payés, pour

---

1. Lettre à Jacques de Pitray, 11 avril 1871.
2. Lettre à Olga, 26 mars 1871.

cela, par cette France honnie ! Les Français de Versailles tuent avec la même verve. Sauver la propriété, les meubles, l'argent, l'Église ! Les communards se défendent en bêtes désespérées. Louise Michel tire au fusil derrière les tombes, à Montmartre. Tous sont vaincus. Le troupeau survivant est emmené prisonnier. Ils traversent à pied, entravés de chaînes, un Paris qui sent le soufre, la poudre, le sang, la boue. Les jugements les plus sommaires exilent vers tous les bagnes. Louise Michel ira en Nouvelle-Calédonie. A-t-elle été institutrice « au cachet » chez ces demoiselles du Faubourg ? Giselle de Gerville montre aux petites filles modèles ce qu'elle a écrit sur son institutrice. « Louise Michel est une bête, Louise Michel est un hérisson. Elle sent mauvais. Le peuple pue. Je la déteste… » Félicie d'Orvillet rit aux éclats. Louise croupit dans une première prison. « C'est bien fait », dit Félicie. Sophie, Gaston, Veuillot approuvent le massacre. La France « paye ses affreuses impiétés et son immoralité ».

Sophie n'en peut plus d'être séparée de Jacques. D'Olga, toujours réfugiée en Gironde, au château des Pitray, à Castillon-la-Bataille. Elle veut partir aux Nouettes. Avec son petit bagage, son oreiller en caoutchouc. Tant pis si elle rencontre ces sots révolutionnaires ! Tant pis s'ils la crèvent d'un coup de poing. Elle veut rentrer chez elle pour l'été. Les vacances ! « Aux premiers jours d'août, à moins que je ne sois paralysée ou imbécile ou morte [1]. » Une belle surprise calme sa vitalité qui agace Henriette. Le 5 avril, son petit chéri, accompagné d'Urruti, arrive à Kermadio. Elle le serre contre elle à l'étouffer. Son voyage ? Quelles rencontres ? Le chemin de fer et la voiture ont fonctionné convenablement. Dans le train, Jacques est tombé sur le zouave Jean de Moussac, qui allait dans la même direction. Sophie reprend vie. La table est couverte de gibiers. La cuisinière a fait une grosse tarte lourde, à l'écume de beurre. Cette fête remet un sourire sur le visage éteint de Camille. Courte trêve : le 17 avril, la colonne Vendôme est abattue par un reliquat de révolutionnaires. Sophie écrit le jour même à Olga :

« As-tu vu que les scélérats d'insurgés ont décrété la chute, le brisement et la fonte de la colonne Vendôme ? Quelle joie pour l'Europe qui avait fourni le matériau ! » Le peintre Courbet a donné l'ordre de ce joyeux massacre. Il est condamné à six mois de prison à Sainte-Pélagie. En 1874, il devra payer les dégâts de la colonne brisée. Courbet est ruiné. Le bourgeois préfère son bien à

---

1. Lettre à Olga, 3 avril 1871.

ses artistes. Courbet s'exile en Suisse pour peindre ses fleurs, ses natures mortes.

Les Prussiens se sont installés à Méry. Sophie est indignée. Ils se promènent dans le parc des Ségur Lamoignon. Ils bouleversent les pelouses où Eugène avait fait ses derniers et pénibles pas. Devant tous ces troubles, Sophie est reprise par son grand goût de l'ordre et de la méthode. « Je vais faire emballer et mettre en sûreté (je ne sais où encore) divers objets auxquels je tiens, tableaux, dessins, pendules et livres[1]. »

Pourvu qu'elle puisse récupérer son Jacques pour les vacances qui commencent le 1ᵉʳ août ! D'ici là, on aura bien fini par exterminer jusqu'au dernier tous ces bandits ! Toute cette fureur a assez duré ! M. Templier reçoit d'elle un fidèle courrier, mais sans projet. « Il y a un temps pour tout », a dit l'Écclésiaste. Le cycle des livres est bouclé.

Gaston de Ségur devient l'âne bâté d'Hugo et le Pécuchet de Flaubert

Fin juillet 1871, le comte de Chambord avait écrit à Gaston de Ségur une lettre, « belle, noble, simple, éloquente, affectueuse et digne comme son manifeste[2] ». Gaston, reparti par Paris, est encore frémissant de la fusillade des communards. Ils ont abattu, sur une barricade, son ancien ennemi, Mgr Darboy. Sophie en a eu une petite attaque au point d'en garder « la bouche de travers, elle penche à gauche, par en bas ». Depuis 1866, Gaston s'est fait beaucoup d'ennemis. Il avait dénoncé la vaste « manœuvre anti-chrétienne » que constituait « la ligue d'enseignement ». Elle avait été inaugurée, en France, par les francs-maçons d'Alsace. Cette ligue a pour principe fondamental « de ne servir les intérêts particuliers d'aucune opinion religieuse ». « Proscrire définitive-ment la foi dans l'enseignement et dans l'éducation[3]. » La franc-maçonnerie s'était étendue aux femmes, avec la création d'écoles professionnelles. Elles pouvaient recevoir « des principes d'athéisme pratique avec l'exclusion de Dieu comme base de l'éducation ».

Gaston était alors aussitôt parti en campagne. Son but ? Détour-

1. Lettre à Olga, 5 juin 1871.
2. Lettre à Olga, 23 juillet 1871.
3. *Monseigneur de Ségur, sa vie, son action*, M. de Hédouville.

COMTESSE DE SÉGUR

ner les ouvriers des loges. Il accuse la maçonnerie de messes noires, de sacrilèges, d'assassinats. Le 29 août 1867, il avait écrit à Sabine : « L'ennemi enrage et s'apprête à crier comme un chien à qui on a écrasé la patte. » Le « monde maçonnique » avait riposté avec cet article de Rebold : « Monseigneur de Ségur voit beaucoup la paille dans l'œil de son voisin et pas du tout la poutre dans le sien. » Cet été 1871, Gaston lance, dans son bulletin de Saint-François-de-Sales, un appel. Que les chrétiens s'unissent en une ligue de Dieu face à la ligue des athées. Il lance, parallèlement, une autre alarme à l' « Union des femmes chrétiennes ». Tout cela « est la faute de M. Thiers et du libéralisme qu'il représente ». Gaston perd toute mesure. Il s'attaque même au porte-monnaie de Victor Hugo. Où le poète trouve-t-il sa fortune ? Grâce à son œuvre basse et si souvent impie ? Veuillot hait également Hugo.

Victor Hugo attendra le 17 décembre 1872 pour écrire cette réponse, mélange d'insolence et de polémique vigoureuse :

> Monsieur,
>
> J'ignorais votre existence.
>
> On m'apprend aujourd'hui que vous existez et même que vous êtes évêque.
>
> Je le crois.
>
> Vous avez eu la bonté d'écrire sur moi des lignes qu'on me communique et que voici : « Victor Hugo, le grand, l'austère Victor Hugo, le magnifique poète de la démocratie et de la république universelle, est également un pauvre homme affligé de plus de trois cent mille livres de rente, quelques-uns disent même de cinq cent mille. Son infâme livre des Misérables lui a rapporté d'un coup cinq cent mille francs. (...) On le dit aussi avare, aussi égoïste qu'il est vantard. »
>
> Suivent deux pages du même style sur Ledru-Rollin qui est « un gros richard » (...) Sur Garibaldi que vous appelez Garibaldi-pacha, qui fait la guerre sans se battre, qui avait pour armée 15 000 bandits poltrons comme la lune, et qui s'est sauvé en emportant nos millions, etc.
>
> Je ne perdrai pas mon temps à vous dire, monsieur, que dans les dix lignes citées plus haut, il y a autant de mensonges que de mots, vous le savez.
>
> (...) Il y a dans Les Misérables un évêque qui est bon, sincère, humble, fraternel. (...) C'est pourquoi Les Misérables sont un livre infâme.
>
> D'où il faut conclure que Les Misérables seraient un livre admirable si l'évêque était un homme d'imposture et de haine, un insulteur, un plat et grossier écrivain, un idiot vénéneux, un vil scribe de la plus

basse espèce, un colporteur de calomnies de police, un menteur crossé
et mitré.

    Le second évêque serait-il plus vrai que le premier ?

    Cette question vous regarde, monsieur. Vous vous connaissez en
évêque mieux que moi.

    Je suis, monsieur, votre serviteur [1].

En 1879, Flaubert, à son tour, traitera de « dangereux crétin »
Gaston de Ségur. Est-il le Pécuchet de Flaubert ? L'écrivain confie
à Mme Roger de Genettes, au sujet des écrits de l'illustre aveugle :

> *Je lis des choses stupides ou plutôt stupidifiantes : les brochures*
> *religieuses de Mgr de Ségur... Dans le manuel* Les Pieuses Domesti-
> ques, *que dites-vous de ce titre de chapitre : « De la modestie pendant*
> *les grandes chaleurs ? » Puis conseil aux bonnes de ne pas se mettre au*
> *service chez les comédiens, les aubergistes et les marchands de*
> *gravures obscènes ! (...) Ô bêtise ! Ô Infini ! (...) Mes pieuses*
> *lectures rendraient impies un saint* [2].

Bête, Gaston ? Qui sait ! Passant au laminoir les *Évangiles* de sa
mère au point qu'elle s'épanche parfois auprès de Templier. Elle
n'en peut plus de cette censure (celle de Gaston ?) « d'une rigidité
désespérante, mais rassurante pour l'orthodoxie de l'ouvrage ».
Bête à l'infini et infiniment croyant. « Que je sois une bête,
Seigneur, pourvu que je vous aime. » Les saints sont-ils aux
frontières de la folie ? Gaston, cependant, ne se laisse pas
démonter. Il répond, ironique, à ses détracteurs :

« J'ai écrit les *Réponses* pour les sénateurs et les cuisinières. »

Derniers désordres. Intimité

Sophie n'a plus le courage de rester à Kermadio. Elle part pour
Malaret... Camille, il y a Camille. Gaston rentre bravement à Paris.
En butte à ses ennemis, il n'en recherche pas moins un nouveau
logis pour sa mère. Plus petit, conforme à ses besoins. Les
massacres continuent. Paris est trop dangereux pour que Sophie y
revienne. « Ton oncle m'engage à ne pas venir à Paris (...). Si la
Commune et les pétroleurs devenaient les maîtres, on massacrerait
et on pillerait partout ; mais moi, vieille femme qui ne puis courir ni

---

1. Lettre de Victor Hugo à Gaston de Ségur.
2. *Essai sur la comtesse de Ségur*, Laura Kreyder.

presque marcher, je serais bien certainement prise par ces bandits[1]. »

A Malaret, Sophie aime le parc planté de vieux platanes,
d'acacias, de frênes. Elle aime la fureur de la pluie et du soleil
mêlés. La terre boit l'eau, l'eau, à son tour, avale la terre. Tout cela
se perd vers les fleuves et, très loin, la mer immense. La création en
entier. Se taire, joindre les mains, se recueillir. Il y a encore de quoi
émerveiller une vieille femme dont la vie ne fut pas sans amertume.
L'orage nocturne sur la montagne, contemplé de la fenêtre, ces
éclats et ces éclairs apaisent l'âme de Sophie. Se détacher enfin de
soi-même, devant le déchaînement de la tempête. Un arc-en-ciel
campe un pied dans le fleuve, l'autre, au-delà des Pyrénées. La
pluie le rompt en deux tronçons plus vifs que le feu. Malaret,
sauvagement mélancolique, ébloui, soudain. Déjà, dans la lande, à
Kermadio, Sophie avait eu envie de se dissoudre dans le vent qui
arrachait l'écume à l'océan. Oublier... Sabine et sa terreur de la
mort. La désolation de Camille. Une femme de vingt-cinq ans, pâle
et maigre. Les yeux rougis par les larmes constamment répandues.
La toux sèche, funeste petite alarme. Si le mauvais mari allait la
reprendre ? Il occupe l'appartement, à Paris, où est né le petit Paul.
La dot de Camille. Peut-être s'y est-il installé avec une fille ? Sophie
prend alors son parapluie. Elle marche, marche sur la route de
Verfeil. Seule... On ne se repose que seule. Le repos m'aidera à
trouver une idée pour protéger Camille. Gaston et Louis sont bien
gentils. Louis tousse aussi. Sophie reconnaît ce diapason alarmant
qui avait commencé à détruire les poumons de Sabine. Madeleine a
vingt-quatre ans. Elle va, vient, de Toulouse à Malaret. Surmenée
d'actions charitables. Heureuse fille, va ! Paul est maire de Toulouse. Nathalie a épaissi du col et des hanches. La mode plaque de
lourdes jupes sur les hanches et rembourre le derrière. Ridicule !
Les cols montent trop haut, les corsets étouffent la poitrine. Sophie
n'aime pas l'arrangement des cheveux de Nathalie. Des chipolatas
de chaque côté du visage, dont les pommettes se sont élargies. Les
bras et les mains sont toujours aussi beaux. La bouche rit peu mais
sourit, d'un dessin qui ne lasse pas. Sophie secoue ses idées
sombres ; elle a froid. Malaret est souvent glacial. Cette grosse
bâtisse carrée, en brique rouge, retient mal la chaleur. C'est là
plutôt une résidence d'été. Où trouver l'argent pour remettre des
tuiles, bâtir un gros calorifère ? La guerre... Les finances grevées...

---

1. Lettre à Jacques, décembre 1871.

Camille ruinée. Je ne peux plus écrire. Je ne peux plus demander d'avances à mon éditeur. *Sic quoque docebo.* Sophie accélère sa marche. Elle court, poursuivie. Par eux, les enfants, tous les enfants... Nathalie veut travailler. Elle traduit des romans anglais. Si elle en parlait à Émile Templier ? Ce château si lourd à entretenir, jamais achevé. La ferme ne donne guère. Le traitement de Paul les met à l'aise mais sans luxe. Camille, petit Paul, Gaston, Louis, sont entièrement à charge. Sophie encourage Nathalie dans son projet. Elle en avertit Émile Templier. Il accepte les traductions de Nathalie. L'écriture est une manière féminine digne de gagner son écot. Sophie se réfugie dans sa chambre. Les tentures sont défraîchies. Le sol impeccable, le lit bien bassiné. La vue ouvre sur les aubes roses, les crépuscules mauves. Elle écrit sa correspondance sur le petit bureau en bois de rose — il vient de la corbeille de Nathalie, il a maintenant vingt-six ans. Elle commence par Jacques. Élisabeth va épouser Jean de Moussac. « Le mariage d'Élisabeth aura lieu mercredi prochain à Sainte-Anne. C'est ton oncle Gaston qui fera le mariage ; les oncles Anatole et Edgar sont les témoins d'Élisabeth, le général de Charrette (à moins qu'il ne soit malade) et un oncle de Jean de Moussac seront les siens[1]. »

Sophie soupire. Elle était donc si lasse, pour ne pas assister à l'union de la petite ? Lasse de ne plus écrire ? Une telle habitude vous quitte donc un jour sans crier gare ? Changer de lieu la ramènera-t-elle à une table d'écriture ? Où sont mon papier industriel et ma bibliothèque ? Ne pas avouer ! Ne pas avouer l'envie de pleurer que tout est disloqué. Règle d'or, comme celle de se lever tôt par devoir. Par bonheur d'écrire. Se taire. Cacher soigneusement sa peine aux autres.

Sophie va rester de longs mois à Malaret. Son dernier séjour, loin de chez elle. Où est-ce, chez elle ? Elle regarde la petite pièce russe et l'oreiller en caoutchouc. L'encrier si peu vidé. Chez elle.

Paris est encore ce chaos dont Gaston veut absolument la protéger. Élisabeth accouche en novembre 1872. C'est le drame. Le bébé, un garçon, meurt aussitôt né. Gaston a eu le temps de le baptiser. Jean et Élisabeth entrent dans un désespoir si violent que l'on craint pour la vie de la jeune femme.

Son superbe garçon est mort peu de minutes après la naissance ; elle et Jean ont été tellement désolés qu'on a eu des craintes sérieuses pour

---

1. Lettre à Jacques, novembre 1871.

la vie d'Élisabeth ; heureusement que sa foi et sa résignation lui ont fait comprendre que la grâce du baptême que l'enfant a pu recevoir était une grâce plus grande que n'aurait pu être une vie même très chrétienne[1]...

Le mois suivant, Émile Templier perd sa fille. Sophie prend son papier désormais de deuil. Elle écrit, de la chambre de Malaret, sa dernière lettre au cher Templier : « Je crains que ce ne soit un coup bien rude pour toute votre famille et principalement pour madame Templier (...) ; la séparation laisse une longue trace de tristesse difficile à effacer[2]. »

Sophie pose la plume, et pleure. Sabine ! Ô Sabine ! Marguerite ! Sabinette ! Marie, Gertrude, Madeleine... Renaud... Les enfants... Les pauvres enfants... Où êtes-vous donc, y compris ce petit Moussac que je n'ai jamais vu, dont les os déjà blanchissent, pas plus lourds que ceux d'un passereau ?

Vente des Nouettes. Dernières haltes

La république est confirmée. M. Thiers est devenu le maître de cette France vaincue. Sophie est séparée des Nouettes depuis des mois. Sophie s'est, goutte à goutte, séparée des Nouettes de sa vie.

La parution, en 1872, de *Après la pluie, le beau temps* ne soulève en elle aucun remous. Il a été écrit il y a si longtemps ! Avant la guerre, avant la mort, avant Sedan. Elle a soixante-treize ans. Quoi, j'ai dix ans de plus que mon père à sa mort ? Papa, ô papa ! Où sont les Noëls d'antan ? Les radieuses vacances, les parties d'ânes, les « galops » monstres de la Saint-Eutrope. Elle a du mal à reconstituer le visage d'Eugène. Où sont-elles, maintenant, Olga et elle ? Elles descendaient le raidillon Ségur pour se gaver de tartes aux fraises à chaque fête du printemps. Il y a... Il y a trente-trois ans... Quoi ? la petite dernière a près de quarante ans ? Que signifient les Nouettes sans Sophie de Ségur ? Depuis son départ à Kermadio, elle a confié les Nouettes à l'aîné. Anatole et Cécile en seront les héritiers. Sophie n'aime guère Cécile. Elle apprend que Cécile et Anatole ont fait couper, sans la consulter, les arbres du raidillon Ségur. L'avait-on à ce point enterrée, niée, oubliée ? N'est-elle pas toujours la maîtresse de ces lieux que Fédor un jour

1. Lettre à Jacques, 30 novembre 1872.
2. Lettre à Émile Templier, 9 décembre 1872.

lui avait donnés ? N'a-t-elle pas fait de son mieux pour donner aux uns et aux autres le meilleur d'une douce vie ? Prise d'une violente colère, la comtesse de Ségur vend brutalement les Nouettes, fin 1872. La famille en est atterrée. Dernier sursaut de suzeraine ? Gène sournois de la méchante Catherine Rostopchine, capable d'imposer un tel arrachement aux enfants ? Ou tout simplement, l'acte symbolique d'en finir avec toute possession personnelle. N'avoir enfin plus rien. Accepter la fin de tous ses cycles. Épouse, mère et grand-mère, c'est la fin, chers enfants, la fin. Je n'écris plus ! Comprenez-vous donc, vous, les arracheurs de haies, que la véritable mort est là ? Les Nouettes n'ont plus de sens. Les Nouettes furent à moi qui n'avais plus ni patrie ni mon père. Mon père a brûlé Voronovo. Je détruis les Nouettes. Sauvage luxe, férocité. Sotte Cécile, qui n'avez rien compris à la féodalité ! Et toi, faible Anatole qui as laissé abattre le grand chêne et mes chers bouleaux, détruisant ainsi ce parc où j'espérais peut-être, au dernier jour de ma vie, regarder une dernière fois tomber la roide pluie. Chez les Rostopchine, on n'hésite pas à sauter et brûler avec sa canonnière.

Les Nouettes furent sa canonnière. Elle brûle, avant de mourir, ce qu'elle a adoré. L'ensemble de tous ses symboles. Sophie de Ségur, née Rostopchine, a fait sauter sa canonnière. Elle en a éprouvé une mortelle joie. Elle se sent légère et dépouillée. L'acte de vente signé eût été un beau jour pour mourir.

Lydie Rostopchine commentera ainsi cette vente qui assombrira toute la famille. Aucun, pourtant, n'osera murmurer ou maudire la terrible aïeule.

> *Ma tante, mécontente de la manière dont certains de ses parents dirigeaient la terre après qu'elle eut renoncé à l'habiter, apprenant qu'ils faisaient couper les plus beaux arbres, vendit la terre à un certain M. Bodeau* [1].

M. Bodeau ! Un parvenu ! Le pharmacien de Louis-Philippe, inventeur de « l'eau Bodeau ». Un Tourneboule, un Castelsot, un Gaspard Féréor... Mme des Ormes avait bien vendu ses terres à « un marchand de bois [2] ». L'écriture est toujours prémonitoire. Sophie a vendu ses Nouettes à un bourgeois. Tout cela est la faute de M. Thiers et de l'indélicatesse stupide des futurs héritiers.

---

1. *Les Rostopchine,* M. de Hédouville.
2. *François le Bossu.*

COMTESSE DE SÉGUR

Sophie essaye de réparer le mal qu'elle a fait. Acheter pour Anatole une propriété à Sablène, non loin de Kermadio, à l'entrée d'Auray ? Elle y renonce. Elle continue son dépouillement. Elle ne veut plus de maison. Aller, désormais, au vent de ses enfants... « Je resterai parcourant les grands-routes, avec mon petit bagage d'objets auxquels je tiens, allégé à chaque visite que je fais. »

« Je me sens déraciné », s'écriera Gaston à la vente des Nouettes. « Nos pauvres Nouettes, auxquelles je ne puis plus penser que comme à une pauvre grand-mère défunte, jadis très aimée, oubliée peu à peu et dont le souvenir devient, avec le temps, comme un triste nuage qui ne fait que passer. » Veuillot soupirera dans une lettre à Cécile : « Hélas, les beaux jours sont terminés. »

Printemps 1872, Olga est enceinte. A l'annonce de cette grossesse, tout le monde s'était réjoui. Sophie en premier. Il y a eu tant de deuils ! Que vienne l'enfant ! Après cette pluie, beau temps de chaque naissance.

« Gaston est enchanté que tu sois grosse, il dit que cela répandra de l'animation dans la maison, qu'on n'a jamais trop d'enfants[1]. » La dernière lettre à Émile Templier, en deuil de sa fille, avait déboulé sur le grand objet d'écriture de la comtesse de Ségur : les enfants...

> Dans mes fréquents souvenirs qui se rapportent à vous, je me complais à une jolie phrase au sujet de cet enfant[2] : « Nous l'admirions sans savoir pourquoi. » Je sais très bien pourquoi, parce que dans un petit enfant, tout est admirable, le fond et la forme, l'innocence, la grâce... Comment ne pas admirer et chérir tout ce qui est aimable et admirable ; adieu, cher Monsieur, à revoir au mois de mai si je vis encore et si Paris est encore sur pied ce qui me semble fort incertain grâce à l'administration... de votre ami Thiers.

Elle regarde par la fenêtre l'autre aile du château de Malaret, lézardé de rose. L'odeur des acacias l'enivre dès le printemps. Napoléon III s'était, jadis, promené incognito, invité chez Paul, dans ces allées gracieusement bordées de fleurs. Pourvu que les couches d'Olga se passent bien. Elle a l'âge que j'avais quand je la portais. Pauvre petite... Sophie passe un bon Noël 1872. Jacques est venu, accompagné par Méthol. Il lui a lu sa première allégorie en latin. Il a un début de moustaches. Qu'il sera beau à vingt ans !

---

1. Lettre à Olga, 30 avril 1872.
2. Le petit-fils de M. Templier, probablement l'enfant de la fille défunte.

Étais-tu à Sedan ?

« Dieu nous a envoyé la république », écrit-elle aux uns et aux autres. Péniblement, elle monte la côte vers la petite église de Saint-Sernin-des-Rais, près de Verfeil, sur la route de Lavaur... Malaret domine si joliment la vallée de Girou et de la Balerme ! L'hiver s'annonce rude. Nathalie est inquiète de la voir sortir par tous les temps. Elle a « son rhumatisme au cœur ». Ah ! oublier, oublier ces querelles de la France ! Les légitimistes, dont elle fait partie, n'ont pas réussi à ramener le drapeau blanc et le comte de Chambord. Les orléanistes espèrent, en vain, le rétablissement du comte de Paris. Quelques bonapartistes espèrent le retour de Napoléon III. Le sacre, un jour, de son fils...

Le 9 janvier 1873, à 11 heures moins le quart, Napoléon III vient de mourir. Dans sa résidence, à Chislehurst, au nord de Londres. Il n'a pas supporté les opérations rénales qu'il a dû subir les jours précédents. Une crise d'urémie a provoqué un coma. Il a eu le temps de recevoir les derniers sacrements de l'abbé Godard, curé de Chislehurst. « Étais-tu à Sedan ? » seront les derniers mots de l'ex-empereur au dévoué Conneau qu'il reconnaît encore.

Le corps de Napoléon, autopsié, puis embaumé, est porté provisoirement au petit cimetière paroissial. Paul de Malaret traverse la Manche pour assister aux obsèques. Eugénie quitte Chislehurst. Elle s'établit à Farnborough. Elle fait construire une crypte pour recevoir le corps de son époux. Napoléon III est transféré dans un tombeau de granit rose offert en partie par la reine Victoria. Elle a ordonné un deuil de dix jours et la fermeture des magasins.

Thiers est considéré comme le libérateur du pays. Le 20 septembre 1873, il ne reste plus un seul Prussien sur le territoire français. La Commune a été exterminée. Les monarchistes décident de s'unir pour élire Mac-Mahon président de la République, plutôt que Thiers. Oh ! mais il sait admirablement attendre, le petit Thiers. Le 24 mai 1873, Mac-Mahon est élu pour sept ans président de la République.

Dernière halte. 27, rue Casimir-Perier

Fin janvier 1873, un joli petit Louis est né à Olga. Gaston en est le parrain. Sophie a un regain de santé, de joie. Un enfant ! Olga,

COMTESSE DE SÉGUR

adoucie, plus âgée. Elle a trente-sept ans, accepte avec bonheur cette maternité. Elle est folle de ce bébé, né après tant d'épreuves. Louis ! Loulou ! Sophie promet d'aller voir Loulou aussitôt achevé son séjour chez Nathalie. Elle aime à voyager seule. Comme son père. Elle rit volontiers des spectacles de wagons dignes de ceux des *Deux Nigauds :* « J'ai fait un bon voyage et, seule dans mon wagon jusqu'à Pont-Chartrain, où j'ai eu une invasion de savants et de guerriers quatre par quatre. Les savants ont discuté violemment le lavage des cochons, les guerriers ont raconté leurs exploits pendant la guerre. (...) J'ai compris entre leurs cris (...) entre les cochons et les oies du capitole, qu'il n'était pas facile de démêler le fil de l'histoire [1]. »

Lydie Rostopchine, en séjour à Livet au moment des couches d'Olga, n'aura pas le temps de voir Sophie. Elle quittera à jamais la France pour la Russie. Sophie met sa bourse garnie, grâce à la vente des Nouettes, au service de tous. Elle s'engage à payer les soins de Paul de Pitray, à nouveau malade des yeux. Sophie en informe très vite Jacques : « Maman me dit qu'il faudrait (à Paul) les eaux. S'il en a besoin, elle doit savoir que je suis prête à payer tout ce qui sera nécessaire à sa santé et que s'il lui faut mille ou deux mille francs (...) ils sont prêts à passer de ma bourse dans celle de maman [2]. »

Elle songe à Camille. Elle pourra lui refaire une dot bien à son nom. Ou alors sur la tête de son pauvre petit. « Prenez, prenez tout, mes chers enfants. Vous m'avez crue en colère à cause des arbres coupés et, en effet, je l'étais. Je veux surtout vous combler. L'argent de mes livres est passé en charités et pour vous tous. Mes voyages. Non pas tant pour me promener, mais revoir vos chers visages. J'ai dû vendre, parce que je n'écris plus, chers petits. Prenez, prenez cet or, il est à vous. Et si j'en donne une partie à Olga, ce sera pour achever la sainte petite chapelle aux enfants que le bon Dieu nous a repris. Notre-Dame-des-Bons-Enfants où se déploieront les ailes du petit ange Marguerite. Prenez ! Prenez, mangez-en tous, de cet argent. C'est mon corps, ma vie livrée pour vous... »

Gaston lui a trouvé son dernier logis. Au 27, rue Casimir-Perier. Près de Sainte-Clotilde. Avant de rejoindre Paris et n'en guère bouger, elle fait un dernier voyage. Elle le considère comme un

1. Lettre à Olga, 30 avril 1872.
2. Lettre à Jacques, 4 avril 1873.

606

devoir tendre. Rendre visite à la pauvre Élisabeth et à Jean de Moussac, à Montmorillon. Le jeune couple est toujours aussi triste de la mort de leur bébé. Élisabeth a du mal à être de nouveau enceinte. Sophie console, encourage. Puis, elle revient quelques jours à Malaret. Elle écrit à Jacques, le 7 mars 1873 :

> *Cher enfant, bientôt je te rejoindrai à Paris. (...) Tu as su que ton arrière grand-oncle, le fils du maréchal de Ségur ton grand-père, est mort à quatre-vingt-treize ans, et aussi ton oncle Édouard d'Aguesseau, le fils du sénateur, ton grand-oncle. Adieu, mon cher enfant chéri, je t'embrasse bien tendrement*[1].

Sophie aime ce nouveau logis si bien situé. Tout proche de la rue du Bac. Elle vit au premier étage. Son beau salon lui permettra de maintenir son rassemblement familial, chaque 1er janvier. Sa chambre est claire. L'ombre s'y épaissit doucement. Certains après-midi de grêle et de pluie, elle ne quitte pas son fauteuil. Les yeux fixés sur le grand chapelet de Kermadio. L'ordre et le calme reviennent doucement dans son esprit. « Les ouvriers commencent à comprendre qu'il est plus dans leur intérêt de travailler tranquillement que de faire de l'insurrection qui paralyse le travail, terrifie le consommateur et ruine l'industrie. »

Le 2 janvier 1873, Rimbaud a achevé *Une saison en enfer*. A Saint-Sauveur-en-Puisaye, naît une petite Gabrielle Sidonie Colette. A Alençon, Thérèse Martin. L'avenir des petites filles et des garçons modèles passera par leur travail, leur gain. Nathalie continue ses traductions. Paul entrera-t-il dans l'industrie ? Jacques va être bachelier. Les enfants de Fleurville — Fleurville vendu à un pharmacien — seront des enfants qui travaillent. Ils iront dans ces usines dont le battement énorme des roues et des rouages ressemble à celui du cœur. La roue de la fortune. Celle des vaisseaux du cœur. L'essoufflement déchiré de la comtesse de Ségur, encore debout, pour prier les âmes du purgatoire. Où sont mes enfants ? Elle ne résiste pas à un dernier petit séjour à Livet pour voir Loulou qui rit aux éclats, dans ses bras. Dernier été, dernière suavité des fleurs et des rires d'enfants. Elle tombe malade à Livet. Elle se remet encore, revient dans son refuge, rue Casimir-Perier. Gaston multiplie ses visites. Nathalie, à Auteuil avec ses filles, vient quotidiennement la voir. Olga, inquiète, rejoint la rue

---

1. Lettre à Jacques de Pitray.

Saint-Dominique. Mais oui, mais oui, ils sont tous là autour de maman Ségur. Noël l'a déjà maquillée de mort. Elle étouffe, elle ne peut s'empêcher de gémir. Ô chère Sabine, quelle terreur, la mort !... Ô chères âmes du purgatoire, venez à mon secours ! Je redeviens cette femme en chambre qui se traîne jusqu'au carreau. Elle ose à peine descendre dans la rue, chancelante de sa fin si proche. Elle se traîne à sa chère messe, à Sainte-Clotilde. Il est 8 heures. Le matin, glacial sous le vent de décembre. Un petit garçon l'a reconnue.

« Vous êtes la comtesse de Ségur ?

— Oui, mon petit.

— Laissez-moi vous embrasser [1]... »

Baiser rêvé, celui d'un ange du ciel... Je suis la comtesse de Ségur, née Rostopchine, qui vous a passionnément aimés, enfants d'ici et d'ailleurs. Aura-t-elle la force de les recevoir tous, petits et grands, le 1er janvier 1874 ? A Malaret, en janvier : « Tout est blanc de neige et les mares sont gelées. » Aux Nouettes aussi, tout se gelait, se givrait d'argent, d'étoiles fantastiques sur le carreau noir de la chambre des petites. Mes petites-filles modèles, dont l'une est presque mourante de chagrin. Sophie avance avec peine. Il pleut, Gaston m'avait interdit de sortir. Quel souci je lui donne ! Une vieille femme est bien inutile. Elle souffle, ahane, c'est vrai, je suis un âne. Son cœur vibre à chaque choc, à chaque son. Elle se courbe, s'appuie aux murs pour rejoindre sa maison. Les enfants vont venir m'embrasser. Tous les enfants. Ensuite... Partir vers Jésus à dos d'âne, je n'oserai faire mieux. Son cœur ronfle trop fort. Aussi fort que la Risle en furie contre les roues de l'usine de M. Féréor, P.-D.G. quelque part en Normandie. Vers le château de Fleurville où dansent les petites robes en percale blanche.

A jamais.

Et maintenant.

---

1. *Ma chère maman, souvenirs intimes et familiaux,* Olga de Pitray.

SEPTIÈME PARTIE

LE CŒUR

I

UNE AFFREUSE AGONIE
(FÉVRIER 1874)

> *Il ne faut pas que le bon Dieu me laisse vivre trop longtemps ; une trop longue vie n'est utile à personne, et souvent elle est nuisible à l'âme et triste au corps du vieillard malencontreux ; pour moi qui deviens de plus en plus sourde et aveugle je ne puis tenir beaucoup, ni même du tout, à une existence infiniment prolongée.*
> *Adieu, ma chère Minette.*
>
> Lettre à Olga, 7 mai 1860

De l'air ! de l'air !

Qu'est-ce que cent mètres à pied, pour rejoindre le bon Dieu ? Sophie, après ce dernier parcours à Sainte-Clotilde, a été prise d'une petite attaque. Gaston lui interdit de sortir. « J'ai désobéi, pense-t-elle, désobéi comme Sophie et les autres. » Tous ces enfants, en vérité pas si bons que cela, je les ai fait lutter pour le devenir. Ce 22 novembre 1873, Sophie, à son tour, a désobéi aux enfants. « Maman, ne sortez plus seule à pied ! » Assise près de la fenêtre, elle attend le jour de l'an. Elle les a tous invités. Elle sera guérie. Encore une fois, remise... Au centre de la table, des plats sucrés. Dieu ! que ces étouffements sont ennuyeux ! Que votre volonté soit faite.

Elle se lève. Elle doit s'appuyer au mur. « Madame n'est pas raisonnable », dit sa femme de chambre. La crise a été doublée d'un eczéma. Cet animal de médecin le lui a fait passer trop vite avec ses sangsues. Sophie souffre d'une angine de poitrine. Un gros caillou dans la gorge. Le cœur s'accélère. Un galop, celui de Cadichon ivre de vengeance. Le cou du perroquet sous les doigts de Gribouille. Vilain Gribouille, non, vilain perroquet. Il a dû souffrir par la gorge, ce pauvre animal — qui n'ira jamais au ciel. « Tout est de ma faute. » Sophie se traîne dans sa chambre. Elle ouvre l'armoire. Pour le 1er janvier, elle mettra sa robe en soie noire. La seule convenable qu'elle possède. Cadeau de Gaston pour son dernier anniversaire. Il avait fait sa petite enquête auprès de la femme de chambre. « Si Monseigneur veut faire à Madame la comtesse un bien grand plaisir, il n'a qu'à lui donner une robe en soie noire ; voilà plus de deux ans que Madame en a envie sans pouvoir jamais y arriver[1]. »

Son cœur, à nouveau, est transpercé d'aiguilles. Elle a trop travaillé. Tous les enfants se mélangent, soudain, dans son cerveau traversé du grand voile rouge. Quoi ? Gaston a déjà cinquante-quatre ans. Il l'a aidée à entrer dans le tiers ordre sous le nom de sœur Marie-Françoise du Saint-Sacrement. Il y a quatre ans, elle avait eu sa grave apoplexie. Elle entendait le médecin compter : « 40, 41, 42 pulsations ». Le cœur ralentissait. Elle s'était sentie presque heureuse d'en finir. Prête, somme toute. Elle avait dit nettement. « Je sais bien que je suis frappée à mort. » Elle avait eu un mouvement d'agacement en entendant sangloter cette gourde de Nathalie.

Puis, il y a eu ce fichu miracle. L'eau de Lourdes. Une idée de Gaston. Repousser la mort d'une coudée. L'aveugle avait versé quelques gouttes d'eau de Lourdes sur les linges trempés d'eau glacée. Elle s'était endormie, puis réveillée, guérie. Contrariée. A quoi sert une vieille femme qui n'écrit plus ? Tous ses maux l'agacent. « Si je n'ai pas répondu (à ta lettre) tout de suite, c'est que mon doigt me faisait mal. (...) Il va mieux aujourd'hui et j'espère n'avoir plus d'autre abcès[2]. » A soixante-quatorze ans, il est grand temps qu'on la laisse en paix. Pas de miracle, s'il vous plaît, pas de médecin, pas d'eau de Lourdes ! Juste Dieu et ses enfants.

Nathalie, accompagnée de Madeleine, est aussitôt venue s'ins-

---

1. *Ma mère. Souvenir de sa vie et sa sainte mort*, Mgr de Ségur.
2. Lettre à Olga, 2 décembre 1871.

taller chez sa mère pour la soigner. Depuis sa fatale promenade à Sainte-Clotilde, son état a tout à coup empiré. La veiller. La soigner. La nuit, ses râles sont violents. Le mugissement d'une bête qui suffoque. Un fauve coincé sous des liens et des fers. Par-delà la veilleuse allumée, la comtesse de Ségur a un aspect terrifiant.

Mère-grand, mère-grand, êtes-vous un loup ukrainien, qui souffle et ahane proche d'un seuil obscur, sous votre bonnet de dentelle ? Vous voici, telle qu'une photographie dernière vous révèle. Mère-grand, grand-mère Ségur, c'est donc avec ce visage passé à la notoriété que vous allez trépasser :

> *J'ai posé pour me faire tirer, comme disent les bonnes gens, (...). On a tiré de moi une figure étincelante, non de beauté mais de férocité : on a voulu m'embellir, me rajeunir et on m'a manquée entièrement. C'est ennuyeux pour moi (...) à passer à la postérité comme un tigre dévorant ou une portière avinée* [1].

Son agonie sera celle d'un tigre dévorant. Le 4 décembre, Gaston l'a administrée. Il dort dans la pièce contiguë à celle de sa mère. A 3 heures du matin, elle émet un grognement continu. Effrayée, Nathalie ouvre la porte de son frère. « J'ai trouvé la pauvre maman, la tête renversée en arrière. Sa pauvre poitrine se soulevait comme des vagues. Les veines du cou se gonflent à se briser [2]. »

20 décembre. Les mains de Sophie pétrissent le drap, spasmodiques. Elle scande un appel navrant : « De l'air ! de l'air ! » Jusqu'au 1er janvier, assise dans le grand fauteuil, elle contemple la petite pièce russe serrée dans sa main. Elle murmure des mots dans sa langue maternelle. On a ouvert la fenêtre. Elle se souvient du ciel immense au-dessus de la steppe et des forêts de bouleaux. Gris, noir, argent, ce ciel... Lueur rose de l'incendie de Moscou. Visite de l'Ange, étincelant de blancheur. La neige ensevelit les soldats de la Grande Armée. La neige les étouffent. De l'air ! De l'air !

Elle essaye de se redresser. Impossible. Les jambes lui refusent tout service. Son cœur est un tambour devenu fou. Tambour, petit tambour qui sommeilla sous une tente, près de Napoléon, l'Antéchrist. Petit tambour stratifié sous la Bérézina. Hélas ! même les enfants meurent aux guerres. De l'air, petit tambour. Adieu.

---

1. Lettre à Élisabeth Fresneau.
2. Récit de Mgr de Ségur.

Le 1ᵉʳ janvier, accalmie. Elle préside le repas de l'an, menue dans la robe en soie noire. Elle sourit parce que tous les enfants sont là. Le salon, trop petit à chaque étrenne. Il y a des jouets partout. Elle est heureuse, quand roulent au sol les boules de papier-cadeau. Je suis affreuse à voir. On dirait ma mère quand elle m'enfermait sans dîner, dans ma chambre. La dureté ne mène à rien pour éduquer un enfant. Depuis ces jours de maladie, elle a modifié son visage. Elle ressemble à son père, halluciné d'insomnies. Olga a les yeux rouges. Pauvre petite. Pauvres enfants qu'elle épuise en ces veilles interminables. La mode des femmes, cette année, est affreuse. Elle n'aime pas ces jupes remontées par derrière. Les femmes ont l'air de parapluies ambulants. « Je préférais encore ces cages absurdes qui accrochaient tout au passage. C'est la faute à M. Thiers. Tout ce goût est fâcheusement républicain. » Décidément, il est temps de mourir.

Le 24 janvier, Sophie entre dans « une terrifiante désorganisation générale ». Aux approches du jour, elle souffre davantage. La digitaline lui provoque à nouveau un eczéma. Le pire est « cette respiration étranglée ». Les troubles d'intestins ont repris et lui arrachent des cris. Nathalie, la femme de chambre et Olga changent les draps.

Gaston, agenouillé près d'elle, a saisi ses deux mains dans les siennes. Il y glisse le crucifix d'argent qui ne l'a plus quitté depuis son ordination. Objet pieux, béni par Grégoire XVI, puis Pie IX. Croix des agonies... Petit crucifix, fais ton travail, ramène et radoucis les pauvres pécheurs. Petit crucifix, glissé entre les doigts glacés d'Eugène, avant la mise en bière. Petit crucifix, au cœur et aux lèvres de la douce Sabine. Au tour de Sophie. Elle le serre contre elle. En même temps que Gaston.

« Que je te bénisse encore une fois. Toi, surtout, mon cher enfant. (...) Toi qui as été la consolation de toute ma vie. Que serais-je devenue sans toi ? (...) De la peine ? tu ne m'en as jamais fait[1]. »

Sophie profite d'un léger soulagement, pour régler avec l'aîné les questions d'affaires. Gaston sera le relais symbolique.

« Je te donne plein pouvoir sur mon testament. (...) Je veux que mon testament demeure une affaire de famille (...), je ne veux pas qu'on y mêle les hommes de loi. »

---

1. Dernières paroles de Sophie recueillies dans le récit de Gaston de Ségur.

Cet effort l'a épuisé. De l'air ! De l'air ! Son regard capte, sur un des rayons de sa bibliothèque, une statuette de Notre-Dame de Lourdes. Gaston murmure :

« Chère maman, je vais dire la messe pour vous et demander au Sacré-Cœur, (...) à notre bon saint François de Sales et aussi à Sabine, n'est-ce pas ? de vous accorder une fin douce et sainte.

Sophie a du mal à parler.

— Est-ce bientôt la fin ? (...) Qu'elle vienne vite (...) la sainte volonté de Dieu. Et non la mienne (...). Tant qu'il voudra... »

Mercredi 28 janvier. Gaston a entendu le cri terrible qu'elle a poussé. La terreur de mourir. Sabine, horrifiée au seuil du dernier passage. Sophie est happée dans une spirale d'angoisse. Attirée vers la cuve du diable. La peur... Tout sauf mourir. Elle croit sentir rôder un démon. Elle hurle. Elle n'en appelle qu'à son fils.

« Gaston ! (...) Gaston. Au secours ! (...) Il lutte ! (...) Il lutte ! (...) Il lutte !

La respiration devient presque impossible. Est-ce le poumon qui lutte, tente un élargissement de survie ? Ou la voix du diable qui la force à nier la bonté de Dieu ?

Elle parle en russe et en français. Elle dit : « J'ai peur d'être enterrée vivante. » L'aveugle lui rappelle la promesse de faire embaumer son cœur.

Le 29 janvier, Gaston lui apporte le saint viatique. Le lendemain, TOUS ses enfants sont là. Les brus, les gendres. On a éloigné les plus petits. Sophie les bénit.

« Tous ! (...) Tous !... Je vous bénis tous, chers enfants ; vous êtes tous en moi... Vous êtes là, intérieurement... »

Elle montre son cœur. Un évanouissement l'interrompt. Le médecin espère la voir passer pendant ce coma. Toute la nuit, Henriette et Edgar sont de garde. La crise fonce, aigle insensé, furibond, labourant sa poitrine. Gaston ! Gaston ! De lui, monte le seul recours possible. Elle articule avec une peine inouïe. Gaston se penche vers sa bouche.

« Gaston... J'ai peur... Je deviens méchante... J'ai peur d'une crise... Je ne suis pas morte ? encore une nuit pour mes pauvres enfants... C'est terrible... »

Léger calme vers le milieu du jour. Elle revient à ses volontés dernières. Ne pas oublier de faire une petite rente à son vieux jardinier. (Diloy ? Marcotte ?) Donnez ses souliers à la femme du fidèle Méthol. « Ils lui vont bien. » Donner ses lunettes, avec l'étui à la bonne mère Marie Donat, née Poisson. Elle avait accompagné maternellement l'agonie de Sabine. Être toujours reconnaissant. Un Polonais reconnaissant.

La lucidité et la mémoire lui reviennent. Calée contre le coussin, elle établit le partage. Son argenterie, ses tableaux, ses services de table, sa bibliothèque.

Elle veut être OBÉIE.

3 février. Elle est en léthargie. Pour changer ses draps, il faut la maintenir assise. On l'attache à son fauteuil avec une bande de toile. La congestion cérébrale semble complète. Les mains sont glacées, violacées. Le visage gonflé. Olga et Henriette tentent de lui glisser dans la bouche un peu d'eau de Lourdes. Du vin de Frontignan. Mlle Primerosse adorait le petit vin de Frontignan. La bouche ouverte Sophie rejette tout. Elle lutte contre l'invisible bâillon qui l'oppresse.

Vers 11 heures, sinistre petit miracle. Ah ! fichue eau de Lourdes ! Je vous l'avais interdit. Désobéissants ! je vous enfermerai tous dans le cabinet de pénitence ! Elle s'endort paisiblement. Pas longtemps. Dès l'aube, elle se croit enterrée vive dans le sépulcre familial. Une pierre d'une tonne sur la poitrine. Jean qui rit saute sur sa tombe ou bien le méchant Jeannot. Au cimetière, en Bretagne, à Pluneret, Gaston la rassure.

« Mais non, maman. Vous savez bien qu'après votre mort, votre cœur sera embaumé et déposé au monastère de la Visitation où a vécu notre bonne Sabine. Votre cœur sera toujours au milieu de nous, et reposera jour et nuit près du saint sacrement. »

Sophie n'est qu'un cri d'épouvante :

« Je suis morte ! »

Nuit du vendredi 6 au samedi 7 février. Sophie est couverte d'escarres. Depuis les reins jusqu'au milieu des jambes. « Une plaie vive ». Elle pue. La gangrène atteint le dessous des bras. Un muguet géant transforme sa langue, son palais, en gargouille mutilée. Elle est en enfer.

8 février. Elle parle encore un peu. De la bouche fétide sortent les mêmes mots que ceux de Jeanne au bûcher :

« Ô Jésus ! (…) Je vous aime (…) de tout mon cœur. »

Il est 2 heures du matin. Ce sont ses derniers mots.

616

Lundi 9 février. Son cœur bat encore. Gaston, ses sœurs, tous, y compris les serviteurs, sont agenouillés. Il est 3 heures du matin. Les hoquets se succèdent. Soufflets brusquement crevés ; baudruche fendue. Ainsi va-t-on vers Dieu, le petit Jésus et les anges, en un bruit de ballon crevé. Deux ou trois sons obscènes lâchés par la gorge. La gorge, dernier palier de concierge, par lequel on monte au ciel ?

Il est 4 h 20 du matin.

Madame la comtesse de Ségur, née Rostopchine, n'est plus.

Autopsie

Immobile, elle a l'air de rire. Gaston et Anatole s'occupent des démarches d'usage. Gaston dicte un télégramme à Troyes, à mère Marie Chappuis. « Ma mère est morte ce matin. Priez beaucoup pour elle [1]. » Une lettre suit le télégramme.

> *Le bon Dieu vivant vient de rappeler à lui mon excellente mère. Sa sainte volonté soit faite ! On peut bien dire que son agonie a duré quinze jours ; ses souffrances ont été affreuses. Mais elle les a supportées en vraie chrétienne, avec une foi, une douceur, une résignation admirable. Elle a rendu ce matin son dernier soupir dans mes bras, à quatre heures un quart. Priez et faites prier pour elle. Je suis tout à vous en l'amour de Jésus-Christ.*
>
> *Monseigneur Gaston de Ségur.*

Mardi 10 février. 9 heures et demie du matin. Le Dr Ferrand et son collaborateur Roussel ouvrent au scalpel la poitrine de la comtesse de Ségur. Ils en extirpent avec pinces et courtes pointes un cœur léger, vernissé de bleu. Le sang des liens coupés à la minuscule tenaille s'échappe sur les linges et les draps blancs.

MM. Ferrand et Roussel recousent la poitrine de la comtesse de Ségur. Ils enferment solennellement le cœur dans un coffre-bocal. Ils l'enveloppent dans un linge.

MM. Ferrand et Roussel croisent dans le salon les enfants blêmes. Anatole a fait diligence auprès des autorités. L'autorisation de transporter le cœur ne saurait tarder.

M. Roussel chuchote à Gaston le petit miracle qui vient d'avoir

---

1. Télégramme conservé aux archives de la Visitation.

lieu. Quand ses mains gantées sont entrées en contact avec le cœur, le mal de tête qui le tenaillait depuis plusieurs jours a disparu. Sainte Sophie de Ségur guérirait-elle les migraineux ? Gaston frémit de joie. Sophie lui avait promis de lui manifester un signe quelconque de l'au-delà. « Pour te consoler et te faire connaître là où je serai. »

11 février 1874. Anatole a reçu de la préfecture l'autorisation de transporter le cœur de Sophie.

> *Vous m'avez fait l'honneur de m'écrire pour me demander l'autorisation de faire déposer au couvent de la Visitation, rue de Vaugirard, 110, le cœur de Madame la comtesse de Ségur, votre mère, décédée le 9 du courant.*
>
> *Je m'empresse de vous informer, Monsieur le comte, que je consens à accueillir votre demande.*
>
> *Je vous serai obligé de donner avis à M. le commissaire de police du quartier de Notre-Dame-des-Champs, du boulevard Montparnasse, n° 9, du jour et de l'heure auxquels aura lieu le dépôt du cœur de Madame votre mère.*
>
> *Agréer, Monsieur le comte, l'assurance de ma considération la plus distinguée* [1].

Il ne reste plus qu'à s'occuper des funérailles de Sophie.

Un cercueil de plomb en route vers la Bretagne. Gare Montparnasse. Petite vitesse

Mardi soir. Sophie est mise dans un cercueil de plomb et de chêne. Nathalie hérite de sa robe en soie noire. Gaston, du fauteuil où elle haletait. Tous sont présents à la mise en bière. Gaston atteint l'extase dans la prière.

Mercredi 11 février, 9 heures du matin. Les funérailles ont lieu à Sainte-Clotilde. Beaucoup de monde. Des fleurs blanches sur les dalles du caveau de l'église. Le cercueil y est déposé en attendant son ultime voyage. Personne ne pleure. Le coup est trop fort. Camille et Jacques sont les plus gravement atteints.

---

1. Archives de la Visitation.

Dimanche 15 février. Le cercueil est transporté par le chemin de fer de l'Ouest. Réseau ferroviaire, foudroiement de sa carrière d'écrivain. « Créer une bibliothèque pour les gares », avait dit Émile Templier. Il est là, vêtu de noir. Triste et recueilli pendant le transport de sa terrible et fidèle amie. Sa collection rose et or ne cesse de se vendre.

Le cercueil va voyager toute la nuit. Une odeur effroyable traverse les armatures cloutées du plomb. Partis les premiers, ses enfants l'attendent à la petite gare de Sainte-Anne-d'Auray. Près de Kermadio.

Lundi 16 février. Un arc-en-ciel laboure gracieusement le ciel. Le village est là. Le recteur de Pluneret, où se trouve le cimetière, a tout préparé. L'abbé Diringer célèbre une messe basse. La foule des humbles est immense. L'arc-en-ciel persiste. La tombe est ouverte. On y descend Sophie au nom du Père, du Fils, du Saint-Esprit. Sophie n'est pas enterrée avec son mari. Le grand rassemblement n'a pas eu lieu à Méry, mais ici, dans cet humble cimetière de village, en bord de route. Olga lit à Gaston les mots gravés sur la tombe de Sophie.

ICI REPOSE

EN NOTRE-SEIGNEUR JÉSUS-CHRIST
SOPHIE ROSTOPCHINE
COMTESSE DE SÉGUR
AU TIERS-ORDRE DE SAINT-FRANÇOIS
SŒUR MARIE-FRANÇOISE DU SAINT-SACREMENT
NÉE A SAINT-PÉTERSBOURG
LE 19 JUILLET 1799
DÉCÉDÉE A PARIS LE 9 FÉVRIER 1874

PIE JESU DOMINE
DONA EIS REQUIEM SEMPITERNAM

Lit regorgeant d'enfants. Lit maternel en granit.

Sombre, une croix massive, redoutable de force, est scellée. Une croix de croisé, de supplicié, avec ces mots : « DIEU ET MES ENFANTS [1] »

---

1. Visite de l'auteur au cimetière de Pluneret où cette tombe est intacte.

Le cœur est transporté à la Visitation

Et le cœur, laissé chez MM. Roussel et Ferrand ? Il faudra plus d'un mois pour en achever l'embaumement. Personne n'a le droit d'entrer dans la pièce où se fait l'opération. Si petit soit ce cœur, lentement rabougri, il semble tenir toute la place. Il est couché sur des linges blancs. Entouré de fleurs. Éclairé par une veilleuse. Gardé par le petit crucifix d'argent. Formidable luciole quand s'éteint le jour et que s'allument les cierges.

Pour le préserver de la putréfaction, MM. Roussel et Ferrand ont aussitôt oint cet organe avec de la gomme, de la myrrhe, du cinnamome. Ils ont ajouté d'autres parfums résineux et balsamiques. Ils ont répété pendant un mois l''opération délicate du deutochlorure de mercure. Le cœur, peu à peu débarrassé des liqueurs animales, a pris l'aspect d'un modeste pruneau.

MM. Ferrand et Roussel ont ensuite proposé à Gaston — qui l'a communiqué à la famille — un petit coffre de cèdre et de bois imputrescible, recouvert d'ébène. MM. Ferrand et Roussel ont enfin enveloppé l'organe séché avec de la ouate et du satin blanc. Le cœur est enfermé dans une petite châsse de plomb. Gaston et les siens ont fait déposer quelques reliques parmi les aromates. « Un petit crucifix d'argent, une médaille à l'effigie du Saint-Père, bénite et donnée par lui-même, une belle médaille de Notre-Dame de Lourdes, une autre de saint Joseph, une de sainte Anne, et enfin une de saint François de Sales et de sainte Jeanne de Chantal, bénite à Annecy [1]. »

Les cœurs embaumés sont une tradition de la Visitation. Cœur de saint François de Sales, déposé à Lyon. Celui de sainte Jeanne de Chantal, à Moulins où décéda la sainte. Cœur brièvement transporté à Nevers, puis ramené à Moulins. La Visitation, est-ce le centre du cœur ? Lieu où chaque battement est compté, compris et reçu ?

Gaston pleure « bien doucement ». Une infinie tendresse l'inhibe quand il tâte le petit coffret. Il exprime à son tour le même souhait. Qu'après sa mort : « Son cœur repose, lui aussi, à la Visitation, là où a vécu Sabine, dans l'alvéole sacré du tabernacle, près de sa mère. » Sur le couvercle en plomb, les doigts de Gaston déchiffrent les mots qui reproduisent ceux de la tombe, à Pluneret.

---

1. Récit de monseigneur de Ségur.

MM. Roussel et Ferrand ont doublé de velours violet le petit sarcophage. Les doigts de l'aveugle « savent » la forme définitive du coffret noir fermé à clef. Quarante centimètres de haut, trente de large. L'unique ornement est un cordon de saint François, presque blanc, incrusté artistiquement. Il enveloppe une petite plaque en ivoire ovale dont MM. Ferrand et Roussel lisent les mots incrustés.

ICI EST DÉPOSÉ

LE CŒUR DE SOPHIE ROSTOPCHINE

COMTESSE DE SÉGUR

DÉCÉDÉE LE 9 FÉVRIER 1874

A L'ÂGE DE 74 ANS

6 MOIS 21 JOURS [1]

Le centre de l'univers ségurien est un cœur. Un seul cœur. Le cœur. Celui qui meurt. Celui qui vit. Celui qui hait. Celui qui aime.

---

1. Visite de l'auteur à la Visitation où elle a pu examiner de près les coffrets enfermant les cœurs de Sophie et de Gaston de Ségur.

II

SOPHIE DE SÉGUR
ÉCRIVAIN EUROPÉEN

> *Je resterai parcourant les grands-routes, avec
> mon petit bagage d'objets auxquels je tiens,
> allégée à chaque visite que je fais.*

Lettre de Sophie de Ségur

Autres deuils

La disparition de Sophie crée une déstabilisation parmi ses plus
proches. Camille a rejoint son logement parisien et sa vie d'enfer.
La fièvre commence son sournois ouvrage de termite. Camille n'a
plus la force de s'enfuir. La perte de sa grand-mère accentue son
mal. Nathalie se désespère. Jacques a stoïquement caché à Nenay
ses crachements de sang, l'année d'avant son décès. Son poumon
droit est atteint. Il a dix-sept ans quand Sophie est mise en terre.
Une profonde mélancolie précipite son mal. Camille et Jacques. Ils
ont plus aimé Sophie que leurs mères. Jacques relit les lettres de
Nenay. Il pleure tout bas. Il espère, par on ne sait quel miracle, la
revoir. A Livet, il s'aventure à pied, vers les Nouettes. Il regarde
longuement les volets de l'étage. La lourde table en pierre. Le
raidillon Ségur déjà modifié. Où sont les petits-enfants de grand-
mère Ségur ? Il fixe la fenêtre de Nenay. Il n'ose franchir la
barrière. Il rebrousse chemin. Un arrêt sur la tombe de Marguerite
l'assaille d'une tristesse si profonde qu'il cesse bientôt ces tristes
pèlerinages. Il n'en a plus la force... Très alarmée, Olga le fait

examiner par le Dr Biard, puis par le bon Mazier (M. Tudoux dans *Les Mémoires d'un âne*). Les deux poumons sont atteints. Jacques est obligé de s'aliter début 1876. Olga, épouvantée, le voit lutter déjà virilement contre la mort qui décompose ses dix-neuf ans, détruit son corps et son souffle. Février 1876. Deux ans après Nenay, Jacques meurt, la veille même de ses dix-neuf ans. Gaston est près de lui. Olga sanglote, désespérée. Jacques a un pauvre petit sourire d'excuse au coin de la bouche. Pardon, maman, de la peine que je vais vous faire.

Un ordre lugubre de disparitions suit le décès de Jacques. Qui peut, désormais, consoler Olga depuis la mort de sa mère ? La tête, le chef, le cœur, la vitalité ? Gounod lui rend visite ainsi qu'à Gaston. Il est en pleine composition de *Cinq-Mars*, joué en 1877. Il a commencé *Polyeucte*, oratorio profane, projeté pour 1878.

Veuillot n'abandonne pas sa pauvre amie. Il multiplie ses courriers. Il descend encore quelquefois à Livet. Notre-Dame-des-Bons-Enfants compte un ange de plus. La tombe d'Aube se referme sur un long enfant. Le calvaire d'Olga n'est pas fini. Le gracieux petit Loulou sur lequel sa tendresse s'est rabattue, Loulou, auquel Gaston a appris ses prières — il aime tant ce filleul qui jure de se faire religieux — meurt à son tour, le 28 mai 1881, d'une angine couenneuse. La tombe de Marguerite et de Jacques s'ouvre encore. Elle fait place au petit frère. Olga frôle la folie. Le vitrail de Baufai ajoute un ange vert émeraude.

Olga erre sur les chemins vers les Nouettes. Émile, navré, ne peut rien. Détruit plus gravement qu'on ne le pense, depuis la mort de son aîné. Achever Notre-Dame-des-Bons-Enfants. Rejoindre les enfants. Être enseveli près d'eux. Émile semble à peine présent, à peine vivant. Livet n'est que désespoir. La religion ne peut rien. La force de Sophie leur manque, vitale, aiguë. La tristesse des enfants perdus attaque et ronge. « Elle laisse une longue trace », avait écrit Sophie à M. Templier.

Livet, ou la douceur d'aimer les enfants, est devenu cette citadelle de leur dernier souffle. Château paisible. Château maudit. Un des chênes, monstrueux de taille, est tombé sous l'orage. Après la mort de Loulou. Échevelé contre une mare où se reflète, monstrueuse, la chevelure étrange de ses branches, la chevelure des morts qui atteint le centre de la terre. « Qui perd sa vie la retrouve », murmure le vent. Le vent chargé des Évangiles de Sophie.

SOPHIE DE SÉGUR ÉCRIVAIN EUROPÉEN

Mort de Gaston

Sophie est-elle, du ciel, en train de héler ceux qu'elle aime le plus ? Gaston meurt un mois après Loulou. Il aimait passionnément ce petit enfant qu'il voulait former spirituellement. Sa mère lui manque. Il meurt de ne point la voir. Il a beaucoup vieilli depuis son décès. La disparition de Loulou fait s'écrouler l'espérance. Le rêve d'un successeur possible : l'abbé Louis de Pitray. Il n'est plus que ce pauvre petit, scellé dans une bière blanche, près de Jacques.

Gaston prie plus que jamais pour repousser le désespoir. Vivace chiendent du démon. Le chagrin... quelle friture enflammée sous ses paupières d'aveugle ! Il pleure, Gaston. Navré, Méthol voit les larmes rouler des yeux éteints. Le cœur serré, l'abbé Diringer écrit sous la dictée de son ami, alité depuis l'enterrement de Loulou. Amaigri, proche de son terme, mais si lucide ! La lettre est destinée à un de ses frères, missionnaire.

> *Mon cher petit filleul, Louis de Pitray, vous était destiné (comme prêtre et missionnaire), mais quand je l'ai vu s'éteindre si doucement, si suavement, à huit ans et demi, je me suis dit : Celui-là ne trottera pas sur la terre ; il risquerait d'y salir ses beaux petits pieds et ses mains toutes virginales* [1].

Le 28 mai, une semaine après la mort de Loulou, Gaston célèbre sa dernière messe. Sa chapelle est remplie d'enfants paralysés, couchés sur des couvertures.

Le soir même, Méthol est obligé de le coucher. Gaston est à son tour un petit enfant qui pleure et tremble de fièvre. Un début de paralysie est commencé. L'affaiblissement est général. Début juin, Gaston a repris son calme, sa confiance. Il accepte visites et prières de tous. Le 9 juin 1881, à 4 heures moins vingt du matin, il meurt. Entouré du fidèle Méthol, du Dr Ingigliardi, sans parler du défilé ininterrompu des fidèles. La nouvelle de son état a fait le tour du quartier. Gaston de Ségur a soixante et un ans.

Olga semble anesthésiée. Tous ses morts ne font qu'un. Ils sont la chevelure affolée d'eau et de vent du grand chêne déraciné. L'ensevelissement de Gaston suit scrupuleusement son testament.

---

1. *Monseigneur de Ségur, souvenirs et récits d'un frère*, A. de Ségur.

« Par-dessus sa chemise franciscaine de laine brune, on le revêtit d'une soutane violette et d'une chasuble blanche[1]. »

Ses pieds sont nus. Il porte la mitre et restera ainsi exposé sur son pauvre petit lit de fer. Le défilé auprès du prélat mort est un événement. On le prend pour un saint. On se jette à genoux. On veut toucher ses pieds. Un pan de ses vêtements. Méthol et Diringer veillent, éloignent les exaltés.

Gaston a autorisé le prélèvement de son cœur. Dans son testament du 2 septembre 1880, il l'a légué à la Visitation. Qu'il repose près de celui de sa mère ! Il offre aussi au couvent de Vaugirard « sa belle chape de satin blanc et une somme de 1 000 francs pour l'entretien de la lampe du chœur qu'il avait donnée et une aumône de 3 000 francs[2] ».

MM. Roussel et Ferrand procéderont comme pour la comtesse de Ségur, il y a maintenant sept années. Le drap souillé de sang est pieusement partagé par les fidèles. Un sourire extraordinaire flotte sur le visage du défunt « Bête », disait Hugo. « Dangereux imbécile », clamait Flaubert. Oh, oui ! si vous le voulez... La joie de Dieu, la certitude d'une telle lumière, ressemblent à un début d'idiotie. Oui, pauvre Flaubert, si seul, dont le cercueil aura du mal à tomber brutalement dans sa tombe trop étroite. Sans fleur ni couronne. Sans joie.

Méthol contemple une dernière fois Mgr de Ségur. Un visage apaisé, souriant. Heureux. On visse le cercueil fort modeste, doublé de plomb, car il doit voyager. Gaston a voulu le corbillard des pauvres. Sa dépouille disparaît, malgré lui, sous d'innombrables fleurs. Victor Hugo a-t-il soupçonné à quel point « ce vil prélat et écrivain » était aimé ?

Le 13 juin ont lieu les funérailles à Saint-Thomas-d'Aquin. La foule est trop nombreuse pour entrer. Le cercueil reste à Saint-Thomas jusqu'à 6 heures du soir. Le défilé ne cesse pas.

Le 16 juin, la bière prend le même chemin que celle de Sophie par la gare Saint-Lazare. La dépouille de Gaston arrive dans la soirée à Pluneret. Les Fresneau sont là, avec toute la famille. La tombe de Sophie est ouverte. La même foule bretonne envahit le petit cimetière radieux. Un jardin, un enclos où bruit un vieux chèvrefeuille sous le vent du soir. Le temps a la majesté des lumières entrecroisées. Un vitrail tout entier, au-dessus des mots que Gaston a fait graver aux côtés de ceux de sa mère :

---

1. *Monseigneur de Ségur, sa vie, son action,* M. de Hédouville.
2. Archives de la Visitation, rue de Vaugirard, gracieusement confiées à l'auteur.

SOPHIE DE SÉGUR ÉCRIVAIN EUROPÉEN

Ave Maria   Immaculata
Gratia Plena   Deipara

Ici repose
En la paix de
Notre-Seigneur Jésus-Christ
Louis Gaston de Ségur
Prêtre
Prélat de la Sainte Église Romaine
Chanoine évêque du chapitre de Saint-Denis
Au Tiers-Ordre de Saint-François
Frère François Marie du Saint-Sacrement
Né à Paris le 15 avril 1820
Décédé à Paris le 9 juin 1881
In Pace
Jésus Deus Meus
Propitius esto-Mihi Paccatori

Gaston a-t-il acquis la popularité de Bossuet ou de O'Connell?
Le 11 juillet 1881, l'Association de Saint-François-de-Sales fait
célébrer une messe pour Mgr de Ségur. Le cardinal Mermillod
prononce l'oraison funèbre. Cinq mille personnes s'y bousculent.

La tombe de Sophie et de Gaston devient très vite un lieu de
pèlerinage. Y imposer les mains. Y faire un vœu.

Le 21 juillet 1881, le cœur de Gaston est acheminé à la Visitation.
Dûment enfermé dans un coffret d'ébène, identique, quoique un
peu plus petit, à celui de la comtesse de Ségur. « La communauté,
rangée dans la cour, le reçut, un cierge à la main, et l'accompagna
en procession, au chant du *Magnificat,* jusqu'à l'avant-chœur où il
repose auprès de celui de Madame la comtesse de Ségur[1]... »

Gaston avait offert à la Visitation, en 1858, une lampe de
sanctuaire en bronze dorée. Il avait espéré y faire déposer, un jour,
son cœur embaumé. Les autorités religieuses refusèrent. Au nom
du péché d'orgueil. Reposer ainsi près du Saint-Sacrement, au fond
d'une belle lampe en veilleuse ! Flaubert et Hugo en eussent fait des
gorges chaudes ! Gounod, navré de la mort de son ami, se sent
inspiré. Il compose la même année sa dernière grande œuvre *Le
Tribut de Zamora.*

---

1. Archives de la Visitation.

COMTESSE DE SÉGUR

Le testament d'Olga

Olga continue d'écrire ses mauvais petits romans. Elle rassemble autour d'elle ses derniers vivants — Paul, Jeanne, Françoise. Elle se réfugie dans l'achèvement du vitrail, à Baufai. Au-dessus de ses anges multicolores, qui accrochent le soleil, se ternissent à la nuit, elle a fait ajouter une Vierge. La Vierge est dominée par les armes de Mgr Rousselet, évêque de Sées depuis 1870. Ces armes servent de couronne à la reine du ciel. Gueules léonines, surmontées de croix d'argent. Les enfants ont donc été avalés par le ciel ?

Dans son salon au papier vieux rose, idée de feu M. Naudet, Olga écrit. Elle mime sa mère. En plus de ses livres, elle entreprend une grande correspondance avec Veuillot. Puis, ce sont *Les Souvenirs intimes et familiaux,* sur sa mère, sur Gaston. Elle pose la plume, effrayée. Quoi ? ils sont morts ! Tous ? Même Émile, décédé au château de Pitray, à Castillon-la-Bataille ? Depuis 1880, Olga et Émile, torturés de souvenirs, avaient mis en vente Livet. Veuve, Olga s'installe à L'Aigle. Elle occupe une maison d'aspect sombre et bourgeois, en bord de rue, au 28 *bis,* rue Pasteur. Olga continue à prendre copie sur sa mère. Plus de château, plus de souvenirs ! Se préparer au terme. Se dépouiller. Elle vit très modestement. Une seule bonne l'aide dans son ménage. Vêtue de noir, vieillie d'un coup, elle ressemble à Sophie. Même démarche, les pommettes saillantes, la chevelure cendrée de gris. Elle entre, toujours comme sa mère, dans les ordres tertiaires sous le nom de « sœur tertiaire franciscaine ». Paul a toujours ses ennuis d'yeux. Il a travaillé dur et se lance, en effet, dans l'industrie. Paul prend le relais du père et des frères disparus. Il visite souvent sa mère, ses sœurs. Il devient le chef de cette famille disloquée. Il se marie jeune, écrit à son tour. Il publiera, en mai 1938, un *Cadichon en Argentine,* non sans saveur. Il l'a dédicacé à sa fille, Arlette de Pitray, décédée en octobre 1989 et inhumée à Aube.

Olga a perdu un peu la tête. Elle sort souvent seule. On la voit, dans les rues de L'Aigle, monologuer. A qui parle-t-elle, un sourire errant sur sa bouche semblable à celle de Sophie ? Ses enfants ? Émile ? Elle se signe sans arrêt à la manière russe. Que cherche-t-elle dans ces rues ? Sa chère maman ? Un âne à acheter, le mardi, à la foire ? La tombe de Gribouille, dans l'église de Saint-Martin ? Sa fille Françoise est entrée dans les ordres. Olga cristallise, avec les années, le souvenir de Marguerite. Son premier deuil. Son premier grand choc. M. Bodeau vend les Nouettes à MM. Meus et

Kahn — « quoi, des juifs ? » gémit Olga — puis au baron de Santos, ministre plénipotentiaire du Portugal. Olga vit encore quand, en 1902, les Nouettes passent dans les mains de Mme et M. Batanero de Monténégro. Qu'est-ce que c'est que cette noblesse à la Tourneboule ? Suit un bref propriétaire, un certain M. Schap et enfin une Mme Malyeux. Olga est déchirée à chaque vente. Elle a oublié Livet. Elle ne pense qu'aux Nouettes. En 1938, les Nouettes seront achetées par la commune. Elles deviendront ce qu'elles sont aujourd'hui. Un institut pour enfants handicapés. Sophie en serait ravie.

Olga se sent mourir, veut mourir. Elle écrit son testament. Elle le confie à Paul. La vieillesse la ramène à ses plus lointains souvenirs. Elle scande la comptine de Marguerite.

> « Marguerite de Paris,
> as-tu mis tes souliers gris,
> pour aller en paradis... »

Je prie mon exécuteur testamentaire de s'entendre avec mon cher fils pour que mon enterrement soit pauvre, sans autre chant que celui de la liturgie, sans musique, et sans fleurs ni couronnes.

Je désire que mon cœur soit déposé dans une petite caisse au pied du cercueil de ma chère petite Marguerite. Je souhaite vivement que l'on ne parle de moi qu'en demandant des prières pour le repos de mon âme [1].

Olga meurt en 1909. A Caudebec-en-Caux, près de Villequier. Auprès d'une amie chez qui elle séjournait. A soixante-quatorze ans. L'âge de sa mère. Une Olga hantée par les morts. Les siens, ceux de Malaret. Veuillot. Olga n'aimait plus la vie. Depuis 1874, elle avait égaré la poutre maîtresse qui soutenait ses forces quand elles défaillaient, la comtesse de Ségur, née Rostopchine. Sa « chère maman »...

Fin des petites filles modèles

La mort aussi allait bientôt frapper — et fort — du côté de Malaret. Camille n'a pas besoin d'un diagnostic médical. Elle a bien compris le type de sa maladie. Surtout après le décès de

---

1. Testament d'Olga, L'Aigle, 1903, manuscrit déposé au Musée de la comtesse de Ségur, Aube (Orne).

Jacques. Grand-mère n'est plus là pour la soigner avec ses potions. Sa bonne nourriture et cette tendresse qui irradiait. Poitrinaire au dernier degré, Camille pleure du matin au soir. Que va devenir son fils, livré à ce père indigne ? Elle met provisoirement Paul en pension, trop épuisée pour s'en occuper. Elle va de mal en pis. Nathalie se dévoue. Elle emmène sa fille malade à Auteuil. Elle y recueille Paul. A quatorze ans, il est émacié, mélancolique. Dévoré, par moments, de la vilaine petite toux qui empêche Camille de dormir la nuit. Fin janvier 1883, Nathalie et Madeleine veillent Camille définitivement alitée. Elle balbutie, entre deux hoquets de sang, « grand-mère ». Elle veut revoir grand-mère Ségur. Elle délire, divague, grand-mère est en train de la tirer enfin hors de ce monde cruel.

Gaston n'est plus là pour assister et consoler les siens. Un austère curé de Saint-Thomas vient administrer Camille. Elle s'éteint dans la soirée du 8 février 1883. Elle a trente-cinq ans.

De sa beauté, il ne reste que le bleu profond des yeux longuement frangés. Le lendemain de son décès, la paix se répand sur tous ses traits. La mort lui donne cette douceur, cette gracieuse courbure du visage qui avait tant inspiré la comtesse de Ségur. « Ma petite fille modèle n'est pas une fiction. » Habillée de blanc, les cheveux lissés, les mains croisées sur un chapelet offert par grand-mère, elle repose. Nathalie, crucifiée, contemple Camille. Redevenue, à travers le grand passage, le lys ravissant et blanc, sur le parc de Fleurville. « A Malaret, les étangs et les mares sont gelés et couverts de neige. » Paul de Malaret ne retient pas le gros sanglot des hommes. Celui qui tord la bouche en carré, gonfle une poitrine en orage. Le fils de Camille compte tout bas rejoindre au plus vite sa mère. Belot est absent.

Nathalie et Paul font inhumer provisoirement Camille à Paris. Ils engagent toutes les démarches pour la ramener à Malaret. Au petit cimetière de Saint-Sernin-les-Rais. Que faire de Paul, si jeune, dont le père toujours vivant est incapable de l'élever ? Ils vont lutter pour en devenir les tuteurs légaux. Ils déposent une demande auprès du juge d'instruction du neuvième arrondissement. Ils attendent de Toulouse, où Paul est maire, la conclusion de cette lamentable affaire. Paul et Nathalie passent leurs hivers à Toulouse. Malaret est devenu trop humide. Les travaux trop chers. Il est impossible de bien chauffer la grande bâtisse rouge. Nathalie y est constamment prise de toux. Nathalie va devoir lutter seule. Le 23 mai 1866, son mari meurt à Toulouse. Ignorant la conclusion de la tutelle de son petit-fils. Paul est enterré à Saint-Sernin-les-Rais.

SOPHIE DE SÉGUR ÉCRIVAIN EUROPÉEN

Nathalie, malgré sa peine, ne cesse pas sa lutte. Le 9 juillet 1886, le juge d'instruction du neuvième arrondissement de Paris lui confie enfin la tutelle de Paul de Belot. Le père a encore disparu. Nathalie est allée chercher ce pauvre Paul de dix-sept ans. Il est malade. Dévoré comme Camille, Jacques, Sabine. Louis et Gaston de Malaret ont aussi la phtisie. « Mon Dieu, prie tout bas Nathalie, mon Dieu, laissez-moi les enfants... »

Hélas, Nathalie les enterra tous. Le 4 décembre 1887, quatre ans après Camille, Paul décède à Malaret. On l'inhume près de sa mère, dont le corps a été ramené à Saint-Sernin.

Madeleine aidera beaucoup sa mère dans cette furie de deuils qui ressemble à ceux d'Olga. Madeleine, paroissienne de l'église de Saint-Sernin, y habite. Elle est toujours dans la Société des filles de Saint-François-de-Sales. Elle devient le seul recours de Nathalie qui a encore le déchirement d'enterrer ses deux fils, Louis et Gaston. Une réminiscence l'accable en revenant du petit cimetière de Saint-Sernin.

Épaules nues, la belle Nathalie, au grand bal donné en l'honneur de la Castiglione, avait déjà craché du sang. C'est moi, a-t-elle envie de hurler comme une bête égorgée, moi qui leur ai donné cette vilaine maladie, moi, la survivante, la plus vieille, la plus inutile.

Madeleine la soutient, lui parle doucement et fermement. Elles prient sur cette tombe trop remplie ! Un tertre, un peu à part des autres tombes du cimetière. Entouré d'une grille. Rassemblement d'une famille qui s'est passionnément aimée. Deux par tombe. Quatre pierres gravées de leurs noms à tous. Le 12 mars 1910, Nathalie rejoindra les siens. Nathalie âgée de quatre-vingts ans, courbée, réfugiée à Toulouse. La seule douceur est la visite quotidienne de Madeleine. L'impératrice Eugénie meurt à Madrid, en 1920.

Madeleine de Malaret mourra dans un dénuement complet, oubliée de tous, le 26 septembre 1930. Agée de quatre-vingt-six ans. Elle décédera au 24, rue de Peyrou, à Toulouse. Dans sa petite communauté chrétienne. Madeleine, si pieuse, qui croyait que la Sainte Vierge faisait pousser les fleurs dans le petit jardin de Fleurville. Madeleine, dont le bulletin paroissial de Toulouse publiera la photo, un long article signé Mgr Saliège.

Qui se souvenait, à Toulouse, en 1930, d'une des petites filles modèles dont la lecture faisait toujours rêver ? 1930. Pécoud est devenu l'illustrateur de la collection modernisée, signée Hachette.

Camille et Madeleine ont, sous la plume de Pécoud, des jupes singulièrement raccourcies.

Madeleine a franchi sans bruit la guerre de 1914. Elle a entendu passer les premiers bombardiers au-dessus du ciel de Verfeil. On peut toujours identifier l'ordre de ces quatre bombes, à Saint-Sernin-en-Rais.

Madeleine de Malaret et son frère, Louis, occupent le premier caveau, à gauche. Camille et son fils Paul de Belot le deuxième. Gaston de Malaret est seul. Nathalie et Paul de Malaret, ensemble.

Au-dessus le ciel.

Tout vide.

« Et la beauté, alors ? » nous secoue Sophie. « Qu'en faites-vous ? Que nous ennuyez-vous avec toutes ces tombes qui comptent si peu quand la beauté du monde nous rappelle que celle du ciel lui est encore supérieure ? » « Malaret est charmant, dans un pays magnifique et bien cultivé, la vue de Malaret est superbe, bornée au midi et à l'ouest par la chaîne des Pyrénées. (...) Il y a des truffes en abondance [1]... »

Le 6 juillet 1939, le domaine de Malaret sera vendu. Un château toujours aussi rouge, aux fenêtres obturées. Grande carcasse défunte, cube lugubre où souffle le vent. Volent en automne ces feuilles d'acacias et de platanes désormais à l'abandon. (On dit qu'un des derniers descendants de Malaret-d'Aiguevives vit à Biarritz.)

Même l'église de Saint-Sernin est délabrée. La grande croix au-dessus des quatre dalles est grise. Couverte de lichen. Comment déchiffrer aisément les noms radieux, ornant les gracieuses petites filles en bouquet blanc et rose ?

Malaret est resté cette demi-ruine, jamais finie, jamais habitée. La mort de Sophie a donc étiolé jusqu'aux lieux mêmes ? Non loin de l'enclos funèbre des Malaret, une misérable petite tombe. Une simple croix de fonte pour la dernière gouvernante fidèle aux Malaret. Le serviteur repose loin de l'enclos des maîtres. Loin du château à jamais fermé. Les jours de tempêtes sur les Pyrénées, résonne dans sa cendre rouge un mugissement de caverne vide.

---

1. Lettre de Sophie à Jacques, 10 février 1872.

Fra Luigi et les autres

Un mois après Camille, Louis Veuillot mourut, à l'âge de soixante-dix ans. Au 21, rue de Varenne. Il eut la joie de voir entrer à la Visitation sa fille Agnès. Luce, mariée à un militaire, était grosse de son premier bébé quand il tomba malade. Enceinte, il la trouva « belle comme un arbre fruitier ». Mais il préfère le sort d'Agnès. La « morte » aux vivants, la « vivante » éternelle. Son action s'était achevée en 1879, lorsqu'il avait remis *L'Univers* à son frère Eugène, au moment où les républicains avaient, après le départ de Mac-Mahon, investi la République.

Louis ne désapprouverait certes pas le sort de la maison où il mourut. Le 21, rue de Varenne, est devenu le siège du collège d'Hulst. Henriette Fresneau est de plus en plus malade des yeux. Elle se met pourtant à écrire des petits contes. En 1879, Armand est nommé sénateur du Morbihan. Kermadio passa encore dans les mains de la famille. Après la Seconde Guerre mondiale, le château de Kermadio est devenu une colonie de vacances. Encore des enfants !

Anatole vivra surtout à Paris. Il ne cessera plus d'accumuler ses piètres publications, auxquelles on doit les précieux renseignements sur sa famille. Edgar, après l'adoption de son oncle de Ségur Lamoignon, héritera à son tour du château de Méry. Une partie des Ségur reposent dans le tombeau d'Eugène. Edgar, avec le comte de Ran, sera le fondateur des cercles catholiques d'ouvriers.

Été 1881. Le prince impérial est tué en Afrique par les Zoulous. Il avait vingt-cinq ans.

Mort d'Émile Templier

Le fondamental Émile Templier décédera le 2 juin 1891, au matin. Dans sa propriété du Grand Val dans l'Oise. Après ses funérailles à l'église Saint-Séverin et son inhumation à Montparnasse, une série d'articles le couvriront d'éloges.

> *M. Templier croyait fermement à l'immortalité. Il est une autre immortalité à laquelle il ne songeait pas et qui lui est sûrement acquise : il aura communiqué une part de son âme à tous ceux qui l'auront approché, et, parmi la génération actuelle, beaucoup, qui avaient à peine entendu son nom, lui doivent une partie d'eux-mêmes* [1].

---

1. Article nécrologique de F. R. Schrader, extrait de la revue *Le Tour du monde*.

COMTESSE DE SÉGUR

Et l'éternité de Sophie de Ségur ? Il a été probablement un des seuls à pressentir l'éclatant avenir de la comtesse de Ségur. Il savait bien que de son vivant, quoique fort lue, elle n'était pas officiellement reconnue grand écrivain. On la cantonnait en « livres pour enfants ». Le temps achèverait l'œuvre d'Émile Templier. Il avait pressenti que la « Bibliothèque rose », signée comtesse de Ségur, née Rostopchine, traverserait non seulement la France, mais, l'Europe.

Émile Templier n'eut pas le temps de voir l'achèvement de ses deux grands projets commencés pendant sa maladie. Le *Grand Dictionnaire de géographie universelle* et un *Atlas universel*. Ses deux gendres — la tradition Hachette continua —, M. Déclosières et M. Léon Meunier du Housay, se chargèrent d'en finir la confection et le lancement. Le patient Émile n'avait jamais abandonné ses projets, tous menés à terme y compris la diffusion de sa turbulente amie, Mme de Ségur. La fermeté de M. Templier, d'après M. Schrader, correspondait à son aspect. « M. Templier était presque militaire, tellement l'allure était ferme, les traits énergiques, le regard direct et perspicace. »

L'histoire de Mme de Ségur et d'Émile est celle de la grande édition moderne. L'éditeur joue autant son rôle que l'auteur. Écrire une belle langue ne suffit pas. M. Templier avait bien compris cela. Il était allé chercher lui-même à Londres Charles Dickens. Il avait engagé déjà du vivant de la comtesse un projet européen, tenu par la suite de faire galoper Cadichon en plus de douze langues.

III

VITALITÉ

Sophie et nous

Depuis plus d'un siècle, *Les Mémoires d'un âne* ont dépassé 1 625 000 exemplaires. La comtesse de Ségur est un incontournable best-seller. Rééditée sans relâche, traduite effectivement en quatorze langues. Sophie de Ségur a traversé l'espace. Son génie a été d'ouvrir les frontières bien avant l'heure. Ses livres véhiculent une extraordinaire circulation d'étrangers. Italien, Paolo. Russes, Dourakine et sa famille. Polonais, Boginski, Coz, le prince Romane. Allemand, Mina, une princesse. Un prince valaque. Des Indiens d'Amérique. Des indigènes dans une île du Pacifique. Un noir sénégalais, Ramoramor. Des Anglais, dont M. Georgey. Mme d'Embrun est veuve d'un mari ambassadeur à New York. Les Normands de ses textes sont, pour cette Slave, une race à part entière. Elle en a patiemment observé les mœurs et le langage. Elle les fait parler dans leur patois. Ils appellent « bourri », un âne. Ils se disputent (les Marcotte, jardiniers) dans la langue propre à la région des Nouettes. Sophie, déracinée, a l'avantage sur bien des femmes de son siècle d'avoir vu du pays. Elle a roulé des jours et des jours à travers steppes, plaines et villes pittoresques. Elle a pris la mer, la route, le chemin de fer. Elle aimait infiniment écouter ses amis voyageurs. Leurs récits pittoresques alimentaient les siens. On lui doit, et au père Huc, la recette chinoise de la confiture aux crapauds. Dans *Les Malheurs de Sophie,* une erreur significative lui échappe. Elle nomme « Svitine » une des fermes de Mme de Réan. « Svitine » est un nom russe. Certainement pas normand. La comtesse de Ségur vient des frontières ouvertes. Elle brûle de les

635

passer à nouveau. *Gleich !* Partir est un risque, rester en est un plus grand. A Fleurville, n'est-elle pas restée cette prisonnière, muette pendant plus de dix ans ? L'enfermement avait commencé sa destruction… L'écriture fera tomber le mur.

Cette suzeraine a besoin de liberté comme d'air. Elle se dépouille de plus en plus. Ne voyage qu'avec un léger bagage. Elle devient, avec l'âge, cet « homme » aux semelles de vent. Pour un peu, elle se fût habillée en homme. Orlando de Virginia Wolf ? Sophie a tôt compris l'imbécillité des corsets et des cages. L'entrave des femmes, quand on veut aller là où le Bon Ange vous mène. Son petit bagage de vieux curé à la main, française malgré elle et malgré tout, elle bouge, d'un château à l'autre, d'un livre à l'autre… le veuvage lui a donné un doublet d'ailes. Elle redevient une petite fille sans enclos, l'âne qui a cassé la barrière des Nouettes vendues avec qui sait quel féroce soulagement ? Comme elle aime rire, seule, dans les wagons de chemin de fer ! Elle n'a pas détesté franchir les barrages de Prussiens. Le train l'emportait, à travers les chemins défoncés, vers ses derniers séjours. Qu'importe qu'on la fusille ! *Gleich ! Kaput !* Elle rit. Elle hausse les épaules, avance bien droite, ne veut pas qu'on l'attende à la gare. Son sac dans une main, son parapluie de l'autre, son oreiller en caoutchouc. Un paquet de feuilles déjà couvertes de son écriture indomptable.

Ses *Nouveaux Contes de fées* sont remplis d'extraterrestres. Ourson, la fée Rageuse… La rose maudite qui ouvre une bouche rouge et dangereuse. Un perroquet du diable, plus flatteur aux femmes qu'un aventurier. Des passions et des crimes tout au long de son verbe dru. Son style coule en sève de bouleau, roucouleur. Telle sa voix, qui jamais n'a pu se débarrasser des « r » de sa langue natale.

La charité de Blaise n'en a pas fini de nous déchirer le cerveau. L'eau bénite devient le sang, le suint de sa plume qu'elle voulait propre, rapide, sans défaillance. Un « pâté » d'encre fait tout aussi désordre que le corps vaincu d'une vieille femme. Mme Mac Miche, foudroyée par sa propre malédiction et l'obstination redoutable d'un enfant qui se venge.

La « Bibliothèque rose » est rajeunie en 1930. Une couverture jaune, à filet rouge, assez simple, assez laide, moins chère que l'originale. Elle perd en beauté, mais se vend davantage. Les livres de Sophie sont alors illustrés par le trait agaçant, désagréable, de Pécoud. Quelques lignes au crayon réduisent les petites filles. Robes et cheveux courts, taillés aux oreilles sous des chapeaux cloches. Les garçons sont gominés, en pantalons de golf. Jobbé-Duval croque un Gribouille à la grande bouche. Un chemineau à la limite de la hideur. Un brigadier en forme de marionnette du Luxembourg. Félicie d'Orvillet a gardé une robe bouffante, le pantalon orné de dentelles. La haine aux yeux est visible. Le texte reste bien le même. La vie y demeure, cet inlassable hurlement qui fut le sien propre. Ses livres ne murmurent pas, ne rassurent pas. Hors de sa morale, point de salut. Des châtiments atroces. Des banquets monstres. Des cabanes et des fleurs. Des pleurs et des rires jusqu'à la suffocation. Des traits d'esprit aigus, lapidaires. Foudroyants. Ses livres braient et brâment.

Inauguration. Présent. Avenir

L'inauguration du buste de la comtesse de Ségur, au jardin du Luxembourg, eut lieu en 1907. Montesquiou, polémiste aristocrate, cinglant, amoureux de Balzac, écrivit un article : « L'œuvre de madame de Ségur est un phénomène à la limite de la moralité. »

> Cette œuvre de Mme de Ségur, je ne suis pas bien certain qu'elle soit très morale. On y jongle d'assez irrévérencieuse façon avec les perruques des personnes âgées et leurs ridicules. En outre, l'enfance, n'est-elle pas d'elle-même assez impressionnable, pour qu'on n'y ajoute point en faisant défiler devant elle, sous le crayon excessif de Castelli, de Bertall et de Bayard, un groupe de méchantes dames fouettées, de revêches violoneuses escortées de Polonais bizarres, de roussins philosophes et de vieux grognards slaves qui brandissent des pilons de poulet, en prédisant M. de Vogué, et la vogue, d'ailleurs passagère, chez nous, du roman russe [1] ?

Marcel Proust donnera à un de ses personnages, M. d'Argencourt, les traits du « grognard slave » créé par Sophie. Léon Daudet dira d'elle : « Cette rosse recuite de Lavedan aura passé ses plus belles années, aussi ses plus laides, à décalquer *Le Général Dourakine* ou *Les Malheurs de Sophie* sur l'histoire du Consulat et de l'empire [2]... »

Une rosse, une immorale, le travail d'interprétation destructrice est commencé. Il dissimule le violent pouvoir que la comtesse

---

1. Article de Montesquiou, recueilli dans le « Balzac de l'enfance », volume Assemblée des Notables, Paris, Félix Juven, 1908, indications de recherches, *Laura Kreyder*.
2. Léon Daudet.

exerce sur les adultes. François Mauriac parle de l'envoûtement de la lecture ségurienne.

> *Mon livre de chevet*, Les Malheurs de Sophie, *était ouvert à la page où l'on voit Sophie manger avec excès du pain bis et de la crème. (...) Le monde s'anéantissait. J'appuyais sur mes oreilles les paumes de mes mains afin qu'aucun bruit ne m'empêchât de suivre les allées sablées où Sophie de Réan, Madeleine de Fleurville, Marguerite de Rosbourg me conviaient à leurs jeux. La comtesse de Ségur, née Rostopchine, détruisait autour de moi la vie, me transportait tout éveillé à l'ombre des vergers de la campagne normande, où déjà les petites filles modèles avaient des cœurs troublés de puériles amitiés et de douces querelles. (...) A l'heure du sommeil, le cortège des petites filles modèles et des bons petits diables me suivait dans ma chambre et peuplait mon sommeil*[1].

Léonor Fini a illustré sa conception des petites filles modèles. Elle nous catapulte, d'un coup, dans l'univers vertigineux d'*Histoire d'O*. José Cabanis développe le thème troublant de l' « image d'un prince qui bat sa servante ». Ce prince valaque fouette quotidiennement la méchante Mina. En 1976, Jacques Laurent a signé Cecil Saint-Laurent un pastiche pervers des « petites filles et femmes modèles » dans *Les Voyeurs jaloux*.

Œuvre pour les enfants, pour les adultes ou pour les fous ?

Valérie Valère est malade d'une anorexie qui finira par entraîner son décès en 1980. Elle est malade de négation, d'insomnies. Bouclée en hôpital psychiatrique. Elle trouve dans la lecture des *Malheurs de Sophie* une sorte d'hypnose apaisante. Un soporifique plus puissant que les drogues dont on la bourre : « Je suis retournée dans ma chambre et je me suis jetée dans *Les Malheurs de Sophie* jusqu'à ne plus pouvoir ouvrir les yeux[2]. » Valérie Valère qui a cessé d'avaler toute nourriture trouve un répit, un repos. Sophie de Réan est capable d'avaler des tonnes de crème et de pain chaud.

Le pain chaud ? Le pain maternel d'amour ? Sophie de Réan est boulimique d'absence, de tendresse maternelle. Valérie Valère est anorexique pour les mêmes raisons. Sophie tombe malade, gavée. L'infirmière psychiatrique enfourne de force la cuillère de nourriture entre les dents serrées de Valérie. « Maman, y es-tu, entends-tu, que veux-tu ? » Le loup guette la petite fille. Le loup gît dans la

---

1. *La Robe prétexte*, François Mauriac.
2. *Le Pavillon des enfants fous*, Valérie Valère.

mère. Celle qui fouette et boucle le cabinet de pénitence, pavillon de l'enfant folle.

Marguerite Yourcenar, dont la mère était morte à la naissance, détestait Mme de Ségur. Elle confie son rejet dans sa longue interview à Matthieu Galey.

> *Je n'étais pas non plus une « petite fille modèle »... Je dois dire que j'ai toujours détesté les livres de la comtesse de Ségur ; la « Bibliothèque rose » me donne encore mal au cœur quand j'en vois un exemplaire : ces enfants m'irritaient, ne me paraissaient pas réels, et déjà comme souillés par toutes les conventions, que je percevais très bien... Il y avait chez Mme de Ségur un sentiment de classe ; il y avait un sentiment de vaniteuse cohésion familiale : il y avait les cousins, les gens « de bonne famille », les personnes respectées venues en visite. Qu'est-ce que c'était que tous ces gens-là ? Moi, j'avais des cousins, mais ils n'étaient pas plus importants que le fils du jardinier*[1].

Dans son dernier livre inachevé, *Qui ?*, l'année de sa mort, Mme Yourcenar exprime une dernière fois sa haine de la comtesse.

Un papier de Philippe Bouvard, dans *Le Figaro Magazine* du 10 novembre 1989, nous ramène à Mme de Ségur. Cet article s'intitule « Les livres de mon enfance sont rangés dans mon cœur ».

> *Un signe affectueux aux* Petites Filles modèles *qui m'ont fait découvrir la lutte des classes, les pauvres et les nantis, le château et les chaumières, la noble extraction et la roture. Chère madame de Fleurville, comtesse de droit divin, aussi majestueuse que la reine d'Angleterre, et si proche cependant du petit peuple de ses domestiques et de ses obligés.*

François Bluche écrit dans *Le Figaro* du 27 novembre 1989 à propos du Salon du livre de jeunesse, à Montreuil, son choix de lecture, l'histoire de Blondine, extraite des *Nouveaux Contes de fées* :

> *Attelages d'autruches, au début, char volant emporté par des cygnes... ce charmant divertissement de notre irremplaçable comtesse, aux dessins de porcelaine, aurait pu s'appeler « La Belle et les bêtes ». Une princesse abandonnée dans la forêt, un chat blanc, Beau-Minon, venu la secourir ; Bonne-Biche, sa mère, prête à accueillir l'enfant en son château féérique peuplé d'animaux domestiques et de troubadours,*

---

1. *Les Yeux ouverts*. Entretiens avec Matthieu Galey.

le sommeil magique de sept ans où l'on grandit en sagesse et en beauté ; une rose traîtresse... Les épousailles de Blondine et de Beau-Minon redevenu joli garçon. Heureux et assez amoureux pour avoir une ribambelle d'enfants modèles.

Ce conte a été réédité par Hatier.

Hachette a republié en fac-similé la « Bibliothèque rose et or ». Avec les illustrations d'origine. En groupant trois romans par ouvrage. L'édition Pauvert avait réimprimé, entre autres, *La Fortune de Gaspard*. Avec une remarquable préface de Marc Soriano. Couverture rose et or, papier de belle pâte, illustrations d'époque, la réédition Pauvert est la plus belle. Gallimard a réimprimé en « Folio Jeunesse » les livres les plus connus de Sophie. Les éditions Hemma, « Le Livre club pour la jeunesse », ont repris quelques textes de la comtesse de Ségur. La collection « Bouquins », chez Robert Laffont, publie l'œuvre complète. « Imago », chez Duculot, s'intéresse vivement à la publication illustrée de *La Santé des enfants*. Marc Augé, anthropologue, a publié en septembre 1989 un petit essai intitulé *Domaines et châteaux*, où, à travers ces demeures de « mots et d'images », il poursuit en ethnologue l'exploration d'une mythologie moderne. L'illusion du « domaine ». On y retrouve la complexité du « château » ségurien :

> La « Bibliothèse rose » et la comtesse de Ségur sont la source de mes premières émotions littéraires. (...) Le château de Mme de Fleurville était placé sous le signe de l'évidence : la vérité s'y distinguait du mensonge et le bien du mal comme le jour de la nuit. (...) A y regarder de plus près toutefois, les choses étaient moins simples. Tout d'abord les périls étaient proches. (...) Le bonheur comme le malheur ne pouvaient venir que de l'extérieur, et le plaisir aigu que je tirai de cette insularité normande (mon plaisir de lecteur) était dû, comme les émotions de mes héroïnes, au sentiment de l'attente[1].

Le cinéma a produit *Un bon petit diable*, adapté par Didier Decoin et par Jean-Claude Brialy (films Cassine, FR3). *Les Malheurs de Sophie* passèrent aussi à l'écran adaptés par J.-C. Brialy et Luc Béraud (A2 et la Franco American films). En 1976, Alexis et Gotlib firent un album des *Malheurs de Sophie*. Une bande dessinée assez cruelle, « d'après l'adorable bluette de la comtesse de Ségur, née Rostopchine ».

---

1. *Domaines et châteaux*, Marc Augé, Seuil.

En septembre 1989, une exposition, au musée d'Orsay, a eu pour thème « Les petites filles modernes ». Elle souligne l'avenir de cette petite fille, surgir tout droit du xixᵉ siècle. Petite fille étouffée, bâtie sur trois modèles. Alchimie de la « petite fille nouvelle », selon le titre de l'article de Nicole Savy. La petite fille nouvelle est l'aboutissement de Cosette, *Sophie* et Alice.

> *Il va sans dire que Cosette à Montfermeil, Sophie et Alice sont mal élevées. Cosette, parce qu'on ne lui a rien appris, Sophie, parce que sa nature énergique se rebelle contre toute autorité, et Alice, parce que sa curiosité et son impulsivité l'emportent assez souvent sur la bonne éducation. En tout cas, aucune des trois n'offre de l'enfance féminine une image conformiste : toutes sont confrontées au refus, à la privation, aux difficultés. (...) Le social vient ici déranger, démoraliser la nature : qu'une enfant en soit l'occasion est un comble de scandale* [1].

Le discours ségurien a-t-il eu conscience que son extrême popularité vient de ce « scandale » toujours possible, toujours présent ? La comtesse de Ségur, quand elle supprima les « dit-il », « répondit-elle », etc., au profit de ses dialogues, avait créé un « théâtre ». Un nouveau discours. Une intimité doublée de distance, une angoisse, un plaisir, puisque « la fonction théâtrale, c'est aussi cela : cette possibilité appelée jeu — mais est-elle un jeu ? — de déplacer les barrières qu'imposerait une représentation empruntée [2] ».

Le génie de Sophie est d'avoir entraîné, irrésistiblement, tout son discours, dans ce jeu intime du théâtre. Secret qui gît en chacun de nous. Son argumentation est puisée aux sources des discours enfantins et d'ailleurs. L'ensemble de sa « comédie », au sens où Balzac l'entendait, débouche sur l'Ardeur. Celle d'y faire des bêtises. De jouer de tout son corps, ses mots, contre les autres. Agresseurs, microbes, ennemis, passions... Sophie, ardente, brutale, est le pendant tonique des petites filles modèles. Ardeur des baisers. Ardeur de nuire. Mordre, battre, assassiner, étrangler des perroquets. Allumer des incendies, des haines et des remords. Ardeur de cette faim farouche et de ce besoin du rire. Ardeur austère, virile, devant la mort toujours probable, jamais vaincue. Les Anges de son ciel enlèvent les bons et les mauvais enfants.

---

1. « Les petites filles modernes », in « Les dossiers du musée d'Orsay », exposition septembre 1989. Article Nicole Savy.
2. *L'Argumentation*, Georges Vignaux.

COMTESSE DE SÉGUR

Après cette pluie d'angoisse, le beau temps. La comtesse de Ségur stimule, redresse les décombres. Elle ressuscite les petits poissons coupés en morceaux. Elle fait repousser les sourcils rasés. Elle sauve des chevaux, des ours et des forçats évadés de Sibérie. Elle reconstruit, par-delà la terre et ses châteaux brûlés, un royaume. Le sien. Avec Dieu et ses enfants. Il y sera permis de braire tout son saoul. Se gaver encore de crème, de pain bis et du bon Dieu. Puisque le plaisir enfantin est un brasier qui ronfle.

Intact et haïssable.

Juin 1990.

BIBLIOGRAPHIE

Œuvres de la comtesse de Ségur

La Santé des enfants, 1855, publié à compte d'auteur, réédité par Hachette en 1857.

Nouveaux Contes de fées, 1857, Hachette. 20 vignettes de Gustave Doré.

Les Petites Filles modèles, 1858, Hachette. Vignettes de Bertall.

Livre de messe pour les petits enfants, 1858, Douniol.

Les Vacances, 1859, Hachette. Vignettes de Bertall.

Les Malheurs de Sophie, 1859, Hachette. Vignettes de Castelli.

Les Mémoires d'un âne, 1860, Hachette. 58 vignettes de Castelli.

Pauvre Blaise, 1861, Hachette. 65 vignettes de Castelli.

La Sœur de Gribouille, 1862, Hachette. 72 vignettes de Castelli.

Les Bons Enfants, 1862, Hachette. Vignettes de Ferogio.

Les Deux Nigauds, 1862, Hachette. 76 vignettes de Castelli.

L'Auberge de l'Ange Gardien, 1863, Hachette. 75 vignettes de Foulquier.

Le Général Dourakine, 1863, Hachette. 100 vignettes de Bayard.

François le Bossu, 1864, Hachette. Vignettes de Bayard.

Un bon petit diable, 1865, Hachette. Vignettes de Castelli.

Comédies et Proverbes, 1865, Hachette. Vignettes de Bayard.

Jean qui grogne et Jean qui rit, 1865, Hachette. Vignettes de Castelli.

Évangile d'une grand-mère, 1866, Hachette. Vignettes de Schnorr.

La Fortune de Gaspard, 1866, Hachette. Vignettes de Gerlier.

Quel amour d'enfant !, 1866, Hachette. Vignettes de Bayard.

Le Mauvais Génie, 1867, Hachette. 90 vignettes de Bayard.

Les Actes des Apôtres, 1867, Hachette. 10 gravures sur acier (d'après des tableaux de peintres célèbres).

Diloy le Chemineau, 1868, Hachette. Vignettes de Castelli.

Bible d'une grand-mère, 1869, Hachette. Vignettes de Schnorr.

Après la pluie, le beau temps, 1871, Hachette. Vignettes de Bayard.

COMTESSE DE SÉGUR

Correspondance de la comtesse de Ségur et des siens

Lettres de la comtesse de Ségur, née Rostopchine, au vicomte et à la vicomtesse de Simard de Pitray, 1891, Paris, Librairie Hachette et Cie.

Lettres d'une grand-mère, La comtesse de Ségur a son petit-fils, Jacques de Pitray, 1898, Paris, Librairie H. Oudin.

Correspondance inédite de la comtesse de Ségur avec MM. Louis Hachette et Émile Templier, du 2 octobre 1855 au 9 décembre 1872, Archives Hachette-Lettres recueillies par Jean Mistler, 1964, Hachette.

Papiers et correspondance de la famille de Ségur, Bibliothèque nationale.

Ségur (Eugène de), années 1812, 1813, 1816-NAF-12297-Exponam 1-3.

Testaments, lettres reçues et écrites de Sophie de Ségur et des siens, vol. NAF-22828-29-30-31-33-34-35-36-(dont la correspondance de Mme Svetchine avec Sophie de Ségur), année 1827, vol. 22832-33.

Correspondance de Mgr de Ségur (Gaston), Côte 8°Z- (1907), lettres publiées par Anatole de Ségur-Bray et Retaux, 1882, dont les « Lettres de monseigneur Gaston de Ségur » à sa sœur Sabine de Ségur, en religion sœur Jeanne Françoise, religieuse à la Visitation de 1858 à 1868.

Autre correspondance au sujet de Sophie de Ségur et des siens.

Correspondance complète de Louis Veuillot de 1813 à 1883. Dans cette correspondance, se situent, entre autres, les lettres écrites de Louis Veuillot à Sophie de Ségur, à Mgr de Ségur (Gaston), à Olga de Pitray, à Cécile de Ségur, femme d'Anatole de Ségur, à Françoise et à Jacques de Pitray, enfants d'Olga de Pitray. Cette correspondance a été consultée en 12 volumes, côte 8°Z-22 J4, t. 15-16-17-18-19-20-21-22-23-24-25-26.

Livres sur la comtesse de Ségur et les siens

A͏UDIBERTI Marie-Louise, *Sophie de Ségur, l'inoubliable comtesse*, Stock, 1981.

B͏AILLE Charles, *Mes souvenirs sur monseigneur de Ségur*, Besançon, imprimerie Pierre Jacquin, 1896.

B͏AYE Joseph (baron de), *Voronovo, le château des Rostopchine*, Nelson, 1909.

B͏EAUSSANT Claudine, *La Comtesse de Ségur ou l'enfance de l'art*, Robert Laffont, collection « Elle était une fois », 1988.

B͏LETON Pierre, *La Vie sociale sous le Second Empire*, Éditions ouvrières, Paris, 1963.

B͏LUCHE François, *Le Petit Monde de la comtesse de Ségur*, Hachette, 1988.

C͏HENEVIÈRE Jacques, *La Comtesse de Ségur, née Rostopchine*, NRF, Gallimard, 1932.

CORDONNIER (chanoine), *La Comtesse de Ségur,* Vesoul, imprimerie Marcel Bour, 1931.

FILLOL Luce, *Comtesse de Ségur,* Paris, Gembloux, Duculot, 1981.

FUYE Maurice de la, *Rostopchine, européen ou slave,* 1937.

GOBILLOT René, *La Comtesse de Ségur, sa vie, son œuvre,* imprimerie alençonnaise, 1924.

Grand Album de la comtesse de Ségur, Paris, Hachette, 1983, coll. « Grandes Œuvres », reproduit, outre les opuscules de Gaston de Ségur et d'Olga de Pitray sur la comtesse de Ségur, *La Santé des enfants,* de la comtesse de Ségur, des articles concernant ses manuscrits, ses comptes, ses idées, ses illustrateurs.

HÉDOUVILLE Marthe de, *La Comtesse de Ségur et les siens,* Conquistador, 1953.
Monseigneur de Ségur, sa vie, son action, Nouvelles Éditions latines, 1957.
Les Rostopchine, France-Empire, 1984.

KREYDER Laura, *L'Enfance des saints et des autres,* « Essai sur la comtesse de Ségur », Schena Nizet, 1987.

MISTLER Jean, *La Comtesse de Ségur d'après ses lettres,* Hachette, 1964.

NARYCHKINE Nathalie, *Le Comte Rostopchine et son temps,* Saint-Pétersbourg, 1912.

PITRAY Arlette de, *Ma grand-mère Ségur ou les malheurs de Sophie,* Annales 99, janvier 1959.
Sophie Rostopchine, comtesse de Ségur, Albin Michel, 1939.

PITRAY Olga (vicomtesse Simard de), *Mon bon Gaston,* Gaume, 1887.
Ma chère maman, souvenirs intimes et familiaux, Hachette, 1964.

ROSTOPCHINE André, *Russie littéraire, artistique et, contrairement à l'ordinaire, véridique,* Bruxelles, 1874.

ROSTOPCHINE Lydie, *Les Rostopchine,* Paris 1909, réédité, Balland, 1984.

ROSTOPCHINE Fédor (comte de), *Mes mémoires ou moi au naturel,* rue du Helder n° 8, 1839. *Œuvres inédites,* E. Dentu, 1894.
La Vérité sur l'incendie de Moscou, Paris, Ponthieu, 1823.
Correspondance avec le comte Vorontzov.

SÉGUR Anatole (marquis de), *Le Comte de Ségur d'Aguesseau,* 1803-1889, Bourges, imprimerie de Turdy Pigelet, 1889.
L'Été de la Saint-Martin, souvenirs et rêveries du soir, Tours, A. Mame et fils, 1899.
La Comtesse Rostopchine, Hachette, Paris.
Sabine de Ségur, en religion sœur Jeanne Françoise, Tobra et Haton, 1870.
Monseigneur de Ségur, souvenirs et récits d'un frère, Paris, Rétaux-Bray, 1891.
La Maison, stances et sonnets, Paris, Tobra et Haton, 1869.
Biographie nouvelle de monseigneur de Ségur, suivie de la *Biographie de la comtesse de Ségur,* Bloud et Barral, 1885.

647

COMTESSE DE SÉGUR

Vie du comte Rostopchine, gouverneur de Moscou en 1812, Rétaux et fils, 1893.

Vie illustrée de monseigneur Gaston de Ségur, Abbeville, C. Paillard, 1893.

SÉGUR (monseigneur Louis Gaston de), *Ma mère. Souvenir de sa vie et sa sainte mort,* Tobra, 1856, réédité chez Hachette dans le *Grand Album de la comtesse de Ségur,* 1983.

Journal d'un voyage en Italie, impressions et souvenirs (Introduction de la comtesse de Ségur Lamoignon), Paris, Tobra 1882.

SÉGUR (général comte Philippe de), *Un aide de camp de Napoléon, Histoire de Napoléon et de la Grande Armée,* 1826.

SÉGUR-CABANAC (comte Victor de), *Histoire de la maison Ségur,* Brünn, édition la famille, 1908.

ZEILLER Jacques, *La Comtesse de Ségur,* Bloud, 1913.

Articles, comptes rendus, études autour de la comtesse de Ségur

ACKER Paul, « Comtesse de Ségur », in *Revue de Paris,* 1er avril 1908.

ALPHANT Marianne, « Une lecture orpheline », in *La Nouvelle Revue française,* août 1980.

AUGÉ Marc, *Domaines et châteaux,* Seuil, 1989.

AYMÉ Gabriel, « Sophie conforme », in le *Grand Album de la comtesse de Ségur,* Hachette, 1983.

BERGER Pierre, « Faut-il brûler la comtesse de Ségur ? » in *Lettres françaises,* 27 février 1964.

BINET A. et SIMON Th., *Les Principes éducatifs de la comtesse de Ségur,* Société 1974, pp. 282-290.

BLUCHE François, « Histoire de Blondine de la comtesse de Ségur » in *Le Figaro,* lundi 27 novembre 1989.

BOUVARD Philippe, « Les livres de mon enfance sont rangés dans mon cœur » in *Le Figaro Magazine,* 10 novembre 1989.

CABANIS José, *Plaisirs et lectures,* Gallimard, 1964.

CASTELOT André, « La Comtesse de Ségur » in *Historia,* février 1964.

CHALON Jean, « Pour adultes seulement, la comtesse de Ségur » in *Le Figaro littéraire,* 9 février 1974.

CHARENSOL Georges, « Comtesse de Ségur » in *Le Matin,* 12 février 1933.

CROISSET Francis de, « La comtesse de Ségur, l'idéale grand-mère » in *conferencia,* mars 1933.

DANSETTE Adrien, « La comtesse de Ségur sociologue », in la *Revue de Paris,* mars 1964.

DARD Frédéric, « Le point de vue de San Antonio », in le *Grand Album de la comtesse de Ségur,* Hachette, 1983.

DECOIN Didier, « Un bon petit diable », in le *Grand Album de la comtesse de Ségur,* Hachette 1983.

Desanti Dominique, « La comtesse de Ségur ou les bonheurs de Sophie » in *Le Monde,* 25 août 1972.

Descaves Lucien, « De maman Ségur à papa Malot » in *Le Magazine littéraire.*

Dulmet Florico, « Voici cent ans mourait la comtesse de Ségur », *Écrits de Paris,* septembre 1973.

Faizant Jacques, « Pied de nez Rostopchine » in *Ni d'Ève, ni d'Adam,* Calmann Lévy, 1954.

Florenne Yves, « Heureuse Sophie » in *Le Monde,* 6 août 1974.

Fourment Alain, « Le bon petit diable transporté en Écosse » in *Le Monde,* 6 août 1974. « François Caradec défend la comtesse de Ségur », *Le Monde,* 1977.

Laurent Cecil Saint, « Les voyeurs jaloux » in *Petites Filles et femmes modèles,* Julliard, 1976.

Laurie Xavier, « Le langage de la comtesse de Ségur », *Vie et langage,* 1974, XXIII.

Leriche Mathilde, « L'importance de la nourriture dans l'œuvre de la comtesse de Ségur née Rostopchine », *Europe,* 613, mai 1980.

Mauriac François, *La Robe prétexte,* Paris, Grasset, 1914.

Montesquiou Robert de, « Le Balzac de l'enfance », *Le Figaro* du 7 septembre 1907.

Montherlant Henry de, *Pitié pour les femmes,* Gallimard, 1954. *Correspondance,* présentation et notes de R. Peyrefitte et P. Sipriot, Paris, Robert Laffont, 1983.

Rivière François, « La comtesse de Ségur, née Rostopchine » in *Nouvelles littéraires,* 1983.

Roubaux Marie-Louise, « Les petites-filles modèles de la comtesse de Ségur dorment en terre occitane » in *La Dépêche de Toulouse,* 24 mars 1974. Photos de Jacques Esparbié.

Roux Jean-Marie, « La comtesse de Ségur ou la peur de l'eau » in *La Revue d'Histoire moderne et contemporaine,* janvier-mars 1983, pp. 154-162.

Sartre Jean-Paul, « L'enfance d'un chef » in *Le Mur,* Gallimard, 1981.

Savy Nicole, « Cosette, Alice, Sophie ou les petites filles modernes », *Dossiers du musée d'Orsay,* septembre 1989.

Sipriot Pierre, *Le Fabuleux XIXᵉ Siècle,* Belfond, 1990.

Soriano Marc, « Préface de la fortune de Gaspard », *La Fortune de Gaspard,* Jean-Jacques Pauvert, 1972.

Trémolin Jacques, « Pauvres bêtes ! ». *Grand Album de la comtesse de Ségur,* Hachette, 1983.

Trigon J. de, *La Comtesse de Ségur et la Bibliothèque rose,* Hachette, 1950.

Valère Valérie, *Le Pavillon des enfants fous,* Stock, 1964.

Vignaux Georges, *L'Argumentation,* Droz, 1976.

Vinson Marie-Christine, *L'Éducation des petites filles chez la comtesse de Ségur,* Presses universitaires de Lyon, 1987.

COMTESSE DE SÉGUR

WINOCK Michel, « Fureurs et clameurs des écrivains catholiques » in *L'Histoire* n° 135.

YOURCENAR Marguerite, *Les Yeux ouverts,* entretiens avec Matthieu Galey, le Centurion, 1980.

Articles nécrologiques sur Émile Templier, éditeur de la comtesse de Ségur. Ces articles ont été recueillis par l'imprimerie Dunculus et Cie, 5, rue des Grands-Augustins.

LAFFITTE Paul, *Revue bleue,* 13 juin 1891.

MASSON G., extrait du *Journal de l'imprimerie et de la librairie,* 13 juin 1891.

SCHRADER Fr., *Le tour du monde,* 13 juin 1891.

Ouvrages autour de la comtesse de Ségur et des siens

ARMAILLÉ (comtesse d'), *Quand on savait vivre heureux,* Plon, 1934.

BOIGNE (comtesse de), *Mémoires,* Mercure de France, 1971.

BOUGAUD (abbé), *Histoire de sainte Chantal et des origines de la Visitation,* 2 tomes, Paris, Librairie frères Poussielgue, 1884.

CHATEAUBRIAND René de, *Mémoires d'outre-tombe,* Édition Garnier.

DOSNE (madame), *Mémoires,* Plon, 1928.

DUPANLOUP (évêque d'Orléans), *De l'Éducation,* Charles Douniol, 1861.

FALLOUX (comte de), *Mme Svetchine, sa vie, ses œuvres,* 1860.
Souvenirs de charité, Tours, 1874.

FLAUBERT Gustave, *Correspondance,* Gallimard.

GIRARDIN (madame de), *Lettres parisiennes du vicomte de Launay,* Mercure de France, 1986.

LE ROUX Benoît, *Louis Veuillot, un homme, un combat,* 1984.

MAISTRE Joseph de, *Les Soirées de Saint-Pétersbourg,* 1821.

MAISTRE Xavier de, *Les Lépreux de la cité d'Aoste,* 1811.

MAURAIN Jean, *La Politique ecclésiastique du Second Empire, de 1852 à 1869,* Alcan, 1930.

STAËL Germaine (baronne de), *Dix Années d'exil,* 1821.

SUE Eugène, *Mathilde,* 1843.
Le Juif errant, 1849.

SVETCHINE Anne-Sophie, *Pensées, traité de la vieillesse, traité de la résignation,* 1854.

TOLSTOÏ Léon, *Guerre et Paix,* Gallimard, 1952.

VARENDE Jean de la, *Le Centaure de Dieu,* Grasset, 1938.

VEUILLOT Louis, *Çà et là,* 1859, Palmé, 1874.
Les Odeurs de Paris, Palmé, 1867.
Mélanges, Parfum de Rome, Palmé.

VISITATION (couvent de la Visitation, 110, rue de Vaugirard, Paris, VIIe), archives gracieusement confiées à l'auteur.

Études thématiques pour une biographie ségurienne

ARIÈS Philippe, *L'Enfant et la vie familiale sous l'ancien régime*, collection « Points », Seuil, 1975.

BAICHE et BALTHAZAR Jean-Louis, *La Normandie aux temps des bouilleurs de cru*, Milan, 1986.

BAUCOMONT Jean, GUIBAT Frank, Tante LUCILE, PINON Roger et SOUPAULT Philippe, *Comptines de langue française*, Seghers, 1972.

BIBLE (La sainte Bible), suivie des Évangiles, traduite des textes originaux hébreu et grec par Louis SEGOND, docteur en théologie, version revue 1975, nouvelle édition de Genève, 1979.

BRICARD Isabelle, *Saintes ou pouliches, l'éducation des jeunes filles au XIXᵉ siècle*, Albin Michel, 1986.

CARADEC François, *Histoire de la littérature enfantine en France*, Albin Michel, 1977.

CASTEX P. G. et SURER P., *Manuel des études littéraires françaises*, XIXᵉ siècle, Hachette, 1966.

CHEVALIER Jean et GHEERBRANT Alain, *Dictionnaire des symboles*, collection « Bouquins », Robert Laffont, 1986.

CONTINI M., préface de Jacques HEIM, *La Mode à travers les âges*, Hachette, 1965.

FESCH (abbé Paul), *Au séminaire, Saint-Sulpice et les Sulpiciens*, Paris, 1891.

FURET François et Jacques OZOUF, *Lire et écrire, l'alphabétisation des Français de Calvin à Jules Ferry*, Les éditions de Minuit, 1977.

GUILLEMARD Colette, *La Vie des enfants dans la France d'autrefois*, collection « Témoins de France », Christian Bartillat, 1986.

GUIRAL Paul, *La Vie quotidienne en France à l'âge d'or du capitalisme, 1852-1879*, Hachette, 1980.

GUIRAL Paul et THUILLIER Guy, *La Vie quotidienne des domestiques en France au XIXᵉ siècle*, Hachette, 1985.

HUGO Victor, *Choses vues, 1830-1846, 1847-1848, 1849-1869*, « Folio », Gallimard, 1972.

LAMENNAIS (abbé de), traduction de « L'Imitation de Jésus-Christ », collection « Sagesses », Seuil, 1979.

CENTRE GEORGES POMPIDOU, « Le Temps des gares », exposition réalisée par le Centre de création industrielle, 1978.

SAINTE-FARE-GARNOT Pierre Nicolas, *L'Hôpital Saint-Louis*, introduction de Jean-Bernard, L'Arbre en images, 1986.

WINTERHALTER Franz Xaver et les cours d'Europe de 1830 à 1870, exposition musée du Petit Palais, réalisée grâce au concours de United Technologies, 12 février au 7 mai 1988.

ZELDIN Théodore, *Histoire des passions françaises (1848-1945)*, collection « Points », Seuil, 1980.

COMTESSE DE SÉGUR

Parcours historique

A. L'époque russe de Sophie Rostopchine

GILLES Daniel, *Léon Tolstoï*, Club des éditeurs, 1959.

RAEFF M., *Comprendre l'ancien régime russe. État et société en Russie impériale, essai d'interprétation,* Seuil, 1982.

RIASANOVSKY Nicholas V., *Histoire de la Russie, des origines à 1984,* collection « Bouquins », Robert Laffont, 1987.

SCHAKOVSKOY Z., *La Vie quotidienne à Saint-Pétersbourg à l'époque romantique,* Hachette, 1967.

TOLSTOÏ Léon, *Les Récits de Sébastopol,* Payot, 1987.

TROYAT Henri, *Gogol,* Flammarion.
   Catherine la Grande, Flammarion.
   Alexandre 1er, Flammarion, 1977, 1981.

TULARD Jean, *Napoléon ou le mythe du sauveur,* Paris, 1977.

B. L'époque française de la comtesse de Ségur

AGULHON Maurice, *1848 ou l'apprentissage de la République (1848-1852),* Collection « Points », Seuil, 1973.

BARNAU Robert, « Vie quotidienne en 1830 », Hachette.

BERTIER de SAUVIGNY G., *La Restauration,* collection « Histoire », Flammarion.
   Metternich et la France après le congrès de Vienne, Hachette, 1968-1971.

CASTELOT André, *Napoléon,* Perrin, 1968.

DESANTI Dominique, *Daniel ou le visage secret d'une comtesse romantique, Marie d'Agoult,* Stock, 1980.

FLAUBERT-SAND, *Correspondance,* Flammarion, 1981.

GASTON-MARTIN, *La Révolution de 1848,* « Que sais-je ? », PUF, 1948.

GÉRARD Alice, *Le Second Empire, innovation et réaction,* PUF, 1973.

GODECHOT J., *L'Europe et l'Amérique à l'époque napoléonienne, 1800-1815,* PUF, 1967.

JARDIN A, *La France des notables,* « L'évolution générale (1815-1848) », coll. « Histoire », Seuil, 1973.

JARDIN et TUDESQ, « La vie de la nation », 1815-1848, collection « Points », Seuil, 1973.

LEFEBVRE Georges, *Napoléon,* PUF, 1969.

LEQUIN Y., *Histoire des Français, XIXe-XXe siècles,* Armand Colin, 1983-1984.

LEVER Évelyne, *Louis XVIII,* Fayard, 1988.

LISSAGARAY P. O., *Histoire de la Commune de 1871,* Maspero, 1970.

RÉMOND René, *La Droite en France de la première Restauration à la cinquième République,* Paris, Aubier, 1977.

ROUX Georges, *Napoléon III,* Flammarion, 1969.
   La Guerre de 1870, Fayard.

SAND George, *Histoire de ma vie*, Gallimard.

TROYAT Henri, *Flaubert*, Flammarion, 1988.

TUDESQ A. J., *L'Élection présidentielle de Louis-Napoléon Bonaparte*, Armand Colin, 1965.

TULARD Jean, *La Vie quotidienne des Français sous Napoléon*, Hachette, 1978.

C. Littérature à l'époque de la comtesse de Ségur

BALZAC Honoré de, *La Comédie humaine*, Gallimard.

BARBEY D'AUREVILLY, *Les Diaboliques*, Garnier-Flammarion.

BAUDELAIRE, *Les Fleurs du mal*, Garnier.

CHATEAUBRIAND René de, *Le Génie du christianisme*, Hachette.

DOSTOÏEVSKI, *L'Idiot*, Hachette.
   Le Joueur, Hachette.
   Crime et châtiment, Hachette.

FLAUBERT Gustave, *Madame Bovary*, Garnier-Flammarion.
   Un cœur simple, Garnier-Flammarion.

HUGO Victor, *Les Misérables*, Hachette.

LAMARTINE, *Les Méditations*.
   Jocelyn, Garnier-Flammarion.

MAUPASSANT Guy de, *Boule de suif*.
   Une vie et *autres nouvelles*, Hachette.

RIMBAUD Arthur, *Une saison en enfer*, Hachette.

SAND George, *Lélia*, Garnier-Flammarion.
   La Mare au diable, Garnier-Flammarion.
   François le Champi, Garnier-Flammarion.
   La Petite Fadette, Garnier-Flammarion.

STENDHAL, *De l'amour*, Garnier-Flammarion.
   Le Rouge et le Noir, Garnier-Flammarion.

TOURGUENIEV Ivan Serguiévitch, *Mémoires d'un chasseur*.
   Fumées, 1867.

ZOLA Émile, *La Fortune des Rougon*.
   L'Assommoir, Grasset-Fasquelle.

Catalogues

MUSÉE SÉGUR-ROSTOPCHINE, à Aube (Orne). Association des amis de la comtesse de Ségur (Mlles Jeaulne, Mannevy).
   Ce musée contient surtout des photographies de la famille de Sophie de Ségur ainsi que le testament d'Olga, d'autres pages manuscrites, une paire de gants de Mme de Ségur, une tête en relief sculptée de Gaston de Ségur, un berceau et des poupées de l'époque de Mme de Ségur.
   La partie « Rostopchine » contient d'intéressantes gravures sur

653

l'époque russe de Sophie Rostopchine. Ce musée est l'ancien presbytère, tout proche de la petite église d'Aube où Gaston de Ségur fut frappé de la foi. Ajoutons que la tombe de Marguerite de Pitray (et des Pitray) est située dans le petit cimetière autour de cette église, à quelques mètres de ce musée Ségur.

Catalogue pour le centenaire de la mort de Sophie de Ségur, par GOUBRAND Jean, 1974.
La célébration du centenaire de la mort de Sophie de Ségur a donné lieu à une exposition à L'Aigle (1974) et à de nombreux articles dans la presse dont ceux de Jean-Pierre Manigne, « La morale et la religion de la comtesse de Ségur », in *Informations catholiques internationales,* 461, 1er août 1974, et celui de Josyane Duranteau, « Retour à la comtesse » in *L'Éducation,* n° 206, 21 mars 1974. Parmi « Les amis de la comtesse de Ségur », une série d'amateurs cultivés, épris de l'univers ségurien, ont écrit à ce sujet plusieurs pages. On peut citer, outre Mlle Hélène Jeaulne, Mme Dulmet (Florica), « Voici cent ans mourait Sophie Rostopchine », (*Écrits de Paris,* sept. 1974), Mme Deroisin (Sophie), « Pour un centenaire. La comtesse de Ségur et le sens du bonheur », in *La Revue générale,* Bruxelles, 3 mars 1974, M. René Escaich, « Trois siècles de littérature pour enfant », *Écrits de Paris,* mai 1974.
Statistiques de l'Unesco : parmi la diffusion des livres dans le monde, Sophie de Ségur occupe une des premières places avec trente millions d'exemplaires vendus (cité par Laura Kreyder, *L'Enfance des saints et des autres,* « Essai sur la comtesse de Ségur », Schena-Nizet, 1987).

La comtesse de Ségur en images

A. Cinéma

Un bon petit diable, adaptation de Didier Decoin et de Jean-Claude Brialy, Les films Cassine, Dune et FR3.
Les Malheurs de Sophie, adaptation de Luc Béraud et de Jean-Claude Brialy, A2 et la Franco American Films.

B. Bande dessinée

Les Malheurs de Sophie, « d'après l'adorable bluette de la comtesse de Ségur, née Rostopchine », par Alexis et Gotlib, Dargaud, 1976.

INDEX

INDEX

INDEX

INDEX

INDEX

N.B. : Il n'a pas été jugé utile de mentionner dans l'index le nom du comte Fédor Rostopchine, père de la comtesse de Ségur, étant donné l'apparition constante de ce personnage.

673

LES ROSTOPCHINE

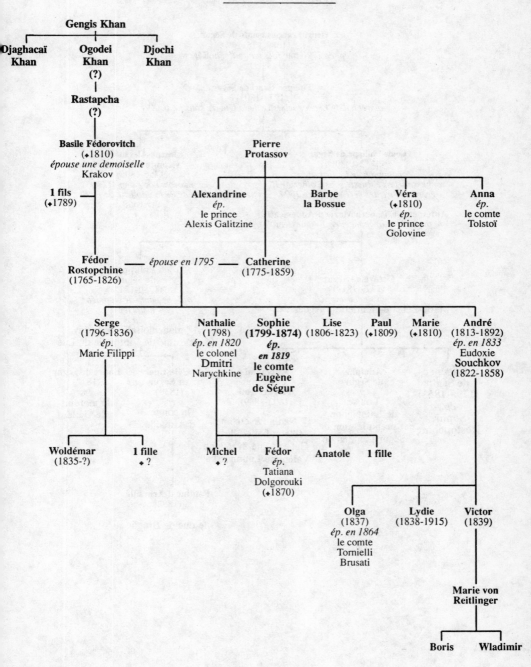

Gengis Khan

Djaghacaï Khan — **Ogodei Khan (?)** — **Djochi Khan**

Rastapcha (?)

Basile Fédorovitch (♦1810)
épouse une demoiselle Krakov

Pierre Protassov

1 fils (♦1789)

Alexandrine *ép.* le prince Alexis Galitzine   **Barbe la Bossue**   **Véra** (♦1810) *ép.* le prince Golovine   **Anna** *ép.* le comte Tolstoï

Fédor Rostopchine (1765-1826) — *épouse en 1795* — **Catherine** (1775-1859)

Serge (1796-1836) *ép.* Marie Filippi   **Nathalie** (1798) *ép. en 1820* le colonel **Dmitri** Narychkine   **Sophie** **(1799-1874)** *ép.* **en 1819** **le comte Eugène de Ségur**   **Lise** (1806-1823)   **Paul** (♦1809)   **Marie** (♦1810)   **André** (1813-1892) *ép. en 1833* Eudoxie Souchkov (1822-1858)

Woldémar (1835-?)   **1 fille** ♦ ?

Michel ♦ ?   **Fédor** *ép.* Tatiana Dolgorouki (♦1870)   **Anatole**   **1 fille**

Olga (1837) *ép. en 1864* le comte Tornielli Brusati   **Lydie** (1838-1915)   **Victor** (1839)

Marie von Reitlinger

Boris   **Wladimir**

LES SÉGUR

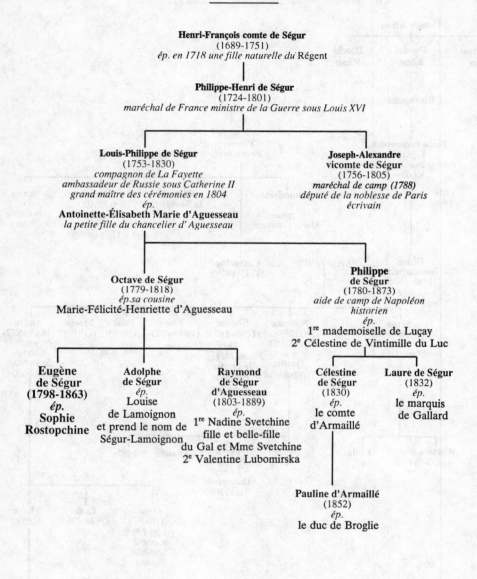

Henri-François comte de Ségur
(1689-1751)
ép. en 1718 une fille naturelle du Régent

Philippe-Henri de Ségur
(1724-1801)
maréchal de France ministre de la Guerre sous Louis XVI

Louis-Philippe de Ségur
(1753-1830)
compagnon de La Fayette
ambassadeur de Russie sous Catherine II
grand maître des cérémonies en 1804
ép.
Antoinette-Élisabeth Marie d'Aguesseau
la petite fille du chancelier d' Aguesseau

Joseph-Alexandre
vicomte de Ségur
(1756-1805)
maréchal de camp (1788)
député de la noblesse de Paris
écrivain

Octave de Ségur
(1779-1818)
ép.sa cousine
Marie-Félicité-Henriette d'Aguesseau

Philippe
de Ségur
(1780-1873)
aide de camp de Napoléon
historien
ép.
1re mademoiselle de Luçay
2e Célestine de Vintimille du Luc

Eugène
de Ségur
(1798-1863)
ép.
Sophie
Rostopchine

Adolphe
de Ségur
ép.
Louise
de Lamoignon
et prend le nom de
Ségur-Lamoignon

Raymond
de Ségur
d'Aguesseau
(1803-1889)
ép.
1re Nadine Svetchine
fille et belle-fille
du Gal et Mme Svetchine
2e Valentine Lubomirska

Célestine
de Ségur
(1830)
ép.
le comte
d'Armaillé

Laure de Ségur
(1832)
ép.
le marquis
de Gallard

Pauline d'Armaillé
(1852)
ép.
le duc de Broglie

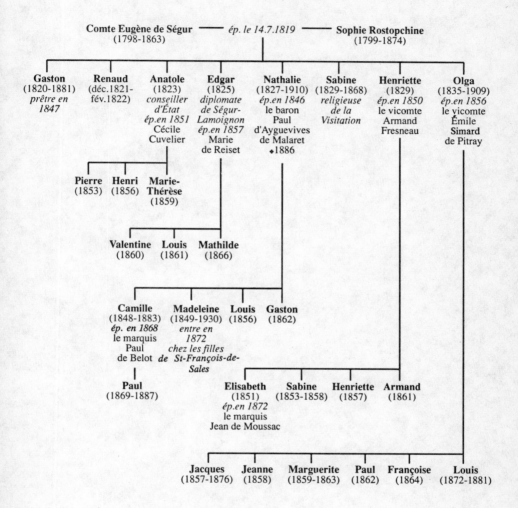

Comte Eugène de Ségur ——— *ép. le 14.7.1819* ——— **Sophie Rostopchine**
(1798-1863)   (1799-1874)

Gaston   **Renaud**   **Anatole**   **Edgar**   **Nathalie**   **Sabine**   **Henriette**   **Olga**
(1820-1881)   (déc.1821-   (1823)   (1825)   (1827-1910)   (1829-1868)   (1829)   (1835-1909)
prêtre en   fév.1822)   *conseiller*   *diplomate*   *ép.en 1846*   *religieuse*   *ép.en 1850*   *ép.en 1856*
1847   *d'État*   *de Ségur-*   le baron   *de la*   le vicomte   le vicomte
                                  ép.en 1851   *Lamoignon*   Paul   *Visitation*   Armand   Émile
                                  Cécile   *ép.en 1857*   d'Ayguevives   Fresneau   Simard
                                  Cuvelier   Marie   de Malaret   de Pitray
                                                   de Reiset   ✦1886

Pierre **Henri** **Marie-**
(1853)   (1856)   **Thérèse**
                   (1859)

         Valentine   **Louis**   **Mathilde**
         (1860)   (1861)   (1866)

    Camille   **Madeleine**   **Louis**   **Gaston**
    (1848-1883)   (1849-1930)   (1856)   (1862)
    ép. en 1868   *entre en*
    le marquis   *1872*
    Paul   *chez les filles*
    de Belot *de*   *St-François-de-*
                     Sales

       Paul   **Elisabeth**   **Sabine**   **Henriette**   **Armand**
       (1869-1887)   (1851)   (1853-1858)   (1857)   (1861)
                            ép.en 1872
                            le marquis
                            Jean de Moussac

         Jacques   **Jeanne**   **Marguerite**   **Paul**   **Françoise**   **Louis**
         (1857-1876)   (1858)   (1859-1863)   (1862)   (1864)   (1872-1881)

REMERCIEMENTS

Je remercie tout particulièrement M. Georges Lanthoinette, archiviste chez Hachette, pour m'avoir ouvert un très large accès à la correspondance de la comtesse de Ségur avec ses éditeurs, MM. Louis Hachette et Émile Templier.

Je remercie Laura Kreyder, elle-même auteur d'un essai sur la comtesse de Ségur, publié à Milan, aux éditions Schena-Nizet. Laura Kreyder a eu la générosité de me guider dans le parcours complexe de la Bibliothèque nationale. Ses précieuses indications m'ont permis un accès direct à la correspondance de Mme de Ségur et des siens.

Je remercie les amis de la comtesse de Ségur, en Normandie, Mlle Jeaulne et Mlle Mannevy. Elles m'ont guidée à travers chemins et routes jusqu'au château des Nouettes et à celui de Livet où vivait Olga de Pitray, dernière fille de la comtesse.

Mlles Jeaulne et Mannevy ont collaboré à leur musée sur Sophie de Ségur, établi à Aube, tout près des Nouettes.

Elles m'ont ouvert l'accès à ce musée, hors saison. J'y ai longuement contemplé, outre des photos de famille rares à trouver, les gants de soirée de Sophie de Ségur ainsi qu'une poupée et un berceau d'époque.

Je remercie Georges Vignaux, directeur de recherche au CNRS, pour son concours quotidien. Tout particulièrement au sujet de la partie historique de mon sujet et l'interprétation linguistique de l'œuvre de Mme de Ségur. Sans parler des livres anciens, que sa compétence savait découvrir et sa générosité m'offrir.

Je remercie M. Henri Troyat pour m'avoir reçue et répondu au sujet du comte Rostopchine.

Je remercie la mère supérieure du couvent de la Visitation, rue de Vaugirard. J'ai pu contempler de près les deux coffrets contenant les cœurs embaumés de Sophie de Ségur et de son fils, Gaston de Ségur.

COMTESSE DE SÉGUR

La mère supérieure m'a gracieusement répondu au sujet de Sabine de Ségur, décédée à la Visitation en 1868.

Je remercie Sophie Suberbère, des Éditions Flammarion, pour son efficace concours en ce qui concerne le choix difficile de l'iconographie.

Je remercie Sylvette Tollard et Chantal Poirson pour leur précieux concours concernant les dernières vérifications et l'index.

Je remercie mes éditeurs, Françoise Verny et Charles-Henri Flammarion.

PREMIÈRE PARTIE

UNE ENFANCE RUSSE

TABLE DES MATIÈRES

DEUXIÈME PARTIE

LES ENFANTS DE SOPHIE

LES GARÇONS D'ABORD : GASTON, RENAUD,
ANATOLE, EDGAR

ÇÀ ET LÀ DES FILLES : NATHALIE, SABINE, HENRIETTE, OLGA

TABLE DES MATIÈRES

TABLE DES MATIÈRES

QUATRIÈME PARTIE

LE SILENCE DE SOPHIE (1836-1847)

TABLE DES MATIÈRES

TABLE DES MATIÈRES

SEPTIÈME PARTIE

LE CŒUR

*Cet ouvrage a été composé
par l'Imprimerie Bussière
et imprimé sur presse Cameron
par Bussière Camedan Imprimeries
à Saint-Amand-Montrond (Cher)
en janvier 1998*

N° d'édition : FF 756501. N° d'impression : 1/79.
Dépôt légal : novembre 1990.
Imprimé en France